U0850563

中华人民共和国法律释义丛书

全国人民代表大会常务委员会法制工作委员会　编

中华人民共和国
刑 法 释 义

（根据刑法修正案九最新修订）

主　编：郎　胜（全国人大常委会委员，
法制工作委员会副主任）

法律出版社

图书在版编目（CIP）数据

中华人民共和国刑法释义：根据刑法修正案九最新修订／全国人大常委会法制工作委员会编．--6版．--北京：法律出版社，2015.10（2018.11重印）
（中华人民共和国法律释义）
ISBN 978-7-5118-8553-1

Ⅰ．①中… Ⅱ．①全… Ⅲ．①刑法－法律解释－中国 Ⅳ．①D924.05

中国版本图书馆CIP数据核字（2015）第242978号

中华人民共和国刑法释义：
根据刑法修正案九最新修订
ZHONGHUA RENMIN GONGHEGUO XINGFA SHIYI：
GENJU XINGFA XIUZHENG'AN JIU ZUIXIN XIUDING

全国人大常委会法制工作委员会 编

责任编辑 麦 锐
装帧设计 李 瞻

出版 法律出版社
总发行 中国法律图书有限公司
经销 新华书店
印刷 北京玺诚印务有限公司
责任印制 吕亚莉

编辑统筹 法规出版分社
开本 850毫米×1168毫米 1/32
印张 25.75
字数 840千
版本 2015年11月第6版
印次 2018年11月第2次印刷

法律出版社／北京市丰台区莲花池西里7号（100073）
网址／www.lawpress.com.cn
投稿邮箱／info@lawpress.com.cn
举报维权邮箱／jbwq@lawpress.com.cn
销售热线／010-83938336
咨询电话／010-63939796

中国法律图书有限公司／北京市丰台区莲花池西里7号（100073）
全国各地中法图分、子公司销售电话：
统一销售客服／400-660-6393
第一法律书店／010-83938334/8335 西安分公司／029-85330678 重庆分公司／023-67453036
上海分公司／021-62071639/1636 深圳分公司／0755-83072995

书号：ISBN 978-7-5118-8553-1 **定价：**68.00元
（如有缺页或倒装，中国法律图书有限公司负责退换）

总　　序

人类文明的历史上，还没有哪一个时代像中国的改革开放40年一样，在历史长河中掀起如此巨大的浪花——它不仅深刻改变了一个国家的面貌与精神气质、使数亿人摆脱贫困，还极大地改变了世界格局。

1978，在那一年的年底，中共中央一次全体会议——十一届三中全会扭转了中国的前进方向，开辟了一个时代。回首过去，我们发现，一些观念从那时开始在中国出现，一些声音从那时开始逐渐响起，一些人物开始登上历史舞台。从这一年开始，随着"加强社会主义民主，健全社会主义法制"历史性任务的提出，"法制"两个字进入了人们的视野；政法机关开始恢复重建；法律院系开始蓬勃发展。一部部法律从庙堂走进了人们的生活，一次次裁决推动着国家前进的脚步。从"有法可依、有法必依、执法必严、违法必究"到"科学立法、严格执法、公正司法、全民守法"；从"法制"到"法治"；从法治观念的形成到"依法治国，建设社会主义法治国家"写进宪法，再到"法治国家、法治政府、法治社会一体建设"，人们对法治的认识步步深入，中国的改革不断向前推进，结出丰硕的果实。在中国共产党的带领下，这个励精图治的古老国度，再一次创造了改革的奇迹。

40 年发生了无数故事,40 年产生了许多事物。为了纪念这难忘的 40 年,本社组织编辑出版了一批“纪念改革开放 40 周年”主题图书。这些图书,将 40 年来颁布的重要法律及其释义甄选汇集,将法学领域有代表性的学术论文萃取精编,把有关政法机关的重建、法律院系的重生与发展进行展现,将一批被时代改变命运的人物再次唤起。我们希望从法律与法律人的视角,重新审视过去的 40 年,认真体会这不平凡的 40 年。

如江河东下,逝者如斯。岁月总会过去,人事总有代谢,但一个不平凡的时代留下的深刻痕迹,永远不会磨灭。“不忘初心,牢记使命”,习近平总书记在党的十九大报告中向全党发出的号召,使我们有理由期待,下一个 40 年,中国将更加惊艳!

法律出版社编辑委员会

2018 年 10 月

出 版 前 言

《中华人民共和国法律释义丛书》是由全国人大常委会法制工作委员会组织编辑的一套系列丛书。

该套丛书由一系列法律释义组成。邀请有关专家、学者和部分参与立法的同志编著。该丛书坚持以准确地反映立法宗旨和法律条款内容为最基本要求，在每部法律释义中努力做到观点的权威性和内容解释的准确性。

我们相信，该套丛书的陆续出版，将会给广大读者进一步学好法律提供有益的帮助。

重 印 说 明

本次重印，是为改革开放40周年制作的特别纪念版，为了保持内容原貌，未对正文和附录作实质修改。个别法条内容有修订或修正的，以脚注形式作了标注。特此说明。

2018年10月

出 版 说 明

1997 年，第八届全国人民代表大会对《中华人民共和国刑法》作了全面修订。当时，为了便于广大读者及时了解、准确把握刑法的内容和精神，应法律出版社之邀，全国人大常委会法制工作委员会参与刑法修订工作的同志编写了《中华人民共和国刑法释义》一书。该书一经出版就受到各方面的好评，也实现了作者宣传普及刑法的初衷。随着我国改革开放的深入进行和经济社会的快速发展，在犯罪方面也不断出现一些新情况、新问题，全国人大常委会适应情况的变化和实践的需要，先后通过一个关于刑法的决定和九个刑法修正案，对刑法作出修改、补充和完善。此外还有十三个关于刑法的解释。期间，全国人大常委会法制工作委员会刑法室的同志根据刑法修改的情况，对《中华人民共和国刑法释义》一书多次进行增补，并对未作修改的刑法条文，也结合立法研究工作和司法实践经验一并进行了梳理和完善。法律出版社相继于 2004 年、2006 年、2009 年、2011 年出版了本书的修订版本。

2015 年 8 月 29 日，第十二届全国人大常委会第十六次会议通过了《中华人民共和国刑法修正案(九)》，这是对刑法的又一次重要修改。为了帮助读者及时了解刑法修改的情况，我们对《中华人民共和国刑法释义》一书再次进行了修订，一是充实了有关刑法修正案(九)的内容；二是对书中其他部分进行了修改完善。本书由全国人大常委会法制工作委员会副主任郎胜任主编，参加编写工作的有王爱立、臧铁伟、李寿伟、雷建斌、许永安、黄永、王宁、徐霞、王倩、汤卫平、林卫星、伊繁伟、陈远鑫、王思丝、喻晓川、张义健、马曼、黄星、王瑞等同志。同时，我们特意邀请郎胜同志为本书再次作序，并根据一些读者的建议，将本书历次版本的序和出版说明一并附在书中。

作 者

2015 年 9 月

序

（2015 年第 6 版）

今年 8 月 29 日，十二届全国人大常委会第十六次会议以 153 票赞成的高票通过了刑法修正案（九）。应法律出版社之约，《中华人民共和国刑法释义》需修订再版，补充相关内容。为便于读者的理解与掌握，有必要在这里对本书所补充的与刑法修正案（九）有关的主要内容作一简述。

——进一步减少适用死刑罪名。慎用死刑是我们党在死刑政策上的一贯主张，党的十八届三中全会明确提出了“逐步减少适用死刑罪名”的目标任务。从历史上看，在相当一段时间里为了适应同犯罪作斗争的需要，在立法上规定了较多的死刑，但慎用死刑和减少死刑罪名的目标要求始终在坚持，立法工作机构也从未放弃对减少死刑罪名的研究。1997 年全国人大全面修订了刑法，在那次制定的刑法典中，对已存在的死刑罪名，坚持原则上不减不加，实际上有所减少的做法，保留了 68 个。自此之后未再增加过死刑。可以说，1997 年全面修订刑法是我国立法在死刑问题上的一个重要转折点。

2011 年刑法修正案（八）取消了 13 个经济性非暴力犯罪的死刑，正式启动了我国逐步减少死刑罪名的进程。刑法修正案（九）再次从以下三个方面对减少适用死刑罪名进行了积极的立法实践。第一，取消了 9 个罪名的死刑。这两次取消死刑罪名，使刑法中的死刑罪名从 68 个减少到 46 个，减少了 32%。目前，除贪污、受贿罪外，保留的死刑罪名基本上都直接与国家安全、公共安全、人民生命安全有关。立法机关以极大的决心和勇气减少 9 个死刑罪名，这样做的考虑，一是减少和严格控制死刑适用是我们党的一贯主张，减少死刑罪名是十八届三中全会明确的改革任务，在这一问题上态度应当鲜明而坚决。减少的数量也应达到一定的规模，以确保三中全会确定的任务要求有效落实，成为不可逆转的发展趋势。二是方案是在充分论证、审慎研究的基础上提出的。同时，为了防止可能产生的负面影响，对一些严重犯罪，在取消死刑后在法律上还留有从严处罚的余地，以确保风险可控。三是从刑法修正案（八）取消死刑罪名的实践效果看，通过深入细致的工作，逐步统一认识，社会上也基本认同，未产生大的负面的影响。

第二,对死刑缓期执行制度作了进一步完善。一是对死缓执行死刑的条件作了更严格、明确的规定;二是对在死缓期间故意犯罪但未执行死刑的,明确了法律后果和必要的备案程序。既坚持了慎用死刑的精神,又体现了罪刑相适应的原则。备案制度还能防止出现死刑适用条件把握上可能出现的偏差。

第三,还调整了分则中对绑架犯罪的量刑幅度,取消了绝对死刑的适用,使刑罚更好地体现罪刑相适应原则。

上述修改,反映了我们执政能力的提升和对制度的自信,也是我国刑法不断进步、文明的标志。这一过程也体现出社会的发展与成熟。从长远看,坚持党的慎用死刑和减少适用死刑罪名的要求,还可对死刑的适用条件进行深入研究,进一步从立法和司法上从严控制死刑的适用。

——加大对恐怖主义、极端主义犯罪的惩治力度。恐怖主义已成为影响世界和平与发展的重要因素,是国际社会面临的共同威胁。恐怖活动犯罪对我国国家安全、政治稳定、经济社会发展、民族团结和公民生命安全构成现实的威胁与挑战。以歪曲宗教教义或者以其他方法煽动仇恨、煽动歧视、崇尚暴力的极端主义成为恐怖活动犯罪的思想基础。根据总体国家安全观的要求,为了防范和打击恐怖主义、极端主义犯罪活动,刑法修正案(九)有针对性地对恐怖主义、极端主义犯罪作出了规定。

一是增加规定了一些新的犯罪行为,包括资助恐怖活动培训,为恐怖活动招募、运送人员的犯罪;为恐怖活动作准备的犯罪;宣扬恐怖主义、极端主义和煽动实施恐怖活动的犯罪;利用极端主义煽动、胁迫群众破坏法律实施的犯罪;强制他人穿着、佩戴恐怖主义、极端主义服饰、标志的犯罪;非法持有恐怖主义、极端主义宣传品的犯罪;拒绝提供恐怖主义、极端主义犯罪证据的犯罪等。

二是注重了对恐怖活动犯罪在规定自由刑的同时规定财产刑,以剥夺其再犯罪的物质基础。

三是增加规定了为参加恐怖活动组织,接受恐怖活动培训或者实施恐怖活动偷越国(边)境的犯罪,适应这类犯罪跨境流动的特点,完善了惩治恐怖活动犯罪的法网。

这些规定,是针对当前恐怖主义和极端主义犯罪特点作出的,以适应同这类犯罪作斗争的需要。其中有的规定,将按犯罪阶段理论处于预备阶段的行为,按共犯理论属于帮助犯罪的情况,独立入罪,对传统的认识与做法有所突破,是反恐怖主义立法的创新实践,对惩治恐怖主义、极端主义犯罪具有积极而重要的意义。

——完善惩处网络犯罪的法律规定。网络和信息技术的迅猛发展已经深度融入经济社会发展的各个方面，极大地改变和影响着人们的社会活动和生活方式，在促进技术创新、经济发展、文化繁荣、社会进步的同时，安全问题也日益凸显。网络空间成为维护国家主权安全、社会公共利益和保护公民、组织合法权益，促进经济社会发展的新的重要领域。1997年，我国刑法第一次规定了与计算机网络有关的犯罪。伴随着网络信息技术的发展，我国刑法中有关网络信息犯罪方面的规定也相应不断完善。2009年，刑法修正案（七）对这类犯罪的规定作了修改补充。刑法修正案（九）在这方面又有积极的进展。

一是对现有的一些规定作出修改，进一步加大对这类犯罪的打击力度。

二是针对网络治理方面存在的突出问题，结合网络安全法草案的有关规定，增加规定了一些新的犯罪行为。

需要注意的是，网络信息技术仍在迅速发展过程之中，在网络空间或者利用网络从事的新的犯罪形态仍会不断产生，在与网络犯罪作斗争方面仍会不断面临新的挑战。这就要求一方面在司法实践中用足用好现有法律规定，积极灵活地同这类犯罪作斗争，另一方面在立法上也需要根据情况的变化及时总结，作出反应。

——严密反腐败法网，加大对腐败犯罪的惩处力度。不断完善惩治贪污、贿赂犯罪的法律规定，保持对腐败犯罪的高压态势，是刑事立法始终坚持的一个重要方面。党的十八届三中全会提出了健全反腐倡廉法律制度体系，四中全会进一步提出完善惩治和预防腐败体系，完善惩治贪污贿赂犯罪法律制度的明确要求。刑法修正案（九）主要从以下两个方面对贪污、贿赂犯罪的规定作了进一步补充完善。

一是进一步完善了贪污、受贿罪的规定。修改贪污、受贿罪的定罪量刑标准，不再规定具体数额标准，以使司法机关能够针对每一个案件的具体情况作出科学裁量，体现司法公正。在保留贪污、受贿罪死刑的同时，规定犯贪污、受贿罪被判处死刑缓期执行的，人民法院根据犯罪情节等情况可以同时决定在其死刑缓期执行二年期满依法减为无期徒刑后，终身监禁，不得减刑、假释，更好地体现了罪刑相适应的原则和公平正义。还规定对如实供述、真诚悔罪、积极退赃，避免、减少损害结果发生的，可以从宽处理，以体现宽严相济的刑事政策。

二是完善了行贿犯罪的规定。主要是在对各类行贿犯罪规定自由刑的同时，补充完善了财产刑；进一步严格了行贿犯罪从宽处罚的条件；增加规定为利用国家工作人员影响力的行贿犯罪。

保护公民人身权利和维护社会秩序，是刑法的重要任务。为适应惩罚犯罪的需要，回应社会关切，刑法修正案（九）在这些方面又有一些新的发展。诚信是中华民族的传统美德，也是构建社会和谐，实现全面小康的核心价值。这一核心价值观的重构与维系,除了依靠人们的道德操守之外,还须有强有力的法律支撑,通过刑事法律惩治失信、背信行为,以引领人们的社会行为和价值取向。刑法修正案(九)在这一方面也进行了积极的立法实践。考虑到篇幅,对这些内容不再列举。

此外,刑法修正案(九)从司法实际出发,对判处有期徒刑、拘役、管制的并罚进一步作了相应的制度安排,突破了一直以来对数罪只执行一种主刑的惯例,使刑法中各刑种的并罚都有了着落,制度更加周延。规定了职业禁止,进一步完善了非刑罚的预防性措施。刑罚结构更加科学,刑罚之间的相互关系衔接得更为合理,与非刑罚的预防措施相互匹配,更有利于刑法预防犯罪功能的发挥和刑罚目的的实现。

刑法修正案(九)对刑法的修改涉及总则、分则,有对既有条文的修改补充,也有新增设的条款,有对刑法重要制度的调整,也有对某些具体犯罪罪状、量刑的修改完善,以及新罪名的设立,还有对个别条款的删除。调整范围广,内容丰富,是全国人大常委会在刑事立法方面一次极为重要的立法实践。

本书已是第六次修订,也是我第三次为本书作序。回顾三十多年来刑事立法的工作经历,从参与单行刑法、1997年全面修订刑法,以及其后九个修正案的起草工作,我深切地感到,我国刑事立法的指导思想不断清晰、明确,其所涉及的领域不断拓展,结构更为科学合理,适应并且将不断适应我国经济社会的发展实践。这一过程反映了我国刑事立法的追求。当然,刑法也将在实践中不断接受检验,日臻完善。

三十多年的时间不算短,但毕竟是有限的,而我国刑事立法的脚步将随着社会实践的发展不会停歇。此刻已是国庆前夕,窗外天安门广场上人群熙攘、繁花锦簇,在祝愿祖国繁荣昌盛的同时,我也深信我国的刑事法治仍将不断进步。

郎　胜

2015年9月30日于前门西大街1号

出 版 说 明

（1997 年第 1 版）

八届全国人大五次会议对《中华人民共和国刑法》进行了修订，这是我国法制建设中的一件大事。这次修订刑法，是继 1996 年 3 月全国人大通过修改刑事诉讼法的决定以后，进一步完善我国刑事法律和司法制度的重大步骤，对于进一步实行依法治国，建设社会主义法制国家，具有十分重要的意义。

修订后的刑法进一步明确规定了罪刑法定、法律面前人人平等和罪刑相当三个刑法基本原则。这三个基本原则，贯穿于刑法总则、分则的全部规定，刑事立法和司法活动都必须以这三个基本原则为根据。这是我国民主法制建设的一大进步。

修订后的刑法是一部统一的、完整的、新中国成立以来最完备的刑法典。刑法原来只有 192 条，修订后的刑法增加为 452 条。这次刑法修订，将十几年来全国人大常委会作出的有关刑法的修改补充规定和决定修改后编入刑法，将一些民事、经济、行政法律中涉及追究刑事责任的条款改为刑法的具体条款。将军人违反职责罪纳入刑法典，根据加强国防建设，打击危害国防利益犯罪的需要，专门增加规定危害国防利益罪一章，同时对新出现的需要追究刑事责任的犯罪行为，认为比较有把握的，尽量增加规定，如黑社会性质的犯罪、组织进行恐怖活动的犯罪、煽动民族仇恨、民族歧视的犯罪、洗钱犯罪、计算机犯罪、证券犯罪、破坏土地资源的犯罪等等。刑法对危害社会的犯罪行为作了全面、具体的规定，是我国惩罚犯罪，保护人民，保障社会主义现代化建设顺利进行的依据和有力武器。

修订后的刑法对刑法原来一些比较笼统、原则的规定，尽量作出具体规定。在刑法总则中，修改完善了关于正当防卫、减刑、假释、自首、立功等有关规定，使这些制度更加科学，更加具有可操作性，有利于进一步保护被害人的利益，鼓励见义勇为和更有力地打击犯罪。在刑法分则中，对许多的规定进一步具体化，以避免司法中的随意性。刑法不再笼统规定投机倒把罪，根据发展社会主义市场经济的要求，将按投机倒把罪追究刑事责任的犯罪行为，分解作为具体规定;刑法也不再规定流氓罪,将流氓罪分解为侮辱、猥亵妇女罪,聚众进行淫乱活动罪,聚众斗殴罪,寻衅滋事罪四条具体规定;对渎职犯罪也针对现在存在的少数国家机关工作人员滥用职权、严重不负责任,给国家和人民利益造成重大损失的情况,作出细化的规定,并区别情况对法定刑作了修改,提高了部分渎职犯罪的刑罚。

刑法是我国一部非常重要的法典。这次修订刑法,体现了我国法制建设的进步,是贯彻依法治国方针的一项重要措施。为了便于各级领导干部、司法机关的同志、教学研究人员和广大人民群众更好地学习这部新修订的刑法,提高执法机关的执法水平,严格执法,正确运用法律武器,打击各种刑事犯罪活动,使广大公民加深对刑法的了解,自觉以法律规范自己的行为,积极同各种犯罪行为作斗争,全国人大常委会法制工作委员会刑法室参加刑法修订工作的同志编写了《中华人民共和国刑法释义》。本书由法制工作委员会副主任胡康生、法制工作委员会刑法室主任李福成任主编,由刑法室局级巡视员李淳、刑法室副主任郎胜、王尚新任副主编。刑法室的李淑琴、黄太云、滕炜、王爱立、徐霞、张春萍、汤卫平、王倩、李再顺、藏铁伟、刘海涛、王宁、李寿伟、卜范城同志参加撰写。该书对于修订后的刑法的条文逐句进行了释义,比较详细地介绍了修订后的刑法对1979年刑法修改的背景和原因,并针对实际情况提出了在执行中应当注意的问题,是学习刑法较好的辅导材料,也是法律研究人员研究刑法修改不可多得的资料。我们希望这本书对大家了解新刑法的立法愿意,正确掌握执行刑法的规定能够有所帮助。

编著者
1997年4月7日

序

（2004 年第 2 版）

1997 年八届全国人民代表大会第五次会议修订了《中华人民共和国刑法》，从此，我国有了一部统一的较为完善的刑法典。此后不久，出于立法工作者所负有的宣传法律的责任感，全国人大常委会法制工作委员会刑法室撰写了《中华人民共和国刑法释义》一书，在法律出版社的大力支持下，该书于 1997 年 4 月得以出版发行。令作者心存感激的是该书一经发行即受到各方面读者的厚爱与欢迎，短短几年里，连续增印了 7 次，实现了作者宣传普及刑法的初衷。

时光流逝，从 1997 年 10 月新的刑法典施行到现在已经五年多了，这期间我国社会生活的各个方面都取得了巨大的进步。在经济建设方面取得巨大成就的同时，民主法制建设方面的进步同样令世人瞩目。五年里，根据党的十五大提出的“加强立法工作，提高立法质量，到 2010 年形成有中国特色社会主义法律体系”的目标，立法机关解放思想，实事求是，与时俱进，认真履行职责。在党的十一届三中全会，特别是十三届四中全会以来，立法工作取得重大进展的基础上，又审议通过了 110 多件法律、法律解释和有关法律问题的决定，初步形成了有中国特色的社会主义法律体系。在这一时期的整个立法活动中，刑事立法成为极为活跃、引人注目的领域之一。在这五年中，通过的修改、补充、解释刑法的法律、法律解释有 11 件之多。

人们的社会实践是持续进行、永不间断的，人们对客观世界的认识也是不断深化、永无止境的。法律作为上层建筑的核心部分，也必将随着社会发展和人们认识的深化不断地加以完善。刑法作为国家最重要的基本法律之一，需要保持一定的稳定性，但在我国法制建设的初期也不可避免地要经常不断地进行修改和补充，以适应社会发展的需要。

回顾五年来，刑事立法的发展，可以看到面对新的情况，刑法不断面临着一些新的压力和挑战：

第一，在犯罪方面出现了一些新的情况，许多是在 1997 年初我国全面修订刑法时所无法预见的，例如东南亚发生金融危机后，在我国出现了大规模的涉及外汇方面的犯罪。再如国际恐怖主义、分裂主义、极端势力的犯罪活动对人类和平生活的威胁日趋严重的情形。这些新问题的出现,要求对刑法及时作出调整。

第二,随着改革的深化,一些原本需要由刑法加以调整,但在1997年修订刑法时尚不具备条件作出规定的,现在已初步具备了条件。例如1997年修改刑法时,国内的期货市场正在清理整顿之中,规范期货市场及其活动的行政法规和有关的规章制度尚不健全。在这种情况下即对期货方面的犯罪作出规定存在一定困难。随着清理整顿的结束,期货市场逐步走向规范,已有可能和必要对期货犯罪作出规定。

第三,对市场经济规律认识的深化,使人们更为重视刑法对市场经济建设的保障作用,迫切需要对一些破坏市场秩序,违背诚信原则,具有严重社会危害性的行为作出规定。

第四,随着社会政治文明、精神文明的进步,需要不断完善刑法的社会保障和人权保护功能,不断扩大对公民权利的保护范围和提高保护程度。

第五,当经历了1998年全国范围的大洪水,持续的沙尘暴,以及各类自然和地质灾害后,对客观世界,特别是对保护环境与资源重要性的认识的深化,使人们觉得有必要进一步强化刑法在这一领域的规定。

第六,在同犯罪作斗争的过程中,司法机关对现有的某些法律规定的不同认识和理解,这也需要立法机关进一步对已有法律作出更为明确的规定与解释。这些都成为推动刑法立法不断发展最基本的动因。

今天,当我们从理论和实践上对近年来刑事立法活动进行总结时,我们会欣喜地看到,我国的刑事立法,除了针对司法实践中遇到新的情况和问题,及时地增加了一些新的罪名,调整了对某些犯罪的处罚幅度,以适应同犯罪作斗争的需要外,在立法形式上和立法技术等各方面也进行了积极探索,有所创新,取得了巨大的进展。在修改刑法的立法形式上,从采用“决定”、“补充规定”这种制定单行刑法或者采用附属刑法的形式对刑法进行修改,过渡到采用刑法修正案修改刑法,从而使刑法更便于引用和今后的编纂。在立法技术上注意保持了刑法的相对稳定性,对一些刑法中需要明确的问题通过法定程序以立法解释的形式加以明确,进一步阐明了法律的含义,有助于解决司法机关在实践中遇到的问题,统一认识,使立法解释成为刑法的一个重要渊源。在这一期间,立法机关修改刑法,始终坚持了“罪刑法定”和“罪刑相适应”的基本原则,注意保持了与刑法典的统一与衔接。

刑法的上述变化,使作者心中酝酿已久的重新对《中华人民共和国刑法》作释义的愿望进一步萌发。在过去的几年里,每当作者触及《中华人民共和国刑法释义》这本书，内心深处总有一种重新撰写一本刑法释义的写作欲望，这种欲望来自于一个立法工作者的责任，因为在这几年里，刑法又发生了那么多的变化，需要及时加以宣传，以帮助广大群众和司法工作人员更好地理解。因为在这几年里，在司法实践中有那么多的问题需要予以回答。因为在这几年里，发现原来的释义中还有那么多的缺憾需要加以补正。例如对有的条文阐释较为粗浅，需要进一步深入阐明，个别阐释存在差错，需要加以勘误。这都需要在原释义一书的基础上，通过进一步的斟酌、推敲，撰写一本更全面、更准确的释义，以馈读者。

《中华人民共和国刑法释义 2004 年第 2 版》一书在撰写时注意了以下几个方面：

第一，对近几年来全国人大常委会通过的《关于惩治骗购外汇、逃汇和非法买卖外汇犯罪的决定》和四个《刑法修正案》及对刑法有关条文所作的六次立法解释逐条作了详尽的释义，对立法原意和背景作了说明。

第二，对刑法未修改的原有条文的释义进一步作了推敲，结合近几年的思考对立法原意和实践中应当注意的问题作了更深入的说明。

第三，为了便于对刑法的理解与应用，将作者认为可供读者参考的部分司法解释的内容引用到释义当中。

第四，对原释义中一些表述不够准确，或者一些需要推敲之处作了进一步修改；对某些错讹之处作了更正。

第五，为了便于读者进一步了解有关刑法条文的沿革和方便读者应用，对刑法新修改的条款和立法解释都作了脚注；对引用的司法解释也都在文中予以注明。

本书取名为《中华人民共和国刑法释义 2004 年第 2 版》，一是表明本书是最新的释义版本，以吸引读者；二是考虑到在相当长的一段时期内，立法机关还会根据需要适时地、不断地对刑法作出修改和解释，对这些修改和解释也需要及时地进行释义。为了保证本书的权威性，为了能够使读者及时地读到新的释义，又能避免重复劳动，节省资源，今后可通过不定期地调整版本，只对本书中新修改、解释的刑法条文进行改动作出释义，称为《中华人民共和国刑法释义××××年第×版》。

在本书付梓之际，首先要感谢全国人大常委会法制工作委员会主任胡康生同志，他亲自担任了本书的主编，并对释义逐条进行了审阅；感谢刑法室的同志，他们在完成繁重的日常工作的同时，牺牲了大量的休息时间，付出辛劳和汗水撰写了本书；还要感谢法律出版社始终以极大的热情支持本书的出版，特别是编辑王晓增同志更为本书的出版付出了大量心血。

尽管本书的每一位作者和编辑都尽了极大的努力,希望减少或杜绝本书中可能存在的差错,但是在这里还是不得不借用在许多著作前言中常说的一句话,“由于时间仓促,本书难免有不妥之处,敬请读者批评指正”。

郎　胜
2004年1月13日夜于椿树园

序

（2006 年第 3 版）

《中华人民共和国刑法释义》(2004 年版)已经出版两年了。应出版社的再三要求,我的同事又对该书作了修订,主要是增补了对近两年全国人大常委会通过的刑法修正案(五)、(六)及有关刑法的法律解释的释义内容;对原书中有些条文的释义又根据司法实践的发展作了进一步的完善;对其中的部分文字作了补正。

校阅这部凝聚着许多同事心血的书稿时,有所感悟。第一,在这一时期(2005—2006 年),刑事立法工作仍是我国整个立法工作中十分活跃的一个方面,在短短的两年时间里,全国人大常委会相继制定了两个刑法修正案和三个法律解释,我国的刑法体系伴随着国家经济和社会的进步而不断发展完善。第二,刑事立法工作紧扣时代发展脉搏,按照构建和谐社会的目标,着重解决社会的突出问题,化解社会矛盾,促进社会和谐,在以下几个方面对刑法做了进一步的修改补充:一是强化了对公共安全和人身安全的保护,进一步体现尊重和保障人权,例如,对危害公共安全罪的修改补充和对强迫残疾人、未成年人乞讨罪增加的规定;二是进一步完善了对社会主义市场经济秩序的保护,如对金融犯罪所作的修改,在这些修改中,新增加的背信损害上市公司利益罪和背信使用受托资金罪、妨害信用卡管理罪都给人们留下了深刻的印象,对于促进市场经济的健康发展和社会诚信体系的建立将产生重要的影响;三是加大了维护正常的工作和社会秩序的力度,完善了反腐败的刑法制度,如对非国家机关工作人员受贿罪、洗钱罪、窝赃罪以及赌博罪等的修改,对于净化社会环境,打造具有我国特色的惩治与预防并重的反腐败体系将发挥重要的作用。除此之外,对刑法所作的其他一些修改也都是十分重要的。

当回顾和总结近年的刑事立法工作的时候,我们也感到一种压力,这种压力来自于构建和谐社会将面临的前所未有的挑战,它要求我们用一种全新的、符合社会主义科学发展观的理念去审视和总结我们的刑事立法工作,从理论和立法实践上有所创新。

在出版社催稿之际,草就此章权作2006年版序。

郎 胜

2006年11月21日

出 版 说 明

（2009 年第 4 版）

2009 年 2 月 28 日，十一届全国人大常委会第七次会议通过了《中华人民共和国刑法修正案（七）》，同日公布施行。这是 2006 年全国人大常委会通过《中华人民共和国刑法修正案（六）》以来，最高立法机关对我国刑法进行的又一次重要修改和补充。为了便于广大读者及时了解、准确把握《中华人民共和国刑法修正案（七）》的内容和精神，系统、完整地了解和掌握刑法，我们对《中华人民共和国刑法释义》一书再次作了修订，一是新增补了与《中华人民共和国刑法修正案（七）》有关的内容；二是根据近年来刑事司法实践的发展，对本书作了系统的梳理、补充和完善；三是对书中部分文字和谬误之处作了补正。希望能有益于广大读者的阅读。

编　者

2009 年 6 月 12 日

出 版 说 明

（2011 年第 5 版）

2011 年 2 月十一届全国人大常委会第 19 次会议通过了刑法修正案(八)。在广泛征求意见、充分调查研究、并与有关方面反复论证的基础上,刑法修正案(八)取消了 13 个经济性非暴力犯罪的死刑,完善了对未成年人和老年人从宽处理的法律规定,完善了非监禁刑的执行方式;同时,根据打击犯罪的需要,进一步明确了组织、领导、参加黑社会性质组织等犯罪的犯罪构成条件,增加规定了新出现的犯罪行为,为从严惩处严重犯罪提供了有力武器,进一步体现和落实了国家宽严相济的刑事政策。

根据人大代表的议案、建议和人民群众的意见,刑法修正案(八)将醉酒驾车、飙车,拒不支付劳动者报酬等社会危害严重,人民群众反响强烈的行为规定为犯罪,加大了对危害食品安全、生产销售假药、破坏环境保护等犯罪的打击力度,加强了刑法对民生的保护。

刑法修正案(八)根据构建社会主义和谐社会需要和中国特色社会主义法律体系的要求,对刑事法律的进一步完善,体现了社会文明的发展和国家民主法制的进步。

根据刑法修正案(八)的规定,该修正案将于 2011 年 5 月 1 日起施行。为了使公民了解刑法的修改,自觉遵守法律规定;为了使司法机关准确把握法律规定,严格执行法律,全国人大常委会法制工作委员会刑法室的同志结合立法工作对《中华人民共和国刑法释义》一书进行了修订,充实了有关刑法修正案(八)的内容。该书由法制工作委员会副主任郎胜任主编,由法制工作委员会刑法室主任王尚新、副主任黄太云任副主编,臧铁伟、李寿伟、雷建斌、许永安、黄永、徐霞、王倩、王思丝、伊繁伟、王宁、汤卫平、陈远鑫等同志参与撰写。

希望该书的出版对于广大人民群众知法守法、执法机关正确执法以及刑法学界对于刑法的研究会有所帮助。

作　者

2011 年 2 月

目　录

第一部分　释　义

第一部分　释　　义

第一编　总　　则

第一章　刑法的任务、基本原则和适用范围

第一条　为了惩罚犯罪，保护人民，根据宪法，结合我国同犯罪作斗争的具体经验及实际情况，制定本法。

【释义】　本条是关于制定刑法的目的和根据的规定。

刑法和其他法律一样，是建立在一定的社会经济基础之上的上层建筑的一部分，是社会经济基础的反映。根据我国宪法的规定，我国是实行人民民主专政的社会主义国家。这一性质决定了我国的刑法与其他资本主义国家的刑法有着本质的不同。在制定刑法的目的和立法根据的规定中明确地体现了我国刑法的本质特征。

本条主要规定了以下两方面内容：

1. 制定刑法的目的。根据本条的规定，制定我国刑法的目的就是为了“惩罚犯罪，保护人民”。我国宪法第一条规定：“中华人民共和国是工人阶级领导的、以工农联盟为基础的人民民主专政的社会主义国家。社会主义制度是中华人民共和国的根本制度。禁止任何组织或者个人破坏社会主义制度。”因此，它决定了我国的刑法与其他一切剥削阶级的刑法是根本不同的，它是工人阶级和广大人民意志的体现，是保护社会主义经济基础、政治制度和社会秩序的有力工具，是掌握在工人阶级和广大人民手中的法律武器，因而也就决定了制定我国刑法的目的只能是“惩罚犯罪，保护人民”。其中“惩罚犯罪”，就是通过刑法，规定什么是犯罪，哪些行为是犯罪，犯什么罪，应受到什么样的惩罚，对任何触犯刑法规定的犯罪分子，依照刑法的规定追究其刑事责任。为惩罚犯罪提供法律武器，这是制定刑法的目的之一。“保护人民”是制定刑法的根本目的，这

里所说的“保护人民”，不仅是指保护公民个人的人身权利、民主权利、财产权利等合法权利不受侵犯，也包括代表人民根本利益的国家安全、社会主义政治制度、社会主义经济基础不遭到破坏。

2. 制定刑法的依据。根据本条的规定，制定我国刑法的依据有两个：一是宪法；二是我国同犯罪作斗争的具体经验及实际情况。宪法关于国家维护社会秩序、镇压叛国和其他危害国家安全的犯罪活动，制裁危害社会治安、破坏社会主义经济和其他犯罪的活动，惩办和改造犯罪分子的规定，关于国家的政治、经济的基本制度的规定，关于保护公共财产、公民私人所有的财产的规定，关于保护人身权利、民主权利的规定等，都是制定刑法的依据。宪法序言中所确定的指引中国革命走向胜利并取得社会主义事业成就的马克思列宁主义、毛泽东思想，也是制定我国刑法的指导思想和根据。新中国成立以来，我国在同各种刑事犯罪的斗争中，曾制定了惩治反革命条例、惩治贪污条例等单行刑事法规，于1979 年制定了我国第一部刑法典，随着实际情况的发展，全国人大常委会又通过了一系列的“决定”和“补充规定”，对刑法加以修改和补充。这些法律的实施，对加强和巩固人民民主专政政权，保障社会主义事业的顺利进行都发挥了很大的作用，并积累了同犯罪作斗争的大量经验。同时，随着我国改革开放和社会主义市场经济的不断深入进行，国内外敌对势力对我国的渗透、颠覆活动也从未停止，出现了一些新的犯罪形式。因此，不断总结我国同犯罪作斗争的具体经验，针对实践中出现的新的犯罪，调整我国的刑事政策，以适应我国的实际情况，有效地打击各种犯罪活动，也是我国制定刑法的依据。

第二条　中华人民共和国刑法的任务，是用刑罚同一切犯罪行为作斗争，以保卫国家安全，保卫人民民主专政的政权和社会主义制度，保护国有财产和劳动群众集体所有的财产，保护公民私人所有的财产，保护公民的人身权利、民主权利和其他权利，维护社会秩序、经济秩序，保障社会主义建设事业的顺利进行。

【释义】 本条是关于刑法任务的规定。

我国刑法的任务是用刑罚同一切犯罪行为作斗争，以保卫国家安全，保卫人民民主专政的政权和社会主义制度，保护国有财产和劳动群众集体所有的财产，保护公民私人所有的财产，保护公民的人身权利、民主权利和其他权利，维护社会秩序、经济秩序，保障社会主义事业的顺利进行。其具体任务有以下几个方面：

1. 保卫国家安全、保卫人民民主专政的政权和社会主义制度是刑法的首要任务。我国的国家安全、人民民主专政的政权和社会主义制度，是我国人民经过长期革命斗争取得的，是我国宪法确立的国家政治、经济制度，是我国进行改革开放和社会主义现代化建设的根本保证。因此，用刑罚方法同一切组织、策划、实施武装叛乱、武装暴乱、颠覆国家政权、推翻社会主义制度以及勾结外国危害我国主权、领土完整和安全、组织、策划、实施分裂国家、破坏国家统一等犯罪作斗争，是刑法一项很重要的任务。刑法的打击锋芒，就是指向这类危害最严重的犯罪，这是符合国家和人民最根本利益的。

2. 保护国有财产和劳动群众集体所有的财产，保护公民私人所有的财产。国家所有的财产和劳动群众集体所有的财产，是社会主义的公共财产，是社会主义的物质基础，是进行现代化建设的物质保证。根据宪法关于公共财产神圣不可侵犯的规定，刑法保护国有财产和劳动群众集体所有的财产，具有特别重要的意义。公民私人所有的财产是公民生产、工作、生活所必需的物质条件，同样受国家法律保护。因此，刑法将侵犯公民私人所有财产的行为规定为犯罪，并规定了相应的处罚。

3. 保护公民的人身权利、民主权利和其他权利。在我国，人民是国家的主人，我国宪法规定了公民的各项基本权利。公民的人身权利是指公民的生命、健康、人身自由等方面的权利；民主权利是指公民依照法律参加国家管理和政治生活的各项权利；其他权利是指劳动、婚姻自由，老人、儿童不受虐待、遗弃等权利。同侵犯公民人身权利、民主权利的犯罪行为作斗争，维护公民的合法权益，是刑法的重要任务。

4. 维护社会秩序、经济秩序。我国进行改革开放和社会主义现代化建设，需要稳定的社会秩序和经济秩序，否则，什么事情也办不成。因此，维护社会秩序和经济秩序是刑法的一项重要任务，对于扰乱社会秩序和经济秩序的犯罪，依照刑法予以打击。

第三条　法律明文规定为犯罪行为的，依照法律定罪处刑；法律没有明文规定为犯罪行为的，不得定罪处刑。

【释义】　本条是关于罪刑法定原则的规定。

1979 年刑法基本是按照罪刑法定原则制定的，如对于什么是犯罪，以及对各种犯罪和处刑都作了具体规定，但是考虑到作为我国社会主义的第一部刑法，分则只有一百零三条，规定的犯罪比较少，而且犯罪情况很复杂，可能出现一些犯罪行为需要追究刑事责任，而法律又没有规定的情况。因此，为了有利于同犯罪作斗争，不得已而保留了有严格控制的类推制度。因为保留了类推制度，所以 1979 年刑法未明确规定罪刑法定原则。到 1997 年修订刑法时，1979 年刑法实施以来的各种新的犯罪已充分暴露出来，在认真总结同犯罪作斗争的经验基础上，对各种犯罪作了大量的补充，并对罪状和处刑作了进一步明确、具体的规定。同时，考虑到类推制度十几年来使用得并不多，因此，1997 年刑法取消了类推制度，明确规定了罪刑法定原则。

本条规定的罪刑法定的内容有两个方面：一方面，只有法律将某一种行为明文规定为犯罪的，才能对这种行为定罪判刑，而且必须依照法律的规定定罪判刑；另一方面，凡是法律对某一种行为没有规定为犯罪的，对这种行为就不能定罪判刑。这是一个问题的两个方面。

罪刑法定原则是相对封建社会罪刑擅断而言的。确立这个原则，是现代刑事法律制度的一大进步。实行这个原则需要做到：一是不溯及既往；二是不搞类推；三是对各种犯罪及其处罚的规定必须明确、具体；四是防止法官滥用自由裁量权；五是司法解释不能超越法律。罪刑法定原则既是刑事立法原则，刑法修订遵循了这个原则，同时又是刑事司法的原则。刑法取消类推，明确规定这个原则，是我国司法制度的重大改革，是我国社会主义民主与法制的重大进步，对内更有利于保护公民的合法权益，对外也更能体现我国保护人权的形象。

第四条　对任何人犯罪，在适用法律上一律平等。不允许任何人有超越法律的特权。

【释义】 本条是关于法律面前人人平等原则的规定。

法律面前人人平等的原则，是我国刑法的又一项基本原则。中华人民共和国公民在法律面前人人平等，是我国宪法确定的法制原则。刑法规定，任何人犯罪，在适用法律上一律平等，是这一法制原则的具体体现。法律面前人人平等这一刑法原则，有两层含义：一是要做到刑事司法公正，即定罪公正、量刑公正、行刑公正。人民法院、人民检察院、公安机关对犯罪的任何人，不分民族、种族、职业、出身、性别、宗教信仰、教育程度、财产情况、职位高低和功劳大小，都应公正、平等地依法追究刑事责任。在司法实践中，只有遵守这个原则，严格依法办案，才能维护和实现这个原则。二是不允许任何人有超越法律的特权。本条这一规定具有重要的现实意义。由于封建残余思想、资产阶级腐朽思想的影响，特权思想在一些人中，特别是在少数领导干部中仍有一定市场，以言代法、以权代法的现象仍然存在。因此，法律面前人人平等的原则，其实质就是反对特权。

1979 年，彭真同志在五届人大二次会议上所作的《关于七个法律草案的说明》中曾强调指出："在法律面前人人平等，是我国全体人民、全体共产党员和革命干部的口号，是反对任何特权的思想武器"，"对于违法犯罪的人，不管他资格多老，地位多高，功劳多大，都不能加以纵容和包庇，都应当依法制裁"。刑法规定的法律面前人人平等的原则，为反对有法不依、执法不严和反对超越法律的任何特权，提供了法律武器。

第五条　刑罚的轻重，应当与犯罪分子所犯罪行和承担的刑事责任相适应。

【释义】　本条是关于罪刑相适应原则的规定。

罪刑相适应原则是我国刑法的基本原则之一，是社会主义法制的必然要求。我国刑法的罪刑相适应原则，是指对犯罪规定刑罚和对犯罪分子量刑时，应根据其所犯罪行的性质、情节和对社会的危害程度来决定。

本条所确定的原则，既是立法应遵循的原则，也是刑事司法应遵守的原则。在制定和修订刑法时，对于性质严重、社会危害性大的犯罪，犯罪情节特别严重的，都规定了较重的处刑；对于所犯罪的性质、情节比较轻的，如过失犯罪等，规定的处刑则比较轻。也就是说，罪重，规定的刑罚就重；罪轻，规定的刑罚就轻。在刑事司法中也应遵守这个原则，犯多大的罪，就应判多重的刑，重罪应重判，轻罪应轻判。对犯罪分子判处的刑罚轻重，应当与其所犯罪行的轻重、罪过大小以及应承担的刑事责任大小相当，不能重罪轻判，判轻了，不利于惩罚犯罪，震慑犯罪分子；也不能轻罪重判，判重了，不利于体现司法公正，还容易造成犯罪分子对法律和社会的抵触心理，不利于罪犯的改造。因此，必须使罪与刑相称，罚当其罪。

第六条　凡在中华人民共和国领域内犯罪的，除法律有特别规定的以外，都适用本法。

凡在中华人民共和国船舶或者航空器内犯罪的，也适用本法。

犯罪的行为或者结果有一项发生在中华人民共和国领域内的，就认为是在中华人民共和国领域内犯罪。

【释义】　本条是关于刑法对地域的适用范围的规定。

第一款是关于在中华人民共和国领域内犯罪的，除法律有特别规定的以外，无论是中国公民，还是外国人，都适用我国刑法追究其刑事责任的规定。

这里所说的“我国领域”，是指我国国境以内的全部区域，具体包括：1. 领陆，即国境线以内的陆地及其陆地下的地层；2. 领水，即内水（内河、内海、内湖以及同外国之间界水的一部分）和领海（我国领海宽度为十二海里）及其以下的地层；3. 领空，即领陆和领水之上的空间。

这里所说的“法律有特别规定的”，主要是指刑法第十一条关于享有外交特权和豁免权的外国人的刑事责任的特别规定；刑法第九十条关于少数民族自治地区制定的变通或补充刑法的规定以及其他法律中作出的特别规定，如香港特别行政区基本法中的有关规定等。

第二款是关于在中华人民共和国船舶或者航空器内犯罪，适用我国刑法的规定。其中所说的“船舶”和“航空器”（包括飞机和其他航空器），既包括军用，也包括民用。我国的船舶、航空器，即使航行或停泊在我国领域以外，也仍属我国管辖，在这些船舶、航空器内犯罪的，也应适用我国刑法予以追究。

第三款是针对犯罪行为和犯罪结果不是同时发生在我国领域内的，如何适用刑法的补充性规定，是对何为在我国领域内犯罪的进一步解释。犯罪行为和犯罪结果都发生在我国领域内的，自然应当适用我国刑法。犯罪行为或者犯罪结果，只有一项是发生在我国领域内的，也属于在我国领域内犯罪，应当适用我国刑法。这一款规定更有利于打击犯罪。

第七条　中华人民共和国公民在中华人民共和国领域外犯本法规定之罪的，适用本法，但是按本法规定的最高刑为三年以下有期徒刑的，可以不予追究。

中华人民共和国国家工作人员和军人在中华人民共和国领域外犯本法规定之罪的，适用本法。

【释义】　本条是关于我国公民在我国领域外犯罪如何适用刑法的规定。

第一款是关于中华人民共和国公民在中华人民共和国领域外犯罪，如何适用我国刑法的一般性规定。这里所说的中华人民共和国公民，是指具有中华人民共和国国籍的人，包括定居在外国而没有取得外国国籍的华侨和临时出国的人员，以及已经取得我国国籍的外国血统的人。根据我国国籍法的规定，我们不承认双重国籍，定居在国外的我国公民，凡自愿加入或取得外国国籍的，即自动丧失我国国籍，不再属于我国公民。1979 年制定刑法时，考虑到在我国领域外的我国公民主要是华侨，由于他们同国内的公民所处的环境、受到的教育不同，对我国法律了解不多，因此只规定在我国领域外犯反革命罪，伪造国家货币罪，伪造有价证券罪，贪污罪，受贿罪，泄露国家机密罪，冒充国家工作人员招摇撞骗罪，伪造公文、证件、印章罪的，才适用我国刑法。这一规定在当时也是适宜的。根据形势的变化，1997 年修订刑法时，扩大了刑法的适用范围，对所犯之罪不加限制，规定只要犯本法分则规定的任何一种罪的，都要适用我国刑法，追究其刑事责任。但是只有一种例外，就是所犯的罪，按照刑法分则的规定，最高刑为三年以下有期徒刑的，可以不追究其刑事责任。

第二款是关于我国国家工作人员和军人在我国领域外犯罪适用我国刑法的规定。中华人民共和国的国家工作人员和军人，当然也是中华人民共和国的公民。本款是对中华人民共和国公民中的这两类人的特别规定。其中所说的国家工作人员，是指本法第九十三条规定的人员，即国家机关中从事公务的人员。国有公司、企业、事业单位、人民团体中从事公务的人员和国家机关、国有公司、企业、事业单位委派到非国有公司、企业、事业单位、社会团体从事公务的人员，以及其他依照法律从事公务的人员。军人包括中国人民解放军、中国人民武装警察部队的军官和士兵等人员。国家工作人员和军人在我国领域外犯本法分则规定之罪的，都适用刑法，追究刑事责任，没有任何例外。这一规定，体现了对国家工作人员和军人的从严精神。

第八条　外国人在中华人民共和国领域外对中华人民共和国国家或者公民犯罪，而按本法规定的最低刑为三年以上有期徒刑的，可以适用本法，但是按照犯罪地的法律不受处罚的除外。

【释义】　本条是关于外国人在中华人民共和国领域外犯我国刑法规定之罪，如何适用我国刑法的规定。

本条所称外国人，是指具有外国国籍和无国籍的人。根据本条规定，外国人在我国领域外触犯我国刑法，必须同时具备以下条件，才能适用我国刑法：

一是对中华人民共和国国家或者公民犯罪的。这是从犯罪的性质和范围上，限定是否适用我国刑法。对中华人民共和国国家犯罪，主要是指刑法规定的危害我国国家安全和利益的各种犯罪；对中华人民共和国公民犯罪，主要是指刑法规定的侵犯我国公民人身权利、民主权利和其他权利的一些犯罪。

二是按刑法规定的最低刑为三年以上有期徒刑的犯罪。这是从犯罪的最低法定刑的高低限定是否适用我国刑法。本法规定的最低刑为三年以上有期徒刑，是指刑法规定的一种罪的最低起刑点必须是三年以上有期徒刑的，如刑法第一百一十四条放火、决水、爆炸、投放危险物质罪，第一百五十一条走私武器、弹药、核材料、假币罪，第二百三十二条故意杀人罪等，规定的最低起刑点就是三年以上有期徒刑，当然最低起刑点如果是五年以上、七年以上、十年以上有期徒刑的，也包括在三年以上的范围之内。

三是根据犯罪地的法律，也认为是犯罪，应当给予刑事处罚的，才能适用我国刑法。如果犯罪地法律不认为是犯罪或者规定不予处罚的，尽管符合前两个条件，也不能适用我国刑法。

上述三个限制条件，是统一的、缺一不可的。缺少其中的任何一个条件，都不能适用我国刑法。因为犯罪人是外国人，而且是在我国领域外犯罪，如果没有被我国捕获或者引渡过来，也无法适用我国刑法。因此不能管得太宽，需要有条件限制。但是，根据国家主权原则和国家保护原则，规定本条是十分必要的,对保护国家安全利益,保护我国在国外的公民的合法权益具有重要意义。

第九条　对于中华人民共和国缔结或者参加的国际条约所规定的罪行,中华人民共和国在所承担条约义务的范围内行使刑事管辖权的,适用本法。

【释义】　本条是关于我国刑法普遍管辖原则的规定。

普遍管辖原则,亦称世界主义原则,是指对于某些危及全人类安全的国际犯罪,不论犯罪人是何国籍,在何地犯罪,也不论侵犯了何国利益,世界各国对其均具有管辖权,这是为适应同国际犯罪作斗争需要而制定的。1987 年 6 月全国人大常委会通过的《关于对中华人民共和国缔结或者参加的国际条约所规定的罪行行使刑事管辖权的决定》中规定:“对于中华人民共和国缔结或者参加的国际条约所规定的罪行,中华人民共和国在所承担条约义务的范围内,行使刑事管辖权。”随着我国国际地位的日益提高,对外交往日益频繁,近年来我国缔结和参加了许多有犯罪行为规定的国际条约,且今后还会参加一些国际条约。中国作为国际社会负责任的一员,为信守承诺,履行我国承担的国际义务,打击国际犯罪,特别将普遍管辖原则规定到我国刑法中,当然也是顺应国际刑事立法的需要。

本条所说的我国缔结或者参加的国际条约所规定的罪行,是指已经由全国人大常委会批准的我国缔结或者参加的有犯罪规定的国际条约,如《关于制止非法劫持航空器的公约》《关于制止危害民用航空安全的非法行为的公约》《防止及惩治灭绝种族罪公约》《联合国海洋法公约》《制止危及海上航行安全非法行为公约》《反对劫持人质国际公约》《联合国禁止非法贩运麻醉药品和精神药物公约》等,这些国际公约中分别规定了一些国际犯罪,如劫持航空器罪、劫持船只罪、海盗罪、贩毒罪等。凡参加了这些国际公约的国家,就承担了与这些国际犯罪进行斗争的义务。犯了上述罪行的人,到任何一个缔约国,根据公约的规定,该缔约国如果不将罪犯引渡给他国,该国就要行使刑事管辖权,依照该国的法律对犯罪人进行追究。

根据本条规定,我国对这类犯罪行使管辖权的对象,主要是指在我国领域外犯了国际条约所规定的罪,而进入我国领域内的外国人。我国行使刑事管辖权的条件是:第一,必须是中华人民共和国缔结或者参加的国际条约中所规定的犯罪,对没有缔结或参加的国际条约中规定的犯罪,不能行使刑事管辖权;第二,必须是在我国所承担条约义务的范围内,如果我国对条约中的某些规定声明保留,我国对此就不承担义务,我国缔结或者参加的国际条约中,凡是没有声明保留的规定,都属于我国所承担的义务范围之内。本条所说的刑事管辖权,是指我国司法机关依法行使的侦查、起诉、审判权。

第十条 凡在中华人民共和国领域外犯罪，依照本法应当负刑事责任的，虽然经过外国审判，仍然可以依照本法追究，但是在外国已经受过刑罚处罚的，可以免除或者减轻处罚。

【释义】 本条是关于在我国领域外犯罪，依照我国刑法应当追究刑事责任，但已经过外国法院判决的，是否还可以依照我国刑法再予以追究的规定。

本条规定的主要内容是：

1. 凡在我国领域外犯罪，依照我国刑法应当负刑事责任的，虽然经过外国审判，仍然可以依照我国刑法处理。这里所说的在我国"领域外犯罪"的，犯罪主体既包括我国公民，也包括外国人或者无国籍人；犯罪行为是指根据本法第七条规定，我国公民、国家工作人员和军人在我国领域外的犯罪，也包括第八条规定的外国人在我国领域外对我们国家和我国公民的犯罪，对于这些人在我国领域外犯罪，虽然经外国审判，但依照我国刑法应当负刑事责任的，仍然可以依照我国刑法处理。这是国家主权原则和保护原则在我国刑法中的体现。从这个原则出发，我国可以不受外国审判的约束。但是，应当注意的是，这里使用的是"可以"，而没有用"应当"。因此，对于已经外国审判的，是否还要再依照我国刑法处理，需根据具体案件的具体情况决定，并不要求对于外国已审判的，一律再依照我国刑法处理。

2. 对于经过外国审判的案件，需要依照我国刑法处理的，如果在国外已受到刑罚处罚，可以免除或者减轻处罚。这一规定，主要是考虑到行为人在国外经过审判，受到了刑罚的处罚。在依照我国刑法处理时，应当实事求是地对待，根据具体情况，可以对其免除处罚或者减轻处罚。

第十一条 享有外交特权和豁免权的外国人的刑事责任，通过外交途径解决。

【释义】 本条是关于对享有外交特权和豁免权的外国人犯罪如何处理的规定。

本条规定的"外交特权和豁免权"，是指一个国家为了保证和便利驻在本国的外交代表、外交代表机关以及外交人员执行职务，而给予他们的一种特殊权利和待遇。这种特殊权利和待遇是各国之间按照平等、相互尊重的原则，根据国际惯例和国际公约、协议，相互给予的。全国人大常委会根据国际公约的精神，于 1986 年制定了《中华人民共和国外交特权与豁免条例》。

这种特殊权利和豁免权包括：人身不可侵犯，办公处、住处和文书档案不可侵犯，免纳关税，不受驻在国的司法管辖，等等。享有这种外交特权和豁免权的外国人主要是指:1. 外国的国家元首、政府首脑、外交部长。2. 外国驻本国的外交代表、大使、公使、代办和同级别的人、具有外交官衔的使馆工作人员(一、二、三等秘书,随员,陆海空武官,商务、文化、新闻参赞或专员)以及他们的家属(配偶、未成年子女)等。3. 执行职务的外交使差。4. 根据我国同其他国家订立的条约、协定享受若干特权和豁免权的商务代表。5. 经我国外交部核定享受若干特权和豁免的下列人员:(1)途经或临时留在我国境内的各国驻第三国的外交官;(2)各国派来中国参加会议的代表;(3)各国政府来中国的高级官员;(4)按照联合国宪章规定和国际公约享受特权和豁免的其他人员。6. 总领事、领事、副领事、领事代理人、名誉领事和其他领馆人员。上述享有外交特权和豁免权的外国人触犯我国刑法的行为,并非不构成犯罪,而是犯了罪不交付我国法院审判,他们的刑事责任通过外交途径解决。一般有下列几种方式:(1)要求派遣国召回;(2)建议派遣国依法处理;(3)对罪行严重的,由我国政府宣布其为"不受欢迎的人",限期出境。这是国际上保证国与国之间正常交往通行的做法和必需的条件保障。

第十二条　中华人民共和国成立以后本法施行以前的行为,如果当时的法律不认为是犯罪的,适用当时的法律;如果当时的法律认为是犯罪的,依照本法总则第四章第八节的规定应当追诉的,按照当时的法律追究刑事责任,但是如果本法不认为是犯罪或者处刑较轻的,适用本法。

本法施行以前,依照当时的法律已经作出的生效判决,继续有效。

【释义】　本条是关于刑法时间适用范围的规定,也就是关于刑法的时间效力的规定。

刑法在时间上的适用范围,是指刑法的生效和效力终止的时间,以及刑法对它公布实施前的行为是否具有追溯既往的效力。我国目前适用的刑法是1997年3月14日经第八届全国人民代表大会第五次会议通过的,根据刑法第四百五十二条的规定,本法于1997年10月1日起施行。本条规定的就是在本法施行前发生的犯罪行为如何处理的问题。

第一款是关于刑法对生效以前发生的犯罪行为,有无溯及力的规定。对于中华人民共和国成立以后本法施行以前的行为的处理原则,我国刑法采用的是从旧兼从轻的原则,即新法原则上不溯及既往,但新法对行为人处罚更轻时例外。具体内容有以下几个方面:1. 在新刑法1997年10月1日生效以后发生的一切犯罪行为,都应当适用新的刑法。2. 新刑法施行后,在民事、经济、行政法律中,关于适用原刑法有关条文追究刑事责任的规定,如果新刑法已有具体的罪与刑的规定,原有规定不再适用;如果新刑法对原刑法规定的内容没有修改,只是条文顺序号变了,原规定适用的条文对不上号了,应当适用新的条文;如果在适用中不明确或者有争议的,可以由全国人大常委会作出法律解释或者由最高人民法院作出司法解释。3. 新刑法施行以后,对于新刑法生效前发生的行为,如果原有法律不认为是犯罪,新刑法认为是犯罪的,应适用原来的法律,按无罪处理。如果原有法律认为是犯罪,新刑法也认为是犯罪,并且没有超过追诉时效的,应当适用原有法律,但是遇到新刑法规定的处刑较轻时应当适用新刑法。其中"处刑较轻的",是指刑法对某种犯罪规定的刑罚即法定刑比修订前刑法轻。法定刑较轻是指法定最高刑较轻;如果法定最高刑相同,则指法定最低刑较轻。也就是说,只有在这两种情况下,新刑法才能溯及既往。

第二款是关于对已经按原有法律作出的生效判决如何处理的规定。对于新刑法生效以前,依照原法律已经作出的生效判决,既包括有罪判决,也包括无罪判决,仍然是继续有效的判决,不能因新刑法的实施而有所改变。

第二章 犯　罪

第一节 犯罪和刑事责任

第十三条　一切危害国家主权、领土完整和安全，分裂国家、颠覆人民民主专政的政权和推翻社会主义制度，破坏社会秩序和经济秩序，侵犯国有财产或者劳动群众集体所有的财产，侵犯公民私人所有的财产，侵犯公民的人身权利、民主权利和其他权利，以及其他危害社会的行为，依照法律应当受刑罚处罚的，都是犯罪，但是情节显著轻微危害不大的，不认为是犯罪。

【释义】 本条是关于犯罪概念的规定。

犯罪不是自古就有的永恒存在现象，而是属于一定历史范畴的社会现象。犯罪的概念是刑法中的一个基本概念，不同社会制度的国家，对于什么是犯罪，往往有着截然不同的概念。本条规定的犯罪概念，是由我们国家的性质决定的。本条规定了两层意思：

1. 规定了哪些行为是犯罪。根据本条的规定，犯罪必须是同时具备以下特征的行为：(1)具有社会危害性，即行为人通过作为或者不作为的行为对社会造成一定危害。根据本条规定，具有社会危害性的行为包括：危害国家主权、领土完整和安全的行为；分裂国家、颠覆人民民主专政的政权和推翻社会主义制度的行为；破坏社会秩序和经济秩序的行为；侵犯国有财产或者劳动群众集体所有财产的行为；侵犯公民私人所有财产的行为；侵犯公民的人身权利、民主权利和其他权利，以及其他危害社会的行为。这一规定要求，构成犯罪必须是具有危害社会的行为，没有危害社会的行为，不能认为是犯罪。(2)具有刑事违法性，即犯罪行为应当是刑法禁止的行为。危害社会的行为多种多样，不仅包括各种违法行为，而且包括各种违纪、违反社会道德的行为。由于各种危害行为违反的社会规范不同，其社会危害程度也不同，不是所有危害社会的行为都是犯罪，只有其社会危害性达到一定程度，刑法才规定为犯罪。因此，刑法规定的危害行为都是比较严重的危害社会的行为。(3)具有应受刑罚惩罚性，即犯罪是依照刑法规定应当受到刑罚处罚的行为。违法行为，不一定都构成犯罪，只有依照刑法规定应当受刑事处罚的行为才是犯罪。刑法中没有规定给予刑事处罚的行为,只能通过行政处罚、党纪、政纪、批评教育处理。危害行为应受刑罚处罚性,是犯罪行为与其他违法行为的基本区别。以上三点是犯罪缺一不可的基本特征。

2. 规定了刑法不认为是犯罪的例外情况。这是对犯罪概念的重要补充。它是从不认为是犯罪的例外情况说明什么是犯罪,进一步划清了罪与非罪的界限。根据本条规定,“情节显著轻微危害不大的,不认为是犯罪”,即行为人的危害行为虽属于刑法规定禁止的行为,但情节显著轻微,其社会危害尚未达到应当受刑罚处罚的程度,法律不认为是犯罪。

第十四条　明知自己的行为会发生危害社会的结果,并且希望或者放任这种结果发生,因而构成犯罪的,是故意犯罪。

故意犯罪,应当负刑事责任。

【释义】　本条是关于故意犯罪的规定。

第一款是关于什么是故意犯罪的规定。根据本条规定,故意犯罪必须同时具备以下两个特征:1. 行为人对自己的行为会发生危害社会的结果,必须是明知的。而这种明知既包括对必然发生危害结果的明知,也包括对可能发生危害结果的明知。2. 行为人的心理必须处于希望或者放任的状态。本条所说的“故意”是指行为人对其行为产生的后果所持的心理状态,是构成故意犯罪的主观要件。根据我国刑法理论,“故意”分为“直接故意”和“间接故意”。“直接故意”是指行为人明知自己的行为必然或者可能会发生危害社会的结果,而且希望这种结果的发生;“间接故意”是指行为人明知自己的行为可能会发生危害社会的结果,而采取漠不关心、听之任之的放任态度。区别“直接故意”和“间接故意”对判断行为人的主观恶性大小、其危害行为的社会危害程度、决定量刑,都具有重要意义。在通常情况下,行为人的心理状态不同,其行为的社会危害程度不同,对行为人改造的难度也不同,适用刑罚也应有所区别。

第二款是关于故意犯罪应当负刑事责任的规定。“刑事责任”是指犯罪行为人实施刑事法律禁止的行为所必须承担的法律后果。“刑事责任”和“刑罚”是两个不同的概念,二者既有联系又有区别。“刑事责任”是犯罪行为人在社会和国家面前承担的责任,是刑罚的前提条件,只有对负有刑事责任的人,才能施用刑罚;而刑罚是承担刑事责任的结果,是法院以国家的名义对犯罪人进行惩罚和教育改造的手段,是预防犯罪人重新犯罪并警戒其他人犯罪的制裁措施。负有刑事责任的人在某些情况下不一定受到刑罚处罚,如具有法定可以免除处罚情节的,可以不处以刑罚;但受刑罚处罚的人,必须是负有刑事责任的人。具备犯罪构成要件是负刑事责任的依据。根据本条第一款的规定,故意犯罪是实施危害社会行为的人，主观上对其行为会发生危害社会的后果处于希望或者放任的心理状态而实施的犯罪，已具备犯罪构成的主观要件。因此，本款规定，故意犯罪应当负刑事责任。

第十五条　应当预见自己的行为可能发生危害社会的结果，因为疏忽大意而没有预见，或者已经预见而轻信能够避免，以致发生这种结果的，是过失犯罪。

过失犯罪，法律有规定的才负刑事责任。

【释义】　本条是关于过失犯罪概念的规定。

第一款是关于什么是过失犯罪的规定。“过失”和“故意”一样，同是行为人主观上对危害行为发生危害结果所持的心理状态。根据本款的规定，过失犯罪分为两大类：第一类是疏忽大意的过失犯罪，即行为人应当预见自己的行为可能发生危害社会的结果，因为疏忽大意而没有预见，以致发生了这种危害社会的结果，构成犯罪；第二类是过于自信的过失犯罪，即行为人已经预见到自己的行为可能发生危害社会的结果而轻信能够避免，以致发生了这种危害社会的结果，构成犯罪。本款规定的“应当预见”是指行为人对其行为结果具有认识的能力。“应当预见”要求根据行为人的具体情况，行为人对自己的行为可能发生危害社会的结果能够作出正确的判断。所谓行为人的具体情况，主要是指行为人的年龄、责任能力、文化程度、知识的广度和深度、职业专长、工作经验、社会经验等。上述情况不同，行为人对其行为可能发生危害结果的认识能力也不同。疏忽大意过失的特征有两点：一是行为人对自己的行为可能发生危害社会的结果具有认知能力，即应当预见；二是由于行为人主观上粗心大意，忽略了对行为后果的认真考虑，盲目实施了这种行为，以致发生了危害社会的结果。过于自信过失的特征也有两点：一是行为人已经预见到自己的行为可能会发生危害社会的结果；二是由于行为人过高地估计自己的能力等原因，相信能够避免这种结果的发生，以致发生了这种危害结果。不论是疏忽大意的过失还是过于自信的过失，其共同特点是行为人都不希望危害社会的结果发生，即主观上都没有危害社会的意图。

第二款是关于过失犯罪，法律有规定的才负刑事责任的规定。根据本款规定，由于行为人主观上的过失造成危害社会的结果的，不一定都负刑事责任。行为人主观上对危害社会的结果持过失的心理状态，其主观恶性比故意犯罪的行为人的主观恶性要小，因此法律没有将行为人过失造成危害结果的，都规定为犯罪，只将对社会危害比较大，需要用刑罚手段处理的过失造成危害结果的行为规定为犯罪。本款的“法律有规定的”是指本法分则规定的过失犯罪。

执行本条规定应当注意以下三点：1. 在认定和处理疏忽大意的过失犯罪时，应当注意区分疏忽大意的过失犯罪和意外事件，以划清罪与非罪的界限。二者的根本区别是：前者由于行为人主观上有过失，即行为人由于主观上疏忽大意，对自己的行为可能发生危害社会的结果应当预见而没有预见，以致发生了这种结果；而后者是由于客观上不可抗拒，主观上不能预见的原因造成了危害社会的结果，行为人对危害社会的结果主观上没有过失，不负刑事责任。2. 在认定和处理过失犯罪时，应当注意区分过于自信的过失犯罪和间接故意的故意犯罪，以划清过失犯罪与故意犯罪的界限。二者的根本区别是：前者行为人虽然对其行为可能发生危害结果已有预见，但其主观上并不具有希望或者放任这种结果发生的心理状态，危害结果的发生，是由于行为人过高地估计了自己的能力等原因，过于相信能够避免危害结果的发生。在危害结果发生之前，行为人主观上一直认为这种危害结果不会发生；而后者是行为人已经预见到其行为可能发生危害社会的结果，而对这种危害结果是否发生持漠不关心、听之任之、有意放任的态度，为了达到个人目的，不管危害结果是否发生，仍然去实施这一行为。可见，间接故意的犯罪，其行为人的主观恶性要远远大于过失犯罪的行为人。主观恶性不同，其社会危害程度不同，对犯罪人改造的难度也不同，对过失犯罪和间接故意犯罪适用的罪名和刑罚也有重大区别。划清过于自信的过失犯罪与间接故意的故意犯罪界限的意义就在于此。3. 对由于过失造成危害结果的，法律有规定的才负刑事责任，法律没有规定为犯罪的，不能对行为人定罪处刑。

第十六条　行为在客观上虽然造成了损害结果，但是不是出于故意或者过失，而是由于不能抗拒或者不能预见的原因所引起的，不是犯罪。

【释义】　本条是关于行为人主观上没有故意或过失而造成损害结果的，不是犯罪的规定。

根据本条规定，行为人的行为虽然在客观上造成了损害结果，但是由于不能抗拒或者不能预见的原因引起的，其主观上没有故意或者过失，即没有罪过的，不是犯罪。根据刑法理论，这种情况称为“意外事件”。所谓“意外事件”，是由于不以行为人主观意志为转移，行为人无法预料的原因而发生的意外事故。这种意外事件包含了两种情况：一种情况是由于不可抗拒的原因而发生了损害结果，如自然灾害、突发事件及其他行为人无法阻挡的原因造成了损害结果；另一种情况是由于不能预见的原因造成了损害结果，即根据损害结果发生当时的主客观情况，行为人没有预见，也不可能预见会发生损害结果。由于行为人主观上没有故意或过失，对实际发生的损害结果没有罪过，不应当负刑事责任,因此,本条规定,由于不能抗拒或者行为人不能预见的原因造成损害结果的行为,不是犯罪。这样规定充分体现了我国刑法主客观相一致的原则。

"不可抗拒",是指不以行为人的意志为转移,行为人无法阻挡或控制损害结果的发生。如由于某种机械力量的撞击、自然灾害的阻挡、突发病的影响等行为人意志以外的原因,使其无法避免损害结果的发生。"不能预见",是指根据行为人的主观情况和发生损害结果当时的客观情况,行为人不具有能够预见的条件和能力,损害结果的发生完全出乎行为人的意料之外。

第十七条 已满十六周岁的人犯罪,应当负刑事责任。

已满十四周岁不满十六周岁的人,犯故意杀人、故意伤害致人重伤或者死亡、强奸、抢劫、贩卖毒品、放火、爆炸、投毒罪的,应当负刑事责任。

已满十四周岁不满十八周岁的人犯罪,应当从轻或者减轻处罚。

因不满十六周岁不予刑事处罚的,责令他的家长或者监护人加以管教;在必要的时候,也可以由政府收容教养。

【释义】 本条是关于刑事责任年龄的规定。

刑事责任年龄,就是法律规定的应当对自己犯罪行为负刑事责任的年龄。只有达到法定年龄的人实施了犯罪行为,才能追究其刑事责任。对于没有达到法定年龄的人,即使实施了危害社会的行为,也不负刑事责任。这样规定主要是考虑到犯罪行为不只是具有社会危害性的行为,同时还是人的有意识的行为,而人们控制、认识自己行为的能力,是受到年龄限制的,只有在人们达到一定的年龄,其接受的社会教育程度和社会经验有了一定的积累时,才能具备识别是非善恶的能力,并在行动中具备自我控制能力,才能要求其对自己的犯罪行为承担刑事责任。我国刑法总结了新中国成立以来同犯罪斗争的经验,充分借鉴了国外刑事立法中一些有益的经验,对刑事责任年龄作了明确规定。

第一款是关于实施犯罪行为的人完全负刑事责任年龄段的规定。根据本款的规定,实施犯罪行为的人负刑事责任的年龄是满十六周岁,即凡年满十六周岁的人,实施了本法规定的任何一种犯罪行为,都应当负刑事责任。这样规定是从我国的实际情况出发的。在我国,已满十六周岁的人,其体力、智力已相当发展,并有了一定的社会知识,具有分辨是非善恶的能力,因此,应当要求他们对自己的一切犯罪行为负刑事责任。根据最高人民法院司法解释的规定,这里所规定的"周岁",按照公历的年、月、日计算,以周岁生日的第二天起算。

第二款是关于相对负刑事责任年龄段的规定。在这个年龄段中的行为人不是实施了任何犯罪都负刑事责任,而是依照法律规定,对部分犯罪负刑事责任。根据本款的规定,已满十四周岁不满十六周岁的人,只有实施故意杀人、故意伤害致人重伤或者死亡、强奸、抢劫、贩卖毒品、放火、爆炸、投毒犯罪的,才负刑事责任。全国人大常委会于 2001 年 12 月 29 日通过了《刑法修正案(三)》,对刑法第一百一十四条、第一百一十五条进行了修改,将“投毒”改为“投放毒害性、放射性、传染病病原体等物质”。这样规定是充分考虑了他们的智力发育情况。已满十四周岁不满十六周岁的人,一般已有一定的识别能力,但由于年龄尚小,智力发育尚不够完善,缺乏社会知识,还不具有完全识别和控制自己行为的能力,他们负刑事责任的范围,应当受他们刑事责任能力的限制,不能要求他们对一切犯罪都负刑事责任。因此,我国刑法只规定这个年龄段的人犯上述几种明显具有严重社会危害性的犯罪,才应当负刑事责任。需要注意的是,这里所规定的八种犯罪,是指具体犯罪行为而不是具体罪名。因此,根据《最高人民法院关于审理未成年人刑事案件具体应用法律若干问题的解释》的规定,已满十四周岁不满十六周岁的人实施本款规定以外的行为,如果同时触犯了本款规定的,应当依照本款的规定确定罪名,定罪处罚。

第三款是关于对未成年人犯罪处罚原则的规定。根据本款的规定,对已满十四周岁不满十八周岁的人犯罪,应当从轻或者减轻处罚。根据我国的实际情况,已满十四周岁不满十八周岁的人尚属于未成年,未成年人正处在体力、智力发育过程中,虽已具有一定的辨别和控制自己行为的能力,但由于其经历短,社会知识少,其成熟程度还不同于成年人;而且未成年人由于他们处于成长过程中,具有容易接受教育改造的特点,因此,对未成年人犯罪,规定了“应当从轻或者减轻处罚”的原则。这样规定充分体现了我国对未成年犯实行教育为主,惩罚为辅,重在教育、挽救和改造的方针。

第四款是关于对因不满十六周岁不予刑事处罚的人,如何处理的规定。根据本款规定,对于实施了危害社会的行为,但因不满十六周岁而没有受刑事处罚的人,不是放任不管,而是要责令其家长或者监护人对行为人严加管教;在必要的时候,也可以由政府收容教养。这样规定是为了维护正常的社会秩序,也是为了教育行为人,防止其继续危害社会。

第十七条之一*　已满七十五周岁的人故意犯罪的,可以从轻或者减轻处罚;过失犯罪的,应当从轻或者减轻处罚。

【释义】 本条是关于老年人犯罪从轻或者减轻处罚的规定。

本条是根据第十一届全国人大常委会第十九次会议通过的《刑法修正案

* 根据 2011 年 2 月 25 日第十一届全国人民代表大会常务委员会第十九次会议通过的《中华人民共和国刑法修正案(八)》增加。

(八)》新增加的规定。

刑法第十七条规定,对于未成年人犯罪,应当从轻或者减轻处罚。对于老年人犯罪,刑法没有从宽处理的规定。长期以来,不少社会公众和专家学者提出对老年人犯罪应当适当予以从轻处罚的建议。尊老爱幼是中华民族的传统美德,体现在法律制度上,我国早在西周时期的法律就有关于对老年人犯罪从宽处罚的规定,历经汉、唐、明、清各朝代到民国时期形成了比较完备的制度。随着社会的文明进步,在法律中对老年人司法作出相应的规定,也是现今许多国家的做法。一些国家和地区在刑法或刑事诉讼法中都对老年人犯罪作了从宽处罚的规定。司法体制和工作机制改革也要求积极探索有关老年人犯罪的司法制度,建立对老年人犯罪适当从宽处理的法律机制,明确适用的条件、范围和程序。在广泛征求人大代表、司法部门、社会公众和专家学者意见过程中,总体认为,对老年人犯罪适当从宽处理,不会影响到社会治安秩序,也有利于体现宽严相济的刑事政策,在深入调研论证的基础上,《刑法修正案(八)》适时修改完善刑法,增加了有关老年人犯罪从宽处罚的规定。

如何规定为好,在立法过程中主要集中在两个焦点上:一是老年人的年龄界限问题。有的委员和专家提出六十岁以上的为老年人,也有的提出七十岁、八十岁以上的为老年人。经综合考虑各种意见,同时考虑了老年人的特点、我国社会发展的现实情况以及社会公众的接受程度,《刑法修正案(八)》在刑法中明确规定对七十五周岁以上老年人犯罪的从宽处罚。二是对老年人犯罪从宽处罚的尺度问题,是对老年人犯罪一律从宽处罚,还是有所区别。有的专家、部门提出,对老年人犯罪一律从宽不会影响到社会的治安秩序。有的委员提出,老年人虽然身体衰弱了,但社会阅历多、生活经验丰富,更应遵纪守法,一律从宽不妥。经对各方意见综合研究,在刑法中对老年人犯罪从宽处罚作了区别规定:故意犯罪的,可以从轻或者减轻处罚;过失犯罪的,应当从轻或者减轻处罚。这样规定,体现了罪刑相适应的原则,有利于维护社会治安秩序,对于主观恶性较大的老年人故意犯罪从宽的尺度较严,对于主观恶性较小的老年人过失犯罪则规定了较宽的尺度。

根据本条规定,对于已满七十五周岁的人故意犯罪的,可以从轻或者减轻处罚;过失犯罪的,应当从轻或者减轻处罚。这里规定的“故意犯罪”,是指刑法第十四条规定的“明知自己的行为会发生危害社会的结果,并且希望或者放任这种结果发生,因而构成犯罪的”。“可以从轻或者减轻处罚”,是指要根据老年人犯罪的具体情况,决定是否从轻或者减轻处罚,而不是必须从轻或者减轻处罚。“过失犯罪”是指刑法第十五条规定的“应当预见自己行为可能发生危害社会的结果,因为疏忽大意而没有预见,或者已经预见而轻信能够避免,以致发生这种结果的”。“应当从轻或者减轻处罚”是指对于老年人过失犯罪的，法律规定一律予以从轻或者减轻处罚。

在实际适用中，司法机关应当注意对于老年人故意犯罪的，不是一律从轻或者减轻处罚，而是应当根据案件的具体情况决定，当宽则宽，当严则严。

第十八条　精神病人在不能辨认或者不能控制自己行为的时候造成危害结果，经法定程序鉴定确认的，不负刑事责任，但是应当责令他的家属或者监护人严加看管和医疗；在必要的时候，由政府强制医疗。

间歇性的精神病人在精神正常的时候犯罪，应当负刑事责任。

尚未完全丧失辨认或者控制自己行为能力的精神病人犯罪的，应当负刑事责任，但是可以从轻或者减轻处罚。

醉酒的人犯罪，应当负刑事责任。

【释义】　本条是关于精神病人和醉酒的人造成危害结果的，如何负刑事责任的规定。

要承担刑事责任，除要达到刑事责任年龄外，刑法还要求行为人要具有刑事责任能力。所谓刑事责任能力，是指一个人能够理解自己行为的性质、后果，并且能够控制自己行为的能力。具有刑事责任能力是构成犯罪主体的必要条件之一，也就是说无刑事责任能力的人实施了危害社会的行为，不负刑事责任。

第一款是关于精神病人在什么情况下造成危害结果不负刑事责任，以及对不负刑事责任的精神病人如何处理的规定。本款包含三层意思：一是精神病人造成危害结果，不负刑事责任，必须经法定程序鉴定确认其危害结果是在行为人不能辨认或者不能控制自己行为的时候发生的，即依法确定行为人无责任能力；二是对不负刑事责任的精神病人，应当责令其家属或者监护人严加看管和医疗，而不能放任不管；三是在必要的时候，由政府强制医疗，这是在总结实践经验的基础上增加的规定。这一规定不仅有利于维护社会治安秩序，也为实践中对家属或者监护人无能力看管或医疗的精神病人进行强制医疗，提供了法律依据。本款规定的“法定程序”是指对精神病人进行鉴定必须符合刑事诉讼法、关于司法鉴定管理问题的决定等有关法律规定的程序。“必要的时候”，主要是指精神病人无家属或监护人看管，其家属或监护人无能力看管和医疗，或者家属或监护人的看管不足以防止其继续危害社会等情形。2012 年修改的刑事诉讼法第五编第四章专门对依法不负刑事责任的精神病人的强制医疗程序作了规定。该法第二百八十四条规定，实施暴力行为，危害公共安全或者严重危害公民人身安全，经法定程序鉴定依法不负刑事责任的精神病人，有继续危害社会可能的，可以予以强制医疗。对不负刑事责任的精神病人的强制医疗应当严格按照刑事诉讼法的规定执行。

第二款是关于间歇性精神病人犯罪如何负刑事责任的规定。根据本款的规定,间歇性精神病人在精神正常的时候犯罪,应当负刑事责任。"间歇性精神病人",是指精神并非经常处于错乱而完全丧失辨认或者控制自己行为的能力的精神病人。这种精神病人表现出来的特点是:精神时而正常,时而不正常。在其精神正常的情况下,具有辨认或者控制自己行为的能力,因此这时候犯罪,应当负刑事责任。间歇性精神病人造成危害结果,是否处于精神正常的状态,即确认行为人造成危害结果时有无辨认或者控制自己行为的能力,也适用第一款的规定,须经鉴定确认。

第三款是关于具有限制责任能力的精神病人如何负刑事责任的规定。根据本款的规定,尚未完全丧失辨认或者控制自己行为能力的精神病人造成危害结果的,应当负刑事责任,但是应当从轻或者减轻处罚。本款规定的"尚未完全丧失辨认或者控制自己行为能力的精神病人",主要是指病情尚未达到完全不能辨认或者不能控制自己行为的程度,还有部分识别是非、善恶和控制自己行为的能力的精神病人。由于这些精神病人尚未完全丧失辨认或者控制自己行为的能力,即还有部分行为能力和责任能力,因此应当负刑事责任。但由于这些人属于限制责任能力的人,因此,在规定应当负刑事责任的同时,规定了"应当从轻或者减轻处罚"的处罚原则。

第四款是关于醉酒的人犯罪应当负刑事责任的规定。醉酒的人,在醉酒状态下,在某种程度上可能减弱控制自己行为的能力,但并未丧失辨认和控制自己行为的能力。而且醉酒的人对自己行为控制能力的减弱是人为的,是醉酒前应当预见的,可见,醉酒的人不属于无责任能力的人,因此,本款规定醉酒的人犯罪,应当负刑事责任。

执行本条规定应当注意的是,确认行为人是否在不能辨认或者不能控制自己行为的时候造成的危害结果,必须严格依照刑事诉讼法规定的程序,在法定的鉴定部门进行鉴定,以保证鉴定的科学性,准确地认定行为人的责任能力,正确处理案件。

第十九条　又聋又哑的人或者盲人犯罪,可以从轻、减轻或者免除处罚。

【释义】 本条是关于又聋又哑或者盲人犯罪,如何负刑事责任的规定。

本条包含两层意思:一是又聋又哑或者盲人犯罪,应当负刑事责任。这是因为又聋又哑或者盲人,虽然生理上有缺陷,但其并未丧失辨认或者控制自己行为的能力,不属于无责任能力的人,因此,应当对其造成危害结果的行为负刑事责任。二是对又聋又哑或者盲人犯罪,可以从轻、减轻或者免除处罚。这样规定主要是考虑到行为人具有又聋又哑或者眼睛失明的生理缺陷，属于生理发育不健全的人，在社会生活中，其接受教育、了解事物都会受到一定的限制和影响，辨认事物的能力也会低于正常人。因此，对他们的处罚要轻于正常人。但由于具有上述生理缺陷的人实施犯罪的情节，造成危害结果的严重程度，以及行为人具有的生理缺陷等具体情况不同，处罚的轻重程度也应不同，因此，本条规定对“又聋又哑的人或者盲人犯罪，可以从轻、减轻或者免除处罚”。“可以从轻、减轻或者免除处罚”，是指根据行为人的上述具体情况，决定是否从轻、减轻或者免除处罚，不是必须从轻、减轻或者免除处罚。对于手段残忍，情节恶劣，危害后果严重的，也可以不从轻、减轻或者免除处罚。处理这类人犯罪，应当具体问题具体分析，根据不同情况区别对待。

第二十条　为了使国家、公共利益、本人或者他人的人身、财产和其他权利免受正在进行的不法侵害，而采取的制止不法侵害的行为，对不法侵害人造成损害的，属于正当防卫，不负刑事责任。

正当防卫明显超过必要限度造成重大损害的，应当负刑事责任，但是应当减轻或者免除处罚。

对正在进行行凶、杀人、抢劫、强奸、绑架以及其他严重危及人身安全的暴力犯罪，采取防卫行为，造成不法侵害人伤亡的，不属于防卫过当，不负刑事责任。

【释义】　本条是关于正当防卫和防卫过当及其刑事责任的规定。

为了制止犯罪分子的不法侵害，保护公民的合法权利，1979 年刑法对正当防卫不负刑事责任作出了明确的规定。这一规定对于遏制犯罪，鼓励公民同不法侵害作斗争起了重大作用。但实践中已发现在正当防卫运用中存在一个主要问题，就是难以掌握正当防卫和防卫过当的界限，这一问题的出现，在较大程度上影响了公民采取正当防卫措施制止不法侵害的行为，甚至出现了对不法侵害，由于害怕掌握不好界限而不敢防卫的情况。1997 年修订刑法，针对这一问题，对正当防卫的规定作了重要修改，主要是：1. 修改了防卫过当的规定，进一步明确了什么是防卫过当的行为；2. 增加了对正在实施的严重危及人身安全的暴力犯罪，采取防卫行为不存在防卫过当的规定，以鼓励人民群众勇于同犯罪作斗争。

第一款是关于什么是正当防卫和正当防卫不负刑事责任的规定。本款规定了两层意思：1. 什么是正当防卫行为。根据本款的规定，实行正当防卫应当同时具备以下条件：（1）实施防卫行为必须是出于使国家、公共利益、本人或者他人的人身、财产和其他权利免受不法侵害的正当目的，针对不法侵害者及其不法侵害行为,维护受法律保护的合法权益。对依法执行职务的合法行为,如依法拘留、逮捕、依法没收财产等,不能实行正当防卫。(2)防卫行为所针对的不法侵害必须是正在进行的,对尚未开始实施或者已经停止或结束不法侵害的不法侵害人,不能采取正当防卫行为。(3)实行防卫行为的直接目的是制止不法侵害,因此正当防卫的行为应当是制止不法侵害的行为,即实行防卫以制止住不法侵害行为为限,不法侵害的行为被制止后,不能继续采取防卫行为。2. 采取上述防卫行为,对不法侵害人造成损害的,属于正当防卫,不负刑事责任。由于正当防卫是出于维护合法利益,制止不法侵害的正当目的,是对国家和人民有益的行为,因此本款规定正当防卫,不负刑事责任,以鼓励群众见义勇为,积极同犯罪作斗争。本款规定的“不法侵害”是指对受国家法律保护的国家、公民一切合法权益的违法侵害。“对不法侵害人造成损害的”主要是指对不法侵害人造成人身损害。

第二款是关于防卫过当及其刑事责任的规定。本款规定了三层意思:1. 什么是防卫过当行为。1979 年刑法规定,防卫过当是“正当防卫超过必要限度造成不应有的危害的”行为。但什么叫“超过必要限度”,什么叫“不应有的危害”,法律没有明确具体的规定,实践中,这种认识很不一致,执法中有随意性,难以操作,不利于正确认定正当防卫和防卫过当的行为,不利于鼓励群众与犯罪作斗争。因此,1997 年修订刑法时,对防卫过当行为的表述作了修改,即在“超过必要限度”之前加上了“明显”二字,将原规定的“不应有的危害的”改为“重大损害的”,力求划清正当防卫与防卫过当的界限。根据本款规定,“防卫过当”应当同时具备以下特征:(1)“防卫过当”必须是明显地超过必要限度。“必要限度”是指为有效地制止不法侵害所必需的防卫的强度。“明显超过必要限度”是指一般人都能够认识到其防卫强度已经超过了正当防卫所必需的强度。(2)对不法侵害人造成了重大损害。1979 年刑法规定的“不应有的危害”,实践中很难掌握。因此,1997 年修订刑法时,改成“重大损害”。“重大损害”是指由于防卫人明显超过必要限度的防卫行为造成不法侵害人人身伤亡及其他能够避免的严重的损害。2. 防卫过当的行为应当负刑事责任。由于防卫过当的行为所造成的损害,是超出正当防卫所必需的防卫强度造成的,具有一定的社会危害性,因此法律规定,应当负刑事责任。3. 对防卫过当的行为应当减轻或者免除处罚。防卫过当的行为虽然具有一定的社会危害性,但动机是出于正当防卫,其主观恶性较小,社会危害也小于其他故意犯罪。社会危害程度不同,处罚也应当有所区别。因此,本款规定,对防卫过当的行为,应当减轻或者免除处罚。

第三款是关于对一些严重危及人身安全的暴力犯罪,采取防卫行为,不存在防卫过当问题的规定。根据本款的规定，对正在进行行凶、杀人、抢劫、强奸、绑架及其他严重危及人身安全的暴力犯罪，采取防卫行为，造成不法侵害人伤亡的，不负刑事责任。这样规定主要有两点考虑：一是考虑了社会治安的实际状况。各种暴力犯罪不仅严重破坏社会治安秩序，也严重威胁公民的人身安全，对上述严重的暴力犯罪采取防卫行为作出特殊规定，对鼓励群众勇于同犯罪作斗争，维护社会治安秩序，具有重要意义。二是考虑了上述暴力犯罪的特点。这些犯罪都是严重威胁人身安全的，被侵害人面临正在进行的暴力侵害，很难辨认侵害人的目的和侵害的程度，也很难掌握实行防卫行为的强度，如果对此规定得太严，就会束缚被侵害人的手脚，妨碍其与犯罪作斗争的勇气，不利于公民运用法律武器保护自身的合法权益。因此，修订刑法时，对一些严重破坏社会秩序，危及公民人身安全的暴力犯罪，作了不存在防卫过当的特殊规定。

执行本条规定，主要应当注意以下两点：1. 认定正当防卫时，应当注意划清正当防卫与防卫挑拨的界限。前者是为了维护国家、公共利益、本人或他人的合法权益，被迫实施的制止不法侵害的行为；而后者是为了加害他人，故意挑逗对方先向自己进行侵害，然后以正当防卫为借口损害对方。二者是有本质区别的，防卫挑拨的行为，不能认定为正当防卫。2. 认定防卫过当，应当注意进行全面调查研究，具体问题具体分析。

第二十一条　为了使国家、公共利益、本人或者他人的人身、财产和其他权利免受正在发生的危险，不得已采取的紧急避险行为，造成损害的，不负刑事责任。

紧急避险超过必要限度造成不应有的损害的，应当负刑事责任，但是应当减轻或者免除处罚。

第一款中关于避免本人危险的规定，不适用于职务上、业务上负有特定责任的人。

【释义】 本条是关于紧急避险、避险过当及紧急避险例外情况的规定。

根据本条规定，紧急避险是指行为人在遇到某种危险的情况下，为了防止国家、公共利益、本人或者他人的合法权利遭受损害，不得已而采取的侵犯另一个较小的合法权利，以保护较大的合法权利的行为。

第一款是关于什么是紧急避险行为及紧急避险行为不负刑事责任的规定。本款包含两层意思：1. 什么是紧急避险行为。根据本款的规定，采取紧急避险行为应当符合以下条件：（1）避险的目的是为了使国家、公共利益、本人或者他人的人身、财产和其他权利免受危险。（2）“危险”正在发生，使上述合法权益受到威胁。对尚未发生的危险、已经结束的危险，以及假想的危险或者推测的危险,都不能采取紧急避险行为。(3)紧急避险行为是为了使更多更大的合法权益免受正在发生的危险,而不得已采取的损害另一种合法权益的行为,因此,紧急避险所造成的损害必须小于避免的损害。这是由紧急避险的性质决定的。紧急避险是用损害一种合法权益的方法保全另一种受到正在发生的危险威胁的合法权益的紧急措施,不论是受损害的还是被保全的权益,都是受国家法律保护的,因此,只有损害的合法权益小于被保全的合法权益时,紧急避险的行为才是对社会有益的,紧急避险才有实际意义。2. 采取紧急避险行为造成损害的,不负刑事责任。由于紧急避险造成的损害必须小于避免的损害,对社会是有益的,不具有刑法意义上的社会危害性,而具有合法性。因此,本款规定,“不得已采取的紧急避险行为,造成损害的,不负刑事责任”。

第二款是关于紧急避险超过必要限度造成不应有的损害的应当负刑事责任和处罚原则的规定。本款规定了两层意思:1. 采取紧急避险行为超过必要限度造成不应有的损害的,应当负刑事责任。本款规定的“超过必要限度”是指紧急避险行为超过了使受到正在发生的危险威胁的合法权益免遭损害所必需的强度而造成了不应有的损害。这里规定的“超过必要限度”和“造成不应有的损害”是一致的。“不应有的损害”是指紧急避险行为造成的损害大于避免的损害。造成不应有的损害的,已经失去紧急避险的意义,具有一定的社会危害性,因此本款规定,紧急避险行为超过必要限度造成不应有的损害的,应当负刑事责任。2. 对超过必要限度,应当负刑事责任的紧急避险行为,应当减轻或者免除处罚。超过必要限度造成不应有的损害的紧急避险行为,虽然具有一定的社会危害性,但其前提是正当的,行为人主观动机是为了使更多更大的合法权益摆脱危险,免受损害,其社会危害性小于故意犯罪,因此,本款规定对紧急避险超过必要限度造成不应有的损害的,应当减轻或者免除处罚,是符合罪刑相当原则的。

第三款是关于负有特定责任的人不适用紧急避险的规定。根据本款规定,为了避免本人危险而采取紧急避险行为,不适用于职务上、业务上负有特定责任的人,即对正在发生的危险负有特定职责的人,不能为了使自己避免这种危险而采取紧急避险的行为。“职务上、业务上负有特定责任”,是指担任的职务或者从事的业务要求其对一定的危险负有排除的职责,同一定危险作斗争是其职业义务。例如,负有职责追捕持枪罪犯的公安人员,不能为了自己免受枪击而逃离现场;飞机驾驶员不能因飞机发生故障有坠机危险,而不顾乘客的安危自己逃生,等等。为了避免个人遭受危险,不履行职业义务,而牺牲国家、公共利益或者他人利益的行为,是放弃职守的行为,造成危害后果,构成犯罪的,应当依法追究其刑事责任。

第二节　犯罪的预备、未遂和中止

第二十二条　为了犯罪，准备工具、制造条件的，是犯罪预备。

对于预备犯，可以比照既遂犯从轻、减轻处罚或者免除处罚。

【释义】　本条是关于犯罪预备的概念和对预备犯处罚原则的规定。

第一款是关于犯罪预备概念的规定。根据本款的规定，犯罪预备是为实施犯罪准备工具、制造条件的行为。犯罪预备具有两个主要特征：一是行为人主观上具有犯罪的故意，即犯罪预备的目的是为了顺利地进行犯罪活动，实现犯罪意图，体现了预备犯的主观恶性，形成了对预备犯追究刑事责任的主观依据；二是犯罪预备是为实行犯罪准备工具、制造条件的行为。“准备工具”是指准备为实施犯罪所必需的作案工具和其他物品。“准备”包括收集、购买、制造，以及非法获取等活动。“制造条件”是指除准备犯罪工具和其他物品以外的其他为顺利进行犯罪活动，达到犯罪目的而创造条件的行为。从准备工具对实施犯罪所起的作用来看，准备犯罪工具也是为实施犯罪制造条件。准备工具、制造条件，都是着手实施犯罪之前，准备犯罪的行为，是具有社会危害性的行为，是追究其刑事责任的客观依据。

第二款是关于对预备犯处罚原则的规定。本款包含两层意思：1. 对预备犯，应当追究其刑事责任。2. 对预备犯，可以比照既遂犯从轻、减轻处罚或者免除处罚。由于预备犯仅处于犯罪的预备阶段，犯罪结果尚未发生，其社会危害程度要低于既遂犯，因此对预备犯的处罚要轻于既遂犯。但犯罪预备的预备情况，对实施犯罪，实现犯罪意图的作用不同，其社会危害程度也不同，因此本款规定，对预备犯可以比照既遂犯从轻、减轻处罚或者免除处罚。

在认定犯罪预备行为时，应当注意划清犯罪预备与犯罪未遂的界限。二者的主要区别是：前者发生在行为人着手实施犯罪行为之前；而后者发生在着手实施犯罪行为之后，即行为人已经着手实施犯罪，但因其意志以外的原因而没有得逞。后者的危害性要大于前者。危害程度不同，处罚也应不同。注意划清二者的界限，有利于正确适用刑罚，正确处理案件。

第二十三条　已经着手实行犯罪，由于犯罪分子意志以外的原因而未得逞的，是犯罪未遂。

对于未遂犯，可以比照既遂犯从轻或者减轻处罚。

【释义】　本条是关于犯罪未遂的概念和对未遂犯处罚原则的规定。

第一款是关于什么是犯罪未遂的规定。根据本款的规定，犯罪未遂应当同时具有以下特征:1. 犯罪分子已经着手实行犯罪。这是同犯罪预备相区别的主要标志。已经着手实行犯罪,表明行为人已经从犯罪预备阶段进入实行阶段,即行为人从为实施犯罪创造条件进入了开始完成犯罪的阶段,其犯罪意图已经通过着手实行的犯罪行为体现出来。已经着手实行犯罪体现了具体犯罪构成主客观要件的统一。2. 犯罪未得逞,即犯罪分子没有实现本法分则规定的具体犯罪的犯罪构成。这是犯罪未遂与犯罪既遂相区别的主要标志。本法分则对犯罪既遂规定了三种情况:一是要求有犯罪分子所追求的损害结果发生,如杀人罪的既遂,必须有被害者死亡的结果;二是要求犯罪行为在客观上造成了发生某种危害结果的危险状态,如破坏交通工具罪和破坏交通设施罪,只要造成了足以使交通工具发生倾覆、毁坏危险状态的,就构成犯罪既遂;三是不要求发生实际损害结果,只要完成了法定的犯罪行为,就构成犯罪既遂,如叛国罪、分裂国家罪,只要实施了法定的危害行为,就构成犯罪既遂。3. 犯罪未得逞是由于犯罪分子意志以外的原因。这是犯罪未遂与犯罪中止相区别的主要标志。“犯罪分子意志以外的原因”是指不以犯罪分子的主观意志为转移的一切原因。它既包括外界的客观原因,如被害人的反抗、第三人的阻止、自然力的障碍、客观情况的变化等,也包括犯罪分子本人的原因,如对自己实施犯罪的能力、方法、手段估计不足,对事实判断错误等。犯罪未得逞是违背犯罪分子的意志的;如果是犯罪分子自动放弃继续犯罪,或者自动有效地防止犯罪结果的发生,属于自动中止,而不是犯罪未遂。

第二款是关于对未遂犯处罚原则的规定。根据本款的规定,对于未遂犯,可以比照既遂犯从轻或者减轻处罚。由于犯罪未遂的结果是犯罪未能得逞,其社会危害性要小于犯罪既遂,因此,规定对未遂犯可以比照既遂犯从轻或者减轻处罚。这里规定“可以从轻或者减轻处罚”,是因为在未遂的情况下,往往造成程度不同的危害后果,危害程度不同,处罚也应当不同。规定“可以”从轻或减轻,是指不是一律必须从轻或减轻,而是应当根据案件的具体情况决定是否从轻或减轻。

第二十四条　在犯罪过程中,自动放弃犯罪或者自动有效地防止犯罪结果发生的,是犯罪中止。

对于中止犯,没有造成损害的,应当免除处罚;造成损害的,应当减轻处罚。

【释义】 本条是关于犯罪中止的概念和对中止犯处罚原则的规定。

第一款是关于什么是犯罪中止的规定。根据本款的规定,犯罪中止应当同时具备以下特征:1. 犯罪中止发生在犯罪过程中。犯罪中止是故意犯罪发展过程中的一种犯罪形态,它可能发生在犯罪的预备阶段,也可能发生在犯罪的实行阶段。“犯罪过程中”是指犯罪既遂之前的整个犯罪过程中。犯罪既遂后的任何主动弥补损失的行为都不是犯罪中止，只是悔罪的表现。2.犯罪中止必须是犯罪分子自动放弃犯罪或者自动有效地防止犯罪结果的发生。“自动放弃犯罪”是指犯罪分子在着手实行犯罪之前，主动放弃犯罪意图和为犯罪创造条件，停止着手实施犯罪，或者在着手实施犯罪之后，犯罪结果发生之前，主动放弃继续犯罪，中止犯罪行为。“自动有效地防止犯罪结果的发生”是指犯罪人在已经着手实施犯罪后，犯罪结果发生之前，主动放弃继续犯罪，并主动采取积极措施防止了犯罪结果的发生。如杀人未杀死，但造成被害人重伤，如果这时犯罪人悔悟，在完全有条件把被害人杀死的情况下，主动放弃继续犯罪并将被害人送医院抢救，避免了被害人死亡的结果，犯罪人的上述行为就构成了犯罪中止；如果犯罪人虽然采取了积极措施，但是没有避免被害人死亡的结果，不能认定为犯罪中止。

第二款是关于对中止犯处罚原则的规定。根据本款的规定，对于中止犯，没有造成损害的，应当免除处罚；造成损害的，应当减轻处罚。这样规定，体现了我国刑法罪刑相适应的原则。由于犯罪中止避免了犯罪结果的发生，减轻了其犯罪行为的社会危害性，因此，法律对中止犯的处罚，采取了“应当免除”或“应当减轻”进一步从宽的原则。这是因为对犯罪分子判刑的目的在于改造罪犯。既然犯罪分子自动放弃了犯罪，避免了犯罪结果的发生，说明犯罪分子的人身危险已经消除或者减弱，罪犯已经悔罪，容易接受改造，处理上应当进一步从宽；同时，规定较轻的处罚，有利于鼓励犯罪分子中止犯罪，以减轻犯罪的社会危害。

在处罚中止犯时，应当注意以下几点：1.应当注意认定犯罪中止的时间。由于犯罪中止可以发生在预备阶段，也可以发生在实行阶段。犯罪中止的时间差别，表明了犯罪行为的社会危害程度和行为人犯罪实现的程度不同，处罚也应当有所不同。2.应当注意分析犯罪中止的动机。中止犯罪的动机不同，反映了行为人不同的悔悟程度和人身危险性的大小，有利于决定量刑的轻重。3.应当注意认定有无实际损害及损害的大小。犯罪中止有的避免了损害结果的发生，也有的发生了损害结果，发生损害结果的，损害程度也不同，这些都反映了不同程度的社会危害。准确地认定行为的社会危害大小，有利于正确处理案件。

第三节 共同犯罪

第二十五条 共同犯罪是指二人以上共同故意犯罪。

二人以上共同过失犯罪,不以共同犯罪论处;应当负刑事责任的,按照他们所犯的罪分别处罚。

【释义】 本条是关于共同犯罪概念的规定。

第一款是关于什么是共同犯罪的规定。根据本款的规定,共同犯罪应当具备以下两个特征:1. 共同犯罪的犯罪主体必须是二人以上。2. 共同犯罪必须是共同故意犯罪。所谓“共同故意犯罪”,应当具备以下条件:(1)几个犯罪人必须有共同故意。这里有两层意思:一是几个犯罪人对自己实施的危害行为都持故意的心理状态,即几个犯罪人都明知自己的行为会发生危害社会的结果,并希望或者有意放任这种结果的发生;二是几个犯罪人相互明知,即几个犯罪人都认识到自己和其他行为人在共同进行某一犯罪活动。这两方面的统一,就形成了犯罪人的共同故意。(2)几个犯罪人必须有共同的犯罪行为。共同的犯罪行为,是指各个犯罪人的犯罪行为具有共同性,即犯罪人各自的犯罪行为都是在他们的共同故意支配下,围绕共同的犯罪对象,实现共同的犯罪目的而实施的;各个共同犯罪人所实施的犯罪行为都同危害结果具有因果关系,是完成统一犯罪活动不可缺少的组成部分。(3)共同犯罪具有共同的犯罪客体,即共同犯罪人的犯罪行为必须指向同一犯罪客体,这是共同犯罪的成立必须有共同的犯罪故意和共同的犯罪行为的必然要求。

第二款是关于二人以上共同过失犯罪,不以共同犯罪论处及对其如何处罚的规定。这是对共同犯罪概念的重要补充。本款规定了两层意思:1. 二人以上共同过失犯罪,不以共同犯罪论处,即二人以上由过失造成同一危害结果的,不以共同犯罪定罪处刑。这是从另一个角度进一步说明了什么是共同犯罪。2. 二人以上由过失造成危害结果,应当负刑事责任的,按照他们所犯的罪分别处罚,即按照行为人各自的罪责分别处罚,而不以共同犯罪论处。

第二十六条 组织、领导犯罪集团进行犯罪活动的或者在共同犯罪中起主要作用的,是主犯。

三人以上为共同实施犯罪而组成的较为固定的犯罪组织,是犯罪集团。

对组织、领导犯罪集团的首要分子,按照集团所犯的全部罪行处罚。

对于第三款规定以外的主犯,应当按照其所参与的或者组织、指挥的全部犯罪处罚。

【释义】 本条是关于主犯和犯罪集团的概念及对犯罪集团首要分子、主犯如何处罚的规定。

第一款是关于什么是主犯的规定。根据本款规定,主犯包括两种人:一种是组织、领导犯罪集团进行犯罪活动的,即组织犯罪集团,领导、策划、指挥犯罪集团成员进行犯罪活动的组织、领导者，可能是一个人，也可能是数个人；另一种是在共同犯罪中起主要作用的人。“起主要作用的人”是指在共同犯罪中，出谋划策或者对发生危害结果起重要作用的人。

第二款是关于犯罪集团概念的规定。根据本款规定，犯罪集团应当具备三个条件：1. 必须由三人以上组成；2. 为了共同进行犯罪活动；3. 有较为固定的组织形式。所谓“固定”，包括参与犯罪的人员的基本固定和犯罪组织形式的基本固定。

第三款是关于对组织、领导犯罪集团的首要分子处罚原则的规定。根据本款规定，对组织、领导犯罪集团的首要分子，按照集团所犯的全部罪行处罚，即首要分子要对他所组织、领导的犯罪集团进行犯罪活动的全部罪行承担刑事责任。“组织、领导犯罪集团的首要分子”是指在犯罪集团进行犯罪活动中，起组织、领导、策划、指挥作用的主犯。

第四款是关于对一般主犯处罚原则的规定。根据本款规定，对除组织、领导犯罪集团的首要分子以外的主犯，应当按照该主犯在共同犯罪活动中所参与的或者由他组织、指挥的全部犯罪处罚。由于一般主犯是在首要分子的组织、领导下，在共同犯罪中起主要作用的，其行为的社会危害性相对首要分子来说要小一些，因此，本条规定了轻于首要分子的处罚原则，以体现我国刑法罪刑相适应的原则。

第二十七条　在共同犯罪中起次要或者辅助作用的，是从犯。

对于从犯，应当从轻、减轻处罚或者免除处罚。

【释义】　本条是关于从犯的概念及对其处罚原则的规定。

第一款是关于什么是从犯的规定。根据本款规定，从犯有两种情况：1. 在共同犯罪中起次要作用的。“起次要作用的”是指在整个共同犯罪活动中，处于从属于主犯的地位，对主犯的犯罪意图表示赞成、附和、服从，听从主犯的领导、指挥，不参与有关犯罪的决策和谋划；在实施具体犯罪中，在主犯的组织、指挥下进行某一方面的犯罪活动，情节较轻，对整个犯罪结果的发生，只起了次要的作用。2. 在共同犯罪中起辅助作用的。这种从犯实际上是帮助犯，其特点是不直接参与具体犯罪行为的实施，在共同犯罪活动中，为完成共同犯罪只起了提供物质或者精神帮助的作用，如提供作案工具、为实行犯踩点望风、指示犯罪地点和犯罪对象、消除犯罪障碍等。他们的行为对完成共同犯罪，只起了辅助作用。

第二款是关于对从犯如何处罚的规定。根据本款的规定，对于从犯，应当从轻、减轻处罚或者免除处罚，即根据从犯参与犯罪的性质、情节及其在共同犯罪中所起的作用等具体情况,或者从轻处罚,或者减轻处罚,或者免除处罚。因为在共同犯罪中,从犯所起的作用和其行为的社会危害性比主犯小,因此,从犯承担的刑事责任应当比主犯轻,本款规定对从犯应当从轻、减轻处罚或者免除处罚,是符合我国刑法罪刑相适应原则的。

认定从犯时,应当注意划清从犯与包庇犯的界限。二者的主要区别是:前者是在共同犯罪过程中,为完成共同犯罪,起了次要或者辅助作用,与主犯有共同故意;而后者是在犯罪分子实施犯罪后给予犯罪分子窝藏、窝赃等帮助的,事先与犯罪分子没有共同故意。

第二十八条　对于被胁迫参加犯罪的,应当按照他的犯罪情节减轻处罚或者免除处罚。

【释义】　本条是关于对被胁迫参加犯罪的人处罚原则的规定。

根据本条规定,对于被胁迫参加犯罪的,应当按照他的犯罪情节减轻处罚或者免除处罚。"被胁迫参加犯罪的"是指行为人在他人对其施加精神强制,处于恐惧状态下,不敢不参加犯罪。对这种犯罪之所以应当追究刑事责任,是因为虽然他参加犯罪有违背意志、不得已的一面,但最后参加犯罪仍是由其意志决定,其人身并未受到强制,主观上仍有意志自由,只是畏于自身遭到危险。这种行为人主观上是有罪过的,因此,应当负刑事责任。但其实施危害行为是在被他人威胁、强迫,精神受到强制的情况下不得已而为之的,其人身危险性也小于没受精神强制而实施犯罪的人,因此,规定对于被胁迫参加犯罪的,应当按照他的犯罪情节减轻处罚或者免除处罚。

第二十九条　教唆他人犯罪的,应当按照他在共同犯罪中所起的作用处罚。教唆不满十八周岁的人犯罪的,应当从重处罚。

如果被教唆的人没有犯被教唆的罪,对于教唆犯,可以从轻或者减轻处罚。

【释义】　本条是关于对教唆犯处罚原则的规定。

第一款是关于对教唆他人犯罪的处罚原则和从重处罚情节的规定。教唆他人犯罪的,在罪犯分类中称"教唆犯"。根据本款的规定,对教唆犯,应当按照他在共同犯罪中所起的作用处罚。教唆犯"在共同犯罪中所起的作用"是指教唆犯罪的人教唆的方法、手段及教唆的程度,对完成共同犯罪所起的作用,即在实行所教唆的犯罪中所起的作用。由于教唆犯教唆的方法、手段及教唆的程度不同,对完成所教唆的犯罪所起的作用不同,其行为的危害程度也不同,因此,规定"应当按照他在共同犯罪中所起的作用处罚"。教唆犯在共同犯罪中起主要作用的,按主犯处罚;起次要作用的,按从犯处罚。由于未成年人经历少,思想尚未成熟,容易被教唆,教唆未成年人犯罪的行为具有更大的社会危害性,因此,规定对"教唆不满十八周岁的人犯罪的,应当从重处罚"。

第二款是关于对教唆犯从轻或者减轻处罚的规定。根据本款规定,如果被教唆人没有犯被教唆的罪,对于教唆犯,可以从轻或者减轻处罚。所谓"被教唆的人没有犯被教唆的罪",包括两种情况:一是教唆犯的教唆,对被教唆人没有起到促成犯意,实施犯罪的作用,被教唆人既没有实施教唆犯教唆的犯罪,也没有实施其他犯罪,其教唆行为没有造成直接的犯罪结果;二是被教唆人没有犯所教唆的罪,但因为受教唆而犯了其他罪。不论哪一种情况,都是教唆犯罪,应当承担刑事责任。一般情况下,被教唆人没有实施所教唆的罪,教唆犯的教唆行为的社会危害性要小,因此,本款规定对于上述教唆犯,可以从轻或者减轻处罚。这里规定"可以",是因为教唆人没有犯被教唆的罪的实际情况复杂,对于教唆犯不能一律从轻或者减轻处罚,应当根据案件的具体情况决定是否从轻或减轻。

第四节 单 位 犯 罪

第三十条 公司、企业、事业单位、机关、团体实施的危害社会的行为,法律规定为单位犯罪的,应当负刑事责任。

【释义】 本条是关于单位犯罪刑事责任的规定。

单位犯罪是区别于自然人犯罪的一种特殊犯罪形态,是指以单位为主体的犯罪。我国的单位犯罪不同于国外刑事立法中的法人犯罪。根据我国民法通则的规定,法人必须具备一定的条件:1. 依法成立;2. 有必要的财产或者经费;3. 有自己的名称、组织机构和场所;4. 能够独立承担民事责任。而现实中如某些银行的分行、支行,某些总公司下属的分公司,社会团体中的非法人团体等,虽然不具有法人资格,但某些条件下却可能成为犯罪的主体。为此,我国刑法规定的是单位犯罪,而不是法人犯罪,它既包括法人,也包括非法人组织。

本条包含两层意思:1. 单位犯罪的主体包括公司、企业、事业单位、机关、团体。2. 上述单位实施的危害社会的行为,法律规定为单位犯罪的,应当负刑事责任。这样规定是从单位犯罪的实际情况出发的。由于我国目前正处于改革开放不断深入、经济不断发展的时期,有些规章制度尚不健全,哪些行为属于单位犯罪,有些情况还不够清楚;单位犯罪的情况也十分复杂。对实践中比较突出、社会危害较大、罪与非罪的界限比较容易划清的单位危害社会的行为在刑法分则中作了规定,因此,本条规定单位实施的危害社会的行为,法律规定为单位犯罪的,应当负刑事责任。本条规定的"公司、企业、事业单位"既包括国有的公司、企业、事业单位，也包括集体所有的公司、企业、事业单位以及合资、股份制等公司、企业、事业单位。“机关”是指国家机关。“团体”主要是指人民团体和社会团体。“法律规定”是指本法分则或者其他有关法律的规定。

需要说明的是，近年来，司法机关反映，刑法规定的犯罪中，有些没有规定为单位犯罪，但在实际生活中，存在着由公司、企业等单位实施这些危害社会行为的情形。对于这种情况除了对单位依法追究相应的民事行政等责任外，是否还要追究刑事责任，追究谁的刑事责任，有必要作出专门的法律解释，以指导司法实践。考虑到刑法主要针对一些涉及经济领域的犯罪规定了单位犯罪，对于一些传统的侵犯人身财产权利的犯罪，如杀人、伤害、抢劫、普通的诈骗、盗窃等，刑法分则没有规定单位犯罪。对这些犯罪不认为是单位犯罪，不由单位承担刑事责任，但对组织、策划、直接实施这些法律明文规定为犯罪行为的人，应当按自然人犯罪依法追究刑事责任。对这一问题作出法律解释，既符合立法的原意，适应惩治犯罪的需要，也有利于贯彻罪刑法定原则和维护法制统一。2014 年 4 月 24 日，第十二届全国人民代表大会常务委员会第八次会议通过了《关于〈中华人民共和国刑法〉第三十条的解释》。该解释明确：“公司、企业、事业单位、机关、团体等单位实施刑法规定的危害社会的行为，刑法分则和其他法律未规定追究单位的刑事责任的，对组织、策划、实施该危害社会行为的人依法追究刑事责任。”

第三十一条　单位犯罪的，对单位判处罚金，并对其直接负责的主管人员和其他直接责任人员判处刑罚。本法分则和其他法律另有规定的，依照规定。

【释义】 本条是关于对单位犯罪处罚原则的规定。

根据本条规定，对单位犯罪，一般采取双罚制的原则，即单位犯罪的，对单位判处罚金，同时对单位直接负责的主管人员和其他直接责任人员判处刑罚。这是我国刑法对单位犯罪比较普遍适用的处罚原则。由于单位犯罪的复杂性，其社会危害程度差别很大，一律适用双罚制的原则，有时不能全面准确地体现罪刑相适应的原则和对单位犯罪起到足够的警戒作用，因此，本条规定了例外的情况，即本法分则和其他法律另有规定的，依照规定。“本法分则和其他法律另有规定的”是指根据具体的单位犯罪的实际情况认为不宜采用双罚制处罚原则的，在分则中有的规定了单罚制，即单位犯某种罪的，不规定对单位判处罚金，只对直接责任人员作了处罚的规定。

第三章 刑 罚

第一节 刑罚的种类

第三十二条 刑罚分为主刑和附加刑。

【释义】 本条是关于刑罚种类的规定。

根据本条的规定,刑罚分为主刑和附加刑。“主刑”是对犯罪分子进行惩罚的主要刑种。它只能独立适用,不能相互附加适用。对一个犯罪,只能判处一个主刑。“附加刑”是补充主刑惩罚罪犯的刑种。它既能附加主刑适用,又可以独立适用。

第三十三条 主刑的种类如下:

(一)管制;

(二)拘役;

(三)有期徒刑;

(四)无期徒刑;

(五)死刑。

【释义】 本条是关于主刑种类的规定。

根据本条的规定,主刑共有以下五种:

1. 管制。管制是对犯罪分子不实行关押,但限制其一定自由,依法实行社区矫正的刑罚方法。

2. 拘役。拘役是对犯罪分子短期剥夺人身自由,实行就近关押改造的刑罚方法,适用罪行较轻的犯罪分子。

3. 有期徒刑。有期徒刑是对犯罪分子剥夺一定时期人身自由,并进行教育改造的刑罚方法。

4. 无期徒刑。无期徒刑是剥夺犯罪分子终身自由的刑罚方法,是仅次于死刑的一种严厉的刑罚方法,只适用于严重的犯罪。

5. 死刑。从执行方式上而言,死刑包括死刑立即执行和死刑缓期执行,是剥夺犯罪分子生命的刑罚方法,是一种最严厉的刑罚。适用于罪行极其严重的犯罪分子。

第三十四条　附加刑的种类如下：

(一)罚金；

(二)剥夺政治权利；

(三)没收财产。

附加刑也可以独立适用。

【释义】　本条是关于附加刑种类及其适用的规定。

第一款是关于附加刑种类的规定。附加刑有以下几种：

1. 罚金。罚金是强制犯罪分子向国家缴纳一定数额金钱，对罪犯进行经济制裁的一种刑罚方法。主要适用于破坏社会主义市场经济秩序的犯罪和其他非法牟利的犯罪。

2. 剥夺政治权利。剥夺政治权利是指依法剥夺犯罪分子一定期限参加国家管理和政治活动权利的刑罚方法。主要适用于危害国家安全和其他严重危害社会治安的犯罪分子。

3. 没收财产。没收财产是指将犯罪分子个人所有的财产的一部分或者全部强行无偿地收归国有的一种刑罚方法。主要适用于危害国家安全罪、破坏社会主义市场经济秩序罪、侵犯财产罪及妨害社会管理秩序罪中较严重的犯罪。

第二款是关于附加刑可以独立适用的规定。根据本条规定，附加刑一般是随主刑附加适用的，但也可以独立适用。这里规定的“可以独立适用”是指依照刑法分则单处附加刑的规定适用，而不是随意适用。它适用于犯罪性质、情节较轻的犯罪。罪行比较严重的，不独立适用附加刑，如果需要适用附加刑，只能附加适用。

第三十五条　对于犯罪的外国人，可以独立适用或者附加适用驱逐出境。

【释义】　本条是关于对犯罪的外国人适用驱逐出境的规定。

根据本条的规定，对于犯罪的外国人，可以独立适用或者附加适用驱逐出境。“驱逐出境”是指对犯罪的外国人强迫离开中国国(边)境的一种特殊的刑罚方法。它只对犯罪的外国人适用，不具有普遍适用的性质，因此，刑法没有把“驱逐出境”列入一般刑种体系中，而作为对犯罪的外国人适用的特殊刑种作了单独规定。“可以独立适用或者附加适用驱逐出境”是指对于犯罪的外国人不是一律适用驱逐出境，而是根据其犯罪的性质、情节及犯罪分子本人的情况，结合国际关系和斗争形势等，可以适用驱逐出境，也可以不驱逐出境；可以独立适用驱逐出境，也可以附加驱逐出境。这条规定体现了我国的主权原则。我国是独立自主的主权国家，外国人在我国境内犯了罪，除对于享有外交特权和豁免权的，通过外交途径解决外，一律适用我国刑法，接受我国的法律制裁。人民法院可以根据维护我们国家和人民利益的需要，决定是否判处犯罪的外国人驱逐出境。

第三十六条　由于犯罪行为而使被害人遭受经济损失的，对犯罪分子除依法给予刑事处罚外，并应根据情况判处赔偿经济损失。

承担民事赔偿责任的犯罪分子，同时被判处罚金，其财产不足以全部支付的，或者被判处没收财产的，应当先承担对被害人的民事赔偿责任。

【释义】　本条是关于对因犯罪行为使被害人遭受经济损失的如何处理的规定。

第一款是关于对因犯罪行为造成被害人经济损失的犯罪分子如何处理的规定。根据本款的规定，由于犯罪行为使被害人遭受经济损失的，对犯罪分子除给予刑事处罚外，应当根据情况判处赔偿经济损失。这里规定的"由于犯罪行为而使被害人遭受经济损失的"，既包括由犯罪行为直接造成被害人物质损失的，如毁坏财物、盗窃、诈骗等直接侵害财产的犯罪行为，也包括由于犯罪行为的侵害间接造成被害人经济上的损失，如伤害行为，不仅使被害人身体健康受到损害，而且使被害人遭受支出医疗费用等经济损失。"并应根据情况判处赔偿经济损失"是指人民法院在对犯罪分子判处刑事处罚的同时，根据犯罪分子的犯罪性质、情节、被害人遭受损失的程度、被告人的经济状况等具体情况，一并判处犯罪分子赔偿被害人遭受的经济损失。

第二款是关于被判处财产刑，同时被判处赔偿被害人经济损失的犯罪分子，应当先承担民事赔偿责任的规定。根据本款的规定，刑事附带民事的案件，犯罪分子先承担民事赔偿责任的，有两种情况：一是犯罪分子被判处罚金，同时被判处赔偿经济损失的，这里既包括判处其他主刑并处罚金的，也包括单处罚金的。不论是单处还是并处罚金，同时被判处赔偿经济损失的，只要犯罪分子的财产不足以全部支付的，就应当先承担民事赔偿责任。二是被判处没收财产，同时被判处赔偿被害人经济损失的，不论其财产多少，都应当先承担对被害人的民事赔偿责任。这一规定确定了在刑事案件中，判处财产刑同时承担民事赔偿责任的，执行时采用民事优先的原则，以加强对被害人合法权利的保护。

执行本条规定，应当注意两点：1. 在认定"由于犯罪行为而使被害人遭受经济损失的"事实时，应当注意认定犯罪分子的犯罪行为与被害人遭受经济损失的后果之间是否有因果关系；2. 在执行本条第二款规定时，应当注意弄清犯罪分子的经济状况，既要注意保护被害人的合法权益，又要防止犯罪分子钻法律空子，逃避法律制裁。

第三十七条　对于犯罪情节轻微不需要判处刑罚的，可以免予刑事处罚，但是可以根据案件的不同情况，予以训诫或者责令具结悔过、赔礼道歉、赔偿损失，或者由主管部门予以行政处罚或者行政处分。

【释义】　本条是关于对犯罪情节轻微不需要判处刑罚的，可免予刑事处罚及予以相应处理的规定。

免予刑事处罚是一种非刑罚处罚方法。刑罚的目的是通过教育挽救犯罪分子达到预防犯罪的目的。对于犯罪情节轻微的犯罪分子，其犯罪行为对社会的危害不大，根据案件的不同情况，予以训诫或者责令具结悔过、赔礼道歉、赔偿损失，或者由主管部门予以行政处罚或者行政处分同样可以达到刑罚的目的，不仅节约了司法资源，也体现了罪刑相适应的原则。

本条包含两层意思：1. 对于犯罪情节轻微不需要判处刑罚的犯罪分子，可以免予刑事处罚。这里的"犯罪情节轻微"和"不需要判处刑罚"是"可以免予刑事处罚"必须同时具备的两个条件，也就是说，只有在既"犯罪情节轻微"又"不需要判处刑罚"的情况下，对犯罪分子才"可以免予刑事处罚"。"犯罪情节轻微"是指已经构成犯罪，但犯罪的性质、情节及危害后果都很轻。"不需要判处刑罚的"是指不适用刑事也可达到教育目的，犯罪人已认罪、悔罪等，对其没有判处刑罚必要的。2. 对"免予刑事处罚"的犯罪分子，可以根据案件的不同情况，采用非刑罚方法处理。根据本条的规定，可以采用的非刑罚方法包括两种情况：一是在人民法院判处免予刑事处罚的同时，根据案件的不同情况，对犯罪分子予以训诫或者责令具结悔过、赔礼道歉、赔偿损失；二是由人民法院交由主管部门予以行政处罚或者行政处分。"主管部门"主要是指该案件管辖的公安等行政执法机关，犯罪分子所在单位或者基层组织。"行政处罚"主要是指行政执法机关，依照行政法律、法规的规定，给予被免予刑事处罚的犯罪分子以经济处罚或者限制人身自由的处罚，如罚款、行政拘留等。"行政处分"是指犯罪分子的所在单位或者其基层组织，依照规章、制度，对免予刑事处罚的犯罪分子予以行政纪律处分，如开除、记过、警告等。

第三十七条之一[*]　因利用职业便利实施犯罪，或者实施违背职业要求的特定义务的犯罪被判处刑罚的，人民法院可以根据犯罪情况和预防再犯罪的需

---

* 根据2015年8月29日第十二届全国人民代表大会常务委员会第十六次会议通过的《中华人民共和国刑法修正案（九）》增加。

要，禁止其自刑罚执行完毕之日或者假释之日起从事相关职业，期限为三年至五年。

被禁止从事相关职业的人违反人民法院依照前款规定作出的决定的，由公安机关依法给予处罚；情节严重的，依照本法第三百一十三条的规定定罪处罚。

其他法律、行政法规对其从事相关职业另有禁止或者限制性规定的，从其规定。

【释义】　本条是关于禁止从事相关职业的预防性措施的规定。

2015年8月29日第十二届全国人民代表大会常务委员会第十六次会议通过的《刑法修正案（九）》增加了本条规定。增加规定禁止从事相关职业的预防性措施，主要考虑是：实践中，有一些犯罪分子利用职业便利实施犯罪，或者实施违背职业要求的特定义务的犯罪，在刑罚执行完毕或者假释之后，又继续从事原来的职业或者相关的职业，对公共利益或者社会秩序构成了一定的危险。如从事食品生产、加工、销售的人，实施了生产、销售有毒、有害食品犯罪被追究刑事责任的，在刑罚执行完毕或者假释后重操旧业，继续从事食品行业工作，给人民群众的生命、身体健康造成危险，影响人民群众的安全感。为有效预防这些人再次犯罪，保护公共利益和社会秩序，针对一些特定职业，对这些人规定一定的"安全期"，禁止其在一定期限内从事相关职业，是必要的。

第一款是关于禁止从事相关职业的预防性措施的适用对象、程序和期限的规定。禁止从事相关职业的预防性措施或者称为从业禁止，是指人民法院对于实施特定犯罪被判处刑罚的人，依法禁止其在一定期限内从事相关职业以预防其再犯罪的法律措施。这种措施，是刑法从预防再犯罪的角度针对已被定罪判刑的人规定的一种预防性措施，不是新增加的刑罚种类。本款共作了三个方面的规定：

第一，关于禁止从事相关职业的预防性措施的适用对象。根据本款规定，禁止从事相关职业的预防性措施适用于利用职业便利实施犯罪或者实施违背职业要求的特定义务的犯罪被判处刑罚的罪犯。本款规定的利用职业便利实施犯罪，是指利用自己从事该职业所形成的管理、经手、权力、地位等便利条件实施犯罪，如犯罪分子利用职业便利实施的职务侵占犯罪等，从事证券业、银行业、保险业等人员利用职业便利实施妨害对公司、企业管理秩序罪、破坏金融管理秩序罪等。本款规定的实施违背职业要求的特定义务的犯罪，是指违背一些特定行业、领域有关特定义务的要求，违背职业道德、职业信誉所实施的犯罪。如从事食品行业的人实施生产、销售不符合食品安全标准的食品罪，生产、销售有毒、有害食品罪，从事工程建设施工、特种安全设备生产的人违背特定的义务要求实施重大安全事故罪、责任事故罪，从事化学品生产、销售、运输或者储存的人违反有关要求，实施有关环境污染事故罪、安全生产事故罪等。利用职业便利实施犯罪和实施违背职业要求的特定义务的犯罪两者之间，在范围上可能有相互覆盖、相互交叉的地方。本款规定的“被判处刑罚”，包括被判处主刑和附加刑，单处罚金或者独立适用剥夺政治权利的，属于本款规定的“被判处刑罚”。但对于依照本法第三十七条规定予以定罪，但免予刑事处罚的犯罪分子，不适用从业禁止的规定。

第二，关于禁止从事相关职业的预防性措施的适用程序。根据本款规定，人民法院可以根据犯罪情况和预防再犯罪的需要，对犯罪分子决定适用从业禁止。这里规定的“可以”，是指对于因利用职业便利实施犯罪或者实施违背职业要求的特定义务的犯罪被判处刑罚的人，不是一律都要予以从业禁止，而是要根据犯罪情况和预防再犯罪的需要，具体决定是否适用从业禁止。“根据犯罪情况和预防再犯罪的需要”，主要是指根据犯罪的性质、情节、社会危害程度和造成的社会影响，以及犯罪分子的主观恶性、再次犯罪的可能性等确定，对于故意实施犯罪恶性较大，犯罪情节恶劣，不适用从业禁止可能严重影响人民群众安全感，难以预防其再次犯罪的，适用从业禁止的预防性措施。对于主观恶性小、犯罪情节较轻、再犯罪可能性较小的，也可以不适用从业禁止的预防性措施。从业禁止应当在判决中同时确定，从业禁止的具体内容和时间应当体现在判决中，具有强制性的法律效力，被禁止从事相关职业的人必须遵守。

第三，关于禁止从事相关职业的期限。根据本款规定，从业禁止的预防性措施，其起始时间是自刑罚执行完毕或者假释之日起。从业禁止的效力当然适用于刑罚执行期间。对于被判处有期徒刑、无期徒刑被假释的犯罪分子，从业禁止从假释之日起计算。从业禁止的期限是三年至五年。人民法院可以根据犯罪情况和预防再犯罪的需要，在三年和五年之间，酌情确定从业禁止的具体期限。

第二款是关于违反禁止从事相关职业的预防性措施的法律后果的规定。为保证禁止从事相关职业的预防性措施的规定在实际执行中能够落实到位，本款从两个方面规定了违反从业禁止决定的法律后果：第一，被禁止从事相关职业的人违反人民法院依法作出的从业禁止的决定的，由公安机关依法给予处罚。这种情形，主要是针对违反人民法院作出的从业禁止决定，但情节比较轻微，尚不构成犯罪的。第二，情节严重的，依照本法第三百一十三条的规定定罪处罚。这里规定的“情节严重”，主要是指违反人民法院从业禁止决定，经有关方面劝告、纠正仍不改正的，因违反从业禁止决定受到行政处罚又违反的，或者违反从业禁止决定且在从业过程中又有违法行为的等情形。

第三款是关于其他法律、行政法规对从事相关职业另有禁止或者限制性规定时如何处理的规定。我国现行有二十多部法律和有关法律问题的决定对受过刑事处罚人员有从事相关职业的禁止或者限制性规定，包括规定禁止或者限制担任一定公职，禁止或者限制从事特定职业，以及禁止或者限制从事特定活动等。这些其他法律、行政法规规定的禁止或者限制从事相关职业、活动，都属于行政性的预防性措施，与本条规定的从业禁止在适用条件、禁止期限等方面存在一定差异。如有的规定从业禁止只适用于特定犯罪，有的规定适用于被判处特定刑罚的人，有的规定禁止或者限制的期限是终身，有的规定了一定的期限。根据本条规定，对于其他法律、行政法规对从事相关职业另有禁止或者限制性规定的，从其规定，即依照这些法律、行政法规的规定处理。

第二节　管　　制

第三十八条*　管制的期限，为三个月以上二年以下。

判处管制，可以根据犯罪情况，同时禁止犯罪分子在执行期间从事特定活动，进入特定区域、场所，接触特定的人。

对被判处管制的犯罪分子，依法实行社区矫正。

违反第二款规定的禁止令的，由公安机关依照《中华人民共和国治安管理处罚法》的规定处罚。

【释义】　本条是关于管制的期限和管制刑执行的规定。

管制是刑罚五种主刑中唯一不剥夺犯罪分子自由的开放性刑种。管制措施在新中国成立初期，对于维护社会秩序和稳定发挥了重要作用。但后来，随着人口流动性的加大，以及基层组织管理工作的弱化，给管制刑的执行带来一定的困难，司法实践中判处管制刑的也越来越少。因此，在1997年修订刑法时，有的提出要取消管制刑。考虑到适用管制刑被判处管制的犯罪分子，可以在社会上从事正常的工作，在劳动和工作中接受教育改造，不致妨害其家庭生活。刑满后，回归社会，适应正常的社会生活也比较容易。同时，考虑到对一些犯罪情节较轻，不需要关押的犯罪分子判处非监禁刑，也符合当今世界潮流。因此，保留了管制刑。

从近年来司法实践中管制刑实际执行的情况看，存在一些问题。一是经济社会情况变化带来的基层管理能力弱化，管制刑在实际执行中难以落到实处的

---

* 根据2011年2月25日第十一届全国人民代表大会常务委员会第十九次会议通过的《中华人民共和国刑法修正案（八）》修改。原条文是："管制的期限，为三个月以上二年以下。

"被判处管制的犯罪分子，由公安机关执行。"

问题仍然没有得到有效解决,导致管制刑在实际执行中往往流于形式;二是由于管制刑实际执行难,司法机关很少适用管制刑,使得我国刑法中这一唯一的非监禁的刑种没有充分发挥应有的作用。此外,近年来我国在非监禁刑罚执行方面开展了一些探索,2003 年在一些地方进行的社区矫正试点工作取得了成效,目前社区矫正已经在全面实行。有关部门也正在抓紧进行社区矫正法的起草工作。社区矫正的对象包括被判处管制的犯罪分子,对这部分人通过社区矫正进行管理和教育,实际上也是对在新的社会条件下如何做好管制刑的执行工作所进行的积极和有益的探索。基于管制刑在执行中存在的上述问题和近年来在刑罚执行方面出现的新的情况,全国人大常委会根据有关方面的意见,在 2011 年 2 月通过的《刑法修正案(八)》中对刑法第三十八条关于管制的规定作了修改和补充。一是规定"对被判处管制的犯罪分子,依法实行社区矫正";二是增加了对被判处管制的犯罪分子可以同时禁止其在执行期间从事特定活动,进入特定区域、场所,接触特定的人的规定;三是进一步明确了被判处管制的犯罪分子在管制期间违反上述禁止令的法律责任。

本条第一款是关于管制期限的规定。根据本款的规定,管制的期限,最高为二年,最低为三个月。

本条第二款是关于对被判处管制的犯罪分子作出禁止令的规定。根据本款规定,人民法院可以根据犯罪情况,在判处行为人管制的同时,作出禁止其在管制期间从事特定活动,进入特定区域、场所,接触特定的人的禁止令。何为"特定",法律未作具体规定,是因为实践中情况比较复杂,难以在法律中作出详尽规定,需要人民法院根据每一起案件的具体情况,主要是根据个案中犯罪的性质、情节,行为人犯罪的原因,维护社会秩序、保护被害人免遭再次侵害、预防行为人再次犯罪的需要等情况,在判决时作出具体的禁止性规定。人民法院作出禁止令,可以只涉及一个方面的事项,如只禁止行为人从事特定活动,也可以同时涉及三个方面的事项,即同时禁止其从事特定活动,进入特定区域、场所,接触特定的人,具体根据案件情况和需要确定。

需要注意的是,虽然法律对人民法院的禁止令可以禁止的事项只是作了原则规定,但并不意味着人民法院可以对被判处管制的犯罪分子任意设置禁令。人民法院作出禁止令,要按照法律规定的原则和精神,从维护社会秩序、保护被害人合法权益、预防犯罪的需要出发。首先,是否有必要作出禁止令,需要结合具体案件的情况,并非所有判处管制的案件均要作出禁止令。其次,对需要作出禁止令的,禁止令的内容也要符合法律规定,有利于犯罪分子教育改造和重新回归社会,不得损害其合法权益。2011 年《最高人民法院、最高人民检察院、公安部、司法部关于对判处管制、宣告缓刑的犯罪分子适用禁止令有关问题的规定(试行)》对禁止令的具体适用作了规定。根据该规定,禁止从事特定活动包括个人为进行违法犯罪活动而设立公司、企业、事业单位或者在设立公司、企业、事业单位后以实施犯罪为主要活动的,禁止设立公司、企业、事业单位,附带民事赔偿义务未履行完毕,违法所得未追缴、退赔到位,或者罚金尚未足额缴纳的,禁止从事高消费活动等;禁止进入特定区域、场所包括禁止进入夜总会、酒吧、迪厅、网吧等娱乐场所,未经执行机关批准,禁止进入举办大型群众性活动的场所等;禁止接触特定的人包括未经对方同意,禁止接触被害人及其法定代理人、近亲属,未经对方同意,禁止接触证人及其法定代理人、近亲属等。

本条第三款是关于对被判处管制的犯罪分子,依法实行社区矫正的规定。刑法原规定,被判处管制的犯罪分子,由公安机关执行。全国人大常委会于2011年2月通过的《刑法修正案(八)》将该规定修改为依法实行社区矫正。这一修改主要是考虑到社区矫正试点工作的实际情况,并与正在起草当中的社区矫正法相衔接。2003年以来,有关部门在一些地方开展社区矫正试点工作,各方面反映较好,目前社区矫正工作正在全国全面实行。社区矫正是非监禁刑罚执行方式,是指将符合法定条件的罪犯置于社区内,由专门的国家机关在相关社会团体、民间组织和社会志愿者的协助下,在判决、裁定或决定确定的期限内,矫正其犯罪心理和行为恶习,促进其顺利回归社会的非监禁刑罚执行活动。目前正在进行的社区矫正对象中就包括被判处管制的犯罪分子。因此,本款的规定为通过社区矫正,对被判处管制的犯罪分子依法实行教育、管理和监督提供了必要的法律依据。关于社区矫正的具体做法,可以在总结经验的基础上,在将来出台的社区矫正法当中作出具体规定。需要注意的是,刑法关于管制刑执行的修改,并不是简单地将执行机关由一个部门更换为另一个部门。社区矫正是一项综合性很强的工作,需要各有关部门分工配合,并充分动员社会各方面力量,共同做好工作。虽然《刑法修正案(八)》将刑法原来规定的"由公安机关执行"修改为"依法实行社区矫正",但这并非意味着公安机关不再承担对被判处管制的犯罪分子的监督管理职责。在正在进行的社区矫正工作中,公安机关承担着重要监督管理职责。将来出台社区矫正法以后,公安机关作为主要的社会治安管理部门,仍然需要承担相应的职责,发挥重要作用。

本条第四款是关于被判处管制的犯罪分子违反禁止令的法律责任的规定。为了加强对被判处管制的犯罪分子的监督管理,本条第二款增加了人民法院对被判处管制的犯罪的分子,可以禁止其在管制期间从事特定活动,进入特定区域、场所,接触特定的人。对违反禁止令规定的应当如何追究其法律责任,本款作了具体规定,即由公安机关依照治安管理处罚法的规定予以处罚。根据治安管理处罚法第六十条的规定,被依法执行管制、剥夺政治权利或者在缓刑、暂予监外执行中的罪犯或者被依法采取刑事强制措施的人，有违反法律、行政法规或者国务院有关部门的监督管理规定的行为的，处五日以上十日以下拘留，并处二百元以上五百元以下罚款。

第三十九条　被判处管制的犯罪分子，在执行期间，应当遵守下列规定：

（一）遵守法律、行政法规，服从监督；

（二）未经执行机关批准，不得行使言论、出版、集会、结社、游行、示威自由的权利；

（三）按照执行机关规定报告自己的活动情况；

（四）遵守执行机关关于会客的规定；

（五）离开所居住的市、县或者迁居，应当报经执行机关批准。

对于被判处管制的犯罪分子，在劳动中应当同工同酬。

【释义】　本条是关于对被判处管制的犯罪分子的要求和对参加劳动的被管制的犯罪分子如何支付报酬的规定。

面对新时期、新情况，为了更好地发挥管制刑的作用，在保留管制刑的同时，针对多年来司法实践中存在的执行管制刑困难的问题，本条对管制刑在制度设计上进一步完善。对于被判处管制的犯罪分子在执行期间必须遵守的规定进行修改补充，严格了对被执行管制的犯罪分子的要求，加强了对他们的管理，有利于管制刑的执行，也有利于充分有效地发挥管制刑的作用。

第一款是关于对被判处管制的犯罪分子的要求的规定。根据本款的规定，被判处管制的犯罪分子，在执行期间，应当遵守下列规定：

1. 遵守法律、行政法规，服从监督。这一规定要求被判处管制的犯罪分子要自觉地遵守宪法、法律和行政法规；对于执行机关对其实行的监督，被判处管制的罪犯必须服从。

2. 未经执行机关批准，被管制的犯罪分子不得行使言论、出版、集会、结社、游行、示威自由的权利。在犯罪分子被管制期间，限制其行使上述权利，有利于加强对他们的监督管理，防止他们以行使自由权利为借口，继续危害社会。

3. 按照执行机关规定报告自己的活动情况。这样规定主要是为了及时掌握被管制的犯罪分子的情况，更好地教育改造犯罪分子。

4. 遵守执行机关关于会客的规定。这样规定有利于防止服刑人受外界的不良影响、干扰，以致再犯罪。

5. 离开所居住的市、县或者迁居，应当报经执行机关批准。这项规定的意义主要体现了对服刑人的控制和管制。

实践中，有的被判处管制的犯罪分子在管制执行期间实施违法行为，对此情形,2001 年《公安部关于被判处管制的罪犯在管制执行期间实施违法行为如何处理有关问题的批复》明确,对被处管制的罪犯在管制执行期间实施违反法律、行政法规和国务院公安部门有关监督管理规定的行为,尚未构成犯罪的,应当依法予以治安管理处罚,其中,依法予以治安拘留的,应当在治安拘留执行期满后继续执行管制,治安拘留时间不计入管制期限;构成犯罪的,应当依法追究刑事责任。治安管理处罚法第六十条规定:被依法执行管制、剥夺政治权利或者在缓刑、暂予监外执行中的罪犯或者被依法采取刑事强制措施的人,有违反法律、行政法规或者国务院有关部门的监督管理规定的行为的,处五日以上十日以下拘留,并处二百元以上五百元以下罚款。

第二款是关于对被判处管制的犯罪分子如何支付劳动报酬的规定。根据本款的规定,对被判处管制的犯罪分子,在劳动中应当同工同酬。这样规定,有利于鼓励罪犯积极参加劳动,促进犯罪分子的改造,以更有效地体现管制刑的特点和效力。

第四十条　被判处管制的犯罪分子,管制期满,执行机关应即向本人和其所在单位或者居住地的群众宣布解除管制。

【释义】　本条是关于对被判处管制的犯罪分子解除管制的条件和如何解除管制的规定。

本条规定包含两层意思:1. 解除管制的前提是管制期满,即被判处的管制刑执行完毕。2. 管制期满,执行机关应即向本人和其所在单位或者居住地的群众宣布解除管制。这条规定要求执行管制的机关,对被判处管制的犯罪分子,一旦管制期满,应当立即向本人和其所在单位或者居住地的群众宣布解除管制。这一规定有利于防止拖延管制期限,损害被解除管制人的合法权利,也有利于及时宣传法制,教育群众,保证法律的正确实施。

第四十一条　管制的刑期,从判决执行之日起计算;判决执行以前先行羁押的,羁押一日折抵刑期二日。

【释义】　本条是关于如何计算管制的刑期和对先行羁押的时间如何折抵刑期的规定。

根据本条的规定,管制的刑期,从判决执行之日起计算,即判决开始执行的当日起计算,当日包括在刑期之内;判决执行以前先行羁押的,羁押一日折抵管制刑期二日。这样规定是考虑判决执行以前的先行羁押,是实行关押的剥夺人身自由,而管制则是不实行关押的限制人身自由,因此规定先行羁押一日折抵管制刑期二日是合理的。这里规定的“先行羁押”是指判决开始执行以前,针对被判处刑罚的同一行为而实行的关押。

第三节 拘 役

第四十二条 拘役的期限,为一个月以上六个月以下。

【释义】 本条是关于拘役刑期限的规定。

拘役是一种短期剥夺罪犯的人身自由的刑罚。对主观恶性较小的罪犯适用短期自由刑,既体现刑法罪刑相适应的原则,也有利于促使罪犯反省悔罪、重新做人、回归社会。

根据本条的规定,拘役的期限为一个月以上六个月以下,上限为六个月,与有期徒刑的最低期限六个月相衔接。拘役的期限虽然比管制刑短,但它属于剥夺犯罪分子人身自由的一种刑罚。

第四十三条 被判处拘役的犯罪分子,由公安机关就近执行。

在执行期间,被判处拘役的犯罪分子每月可以回家一天至两天;参加劳动的,可以酌量发给报酬。

【释义】 本条是关于拘役刑如何执行的规定。

拘役的刑期较短,被判处拘役的犯罪分子,有的已被先期羁押,折抵后实际执行拘役的刑期更短。因此规定,由公安机关就近执行,而不必再送到司法行政部门的监狱执行。考虑到被判处拘役的犯罪分子,犯罪情节较轻,主观恶性不大,规定每月可回家一至两天,参加劳动的,可酌量发给劳动报酬,有利于鼓励他们积极参加劳动,接受改造,同时,也体现出拘役这种较轻刑罚的特点。

本条第一款是关于拘役刑由公安机关就近执行的规定。根据本款规定,拘役刑由公安机关执行,而不交给司法行政部门的监狱执行。拘役刑由公安机关执行,主要是指在公安机关的看管下进行劳动改造,其人身自由已被剥夺,并应置于执行人员的看管之下。这里所说的"就近执行",是指由犯罪分子所在地的县、市或市辖区的公安机关的看守所执行。

本条第二款是关于被判处拘役的犯罪分子每月可回家一至两天和酌量发给劳动报酬的规定。被判处拘役的犯罪分子,每月回家的天数,应当计算在刑期之内。根据本条规定,对参加劳动的拘役人员,根据他们的劳动表现、技术水平等情况,可以"酌量发给报酬"。这里规定的"可以"酌量发给报酬,不是必须发给报酬。如果劳动效益较差,收入较少,罪犯在劳动中表现较差的,也可以不发给报酬。这与被判处管制的犯罪分子在劳动中"同工同酬"的规定是有差别的。

第四十四条　拘役的刑期，从判决执行之日起计算；判决执行以前先行羁押的，羁押一日折抵刑期一日。

【释义】　本条是关于拘役的刑期如何计算的规定。

根据本条规定，拘役的刑期，从判决执行之日起计算。即从犯罪分子实际执行拘役开始计算。对于虽已作出拘役判决，但犯罪分子尚未交付公安机关执行的，还不能算判决执行之日，不能开始计算刑期。这里所说的“判决执行以前先行羁押的，羁押一日折抵刑期一日”，是指判决执行前对犯罪嫌疑人、被告人逮捕、刑事拘留后进行关押的期间，应当羁押一日折抵拘役刑期一天。

第四节　有期徒刑、无期徒刑

第四十五条　有期徒刑的期限，除本法第五十条、第六十九条规定外，为六个月以上十五年以下。

【释义】　本条是关于有期徒刑期限的规定。

有期徒刑是剥夺犯罪分子一定期限的人身自由的刑罚，对于比较严重的各种犯罪，主要适用这一刑罚，是我国刑罚中适用范围最广泛的一种。根据本条规定，有期徒刑的最低期限为六个月，与拘役相衔接；最高期限为十五年。本条规定了两种除外情形：一是根据修改后本法第五十条的规定，被判处死刑缓期执行的罪犯，在死缓执行期间，如果确有重大立功表现，二年期满后可以减为二十五年有期徒刑；二是根据修改后本法第六十九条的规定，对犯罪分子实行数罪并罚，有期徒刑总和刑期不满三十五年的，最高不能超过二十年，总和刑期在三十五年以上的，最高不能超过二十五年。这两条规定的有期徒刑的最高期限是有期徒刑最高刑期的例外规定。

第四十六条　被判处有期徒刑、无期徒刑的犯罪分子，在监狱或者其他执行场所执行；凡有劳动能力的，都应当参加劳动，接受教育和改造。

【释义】　本条是关于被判处有期徒刑、无期徒刑的罪犯服刑和接受教育改造的规定。

根据本条规定，被判处有期徒刑、无期徒刑的犯罪分子，在监狱或者其他执行场所执行。这里所说的“监狱”，是指被判处有期徒刑、无期徒刑、死刑缓期二年执行的罪犯服刑的场所，是国家的刑罚执行机关。“其他执行场所”，是指根据监狱法的规定，罪犯在被交付执行刑罚前，剩余刑期在三个月以下的，由看守所代为执行；对未成年犯在未成年犯管教所执行刑罚。被判处有期徒刑、无期徒刑的犯罪分子,凡有劳动能力的,都应当参加劳动,接受教育和改造,使罪犯在劳动中认识自己的罪行,矫正恶习,并学会和掌握基本的生产知识和职业技能,为刑满释放后的就业谋生创造条件。这里所说的“有劳动能力的”,是指根据罪犯身体健康状况可以进行劳动。对于年老体迈、有严重疾病,不具有劳动能力的不应再安排其进行劳动。“教育”,是指对罪犯进行思想教育、文化教育、职业技术教育。思想教育,是指对罪犯进行法制、道德、形势、政策、法律等内容的教育;文化教育,是指根据罪犯的不同情况,对其进行扫盲教育、初等教育和中等教育等;职业技术教育,是指根据监狱生产和罪犯释放后就业的需要,对罪犯实行职业技术培训,使其掌握一技之长。根据监狱法的规定,教育改造罪犯,要实行因人施教、分类教育、以理服人的原则,采取集体教育与个别教育相结合、狱内教育与社会教育相结合的方法,使罪犯认罪伏法,改恶从善,成为守法的公民。

第四十七条　有期徒刑的刑期,从判决执行之日起计算;判决执行以前先行羁押的,羁押一日折抵刑期一日。

【释义】　本条是关于有期徒刑刑期计算的规定。

根据本条的规定,有期徒刑的刑期,从判决执行之日起计算。这里所说的“判决执行之日”,是指罪犯被送交监狱或者其他执行机关执行刑罚之日,而不是指判决生效的日期。判决执行以前先行羁押的,即判决执行之前犯罪分子被采取刑事拘留、逮捕等剥夺人身自由措施的,羁押一日折抵刑期一日。

第五节　死　　刑

第四十八条　死刑只适用于罪行极其严重的犯罪分子。对于应当判处死刑的犯罪分子,如果不是必须立即执行的,可以判处死刑同时宣告缓期二年执行。

死刑除依法由最高人民法院判决的以外,都应当报请最高人民法院核准。死刑缓期执行的,可以由高级人民法院判决或者核准。

【释义】　本条是关于死刑适用的对象和死刑核准程序的规定。

死刑是剥夺犯罪分子生命的刑罚,是刑法所有刑罚中最严厉的。我国对死刑的一贯方针是:一是保留,二是严格控制和慎重适用。对死刑不废除,是根据我国社会的具体情况和打击犯罪的具体需要决定的。对危害极其严重的犯罪分子判处死刑,有利于维护国家的安全、社会的稳定及对公民权利的保护。死缓制度是我国在长期同犯罪作斗争的实践中建立的,实际执行中,被判处死缓的罪犯基本上都没有执行死刑，减少了实际执行死刑的人数。死缓制度体现了“少杀、慎杀、能不杀的不杀”的政策。

本条第一款是关于死刑适用对象的规定。根据本款规定，死刑只适用于罪行极其严重的犯罪分子。“罪行极其严重”，是指所犯罪行对国家和人民的利益危害特别严重和情节特别恶劣的。根据这一规定，刑法分则对于可以适用死刑的条文作了严格的限制，如对可以判处死刑的，都规定了“对国家和人民危害特别严重、情节特别恶劣的”、“致人重伤、死亡或者使公私财产遭受重大损失的”、“造成严重后果的”、“情节特别严重”、“数额特别巨大并且给国家和人民利益造成特别重大损失的”等。为了限制适用死刑，本条还规定，对于应当判处死刑的犯罪分子，如果不是必须立即执行的，可以判处死刑同时宣告缓期二年执行，即死刑缓期二年执行的制度。死刑缓期二年执行并不是一个独立的刑种，而是死刑的一种执行方式。判处死刑缓期二年执行的前提同判处死刑立即执行一样，必须是“罪行极其严重”，应当判处死刑的。如果法律对该罪没有规定死刑，或者所犯罪行不该判处死刑，就不能适用“死缓”。判处“死缓”，是根据案件的具体情况和犯罪分子的悔罪表现，可以不立即执行死刑的。这里所说的“不是必须立即执行”，是区分死刑立即执行与死刑缓期执行的原则界限。至于什么是属于“不是必须立即执行”，法律没有作具体规定。根据司法实践经验，一般是指该罪犯罪行虽然极其严重，但民愤尚不特别大；犯罪分子投案自首或者有立功表现的；共同犯罪中有多名主犯，其中的首要分子或者罪行最严重的主犯已判处死刑立即执行，其他主犯不具有立即执行必要的；被害人在犯罪发生前或者发生过程中有明显过错的，等等。

本条第二款是关于死刑核准程序的规定。根据本款规定，死刑除依法由最高人民法院判决的以外，都应当报请最高人民法院核准。这对于保证死刑的正确适用，防止冤假错案的发生，具有重要作用。对于死刑缓期执行的，可以由高级人民法院判决或者核准，既可由高级人民法院直接判决后核准，也可由中级人民法院判决，然后报高级人民法院核准。

第四十九条[*]　**犯罪的时候不满十八周岁的人和审判的时候怀孕的妇女，不适用死刑。**

审判的时候已满七十五周岁的人，不适用死刑，但以特别残忍手段致人死亡的除外。

---

* 第二款根据2011年2月25日第十一届全国人民代表大会常务委员会第十九次会议通过的《中华人民共和国刑法修正案（八）》增加。

【释义】 本条是关于不适用死刑的情况的规定。

本条第二款是根据第十一届全国人大常委会第十九次会议通过的《刑法修正案(八)》新增加的规定。

1997年刑法对未成年人和怀孕的妇女不适用死刑的情况作了规定,对老年人不适用死刑没有作出规定。长期以来,社会公众和专家学者多有对老年人不适用死刑之呼吁。司法体制和工作机制改革也积极探索有关老年人犯罪的司法制度,建立对老年人犯罪适当从宽处理的法律机制,明确适用的条件、范围和程序。立法机关做了大量调查研究工作:一是查阅了大量历史资料,我国自西周至唐、明、清各朝代至民国时期的法律都有老年人不负刑事责任或者不适用死刑的规定,在我国刑法史上对此已有比较完备的法律机制;二是少用、慎用死刑是新中国一贯的刑事政策,尤其是近年来,对七十五周岁以上的老年人基本没有适用过死刑,所以对这部分老年人在法律上明确规定不适用死刑,其影响面极小或基本没有影响,不会对现在的社会治安秩序造成损害;三是对七十五周岁以上的老年人罪行极其严重的,不适用死刑但可以适用无期徒刑,按照修改后的刑法规定其实际执行期限最少在十五年以上,对于七十五周岁的人,服刑期满最少也要达到九十周岁,对于老年人来说,惩罚的力度已经足够,刑罚的目的可以实现;四是对老年人不适用死刑是我国已经签署的《公民权利和政治权利国际公约》所倡导的,许多国家和地区的法律也有这样的规定;五是对于极个别以特别残忍手段致人死亡的老年保留适用死刑,符合罪刑相适应的原则,实现社会公正,也有利于安抚被害人家属,减少社会矛盾。综合考虑以上因素,《刑法修正案(八)》规定:审判的时候已满七十五周岁的人,不适用死刑,但以特别残忍手段致人死亡的除外。

第二款的规定在立法上主要集中争议两个问题:一是对多大年龄的老年人不适用死刑。法律规定为七十五周岁,是考虑了前面已经阐明的因素,也与刑法第十七条之一规定的对老年人从宽处罚的年龄相衔接。二是是否对年满七十五周岁的老年人一律不适用死刑。有的常委委员和群众提出,判处刑罚要考虑个罪的情况,有的老年人其体力、智力、精神状况良好,又以特别残忍手段致人死亡,且社会影响极为恶劣,如不适用死刑,难以平息社会矛盾。考虑到上述各方面的意见,法律对老年人不适用死刑作了例外的规定。

第一款是关于对未成年人和怀孕的妇女不适用死刑的规定。根据本款规定,对下列两种人不能适用死刑:一是犯罪时不满十八周岁的未成年人。未成年人由于其生理和心理发育尚未成熟,社会阅历、社会经验也有限,规定对其不适用死刑(包括死刑缓期二年执行),主要是出于对未成年人保护和刑事责任能力角度的考虑,且也与我国已经批准加入的《儿童权利公约》和已经签署的《公民权利和政治权利国际公约》中的有关规定相一致。不满十八周岁，是决定是否适用死刑的年龄界限，在司法实践中应当一律按公历年、月、日计算实足年龄。必须是过了十八周岁生日的第二天起，才认为已满十八周岁，在此之前，则为不满十八周岁。二是对于在审判的时候怀孕的妇女不适用死刑。这样规定，主要是出于人道主义考虑，未出生的胎儿是无罪的，不能因其母亲犯罪而剥夺其出生的权利。“审判的时候怀孕的妇女”，是指在人民法院审判的时候被告人是怀孕的妇女，也包括审判前在羁押时已经怀孕的妇女。因此，对于犯罪的怀孕妇女，在她被羁押或者受审期间，无论其怀孕是否属于违反国家计划生育政策，仍应视同审判时怀孕的妇女，不能适用死刑。

第二款是关于对老年人不适用死刑的规定。本款规定的“审判的时候已满七十五周岁的人”，是指按照刑事诉讼法的规定，在人民法院审判的时候被告人是年满七十五周岁的老年人。“以特别残忍手段致人死亡”是指犯罪手段令人发指，如以肢解、残酷折磨、毁人容貌等特别残忍的手段致使被害人死亡的。本款规定的不适用死刑，也包括不适用死刑缓期二年执行。

在实际适用本款规定时应当注意，只要被告人在人民法院作出判决前，已年满七十五周岁的，就应适用本款规定。

第五十条[*]　**判处死刑缓期执行的，在死刑缓期执行期间，如果没有故意犯罪，二年期满以后，减为无期徒刑；如果确有重大立功表现，二年期满以后，减为二十五年有期徒刑；如果故意犯罪，情节恶劣的，报请最高人民法院核准后执行死刑；对于故意犯罪未执行死刑的，死刑缓期执行的期间重新计算，并报最高人民法院备案。**

对被判处死刑缓期执行的累犯以及因故意杀人、强奸、抢劫、绑架、放火、爆

---

* 本条经过两次修改。

根据2011年2月25日第十一届全国人民代表大会常务委员会第十九次会议通过的《中华人民共和国刑法修正案(八)》第一次修改。原条文是：“判处死刑缓期执行的，在死刑缓期执行期间，如果没有故意犯罪，二年期满以后，减为无期徒刑；如果确有重大立功表现，二年期满以后，减为十五年以上二十年以下有期徒刑；如果故意犯罪，查证属实的，由最高人民法院核准，执行死刑。”

根据2015年8月29日第十二届全国人民代表大会常务委员会第十六次会议通过的《中华人民共和国刑法修正案(九)》第二次修改。第一次修改后的条文是：“判处死刑缓期执行的，在死刑缓期执行期间，如果没有故意犯罪，二年期满以后，减为无期徒刑；如果确有重大立功表现，二年期满以后，减为二十五年有期徒刑；如果故意犯罪，查证属实的，由最高人民法院核准，执行死刑。

“对被判处死刑缓期执行的累犯以及因故意杀人、强奸、抢劫、绑架、放火、爆炸、投放危险物质或者有组织的暴力性犯罪被判处死刑缓期执行的犯罪分子，人民法院根据犯罪情节等情况可以同时决定对其限制减刑。”

炸、投放危险物质或者有组织的暴力性犯罪被判处死刑缓期执行的犯罪分子，人民法院根据犯罪情节等情况可以同时决定对其限制减刑。

【释义】 本条是关于被判处死刑缓期二年执行的罪犯减刑或者执行死刑的条件及程序的规定。

2011年2月25日第十一届全国人民代表大会常务委员会第十九次会议通过的《刑法修正案（八）》对本条作了两处重要修改：一是将原规定中确有重大立功表现，二年期满以后，“减为十五年以上二十年以下有期徒刑”修改为“减为二十五年有期徒刑”；二是增加规定第二款内容，即对被判处死刑缓期执行的累犯以及因故意杀人、强奸、抢劫、绑架、放火、爆炸、投放危险物质或者有组织的暴力性犯罪被判处死刑缓期执行的犯罪分子，人民法院根据犯罪情节等情况可以同时决定对其限制减刑。上述修改，是根据中央司法体制和工作机制改革关于落实宽严相济的刑事政策，建立严格的死刑缓期执行、无期徒刑执行制度以及明确死刑缓期执行和无期徒刑减为有期徒刑后罪犯应实际执行的刑期的精神做出的。一段时间以来，社会各方面反映，我国刑罚制度在实际执行中存在对有些被判处死刑缓期执行的犯罪分子，实际执行的期限过短的情况。这样，就出现了两个问题：第一，判处死刑缓期执行的犯罪分子都犯有很严重的罪行，实际执行刑期过短，难以起到惩戒和威慑作用，也不利于社会稳定；第二，与死刑立即执行之间的差距过大，难以充分体现罪责刑相适应的原则，有必要严格限制对某些判处死刑缓期执行的罪行严重的罪犯的减刑，延长其实际服刑期。

2015年8月29日第十二届全国人民代表大会常务委员会第十六次会议通过的《刑法修正案（九）》对本条再次作了修改，主要是对死刑缓期执行的罪犯执行死刑的条件作了修改，进一步提高了执行死刑的门槛，将死刑缓期执行期间“故意犯罪，查证属实的，由最高人民法院核准，执行死刑”修改为“故意犯罪，情节恶劣的，报请最高人民法院核准后执行死刑”。同时，增加规定对于故意犯罪未执行死刑的，死刑缓期执行的期间重新计算，并报最高人民法院备案。对于死刑缓期执行的罪犯执行死刑的条件，1979年刑法第四十六条中规定，判处死刑缓期执行的，在死刑缓期执行期间，如果抗拒改造情节恶劣、查证属实的，由最高人民法院裁定或者核准，执行死刑。1997年修订刑法时，考虑到抗拒改造情节恶劣，没有具体的法律标准，实践中难以掌握，不便执行，同时考虑到严格控制死刑适用的精神，根据有关部门的建议，将执行死刑的条件修改为“如果故意犯罪，查证属实的”，使死刑缓期执行的罪犯执行死刑的条件更明确，便于操作。近年来，有关方面提出，1997年修订的刑法对死刑缓期执行的罪犯执行死刑的条件作出的修改，在方向上是正确的，执行效果也是好的，被判处死刑缓期执行的都是罪行极其严重的犯罪分子，一般来讲，在缓刑执行期间又故意犯罪的，经查证属实后执行死刑，符合罪责刑相适应的原则。但是，由于刑法关于死刑缓期执行的罪犯执行死刑的条件在规定上偏于刚性，在有的案件中适用起来可能会出现问题。实践中死刑缓期执行期间故意犯罪的情况比较复杂，有的是受牢头狱霸欺凌、虐待而反抗，殴打他人造成对方轻伤的，也有故意犯罪情节轻微或者未遂的，如果一律执行死刑，过于严厉，建议在法律中规定由最高人民法院根据案件情况裁量。考虑到上述情况，《刑法修正案（九）》对死刑缓期执行的罪犯执行死刑的条件作了修改，进一步提高了故意犯罪执行死刑的门槛，增加了情节恶劣的限制。这一修改，也体现了我国保留死刑，严格控制和慎重适用死刑的刑事政策，符合我党少杀、慎杀的一贯政策主张。

“死刑缓期执行”不是独立的刑种，而是死刑的一种执行方式。被判处死刑缓期执行的罪犯存在着执行死刑和不再执行死刑两种可能。为了正确处理判处死刑缓期执行的案件，本条第一款对于被判处死刑缓期执行的罪犯减刑和执行死刑的条件以及程序作了明确的规定。

本条第一款规定，判处死刑缓期执行的，在死刑缓期执行期间，如果没有故意犯罪，二年期满以后，减为无期徒刑。这里所说的“故意犯罪”，依照本法第十四条的规定，是指明知自己的行为会发生危害社会的结果，并且希望或者放任这种结果发生，因而构成犯罪的，不包括过失犯罪。是否构成“故意犯罪”，具体要看行为人的行为是否符合刑法分则关于个罪犯罪构成的要件的规定。判处死刑缓期执行的，在死刑缓期执行期间，如果确有重大立功表现的，二年期满以后，减为二十五年有期徒刑。这里所说的“重大立功表现”，是指本法第七十八条所列的重大立功表现之一，包括：阻止他人重大犯罪活动的；检举监狱内外重大犯罪活动，经查证属实的；有发明创造或者重大技术革新的；在日常生产、生活中舍己救人的；在抗御自然灾害或者排除重大事故中，有突出表现的；对国家和社会有其他重大贡献的。

判处死刑缓期执行的，在死刑缓期执行期间，如果故意犯罪，情节恶劣的，报请最高人民法院核准后执行死刑。所谓“故意犯罪”，需要经人民法院审判确定。根据刑事诉讼法的有关规定，被判处死刑缓期执行的罪犯，在死刑缓期执行期间故意犯罪的，应当由监狱进行侦查，人民检察院提起公诉，罪犯服刑地的中级人民法院依法审判，所作的判决可以上诉、抗诉。所谓“情节恶劣”，需要结合犯罪的动机、手段、危害、造成的后果等犯罪情节，以及罪犯在缓期执行期间的改造、悔罪表现等综合确定。对于故意犯罪、情节恶劣的，在认定构成故意犯罪的判决、裁定发生法律效力后，应当层报最高人民法院核准执行死刑后，执行死刑。判处死刑缓期执行的，在死刑缓期执行期间，对于故意犯罪未执行死刑的，死刑缓期执行的期间重新计算。这里所规定的“故意犯罪未执行死刑的”，是指故意犯罪,但不属于情节恶劣,因而不执行死刑的。在这种情况下,死刑缓期执行期间重新计算,自故意犯罪的判决确定之日起计算。之所以规定重新计算缓期执行期间,是因为罪犯在原缓期执行期间故意犯罪,虽然依法不需要执行死刑,但仍属于在二年缓期执行期间仍具有明显社会危险的情形,需要重新确定一个缓期执行期间,再根据在新的缓期执行期内的表现,决定是否执行死刑、减为无期徒刑还是减为二十五年有期徒刑。为保证严格执行法律规定,保证对这类案件的审判质量,发挥最高人民法院的监督作用,本款明确规定,对于故意犯罪未执行死刑的,应当将案件情况报最高人民法院备案。最高人民法院发现法律适用确有错误的,应当依法予以纠正。需要注意的是,本款规定的故意犯罪,必须发生在死刑缓期执行期间,如果发生在死刑缓期执行期满后,不适用本款规定,而应当依照刑法第六十九条、第七十一条有关数罪并罚的规定处理。故意犯罪发生在死刑缓期执行期间,司法机关在缓期执行期满以后发现犯罪事实的,适用本款的规定。

本条第二款是《刑法修正案(八)》新增加的内容。根据本款规定,对一些罪行严重的犯罪分子,人民法院根据犯罪情节等情况可以同时决定对其限制减刑。这些罪行严重的犯罪分子包括:被判处死刑缓期执行的累犯以及因故意杀人、强奸、抢劫、绑架、放火、爆炸、投放危险物质或者有组织的暴力性犯罪被判处死刑缓期执行的犯罪分子。其中,累犯没有犯罪性质的限制。有组织的暴力性犯罪,不限于本款所列举的几种暴力犯罪,包括有组织的实施故意伤害、破坏交通工具、以危险方法危害公共安全、黑社会性质的组织犯罪等。需要指出的是,上述规定只是划定了一个可以限制减刑的人员的范围,并不是上述被判处死刑缓期执行的九类罪犯都要限制减刑,应由人民法院根据其所实施犯罪的具体情况等综合考虑决定。这里的"同时",是指判处死刑缓期执行的同时,不是在死刑缓期执行二年期满以后减刑的"同时"。"限制减刑",是指对犯罪分子虽然可以适用减刑,但其实际执行刑期比其他被判处死刑缓期执行的罪犯减刑后的实际执行刑期更长。根据本法第七十八条的规定,对于判处死刑缓期二年执行,人民法院依照本款规定限制减刑的犯罪分子,缓期执行期满后依法减为无期徒刑的,实际执行的刑期不能少于二十五年,缓期执行期满后依法减为二十五年有期徒刑的,实际执行的刑期不能少于二十年。

第五十一条　死刑缓期执行的期间,从判决确定之日起计算。死刑缓期执行减为有期徒刑的刑期,从死刑缓期执行期满之日起计算。

【释义】 本条是关于死刑缓期执行的期间和死刑缓期执行减为有期徒刑的刑期如何计算的规定。

根据本条规定，死刑缓期执行的期间，从判决确定之日起计算。这里所说的“判决确定之日”，即判决生效之日，而不是指判决执行之日。因此，罪犯在判决生效后尚未送监执行的期限应当计入二年考验期内；但是，对罪犯在判决生效前先行羁押的日期不能折抵在二年考验期内。死刑缓期执行减为有期徒刑的，是指对确有重大立功表现直接减为有期徒刑的，其有期徒刑的刑期从死刑缓期执行期满之日起计算。如果减刑裁定在死刑缓期执行期满以后生效，死刑缓期执行期满之日至裁定减刑之日之间相隔的时间应计入有期徒刑的刑期内，但罪犯在死缓判决生效前先行羁押的日期和缓期执行的二年考验期不能计入有期徒刑的期限内。

第六节 罚　　金

第五十二条　判处罚金，应当根据犯罪情节决定罚金数额。

【释义】 本条是关于如何确定罚金数额的规定。

关于罚金的数额，刑法分则有的犯罪未作具体规定，有的犯罪规定了一定幅度。根据本条规定，对于没有明确规定罚金刑幅度的，判处罚金刑时应当根据犯罪情节决定罚金数额；对于明确规定了罚金幅度的，应在幅度内根据犯罪情节决定罚金的具体数额。“犯罪情节”，主要是指犯罪分子罪行的危害程度，主观恶性的大小，手段是否恶劣，非法所得的多少，后果是否严重等。一般来说，情节严重的，罚金数额应当多些；情节较轻的，罚金数额应当少些，以做到罪刑相适应，使犯罪分子不在经济上占到便宜。同时，犯罪分子的经济负担能力也是一个考虑的因素。如果罚金数额过多，超过了犯罪分子的实际负担能力，犯罪分子也无法缴纳，这对教育改造犯罪分子也不利，同时由于罚金刑无法得到实际执行，也损害了法律的严肃性；如果罚金数额过少，则会使犯罪分子感受不到经济惩罚，对犯罪分子起不到惩戒作用。

第五十三条*　罚金在判决指定的期限内一次或者分期缴纳。期满不缴纳的，强制缴纳。对于不能全部缴纳罚金的，人民法院在任何时候发现被执行人有可以执行的财产，应当随时追缴。

由于遭遇不能抗拒的灾祸等原因缴纳确实有困难的，经人民法院裁定，可

* 根据2015年8月29日第十二届全国人民代表大会常务委员会第十六次会议通过的《中华人民共和国刑法修正案（九）》修改。原条文是：“罚金在判决指定的期限内一次或者分期缴纳。期满不缴纳的，强制缴纳。对于不能全部缴纳罚金的，人民法院在任何时候发现被执行人有可以执行的财产，应当随时追缴。如果由于遭遇不能抗拒的灾祸缴纳确实有困难的，可以酌情减少或者免除。”

以延期缴纳、酌情减少或者免除。

【释义】 本条是关于如何缴纳罚金的规定。

2015年8月29日第十二届全国人民代表大会常务委员会第十六次会议通过的《刑法修正案(九)》对本条作了修改。主要是:将可以减免罚金的情形由“遭遇不能抗拒的灾祸”修改为“遭遇不能抗拒的灾祸等原因”;增加了可以延期缴纳的规定;明确由人民法院裁定的程序。此外,将原条文由一款调整规定为两款。罚金是我国刑法规定的附加刑,适用广泛。目前在司法实践中,一些案件出现罚金执行难,空判率高,影响司法权威的情况。造成罚金空判的原因是多方面的:有的是判决时罚金数额定得不科学,远远超出犯罪分子的个人经济能力;有的是罚金执行机制不健全,该执行没有完全执行;也有的是犯罪分子经济状况发生变化,难以再执行原判决确定的罚金。本条针对上述情况作了修改,在减免罚金之外增加延期缴纳的处理,并适当扩大其适用范围。

第一款是关于如何缴纳罚金和追缴罚金的规定。根据本款的规定,罚金应当按照判决指定的期限缴纳,可以一次缴纳,也可以分期缴纳。人民法院在判处罚金时,应当同时指定缴纳的期限,并明确是一次缴纳还是分期缴纳。一般说来,罚金数额不多,或者罚金数额虽然较多,但缴纳并不困难的,可以限期一次缴纳;罚金数额较多,根据犯罪分子的经济状况,无力一次缴纳的,可以限定时间分期缴纳。至于罚金的缴纳期限,应当根据犯罪分子的经济状况和缴纳的可能性确定。对于犯罪分子期满不缴纳的,包括未缴纳完毕的,由人民法院强制缴纳。“强制缴纳”是指人民法院采取查封、拍卖犯罪分子的财产,冻结、扣划存款,扣留、收缴工资或者其他收入等办法,强制犯罪分子缴纳罚金。对于根据上述规定采取强制缴纳措施仍未能全部缴纳罚金的,人民法院在任何时候发现被执行人有可以执行的财产,包括主刑执行完毕后发现的,应当随时追缴。“追缴”是指人民法院对没有缴纳或者没有全部缴纳罚金的被执行人,在发现其有可供执行的财产时,予以追回上缴国库。这种情况下追缴财产,实际上仍是执行原判决判处的罚金刑。这样规定,就使得那些在人民法院执行罚金刑时采用各种手段转移、隐匿财产,逃避承担罚金刑的犯罪分子,或者在人民法院执行罚金刑时,一时不能缴纳或者全部缴纳,但事后有了执行能力的犯罪分子的刑事责任不至于落空。另外,赋予人民法院随时追缴的权力,也增强了罚金刑执行的威慑力。

第二款是关于延期缴纳、酌情减少或者免除罚金的规定。根据本款规定,犯罪分子由于遭遇不能抗拒的灾祸等原因缴纳罚金确实有困难的,经人民法院裁定,可以延期缴纳、酌情减少或者免除。“不能抗拒的灾祸等原因”就是通常所说的“天灾人祸”,如遭遇火灾、水灾、地震等自然灾害或者罪犯及其家属重病、伤残等，以及其他一些导致缴纳罚金确实有困难的情形。对存在这些情形的，根据本款规定，可以延期缴纳、酌情减少或者免除。需要注意的是，遭遇不能抗拒的灾祸等是延期缴纳或者减免罚金的条件，但并不是凡有上述情况都可以延期缴纳或者减免罚金。只有由于遭遇不可抗拒的灾祸等原因造成缴纳罚金确实有困难的，才可以延期缴纳、酌情减少罚金数额或者免除全部罚金。“延期缴纳”，是指期满不能缴纳或者全部缴纳的，给予一定的延长期限缴纳罚金。具体延长多长时间，由人民法院根据犯罪分子的犯罪情节、经济状况、缴纳困难原因预期消除的时间等因素确定。延期缴纳罚金、酌情减少罚金或者免除罚金，均涉及对原判决的变更，程序上应当严格。根据本款规定，罚金延期缴纳、减少或者免除，需经人民法院裁定。根据《最高人民法院关于适用〈中华人民共和国刑事诉讼法〉的解释》第四百四十六条的规定，当事人根据本款规定提出罚金延期缴纳、减少或者免除的申请的，应当提交相关证明材料。人民法院应当在收到申请后一个月内作出裁定。符合法定条件的，应当准许；不符合条件的，驳回申请。人民法院也可以依职权对符合本条规定条件的作出罚金延期缴纳、减少或者免除的裁定。此外，需要注意的是，我国刑法不允许用缴纳罚金代替徒刑、拘役，同样也不允许用徒刑、拘役代替罚金。

第七节 剥夺政治权利

第五十四条 剥夺政治权利是剥夺下列权利：

（一）选举权和被选举权；

（二）言论、出版、集会、结社、游行、示威自由的权利；

（三）担任国家机关职务的权利；

（四）担任国有公司、企业、事业单位和人民团体领导职务的权利。

【释义】 本条是关于剥夺政治权利的内容的规定。

根据本条规定，剥夺政治权利包括剥夺以下四项权利：1. 选举权和被选举权。“选举权”是指选举法规定的，公民可以参加选举活动，按照本人的自由意志投票选举人民代表等职务的权利，即参加投票选举的权利；“被选举权”是指根据选举法的规定，公民可以被提名为人民代表等职务的候选人，当选为人民代表等职务的权利。选举权和被选举权是公民的一项基本政治权利，是公民参与国家管理的必要前提和有效途径，被剥夺政治权利的犯罪分子当然不能享有此项权利。2. 言论、出版、集会、结社、游行、示威自由的权利。言论自由，是公民以言语表达观点的自由；出版自由，是指以文字、音响、绘画等形式出版作品，向社会表达思想的自由；结社自由，是指公民为一定宗旨组成某种社会组织的自由;集会自由和游行、示威自由,都是公民表达自己见解和意愿的自由,只是表达的方式不同。这六项自由,是我国宪法规定的公民的基本政治自由,是人民发表意见、参加政治活动和国家管理的自由权利,被依法剥夺政治权利的人不能行使这些自由。3. 担任国家机关职务的权利。“国家机关”包括国家各级权力机关、行政机关、司法机关以及军事机关。“担任国家机关职务”,是指在上述国家机关中担任领导职务,或者领导职务以外的其他职务,如担任审判人员、检察人员、书记员或者其他行政职务。被剥夺政治权利的人,不能担任此职。4. 担任国有公司、企业、事业单位和人民团体领导职务的权利。根据本条规定,被剥夺政治权利的人可以在国有公司、企业、事业单位和人民团体中继续工作,但是不能担任领导职务。应当注意的是,被剥夺政治权利的人担任集体、私营公司、企业和事业单位领导职务的权利不属于剥夺政治权利的范围。

第五十五条　剥夺政治权利的期限,除本法第五十七条规定外,为一年以上五年以下。

判处管制附加剥夺政治权利的,剥夺政治权利的期限与管制的期限相等,同时执行。

【释义】　本条是关于剥夺政治权利期限的规定。

本条第一款是关于剥夺政治权利期限的一般性规定。根据本款规定,除刑法第五十七条规定的死刑、无期徒刑以及死刑缓期执行、无期徒刑减为有期徒刑附加剥夺政治权利的期限外,单处剥夺政治权利和附加剥夺政治权利的期限都应在一年以上五年以下。在司法实践中,对犯罪分子判处剥夺政治权利的时候,应当根据犯罪的性质,危害程度以及情节轻重,决定剥夺政治权利的期限,附加剥夺政治权利的刑期,应与所判处的主刑轻重相适应。

本条第二款是关于判处管制附加剥夺政治权利的期限规定。这里所说的“剥夺政治权利的期限与管制的期限相等”,是指在判处管制的同时附加判处剥夺政治权利的,判处管制的期限与判处附加剥夺政治权利的期限长短完全相同。“同时执行”,是指剥夺政治权利的刑罚不是要等管制期满后再执行,而应在管制开始时就一同执行,当罪犯管制期满解除管制时,政治权利也同时恢复。

第五十六条　对于危害国家安全的犯罪分子应当附加剥夺政治权利;对于故意杀人、强奸、放火、爆炸、投毒、抢劫等严重破坏社会秩序的犯罪分子,可以附加剥夺政治权利。

独立适用剥夺政治权利的,依照本法分则的规定。

【释义】　本条是关于剥夺政治权利适用对象的规定。

本条第一款是关于附加剥夺政治权利适用对象的规定。根据本条规定，附加剥夺政治权利的对象主要是两种人：1. 危害国家安全的犯罪分子，即实施刑法分则第一章所规定犯罪行为的罪犯。这些犯罪分子实施危害国家主权、领土完整和安全，分裂国家，颠覆人民民主专政的政权和社会主义制度的行为，其性质决定了对他们除单独适用剥夺政治权利的情况外，不论判处何种刑罚，都必须附加剥夺政治权利。2. 对于故意杀人、强奸、放火、爆炸、投毒、抢劫等严重破坏社会秩序的犯罪分子，可以附加剥夺政治权利。本条列举了可以附加剥夺政治权利的严重破坏社会秩序的犯罪类型，如故意杀人、强奸、放火、爆炸、投毒、抢劫等具有很大社会危害性的严重犯罪，这些犯罪都是严重侵犯人身安全和危害公共安全的犯罪，对于实施这些犯罪行为的犯罪分子，必要时在判处主刑的同时附加剥夺政治权利也是罪刑相适应的要求，有利于充分发挥刑罚的惩罚和教育作用。全国人大常委会于 2001 年 12 月 29 日通过了《刑法修正案（三）》，对刑法第一百一十四条、第一百一十五条进行了修改，将“投毒”改为“投放毒害性、放射性、传染病病原体等物质”。根据本条的规定，可以附加剥夺政治权利的犯罪主要是上述这几种犯罪，但并不局限于所列这几种犯罪，只要是严重破坏社会秩序的故意犯罪，都可以依法附加剥夺政治权利。

本条第二款是关于独立适用剥夺政治权利的规定。根据本款规定，独立适用剥夺政治权利的，依照刑法分则的规定。刑法分则规定独立适用剥夺政治权利的对象，主要有以下几种犯罪：1. 危害国家安全罪中的分裂国家罪、煽动分裂国家罪、武装叛乱或者武装暴乱罪、煽动颠覆政权罪、资助危害国家安全犯罪活动罪。2. 危害公共安全罪中组织、领导、参加恐怖组织罪，资助恐怖活动组织、实施恐怖活动、恐怖活动培训的犯罪，准备实施恐怖活动的犯罪，宣扬恐怖主义、极端主义的犯罪，煽动实施恐怖活动的犯罪。3. 侵犯公民人身权利、民主权利罪中的非法剥夺他人人身自由罪，侮辱、诽谤罪，煽动民族仇恨、民族歧视罪，破坏选举罪。4. 妨害社会管理秩序罪中的妨害公务罪，聚众扰乱社会秩序罪，招摇撞骗罪，伪造、变造、买卖或者盗窃、抢夺、毁灭国家机关的公文、证件、印章罪，伪造公司、企业、事业单位、人民团体的印章罪，伪造、变造、买卖居民身份证、护照、社会保障卡、驾驶证等依法可以用于证明身份的证件的犯罪，聚众扰乱社会秩序罪，聚众扰乱公共场所秩序、交通秩序罪，组织黑社会性质组织罪，非法集会、游行、示威罪，非法携带武器、管制刀具、爆炸物参加集会、游行、示威罪，破坏集会、游行、示威罪，侮辱国旗、国徽罪。5. 危害国防利益罪中的聚众扰乱军事禁区、军事管理区罪，伪造、变造、买卖或者盗窃、抢夺武装部队公文、证件、印章罪。6. 渎职罪中的故意泄露国家秘密罪，徇私枉法罪。刑法分则条文中没有规定剥夺政治权利的犯罪，不得独立适用剥夺政治权利。

第五十七条　对于被判处死刑、无期徒刑的犯罪分子,应当剥夺政治权利终身。

在死刑缓期执行减为有期徒刑或者无期徒刑减为有期徒刑的时候,应当把附加剥夺政治权利的期限改为三年以上十年以下。

【释义】 本条是关于被判处死刑、无期徒刑的罪犯如何附加适用剥夺政治权利的规定。

本条第一款是关于被判处死刑、无期徒刑的犯罪分子,应当剥夺政治权利终身的规定。根据本款规定,被判处死刑、无期徒刑的罪犯,从判处死刑、无期徒刑的判决或者裁定发生法律效力之日起就被永远剥夺政治权利。这里所说的死刑,也包括被判处死刑缓期执行的情况。

本条第二款是关于死刑缓期执行、无期徒刑减为有期徒刑时附加剥夺政治权利期限的规定。根据本款规定,原判处死刑缓期执行减为有期徒刑或者无期徒刑减为有期徒刑的,附加剥夺政治权利的期限应由原判终身剥夺改为三年以上十年以下。根据本法第五十八条的规定,这种情况下剥夺政治权利的期限,应从罪犯主刑执行完毕之日起或者从假释之日起再开始计算。

第五十八条　附加剥夺政治权利的刑期,从徒刑、拘役执行完毕之日或者从假释之日起计算;剥夺政治权利的效力当然施用于主刑执行期间。

被剥夺政治权利的犯罪分子,在执行期间,应当遵守法律、行政法规和国务院公安部门有关监督管理的规定,服从监督;不得行使本法第五十四条规定的各项权利。

【释义】 本条是关于附加剥夺政治权利的刑期如何计算和被剥夺政治权利的犯罪分子应当遵守的管理规定的规定。

本条第一款是对附加剥夺政治权利的刑期如何计算和在主刑执行期间对罪犯是否剥夺政治权利的规定。根据本款规定,判处有期徒刑、拘役而附加剥夺政治权利的,剥夺政治权利的刑期,从主刑执行完毕之日或者从假释之日起计算。但是,剥夺政治权利的效力则从主刑执行之日起开始发生,即在主刑执行期间,也应同时剥夺政治权利。在这种情况下,被附加剥夺政治权利的罪犯被实际剥夺政治权利的时间要比判决中确定的剥夺政治权利的期限长,等于罪犯主刑刑期和剥夺政治权利刑期的总和。应当注意的是,被判处有期徒刑、拘役而没有附加剥夺政治权利的,在刑罚执行期间仍应享有一定的政治权利。依照全国人大常委会《关于县级以下人民代表大会代表直接选举的若干规定》,应准许他们行使选举权。

本条第二款是关于被剥夺政治权利的犯罪分子应当遵守的有关管理规定的规定。根据本款规定,被剥夺政治权利的犯罪分子,在执行期间应当遵守以下规定:一是遵守法律、行政法规和国务院公安部门有关监督管理的规定,服从监督。“遵守法律、行政法规”,是指被剥夺政治权利的犯罪分子在执行期间必须遵守国家法律、行政法规,不得有违法行为。同时,根据刑事诉讼法第二百五十九条的规定,对于被剥夺政治权利的罪犯,由公安机关执行。因此,被剥夺政治权利的罪犯在执行期间还应遵守公安部有关对剥夺政治权利的罪犯监督管理的规定,自觉服从居住地公安机关及其公安机关委托的罪犯所在单位或者居住地的基层组织的监管、教育。二是不得行使刑法第五十四条规定的各项权利。刑法第五十四条规定的是应剥夺的政治权利的内容,被剥夺政治权利的罪犯在执行期间当然不能行使。只有在执行期满,罪犯被恢复政治权利以后,才能行使上述政治权利。

第八节　没 收 财 产

第五十九条　没收财产是没收犯罪分子个人所有财产的一部或者全部。没收全部财产的,应当对犯罪分子个人及其扶养的家属保留必需的生活费用。

在判处没收财产的时候,不得没收属于犯罪分子家属所有或者应有的财产。

【释义】　本条是关于没收财产的规定。

对于犯罪分子判处没收财产,一方面可以有效地发挥财产刑对犯罪尤其是贪利性犯罪所特有的惩戒作用;另一方面也能够有效地剥夺和消除犯罪人再犯罪的能力和可能,有利于预防犯罪。为了更好地改造犯罪分子,使之刑满释放后生活有保障,也有利于维护社会的稳定,同时更充分体现了我国刑法的人道主义精神,本条规定,没收全部财产时,应当对犯罪分子个人及其扶养的家属保留必需的生活费用。规定不得没收犯罪分子家属所有或者应有的财产,主要是为了保护犯罪分子家属合法权益,体现罪责自负,只惩罚犯罪的人,不株连无辜的原则。

本条第一款是关于如何适用没收财产刑的规定。

根据第一款的规定,没收财产,是指司法机关依据刑法的有关规定,将犯罪分子个人所有财产的一部或者全部强制无偿地收归国家所有。没收财产是我国刑法所规定的一种刑罚,属于附加刑,只有刑法分则中明确规定没收财产的犯罪,才能适用这种刑罚。没收财产一般适用于严重的犯罪,如危害国家安全罪,生产、销售伪劣商品罪,破坏金融管理秩序罪,金融诈骗罪,危害税收征管罪,贪污罪,受贿罪,绑架罪等都有关于没收财产的规定。

没收财产,只能是犯罪分子个人所有财产的一部或者全部。这句话有以下两层含义:一是没收的只能是属于犯罪分子本人所有的财产。犯罪分子本人所有的财产,是指属于犯罪分子本人所有的财物及其在与他人共有财产中依法应有的份额。在处理这类案件时,应当依据有关的民事法律界定犯罪分子个人所有的财产,严格划清犯罪分子本人财产与其家属或者他人财产的界限。只有依法确定为犯罪分子个人所有的财产,才能予以没收。这里的财产包括动产和不动产。二是对于犯罪分子本人所有的财产是没收一部分还是全部,应当根据犯罪的性质、情节、对社会的危害程度以及案件的具体情况确定,不论是没收一部分还是全部,都应当对没收的财产名称、数量等在判决中写明,不能笼统地判决没收一部分或者全部。

决定没收犯罪分子本人的全部财产时,应当在没收的财产中给犯罪分子本人以及其所扶养的人保留必要的生活费用。这里所说的其扶养的人既包括由其扶养的配偶,又包括由其抚养的子女和赡养的老人。

第二款是关于不得没收属于犯罪分子家属所有或应有的财产的规定。

属于犯罪分子家属的财产,是指属于与犯罪分子共同生活的家庭成员个人所有的财产和在家庭共有财产中应当占有的份额。只要依法确定属于犯罪分子家属所有的财产,就不能予以没收。在适用没收财产的刑罚时,应当注意以下几点:

1. 必须严格执行刑法分则的有关规定。我国刑法分则对于什么性质的犯罪、具备什么样的条件才能适用没收财产的刑罚,都作出了明确的规定。司法机关在办理具体案件时,要充分认识没收财产对于从经济上惩罚犯罪的重要意义,必须严格执行法律,凡是刑法分则条文中有没收财产规定的,就应当正确运用这一刑罚手段。凡是刑法分则条文中没有没收财产规定的,不得随意扩大没收财产的适用范围。

2. 注意区分没收财产同刑法第六十四条规定的没收犯罪分子违法所得的财物和供犯罪所用的犯罪分子本人的财物的区别。刑法第六十四条的规定,是对犯罪分子违法所得、供犯罪所用的本人财物以及违禁品的处理方法,而不是一种刑罚,它适用于一切犯罪,不论犯罪分子犯什么罪,判什么刑,只要属于犯罪分子违法所得的一切财物和供犯罪用的本人财物,都要追缴或者没收,而本条规定的没收财产则是一种刑罚。

第六十条　没收财产以前犯罪分子所负的正当债务,需要以没收的财产偿还的,经债权人请求,应当偿还。

【释义】 本条是关于在没收犯罪分子财产时,如何处理犯罪分子所负的正当债务的规定。

本条所说的犯罪分子所负的正当债务,是指承担的合法债务,如犯罪分子在犯罪前与他人(包括单位)因为合法的租赁、买卖、借贷、承包等关系所产生的正当债务。因违法行为所负的债务,如因赌博所欠的赌债等,不属于正当债务。

对于犯罪分子在没收财产以前所负的正当债务,如果需要以没收的财产予以偿还的,经债权人申请,应当偿还。根据本条规定,以没收的财产偿还犯罪分子在没收财产以前所负的正当债务的条件有四个:1. 犯罪分子所负债务属于正当债务。2. 犯罪分子所负债务产生于人民法院没收其财产以前。3. 需要以没收的财产偿还。如果犯罪分子还有其他财产可用以偿还债务,而不是必须以被没收的财产偿还的,不应适用本条。4. 债权人提出申请。人民法院接到债权人的申请后,经审查属实且属于正当债务的,应当予以偿还。

第四章　刑罚的具体运用

第一节　量　　刑

第六十一条　对于犯罪分子决定刑罚的时候，应当根据犯罪的事实、犯罪的性质、情节和对于社会的危害程度，依照本法的有关规定判处。

【释义】 本条是关于量刑原则的规定。

为了使人民法院公正司法，正确定罪量刑，本条规定了量刑的原则，即人民法院在量刑时，应当对犯罪人的犯罪事实、犯罪性质、情节和对于社会的危害程度统一考虑，坚持以事实为根据，以法律为准绳的原则，严格按照本法的有关规定，准确地决定刑罚，不枉不纵。这也是罪刑相适应原则的具体体现。

本条中的犯罪事实，是指犯罪构成要件的全部事实，包括：犯罪的主体是否为具有完全刑事责任能力的人；犯罪的主观方面，是故意还是过失，犯罪的动机、目的；犯罪的客观方面，危害社会的行为、手段、危害社会的后果、行为和后果之间的因果关系以及犯罪的时间、地点和方法等。犯罪的性质，是指什么性质的犯罪，应当确定什么样的罪名。我国刑法分则根据犯罪行为的性质和社会危害程度，划分了十大类不同性质的犯罪，并在每类犯罪中规定了各种不同的罪名，同时也相应规定了不同的刑罚。正确认定犯罪性质，是准确裁量刑罚的前提。情节，是指实施犯罪的有关具体情况，包括犯罪过程、手段等等，这也是人民法院决定刑罚轻重的重要依据，主要包括以下两种：第一种是法定情节，即法律规定的从重、从轻、减轻以及免除处罚的情节，如犯罪形态中的预备、既遂、未遂和中止，共同犯罪中的首犯、主犯、从犯、胁从犯和教唆犯，此外还有累犯、自首、立功等情节。对于犯罪行为具有法定情节的，必须依法确定其量刑的轻重。第二种是酌定情节，即不是法律中明确规定的情节，而是人民法院根据实际情况和审判实践，在量刑时予以考虑的情节。如犯罪动机、犯罪时的环境和条件、犯罪人的一贯表现、认罪态度等。对于社会的危害程度，是指犯罪行为对法律保护的社会关系损害的程度。对社会的危害程度一般包括两方面的内容：一是犯罪行为直接造成的危害后果；二是犯罪行为虽未直接造成危害后果，但存在着潜在的危害。如刑法分则中规定的“足以造成火车倾覆”、“足以危害他人身体健康”，等等。根据不同的犯罪对社会的不同危害程度，刑法规定了不同的刑罚或者划分了不同的量刑幅度。人民法院在对犯罪行为裁量刑罚时，应当根据犯罪的事实，正确认定犯罪行为危害社会的程度，严格依照本法的有关规定判处。本法的有关规定，包括定罪量刑依据的刑法分则中的有关规定，也包括刑法总则中的有关规定。根据这些规定来确定对于被告人是否要处以刑罚，处以何种刑罚以及适用刑期的长短等。在具体适用刑法分则的有关规定时，如果该规定有不同的量刑幅度，应当选择与所犯罪行相应的量刑幅度。在适用总则的有关规定量刑时，要根据犯罪的事实和情节，正确适用有关从重、从轻、减轻、免除刑罚的有关规定。

第六十二条　犯罪分子具有本法规定的从重处罚、从轻处罚情节的，应当在法定刑的限度以内判处刑罚。

【释义】　本条是关于从重、从轻处罚的规定。

刑法在总则和分则中明确规定了从重处罚、从轻处罚的情节。对具有从重、从轻处罚情节的犯罪分子在法定刑的幅度内判处刑罚，是因为法律所规定的这些应予从重、从轻处罚的情节反映了其犯罪行为的社会危害性和犯罪分子的主观恶性程度。根据不同的犯罪情节以较重或较轻的刑罚予以惩罚和教育，也是罪刑相适应原则的体现。法律对如何从重、从轻判处刑罚作出明确规定，便于司法实践具体操作。

根据本条规定，应当在法定刑的限度内判处刑罚的有两种情况：

1. 具有本法规定的从重处罚情节。从重处罚是指在法定刑的幅度内，对犯罪分子适用相对较重的刑种或者处以相对较长的刑期。我国刑法总则规定的从重处罚情节如教唆不满十八周岁的人犯罪、累犯等。刑法分则规定的从重处罚情节如盗伐、滥伐国家级自然保护区的森林或者其他林木的；奸淫不满十四周岁的幼女的；国家机关工作人员利用职权非法拘禁他人的；利用、教唆未成年人走私、贩卖、运输毒品或者向未成年人出售毒品的；缉毒人员或者其他国家机关工作人员掩护、包庇走私、贩卖、运输、制造毒品的犯罪分子的，等等。在法定刑幅度内适用相对较重的刑罚，是指在犯罪分子所犯罪行应适用的法定刑幅度内相对从重。如果刑法分则对某罪名规定数个刑罚幅度的，首先要依法确定该犯罪分子应适用的幅度，然后在该幅度内从重。从重也并不意味着一律判处该幅度的最高刑罚，而是要根据犯罪分子的具体犯罪行为和情节、危害后果等，相对于其如果没有该从重情节的情况下所应判处的刑罚，适当从重。

2. 具有本法规定的从轻处罚情节。从轻处罚是指在法定刑的幅度内，对犯罪分子适用相对较轻的刑种或者处以较短的刑期。从轻处罚的情节是刑法明确规定的,我国刑法规定的从轻处罚的情节大多数见之于刑法总则,如犯罪形态中的预备犯、未遂犯、中止犯,共同犯罪中的从犯、胁从犯,防卫过当、紧急避险超过必要限度的、被教唆的人未犯被教唆的罪的、犯罪后有自首、立功情节的,等等。刑法规定的从轻处罚的情节可以分为两类:一类是应当予以从轻处罚;另一类是可以予以从轻处罚。对于刑法规定应当予以从轻处罚的,人民法院在量刑时必须充分考虑该情节,处以相对较轻的刑罚;对于刑法规定可以从轻处罚的情节,人民法院在量刑时也必须充分考虑该情节,并综合全案情况,决定是否予以从轻处罚以及从轻的幅度。如果犯罪分子同时具备从轻、从重处罚情节的,人民法院应当综合全案情况,在罪刑相适应原则的指导下,处以合理的刑罚。

根据本条规定,对于具有本法规定的从重、从轻处罚情节的,应当对犯罪分子在法定刑的限度以内判处刑罚。“法定刑的限度以内”,是指刑法分则针对某种特定的犯罪的特定情节规定的量刑幅度,既包括适用的刑种,也包括该条文具体规定的刑期。人民法院在决定量刑时,应当根据犯罪的事实、情节、社会危害程度以及刑罚的具体量刑幅度,判处相应的刑罚,不得超出法定最低刑和法定最高刑判处。

第六十三条*　犯罪分子具有本法规定的减轻处罚情节的,应当在法定刑以下判处刑罚;本法规定有数个量刑幅度的,应当在法定量刑幅度的下一个量刑幅度内判处刑罚。

犯罪分子虽然不具有本法规定的减轻处罚情节,但是根据案件的特殊情况,经最高人民法院核准,也可以在法定刑以下判处刑罚。

【释义】 本条是关于减轻处罚的规定。

1979年刑法对于犯罪分子具有减轻处罚情节的如何适用刑罚作了规定。《刑法修正案(八)》对本条第一款作了修改,进一步明确了减轻处罚的量刑规则。我国刑法规定的刑罚的量刑档次历来较多,在1997年刑法中,有一百二十七个罪规定了一个量刑档次,有二百二十四个罪规定了二个量刑档次,有七十七个罪规定了三个量刑档次,有十四个罪规定了四个量刑档次,还有两个罪规定了七个量刑档次。对于犯罪分子具有刑法规定的减轻处罚情节的,如何准确量刑,在实际执行中,存在认识不一致、适用不统一、随意性较大的问题。主要

---

* 第一款根据2011年2月25日第十一届全国人民代表大会常务委员会第十九次会议通过的《中华人民共和国刑法修正案(八)》修改。原第一款条文是:“犯罪分子具有本法规定的减轻处罚情节的,应当在法定刑以下判处刑罚。”

表现在,犯罪分子具有本法规定的减轻处罚情节的,是在法定刑的下一个量刑档次量刑,还是也可以再跨越一个量刑档次量刑直至免除处罚,各地法院掌握的标准不统一,导致类似的案件在量刑上存在较大差异的情况。为了统一量刑标准,准确量刑,《刑法修正案(八)》对本条第一款作了修改,明确规定:犯罪分子具有本法规定的减轻处罚情节的,应当在法定刑以下判处刑罚;本法规定有数个量刑幅度的,应当在法定量刑幅度的下一个量刑幅度内判处刑罚。

第一款是关于具有法定减轻处罚情节的如何适用刑罚的规定。减轻处罚,是指在法定最低刑以下判处刑罚。我国刑法规定的减轻处罚的情节有:预备犯、未遂犯、中止犯、从犯、胁从犯,犯罪后自首、立功的,等等。刑法规定的减轻处罚的情节包括两类:一类是应当予以减轻处罚的;另一类是可以予以减轻处罚的。不论哪种情形,都必须先根据犯罪的事实、犯罪的性质、情节和对社会的危害程度,依照本法有关规定确定对犯罪分子应当判处的法定刑。对于具有刑法规定的应当减轻处罚的情节的,人民法院在量刑时必须在该法定刑的量刑幅度规定的最低刑以下判处刑罚。对于具有刑法规定的可以予以减轻处罚情节的,人民法院应当综合全案的情况以决定是否予以减轻处罚和减轻处罚的幅度。应当注意的是,刑法中的减轻处罚的情节往往是以复合形式规定的,如"应当从轻、减轻或者免除处罚","可以从轻、减轻处罚"等,因此,人民法院在量刑时首先要综合全案情况,决定对犯罪分子是应当从轻还是减轻处罚,然后才能根据刑法的有关规定判处适当的刑罚。对于已经确定予以减轻处罚,本法规定有数个量刑幅度的,应当在法定量刑幅度的下一个量刑幅度内判处刑罚,即本法规定此罪有两个以上量刑幅度的,减轻处罚只能在法定量刑幅度紧接着的下一个量刑幅度内判处刑罚,而不能跨越一个量刑幅度去判处刑罚。如果法定量刑幅度已经是最轻的一个量刑幅度,则减轻处罚也只能在此幅度内判处较轻或最轻的刑罚;对于已经确定予以减轻处罚,本法只规定了一个量刑幅度的,则只能在此量刑幅度内判处较轻或最轻的刑罚。

第二款是关于犯罪分子没有法定减轻处罚的情节,但是根据案件的特殊情况,从国家利益等方面考虑,也可以在法定刑以下判处刑罚的规定。刑法作本款规定,就是为了赋予人民法院在特殊情况下,根据案件的特殊情况作出特殊处理。"经最高人民法院核准",主要是为了防止实践中扩大适用范围或滥用减轻处罚的规定,造成不良的影响和后果。本款规定的"案件的特殊情况",主要是指案件本身的特殊性,如涉及政治、国防、外交等特殊情况。对于有上述特殊情况的案件,即使犯罪分子不具有本法规定的减轻处罚的情节,地方各级人民法院经报最高人民法院核准,也可以在法定刑以下判处刑罚。这是对减轻处罚的特殊规定。

第六十四条　犯罪分子违法所得的一切财物，应当予以追缴或者责令退赔；对被害人的合法财产，应当及时返还；违禁品和供犯罪所用的本人财物，应当予以没收。没收的财物和罚金，一律上缴国库，不得挪用和自行处理。

【释义】　本条是关于追缴违法所得的规定。

为了保护公私财产，不让犯罪分子在经济上占便宜，规定对犯罪分子违法所得的一切财物予以追缴或责令退赔是十分必要的。同时，为保护被害人的合法权益，要求办理案件的司法机关在诉讼过程中，对于犯罪分子通过犯罪所获得的他人的合法财物，在查明情况后应及时返还给被害人，以使被害人的财产利益得到保护。本条主要内容有以下几个方面：

1. 犯罪分子违法所得的一切财物，应当予以追缴或者责令退赔。违法所得的一切财物，是指犯罪分子因实施犯罪活动，而取得的全部财物，包括金钱或者物品，如盗窃得到的金钱或者物品、贪污得到的金钱或者物品等。追缴，是指将犯罪分子的违法所得强制收缴。如在刑事诉讼过程中，对犯罪分子的违法所得进行追查、收缴；对于在办案过程中发现的犯罪分子已转移、隐藏的赃物追查下落，予以收缴。"责令退赔"，是指犯罪分子已将违法所得使用、挥霍或者毁坏的，也要责令其按违法所得财物的价值退赔。

2. 对于追缴和退赔的违法所得，如果是属于被害人的合法财物，应当及时返还。这里所说的被害人，既包括个人，也包括单位。对于被害人的合法财产被损坏或者已经不存在的，应当折价退赔。

3. 对于违禁品和供犯罪所用的本人财物，应当没收。违禁品，是指依照国家规定，公民不得私自留存、使用的物品，如枪支、弹药、毒品以及淫秽物品等。对违禁品，不管属于谁所有，法律规定都应予以没收。"供犯罪所用的本人财物"，是指供犯罪分子进行犯罪活动而使用的属于他本人所有的钱款和物品，如用于走私的运输工具等。如果这些财物不是犯罪分子本人的，而是借用或者擅自使用的他人财物，财物所有人事前不知是供犯罪使用的也应当予以返还。但是，司法机关作为证据扣押的，应当等到案件审理结束后，再发还给财物所有人。

4. 对于依法没收的财物和罚金，一律上缴国库，不得私自挪用或者自行处理。上缴国库，是指结案以后，由最后结案的单位统一上缴国家财政，不得挪作他用，如用于单位盖办公楼等；也不得随便处理，即不得私自低价变卖或者分给单位职工等。

第二节 累　犯

第六十五条*　被判处有期徒刑以上刑罚的犯罪分子，刑罚执行完毕或者赦免以后，在五年以内再犯应当判处有期徒刑以上刑罚之罪的，是累犯，应当从重处罚，但是过失犯罪和不满十八周岁的人犯罪的除外。

前款规定的期限，对于被假释的犯罪分子，从假释期满之日起计算。

【释义】 本条是关于累犯的概念以及对累犯如何处罚的规定。

1979年刑法规定过失犯罪的不构成累犯。《刑法修正案（八）》对本条第一款作了修改，增加了未成年人犯罪不构成累犯的规定。为进一步落实宽严相济的刑事政策，按照教育为主、惩罚为辅的原则，探索处理未成年人犯罪的司法制度，考虑到未成年人身心发育尚未成熟，对犯罪的未成年人更好地体现以教育挽救为主的方针，以使他们能更好地接受教育改造，便于他们以后顺利地融入社会，成为服务社会的有用之材，《刑法修正案（八）》增加了有关未成年人犯罪不构成累犯的规定。

第一款是关于累犯的概念以及对累犯如何处罚的规定。由于累犯的社会危害性和主观恶性较大，对社会治安构成严重威胁，为了体现对累犯从严打击的精神，刑法规定了累犯制度。根据本款规定，构成累犯应当同时具备以下条件：

1. 前罪和后罪必须都是被判处有期徒刑以上刑罚的，包括被判处有期徒刑、无期徒刑和死刑的犯罪分子。

2. 后罪发生的时间必须在前罪的刑罚执行完毕或者赦免以后五年以内。在刑罚执行期间再犯罪的，不适用本款的规定，应当依照本法关于数罪并罚的规定处罚。这里的“刑罚执行完毕”是仅指主刑执行完毕，还是也包括罚金、剥夺政治权利等附加刑执行完毕，实践中存在不同认识。考虑本条是对被判处有期徒刑以上刑罚的犯罪分子构成累犯的规定，因此这里的“刑罚执行完毕”应当是指有期徒刑以上的刑罚。对于有期徒刑以上的主刑已经执行完毕，但附加刑尚未执行完毕的，应以主刑执行完毕之日为累犯期间的起算时间。

3. 前罪和后罪必须都是故意犯罪。如果其中有一个罪是过失犯罪，就不符

---

* 第一款根据2011年2月25日第十一届全国人民代表大会常务委员会第十九次会议通过的《中华人民共和国刑法修正案（八）》修改。原第一款条文是：“被判处有期徒刑以上刑罚的犯罪分子，刑罚执行完毕或者赦免以后，在五年以内再犯应当判处有期徒刑以上刑罚之罪的，是累犯，应当从重处罚，但是过失犯罪除外。”

合累犯的条件。

4. 犯罪分子在犯前罪和后罪时必须都是年满十八周岁以上的人。如果犯前罪时是不满十八周岁的未成年人，即使犯后罪时年满十八周岁，也不构成累犯。

根据本款规定，对于累犯应当在法定刑的幅度内从重处罚。

第二款是关于假释犯适用五年以内的期限如何计算的规定。根据本款的规定，对于被假释的犯罪分子，应当从假释期满之日起计算第一款规定的五年期限。

第六十六条*　危害国家安全犯罪、恐怖活动犯罪、黑社会性质的组织犯罪的犯罪分子，在刑罚执行完毕或者赦免以后，在任何时候再犯上述任一类罪的，都以累犯论处。

【释义】　本条是关于危害国家安全犯罪、恐怖活动犯罪、黑社会性质的组织犯罪累犯的特殊规定。

原刑法第六十六条关于特殊累犯的规定仅限于危害国家安全罪。有关方面提出，恐怖活动犯罪、黑社会性质的组织犯罪社会危害严重，行为人主观恶性往往比较深，为了体现对再犯者从严惩处的精神，预防和减少相应犯罪的发生，有必要将其纳入特殊累犯的范围。全国人大常委会根据有关方面意见，在《刑法修正案（八）》中对刑法的规定作了修改，将恐怖活动犯罪、黑社会性质的组织犯罪也纳入了特殊累犯的范围。

根据本条规定，认定危害国家安全犯罪、恐怖活动犯罪、黑社会性质的组织犯罪的累犯，须注意以下三个特点：

1. 犯罪分子所犯的前罪和后罪都是危害国家安全犯罪、恐怖活动犯罪、黑社会性质的组织犯罪。前罪或者后罪中一罪不属于上述犯罪范围的，不能构成本条规定的特殊累犯。根据本条的规定，犯危害国家安全犯罪、恐怖活动犯罪、黑社会性质的组织犯罪的行为人，只要再犯这三类犯罪中的任一类犯罪的，均构成累犯。即前罪和后罪不需要同属一类犯罪，如犯危害国家安全犯罪者，再犯恐怖活动犯罪的，就构成累犯。

2. 不受刑法第六十五条关于构成累犯的前罪和后罪都应是“判处有期徒刑以上刑罚”的条件限制。即前罪只要判处刑罚即可，后罪只要构成犯罪即可。

---

* 根据2011年2月25日第十一届全国人民代表大会常务委员会第十九次会议通过的《中华人民共和国刑法修正案（八）》修改。原条文是：“危害国家安全的犯罪分子在刑罚执行完毕或者赦免以后，在任何时候再犯危害国家安全罪的，都以累犯论处。”

3. 不受刑法第六十五条关于构成累犯应在“刑罚执行完毕或者赦免以后，在五年以内再犯”的条件限制。即危害国家安全犯罪、恐怖活动犯罪、黑社会性质的组织犯罪的犯罪分子，在前罪的刑罚执行完毕或者赦免之后，不论何时再犯危害国家安全犯罪、恐怖活动犯罪、黑社会性质的组织犯罪的，都构成累犯，不受五年期限的限制。

第三节　自首和立功

第六十七条*　**犯罪以后自动投案，如实供述自己的罪行的，是自首。对于自首的犯罪分子，可以从轻或者减轻处罚。其中，犯罪较轻的，可以免除处罚。**

被采取强制措施的犯罪嫌疑人、被告人和正在服刑的罪犯，如实供述司法机关还未掌握的本人其他罪行的，以自首论。

犯罪嫌疑人虽不具有前两款规定的自首情节，但是如实供述自己罪行的，可以从轻处罚；因其如实供述自己罪行，避免特别严重后果发生的，可以减轻处罚。

【释义】　本条是关于自首的概念、对自首犯如何处罚以及对如实供述自己罪行的罪犯如何处罚的规定。

《刑法修正案(八)》对本条作了修改，对除自首以及以自首论的情况外，能够如实供述自己罪行的，增加了可以从轻、减轻处罚的规定。为进一步体现宽严相济的刑事政策，司法体制改革和工作机制改革要求，完善从重、从轻和减轻处罚情节的法律规定，确保均衡适当量刑，有关部门也建议将“自首”以及“以自首论”之外犯罪嫌疑人“如实供述自己罪行”的认罪情况规定为法定从轻量刑情节。这种“如实供述自己罪行”的认罪就是我们平时常说的“坦白”。“坦白从宽”一直就是我国贯穿于司法实践中的刑事政策。有关司法解释在一定程度上已经把认罪作为一种从轻情节，如 2003 年最高人民法院、最高人民检察院、司法部《关于适用普通程序审理“被告人认罪案件”的若干意见(试行)》和《关于适用简易程序审理公诉案件的若干意见》;2009 年 3 月最高人民法院、最高人民检察院联合发布的《关于办理职务犯罪案件认定自首、立功等量刑情节若干问题的意见》;2010 年 12 月最高人民法院发布的《关于处理自首和立功若干具体问题的意见》等。司法实践中，认罪作为一项重要的从轻量刑情节也被广泛运用。但由于没有明确的法律规定，被告人认罪作为一种酌定的量刑情节，完全

---

* 第三款根据 2011 年 2 月 25 日第十一届全国人民代表大会常务委员会第十九次会议通过的《中华人民共和国刑法修正案(八)》增加。

依靠法官的经验，造成量刑的不统一。《刑法修正案(八)》将除自首和以自首论的情况外，能"如实供述自己罪行"的情形规定为法定量刑情节，有利于落实"坦白从宽"的政策，有利于分化犯罪分子，也有利于执法统一。

第一款是关于自首的概念及其处罚原则的规定。坦白从宽是我们历来的刑事政策，为了更好地体现和执行这一政策，对自首的条件及处罚作具体明确的规定十分必要。鼓励犯罪分子犯罪后自首并从宽处理，也为司法机关侦破案件提供了有利的条件。以自首论的规定，扩大了自首的范围，解决了理论界长期争论、司法实践中做法不一的问题，便于司法机关具体操作。《刑法修正案(八)》对本条的修改进一步完善了坦白从宽的刑事政策。

根据本款规定，自首必须符合下列条件：

1. 犯罪以后自动投案。自动投案，是指犯罪分子犯罪以后，犯罪事实未被司法机关发现以前；或者犯罪事实虽被发现，但不知何人所为；或者犯罪事实和犯罪分子均已被发现，但是尚未受到司法机关的传唤、讯问或者尚未采取强制措施之前，主动到司法机关或者所在单位、基层组织等投案，接受审查和追诉的。这里的司法机关应指所有的司法机关。实践中，犯罪分子犯罪后逃到异地，又向异地的司法机关投案的，以及犯罪分子因患病、身受重伤，委托他人先行代为投案的，都属于自动投案。根据最高人民法院《关于处理自首和立功若干具体问题的意见》，罪行尚未被有关部门、司法机关发觉，仅因形迹可疑被盘问、教育后，主动交代自己罪行的，应当视为自动投案，但在其身上、随身携带的物品、驾乘的交通工具等处发现与其犯罪有关的物品的，不认定为自动投案。有的犯罪嫌疑人在投案的途中被捕获，只要查证属实的，也属于投案。有的犯罪嫌疑人投案并非完全出于自己主动，而是经亲友劝告，由亲友送去投案，对于这些情形也应认定为投案。自动投案的实质是犯罪分子自愿把自己交给司法机关处理，因此，有的犯罪分子投案后又逃跑的，不能认定为自动投案。

2. 如实供述自己的罪行。如实供述自己的罪行，是指犯罪分子投案以后，对于自己所犯的罪行，不管司法机关是否掌握，都必须如实地全部向司法机关供述，不能有隐瞒。至于有些细节或者情节，犯罪分子记不清楚或者确实无法说清楚的，不能认为是隐瞒。只要基本的犯罪事实和主要情节说清楚，就应当认为属于如实供述自己的罪行。如果犯罪分子避重就轻或者供述一部分，还保留一部分，企图蒙混过关，就不能认为是如实供述自己的罪行。对于共同犯罪中的犯罪分子不仅应供述自己的犯罪行为，还应供述与其共同实施犯罪的其他共犯的共同犯罪事实。实践中，有的犯罪嫌疑人自动投案并如实供述自己罪行后又翻供，对这种情况如何认定？根据1998年最高人民法院《关于处理自首和立功具体应用法律若干问题的解释》第一条的规定，犯罪嫌疑人自动投案并如实供述自己的罪行后又翻供的，不能认定为自首；但在一审判决前又能如实供述的，应当认定为自首。

根据本款规定，对于自首的犯罪分子可以在法定刑的幅度内从轻或者减轻处罚。如果是犯罪较轻的，也可以免除处罚。这样规定主要是为了鼓励犯罪分子犯罪后自首，落实坦白从宽的刑事政策，为司法机关侦破案件提供有利的条件。

第二款是关于以自首论的规定。根据本款规定，必须同时具备以下条件的，才能以自首论：

1. 以自首论的对象有以下三种人：已经被司法机关采取强制措施的犯罪嫌疑人、被告人和正在服刑的罪犯。这里的“强制措施”，是指我国刑事诉讼法规定的拘传、拘留、取保候审、监视居住、逮捕。“正在服刑”是指已经人民法院判决，正在执行刑罚的罪犯。

2. 如实供述的内容是司法机关还未掌握的本人其他罪行。这里所说的司法机关还未掌握的本人其他罪行，是指司法机关根本不知道、还未掌握犯罪嫌疑人、被告人和正在服刑的罪犯的其他罪行，是司法机关正在追查或已经追究的行为人所犯罪行以外的其他犯罪行为。例如，司法机关正在对行为人的盗窃行为进行侦查，该犯罪嫌疑人又如实交代了司法机关未掌握的抢劫罪行。对于共同犯罪来说，如果供述司法机关未掌握的他人的犯罪，也不属于这种情况，但是如果这种行为符合立功的条件的，应当按照刑法关于立功的规定处理。根据本款规定，只要符合上述条件，应当以自首论。按照本条第一款规定的原则处罚。

应当注意的是，实践中，有的被告人自首后，对自己行为的性质进行辩解，这种情况不影响自首的成立。

第三款是对不具有前两款规定的“自首”以及“以自首论”的情节，但是如实供述自己罪行的，可以从轻或者减轻处罚的规定。坦白从宽是我国一贯的刑事政策，但在《刑法修正案（八）》对本条规定修改之前，“如实供述自己罪行”在司法实践中只是作为一种酌定情节使用，而且在侦查阶段的坦白、认罪，有时在审判阶段不被认可，甚至在个别的案件中存在因被告人的坦白使得司法机关认定了本来不掌握的罪行，而被判处较重的刑罚的情况，被戏称为“坦白从宽，牢底坐穿”。司法实践表明，到案后能够自愿认罪，也表现了犯罪嫌疑人改恶向善的意愿，相对于负隅顽抗，甚至故意编造谎言误导侦查、审判工作的犯罪嫌疑人而言，自愿认罪者也更易于改造，适用较轻的刑罚即可达到刑罚目的。本款规定中包括两种情况，在从宽处理的幅度上有所不同。对一般的如实供述自己罪行的，可以从轻处罚，因其如实供述自己罪行，避免特别严重后果发生的，可以减轻处罚。其中的“如实供述自己罪行”和前两款的精神是一致的,应指自己犯罪的主要事实或者基本事实。“因其如实供述自己罪行,避免特别严重后果发生的”,是指行为人的行为已经实施,但犯罪结果还没有发生或者没有全部发生,由于行为人的供述,使得有关方面能够采取措施避免了特别严重后果发生的情况。本款规定的从宽处理是“可以”从轻、减轻处罚,对于行为人虽然如实供述了自己罪行,但犯罪情节比较恶劣的也可以不从轻、减轻处罚。

第六十八条*　犯罪分子有揭发他人犯罪行为,查证属实的,或者提供重要线索,从而得以侦破其他案件等立功表现的,可以从轻或者减轻处罚;有重大立功表现的,可以减轻或者免除处罚。

【释义】　本条是关于犯罪分子有立功表现应当从宽处理的规定。

在总结多年司法实践经验的基础上,为鼓励犯罪分子改过自新,将功折罪,刑法规定了立功制度。对什么是立功、立功的表现形式以及如何处罚作出明确的规定,便于司法机关具体操作。同时,对一般立功表现和重大立功表现规定了不同的处罚,不仅有利于鼓励犯罪分子立大功,争取更宽大的处理,也有利于更有力地打击各类犯罪。

《刑法修正案(八)》对原刑法第六十八条的规定进行了修改,删除了原第二款“犯罪后自首又有重大立功表现的,应当减轻或者免除处罚”的规定。原规定的目的是鼓励犯罪分子积极自首、争立大功,从贯彻宽严相济刑事政策的角度来看是正确的,在实践中本款的规定也确实发挥了鼓励自首、立功和有效打击各类犯罪的作用。但是,原规定在司法实践执行中也出现了一些问题,主要是刑法中有部分犯罪的最高一档法定刑规定为“处十年以上有期徒刑或者无期徒刑”、“处十年以上有期徒刑、无期徒刑或者死刑”,对于有些具有减轻处罚情节的犯罪分子,原本应当判处死刑或者无期徒刑的,减轻处罚之后只能判处十年以下有期徒刑,使得判决偏离了罪刑相适应的基本原则,也导致出现同一案件中不同犯罪分子刑罚悬殊的现象。例如,在共同犯罪案件中,同为主犯的数人中有一人具备自首又有重大立功的减轻处罚情节,在其他主犯被判处死刑或者无期徒刑的情况下,具备自首又有重大立功情节的主犯只被判处九年有期徒刑,与其他主犯的刑罚相比太轻。有鉴于此,《刑法修正案(八)》对原刑法第六十三条第一款作出修改,明确规定犯罪分子具有减轻处罚情节的,应当在法定量刑幅度的下

* 第二款根据2011年2月25日第十一届全国人民代表大会常务委员会第十九次会议通过的《中华人民共和国刑法修正案(八)》删去。原第二款条文是:“犯罪后自首又有重大立功表现的,应当减轻或者免除处罚。”

一个量刑幅度内判处刑罚之后，本款的修改就显得更加必要。因此，《刑法修正案（八）》在广泛征求意见的基础上，经慎重研究，删去原第二款的规定。

在《刑法修正案（八）》起草和审议过程中，也有意见建议保留原规定并作适当修改，以利于鼓励立大功、分化、瓦解犯罪分子，从而节省司法资源。经研究，刑法第六十七条和第六十八条第一款已经对自首和立功的从轻处罚作出了相应的规定，刑法第六十七条第一款规定"对于自首的犯罪分子，可以从轻或者减轻处罚。其中，犯罪较轻的，可以免除处罚"，第六十八条第一款规定，犯罪分子有立功表现的，"可以从轻或者减轻处罚；有重大立功表现的，可以减轻或者免除处罚"，以上两条的规定，足以满足处理不同情形案件的需要，发挥鼓励自首、立功和分化犯罪分子、打击犯罪的作用，因此删除第六十八条第二款的规定不会影响对自首、立功犯罪分子的从轻处理。

根据本条规定，立功的主体是在案件侦查、审查起诉和庭审阶段的犯罪分子，其中庭审阶段包括一审庭审阶段和二审庭审阶段。犯罪分子揭发他人的犯罪行为，是指犯罪分子归案以后，主动揭发其他人的犯罪行为，包括共同犯罪案件中的犯罪分子揭发同案犯共同犯罪以外的其他犯罪，这是立功的一种主要表现形式。揭发他人的犯罪行为，必须经过查证属实。"查证属实"是指必须经过司法机关查证以后，证明犯罪分子揭发的情况确实属实。如果经过查证，犯罪分子揭发的情况，不属实或者不属于犯罪行为，那么也不算是犯罪分子有立功表现。立功表现的另一表现形式是提供重要线索，从而得以侦破其他案件。提供重要线索，是指犯罪分子向司法机关提供未被司法机关掌握的重要犯罪线索，如证明犯罪行为的重要事实或提供有关证人等。这种提供必须是犯罪分子自身掌握的，是实事求是的，不能是编造的线索。使案件得以侦破，是指司法机关根据犯罪分子提供的线索，查清了犯罪事实，侦破了案件。除上述两种立功形式外，实践中有的犯罪分子还有其他有利于国家和社会的突出表现，如阻止他人犯罪活动、协助司法机关抓捕其他犯罪分子（包括同案犯）等，也属于本条规定的立功。

根据本条规定，对于有立功表现的犯罪分子，可以从轻或者减轻处罚；对于有重大立功表现的，可以减轻或者免除处罚。重大立功表现，是相对于一般立功表现而言，主要是指犯罪分子检举、揭发他人的重大犯罪行为，如揭发了一个犯罪集团或犯罪团伙，或者因其提供了犯罪的重要线索，才使一个重大犯罪案件得以侦破；阻止他人重大犯罪活动；协助司法机关抓捕其他重大犯罪分子（包括同案犯）；对国家和社会有其他重大贡献等。一般而言，犯罪分子检举、揭发的他人犯罪，提供侦破其他案件的重要线索，阻止他人的犯罪活动，或者协助司法机关抓捕的其他犯罪嫌疑人，犯罪嫌疑人、被告人依法可能被判处无期徒刑以上刑罚的，应当认定为有重大立功表现。

在司法实践中应当注意，对于具有立功情节的犯罪分子，应当结合案件的性质、危害后果、犯罪分子的人身危险性等因素综合考虑，依法决定是否对其从轻、减轻或者免除处罚以及从轻、减轻处罚的幅度。对于自首后又有重大立功表现的犯罪分子，刑法虽然删除了应当减轻或者免除处罚的规定，但是考虑到这类犯罪分子具有了明显的悔罪意识，人身危险性有所降低，原则上还是应当结合案件具体情况减轻或者免除处罚，其中，对于罪该判处死刑立即执行的，可以根据情节判处死刑缓期执行、无期徒刑。

第四节　数 罪 并 罚

第六十九条*　判决宣告以前一人犯数罪的，除判处死刑和无期徒刑的以外，应当在总和刑期以下、数刑中最高刑期以上，酌情决定执行的刑期，但是管制最高不能超过三年，拘役最高不能超过一年，有期徒刑总和刑期不满三十五年的，最高不能超过二十年，总和刑期在三十五年以上的，最高不能超过二十五年。

数罪中有判处有期徒刑和拘役的，执行有期徒刑。数罪中有判处有期徒刑和管制，或者拘役和管制的，有期徒刑、拘役执行完毕后，管制仍须执行。

数罪中有判处附加刑的，附加刑仍须执行，其中附加刑种类相同的，合并执行，种类不同的，分别执行。

【释义】　本条是关于数罪并罚原则的规定。

2011 年 2 月 25 日十一届全国人民代表大会常务委员会第十九次会议通过的《刑法修正案（八）》，对本条规定作了两处修改：一是将第一款中“有期徒刑

---

* 本条经过两次修改。

根据 2011 年 2 月 25 日第十一届全国人民代表大会常务委员会第十九次会议通过的《中华人民共和国刑法修正案（八）》第一次修改。原条文为：“判决宣告以前一人犯数罪的，除判处死刑和无期徒刑的以外，应当在总和刑期以下、数刑中最高刑期以上，酌情决定执行的刑期，但是管制最高不能超过三年，拘役最高不能超过一年，有期徒刑最高不能超过二十年。

“如果数罪中有判处附加刑的，附加刑仍须执行。”

根据 2015 年 8 月 29 日第十二届全国人民代表大会常务委员会第十六次会议通过的《中华人民共和国刑法修正案（九）》第二次修改。第一次修改后的条文是：“判决宣告以前一人犯数罪的，除判处死刑和无期徒刑的以外，应当在总和刑期以下、数刑中最高刑期以上，酌情决定执行的刑期，但是管制最高不能超过三年，拘役最高不能超过一年，有期徒刑总和刑期不满三十五年的，最高不能超过二十年，总和刑期在三十五年以上的，最高不能超过二十五年。

“数罪中有判处附加刑的，附加刑仍须执行，其中附加刑种类相同的，合并执行，种类不同的，分别执行。”

最高不能超过二十年”修改为“有期徒刑总和刑期不满三十五年的,最高不能超过二十年,总和刑期在三十五年以上的,最高不能超过二十五年”。二是在原第二款增加了“附加刑种类相同的,合并执行,种类不同的,分别执行”的规定。

《刑法修正案(八)》对本条的修改是落实宽严相济的刑事政策,从调整刑罚结构,贯彻罪责刑相适应原则的角度作出的。无论是1979年刑法还是1997年刑法,都规定有期徒刑数罪并罚最高不能超过二十年,从执行中的情况来看,这一规定总体上可以适应司法实践的需要,能够达到惩罚、教育和改造犯罪分子的目的。但是,该规定在司法实践中也出现了一些问题,集中表现为,如果一个犯罪分子的多个罪名均被判处较长期限的有期徒刑,数罪并罚之后实际执行的刑期过短,不能体现罪责刑相适应原则。例如,某犯罪分子犯故意伤害罪、盗窃罪和抢劫罪三个罪名,因故意伤害罪被判处有期徒刑十年,因盗窃罪被判处有期徒刑十二年,因抢劫罪被判处有期徒刑十四年,数罪并罚总和刑期达到三十六年,依照原来的规定,数罪并罚对该犯罪分子最长只能执行二十年有期徒刑。对于这类罪行严重,且有数罪在身的犯罪分子,执行刑罚期限过短,难以起到惩戒作用和实现刑罚目的。对此,有关方面和部分全国人大代表建议延长数罪并罚有期徒刑的执行上限,加大对罪行严重犯罪分子的处罚力度。根据各方面的意见,《刑法修正案(八)》对本条的规定作出修改,将一人犯数罪,总和刑期在三十五年以上的,数罪并罚执行有期徒刑的上限延长至二十五年,对于总和刑期不满三十五年的,数罪并罚执行有期徒刑的上限仍然为二十年。

在《刑法修正案(八)》的起草和审议过程中,有意见建议删去“有期徒刑总和刑期在三十五年以上”的限制,直接将有期徒刑数罪并罚的上限提高至二十五年,还有的建议进一步提高至三十年、三十五年甚至更长。考虑到一般情况下,数罪并罚有期徒刑的上限规定为二十年,可以满足惩罚与改造犯罪分子的要求,从司法统计数据分析,执行十年以上有期徒刑的犯罪分子在刑罚执行完毕之后再犯罪的比率很低,可以认为已经达到了适用刑罚的目的。如果统一将有期徒刑数罪并罚的期限延长至二十五年,涉及面会很大,将会有很大一部分根据原规定执行二十年以下有期徒刑的犯罪分子的执行期限延长至二十年以上,在执行较短期限有期徒刑足以实现刑罚目的的情况下,延长刑罚期限将会产生适用刑罚过度的问题,不利于犯罪人回归社会,也会加大监管机构的执行压力和行刑成本。基于上述考虑,《刑法修正案(八)》对于为数不多的罪行严重的,有期徒刑总和刑期在三十五年以上(含三十五年)的犯罪分子,数罪并罚执行刑期的上限延长至二十五年,对于总和刑期不满三十五年,数罪并罚的上限维持不变。这样,既能更好地体现罪责刑相适应的原则,也防止了大面积延长刑期的情况发生。

《刑法修正案(八)》对本条第二款的修改,主要是为了明确实践中判处多个附加刑如何并罚的问题。原条款只规定"如果数罪中有判处附加刑的,附加刑仍须执行",但是对于判处多个相同种类的附加刑是否适用限制加重原则以及如何执行多个不同种类的附加刑未作规定,司法实践中执行情况也不统一。为了解决上述问题,《刑法修正案(八)》明确规定,判处多个附加刑的,其中附加刑种类相同的,合并执行,种类不同的,分别执行。

2015年8月29日,第十二届全国人民代表大会常务委员会第十六次会议通过的《刑法修正案(九)》再次对本条作出修改。在本条中增加一款,作为第二款,规定"数罪中有判处有期徒刑和拘役的,执行有期徒刑。数罪中有判处有期徒刑和管制,或者拘役和管制的,有期徒刑、拘役执行完毕后,管制仍须执行"。同时,将原第二款调整为第三款。

刑法原第六十九条对一人犯数罪被判处死刑、无期徒刑和判处死刑、无期徒刑外同种主刑(有期徒刑、拘役、管制),以及同种或者不同种附加刑的数罪并罚如何处理的问题作出了明确规定。其中,死刑吸收其他主刑;无期徒刑吸收有期徒刑;被判处多个有期徒刑的,被判处多个拘役的,被判处多个管制的,实行限制加重原则;对被判处同种或者不同种附加刑的,则实行并科原则。但对于数罪中被判处有期徒刑和拘役、有期徒刑和管制、拘役和管制或者有期徒刑、拘役和管制的情况,数罪并罚如何处理,刑法没有明确。实践中,对于这些情况如何处理,各方面有不同的认识,实际做法也不统一。有期徒刑和拘役刑都属于自由刑,关于有期徒刑与拘役刑数罪并罚的问题,在《刑法修正案(九)》的研究过程中,主要有三种观点:第一种观点主张采取并科原则,即在执行完有期徒刑之后再执行拘役,或者在执行完拘役之后再执行有期徒刑。这种做法在实际操作中会遇到一些困难。根据刑事诉讼法第二百五十三条第二款的规定,对被判处有期徒刑的罪犯,由公安机关依法将该罪犯送交监狱执行刑罚。其中在被交付执行刑罚前,剩余刑期在三个月以下的,由看守所代为执行。对被判处拘役的罪犯,由公安机关执行。2005年以前,公安机关在专门设置的拘役所执行拘役。但由于拘役所设置不规范,基础条件差、安全系数低,且一段时间以来被判处拘役的罪犯数量较少,单独设置拘役所难以形成关押规模,公安部于2005年12月发布关于做好撤销拘役所有关工作的通知,决定撤销拘役所,对于被判处拘役的罪犯,由看守所执行。在这种情况下,对于因犯数罪被同时判处有期徒刑和拘役的,如果实行并科原则,会产生以下问题。第一,如何确定拘役和有期徒刑的执行顺序,这会涉及判决执行以前先行羁押的时间是用来折抵拘役还是用来折抵有期徒刑的问题,也会涉及如何计算有期徒刑剩余刑期等问题。第二,在一些案件中,对被同时判处有期徒刑和拘役的罪犯,需要由监狱等刑罚执行机关执行剩余刑期超过三个月的有期徒刑,还要由公安机关执行拘役,实践中还可能出现服刑监狱与对其执行拘役的看守所之间路途遥远,或者拘役刑期较短,扣除交付执行和在途时间后,变更完执行场所所剩刑期已所剩无几等情况,既浪费资源,又无法达到理想效果。第二种观点认为,可以采取限制加重原则,将拘役折抵为有期徒刑,再决定应当执行的刑罚。刑法对判决执行以前先行羁押的时间折抵拘役或者有期徒刑有明确规定。根据本法第四十四条的规定,先行羁押一日折抵拘役刑期一日。根据本法第四十七条的规定,先行羁押一日折抵有期徒刑刑期一日。但拘役与有期徒刑在监管强度和罪犯服刑期间的待遇上,二者也存在区别。根据刑法第四十三条的规定,被判处拘役的犯罪分子每月可以回家一天至两天;参加劳动的,可以酌量发放报酬。在这种情况下,对有期徒刑和拘役无论采取何种折抵方式,都难以照顾周延。折抵的比率也难以确定,各方面也有不同的看法。第三种观点认为,鉴于拘役与有期徒刑属于不同性质的自由刑,并科在执行中存在困难,折抵又难以提出适当的方案,建议采取吸收原则,由重的有期徒刑吸收轻的拘役,这样规定更为科学,也便于执行。经研究,考虑到根据罪责刑相适应原则,依法被判处拘役的都是情节较轻、社会危害性相对较小的犯罪,在因犯数罪被同时判处有期徒刑、拘役的情况下,采取吸收原则,只执行有期徒刑,可以实现判处拘役时所期待的惩戒效果和刑罚目的,同时也可以较好地处理执行环节的衔接问题,节约司法资源,基于此,本款规定,数罪中有判处有期徒刑和拘役的,执行有期徒刑。

关于有期徒刑与管制,拘役与管制数罪并罚的问题,在《刑法修正案(九)》的研究过程中,各方面也有不同的意见。有的意见认为,应当与有期徒刑和拘役的并罚一样,采取吸收原则,由有期徒刑或者拘役吸收管制;有的意见认为,应当采取并科原则,明确在执行完有期徒刑或者拘役后,再继续执行管制。经反复研究认为,管制是限制人身自由同时又设置了有针对性的教育改造措施的刑罚,与有期徒刑、拘役在性质上有根本差异,其特殊的教育改造效果也难以通过其他途径实现。如果采取吸收原则不再执行管制,不利于对罪犯的教育改造。同时,根据本法第三十八条和第六十九条的规定,管制的刑期较长,为三个月以上二年以下;判处数个管制并罚的,最高可达三年。根据本法第四十五条、第四十二条和第六十九条的规定,有期徒刑的起刑点仅为六个月,拘役的期限仅为一个月以上六个月以下,被判处数个拘役的,拘役最高也只是一年。如果采用吸收原则,在一些案件中,就要由刑期几个月的有期徒刑或者拘役吸收最高刑期可达三年的管制,在理论和逻辑上很难说得通。基于以上考虑,《刑法修正案(九)》对有期徒刑与管制、拘役与管制的并罚采取了并科原则,明确数罪中有判处有期徒刑和管制,或者拘役和管制的,有期徒刑、拘役执行完毕后,管制仍须执行。

第一款是关于判决宣告以前一人犯数罪的,应当如何决定执行刑罚的一般性规定。数罪并罚主要是解决判决宣告以前一人犯了两种或者两种以上不同的罪,应当如何决定执行刑罚的问题。根据本款规定,对于判决宣告之前,一人犯有两种或者两种以上不同的罪,总的处罚原则是:在总和刑期以下,数刑中最高刑期以上酌情决定执行的刑期。“总和刑期”是指将犯罪分子的各个不同的罪,分别依照刑法确定刑期后相加得出的刑期总数。“数刑中最高刑”是指数个犯罪确定的刑期中最长的刑期。对于被告人犯有数罪的,人民法院在量刑时,应当先就数罪中的每一种犯罪分别量刑,然后再把每罪判处的刑罚相加,计算出总和刑期,最后在数罪中的最高刑期以上和数罪总和刑期以下,决定执行的刑罚。如被告人在判决宣告之前犯有强奸罪和抢劫罪,强奸罪判处有期徒刑十年,抢劫罪判处有期徒刑八年,这两种罪最高刑期为十年,总和刑期为十八年,人民法院应当在十年以上十八年以下决定应执行的刑期。

人民法院根据本款规定适用数罪并罚原则时,应当注意以下几点:

1. 对于犯罪分子犯有数罪的,都应对各罪分别作出判决,而不能“估堆”判处刑罚。对犯罪分子的各罪判处的刑罚中,有死刑或者无期徒刑的,由于死刑是最严厉的刑罚,而无期徒刑在自由刑中是最长的刑期,在适用本款规定的并罚原则时,实际上死刑和无期徒刑就会吸收其他主刑,即在有死刑的数罪中实际执行死刑;在没有判处死刑,而有无期徒刑和其他主刑的数罪中实际执行无期徒刑。

2. 对于数个罪都是被判处有期徒刑的,将每个犯罪判处的有期徒刑刑期相加计算得出总和刑期,对于总和刑期不满三十五年的,数罪并罚的期限不能超过二十年,即在数刑中最高刑以上总和刑期(最长为二十年)以下决定执行的刑期。对于总和刑期等于或者超过三十五年的,数罪并罚的期限最高不能超过二十五年,即在数刑中最高刑以上二十五年以下决定执行的刑期;对于数个罪都是被判处管制的,不论管制的总和刑期多少年,决定执行的管制刑期最高不能超过三年;对于数个罪都是被判处拘役的,不论拘役的总和刑期多少年,决定执行的拘役刑期不能超过一年。

第二款是关于被判处有期徒刑、拘役、管制不同种刑罚如何并罚的规定。根据本款规定,数罪中有判处有期徒刑和拘役的,执行有期徒刑,拘役不再执行,实际上相当于有期徒刑吸收了拘役;数罪中有判处有期徒刑和管制,或者拘役和管制的,有期徒刑、拘役执行完毕后,管制仍须执行。需要注意的是,对于一人因犯数罪被判处多个有期徒刑、多个拘役或者多个管制的,要先根据第一款的规定,对同种刑罚进行折算并罚,再根据本款规定对不同种刑罚进行并罚确定执行的刑期。对于数罪中同时被判处有期徒刑、拘役和管制的,根据本款的规定，执行有期徒刑，拘役不再执行，但管制仍须执行，也就是说，对该罪犯在执行有期徒刑后，再执行管制。

第三款是关于数罪中有判处附加刑的，附加刑如何执行的规定。根据本款规定，在数罪中有一个罪判处附加刑，或者数罪都判处附加刑，附加刑种类相同的，合并之后一并执行，种类不同的，同时或者依次分别执行。“合并执行”是指对于种类相同的多个附加刑，期限或者数额相加之后一并执行，如同时判处多个罚金刑的，罚金数额相加之后一并执行，同时判处多个剥夺政治权利的，将数个剥夺政治权利的期限相加执行。需要注意的是，相同种类的多个附加刑并不适用限制加重原则。

第七十条　判决宣告以后，刑罚执行完毕以前，发现被判刑的犯罪分子在判决宣告以前还有其他罪没有判决的，应当对新发现的罪作出判决，把前后两个判决所判处的刑罚，依照本法第六十九条的规定，决定执行的刑罚。已经执行的刑期，应当计算在新判决决定的刑期以内。

【释义】　本条是关于对漏罪如何进行数罪并罚的规定。

本条规定了判决宣告以后，刑罚执行完毕以前发现有漏罪如何进行数罪并罚的问题。本条规定是根据1979年刑法第六十五条修改而来的，将原法中的“刑罚还没有执行完毕以前”修改为“刑罚执行完毕以前”，在意思的表达上更为准确，便于操作。

根据本条规定，在判决宣告以后，刑罚执行完毕以前，发现有漏罪没有判决的，应当对新发现的罪作出判决，再把前后两个或几个判决所判处的刑罚相加，按照本法第六十九条规定的数罪并罚的原则，决定应执行的刑罚，然后再减去罪犯已经执行的刑期，剩余的刑期就是罪犯应当继续执行的刑期。

本条中所说的“其他罪”，是指漏罪。漏罪发现的时间，必须是在判决宣告以后，刑罚执行完毕以前，即犯罪分子在服刑期间。发现的漏罪必须是司法机关判决宣告之前已经发生的犯罪，并且犯罪应当是依法判处刑罚而没有判处的其他罪，不是判决以后新犯的罪。这里所说的“发现”，是指通过司法机关侦查、他人揭发或犯罪分子自首等途径发现犯罪分子还有其他罪行。“两个判决所判处的刑罚”，是指已经交付执行的判决确定的执行刑期和对犯罪分子在原判决宣告之前的漏罪所判处的刑期。“已经执行的刑期，应当计算在新判决决定的刑期以内”，是指重新判决决定执行的刑期应当包括犯罪分子已经执行的刑期。

第七十一条　判决宣告以后，刑罚执行完毕以前，被判刑的犯罪分子又犯罪的，应当对新犯的罪作出判决，把前罪没有执行的刑罚和后罪所判处的刑罚，

依照本法第六十九条的规定,决定执行的刑罚。

【释义】 本条是关于对新罪如何进行数罪并罚的规定。

本条规定了判决宣告以后,刑罚执行完毕以前又犯新罪如何进行数罪并罚的问题。本条规定是根据1979年刑法第六十六条修改而来的,将原法中的"刑罚还没有执行完毕以前"修改为"刑罚执行完毕以前",在意思的表达上更为准确,便于操作。

根据本条规定,犯罪分子又犯新罪的时间,必须是在判决宣告以后,刑罚执行完毕之前,即犯罪分子在刑罚执行期间。"被判刑的犯罪分子又犯罪的",是指被判刑的犯罪分子在刑罚执行期间又犯依照刑法应当受到刑罚处罚的新罪。根据本条规定,对在执行刑罚期间又犯新罪的,应当先对犯罪分子所犯的新罪作出判决,再将新罪判处的刑期与前罪未执行的刑期相加,依照本法第六十九条的规定,决定应执行的刑期。"没有执行的刑罚",也就是原判刑罚没有执行完的剩余部分,如原判决对犯罪分子确定的刑罚是二十年,对新犯的罪作出判决时,犯罪分子已经执行了十五年,原判决没有执行完的刑罚就是五年。然后把这五年和新罪判处的刑罚再按照本法第六十九条的规定决定执行的刑期,其结果,犯罪分子实际执行的刑期可能超过二十五年或者二十年。这是对在服刑中的罪犯又犯新罪实行数罪并罚的特殊规定,体现了对这类犯罪情形从严打击的精神。需要注意的是,这里的"刑罚执行完毕"应当是指主刑执行完毕,而不包括罚金、剥夺政治权利等附加刑。关于这个问题,实践中存有不同认识,有一种观点认为,刑法第三十二条规定的刑罚包括主刑和附加刑,因此这里的刑罚应作同样理解。这种理解是不正确的,因为根据刑法第七十条、第七十一条的规定,判决宣告以后,刑罚执行完毕以前,发现犯罪分子有漏罪或者又犯新罪的,依照第六十九条的规定,决定执行的刑罚。由于刑法第六十九条是针对主刑规定了实行数罪并罚的具体方法,对于附加刑是在该条第三款另行规定的,因此这里的"刑罚执行完毕以前"应指主刑执行完毕以前。

第五节 缓 刑

第七十二条* **对于被判处拘役、三年以下有期徒刑的犯罪分子,同时符合**

---

* 根据2011年2月25日第十一届全国人民代表大会常务委员会第十九次会议通过的《中华人民共和国刑法修正案(八)》修改。原条文是:"对于被判处拘役、三年以下有期徒刑的犯罪分子,根据犯罪分子的犯罪情节和悔罪表现,适用缓刑确实不致再危害社会的,可以宣告缓刑。

"被宣告缓刑的犯罪分子,如果被判处附加刑,附加刑仍须执行。"

下列条件的，可以宣告缓刑，对其中不满十八周岁的人、怀孕的妇女和已满七十五周岁的人，应当宣告缓刑：

（一）犯罪情节较轻；

（二）有悔罪表现；

（三）没有再犯罪的危险；

（四）宣告缓刑对所居住社区没有重大不良影响。

宣告缓刑，可以根据犯罪情况，同时禁止犯罪分子在缓刑考验期限内从事特定活动，进入特定区域、场所，接触特定的人。

被宣告缓刑的犯罪分子，如果被判处附加刑，附加刑仍须执行。

【释义】　本条是关于缓刑的对象、条件以及宣告缓刑可以同时附加禁止令的规定。

缓刑，是一种刑罚执行制度，而不是一种刑罚。缓刑就是有条件地不执行刑罚。也就是说，对一些特定的犯罪分子，在其具备了法定的条件之后，可以在一定的期间内不予关押，暂缓其刑罚的执行。实行缓刑制度，有利于改造罪犯，也有利于社会的稳定。

《刑法修正案（八）》对原刑法第七十二条的规定进行了三处修改：一是对本条第一款适用缓刑的条件作了修改，将“根据犯罪分子的犯罪情节和悔罪表现，适用缓刑确实不致再危害社会的”修改为同时符合“犯罪情节较轻”、“有悔罪表现”、“没有再犯罪的危险”、“宣告缓刑对所居住社区没有重大不良影响”四项条件。二是明确对于符合缓刑条件的不满十八周岁的人、怀孕的妇女和已满七十五周岁的人三类主体，应当宣告缓刑。三是增加规定对宣告缓刑的犯罪分子，人民法院可以根据犯罪情况同时对其在缓刑考验期限内的行为做出限制，禁止其“从事特定活动，进入特定区域、场所，接触特定的人”。

本条的修改主要是落实宽严相济的刑事政策，根据司法实践需要，完善非监禁刑适用，进一步体现我国刑法的人道主义和社会文明进步。适用缓刑对于感化、挽救和改造犯罪人、化解社会矛盾等具有重要积极意义。从这些年的实践情况看，缓刑制度设计总体上是好的，体现了宽严相济的刑事政策，有利于化解社会矛盾，也有利于犯罪人回归社会，但是这项制度在执行中也出现了一些问题，主要是：原条文规定的“适用缓刑确实不致再危害社会”的条件，从实践执行来看过于笼统、抽象，何为“确实不致再危害社会”不易判断和执行，在个别地方，由于担心被告人适用缓刑之后可能出现其他违法犯罪行为危害社会，法官不愿、不敢适用缓刑，导致缓刑适用率相对较低；有些被宣告缓刑的犯罪分子，由于在缓刑考验期限内对其缺乏有效的监督和管理，出现了缓而不管的现象，没有发挥好缓刑制度教育和改造犯罪分子的作用，妨碍了缓刑制度积极作用的发挥。针对这些问题,有关方面提出,应当进一步明确缓刑适用条件,以利于操作,对此,《刑法修正案(八)》作出修改,列明了适用缓刑的四项具体条件,对于同时符合这些条件的犯罪分子可以适用缓刑。考虑到不满十八周岁的人、怀孕的妇女和已满七十五周岁的人三类主体的特殊情况,从加强对未成年人、未出生婴儿保护的角度,基于人道主义对老年人从宽处理的角度,增加规定,对于符合缓刑条件的上述三类主体,应当宣告缓刑。同时考虑到扩大非监禁刑适用,应当完善和加强非监禁刑对于教育、改造罪犯,预防再犯罪的实效和功能,非监禁刑刑罚功能的完善是扩大非监禁刑适用的前提和基础。《刑法修正案(八)》增加规定,对宣告缓刑的犯罪分子,人民法院可以根据犯罪情况在判决同时,禁止其"从事特定活动,进入特定区域、场所,接触特定的人"。这样规定,既有利于发挥缓刑的作用,也是刑罚个别化的有益尝试。

在《刑法修正案(八)》起草和审议过程中,有的意见认为本条规定的"没有再犯罪的危险"主观性太强。立法机关经研究认为,适用缓刑的基本要求是犯罪人不再具有社会危害性,对于犯罪人是否仍具有社会危害性,并没有绝对客观的、确定性的判断标准,而只能交由法官根据个案情况判断。法官应根据案件和犯罪人的具体情况,综合各方面因素考虑,如果认为犯罪人的人身危险性低,不具有再犯罪的动机或者可能性,即可以认为"没有再犯罪的危险"。还有意见认为"宣告缓刑对所居住社区没有重大不良影响"可能会使法官的决定受社区意见影响,从而影响到缓刑的适用。立法机关研究认为,这一规定是立足于我国经济社会发展的现实情况,从有利于对犯罪分子的监管和改造,有利于社区广大居民能够安居乐业的角度作出的。因此,在适用缓刑制度时,既要考虑被告人的个人情况,又要考虑适用缓刑对社区的影响,否则就不能达到适用缓刑的目的和社会效果。当然,可能对社区造成的不良影响必须是重大的才能成为不适用缓刑的条件,如果只是一般的影响则不影响缓刑的适用。

第一款是关于适用缓刑的对象和适用缓刑的条件的规定。根据本款规定,适用缓刑的前提有两个:一是适用缓刑的对象,必须是被判处拘役、三年以下有期徒刑的特定的犯罪分子。二是同时符合犯罪情节较轻、有悔罪表现、没有再犯罪的危险、宣告缓刑对所居住社区没有重大不良影响四项条件。是否可以适用缓刑的关键是看适用缓刑的犯罪分子是否具有社会危害性,只有不予关押不会危害社会的,才能适用缓刑。如果犯罪分子有可能危害社会,即使是被判处拘役、三年以下有期徒刑,也不能适用缓刑。是否具有社会危害性,应当根据犯罪分子的犯罪情节、悔罪表现、有无再犯罪的危险以及宣告缓刑是否会对所居住社区造成重大不良影响四个条件综合加以判断。"犯罪情节较轻",是指犯罪人的行为性质不严重、犯罪情节不恶劣,如果犯罪情节恶劣、性质严重,则不能适用缓刑;“有悔罪表现”,是指犯罪人对于其犯罪行为能够认识到错误,真诚悔悟并有悔改的意愿和行为,比如积极向被害人道歉、赔偿被害人的损失、获取被害人的谅解等;“没有再犯罪的危险”,是指对犯罪人适用缓刑,其不会再次犯罪,如果犯罪人有可能再次侵害被害人,或者是由于生活条件、环境的影响而可能再次犯罪,如犯罪人为常习犯等,则不能对其适用缓刑;“宣告缓刑对所居住社区没有重大不良影响”,是指对犯罪人适用缓刑不会对其所居住社区的安全、秩序和稳定带来重大不良影响,这种影响必须是重大的、现实的影响,具体情形由法官根据个案情况来判断。适用缓刑的两个前提必须同时具备,缺一不可。如果根据案件的具体情节和罪犯的表现,不关押不足以教育改造和预防犯罪,就不能适用缓刑;或者罪犯虽然不再具有社会危害性,但判刑较重,超过三年有期徒刑的,也不能适用缓刑。

对于一般主体,符合适用缓刑条件的,法律规定可以适用缓刑,从而赋予法官一定的自由裁量权,法官依据案件情况决定宣告缓刑,也可以不适用缓刑。但是,根据修改后的规定,对于符合上述适用缓刑条件的不满十八周岁的人、怀孕的妇女和已满七十五周岁的人三类主体,法律规定应当宣告缓刑,即只要符合适用缓刑条件的,就应当适用缓刑。需要指出的是,这三类主体适用缓刑也必须是被判处拘役、三年以下有期徒刑,同时符合犯罪情节较轻、有悔罪表现、没有再犯罪的危险、宣告缓刑对所居住社区没有重大不良影响四项条件,如果不符合上述条件,也不能宣告缓刑。

第二款是关于对宣告缓刑的犯罪分子,可以根据案件情况附加禁止令的规定。为了维护社会稳定,保护被害人、证人人身安全,同时为了帮助适用缓刑的犯罪分子改过自新,防止其再次犯罪,法律规定法官可以用禁止令的方式,对于被宣告缓刑的犯罪分子有针对性地在缓刑考验期限内进行一定的约束。禁止令的内容应体现在判决中,具有强制性的法律效力,犯罪分子必须遵守。“根据犯罪情况”主要是指根据犯罪分子的犯罪情节、生活环境、是否有不良癖好等确定禁止令的内容。禁止令限定的“特定活动”、“特定的区域、场所”、“特定的人”应当与原犯罪有关联,防止引发被宣告缓刑犯罪分子再次犯罪,或者是为了确保犯罪分子遵守非监禁刑所要求的相关义务,总之,禁止令的内容应当有正当理由或者是基于合理推断,而不能是随意规定,如“特定的活动”是与原犯罪行为相关联的活动,“特定的人”是原犯罪行为的被害人及其近亲属、特定的证人等,“特定的区域、场所”是原犯罪的区域、场所以及与原犯罪场所相类似的场所、区域等。本条款为选择性适用规定,由法官决定在宣告缓刑的同时是否有必要规定禁止令,如果法官认为没有必要则可以不作规定。

第三款是关于被宣告缓刑的犯罪分子,如果被判处附加刑,附加刑仍须执行的规定。

第七十三条　拘役的缓刑考验期限为原判刑期以上一年以下，但是不能少于二个月。

有期徒刑的缓刑考验期限为原判刑期以上五年以下，但是不能少于一年。

缓刑考验期限，从判决确定之日起计算。

【释义】　本条是关于缓刑考验期限的规定。

对缓刑犯的考验制度是缓刑制度核心组成部分。缓刑的考验必须要有一定的期限，只有在这个期限届满之前遵守了特定的条件，才宣告缓刑的结束并发生原判刑罚不再执行的效果。必要的考验期可以给受刑人相对确定的威慑感，促进其自行约束。规定明确的期限，也便于司法的具体操作。

第一款规定了被判处拘役的犯罪分子的缓刑考验期限为原判刑期以上一年以下，但不能少于二个月。根据本法第四十二条的规定，拘役的期限为一个月以上六个月以下，数罪并罚不能超过一年。即使犯罪分子被判处一个月的拘役，拘役的缓刑考验期限也不能少于二个月，因为缓刑是附条件地暂不执行刑罚，在缓刑考验期对犯罪分子的人身危险性进行考察，如果没有刑法第七十七条规定情形的，就不再执行原判刑罚。对犯罪分子的考察需要时间，时间过短，不足以起到考察的作用。如果实行数罪并罚，犯罪分子被判处一年的拘役，缓刑的考验期限最高也只能在一年以下、二个月以上的范围内确定。

第二款规定了对被判处有期徒刑的犯罪分子的缓刑考验期限为原判刑期以上五年以下，但是不能少于一年。决定缓刑考验期限，应当根据犯罪分子犯罪的情节、悔罪的表现以及判处的刑期，在考验期限的幅度内决定犯罪分子的考验期限。

第三款规定了缓刑考验期限，应当从判决确定之日起计算。判决确定之日，即判决发生法律效力之日。

本条所说的缓刑考验期，是指法律规定的对宣告缓刑的犯罪分子在社会上对其进行考察的期限。

第七十四条*　对于累犯和犯罪集团的首要分子，不适用缓刑。

【释义】　本条是关于不适用缓刑的情况的规定。

1979 年刑法对累犯不适用缓刑作了规定。《刑法修正案（八）》对本条作了

---

* 根据 2011 年 2 月 25 日第十一届全国人民代表大会常务委员会第十九次会议通过的《中华人民共和国刑法修正案（八）》修改。原条文是："对于累犯，不适用缓刑。"

修改，增加了关于犯罪集团的首要分子不适用缓刑的规定。为进一步落实宽严相济的刑事政策，考虑到犯罪集团的首要分子在犯罪集团中起组织、领导作用，这类犯罪集团经常多次犯罪，有些犯罪行为性质恶劣，对社会危害严重，犯罪集团的首要分子主观恶性极大，需要依法予以严惩，如果构成犯罪，依法被判处拘役或者三年以下有期徒刑，不能依据第七十二条的规定适用缓刑，应当予以实际执行。因此，《刑法修正案（八）》增加了这一规定。这体现了对犯罪集团首要分子从严惩处的精神。本条规定与刑法七十二条关于缓刑适用条件的规定相衔接，明确了适用和不适用缓刑的两种情况，完善了我国刑法有关缓刑条件的法律制度。

累犯的概念在本法第六十五条已经阐述过，由于累犯主观恶性大，具有屡教不改的特点，对社会危害性很大，如果不关押执行，而适用缓刑任其在社会上游荡，会有再次危害社会的危险性。因此，本条规定，对于累犯不适用缓刑，体现了对累犯从严管理、从重打击的精神。这样规定并不意味着累犯就没有出路了，累犯可以在狱中好好改造，认真悔过，如果表现良好，还可以获得减刑等。本条规定的"犯罪集团"，是指刑法第二十六条规定的，三人以上为共同实施犯罪而组成的较为固定的犯罪组织。"犯罪集团的首要分子"，是指在犯罪集团进行犯罪活动中起组织、领导作用的主要犯罪分子。

第七十五条　被宣告缓刑的犯罪分子，应当遵守下列规定：

（一）遵守法律、行政法规，服从监督；

（二）按照考察机关的规定报告自己的活动情况；

（三）遵守考察机关关于会客的规定；

（四）离开所居住的市、县或者迁居，应当报经考察机关批准。

【释义】　本条是关于被宣告缓刑的犯罪分子，在缓刑考验期限内应当遵守规定的规定。

根据惩办与教育改造相结合的政策，刑法规定了缓刑制度。但实践中存在着对被判处缓刑的犯罪分子监管不力的情况。为有利于宣告缓刑的犯罪分子接受监督考察，也便于考察机关对其进行监督。在总结实践经验的基础上，本条明确规定了犯罪分子在缓刑考验期限内，应当遵守的行为规则，这不仅使犯罪分子有章可循，而且也使考察机关对犯罪分子的管理、考察有了具体的法律依据，进一步完善了我国的缓刑制度。

根据本条规定，被宣告缓刑的犯罪分子，应当遵守下列规定：

1. 遵守法律、行政法规，服从监督，是指遵守国家法律、国务院行政法规，自觉服从考察机关、所在单位以及基层组织的监督。

2. 按照考察机关的规定报告自己的活动情况，是指按照考察机关的规定，定期或不定期地报告自己的活动情况，如报告自己的思想、改造和遵纪守法的情况等。

3. 遵守考察机关关于会客的规定，是指遵守考察机关向其宣布的有关会客的要求和规定。

4. 离开居住的市、县或者迁居，应当报经考察机关批准。未经批准不得擅自离开居住的市、县或者迁居。

第七十六条*　对宣告缓刑的犯罪分子，在缓刑考验期限内，依法实行社区矫正，如果没有本法第七十七条规定的情形，缓刑考验期满，原判的刑罚就不再执行，并公开予以宣告。

【释义】　本条是关于对被宣告缓刑的犯罪分子实行社区矫正以及缓刑考验期满应如何处理的规定。

本条原规定，被宣告缓刑的犯罪分子，在缓刑考验期限内，由公安机关考察，所在单位或者基层组织予以配合，如果没有本法第七十七条规定的情形，缓刑考验期满，原判的刑罚就不再执行，并公开予以宣告。《刑法修正案（八）》将该规定修改为，对宣告缓刑的犯罪分子，在缓刑考验期限内，依法实行社区矫正，如果没有本法第七十七条规定的情形，缓刑考验期满，原判的刑罚就不再执行，并公开予以宣告。即将原来规定的“由公安机关考察”修改为“依法实行社区矫正”。这一修改主要是考虑到社区矫正试点工作的实际情况，并与正在起草当中的社区矫正法相衔接。有关方面提出，2003 年以来，有关部门在一些地方开展社区矫正试点工作，各方面反映较好，目前正在全国全面实行社区矫正。社区矫正是非监禁刑罚执行方式，是指将符合法定条件的罪犯置于社区内，由专门的国家机关在相关社会团体、民间组织和社会志愿者的协助下，在判决、裁定或决定确定的期限内，矫正其犯罪心理和行为恶习，促进其顺利回归社会的非监禁刑罚执行活动。目前正在进行的社区矫正对象中就包括被适用缓刑的犯罪分子。因此，本条的规定为通过社区矫正，对被适用缓刑的犯罪分子依法实行教育、管理和监督提供了必要的法律依据。关于社区矫正的具体做法，可以在总结经验的基础上，在将来出台的社区矫正法当中作出具体规定。需要注

---

* 根据 2011 年 2 月 25 日第十一届全国人民代表大会常务委员会第十九次会议通过的《中华人民共和国刑法修正案（八）》修改。原条文是：“被宣告缓刑的犯罪分子，在缓刑考验期限内，由公安机关考察，所在单位或者基层组织予以配合，如果没有本法第七十七条规定的情形，缓刑考验期满，原判的刑罚就不再执行，并公开予以宣告。”

意的是,刑法关于缓刑考察机关的修改,并不是简单地将考察机关由一个部门更换为另一个部门。社区矫正是一项综合性很强的工作,需要各有关部门分工配合,并充分动员社会各方面力量,共同做好工作。虽然《刑法修正案(八)》将刑法原来规定的"由公安机关考察"修改为"依法实行社区矫正",但这并非意味着公安机关不再承担对被适用缓刑的犯罪分子的监督管理职责。在正在进行的社区矫正工作中,公安机关承担着重要的监督管理职责。将来出台社区矫正法以后,公安机关作为主要的社会治安管理部门,仍然需要承担相应的职责,发挥重要作用。

根据本条规定,被宣告缓刑的犯罪分子,在缓刑考验期限内依法实行社区矫正。缓刑是对符合条件的犯罪分子在一定期限内暂不关押,予以考察的刑罚执行制度。作为一种非监禁的刑罚执行方式,缓刑充分体现了宽严相济的刑事政策,对于教育改造犯罪情节相对较轻的犯罪分子,鼓励其回归社会,最大限度化消极因素为积极因素,促进社会和谐,具有重要意义。正在进行的深化司法体制和工作机制改革也提出要扩大缓刑制度的适用范围。缓刑要取得好的社会效果,一个很重要的方面在于对处于缓刑考验期的犯罪分子予以有效地监督、管理和教育改造,而不是一放了之。近年来社区矫正试点中,由社区矫正组织对缓刑的犯罪分子进行监督和管理,是新的社会条件下探索改进缓刑犯罪分子监督管理工作的有益尝试,实际上加强了对这部分犯罪分子的管理和教育改造的力度,这也为进一步扩大缓刑适用范围创造了条件。

被宣告缓刑的犯罪分子,在社区矫正期间遵守有关监督管理规定,没有本法第七十七条规定的撤销缓刑的情形,如又犯新罪,发现漏罪,违反法律、行政法规或者国务院有关部门关于缓刑的监督管理规定的,表明其在考验期间的教育改造取得了成效,人身危险性得以消除,原判刑罚就不需要再执行。对此,有关方面应当向犯罪分子及其所在单位、居住地的居委会、村委会公开予以宣告。

第七十七条*　被宣告缓刑的犯罪分子,在缓刑考验期限内犯新罪或者发现判决宣告以前还有其他罪没有判决的,应当撤销缓刑,对新犯的罪或者新发现的罪作出判决,把前罪和后罪所判处的刑罚,依照本法第六十九条的规定,决定执行的刑罚。

---

* 第二款根据2011年2月25日第十一届全国人民代表大会常务委员会第十九次会议通过的《中华人民共和国刑法修正案(八)》修改。原第二款条文是:"被宣告缓刑的犯罪分子,在缓刑考验期限内,违反法律、行政法规或者国务院公安部门有关缓刑的监督管理规定,情节严重的,应当撤销缓刑,执行原判刑罚。"

被宣告缓刑的犯罪分子，在缓刑考验期限内，违反法律、行政法规或者国务院有关部门关于缓刑的监督管理规定，或者违反人民法院判决中的禁止令，情节严重的，应当撤销缓刑，执行原判刑罚。

【释义】 本条是关于撤销缓刑的规定。

《刑法修正案（八）》对本条第二款的规定作了修改。本条原第二款规定，被宣告缓刑的犯罪分子，在缓刑考验期限内，违反法律、行政法规或者国务院公安部门有关缓刑的监督管理规定，情节严重的，应当撤销缓刑，执行原判刑罚。《刑法修正案（八）》的主要修改，一是将其中的“国务院公安部门有关缓刑的监督管理规定”修改为“国务院有关部门关于缓刑的监督管理规定”；二是在撤销缓刑的情形中增加了“违反人民法院判决中的禁止令”的规定。前一处修改是因为《刑法修正案（八）》已经将刑法第七十六条关于缓刑“由公安机关考察”修改为“实行社区矫正”。这样，“国务院公安部门有关缓刑的监督管理规定”也需要作相应修改。后一处修改是因为《刑法修正案（八）》对刑法第七十二条作了修改，增加规定人民法院对于宣告缓刑的犯罪分子，可以作出禁止令，禁止其在缓刑考验期限内“从事特定活动，进入特定区域、场所，接触特定的人”。为了与之衔接，需要对违反人民法院判决中禁止令的法律后果作出相应规定。

本条第一款是关于犯罪分子在缓刑考验期间再犯新罪或者发现漏罪的如何处理的规定。根据本款的规定，只要被宣告缓刑的犯罪分子在缓刑考验期限内犯新罪或者发现判决宣告以前还有其他罪没有判决的，就应当撤销缓刑，然后对新犯的罪和发现的漏罪作出判决，依照本法第六十九条数罪并罚的规定，决定执行的刑罚。根据刑法第七十三条的规定，缓刑考验期从判决确定之日起计算。所谓判决确定之日就是指判决生效之日。这里所说的在考验期限内又犯新罪，是指缓刑犯在缓刑考验期限内又实施了新的犯罪行为。所说的发现判决宣告以前还有其他罪没有判决的，是指对犯罪分子宣告缓刑后，发现有漏罪没有判决的情况。

本条第二款是关于缓刑考验期间因违反有关监管规定，撤销缓刑的规定。根据本款规定，被判处缓刑的犯罪分子，在缓刑考验期限内违反法律、行政法规或者国务院有关部门关于缓刑的监督管理的规定，或者违反人民法院判决中的禁止令，情节严重但还未构成犯罪的，也应当撤销缓刑，收监执行原判刑罚。这一规定促使犯罪分子遵纪守法、接受改造，也解决了实践中对于大错不犯、小错不断的缓刑犯如何处理的法律依据问题。

第六节 减　　刑

第七十八条*　被判处管制、拘役、有期徒刑、无期徒刑的犯罪分子，在执行期间，如果认真遵守监规，接受教育改造，确有悔改表现的，或者有立功表现的，可以减刑；有下列重大立功表现之一的，应当减刑：

（一）阻止他人重大犯罪活动的；

（二）检举监狱内外重大犯罪活动，经查证属实的；

（三）有发明创造或者重大技术革新的；

（四）在日常生产、生活中舍己救人的；

（五）在抗御自然灾害或者排除重大事故中，有突出表现的；

（六）对国家和社会有其他重大贡献的。

减刑以后实际执行的刑期不能少于下列期限：

（一）判处管制、拘役、有期徒刑的，不能少于原判刑期的二分之一；

（二）判处无期徒刑的，不能少于十三年；

（三）人民法院依照本法第五十条第二款规定限制减刑的死刑缓期执行的犯罪分子，缓期执行期满后依法减为无期徒刑的，不能少于二十五年，缓期执行期满后依法减为二十五年有期徒刑的，不能少于二十年。

【释义】　本条是关于减刑条件以及减刑后实际应执行刑期的规定。

《刑法修正案（八）》对本条作了修改，将被判处无期徒刑的犯罪分子的最低实际执行刑期由十年提高到十三年；本条和《刑法修正案（八）》第四条一起明确了对被判处死刑缓期执行的累犯以及因故意杀人、强奸、抢劫、绑架、放火、爆炸、投放危险物质或者有组织的暴力性犯罪被判处死刑缓期执行，人民法院

---

* 根据2011年2月25日第十一届全国人民代表大会常务委员会第十九次会议通过的《中华人民共和国刑法修正案（八）》修改。原条文是："被判处管制、拘役、有期徒刑、无期徒刑的犯罪分子，在执行期间，如果认真遵守监规，接受教育改造，确有悔改表现的，或者有立功表现的，可以减刑；有下列重大立功表现之一的，应当减刑：

"（一）阻止他人重大犯罪活动的；

"（二）检举监狱内外重大犯罪活动，经查证属实的；

"（三）有发明创造或者重大技术革新的；

"（四）在日常生产、生活中舍己救人的；

"（五）在抗御自然灾害或者排除重大事故中，有突出表现的；

"（六）对国家和社会有其他重大贡献的。

"减刑以后实际执行的刑期，判处管制、拘役、有期徒刑的，不能少于原判刑期的二分之一；判处无期徒刑的，不能少于十年。"

决定对其限制减刑的犯罪分子应当实际执行的刑期。上述修改是根据司法体制改革和工作机制改革关于建立严格的死刑缓期执行、无期徒刑执行制度以及明确死刑缓期执行和无期徒刑减为有期徒刑后罪犯应实际执行的最低刑期的精神作出的。这一点在第五十条的解读中已经阐明,不再赘述。这一修改使我国的刑罚结构更为合理,更加完善,符合罪刑相适应原则。

本条第一款是关于减刑对象和条件的规定。

1. 减刑的对象是被判处管制、拘役、有期徒刑、无期徒刑的犯罪分子,也就是说,被判处这类刑罚的犯罪分子,在执行刑罚期间只要符合减刑条件的都可能成为减刑的对象。这一规定有利于犯罪分子认罪服法,接受改造。

2. 减刑的条件分为两类:第一类是有悔改或者立功表现可以减刑的。"遵守监规,接受教育改造,确有悔改表现的",是指在服刑期间积极参加政治、文化、技术学习,积极参加生产劳动,完成或者超额完成生产任务,认罪服法等。根据《最高人民法院关于办理减刑、假释案件具体应用法律若干问题的规定》,"确有悔改表现"是指同时具备如下四个方面情形:认罪服法;认真遵守监规,接受教育改造;积极参加政治、文化、技术学习;积极参加劳动,完成生产任务。"立功表现"包括下列情形:(1)检举、揭发监内外犯罪活动,或者提供重要的破案线索,经查证属实的;(2)阻止他人犯罪活动的;(3)在生产、科研中进行技术革新,成绩突出的;(4)在抢险救灾或者排除重大事故中表现积极的;(5)有其他有利于国家和社会的突出事迹的。只要犯罪分子在执行期间符合上述减刑条件,就可以减刑。第二类是属于重大立功表现应当减刑的。根据本条规定,有下列重大立功表现之一的,应当予以减刑:(1)阻止他人重大犯罪活动的;(2)检举监狱内外重大犯罪活动,经查证属实的;(3)有发明创造或者重大技术革新的;(4)在日常生产、生活中舍己救人的;(5)在抗御自然灾害或者排除重大事故中,有突出表现的;(6)对国家和社会有其他重大贡献的。

第二款是关于减刑后实际执行刑期的具体规定。本款规定包括三个方面:1. 判处管制、拘役、有期徒刑的,最低实际执行刑期不能少于原判刑期的二分之一。2. 判处无期徒刑的,最低实际执行刑期不能少于十三年。《刑法修正案(八)》对无期徒刑减刑后最低实际执行的刑期作了修改,由十年提高到十三年。这样修改的原因,一是判处无期徒刑的罪犯属严重犯罪的罪犯,根据罪刑相适应原则,可以适当将最低执行期限提高到十三年。二是《刑法修正案(八)》对刑法第六十九条作了修改,对数罪并罚后总和刑期在三十五年以上的,执行的刑期最高可达二十五年,其减刑后实际执行的刑期就要超过十年。本项如果不作修改,将会出现被判处无期徒刑的犯罪分子的实际执行刑期比被判处有期徒刑的犯罪分子的实际执行刑期短的情况。从罪刑相适应原则以及维护刑罚结构合理性的角度，有必要提高被判处无期徒刑的犯罪分子的最低实际执行刑期。3. 人民法院依照本法第五十条第二款规定限制减刑的死刑缓期执行的犯罪分子，缓期执行期满后依法减为无期徒刑的，最低实际执行刑期不能少于二十五年，缓期执行期满后依法减为二十五年有期徒刑的，最低实际执行刑期不能少于二十年。结合《刑法修正案（八）》对刑法第五十条的修改，这部分人是指被判处死刑缓期执行并限制减刑的累犯以及故意杀人、强奸、抢劫、绑架、放火、爆炸、投放危险物质或者有组织的暴力性犯罪罪犯。本项规定是《刑法修正案（八）》新增加的内容。在研究过程中，有的意见提出，1997 年刑法对死刑缓期执行罪犯减刑后的最低实际执行刑期未作规定，在实际执行中，死缓罪犯平均执行的刑期与无期徒刑罪犯平均执行刑期相差无几，建议明确被判处死刑缓期执行的罪犯的最低实际执行刑期。经反复慎重研究，根据宽严相济刑事政策的要求，延长死缓罪犯被减刑后的实际执行刑期，应主要针对被判处死刑缓期执行并限制减刑的累犯以及故意杀人、强奸、抢劫、绑架、放火、爆炸、投放危险物质或者有组织的暴力性犯罪罪犯，不宜普遍提高死缓期满后被减刑的罪犯的刑罚执行期限，因此，对其他死缓罪犯被减刑后的最低实际执行刑期未作规定。

应当特别指出的是，本法第二款规定的减刑后实际执行的刑期，是实际执行的最低刑期，即不能少于这个刑期，而不是只要执行了这些刑期，就释放犯罪分子。对犯罪分子的实际执行刑期，应在遵循本款规定的基础上，根据犯罪分子接受教育改造等具体情况确定。

第七十九条　对于犯罪分子的减刑，由执行机关向中级以上人民法院提出减刑建议书。人民法院应当组成合议庭进行审理，对确有悔改或者立功事实的，裁定予以减刑。非经法定程序不得减刑。

【释义】　本条是关于减刑程序的规定。

为使司法机关在办理减刑案件时有章可循，有法可依，减刑程序更加规范，刑法专门就减刑应当遵循的程序作出了规定。规定减刑建议必须由执行机关向中级以上人民法院提出，人民法院必须组成合议庭进行审理，主要是考虑到实践中存在着执行机关和人民法院对提请和裁定减刑案件把关不严，也有由于受到社会不正之风的影响，对不符合减刑条件的人予以减刑，在社会上造成不良影响的情况，除从法律上和实践中加强管理外，有必要从程序上加以规范。

根据本条规定，对于符合减刑条件的犯罪分子，应当由执行机关向其所在地的中级以上人民法院提交减刑建议书。减刑建议书是执行机关制作的，建议人民法院予以减刑的正式书面文件，也是人民法院启动减刑程序的依据，没有执行机关的减刑建议书，人民法院不能受理减刑案件，也不能制作减刑裁定书。这里的“执行机关”是指依法执行拘役的公安机关和依法执行有期徒刑、无期徒刑的监狱。

人民法院收到执行机关的减刑建议书后，应当组成合议庭对减刑案件进行审理。这里的审理一般是指书面审理，审理的内容主要是执行机关申报的程序是否合法，手续是否完备和根据执行机关申报的材料审查罪犯是否有悔改表现或者立功表现的事实等。经过审理，合议庭认为犯罪分子确有悔改或者立功事实，符合减刑法定条件的，应当裁定减刑；认为没有悔改或立功事实的，或者不符合法定减刑条件的，不予减刑。

对于可以减刑的，应当制作裁定书，裁定书应当送达提出减刑建议书的执行机关。不经过上述法定的减刑程序，不得减刑。

第八十条　无期徒刑减为有期徒刑的刑期，从裁定减刑之日起计算。

【释义】 本条是关于无期徒刑减为有期徒刑的刑期从何时起计算的规定。

刑法对被判处无期徒刑罪犯裁定减刑的起算日期加以明确规定，是为了便于司法实践中具体执行，同时也使刑罚的执行更加准确。

根据本条规定，被判处无期徒刑的犯罪分子，裁定减为有期徒刑，其有期徒刑的服刑日期，应当从人民法院裁定减刑之日起计算。裁定减刑之日，即减刑裁定发生法律效力之日。裁定减刑前罪犯的服刑期间不得计入有期徒刑的刑期之内。

第七节　假　　释

第八十一条[*]　被判处有期徒刑的犯罪分子，执行原判刑期二分之一以上，被判处无期徒刑的犯罪分子，实际执行十三年以上，如果认真遵守监规，接受教育改造，确有悔改表现，没有再犯罪的危险的，可以假释。如果有特殊情况，经最高人民法院核准，可以不受上述执行刑期的限制。

---

[*] 根据2011年2月25日第十一届全国人民代表大会常务委员会第十九次会议通过的《中华人民共和国刑法修正案（八）》修改。原条文是：“被判处有期徒刑的犯罪分子，执行原判刑期二分之一以上，被判处无期徒刑的犯罪分子，实际执行十年以上，如果认真遵守监规，接受教育改造，确有悔改表现，假释后不致再危害社会的，可以假释。如果有特殊情况，经最高人民法院核准，可以不受上述执行刑期的限制。

“对累犯以及因杀人、爆炸、抢劫、强奸、绑架等暴力性犯罪被判处十年以上有期徒刑、无期徒刑的犯罪分子，不得假释。”

对累犯以及因故意杀人、强奸、抢劫、绑架、放火、爆炸、投放危险物质或者有组织的暴力性犯罪被判处十年以上有期徒刑、无期徒刑的犯罪分子，不得假释。

对犯罪分子决定假释时，应当考虑其假释后对所居住社区的影响。

【释义】 本条是关于假释的对象和条件的规定。

《刑法修正案（八）》对本条作了修改，将被判处无期徒刑的犯罪分子假释前实际执行的刑期，由十年以上提高到十三年以上。此外，还完善了假释的条件，进一步明确了对犯罪分子决定假释时，应当考虑其假释后对所居住社区的影响，修改了不得假释的人的范围。这些修改与对刑法第五十条、第七十八条规定的修改，都是根据中央深化司法体制和工作机制改革的要求，落实宽严相济刑事政策、调整刑罚结构的具体体现和落实。其中，对犯罪分子决定假释时，应当考虑其假释后对所居住社区的影响的规定，是司法实践经验的总结。

假释，是指对于被判处有期徒刑、无期徒刑的犯罪分子，在执行期间确有悔改表现不致再危害社会的，执行一定的刑期后，附条件地将其提前释放的一种制度。它对于教育改造罪犯，鼓励犯罪分子认罪服法，充分发挥刑罚的教育、改造功能起到了积极的作用。实践证明，这也是一项行之有效的制度。

第一款是关于适用假释的条件的规定。假释必须符合以下条件：

1. 适用假释的对象有三种人：一是被判处有期徒刑的犯罪分子；二是被判处无期徒刑的犯罪分子；三是原判死刑缓期执行，被依法减刑的犯罪分子。

2. 对于被假释的犯罪分子，必须实际执行一定的刑期。被判处有期徒刑的犯罪分子，实际执行原判刑期二分之一以上；被判处无期徒刑的犯罪分子，实际执行刑期十三年以上。这样规定主要是为了维护法律的严肃性，保证被判刑的犯罪分子得到必要的改造。同时也只有在对被判刑的人实际执行一定的刑期，经过一段时间的改造，执行机关和司法机关才能据此判断出其是否会再危害社会。

有关假释前的实际执行刑期还有一个例外规定，“如果有特殊情况，经最高人民法院核准，可以不受上述执行刑期的限制”。据此，对实际服刑不足法律规定期限的犯罪分子需要予以假释的，都必须报请最高人民法院核准；不经最高人民法院核准，任何法院都无权批准假释。这样可以防止有的司法机关执法不严，滥用假释情况的发生。特殊情况是指涉及政治或者外交等从国家整体利益考虑的情况。遇有这类特殊情况，即使实际服刑不足本款规定的期限，经过最高人民法院核准后，也可以假释。

3. 必须认真遵守监规，接受教育改造，确有悔改表现，没有再犯罪的危险的。确有悔改表现、没有再犯罪的危险，是指犯罪分子在劳动改造期间一贯遵守监规，接受教育改造，并通过教育、改造和学习，对自己所犯罪行有较深刻的认识，并以实际行动痛改前非，改恶从善，释放后不会重操旧业或从事违法犯罪活动。应当注意的是，对罪犯在刑罚执行期间提出申诉的，要依法保护其申诉权利。对罪犯申诉应当具体情况具体分析，不应一概认为是没有悔改，不认罪服法。

在一般情况下，上述三个条件必须同时具备，缺一不可。对于同时具备上述条件的，依据本款规定，可以假释。

第二款是关于不得假释的情形的规定。关于不得假释的规定主要包括两个方面的内容：第一，累犯不得假释，因为累犯主观恶性较深、再犯的可能性较大；第二，严重犯罪不得假释。关于严重犯罪的范围，《刑法修正案（八）》对原规定的范围作了修改。原规定为因杀人、爆炸、抢劫、强奸、绑架等暴力性犯罪被判处十年以上有期徒刑、无期徒刑的犯罪分子不得假释。《刑法修正案（八）》修改为“故意杀人、强奸、抢劫、绑架、放火、爆炸、投放危险物质或者有组织的暴力性犯罪”被判处十年以上有期徒刑、无期徒刑的犯罪分子不得假释。和原规定相比，增加了对投放危险物质以及有组织的暴力性犯罪不得假释。其中有组织的暴力性犯罪是指有组织地进行黑社会性质犯罪、恐怖活动犯罪等暴力性犯罪的情形。需要指出的是，对不得假释的犯罪分子，本款规定还必须是被判处十年以上有期徒刑或者无期徒刑的犯罪分子。因为这类犯罪分子罪行严重，主观恶性深，社会危害性大，所以对于这类犯罪分子不适用假释。

第三款是关于对犯罪分子决定假释时，应当考虑其假释后对所居住社区的影响的规定。如前所述，假释制度有助于减少长期监禁刑对罪犯回归社会造成的不利影响。一般来说，被假释的犯罪分子大多会回到原来所居住的社区，会对原来的社区造成一定的影响，如果犯罪分子假释后对所居住社区的影响不好，势必影响其融入社会，甚至会诱发新的犯罪，不利于社会的稳定与安宁。因此，《刑法修正案（八）》增加规定对犯罪分子决定假释时，应当考虑其假释后对所居住社区的影响。

第八十二条　对于犯罪分子的假释，依照本法第七十九条规定的程序进行。非经法定程序不得假释。

【释义】　本条是关于假释程序的规定。

本条是1997年修订刑法时增加的规定，对假释采取和减刑相同的程序。明确假释制度的适用条件，正确掌握假释制度的适用，有助于确保假释制度作用的发挥。

对于犯罪分子的假释，必须依照法律规定的程序进行，非经法定的程序不得假释。根据本条规定，假释的程序依照本法第七十九条规定的减刑程序进行，即由执行机关向所在地的中级以上人民法院提出假释建议书，中级以上人民法院应当组成合议庭审理假释案件，依照本法第八十一条的规定，审查被判处有期徒刑的犯罪分子，是否已经实际执行原判刑罚二分之一以上刑期；被判处无期徒刑的犯罪分子，是否已经实际执行十三年以上刑期，更重要的是应审查罪犯在狱中是否认真遵守监规，接受教育改造，确有悔改表现，假释后有没有再犯罪危险。经过审理，人民法院认为符合假释条件的，应当作出假释的裁定。对于不符合假释条件的，不予假释。

对于假释的，应当制作裁定书，裁定书应当送达提出假释建议的执行机关。不经过上述法定的假释程序，不得假释。

第八十三条　有期徒刑的假释考验期限，为没有执行完毕的刑期；无期徒刑的假释考验期限为十年。

假释考验期限，从假释之日起计算。

【释义】　本条是关于假释考验期限的规定。

假释不是免刑，只是剩余刑期暂不执行，最终是否执行，取决于假释犯的现实表现。因此，各国法律对假释的考验期限都有规定，以促使罪犯悔过自新。本条对假释的期限以及起算方法作出了明确规定，有利于实践中对假释的准确适用。假释考验期，是指对被假释的犯罪分子继续监督改造进行考验的期限，也可以说是对被假释的犯罪分子保持继续执行刑罚可能性的期限。

第一款是关于假释考验期限的规定。根据本款规定，假释考验期限分为以下两类：一是有期徒刑的假释考验期限为没有执行完毕的刑期，也就是说被判处有期徒刑的犯罪分子的假释考验期限为没有执行完毕的刑罚期限或者剩余刑罚的期限。二是无期徒刑的考验期限为十年，即不论被判处无期徒刑的犯罪分子实际执行刑罚多少年，其假释考验期限都应从人民法院裁定其假释之日起计算，一律为十年。

第二款是关于假释的考验期限计算的规定。根据本款规定，考验期限从人民法院依法裁定假释之日起计算。

第八十四条　被宣告假释的犯罪分子，应当遵守下列规定：

（一）遵守法律、行政法规，服从监督；

（二）按照监督机关的规定报告自己的活动情况；

（三）遵守监督机关关于会客的规定；

（四）离开所居住的市、县或者迁居，应当报经监督机关批准。

【释义】　本条是关于被假释的犯罪分子在假释考验期限内应当遵守规定的规定。

本条规定不仅是对于假释的犯罪分子在考验期限内应遵守的行为规范的规定，而且也是监督机关实施监督的法律依据。这一规定进一步完善了我国的假释制度。根据本条规定，被宣告假释的犯罪分子在假释考验期限内，应当遵守下列规定：

1. 遵守法律、行政法规，服从监督，是指遵守国家法律、国务院行政法规，自觉服从监督机关对其的监督。

2. 按照监督机关的规定报告自己的活动情况，是指按照监督机关的规定，定期或不定期地报告自己的活动情况，如报告自己的思想、改造和遵纪守法情况等。

3. 遵守监督机关关于会客的规定，是指遵守监督机关向其宣布的有关会客的要求和规定。

4. 离开居住的市、县或者迁居，应当报经监督机关批准。未经批准不得擅自离开居住的市、县或者迁居。

第八十五条*　对假释的犯罪分子，在假释考验期限内，依法实行社区矫正，如果没有本法第八十六条规定的情形，假释考验期满，就认为原判刑罚已经执行完毕，并公开予以宣告。

【释义】　本条是关于对假释的犯罪分子实行社区矫正以及假释考验期满如何处理的规定。

《刑法修正案（八）》对刑法第八十五条作了修改，将该条原规定的对被假释的犯罪分子，在假释考验期限内，“由公安机关予以监督”修改为“依法实行社区矫正”。这一修改主要是考虑到社区矫正试点工作的实际情况，并与正在起草当中的社区矫正法相衔接。有关方面提出，2003 年以来，有关部门在一些地方开展社区矫正试点工作，各方面反映较好，目前正在全国全面实行。社区矫正是非监禁刑罚执行方式，是指将符合法定条件的罪犯置于社区内，由专门的国家机关在相关社会团体、民间组织和社会志愿者的协助下，在判决、裁定或决定确定的期限内，矫正其犯罪心理和行为恶习，促进其顺利回归社会的非监禁刑罚执行活动。目前正在实行的社区矫正对象中就包括被假释的犯罪分子。因此，本条的规定为通过社区矫正，对被假释的犯罪分子依法实行教育、管理和监督提供了必要的法律依据。关于社区矫正的具体做法，可以在总结经验的基

---

* 根据 2011 年 2 月 25 日第十一届全国人民代表大会常务委员会第十九次会议通过的《中华人民共和国刑法修正案（八）》修改。原条文是：“被假释的犯罪分子，在假释考验期限内，由公安机关予以监督，如果没有本法第八十六条规定的情形，假释考验期满，就认为原判刑罚已经执行完毕，并公开予以宣告。”

础上,在将来出台的社区矫正法当中作出具体规定。需要注意的是,刑法关于假释监督机关的修改,并不是简单地将监督机关由一个部门更换为另一个部门。社区矫正是一项综合性很强的工作,需要各有关部门分工配合,并充分动员社会各方面力量,共同做好工作。虽然《刑法修正案(八)》将刑法原来规定的"由公安机关监督"修改为"依法实行社区矫正",但这并非意味着公安机关不再承担对被假释的犯罪分子的监督管理职责。在正在执行的社区矫正工作中,公安机关承担着重要的监督管理职责。将来出台社区矫正法以后,公安机关作为主要的社会治安管理部门,仍然需要承担相应的职责,发挥重要作用。

根据本条规定,被假释的犯罪分子,在假释考验期内,依法实行社区矫正。被假释的犯罪分子在假释考验期内,除应当遵守本法第八十四条的规定外,还应当接受社区矫正组织的监督和管理。社区矫正组织应当按照本法第八十四条和有关部门关于假释的监督管理规定,认真履行社区矫正职责,加强对被假释犯罪分子的监督管理和教育改造,督促他们在考验期间改恶从善,重新做人。

在假释考验期内,如果被假释的犯罪分子没有本法第八十六条规定的情形,即犯罪分子在假释考验期内没有再犯新罪,没有发现在判决宣告前还有漏罪没有判决,没有严重的违法行为,假释考验期满的,就认为犯罪分子的原判刑罚已经执行完毕。同时,有关方面应当向犯罪分子和当地群众、组织或其所在单位公开予以宣告假释期满、刑罚执行完毕。

第八十六条*　被假释的犯罪分子,在假释考验期限内犯新罪,应当撤销假释,依照本法第七十一条的规定实行数罪并罚。

在假释考验期限内,发现被假释的犯罪分子在判决宣告以前还有其他罪没有判决的,应当撤销假释,依照本法第七十条的规定实行数罪并罚。

被假释的犯罪分子,在假释考验期限内,有违反法律、行政法规或者国务院有关部门关于假释的监督管理规定的行为,尚未构成新的犯罪的,应当依照法定程序撤销假释,收监执行未执行完毕的刑罚。

【释义】　本条是关于撤销假释的规定。

《刑法修正案(八)》对刑法第八十六条第三款的规定作了修改。《刑法修正案(八)》对刑法第八十五条关于假释执行方式的规定作了修改,将原规定的

* 第三款根据2011年2月25日第十一届全国人民代表大会常务委员会第十九次会议通过的《中华人民共和国刑法修正案(八)》修改。原第三款条文是:"被假释的犯罪分子,在假释考验期限内,有违反法律、行政法规或者国务院公安部门有关假释的监督管理规定的行为,尚未构成新的犯罪的,应当依照法定程序撤销假释,收监执行未执行完毕的刑罚。"

“被假释的犯罪分子,在假释考验期限内,由公安机关予以监督”修改为“被假释的犯罪分子,在假释考验期限内,依法实行社区矫正”。根据这一修改,本款相应地将原条文中的“国务院公安部门”修改为“国务院有关部门”。

第一款是关于在假释考验期间犯新罪如何处理的规定。根据本款规定,对在假释考验期间犯新罪的犯罪分子,应当撤销其假释,依照刑法第七十一条确定的先减后并原则实行并罚,也就是,将前罪没有执行完的刑罚和后罪新判处的刑罚依照刑法第六十九条的规定确定应当执行的刑期。

第二款是关于假释考验期间发现漏罪如何处理的规定。根据本款规定,在假释考验期内,如果发现被假释的犯罪分子在判决宣告以前还有其他罪没有判决的,应当撤销假释,依照刑法第七十条确定先并后减的原则实行数罪并罚,即将前后两罪的判决依照刑法第六十九条的规定确定刑罚,扣除已执行完的刑期后,剩余刑期为仍需执行的刑期。

第三款是关于有违反法律、行政法规或者国务院有关部门关于假释的监督管理规定的行为如何处理的规定。根据本款规定,在假释考验期内,犯罪分子实施了违反法律、行政法规或者国务院有关部门关于假释的监督管理规定的行为,但尚未构成新的犯罪的,有关部门应当依法定程序对其撤销假释,并收监执行其未执行完毕的剩余刑罚。需要注意的是,犯罪分子违反的规定应当是法律、行政法规或者国务院有关部门与假释监管相关的规定。一般的违法行为不应成为撤销假释的条件。

第八节 时　　效

第八十七条　犯罪经过下列期限不再追诉:

(一)法定最高刑为不满五年有期徒刑的,经过五年;

(二)法定最高刑为五年以上不满十年有期徒刑的,经过十年;

(三)法定最高刑为十年以上有期徒刑的,经过十五年;

(四)法定最高刑为无期徒刑、死刑的,经过二十年。如果二十年以后认为必须追诉的,须报请最高人民检察院核准。

【释义】　本条是关于犯罪追诉时效期限的规定。

明确规定追诉时效,为司法机关正确执法提供了法律依据,对于依法惩治犯罪、教育改造罪犯,维护社会的安定和稳定具有重要的意义,具体表现在:1. 能够使一些企图逃避刑罚处罚的犯罪分子,在没有超过追诉时效期限内及时受到刑事制裁。2. 对已经超过追诉时效规定期限的犯罪分子不再追究刑事责任,体现了我国刑罚改造罪犯和警戒他人的目的。犯罪分子在追诉期限内没有再犯新罪，说明其已有改恶从善的表现，不致再危害社会，在这种情况下，追究其刑事责任就失去了实际意义。3. 有利于集中力量打击现行犯罪活动，提高办案效率，有效地发挥司法机关的作用；同时也避免因陈年旧案难以查清，给侦查、起诉和审判工作带来困难，浪费诉讼资源。4. 有利于化解社会矛盾，使已改过自新的罪犯放下包袱，安心生活和工作，促进社会和谐。

追诉时效，是指依照法律规定对犯罪分子追究刑事责任的有效期限。在法定的追诉期限内，司法机关有权依法追究犯罪分子的刑事责任；超过法定追诉时限，不应再追究犯罪分子的刑事责任，已经追究的，应当撤销案件或者不起诉或者终止审理。

本条针对不同的犯罪行为分别规定了四种不同的追诉期限：

1. 法定最高刑为不满五年有期徒刑的，经过五年。就是说刑法对该犯罪分子所犯罪行规定的刑罚，最高不超过五年有期徒刑的，在五年之内没有追究刑事责任的，不再追究。

2. 法定最高刑为五年以上不满十年有期徒刑的，经过十年。

3. 法定最高刑为十年以上有期徒刑的，经过十五年。

4. 法定最高刑为无期徒刑、死刑的，经过二十年。如果二十年以后认为必须追诉的，须报请最高人民检察院核准。也就是说，经过二十年以后，仍然需要对情节特别恶劣、罪恶重大，不追究不足以平民愤的犯罪追究刑事责任的，经最高人民检察院核准同意，可以不受追诉时效期限的限制。

在确定追诉时效的法定最高刑时，需注意以下两个问题：

1. 法定最高刑不是指罪犯应判决的具体刑期，而是根据犯罪分子的犯罪性质和法定情节，与其所犯罪行相对应的刑法分则条文规定的处刑档次中的最高刑。

2. 法定最高刑也不是指某种性质犯罪全部刑罚的最高刑，而是指某种性质犯罪中与该犯罪情况基本相适应的某一档处罚的最高刑，即对犯罪分子应在该档量刑幅度内处刑的档次最高刑。例如，犯故意杀人罪，法定最高刑有两档，一档是死刑，一档为十年。应根据犯罪情节确定最高法定刑是十年还是死刑。

第八十八条　在人民检察院、公安机关、国家安全机关立案侦查或者在人民法院受理案件以后，逃避侦查或者审判的，不受追诉期限的限制。

被害人在追诉期限内提出控告，人民法院、人民检察院、公安机关应当立案而不予立案的，不受追诉期限的限制。

【释义】　本条是关于不受追诉时效限制的特别规定。

人民检察院、公安机关、国家安全机关立案侦查或者在人民法院受理案件的时候，说明对犯罪行为已开始追究，在此时，犯罪时效已停止计算。为了防止犯罪分子利用时效的规定，钻法律空子，以逃避应受到的制裁，本条作了上述规定。同时，考虑到被害人在追诉期限内向司法机关提出控告时，在个别情况下，人民法院、人民检察院或者公安机关对于被害人提出的控告没有立案查处、追究犯罪分子的刑事责任，放纵了犯罪分子。为了保证有罪必究，同时也避免因为司法机关的失误或错误而给被害人造成损失，及时有效地保护被害人的合法权益，为解决百姓告状难提供法律依据，本条增加规定了被害人在追诉期限内提出控告，人民法院、人民检察院、公安机关应当立案而不予立案的，不受追诉期限的限制。

本条规定不受追诉时效限制的情况包括两种：

1. 人民检察院、公安机关、国家安全机关立案侦查或者在人民法院受理案件以后，逃避侦查或者审判的，不受追诉时效的限制。这里所说的立案侦查以后，是指人民检察院、公安机关、国家安全机关依照刑事诉讼法的规定，按照自己的管辖范围，对发现犯罪事实或者犯罪嫌疑人的案件予以立案，进行侦查，收集、调取犯罪嫌疑人有罪或无罪、罪轻或罪重的证据材料之日起。“受理案件以后”，是指人民法院依照刑事诉讼法关于审判管辖的规定，接受人民检察院提起公诉或被害人自诉案件之日起。“逃避侦查或者审判”主要是指以逃避、隐藏的方法逃避刑事追究。

犯罪嫌疑人在人民检察院、公安机关和国家安全机关立案侦查或者被告人在人民法院受理案件以后，如果其从看守所中逃跑，从自家中潜逃、隐藏起来或者采用其他方法逃避侦查或者审判的，在任何时候将其追捕归案后，都可以进行追诉，不再受本法第八十七条规定的追诉期限的限制。

在实践中应当注意，不能简单地理解为只要人民检察院、公安机关、国家安全机关对案件进行立案，或者人民法院对案件予以受理后，就可不受追诉时效的限制。上述机关对案件进行立案或受理后，犯罪嫌疑人或被告人必须具有“逃避侦查或者审判”的情况。如果没有逃避侦查和审判的行为，而是有的司法机关立案或受理后，因某些原因又未继续采取侦查或追究措施，以至超过追诉期限的，不应适用本条规定。另外，本条规定“立案侦查”和“受理案件”是指在追诉时效的期限内，对于已过了追诉时效才开始的立案侦查和审判活动，不适用本条规定，而是应分别采取撤销案件、不起诉或者终止审理的方法处理，不再追究刑事责任。

2. 被害人在追诉期限内提出控告，人民法院、人民检察院、公安机关应当立案而不予立案的，不受追诉时效期限的限制。“被害人”是指遭受犯罪行为侵害的自然人和单位。“控告”是指被害人对侵犯本人、本单位合法权益的犯罪行为向司法机关告诉，要求追究侵害人的法律责任的行为。“应当立案”是指符合刑事诉讼法第一百一十条规定的“有犯罪事实需要追究刑事责任”的立案条件，应当立案侦查的。“不予立案”是指对符合立案条件的，不属于刑事诉讼法第一百一十条规定的“没有犯罪事实，或者犯罪事实显著轻微，不需要追究刑事责任”不予立案的情况，但人民法院、人民检察院、公安机关却未予立案。根据本款规定，只要被害人在追诉期限内提出控告的，遇有该立案而不予立案的情况，对犯罪分子的追诉就不受本法第八十七条规定的追诉期限的限制。

第八十九条 追诉期限从犯罪之日起计算；犯罪行为有连续或者继续状态的，从犯罪行为终了之日起计算。

在追诉期限以内又犯罪的，前罪追诉的期限从犯后罪之日起计算。

【释义】 本条是关于追诉时效期限从何时起开始计算的规定。

时效的起算，意在为追诉时效期限的计算确定一个明确的、可以具体操作的时间标准。法定的追诉时效期限从何时起算，直接关系到行使追诉权的实际有效期间，是追诉时效制度的重要内容之一。对此，有的国家规定从实施犯罪之日起计算，有的国家规定从犯罪完成之日起计算，还有的规定从行为终了之日起计算。本条规定源自 1979 年刑法第七十八条，针对犯罪的不同状态规定了不同的起算方法，1997 年修订刑法时将其纳入了刑法典。

本条规定的追诉期限有两种起算情况：

1. 一般情况下追诉期限的起算时间是从犯罪之日起计算。“犯罪之日”是指犯罪行为完成或停止之日。如运输毒品，在路途上用了三天，应以第三天将毒品运到转交他人起开始计算运输毒品犯罪的追诉期限。

2. 特殊情况下追诉期限的起算时间，有三种情形：

（1）犯罪行为处于连续状态的，从犯罪行为终了之日起计算。就是说犯罪人连续实施同一罪名的犯罪，时效期限从其最后一个犯罪行为施行完毕时开始计算。“连续状态”是指犯罪人在一定时期，以一个故意连续实施数个独立的犯罪行为触犯同一罪名的。如某罪犯多次在汽车上扒窃，其连续扒窃行为即是盗窃罪的“连续”状态。

（2）犯罪行为处于继续状态的，从犯罪行为终了之日起计算。就是犯罪人的犯罪行为在一定时间处于持续状态的，时效期限自这种持续状态停止的时候起开始计算。“继续状态”也就是持续状态，是指犯罪人实施的同一犯罪行为在一定时间内处于接连不断的状态。如非法拘禁他人，在被害人脱离拘禁以前，该犯罪就一直属于继续状态。

（3）在追诉期限内又犯罪的，前一犯罪的追诉期限从后罪的犯罪行为完成或停止之日起计算。这里的前罪和后罪并未限定为同一种罪名，只要构成犯罪即可。只要再犯新罪，前罪开始计算的时效期限就归于无效，而从犯后罪之日起计算。

第五章 其他规定

第九十条 民族自治地方不能全部适用本法规定的，可以由自治区或者省的人民代表大会根据当地民族的政治、经济、文化的特点和本法规定的基本原则，制定变通或者补充的规定，报请全国人民代表大会常务委员会批准施行。

【释义】 本条是关于民族自治地方在不能全部适用本法规定的情况下，可以制定变通或者补充规定的规定。

考虑到我国是一个多民族的国家，各民族自治地方的少数民族在长期的历史发展过程中形成了一些特殊的风俗习惯、传统。因此，本条对民族自治地方不能全部适用本法规定的，规定可制定变通或补充规定。

本条所说的“民族自治地方”，是指在我国领域内由少数民族建立的民族自治县、自治州或者自治区。“不能全部适用本法规定”，是指根据民族自治地方的少数民族群众在长期的历史发展过程中所形成的一些风俗习惯、传统的特殊性而不能完全适用刑法的有关规定。“根据当地民族的政治、经济、文化的特点”，是指根据民族自治地方主要的少数民族在政治、经济、文化方面的特殊性。“制定变通或者补充的规定”，是指民族自治区或省一级的人民代表大会根据当地民族的政治、经济、文化的特点和本法规定的基本原则，对刑法的有关规定作一些变通或者补充的规定。

根据本条规定，对刑法制定变通或者补充的规定，必须符合以下条件：

1. 制定变通或者补充的规定，必须根据刑法规定的基本原则，即刑法对犯罪及其刑罚规定的原则。制定变通或者补充规定的依据，是由于少数民族特点不能全部适用刑法，而不是由于其他原因。

2. 制定变通或者补充的规定，应由自治区或者省一级的人民代表大会制定，并报全国人大常委会批准后方可执行，其他任何机关都无权制定或批准变通、补充的规定。

3. 制定变通或者补充的规定，既要考虑当地民族的政治、经济、文化的特点，还要考虑当地政治、经济、文化的进步和发展。

第九十一条　本法所称公共财产,是指下列财产:

(一)国有财产;

(二)劳动群众集体所有的财产;

(三)用于扶贫和其他公益事业的社会捐助或者专项基金的财产。

在国家机关、国有公司、企业、集体企业和人民团体管理、使用或者运输中的私人财产,以公共财产论。

【释义】　本条是关于公共财产具体范围的规定。

本条规定的公共财产,包括以下三种情况:

1. 国有财产,即国家所有的财产。主要包括国家机关、国有公司、企业、国有事业单位、人民团体中的财产。

2. 劳动群众集体所有的财产。主要包括集体所有制的公司、企业、事业单位、经济组织中的财产。在经济活动中,公民多人合伙经营积累的财产,属于合伙人共有,不属于集体所有的财产。民法通则第七十四条规定,劳动群众集体组织的财产属于劳动群众集体所有,包括:(1)法律规定为集体所有的土地和森林、山岭、草原、荒地、滩涂等;(2)集体经济组织的财产;(3)集体所有的建筑物、水库、农田水利设施和教育、科学、文化、卫生、体育等设施;(4)集体所有的其他财产。集体所有的土地依照法律属于村农民集体所有,由村农业生产合作社等农业集体经济组织或者村民委员会经营、管理。已经属于乡(镇)农民集体经济组织所有的,可以属于乡(镇)农民集体所有。集体所有的财产受法律保护,禁止任何组织或者个人侵占、哄抢、私分、破坏或者非法查封、扣押、冻结、没收。

3. 用于扶贫和其他公益事业的社会捐助或者专项基金的财产。"公益事业",主要是指服务于社会公益的非营利性事项。根据公益事业捐赠法第三条的规定,"公益事业"是指非营利的下列事项:(1)救助灾害、救济贫困、扶助残疾人等困难的社会群体和个人的活动;(2)教育、科学、文化、卫生、体育事业;(3)环境保护、社会公共设施建设;(4)促进社会发展和进步的其他社会公共和福利事业。"社会捐助"是指个人、组织或单位向社会公益事业以及向贫困地区所捐赠、赞助的款物。"专项基金"是指专门用于上述公益事业的各种基金。

本条还规定了在国家机关、国有公司、企业、集体企业和人民团体管理、使用、运输中的私人财产,以公共财产对待,按公共财产予以保护。因为这部分财产虽然属于私人所有,但当交由国家机关、国有公司、企业、集体企业和人民团体管理、使用、运输时,上述单位就有义务保护该财产,如果丢失、损毁,就应承担赔偿责任。

第九十二条　本法所称公民私人所有的财产，是指下列财产：

（一）公民的合法收入、储蓄、房屋和其他生活资料；

（二）依法归个人、家庭所有的生产资料；

（三）个体户和私营企业的合法财产；

（四）依法归个人所有的股份、股票、债券和其他财产。

【释义】　本条是关于公民私人所有的财产具体范围的规定。

本条规定的公民私人所有的合法财产，包括以下四种情况：

1.公民的合法收入、储蓄、房屋和其他生活资料。“合法收入”，是指公民个人的工资收入、劳动所得以及其他各种依法取得的收入，如接受继承、馈赠而获得的财产等。“储蓄”，是指公民将其合法的收入存入银行、信用社及其所得的利息。“房屋”，是指公民私人所有的住宅。“其他生活资料”，主要是指公民的各种生活用品，如家具、交通工具、图书资料等。上述生活资料的获得必须符合法律的规定，非法占有的生活资料不受法律保护，如贪污受贿得到的钱财，法律不但不予保护，反而应当没收。

2.依法归个人、家庭所有的生产资料。包括各种劳动工具和劳动对象，如拖拉机、插秧机等机器设备，耕种的庄稼，用于耕种的牲畜，饲养的家禽、家畜，自己种植的林木以及其他用于生产的原料等生产资料。

3.个体户和私营企业的合法财产。个体户包括个体工商户和农村承包经营户。民法通则规定：“公民在法律允许的范围内，依法经核准登记，从事工商业经营的，为个体工商户。”“农村集体经济组织的成员，在法律允许的范围内，按照承包合同规定从事商品经营的，为农村承包经营户。”因此，个体户是以个人或家庭为生产单位的，其合法财产属于该个人或者家庭所有。《私营企业暂行条例》规定：“私营企业是指企业资产属于私人所有、雇工八人以上的营利性的经济组织。”根据有关法律、行政法规，私营企业主要包括四类：（1）独资企业，是指独家投资经营的企业；（2）合伙企业，是指二人以上按照协议投资、共同经营、共负盈亏的企业；（3）有限责任公司，是指若干个投资者以其出资额对公司负责，公司以其全部资产对公司债务承担责任的公司；（4）股份有限公司，是指依法由若干个人出资认股，公司以其全部资产对公司债务承担责任的企业。私营企业的合法财产应当属于出资者个人所有。

4.依法归个人所有的股份、股票、债券和其他财产。个人所有的股份，是指公民个人出资认购的股份。公民个人出资认购的股份，属于个人所有的财产。“股票”是指股份有限公司依法发行的表明股东权利的有价证券。“债券”是指国家或企业依法发行的，约定到期时向持券人还本付息的有价证券，分为公债券、金融债券和企业债券。公债券是指国家发行的债券，国库券就是一种公债券。金融债券是指由金融机构直接发行的债券。企业债券即由企业发行的债券。个人所有的股票、债券,是指由公民个人购买的依法向社会公开发行的股票和债券。公民个人合法购买或通过继承、馈赠等合法获取的股票、债券,也属于公民私人所有的财产。

第九十三条　本法所称国家工作人员,是指国家机关中从事公务的人员。

国有公司、企业、事业单位、人民团体中从事公务的人员和国家机关、国有公司、企业、事业单位委派到非国有公司、企业、事业单位、社会团体从事公务的人员,以及其他依照法律从事公务的人员,以国家工作人员论。

【释义】 本条是关于国家工作人员概念的规定。

本条规定的"国家机关",是指国家的权力机关、行政机关、司法机关以及军事机关。国家机关是依据宪法和法律设立的,依法承担一定的国家和社会公共事务的管理职责和权力的组织。一般而言,国家机关的性质是比较容易确定的,但由于我国目前正在进行政治、经济体制的改革,改革中出现的一些特殊情况需要加以特别注意,如目前有些机关在编制上属于事业编制而不是行政编制,如中国证券监督管理委员会,虽然其编制属于国有事业单位,但实际上行使了国家机关的职责,依照法律对全国证券市场进行统一监管,并具有行政处罚权。有的国家机关内部既包括一部分行政编制,又含有一部分事业编制,而且各地的具体做法也不尽相同,如有的地方的房地产管理局、技术监督局、工商所等整建制的属于事业编制,有的地方的原国家商检部门改为商检中心等。对于这些组织是否属于国家机关,实践中存在不同认识。国家机关的设立和对国家机关中工作人员的编制管理是性质不同的两个问题,因此只要是依法设立的行使一定国家管理职权的组织就是国家机关,至于组织人事部门在编制上对其是按照行政编制还是事业编制进行管理,并不影响其作为国家机关的性质。"从事公务的人员",是指在上述国家机关中行使一定职权、履行一定职务的人员。在上述国家机关中从事劳务性工作的人员,如司机、门卫、炊事员、清洁工等勤杂人员以及部队战士等,不属于国家工作人员范畴。

"以国家工作人员论",主要包括三个方面:一是在国有公司、企业、事业单位、人民团体中从事公务的人员。这里规定的"从事公务的人员",是指在公司、企业等单位中具有经营、管理职责,或履行一定职务的人员,在公司、企业等上述单位中不具有管理职责的一般工人、临时工等其他勤杂人员,不属本条规定的从事公务的人员。二是国家机关、国有公司、企业、事业单位委派到非国有公司、企业、事业单位、社会团体从事公务的人员。"委派"主要是指在一些具有国有资产成分的中外合资企业、合作企业、股份制企业当中,国有公司、企业或其他有关国有单位为了行使对所参与的国有资产的管理权而派驻的管理人员。这里也包括有的国家机关、国有事业单位委派一些人员到非国有事业单位、社会团体中从事公务的人员。三是其他依照法律从事公务的人员,这些人虽不是上述单位的人员,但依照法律规定从事国家事务工作。在认定国家工作人员身份的问题上,实践中存在不同认识。一种观点可称为"身份论",即只有依照法定程序任命,具有国家工作人员身份的人才属于国家工作人员;另一种观点可称为"职责论",这种观点认为,一般情况下国家工作人员是指上述具有正式国家工作人员身份的人,但是在特殊情况下,一些虽不具有正式国家工作人员身份的人员,如果因临时委托、授权等法律上的原因而实际上依法承担了国家事务的管理职责的,在其依法履行该职责时,应作为国家工作人员看待,如果有贪污贿赂、渎职等犯罪行为的,应依法追究相应的刑事责任。显然,"职责论"更符合刑法的立法本意,也更符合我国目前的实际情况。因此,对于那些虽不具有正式的国家工作人员身份,但因委托等法定原因实际享有国家工作人员的管理职权的人员,应当以国家工作人员论。例如,协助人民政府从事行政管理事务的村委会等村基层组织人员,受委托看管犯人的狱医等人员,只要实际负有国家管理职责的人员在依法履行相应的职责的过程中有渎职、滥用职权等行为,均应以国家工作人员论,构成犯罪的,依法追究相应的刑事责任。根据2000年4月29日第九届全国人民代表大会常务委员会第十五次会议通过,2009年8月27日第十一届全国人民代表大会常务委员会第十次会议《关于修改部分法律的决定》修正的《全国人民代表大会常务委员会关于〈中华人民共和国刑法〉第九十三条第二款的解释》的规定,村民委员会等村基层组织人员协助人民政府从事下列行政管理工作,属于刑法第九十三条第二款规定的"其他依照法律从事公务的人员":(1)救灾、抢险、防汛、优抚、扶贫、移民、救济款物的管理;(2)社会捐助公益事业的款物的管理;(3)国有土地的经营和管理;(4)土地征收、征用补偿费用的管理;(5)代征、代缴税款;(6)有关计划生育、户籍、征兵工作;(7)协助人民政府从事其他行政管理工作。同时规定,村民委员会等村基层组织人员从事前款规定的公务,利用职务上的便利,非法占有公共财物、挪用公款、索取他人财物或者非法收受他人财物,构成犯罪的,适用刑法第三百八十二条和第三百八十三条贪污罪、第三百八十四条挪用公款罪、第三百八十五条和第三百八十六条受贿罪的规定。2002年全国人大常委会关于刑法第九章渎职罪主体适用问题的解释规定,在依照法律、法规规定行使国家行政管理职权的组织中从事公务的人员,或者在受国家机关委托代表国家机关行使职权的组织中从事公务的人员,或者虽未列入国家机关人员编制,但在国家机关中从事公务的人员,在代表国家机关行使职权时,有渎职行为,构成犯罪的,依照刑法关于渎职罪的规定追究刑事责任。这也体现了“依职责定责任”的立法精神。

“以国家工作人员论”的人员从国家政治体制改革的长远发展看,政企分开以后,本身不应属于国家工作人员,但从目前的实际情况出发,这样规定有利于防止国家利益遭受重大损失,有利于惩罚犯罪。

第九十四条　本法所称司法工作人员,是指有侦查、检察、审判、监管职责的工作人员。

【释义】 本条是关于本法中司法工作人员的概念的规定。

根据本条规定,司法工作人员主要包括以下四种人员:

1. 担任侦查职责的人员。主要是指公安机关、国家安全机关、检察机关依照刑事诉讼法规定的管辖分工,对犯罪嫌疑人的犯罪行为进行侦查的人员。

2. 担任检察职责的人员。主要是指检察机关担任批准逮捕、审查起诉、出庭支持公诉、法律监督工作职责的人员。

3. 担任审判职责的人员。主要是指在人民法院担任与审判工作有关的职务的人员,包括正副院长、正副庭长、审判委员会委员、审判员、书记员。

4. 担任监管职责的人员。主要是指公安机关、国家安全机关以及司法行政部门所属的有关机关(监狱、看守所等)中担任监管犯罪嫌疑人、被告人、罪犯职责的人员。

执行中应当注意两个问题:

第一,本条关于“司法工作人员”的概念不同于一般所说的司法机关工作人员的概念。不是所有在公安机关、国家安全机关、人民检察院、人民法院以及看守所、监狱等监管机关工作的人员都属于司法工作人员,只有担负本条规定的四种职责之一的,才能被认定为是本法所说的“司法工作人员”。

第二,本条所说的具有侦查、检察、审判、监管职责的人员不是只限于直接做上述工作的人员,在公安机关、国家安全机关、人民检察院、人民法院以及看守所、监狱等监管机关中负责侦查、检察、审判、监管工作的领导人员也都属于司法工作人员。

第九十五条　本法所称重伤,是指有下列情形之一的伤害:

(一)使人肢体残废或者毁人容貌的;

(二)使人丧失听觉、视觉或者其他器官机能的;

(三)其他对于人身健康有重大伤害的。

【释义】 本条是关于重伤的概念的规定。

本条规定了属于“重伤”的三种情况:

1. 使人肢体残废或者毁人容貌的。“肢体残废”是指由各种致伤因素致使肢体缺失，或者肢体虽然完整但已丧失功能。例如，二肢以上离断或者缺失（上肢腕关节以上、下肢踝关节以上），二肢六大关节功能完全丧失，四肢任一大关节强直畸形或者功能丧失50%以上，膝关节挛缩畸形屈曲30°以上，一足离断或者缺失50%以上，足跟离断或者缺失50%以上，一足第一趾及其相连的跖骨离断或者缺失，双手离断、缺失或者功能完全丧失，手功能丧失累计达一手功能36%等；“毁人容貌”是指毁损他人面容，致使面容显著变形、丑陋或者功能障碍。根据有关规定，面部瘢痕畸形，并有以下六项中四项者，属于重度容貌毁损：（1）眉毛缺失；（2）双睑外翻或者缺失；（3）外耳缺失；（4）鼻缺失；（5）上、下唇外翻或者小口畸形；（6）颈颏粘连。具有以下六项中三项者，属于中度容貌毁损，具有以下六项中二项者，属于轻度容貌毁损：（1）眉毛部分缺失；（2）双睑外翻或者部分缺失；（3）耳廓部分缺失；（4）鼻翼部分缺失；（5）唇外翻或者小口畸形；（6）颈部瘢痕畸形。

2. 使人丧失听觉、视觉或者其他器官机能的。“丧失听觉”是指损伤后，一耳听力障碍（≥91dB HL）；一耳听力障碍（≥81dB HL），另一耳听力障碍（≥41dB HL）；一耳听力障碍（≥81dB HL），伴同侧前庭平衡功能障碍；双耳听力障碍（≥61dB HL）；双侧前庭平衡功能丧失，睁眼行走困难，不能并足站立等。“丧失视觉”，是指损伤后，一眼盲目3级；双眼盲目4级等。丧失“其他器官机能”是指丧失听觉、视觉之外的其他器官的功能或者功能严重障碍。例如，女性两侧乳房损伤丧失哺乳能力；肾损伤并发肾性高血压、肾功能严重障碍等。

3. 其他对于人身健康有重大伤害的。这种情况主要是指上述几种重伤之外的，在受伤当时危及生命或者在损伤过程中能够引起威胁生命的并发症，以及其他严重影响人体健康的损伤。例如，开放性颅脑损伤；心脏损伤；胸部大血管损伤；胃、肠、胆道系统穿孔、破裂；烧、烫伤后出现休克等。

关于“重伤”的概念和范围，2013年8月30日最高人民法院、最高人民检察院、公安部、国家安全部、司法部发布《人体损伤程度鉴定标准》，自2014年1月1日起施行。该标准对人体损伤程度鉴定的原则、方法、内容和等级划分作了详细的规定，将重伤分为重伤一级和重伤二级，分别针对不同情况，制定了具体的认定标准。办理关于重伤的刑事案件，应以本条和该文件作为衡量是否构成重伤的具体标准。

在办理刑事案件时，应注意对于有多处损伤的，其中必须有一处符合重伤鉴定标准的规定才能构成重伤，而不能以多处轻伤相加，作为重伤看待。

第九十六条　本法所称违反国家规定，是指违反全国人民代表大会及其常

务委员会制定的法律和决定，国务院制定的行政法规、规定的行政措施、发布的决定和命令。

【释义】 本条是关于本法中“违反国家规定”的概念的解释。

根据本条规定，“违反国家规定”主要包括两个方面：

1. 违反全国人大及其常委会制定的法律和决定，包括由全国人大通过的法律，如宪法及其他基本法律，由全国人大常委会通过的法律、决定以及对现行法律的修改和补充的规定。宪法规定，立法权必须由全国人大及其常委会行使，法律是全国人民的意志表现，所以只有代表全体人民的最高国家权力机关才可以制定。

2. 违反国务院制定的行政法规、规定的行政措施、发布的决定和命令，既包括由国务院直接制定的行政法规、规定的行政措施、发布的决定和命令，也包括由国务院直属的有关部委制定，经国务院批准并以国务院名义发布的行政措施、决定和命令。宪法规定，国务院是最高国家权力机关的执行机关，是最高国家行政机关，可以根据宪法和法律，制定行政法规、规定行政措施、发布决定和命令。

应当注意，本条仅限于全国人大及其常委会制定的法律和决定，国务院制定的行政法规、规定的行政措施、发布的决定和命令。各级地方人大及其常委会制定的地方性法规以及国务院各部委制定的规章和发布的决定和命令都不属于本法所指的国家规定。

第九十七条　本法所称首要分子，是指在犯罪集团或者聚众犯罪中起组织、策划、指挥作用的犯罪分子。

【释义】 本条是关于首要分子的概念的规定。

根据本条规定，本法所说的首要分子主要包括两类人：

1. 在犯罪集团中起组织、策划、指挥作用的犯罪分子。“犯罪集团”，是指三人以上为共同实施犯罪而组成的较为固定的犯罪组织。主要具有以下特征：

（1）人数在三人以上，主要成员固定或基本固定；

（2）经常纠集在一起共同进行一种或数种犯罪活动；

（3）有明显的首要分子。有的首要分子是在纠集过程中形成的，有的首要分子则在纠集开始时就是组织者和领导者；

（4）有预谋地实施犯罪活动；

（5）不论作案次数多少，对社会造成的危害或其具有的危险性都很严重。

“组织”，主要是指将其他犯罪人纠集在一起。“策划”，主要是指为犯罪活动如何实施拟订办法、方案。“指挥”，是指在犯罪的各个阶段指使、命令其他犯罪人去实施犯罪行为等。

2. 在聚众犯罪中起组织、策划、指挥作用的犯罪分子。“聚众犯罪”，是指纠集多人共同实施犯罪活动，如聚众斗殴，聚众哄抢公私财物的犯罪等。“聚众犯罪”与“犯罪集团”不同，是因进行犯罪将众人聚集起来的，而不具有较固定的犯罪组织和成员。

由于首要分子在犯罪集团或者聚众犯罪中起组织、策划、指挥作用，罪行比较严重，因此，本法分则对首要分子规定的处刑都比较重。

第九十八条　本法所称告诉才处理，是指被害人告诉才处理。如果被害人因受强制、威吓无法告诉的，人民检察院和被害人的近亲属也可以告诉。

【释义】　本条是关于告诉才处理的概念及如何适用的规定。

根据办理刑事案件实际的需要，刑法规定了一些告诉才处理的犯罪。根据刑法分则的规定，主要包括第二百四十六条侮辱、诽谤罪，第二百五十七条暴力干涉婚姻自由罪，第二百六十条虐待家庭成员罪，第二百七十条侵占罪等。由于对犯罪行为的刑事追究或对行为人的处理往往涉及被害人的利益，所以法律允许被害人权衡利弊，作出是否提起刑事诉讼的决定。“告诉才处理”，是指只有被害人向人民法院提出控告，要求对犯罪人追究刑事责任时，人民法院才能受理，如果有权进行告诉的人不告诉，法院则不能受理。

根据本条规定，有权进行告诉的主体有三种：

1. 告诉才处理的刑事案件的被害人。

2. 人民检察院在被害人因受强制、威吓而无法告诉的情况下可以告诉。“受强制”是指被害人受到暴力的控制，如被捆绑、拘禁等。“威吓”是指被害人受到威胁、恐吓，不敢向人民法院提出控告。

3. 告诉才处理的刑事案件中被害人的近亲属在被害人因受强制、威吓而无法告诉的情况下也可以告诉。“被害人的近亲属”是指被害人的父母、子女、配偶、同胞兄弟姊妹。

需要注意的是，2015年8月29日第十二届全国人民代表大会常务委员会第十六次会议通过的《刑法修正案（九）》，对刑法第二百六十条原第三款作了修改，将该条中“告诉的才处理”的规定修改为“告诉的才处理，但被害人没有能力告诉，或者因受到强制、威吓无法告诉的除外”。

第九十九条　本法所称以上、以下、以内，包括本数。

【释义】　本条是关于刑法“以上、以下、以内”的概念如何理解的规定。

根据本条规定，刑法所称的“以上”、“以下”、“以内”都包括本数在内。如规定对某种犯罪行为判处三年以下有期徒刑，判处的最高刑可以是三年。

第一百条*　依法受过刑事处罚的人，在入伍、就业的时候，应当如实向有关单位报告自己曾受过刑事处罚，不得隐瞒。

犯罪的时候不满十八周岁被判处五年有期徒刑以下刑罚的人，免除前款规定的报告义务。

【释义】　本条是关于受过刑事处罚的人，在入伍、就业的时候，应当如实向有关部门报告的规定。

第一款的规定有两个内容：

一是依法受过刑事处罚的人，应当如实向有关单位报告自己曾受过刑事处罚，不得隐瞒。"依法受过刑事处罚的人"，是指依照我国的刑事法律，行为人的行为构成犯罪，并经人民法院判处刑罚。经人民法院判处刑罚，包括被人民法院依法判处刑法规定的各种主刑和附加刑。例如，某犯罪分子被人民法院判处有期徒刑一年，宣告缓刑一年，在缓刑考验期内遵守刑法的有关规定，缓刑考验期满，原判的刑罚不再执行，这种情况也属于依法受过刑事处罚。如果某行为人虽曾受到司法机关的追诉，但其行为符合刑法规定的不需要判处刑罚或者免除刑罚的情况，因而人民法院决定免予刑罚处罚的，则不属于"受过刑事处罚的人"。同样，如果检察机关对上述情况依照刑事诉讼法的规定决定不予起诉的，也不在"受过刑事处罚"之列。

二是如实报告仅限于在入伍、就业的时候。"入伍"是指加入中国人民解放军或者中国人民武装警察部队。"就业"包括参加任何种类的工作，如进入国家机关，各种公司、企业、事业单位，各种团体等。"向有关单位报告"，是指向自己参加工作的单位报告。法律这样规定，是为了便于用人单位掌握本单位职工的情况，便于安置工作以及对该有关人员开展帮助和教育。

2011 年 2 月 25 日，十一届全国人大常委会第十九次会议通过了《刑法修正案（八）》，对原刑法第一百条的规定进行了修改，增加一款作为第二款，规定犯罪的时候不满十八周岁被判处五年有期徒刑以下刑罚的人，免除前款规定的报告义务。本条的修改是立法机关根据全国人大代表的建议和有关部门意见，为了贯彻宽严相济刑事政策，从对未成年人从宽处理的角度做出的，这样规定充分体现了我国对未成年犯实行教育为主，惩罚为辅，重在教育、挽救和改造的方针。未成年人处在体力、智力发育过程中，虽已具有一定的辨别和控制自己行

---

* 第二款根据 2011 年 2 月 25 日第十一届全国人民代表大会常务委员会第十九次会议通过的《中华人民共和国刑法修正案（八）》增加。

为的能力,但由于其经历短,社会知识少,其成熟程度还不同于成年人,因此对于未成年时的犯罪记录与成年后的犯罪记录应当区别对待。对于未成年时有较轻犯罪记录的人,如果要求他们在入伍、就业时如实报告自己曾受刑事处罚的情况,可能会对他们的发展带来负面影响,不利于犯罪人顺利回归社会。同时,根据刑法规定,一般判处五年有期徒刑以下刑罚的犯罪情节较轻,不属于危害特别严重的犯罪行为,未成年犯这些罪行通常是由于缺乏自控能力、一时冲动或者是受其他不良因素影响,犯这些罪的未成年人一般主观恶性不大,易于接受教育改造。因此,刑法对此做出修改,免除了犯罪的时候不满十八周岁被判处五年有期徒刑以下刑罚的人的前科报告义务。

在《刑法修正案(八)》起草和审议过程中,有意见提出,当前未成年人犯罪呈上升趋势,且犯罪低龄化的趋势突出,一味地采取轻刑态度不利于发挥刑法预防犯罪的作用。立法机关研究认为,未成年人犯罪率高是当前社会面临的一个现实问题,造成这种现象的原因也是多方面的,预防未成年人犯罪不能只是加重惩罚,而应从教育和社会环境治理着手,消除可能对未成年人造成不良影响的因素。对于未成年时有较轻犯罪记录的人,免除其前科报告义务有利于他们摆脱犯罪记录的影响,防止被“标签”化,有利于他们重新回归社会。

第二款的规定有两个条件:一是被免除前科报告义务的主体是犯罪时已满十四周岁不满十八周岁的人,既包括入伍、就业时未满十八周岁的未成年人,也包括入伍、就业时已满十八周岁的成年人,只要其犯罪时不满十八周岁,就构成适用本条规定的条件之一;二是被判处五年有期徒刑以下刑罚,包括被判处五年以下有期徒刑、拘役、管制、单处附加刑以及适用缓刑的情形。需要注意的是,以上两个条件需同时具备才能适用本款的规定,犯罪时不满十八周岁的人如果被判处五年有期徒刑以上刑罚(不包括五年有期徒刑),则不适用本款的规定。

在实践中需要注意的有三点:一是本款的规定只是免除了犯罪的时候不满十八周岁被判处五年有期徒刑以下刑罚的人的前科报告义务,这些人在入伍和就业时,征兵部门和招录单位依照招录的有关规定仍然可以对其进行考察。二是这些被免除前科报告义务的人,司法机关仍会保留其犯罪记录,但会对这些记录予以封存。三是2012年修改刑事诉讼法,明确规定了未成年人犯罪记录封存制度。刑事诉讼法第二百七十五条规定,犯罪的时候不满十八周岁,被判处五年有期徒刑以下刑罚的,应当对相关犯罪记录予以封存。犯罪记录被封存的,不得向任何单位和个人提供,但司法机关为办案需要或者有关单位根据国家规定进行查询的除外。依法进行查询的单位,应当对被封存的犯罪记录的情况予以保密。

第一百零一条　本法总则适用于其他有刑罚规定的法律，但是其他法律有特别规定的除外。

【释义】 本条是关于刑法总则的规定适用于其他有刑罚规定的法律的规定。本条包括两个方面的内容：

1. 本法总则适用于其他有刑罚规定的法律。主要是指刑法总则规定的原则对于其他有定罪处刑规定的法律也适用，在依照其他法律规定对犯罪人判处刑罚时，也要依照刑法总则的规定。

"其他有刑罚规定的法律"，是指除刑法以外的其他有定罪处刑规定的法律，包括全国人大常委会通过的对刑法所作的决定或者补充规定，在民事、经济、行政等法律中对刑法所补充规定的犯罪行为及其刑罚的规定，等等。

2. 其他法律有特别规定的除外。这是指在其他有刑罚规定的法律中，对于涉及刑法总则的有关问题又作出了特殊规定，即在一定范围、一定限度内对刑法总则的有关规定不再适用，而依照该法律的特别规定执行。

第二编　分　　则

第一章　危害国家安全罪

第一百零二条　勾结外国，危害中华人民共和国的主权、领土完整和安全的，处无期徒刑或者十年以上有期徒刑。

与境外机构、组织、个人相勾结，犯前款罪的，依照前款的规定处罚。

【释义】　本条是关于背叛国家罪及其处罚的规定。

背叛国家罪，是指中国公民勾结外国，危害国家的主权、领土完整和安全的行为。

第一款是对背叛国家罪及其处罚的规定。根据本款规定，背叛国家罪具有以下特征：1. 构成本罪的犯罪主体必须是具有中华人民共和国国籍的公民，即中国公民。2. 行为人在客观上必须实施了勾结外国，危害国家主权、领土完整和安全的行为。这里所说的"勾结外国"，是指行为人通过各种方式与外国政府、政党、政治集团以及他们的代表人物联络，进行组织、策划等活动；"危害国家主权、领土完整和安全"，是指行为人勾结外国的直接目的和实施的行为，必须是危害了国家的主权、领土完整和安全。勾结外国是危害国家主权、领土完整和安全的手段，危害国家主权、领土完整和安全是勾结外国的直接目的，这两个行为必须同时具备，才能构成本罪。根据本条的规定，背叛国家罪的构成，并不要求造成危害国家主权、领土完整和安全的实际后果，只要实施了勾结外国，危害国家主权、领土完整和安全的行为，即构成本罪。无论是在暗中策划、信电往来秘密接触的阴谋阶段，还是已经将形成的计划付诸实施，都不影响构成本罪。

根据本款规定，行为人实施勾结外国，危害中华人民共和国的主权、领土完整和安全的行为，处无期徒刑或者十年以上有期徒刑。同时，根据本法第一百一十三条的规定，构成本罪，对国家和人民危害特别严重、情节特别恶劣的，可以判处死刑。构成本罪，还可以并处没收财产。

本条第二款明确规定，与境外机构、组织、个人相勾结，实施勾结外国，危害中华人民共和国的主权、领土完整和安全的，依照第一款的规定处罚。这里所说的“境外机构”,是指中华人民共和国边境以外的国家或者地区的机构;“境外组织”,是指中华人民共和国边境以外的国家和地区的社会性团体等;“境外个人”,是指外国公民、无国籍人以及外籍华人等。“与境外机构、组织、个人相勾结”实施本条第一款规定的行为,主要是指通过境外机构、组织、个人与外国勾结,或者伙同境外机构、组织、个人与外国相勾结,进行危害国家主权、领土完整和安全的犯罪。根据各国的司法实践,背叛国家行为往往要通过一些组织、个人进行,外国政府的活动也往往在一些民间组织及个人身份的掩护下进行。本款规定充分考虑了维护国家安全的需要以及国际上政治斗争的特点。

根据本款规定,行为人与境外机构、组织、个人相勾结,实施勾结外国,危害中华人民共和国的主权、领土完整和安全的行为,依照第一款的规定处罚,即处无期徒刑或者十年以上有期徒刑。同时,根据本法第一百一十三条的规定,对国家和人民危害特别严重、情节特别恶劣的,可以判处死刑,还可以并处没收财产。

第一百零三条　组织、策划、实施分裂国家、破坏国家统一的,对首要分子或者罪行重大的,处无期徒刑或者十年以上有期徒刑;对积极参加的,处三年以上十年以下有期徒刑;对其他参加的,处三年以下有期徒刑、拘役、管制或者剥夺政治权利。

煽动分裂国家、破坏国家统一的,处五年以下有期徒刑、拘役、管制或者剥夺政治权利;首要分子或者罪行重大的,处五年以上有期徒刑。

【释义】　本条是关于分裂国家罪和煽动分裂国家罪及其处罚的规定。

第一款是对分裂国家罪的处罚规定。根据本款规定,构成本罪的,必须具备以下两个条件:1.构成本罪的主体是一般主体,即任何人都可以构成本罪的犯罪主体。本罪处罚的是“首要分子或者罪行重大的”、“积极参加的”和“其他参加的”犯罪分子。其中,“首要分子”的范围在刑法总则中已作了明确的界定。“罪行重大”是指虽不是首要分子,但在犯罪活动中起了十分恶劣的作用并直接参与杀人、放火、爆炸等其他特别严重的犯罪活动;“积极参加的”,是指那些主动参加犯罪集团并多次参与犯罪活动的;“其他参加的”,即指一般参加者。分裂国家、破坏国家统一是一种严重的危害国家安全犯罪,往往靠个人难以达到目的,一般要组成一定的集团进行长期的犯罪活动。而且中国是一个多民族的国家,犯罪分子往往利用并激化民族矛盾,挑起事端,较其他犯罪更具有欺骗性和危险性,所以这种犯罪有可能会因某一突发性事件或者在一些特定的社会环境下,出现聚众犯罪的情况。对此,本款根据犯罪分子参与犯罪的情节及其所起的作用,对“首要分子或者罪行重大的”、“积极参加的”和“其他参加的”分别规定了处刑。应当注意的是,在严厉打击分裂国家、破坏国家统一的犯罪活动的同时,对这种有可能参加人数较多的聚众犯罪,要把那些受欺骗蒙蔽、不明真相的群众与犯罪分子区别开。2. 必须是实施了分裂国家、破坏国家统一的行为。这里所说的"分裂国家、破坏国家统一",是指以各种手段和方式,企图将我国领土的一部分分离出去,另立政府,制造割据局面和分裂我国统一的多民族国家,破坏民族团结,制造民族分裂的行为。"组织",是指分裂国家的犯罪集团和分裂活动的组织人所进行的纠集行为;"策划",是指为实现某一目标而进行筹划、谋算的行为,如制订计划、策略等;"实施",就是为实现目标而将策划的内容具体实施、付诸行动的行为。

根据本款规定,对组织、策划、实施分裂国家、破坏国家统一的,对首要分子或者罪行重大的,处无期徒刑或者十年以上有期徒刑,根据本法第一百一十三条的规定,对国家和人民危害特别严重、情节特别恶劣的,可以判处死刑。对积极参加的,处三年以上十年以下有期徒刑;对其他参加的,处三年以下有期徒刑、拘役、管制或者剥夺政治权利。

第二款是对煽动分裂国家罪及其处罚的规定。这里所说的"煽动",是指以语言、文字、图像等方式对他人进行鼓动、宣传,意图使他人相信其所煽动的内容,或者意图使他人去实施所煽动的行为。根据本款规定,只要行为人实施了煽动分裂国家、破坏国家统一的行为,即构成犯罪,处五年以下有期徒刑、拘役、管制或者剥夺政治权利;对首要分子或者罪行重大的,处五年以上有期徒刑。根据本法第一百一十三条的规定,构成本罪,还可以并处没收财产。

第一百零四条 组织、策划、实施武装叛乱或者武装暴乱的,对首要分子或者罪行重大的,处无期徒刑或者十年以上有期徒刑;对积极参加的,处三年以上十年以下有期徒刑;对其他参加的,处三年以下有期徒刑、拘役、管制或者剥夺政治权利。

策动、胁迫、勾引、收买国家机关工作人员、武装部队人员、人民警察、民兵进行武装叛乱或者武装暴乱的,依照前款的规定从重处罚。

【释义】 本条是关于武装叛乱、暴乱罪及其处罚的规定。

第一款是对武装叛乱、暴乱罪及其处罚的规定。武装叛乱,是指采取武装对抗的形式,以投靠境外组织或境外敌对势力为背景,或者意图投靠境外组织或境外敌对势力,反叛国家和政府的行为。武装暴乱,是指采取武装的形式,与国家和政府进行对抗的行为。根据本款规定,武装叛乱、暴乱罪具有以下特征:1. 构成犯罪的主体是一般主体。2. 都必须实施了"组织、策划、实施"的具体行为。其中,本条规定的"组织、策划、实施"的基本含义与本法第一百零三条的规定是一致的，故不再赘述。3. 必须是具有“武装”性质。所谓“武装”，是指叛乱者或者暴乱者在实施犯罪行为中，携带或使用了枪、炮等武器，与国家和政府进行对抗。如果行为人没有携带或使用武器，只是使用一般性的暴力，如扔石块等，则不能构成武装叛乱、暴乱罪。武装叛乱行为与武装暴乱行为的主要区别，就是在于行为人是否以境外组织或者境外敌对势力为背景。如果行为人的目的是投靠境外组织或境外敌对势力，而与国家和政府进行武装对抗的，就是武装叛乱；如果行为人没有上述意图和目的，只是直接与国家和政府武装对抗的，则是武装暴乱。当然，在武装暴乱的犯罪过程中，犯罪分子可能也会与境外的一些敌对势力相勾结，但其叛乱活动主要是针对政府；而武装叛乱，犯罪分子的主要目的是投靠境外组织或境外敌对势力。

根据本款规定，组织、策划、实施武装叛乱或武装暴乱的，对其首要分子或者罪行重大的，处无期徒刑或者十年以上有期徒刑，根据本法第一百一十三条的规定，对国家和人民危害特别严重、情节特别恶劣的，可以判处死刑。对积极参加的，处三年以上十年以下有期徒刑；对其他参加的，处三年以下有期徒刑、拘役、管制或者剥夺政治权利。

第二款是对策动、胁迫、勾引、收买国家机关工作人员、武装部队人员、人民警察、民兵进行武装叛乱或者武装暴乱的处罚规定。这里所说的“策动”，是指策划鼓动他人进行某项活动的行为；“胁迫”，是指以暴力或者其他手段威胁、强迫他人实施某种行为；“收买”，是指以金钱、财物或者其他物质利益诱使他人进行某项行为；“勾引”，是指引诱他人进行某项行为。“国家机关工作人员”，是指在国家立法机关、行政机关、司法机关、军事机关从事公务的人员。根据本款的规定，策动、胁迫、勾引、收买国家机关工作人员、武装部队人员、人民警察、民兵进行武装叛乱或者武装暴乱的，依照第一款的规定，从重处罚。

第一百零五条　组织、策划、实施颠覆国家政权、推翻社会主义制度的，对首要分子或者罪行重大的，处无期徒刑或者十年以上有期徒刑；对积极参加的，处三年以上十年以下有期徒刑；对其他参加的，处三年以下有期徒刑、拘役、管制或者剥夺政治权利。

以造谣、诽谤或者其他方式煽动颠覆国家政权、推翻社会主义制度的，处五年以下有期徒刑、拘役、管制或者剥夺政治权利；首要分子或者罪行重大的，处五年以上有期徒刑。

【释义】　本条是关于颠覆国家政权罪和煽动颠覆国家政权罪及其处罚的规定。

第一款是对颠覆国家政权罪的处罚规定。根据本款规定，颠覆国家政权罪,是指行为人组织、策划、实施颠覆国家政权、推翻社会主义制度的行为。其中,“组织、策划、实施”与前两条规定的“组织、策划、实施”的含义是一致的,这里不再赘述。本条规定的“颠覆国家政权、推翻社会主义制度”,是指以除武装暴动外的各种非法手段推翻国家政权,改变人民民主专政的政权性质和社会主义制度的行为。我国宪法明确规定,中华人民共和国是工人阶级领导的、以工农联盟为基础的人民民主专政的社会主义国家。社会主义制度是国家的根本制度,所以说,任何企图以各种手段颠覆国家政权、推翻社会主义制度的行为,都是对我国国家安全的严重危害,必须受到我国法律的严厉制裁。应当注意的是,“颠覆国家政权”在手段上通常有使用暴力手段的情况,刑法第一百零四条明确规定了武装叛乱、暴乱罪,并规定了更重的刑罚。对于以武装暴乱形式颠覆国家政权的,应当适用武装叛乱、暴乱罪。本款所规定的是指以非武装暴乱方式颠覆国家政权的行为。

根据本款规定,颠覆国家政权罪的构成不要求有颠覆国家政权、推翻社会主义制度的实际危害结果的发生,只要行为人进行了组织、策划、实施颠覆国家政权、推翻社会主义制度的行为,即构成本罪,对首要分子或者罪行重大的,处无期徒刑或者十年以上有期徒刑;对积极参加的,处三年以上十年以下有期徒刑;对其他参加的,处三年以下有期徒刑、拘役、管制或者剥夺政治权利。

第二款是对煽动颠覆国家政权罪的处罚规定。这里所说的“煽动”,是指以造谣、诽谤或者其他方式诱惑、鼓动群众的行为。其中,“造谣、诽谤”,主要是指无中生有,编造不存在的事情或者对事实进行严重歪曲,以达到诋毁国家政权和社会主义制度的目的。根据本款规定,构成本罪行为人在主观上必须具有颠覆国家政权、推翻社会主义制度的故意。

本款对煽动颠覆国家政权罪规定了两档刑,只要行为人实施了以造谣、诽谤或者其他方式煽动颠覆国家政权、推翻社会主义制度行为的,就构成本罪,处五年以下有期徒刑、拘役、管制或者剥夺政治权利;对首要分子或者罪行重大的,处五年以上有期徒刑。

根据本法第一百一十三条的规定,构成本罪,还可以并处没收财产。

第一百零六条　与境外机构、组织、个人相勾结,实施本章第一百零三条、第一百零四条、第一百零五条规定之罪的,依照各该条的规定从重处罚。

【释义】　本条是关于与境外机构、组织、个人相勾结,进行危害国家安全犯罪的处罚规定。

境外一些敌对势力为达到“西化”、“分化”我国的目的,以各种手段、方式对我进行渗透、干扰,与境内不法分子相勾结,进行危害我国国家安全的犯罪活动。而我国国内的犯罪分子在进行危害国家安全犯罪活动中，也往往要与境外机构、组织、个人相勾结，取得他们的援助、资助等。这是很多危害国家安全犯罪的一个重要特点。为了更有力地维护国家安全，打击危害国家安全的犯罪，刑法特别作了关于与境外机构、组织、个人相勾结实施分裂国家罪，煽动分裂国家罪，武装叛乱、暴乱罪，颠覆国家政权罪，煽动颠覆国家政权罪应从重处罚的规定。这几种犯罪都是对我国国家安全危害最为严重、危险性最大的犯罪。本条规定的"相勾结"，是指境内的犯罪分子与境外机构、组织、个人通过各种途径联络，共同策划、密谋，以实施本章第一百零三条、第一百零四条、第一百零五条规定的有关危害国家安全的犯罪行为。

根据本条规定，境内人员与境外机构、组织、个人相勾结，实施本章第一百零三条、第一百零四条、第一百零五条规定之罪的，适用本条的规定，对其依照上述有关条文规定的刑罚从重处罚。

第一百零七条*　境内外机构、组织或者个人资助实施本章第一百零二条、第一百零三条、第一百零四条、第一百零五条规定之罪的，对直接责任人员，处五年以下有期徒刑、拘役、管制或者剥夺政治权利；情节严重的，处五年以上有期徒刑。

【释义】　本条是关于资助危害国家安全犯罪活动罪及其处罚的规定。

第十一届全国人民代表大会常务委员会第十九次会议通过的《刑法修正案（八）》对刑法第一百零七条作了修改，删去了对资助对象的限制性规定。根据修改后的规定，被资助者不再限于境内组织或者个人，资助境外组织或者个人实施危害中华人民共和国国家安全相关犯罪的行为，同样可依据本条规定定罪处罚。这一修改，完善了刑法关于资助危害国家安全犯罪活动罪的规定，为在日趋复杂的国际环境下打击这类犯罪提供了法律依据。

根据本条规定，任何机构、组织或者个人资助实施本条所规定的危害中华人民共和国国家安全犯罪活动的，都将适用本条定罪量刑。"境内外机构、组织或者个人"，包括境内外一切机构、组织和个人。这里所说的"资助"，是指明知他人进行危害国家安全的犯罪活动，而向其提供金钱、物资、通信器材、交通工具等，使犯罪分子得到物质上的帮助。如果境内外机构、组织或者个人没有提

---

* 根据 2011 年 2 月 25 日第十一届全国人民代表大会常务委员会第十九次会议通过的《中华人民共和国刑法修正案（八）》修改。原条文是："境内外机构、组织或者个人资助境内组织或者个人实施本章第一百零二条、第一百零三条、第一百零四条、第一百零五条规定之罪的，对直接责任人员，处五年以下有期徒刑、拘役、管制或者剥夺政治权利；情节严重的，处五年以上有期徒刑。"

供物质上的帮助，仅是在精神、宣传舆论等方面给予帮助、支持，则不能适用本条，而应适用其他危害国家安全犯罪的规定处理。

本条将资助行为限定于资助实施本章第一百零二条规定的背叛国家罪，第一百零三条规定的分裂国家罪和煽动分裂国家罪，第一百零四条规定的武装叛乱、暴乱罪，第一百零五条规定的颠覆国家政权罪和煽动颠覆国家政权罪的范围。之所以这样规定，主要是因为这几种犯罪对国家安全最具危险性，同时，也是根据维护国家安全的实际需要所作的规定。

根据本条规定，犯本条规定之罪的，对直接责任人员，处五年以下有期徒刑、拘役、管制或者剥夺政治权利；情节严重的，即具有多次资助、资助多人，或者资助金额巨大，或者被资助者的行为造成严重后果等情形的，处五年以上有期徒刑。直接责任人员包括资助行为的决策人以及实际实施的人员。如果资助属个人行为，行为人即为直接责任人员。根据刑法第一百一十三条的规定，对犯本罪的，还可以并处没收财产。

第一百零八条　投敌叛变的，处三年以上十年以下有期徒刑；情节严重或者带领武装部队人员、人民警察、民兵投敌叛变的，处十年以上有期徒刑或者无期徒刑。

【释义】　本条是关于投敌叛变罪及其处罚的规定。

根据本条规定，无论行为人出于何种目的或动机，实施投敌叛变行为的，即构成本罪。这里所说的“投敌叛变”，是指背叛国家，投靠敌国、敌方，出卖国家和人民利益的变节行为。其中，所谓“敌”是广义的，既包括在交战状态下公开的敌国、敌方等敌人，也包括其他公然敌视中华人民共和国的政权和制度的敌对营垒。本条没有区分平时与战时，在战时“敌”的概念非常明确，只要与我国正式交战的即是敌，也就是说，行为人只要是投奔或者投靠敌方的，就构成本罪；但在和平时期，特别是在目前世界处于相对和平、稳定、发展的时代，我国的对外交往十分广泛，所以在确定“敌”时应非常慎重。

本条对投敌叛变罪规定了两档刑，对构成本罪的一般投敌叛变行为，处三年以上十年以下有期徒刑；对情节严重或者带领武装部队人员、人民警察、民兵投敌叛变的，处十年以上有期徒刑或者无期徒刑，根据本法第一百一十三条的规定，对国家和人民危害特别严重、情节特别恶劣的，可以判处死刑。构成本罪，还可以并处没收财产。这里所说的“情节严重”，主要是指带领众人投敌叛变的手段特别恶劣，给国家和人民利益造成严重损失或者造成恶劣的政治影响等情况。“带领武装部队人员、人民警察、民兵投敌叛变的”，是指带领成建制的武装部队，如一个班、一个排或者更多的部队、武警投敌叛变，或者是带领人数较多的人民警察、民兵投敌叛变的行为。武装部队、人民警察、民兵是国家的武装力量和专政机关,负有巩固国防、抵抗侵略、保卫祖国、保卫人民和平劳动的职责,带领这些人员投敌叛变比带领其他人员投敌叛变,对国家安全和社会稳定具有更大的危害性,故必须予以严惩。

第一百零九条*　国家机关工作人员在履行公务期间,擅离岗位,叛逃境外或者在境外叛逃的,处五年以下有期徒刑、拘役、管制或者剥夺政治权利;情节严重的,处五年以上十年以下有期徒刑。

掌握国家秘密的国家工作人员叛逃境外或者在境外叛逃的,依照前款的规定从重处罚。

【释义】　本条是关于叛逃罪及其处罚的规定。

根据维护国家安全,打击犯罪的需要,第十一届全国人民代表大会常务委员会第十九次会议通过的《刑法修正案(八)》对刑法第一百零九条的规定作了两处修改:第一,删去了原规定中关于国家机关工作人员叛逃,需危害中华人民共和国国家安全才构成犯罪的规定。之所以作上述修改是因为:国家机关工作人员在履行公务期间,擅离岗位,叛逃境外或者在境外叛逃的行为,本身就已构成对国家安全的危害,不宜再规定危害国家安全的条件。另外,如在叛逃后危害国家安全的,可能构成本章的其他犯罪,难以界定本罪与本章其他犯罪的界限。第二,对于掌握国家秘密的国家工作人员构成叛逃罪的条件作了修改,删去了在履行公务期间擅离岗位的限定条件,即掌握国家秘密的国家工作人员无论何时,在何种情况下叛逃都构成本罪,从而加大了对这一犯罪的打击力度。

第一款是国家机关工作人员叛逃罪的规定。根据本款规定,构成本罪的,必须具备以下两个条件:1. 构成本罪的主体是特殊主体,为国家机关工作人员,即在国家权力机关、行政机关、司法机关以及军事机关中从事公务的人员。2. 必须是在履行公务期间,擅离岗位,叛逃境外或者在境外叛逃的。这里所说的"履行公务期间",主要是指在职的国家机关工作人员在执行公务期间,如国家机关代表团在外访问期间、我国驻外使领馆的外交人员以及国家派驻国外执行任务的人员履行职务期间等。国家机关工作人员离职在境外学习,或者到境

---

* 根据2011年2月25日第十一届全国人民代表大会常务委员会第十九次会议通过的《中华人民共和国刑法修正案(八)》修改。原条文是:"国家机关工作人员在履行公务期间,擅离岗位,叛逃境外或者在境外叛逃,危害中华人民共和国国家安全的,处五年以下有期徒刑、拘役、管制或者剥夺政治权利;情节严重的,处五年以上十年以下有期徒刑。

"掌握国家秘密的国家工作人员犯前款罪的,依照前款的规定从重处罚。"

外探亲访友的，则不属于本款规定中的“履行公务期间”。“擅离岗位”，是指违反规定私自离开岗位的行为。“叛逃境外”，是指同境外的机构、组织联络，由境内逃离到境外的行为；“在境外叛逃的”，是指国家机关工作人员在境外履行公务期间擅自不归国，投靠境外的机构、组织，或者直接投奔国外有关组织，背叛国家的行为。根据本款的规定，构成本罪的，处五年以下有期徒刑、拘役、管制或者剥夺政治权利；情节严重的，处五年以上十年以下有期徒刑。根据刑法第一百一十三条的规定，构成本罪，还可以并处没收财产。

第二款是关于掌握国家秘密的国家工作人员犯叛逃罪如何处罚规定。根据保密法的规定，“国家秘密”，是指关系国家的安全和利益，依照法定程序确定，在一定时间内只限一定范围的人员知悉的事项。以下涉及国家安全和利益的事项，泄露后可能损害国家在政治、经济、国防、外交等领域的安全和利益的，应当确定为国家秘密：(1)国家事务重大决策中的秘密事项；(2)国防建设和武装力量活动中的秘密事项；(3)外交和外事活动中的秘密事项以及对外承担保密义务的秘密事项；(4)国民经济和社会发展中的秘密事项；(5)科学技术中的秘密事项；(6)维护国家安全活动和追查刑事犯罪中的秘密事项；(7)经国家保密行政管理部门确定的其他秘密事项。政党的秘密事项中符合前述规定的，属于国家秘密。

本条第二款较第一款的规定有以下几点不同：

1. 犯罪主体范围更大，为国家工作人员。随着现代经济的发展，国家秘密占很大比重的是科技、经济领域的秘密，而掌握这一部分国家秘密的人员，不一定全都是国家机关工作人员。如果这些人中有人叛逃境外或在境外叛逃，同样会给国家安全造成严重的危害。而根据刑法第九十三条的规定，国家工作人员除国家机关工作人员之外，还包括“国有公司、企业、事业单位、人民团体中从事公务的人员和国家机关、国有公司、企业、事业单位委派到非国有公司、企业、事业单位、社会团体从事公务的人员，以及其他依照法律从事公务的人员”。

2. 客观行为与第一款规定比较，没有在“履行公务期间，擅离岗位”的限制条件。这样规定，主要是由于掌握国家秘密的国家工作人员，一旦叛逃，将有可能对国家安全造成更大的危害，因此，这些人员在任何时间、任何情况下叛逃都会被追究刑事责任。

3. 量刑上从重处罚。掌握国家秘密的国家工作人员叛逃境外或者在境外叛逃对国家安全具有更大的危害性，因此，第二款规定，对上述人员叛逃境外或者在境外叛逃的，依照第一款的规定从重处罚。根据第一款的规定，情节一般的，最高可被处以五年有期徒刑，而情节严重的，则面临最高十年有期徒刑的刑罚。

第一百一十条　有下列间谍行为之一，危害国家安全的，处十年以上有期徒刑或者无期徒刑；情节较轻的，处三年以上十年以下有期徒刑：

（一）参加间谍组织或者接受间谍组织及其代理人的任务的；

（二）为敌人指示轰击目标的。

【释义】　本条是关于间谍罪及其处罚的规定。

根据本条规定，间谍行为主要包括以下两种行为：1. 参加间谍组织或者接受间谍组织及其代理人的任务的。这里所说的“间谍组织”，是指外国政府或者境外的敌对势力建立的旨在收集我国情报，进行颠覆破坏等活动，危害我国国家安全和利益的组织。“参加间谍组织”，是指行为人通过履行一定的手续加入间谍组织，成为间谍组织成员的行为。“接受间谍组织及其代理人的任务”，是指受间谍组织的命令、派遣、指使、委托为间谍组织服务，从事进行危害我国国家安全的活动。其中，间谍组织的“代理人”，是指受间谍组织委托、指派或者授意，下达间谍组织的任务指令的人。2. 为敌人指示轰击目标的。这里所说的“敌人”，主要是指战时与我方交战的敌对国或敌方，也包括非交战状态下，轰击我国境内目标的敌国、敌对方。“指示”，包括用各种手段向敌人明示所要轰击的目标，如发电报、写信、点火堆、放信号弹、报告目标的地理方位数据等传统的指示方式，也包括通过激光引导、数字定位及其他技术手段等新的指示方式。“轰击”，包括各类武器轰炸、炮击、爆炸以及导弹袭击等。

反间谍法第三十八条对间谍行为的含义进一步作了明确规定。根据该条规定，间谍行为是指下列行为：（1）间谍组织及其代理人实施或者指使、资助他人实施，或者境内外机构、组织、个人与其相勾结实施的危害中华人民共和国国家安全的活动；（2）参加间谍组织或者接受间谍组织及其代理人的任务的；（3）间谍组织及其代理人以外的其他境外机构、组织、个人实施或者指使、资助他人实施，或者境内机构、组织、个人与其相勾结实施的窃取、刺探、收买或者非法提供国家秘密或者情报，或者策动、引诱、收买国家工作人员叛变的活动；（4）为敌人指示攻击目标的；（5）进行其他间谍活动的。

根据本条规定，对犯间谍罪，危害国家安全的，处十年以上有期徒刑或者无期徒刑；情节较轻的，即没有对国家安全造成较大危害的，处三年以上十年以下有期徒刑。同时，根据本法第一百一十三条的规定，构成本罪，对国家和人民危害特别严重、情节特别恶劣的，可以判处死刑。构成本罪，还可以并处没收财产。

需要注意的是，为了有利于打击间谍行为，反间谍法还对追究间谍行为的法律责任作了特别规定。反间谍法第二十七条第二款规定，实施间谍行为，有自首或者立功表现的，可以从轻、减轻或者免除处罚；有重大立功表现的，给予奖励。第二十八条规定，在境外受胁迫或者受诱骗参加敌对组织、间谍组织，从事危害中华人民共和国国家安全的活动，及时向中华人民共和国驻外机构如实说明情况，或者入境后直接或者通过所在单位及时向国家安全机关、公安机关如实说明情况，并有悔改表现的，可以不予追究。

第一百一十一条　为境外的机构、组织、人员窃取、刺探、收买、非法提供国家秘密或者情报的，处五年以上十年以下有期徒刑；情节特别严重的，处十年以上有期徒刑或者无期徒刑；情节较轻的，处五年以下有期徒刑、拘役、管制或者剥夺政治权利。

【释义】　本条是关于为境外窃取、刺探、收买、非法提供国家秘密、情报罪及其处罚的规定。

这里所说的"境外机构"，是指中华人民共和国边境以外的国家和地区的机构，如政府、军队以及其他由有关当局设立的机构。此外，上述境外机构在我国境内设立的分支机构或代表机构，如外国驻我国的使、领事馆及办事处等，也属于境外机构。"境外组织"，主要是指中华人民共和国边境以外的国家和地区的政党、社会团体，以及其他企业、事业组织等。同样，上述组织在中国境内设立的分支或代表组织，也属于境外组织。"境外人员"，是指外国公民、无国籍人以及其他境外个人。外国人、无国籍人身在中华人民共和国境内的，也属于这里的境外个人。根据本条规定，构成本罪的，必须符合以下几个条件：1. 构成本罪的主体是一般主体，即无论其是中国公民还是非中国公民，都可能构成本罪。2. 必须是为境外的机构、组织和人员实施本条规定的犯罪行为。3. 必须是采取了窃取、刺探、收买、非法提供的方法。"窃取"，是指行为人采用各种秘密手段，如盗窃、偷拍、偷录等行为而取得国家秘密或情报的行为；"刺探"，是指行为人通过各种途径和手段非法探知国家秘密或情报的行为；"收买"，是指行为人以给予财物或者其他物质性利益的方法非法得到国家秘密或情报的行为；"非法提供"，是指国家秘密或情报的持有人，将自己知悉、管理、持有的国家秘密或情报非法出售、交付、告知其他不应知悉该秘密或情报的境外机构、组织、人员的行为。4. 行为人实施的犯罪对象只限于"国家秘密"或"情报"。"国家秘密"，是指关系国家的安全和利益，依照法定程序确定，在一定时间内只限于一定范围的人员知悉的事项。根据保守国家秘密法的规定，国家秘密分为绝密、机密和秘密三级。而这里所说的"情报"，是指除国家秘密以外的关系国家安全和利益、尚未公开或者依照有关规定不应公开的事项。应当注意的是，对于情报的范围，法律并没有作出具体规定，在司法实践中要根据具体案件作具体分析，从严掌握。一是不能把所有未公开的内部情况都列入"情报"范围，以免扩大打击面；二是要注意与正常的信息情报交流区别开。

根据本条的规定，对构成犯罪的，处五年以上十年以下有期徒刑；情节特别严重的，即为境外窃取、刺探、收买、非法提供绝密级国家秘密、三项以上机密级国家秘密或者其他国家秘密或者情报，对国家安全和利益造成其他特别严重损害的，处十年以上有期徒刑或者无期徒刑；情节较轻的，即为境外窃取、刺探、收买、非法提供不足三项的秘密级国家秘密或者情报的，处五年以下有期徒刑、拘役、管制或者剥夺政治权利。同时，根据本法第一百一十三条的规定，构成本罪，对国家和人民危害特别严重、情节特别恶劣的，可以判处死刑。构成本罪，还可以并处没收财产。

实践中应当注意以下两点：一是行为人知道或者应当知道没有标明密级的事项关系国家安全和利益，而为境外窃取、刺探、收买、非法提供的，依照本条的规定定罪处罚；二是通过互联网将国家秘密或者情报非法发送给境外的机构、组织、个人的，依照本条的规定定罪处罚，而因渎职行为将国家秘密通过互联网予以泄露，情节严重的，依照刑法第三百九十八条的规定定罪处罚。

第一百一十二条　战时供给敌人武器装备、军用物资资敌的，处十年以上有期徒刑或者无期徒刑；情节较轻的，处三年以上十年以下有期徒刑。

【释义】　本条是关于资敌罪及其处罚的规定。

根据本条规定，构成本罪的，必须具备以下几个条件：1. 任何人都可以构成本罪的主体。2. 必须是在战时。“战时”，是指国家宣布进入战争状态、部队接受作战任务或者遭受敌人突然袭击时。根据我国宪法的规定，宣布进入战争状态是全国人民代表大会的职权，在全国人民代表大会闭会期间，如果遇到国家遭受武装侵犯或者必须履行国际间共同防止侵略的条约的情况，由全国人大常委会决定战争状态的宣布。当国家遭受外国突然袭击，来不及由国家的权力机关宣布进入战争状态，自遭受突然袭击时起，国家就自然进入战争状态。3. 必须具有供给敌人武器装备、军用物资等资助的行为。这里所说的“供给”，是指非法向敌人提供，包括非法出售或者无偿提供。“武器装备”，主要是指各种武器、弹药、坦克车、飞机、舰艇、军用通信设备等；“军用物资”，主要是指武器装备以外的其他军用物品，如医疗用品、军服、军被等。

根据本条规定，构成犯罪的，处十年以上有期徒刑或者无期徒刑；情节较轻的，即没有使国家安全和利益遭受重大损失的，处三年以上十年以下有期徒刑。同时，根据本法第一百一十三条的规定，构成本罪，对国家和人民危害特别严重、情节特别恶劣的，可以判处死刑。构成本罪，还可以并处没收财产。

第一百一十三条　本章上述危害国家安全罪行中，除第一百零三条第二款、第一百零五条、第一百零七条、第一百零九条外，对国家和人民危害特别严重、情节特别恶劣的，可以判处死刑。

犯本章之罪的，可以并处没收财产。

【释义】　本条是关于对犯危害国家安全罪适用死刑及没收财产的刑罚的规定。

第一款是关于犯危害国家安全罪适用死刑的规定。危害国家安全的犯罪，是对国家危害最严重的犯罪，是刑法首要打击的犯罪。本款对本章所规定的危害国家安全的犯罪，集中规定了最高刑可以判处死刑。根据本款规定，下列对国家和人民危害特别严重、情节特别恶劣的危害国家安全的犯罪，最高刑可以判处死刑：1. 第一百零二条规定的背叛国家罪；2. 第一百零三条第一款规定的分裂国家罪；3. 第一百零四条规定的武装叛乱、暴乱罪；4. 第一百零八条规定的投敌叛变罪；5. 第一百一十条规定的间谍罪；6. 第一百一十一条规定的为境外窃取、刺探、收买、非法提供国家秘密、情报罪；7. 第一百一十二条规定的资敌罪。根据本款规定，危害国家安全罪不适用死刑的有：1. 第一百零三条第二款规定的煽动分裂国家罪；2. 第一百零五条规定的颠覆国家政权罪和煽动颠覆国家政权罪；3. 第一百零七条规定的资助危害国家安全活动犯罪；4. 第一百零九条规定的叛逃罪。其中，颠覆国家政权罪之所以未规定死刑，主要是考虑到对于以武装暴乱形式颠覆国家政权的行为，应按照武装暴乱罪处罚，该条已有死刑规定，颠覆国家政权罪所规定的主要是以非暴力形式进行的犯罪行为。

第二款是对犯危害国家安全罪适用没收财产的规定。没收财产，是指没收犯罪分子个人所有财产的一部分或全部。它是一种附加刑，可以独立适用，也可以附加适用。本条规定，对犯有危害国家安全罪的，可以并处没收财产。这就是说，对犯有危害国家安全罪的犯罪分子，除依法判处主刑外，根据其罪行和财产状况，可以并处没收财产。因此，本款规定的没收财产是作为附加刑的，不能独立适用。应当注意的是，本条在规定没收财产时，使用的是“可以”而不是“应当”，也就是说，在人民法院审理危害国家安全的犯罪案件时，应当根据案件的具体情况运用法律，对有必要判处没收财产的犯罪分子，可以并处没收财产，而不是一律并处没收财产。

第二章　危害公共安全罪

第一百一十四条[*]　放火、决水、爆炸以及投放毒害性、放射性、传染病病原体等物质或者以其他危险方法危害公共安全，尚未造成严重后果的，处三年以上十年以下有期徒刑。

【释义】　本条是关于犯放火罪、决水罪、爆炸罪、投放危险物质罪、以危险方法危害公共安全罪，尚未造成严重后果的处罚的规定。

我国政府一贯反对各种形式的恐怖组织和恐怖犯罪活动，一向积极参与国际间的各种反恐怖组织和反恐怖犯罪活动的斗争，并为此做出了应有和不懈的努力。2001 年 10 月 29 日全国人大常委会批准了《制止恐怖主义爆炸的国际公约》，再一次表明我国坚决反对任何形式的恐怖犯罪活动的一贯立场。与此同时，为了适应我国国内的反恐怖犯罪活动斗争的需要，结合当前国际、国内的恐怖犯罪活动的发展趋势及其特点，对刑法作一些适时的修改，使刑法成为打击各种恐怖犯罪活动的有力武器，也成为当前刑事立法的一个重要课题和迫切的任务。2001 年 12 月 29 日全国人大常委会通过了《刑法修正案（三）》，对 1997 年刑法关于本条的规定主要进行了两处修改：一是根据打击恐怖活动犯罪的需要，为使本条的规定更加明确，将“投毒”修改为“投放毒害性、放射性、传染病病原体等物质”。二是删去了关于“工厂、矿场、油田、港口、河流、水源、仓库、住宅、森林、农场、谷场、牧场、重要管道、公共建筑物或者其他公私财产”的规定。在刑法条文中列举犯罪的破坏对象虽然有利于指导司法实践，但考虑到随着形势的发展，危害公共安全的犯罪所指向的对象也在不断发生着变化，而且在法律中对其一一列举可能会挂一漏万，因此刑法作了这样的修改。修改后的规定，不仅仍然包括原条文所规定的犯罪对象范围，还包括其他随着形势发展，需要由刑法保护的各种对象。

本条列举了在危害公共安全的犯罪中最常见、最具危险性的四种犯罪手

---

* 根据 2001 年 12 月 29 日第九届全国人民代表大会常务委员会第二十五次会议通过的《中华人民共和国刑法修正案（三）》修改。原条文是：“放火、决水、爆炸、投毒或者以其他危险方法破坏工厂、矿场、油田、港口、河流、水源、仓库、住宅、森林、农场、谷场、牧场、重要管道、公共建筑物或者其他公私财产，危害公共安全，尚未造成严重后果的，处三年以上十年以下有期徒刑。”

段，即放火、决水、爆炸和投放毒害性、放射性、传染病病原体等物质。但以放火、爆炸等方法进行的犯罪，并不都是危害公共安全罪，只有以这几种危险方法用于危害不特定的多数人的生命、健康以及重大财产的安全时，才能构成本罪。“放火”，是指故意纵火焚烧公私财物，严重危害公共安全的行为；“决水”，是指故意破坏堤防、大坝、防水、排水设施，制造水患危害公共安全的行为；“爆炸”，是指故意引起爆炸物爆炸，危害公共安全的行为；“投放毒害性、放射性、传染病病原体等物质”，是指向公共饮用水源、食品或者公共场所、设施投放能够致人死亡或者严重危害人体健康的上述几种物质的行为。这里的“毒害性”物质，是指能对人或者动物产生毒害的有毒物质，包括化学性毒物、生物性毒物和微生物类毒物等；“放射性”物质，是指具有危害人体健康的放射性的物质，国家一直对这些极具危险性的物质实行严格的管理；“传染病病原体”，是指能在人体或动物体内生长、繁殖，通过空气、饮食、接触等方式传播，能对人体健康造成危害的传染病菌种和毒种。其中传染病分为甲、乙、丙三类。“其他危险方法”，是指除放火、决水、爆炸以及投放毒害性、放射性、传染病病原体等物质以外的其他任何足以造成不特定的多数人的伤亡或者公私财产重大损失的行为。根据本条规定，构成本罪的主体是一般主体；行为人主观上必须是故意；本条处罚的是，以放火、决水、爆炸以及投放毒害性、放射性、传染病病原体等物质或者以其他危险方法危害公共安全犯罪中，尚未造成严重后果的犯罪行为，处三年以上十年以下有期徒刑。“尚未造成严重后果”，是指行为人实施了本条所列的危害公共安全的行为，但尚未造成他人重伤、死亡或者公私财产重大损失等情况。若行为人的行为造成了严重后果的发生，则不能适用本条的规定，而应依照第一百一十五条的规定处刑。

第一百一十五条*　放火、决水、爆炸以及投放毒害性、放射性、传染病病原体等物质或者以其他危险方法致人重伤、死亡或者使公私财产遭受重大损失的，处十年以上有期徒刑、无期徒刑或者死刑。

过失犯前款罪的，处三年以上七年以下有期徒刑；情节较轻的，处三年以下有期徒刑或者拘役。

【释义】　本条是关于犯放火罪、决水罪、爆炸罪、投放危险物质罪、以危险方法危害公共安全罪，造成严重后果的处罚规定。

---

* 第一款根据2001年12月29日第九届全国人民代表大会常务委员会第二十五次会议通过的《中华人民共和国刑法修正案（三）》修改。原第一款条文是：“放火、决水、爆炸、投毒或者以其他危险方法致人重伤、死亡或者使公私财产遭受重大损失的，处十年以上有期徒刑、无期徒刑或者死刑。”

2001 年 12 月 29 日全国人大常委会通过的《刑法修正案(三)》对 1997 年刑法本条第一款的规定作了修改,将"投毒"补充修改为"投放毒害性、放射性、传染病病原体等物质"。修改的理由前条已有论述,这里不再赘述。

第一款是对放火、决水、爆炸以及投放毒害性、放射性、传染病病原体等物质或者以其他危险方法致人重伤、死亡或者使公私财产遭受重大损失的处罚规定。其中本条所规定的"放火"、"决水"、"爆炸"和"投放毒害性、放射性、传染病病原体等物质"与第一百一十四条的规定是一致的,前面已有论述,这里不再赘述。本款规定的是对放火、决水、爆炸以及投放毒害性、放射性、传染病病原体等物质或者以其他危险方法危害公共安全罪,造成严重后果的犯罪行为的处刑。与第一百一十四条规定的"尚未造成严重后果"的处刑是相对应的。这里所说的"造成严重后果",就是本款规定的"致人重伤、死亡或者使公私财产遭受重大损失"的结果。根据本款规定,对造成上述危害后果的,处十年以上有期徒刑、无期徒刑或者死刑。

第二款是对过失犯前款罪的处罚规定。其中,"过失犯前款罪的",是指由于行为人主观上的过失而引起的火灾、决水、爆炸以及投放毒害性、放射性、传染病病原体等物质,造成致人重伤、死亡或者使公私财产遭受重大损失的严重后果,危害公共安全的行为。根据本款规定,上述过失行为必须是造成了严重后果,才构成犯罪。根据相关司法解释的规定,过失引起火灾,涉嫌下列情形的,可以按照失火罪立案追诉:(1)导致死亡一人以上,或者重伤三人以上的;(2)造成公共财产或者他人财产直接经济损失五十万元以上的;(3)造成十户以上家庭的房屋以及其他基本生活资料烧毁的;(4)造成森林火灾,过火有林地面积二公顷以上,或者过火疏林地、灌木林地、未成林地、苗圃地面积四公顷以上的;(5)其他造成严重后果的情形。

根据本款的规定,由于过失行为构成本款所规定的犯罪的,处三年以上七年以下有期徒刑;情节较轻的,处三年以下有期徒刑或者拘役。

第一百一十六条　破坏火车、汽车、电车、船只、航空器,足以使火车、汽车、电车、船只、航空器发生倾覆、毁坏危险,尚未造成严重后果的,处三年以上十年以下有期徒刑。

【释义】　本条是关于破坏交通工具罪及其处罚的规定。

根据本条规定,构成本罪必须符合以下条件:

1. 行为人主观上必须是具有破坏的故意。

2. 必须是破坏火车、汽车、电车、船只、航空器这五种特定的交通工具。因为,这些交通工具不仅是要耗费大量的资金生产或购置,更重要的是这几种交通工具承担着大量的客运、货运任务，对它们进行破坏会造成旅客的重大伤亡和财产的重大损失，对社会公共安全具有极大的危险性和危害性。这里所规定的“航空器”，包括飞机和除飞机以外的其他飞行工具。这里所说的“破坏”，是指以各种手段和方法破坏交通工具，危害公共安全的行为。

3. 破坏行为必须是足以使这几种交通工具发生倾覆、毁坏的危险。这里所说的“倾覆”，是指火车出轨、颠覆，汽车、电车翻车，船只翻沉，航空器坠毁等情况；“毁坏”，是指上述交通工具由于遭到人为破坏而不能正常行驶，危及运载的人、物品及交通工具自身的安全。“足以使火车、汽车、电车、船只、航空器发生倾覆、毁坏危险”，是指该种破坏行为有造成火车、汽车、电车、船只、航空器的倾覆、毁坏的现实可能性和威胁。应当注意的是，在实践中如何判断某种破坏行为是否已达到“现实可能性和威胁”的程度，主要应从以下几个方面来判定：(1)交通工具是否在使用过程中的待用期间。这不仅包括正在行驶和飞行期间，也包括使用过程中的待用期间。如果破坏的是尚未交付使用或者正在修理的交通工具，一般不会危及公共安全，故不构成本罪。(2)破坏的是不是交通工具的关键部位。如果行为人破坏的是交通工具的次要部位，如破坏的是交通工具的座椅、卫生设备或者其他不影响安全行驶的辅助设备等，则不足以使火车、汽车、电车、船只、航空器发生倾覆、毁坏危险，故同样不能构成本罪。

4. 必须是尚未造成严重后果的。“尚未造成严重后果的”，是指该种破坏交通工具的行为，没有造成任何危害后果或者只造成了轻微的危害后果。根据本条规定，对这种没有造成严重后果的破坏交通工具的行为，处三年以上十年以下有期徒刑。

第一百一十七条　破坏轨道、桥梁、隧道、公路、机场、航道、灯塔、标志或者进行其他破坏活动，足以使火车、汽车、电车、船只、航空器发生倾覆、毁坏危险，尚未造成严重后果的，处三年以上十年以下有期徒刑。

【释义】　本条是关于破坏交通设施罪及其处罚的规定。

根据本条规定，破坏交通设施罪，是指故意破坏轨道、桥梁、隧道、公路、机场、航道、灯塔、标志或者进行其他破坏活动，足以使火车、汽车、电车、船只、航空器发生倾覆、毁坏危险的行为。构成本罪必须同时符合以下条件：1. 行为人主观上必须具有破坏的故意。2. 破坏行为必须是针对涉及交通安全的设施的。如果破坏的是与交通安全无关的设施，不影响车辆行驶、船只航行、航空器飞行安全，则不构成本罪。这里所说的“其他破坏活动”，是指破坏上述列举以外的其他交通设施和虽然没有直接破坏上述交通设施，但却足以使火车、汽车、电车、船只、航空器发生倾覆、毁坏危险的行为，如乱发指示信号、干扰无线电通信、导航,在铁轨上放置障碍物等。应当强调的是,这里所说的"破坏",不仅包括使交通设施遭受有形的损坏,也包括对交通设施正常功能的损害,如发出无线电干扰信号,使正常行驶中的交通工具与指挥、导航系统不能联系,致使该交通工具处于极大风险之中的行为等。3. 破坏行为必须是足以使火车、汽车、电车、船只、航空器发生倾覆、毁坏危险的。这里所说的"足以",是指行为人对交通设施的破坏程度,已达到可以使交通工具发生倾覆或者毁坏的现实可能性和威胁。如果其破坏交通设施的程度不会造成这种现实危险的,则不构成本罪。根据本条规定,本条处罚的是"尚未造成严重后果"的破坏交通设施的犯罪,规定处三年以上十年以下有期徒刑。对于已造成严重后果的破坏交通设施的犯罪,适用其他有关条文规定处罚。

第一百一十八条　破坏电力、燃气或者其他易燃易爆设备,危害公共安全,尚未造成严重后果的,处三年以上十年以下有期徒刑。

【释义】　本条是关于破坏电力设备罪、破坏易燃易爆设备罪及其处罚的规定。

根据本条规定,破坏电力设备罪和破坏易燃易爆设备罪,是指破坏电力、燃气或者其他易燃易爆等设备,危害公共安全的行为。构成本罪必须同时具备以下几个条件:1. 行为人主观上必须具有破坏的故意。2. 必须实施了破坏电力、燃气或者其他易燃易爆设备的行为。其中,"电力"设备,是指用来发电和供电的公用设备,如发电厂、供电站、高压输电线路等。需要注意的是,这里的电力设备,是处于运行、应急等使用中的电力设备;已经通电使用,只是由于枯水季节或电力不足等原因暂停使用的电力设备;已经交付使用但尚未通电的电力设备。不包括尚未安装完毕,或者已经安装完毕但尚未交付使用的电力设备。"燃气"设备,是指生产、贮存、输送各种燃气的设备,如煤气管道、煤气罐、天然气管道等;"其他易燃易爆设备",是指除燃气设备以外的生产、贮存和输送易燃易爆物品的设备,如石油管道、汽车加油站、火药及易燃易爆的化学物品的生产、贮存、运输设备等。3. 破坏易燃易爆设备的行为,必须是危害了公共安全,如果上述破坏行为仅局限在一些特定的范围,没有危及公共安全,则不应按本罪处罚。

根据本条的规定,本条处罚的是"尚未造成严重后果的"破坏电力、燃气或者其他易燃易爆设备,危害公共安全的行为,规定处三年以上十年以下有期徒刑。对于造成严重后果的破坏电力设备、易燃易爆设备的犯罪,则应依照其他有关条款的规定处罚。

第一百一十九条 破坏交通工具、交通设施、电力设备、燃气设备、易燃易爆设备，造成严重后果的，处十年以上有期徒刑、无期徒刑或者死刑。

过失犯前款罪的，处三年以上七年以下有期徒刑；情节较轻的，处三年以下有期徒刑或者拘役。

【释义】 本条是关于犯破坏交通工具罪、破坏交通设施罪、破坏电力设备罪、破坏易燃易爆设备罪，造成严重后果的处罚规定。

第一款是对破坏交通工具、交通设施、电力、燃气或者其他易燃易爆设备造成严重后果的处罚规定。刑法第一百一十六条规定的破坏交通工具罪、第一百一十七条规定的破坏交通设施罪、第一百一十八条规定的破坏电力设备罪和破坏易燃易爆设备罪规定的处罚，都是对上述破坏行为尚未造成严重后果的规定的刑罚。而本款则是综合了这几条规定的犯罪行为，对这几条规定的犯罪行为造成严重后果的，规定了更为严厉的处罚。这里所说的“造成严重后果的”，主要是指犯罪分子实施上述几种犯罪行为，导致了火车、汽车、电车、船只、航空器倾覆、毁坏的结果发生或者电厂、供电设备失火、天然气管道爆炸，发生重大火灾等，造成了人员的死亡或者造成公私财产的重大毁损，从而危害公共安全。根据本款的规定，对实施第一百一十六条规定的破坏交通工具罪、第一百一十七条规定的破坏交通设施罪、第一百一十八条规定的破坏电力设备罪和破坏易燃易爆设备罪，造成严重后果的，处十年以上有期徒刑、无期徒刑或者死刑。本款所规定的“交通工具”，是指第一百一十六条所规定的火车、汽车、电车、船只、航空器；“交通设施”，是指第一百一十七条规定的轨道、桥梁、隧道、公路、机场、航道、灯塔、标志等；“电力设备”、“燃气设备”和“易燃易爆设备”，与本法第一百一十八条规定的范围是一致的，因在前面已有解释，这里不再赘述。

第二款是对过失损坏交通工具、交通设施、电力设备和易燃易爆设备犯罪的处罚规定。这里所说的“过失犯前款罪”，是指由于行为人主观上疏忽大意或者轻信能够避免的过失而损坏交通工具、交通设施、电力、燃气设备、易燃易爆设备造成严重后果、危害公共安全的行为。根据本款规定，构成过失损坏交通工具罪、过失损坏交通设施罪、过失损坏电力罪、过失损坏易燃易爆设备罪必须同时具备以下条件：1. 行为人在主观上是过失，而不是故意。如果行为人故意实施破坏行为，则应按第一款的规定处罚，不能适用本款。2. 行为人的过失行为必须实际造成了严重后果的，才能构成犯罪，才能适用本款规定。根据本款规定，过失损坏交通工具、损坏交通设施、损坏电力、燃气设备或者其他易燃易爆设备，造成严重后果的，处三年以上七年以下有期徒刑；情节较轻的，处三年以下有期徒刑或者拘役。对于何为“造成严重后果”，可以根据各种因素综合认定。例如，有盗窃油气、破坏油气设备的行为，造成人员死亡或者多人重伤、轻伤的，造成井喷或者重大环境污染事故的，造成直接经济损失数额巨大，或者造成其他严重后果的。再如，破坏电力设备造成人员死亡或者多人重伤、轻伤的，造成长时间断电致使生产、生活受到严重影响的，造成直接经济损失数额巨大的，以及造成其他危害公共安全严重后果的。如果这些犯罪行为同时构成其他犯罪的，属于刑法中的竞合情形，应当按照从重原则处罚。例如，盗窃油气等同时构成盗窃罪和破坏易燃易爆设备罪的，依照刑法处罚较重的规定定罪处罚；同时构成盗窃罪和破坏电力设备罪的，依照刑法处罚较重的规定定罪处罚。

第一百二十条*　组织、领导恐怖活动组织的，处十年以上有期徒刑或者无期徒刑，并处没收财产；积极参加的，处三年以上十年以下有期徒刑，并处罚金；其他参加的，处三年以下有期徒刑、拘役、管制或者剥夺政治权利，可以并处罚金。

犯前款罪并实施杀人、爆炸、绑架等犯罪的，依照数罪并罚的规定处罚。

【释义】　本条是关于组织、领导、参加恐怖活动组织罪及其处罚的规定。

组织、领导恐怖活动组织进行恐怖活动的犯罪具有极大的社会危害性，对于社会稳定、公民人身财产的安全都有极大的破坏力，为此，1997 年刑法规定了组织、领导、参加恐怖组织罪，并规定了相应的刑罚。

2001 年，美国“9·11”事件爆发后，世界各国更加认识到恐怖主义犯罪的反人类性质和极端危害，并将其视为国际社会的共同敌人。同时就世界各国的情况来看，随着社会经济的发展和现代科学技术的广泛运用，在当前的国际形势下，恐怖犯罪活动无论在发案数量和规模上，还是在破坏程度和影响范围上，都有愈演愈烈之势，恐怖犯罪活动已经成为危害全人类的严重犯罪。在这种情况下，要求刑法适应形势需要，提高对上述犯罪的法定刑的呼声逐渐高涨，希望通过加大惩罚力度，增强对这类犯罪的惩治和威慑作用。因此，2001 年 12 月 29 日全国人民代表大会常务委员会通过的《刑法修正案（三）》对本条作了修

---

* 本条经过两次修改。

根据 2001 年 12 月 29 日第九届全国人民代表大会常务委员会第二十五次会议通过的《中华人民共和国刑法修正案（三）》第一次修改。原条文是：“组织、领导和积极参加恐怖活动组织的，处三年以上十年以下有期徒刑；其他参加的，处三年以下有期徒刑、拘役或者管制。

“犯前款罪并实施杀人、爆炸、绑架等犯罪的，依照数罪并罚的规定处罚。”

根据 2015 年 8 月 29 日第十二届全国人民代表大会常务委员会第十六次会议通过的《中华人民共和国刑法修正案（九）》第二次修改。第一次修改后的条文是：“组织、领导恐怖活动组织的，处十年以上有期徒刑或者无期徒刑；积极参加的，处三年以上十年以下有期徒刑；其他参加的，处三年以下有期徒刑、拘役、管制或者剥夺政治权利。”

“犯前款罪并实施杀人、爆炸、绑架等犯罪的，依照数罪并罚的规定处罚。”

改,将"组织"、"领导"恐怖活动组织犯罪的法定刑由"三年以上十年以下有期徒刑"提高为"十年以上有期徒刑或者无期徒刑"。

近年来,受国外恐怖主义的不断渗透和我国"三股势力"活动日益猖獗的影响,我国恐怖主义犯罪多发频发,破坏程度和影响范围空前扩大,已经成为严重危害我国经济社会稳定和人民群众生命财产安全的最严重犯罪。基于这种严峻形势,有关部门、地方、专家学者和社会公众希望进一步完善恐怖主义犯罪的规定,在已提高刑法规定的法定刑的基础上,再增加财产刑的规定,以剥夺这类犯罪分子可用于再犯罪的经济能力,加强对这类犯罪的惩治和预防。为此,2015年8月29日第十二届全国人民代表大会常务委员会第十六次会议通过的《刑法修正案(九)》再次对本条作出修改,对组织、领导恐怖活动组织的,增加规定"并处没收财产";对积极参加的,增加规定"并处罚金";对其他参加的,增加规定"可以并处罚金"。

第一款是关于组织、领导和参加恐怖活动组织罪及其处罚的规定。这里所说的"组织",是指鼓动、召集若干人建立或者组织为从事某一特定活动的比较稳定的组织或者集团的人。"领导",是指在某一组织或者集团中起指挥、决定作用的人员。"积极参加的",是指对参与恐怖活动态度积极,并起主要作用的成员。"其他参加的",主要是指恐怖组织中的一般成员。根据2011年10月29日第十一届全国人民代表大会常务委员会第二十三次会议通过的关于加强反恐怖工作有关问题的决定的规定,恐怖活动是指以制造社会恐慌、危害公共安全或者胁迫国家机关、国际组织为目的,采取暴力、破坏、恐吓等手段,造成或者意图造成人员伤亡、重大财产损失、公共设施损坏、社会秩序混乱等严重社会危害的行为,以及煽动、资助或者以其他方式协助实施上述活动的行为。恐怖活动组织是指为实施恐怖活动而组成的犯罪集团。需要注意的是,全国人大常委会正在审议《中华人民共和国反恐怖主义法》(草案),其中拟对恐怖活动和恐怖活动组织的定义作出修改。在反恐怖主义法通过后,应当适用反恐怖主义法的规定认定恐怖活动和恐怖活动组织。恐怖活动组织一般具备以下特征:一是成员必须是三人以上,这是恐怖活动组织在人数上的最低限制。实践中,恐怖活动组织的规模大小不一,有的几人,有的几十人,有的甚至成百上千人,在具体把握上,对于其中成员数量达到三人以上的,即可认定为恐怖活动组织。二是恐怖活动组织必须具有特定的目的,一般带有政治、意识形态等性质,不具有这方面的目的,仅是为实施普通犯罪而结合起来的犯罪集团,与恐怖活动组织是有明显区别的。三是恐怖活动组织具有较严密的组织性。其成员相对固定且内部存在领导与被领导的关系,有组织、领导者,有骨干分子,也有一般成员,纪律性和组织性较强。四是恐怖活动组织有一定的稳定性。即恐怖活动组织建立以后,在较长时间内存在和维系,并随时准备实施暴力恐怖犯罪,而不是实施完一次恐怖活动后就解散。

根据本款规定,对组织、领导、积极参加和参加恐怖活动组织的,除判处主刑外,还要区别情形判处财产刑。具体而言:对组织、领导恐怖活动组织的,处十年以上有期徒刑或者无期徒刑,并处没收财产;对积极参加的,处三年以上十年以下有期徒刑,并处罚金;对其他参加的,处三年以下有期徒刑、拘役、管制或者剥夺政治权利,可以并处罚金。

第二款是关于参加恐怖活动组织又实施恐怖活动的处罚规定。恐怖主义犯罪是极其严重的犯罪,因此,刑法将有组织、领导、积极参加或者参加恐怖活动组织行为之一的,即规定为犯罪,将刑法的防线提前,不等到有其他更严重危害行为时才作犯罪处理。但对犯罪分子而言,组织、领导、参加恐怖活动组织只是手段不是目的。他们的目的是要借助其组织实施暴力恐怖行为,因而往往同时又实施了具体的恐怖活动。对于在组织、领导或者参加恐怖活动组织后又借助其组织实施其他犯罪行为的情况如何处理,本款作了明确规定。根据本款规定,犯组织、领导、参加恐怖活动组织罪同时又实施了杀人、爆炸、绑架等犯罪的,依照数罪并罚的规定处罚。本款列举的"杀人、爆炸、绑架"三种犯罪,是根据实际情况和国际反恐怖主义工作的经验看,恐怖活动组织经常实施的几种犯罪活动,这些犯罪活动都是严重危害人身安全、公共安全的严重刑事犯罪,必须予以严惩。对于恐怖活动组织实施的这三种犯罪以外的其他犯罪,如劫持航空器、以危险方法危害公共安全等其他犯罪的,根据本款规定,也要依照数罪并罚的规定处罚。即以本罪与所犯其他暴力性犯罪,分别定罪量刑,然后依照本法第六十九条的规定,决定应执行的刑罚。

需要注意的是:1. 本罪是选择性罪名,行为人只要实施了组织、领导、积极参加或者参加恐怖组织行为之一的,便构成本罪。行为人实施本条第一款规定的两个或者两个以上的行为,如既组织又领导恐怖组织的,也只成立一罪,不实行数罪并罚。2. 关于本罪的财产刑的适用问题。对犯本罪的,处判处主刑外,还要区别情形判处不同财产刑。对其中组织、领导恐怖活动组织的,并处没收财产;对积极参加的,并处罚金;对参加的,可以并处罚金。

实践中,根据本条规定认定犯罪时,还应当注意以下两点:

1. 掌握好罪与非罪的界限。本罪的主观方面是故意,一般具有借助恐怖活动组织实施恐怖活动的目的。实践中,对于参加恐怖活动组织而言,行为人必须明知是恐怖活动组织而自愿参加的,才能构成本罪。对于那些因不明真相,因受蒙蔽、欺骗而参加恐怖活动组织,一经发现即脱离关系,实际上也没有参与实施恐怖活动的,不能认定为犯罪。

2. 掌握好本罪与组织、领导、参加黑社会性质组织罪的界限。本法第二百九十四条规定了组织、领导、参加黑社会组织罪，并明确了黑社会性质的组织应当同时具备的特征。这两种犯罪在客观方面的行为方式上非常相近，在人员构成、犯罪方式、活动形式等方面也很相似。但两者的区别也是明显的：一是类罪名不同。组织、领导、参加恐怖活动组织罪是危害公共安全的犯罪，而组织、领导、参加黑社会性质组织罪是破坏社会管理秩序的犯罪。二是犯罪组织的性质不同。恐怖组织具有较浓的政治色彩，而黑社会性质组织更多的是为了追求非法经济利益，主要构成对经济、社会生活秩序的严重破坏。

第一百二十条之一*　资助恐怖活动组织、实施恐怖活动的个人的，或者资助恐怖活动培训的，处五年以下有期徒刑、拘役、管制或者剥夺政治权利，并处罚金；情节严重的，处五年以上有期徒刑，并处罚金或者没收财产。

为恐怖活动组织、实施恐怖活动或者恐怖活动培训招募、运送人员的，依照前款的规定处罚。

单位犯前两款罪的，对单位判处罚金，并对其直接负责的主管人员和其他直接责任人员，依照第一款的规定处罚。

【释义】　本条是关于资助恐怖活动、资助恐怖活动培训以及为恐怖活动招募、运送人员的犯罪及其处罚的规定。

本条是2001年12月29日全国人民代表大会常务委员会通过的《刑法修正案(三)》新增加的规定。为了打击恐怖犯罪活动，切断恐怖活动组织生存的经济来源，将资助恐怖活动组织或者实施恐怖活动的个人的行为规定为犯罪，予以惩处，已成为同恐怖犯罪活动作斗争的一个重要环节。为此，联合国安理会于2001年9月29日通过了第1373号决议，要求各国将为恐怖活动提供或者筹集资金的行为规定为犯罪。我国立法机关及时通过《刑法修正案(三)》，在刑法中增加了对资助恐怖活动组织或者实施恐怖活动的个人的犯罪及其处罚

---

* 本条经全国人民代表大会常务委员会增加，并修改一次。

根据2001年12月29日第九届全国人民代表大会常务委员会第二十五次会议通过的《中华人民共和国刑法修正案(三)》增加，自2001年12月29日起施行。

根据2015年8月29日第十二届全国人民代表大会常务委员会第十六次会议通过的《中华人民共和国刑法修正案(九)》修改。原新增条文是："资助恐怖活动组织或者实施恐怖活动的个人的，处五年以下有期徒刑、拘役、管制或者剥夺政治权利，并处罚金；情节严重的，处五年以上有期徒刑，并处罚金或者没收财产。

"单位犯前款罪的，对单位判处罚金，并对其直接负责的主管人员和其他直接责任人员，依照前款的规定处罚。"

的规定。

2015年8月29日,第十二届全国人民代表大会常务委员会第十六次会议通过的《刑法修正案(九)》又对本条作了三处修改:一是在第一款的罪状中增加“资助恐怖活动培训的”的表述,将资助恐怖活动培训的行为明确纳入本罪。二是增加了一款,作为第二款,规定“为恐怖活动组织、实施恐怖活动或者恐怖活动培训招募、运送人员的,依照前款的规定处罚”。三是将原第二款改为第三款,并对其作了相应的文字修改。

《刑法修正案(九)》的修改,是适应当前恐怖活动犯罪出现的新情况作出的有针对性的规定。资助恐怖活动培训与资助恐怖活动组织、实施恐怖活动的个人都属于恐怖主义行为,具有同等程度的危害。从反恐怖主义斗争的形势看,恐怖活动培训及对其资助的行为越来越猖獗,需要予以严厉惩处。为此,《刑法修正案(九)》对第一款作了修改,将资助恐怖活动培训的行为明确纳入犯罪。同时,在司法实践中,资助恐怖活动组织、实施恐怖活动或者恐怖活动培训的形式很多,除了在资金、物质上提供支持外,还有一些人虽然没有出钱出物,但提供了招募、运送人员等服务。这种情况,实质上也属于“资助”行为。针对这种形势,根据有关方面的意见,立法机关经反复研究后,增加了第二款的规定,对这类行为如何处罚予以明确。

第一款是关于资助恐怖活动组织、实施恐怖活动的个人以及资助恐怖活动培训的犯罪及其处罚的规定。构成本条规定的犯罪应当符合以下条件:1. 主观上必须是故意,即犯罪分子明知对方是恐怖活动组织、是实施恐怖活动的个人或者从事、参加恐怖活动培训而予以资助。不知道对方是恐怖活动组织、实施恐怖活动的个人、恐怖活动培训,而是由于受欺骗而为其提供资助的,不构成本罪。这是区分罪与非罪的重要界限。2. 必须是实施了相应的资助行为,即实施了为恐怖活动组织、实施恐怖活动的个人或者为恐怖活动培训筹集、提供经费、物资或者提供场所以及其他物质便利的行为。提供资助的犯罪动机是多种多样的,但不同动机不影响本罪的构成。3. 资助的对象必须是恐怖活动组织、实施恐怖活动的个人或者恐怖活动培训。其中的“恐怖活动组织”,是指本法第一百二十条规定的恐怖活动组织,既包括在我国境内的恐怖活动组织,也包括在境外其他国家或者地区的恐怖活动组织,既包括由官方名单确认的恐怖活动组织,也包括未经官方名单确认,但符合其实质特征的恐怖活动组织;“实施恐怖活动的个人”,包括预谋实施、准备实施和实际实施恐怖活动的个人,既包括在我国境内实施恐怖活动,也包括在其他国家和地区实施恐怖活动,实施恐怖活动的个人包括我国公民、外国人和无国籍人;“恐怖活动培训”,既包括为实施恐怖活动而进行的培训活动,也包括去参加或者接受恐怖活动培训的行为,既包括在我国境内开展的恐怖活动培训,也包括在我国境外开展的恐怖活动培训。在实践中,应当注意以下两点:第一,要注意本罪与参加恐怖活动组织、实施恐怖活动犯罪的区别。构成本罪的主观故意只是资助恐怖活动组织、实施恐怖活动的个人和恐怖活动培训,而不是作为恐怖活动组织的成员负责有关筹集资金、物资的活动,也不是直接资助恐怖活动组织或者个人所实施的恐怖犯罪活动,其主观故意与被资助对象的犯罪故意是不一致的。如果行为人与恐怖活动组织或者实施恐怖活动的个人通谋,为其提供物资、资金、账号、证明,或者为其提供运输、保管或者其他方便的,属于共同犯罪,根据刑法总则关于共同犯罪的有关规定进行惩处。第二,资助只能是以有形的物质性利益进行帮助,即只能是提供经费、活动场所、训练基地、各种宣传通讯设备、设施等,如果行为人不是提供物质上的帮助,仅是在精神上、舆论宣传等方面给予支持帮助,不能认定为本款规定的资助行为。根据本款的规定,只要实施了资助恐怖活动组织、实施恐怖活动的个人,或者资助恐怖活动培训的,就构成犯罪,处五年以下有期徒刑、拘役、管制或者剥夺政治权利,并处罚金;情节严重的,处五年以上有期徒刑,并处罚金或者没收财产。实践中,对于有多次资助、持续资助、提供大量资金资助等情形的,可以认定为本款规定的"情节严重"。

第二款是关于为恐怖活动组织、实施恐怖活动或者恐怖活动培训招募、运送人员的犯罪及其处罚的规定。这里所规定的"招募",是指通过所谓"合法"或者非法途径,面向特定或者不特定的群体的募集人员的行为。"运送",是指用各种交通工具运输人员。这些行为,在本质上也属于资助行为。根据本款规定,只要为恐怖活动组织、实施恐怖活动或者恐怖活动培训招募、运送人员的,就构成犯罪,依照本条第一款的规定处罚,即处以五年以下有期徒刑、拘役、管制或者剥夺政治权利,并处罚金;情节严重的,处五年以上有期徒刑,并处罚金或者没收财产。实践中,对于有多次招募、运送人员,招募、运送人员众多等情形的,可以认定为本款规定的"情节严重"。

实践中需要注意的是,本罪在主观上必须是故意,即犯罪分子知道或者应当知道对方是恐怖活动组织、实施恐怖活动或者恐怖活动培训而为其招募、运送人员。对于不明真相,或者因上当受骗而为其提供提供招募、运送服务的,不构成本条规定的犯罪。这是区分罪与非罪的重要界限。

第三款是关于单位犯资助恐怖活动组织、实施恐怖活动的个人或者恐怖活动培训,以及为恐怖活动组织、实施恐怖活动或者恐怖活动培训招募、运送人员的犯罪及其处罚的规定。根据本款规定,单位犯本条规定之罪的,对单位判处罚金,并对其直接负责的主管人员和其他直接责任人员,处五年以下有期徒刑、拘役、管制或者剥夺政治权利,并处罚金;情节严重的,处五年以上有期徒刑,并处罚金或者没收财产。

第一百二十条之二*　有下列情形之一的，处五年以下有期徒刑、拘役、管制或者剥夺政治权利，并处罚金；情节严重的，处五年以上有期徒刑，并处罚金或者没收财产：

（一）为实施恐怖活动准备凶器、危险物品或者其他工具的；

（二）组织恐怖活动培训或者积极参加恐怖活动培训的；

（三）为实施恐怖活动与境外恐怖活动组织或者人员联络的；

（四）为实施恐怖活动进行策划或者其他准备的。

有前款行为，同时构成其他犯罪的，依照处罚较重的规定定罪处罚。

【释义】　本条是关于准备实施恐怖活动的犯罪及其处罚的规定。

本条是2015年8月29日第十二届全国人民代表大会常务委员会第十六次会议通过的《刑法修正案（九）》新增加的规定。

恐怖主义是人类的共同敌人，是全世界面临的共同危险。恐怖事件一旦发生，往往会给国家和公共安全、社会稳定、公民人身财产安全造成极大的破坏，引起严重的社会恐慌甚至社会秩序混乱。近些年来，暴力恐怖犯罪出现了一些新情况、新特点，例如，实践中出现的“独狼式”恐怖活动人员，或者临时结伙准备实施恐怖活动的团伙，由于没有明确的组织形式，很难按照组织、领导、参加恐怖活动组织犯罪进行处理。同时，由于他们还没有实施具体的恐怖活动，也很难按照某个具体犯罪的预备行为予以处罚，即使已经准备实施具体的恐怖活动了，按照预备犯的规定予以处罚，处罚力度也偏轻。从有利于有效惩罚、威慑和预防，保护社会不受犯罪侵害这一刑事政策出发，贯彻打小打早的原则，有必要适当调整刑法有关犯罪的规定，将恐怖活动人员在实施具体的暴力恐怖袭击之前所进行的与实施恐怖活动有密切关联的准备、培训、勾连、策划等行为直接入罪，予以严厉的刑事处罚，而不是等到恐怖活动分子在实施暴力恐怖活动，造成特别严重的社会危害之后才予以严惩。据此，《刑法修正案（九）》总结同恐怖主义作斗争的经验，并借鉴国际公约和外国的一些规定，将为实施恐怖主义所进行的预备、联络、培训、策划等准备行为单独规定为犯罪。

第一款是关于准备实施恐怖活动的犯罪及其处罚的规定。本款规定了以下几种准备实施恐怖活动的犯罪行为：

1. 为实施恐怖活动准备凶器、危险物品或者其他工具的。这一行为的前提

---

* 根据2015年8月29日第十二届全国人民代表大会常务委员会第十六次会议通过的《中华人民共和国刑法修正案（九）》增加。

是“为实施恐怖活动”。2011年10月29日第十一届全国人民代表大会常务委员会第二十三次会议通过的关于加强反恐怖工作有关问题的决定，对恐怖活动的概念作了界定。需要注意的是，全国人大常委会正在审议《中华人民共和国反恐怖主义法》（草案），其中拟对恐怖活动的定义作出修改。在反恐怖主义法通过后，应当适用反恐怖主义法的规定认定恐怖活动。这里规定的“凶器”，是指用来实施犯罪行为，能够对人身健康、生命等造成危险的枪支等武器、刀具、棍棒、爆炸物等物品。这里所说的“危险物品”，是指具有燃烧性、爆炸性、腐蚀性、毒害性、放射性等特性，能够引起人身伤亡，或者造成公共利益和人民群众重大财产损害的物品，如剧毒物品、放射性物品和其他易燃易爆物品等。“其他工具”是指能够为恐怖活动犯罪提供便利，或者有利于提高实施暴力恐怖活动能力的物品，如汽车等交通工具、手机等通讯工具、地图、指南针等。

2. 组织恐怖活动培训或者积极参加恐怖活动培训的。恐怖活动培训可以使恐怖活动人员形成更顽固的恐怖主义思想，熟练掌握残忍的恐怖活动技能，并在培训过程中加强恐怖活动人员之间的联系而促使他们协同配合进行恐怖活动，具有极大的社会危害性。为此，《上海合作组织反恐怖主义公约》等相关国际公约明确要求将组织恐怖活动培训或者积极参加恐怖活动培训的行为规定为犯罪。这里所说的“恐怖活动培训”，在内容上，既可以是传授、灌输恐怖主义思想、主张，使恐怖活动人员形成更顽固的思想，也可以是进行心理、体能训练或者传授、训练制造工具、武器、炸弹等方面的犯罪技能和方法，还可以是进行恐怖活动的实战训练等。在具体的组织方式上，包括当面讲授、开办培训班、组建训练营、开办论坛、组织收听观看含有恐怖主义内容的音视频材料、在网上注册成员建立共同的交流指导平台等。

3. 为实施恐怖活动与境外恐怖活动组织或者人员联络的。近些年，国际恐怖主义日益猖獗，境内恐怖活动组织、人员与境外恐怖活动组织、人员之间相互勾连的情形日益严重。联络的目的，有的是为了参加境外的恐怖活动组织，有的是为了出境参加“圣战”、接受培训，有的是为了寻求支持、支援或者帮助，有的是要求对方提供情报信息，有的是为了协同发动恐怖袭击以制造更大的恐慌和影响等。进行联络的方式也多种多样，包括直接见面、写信、打电话、发电子邮件等。只要是为实施恐怖活动而与境外恐怖活动或者人员联络的，都要依照本款规定追究刑事责任。

4. 为实施恐怖活动进行策划或者其他准备的。这里的“策划”，是指制定恐怖活动计划，选择实施恐怖活动的目标、地点、时间，分配恐怖活动任务等行为。“其他准备”是关于准备实施恐怖活动犯罪的兜底性规定，指上述规定的四种准备行为之外的其他为实施恐怖活动而进行的准备活动。

根据本款的规定，对于有上述情形之一的，处五年以下有期徒刑、拘役、管制或者剥夺政治权利，并处罚金；情节严重的，处五年以上有期徒刑，并处罚金或者没收财产。这里所说的"情节严重"，是指准备凶器、危险品数量巨大，培训人员数量众多，与境外恐怖活动组织频繁联络，策划袭击可能造成重大人员伤亡以及重大目标破坏等情形。在司法实践中，可由司法机关根据案件的具体情节予以认定，必要的时候也可以通过制定相关的司法解释作出具体的规定。

本条第二款是关于实施本条规定的犯罪同时构成其他犯罪如何处理的规定。犯罪分子实施本条第一款规定的犯罪行为，也可能同时触犯刑法的其他规定，构成刑法规定的其他犯罪。例如，行为人为了准备实施恐怖活动犯罪而制造、买卖、运输、储存枪支、弹药、爆炸物或者危险物质；在培训过程中煽动被培训对象实施分裂国家、颠覆国家政权的犯罪，传授制枪制爆技术或者传授其他犯罪方法；在进行策划以及其他准备过程中以窃取、刺探、收买等方式非法获取国家秘密、情报等。对于这些犯罪行为，如果与本款规定的犯罪行为出现了竞合的情形，应当依照处罚较重的规定定罪处罚。

第一百二十条之三*　以制作、散发宣扬恐怖主义、极端主义的图书、音频视频资料或者其他物品，或者通过讲授、发布信息等方式宣扬恐怖主义、极端主义的，或者煽动实施恐怖活动的，处五年以下有期徒刑、拘役、管制或者剥夺政治权利，并处罚金；情节严重的，处五年以上有期徒刑，并处罚金或者没收财产。

【释义】　本条是关于宣扬恐怖主义、极端主义，煽动实施恐怖活动的犯罪及其处罚的规定。

本条是2015年8月29日第十二届全国人民代表大会常务委员会第十六次会议通过的《刑法修正案（九）》新增加的规定。

恐怖主义、极端主义的观念、主张和意识形态，是恐怖活动、极端主义行为的思想基础，也是其滋生的土壤和得以蔓延的催化剂。恐怖活动组织和恐怖活动人员除了直接通过暴力恐怖事件制造社会恐慌，对国家、社会施加压力外，还通过各种方式大肆宣扬恐怖主义、极端主义，煽动实施恐怖活动，实现其对他人思想的影响、异化和控制，从而培植恐怖主义、极端主义的新生力量，扩大恐怖主义、极端主义的影响，并极力蛊惑社会公众，争取得到支持和同情，具有十分严重的社会危害。目前，在国际范围内已经形成共识，即不仅暴力恐怖活动是严重的犯罪行为，宣扬恐怖主义、极端主义，煽动实施恐怖活动，为他人实施恐

---

* 根据2015年8月29日第十二届全国人民代表大会常务委员会第十六次会议通过的《中华人民共和国刑法修正案（九）》增加。

怖活动、极端主义行为制造“犯意”的行为,同样也是严重的犯罪行为,也应当受到严厉的惩罚。为此,《上海合作组织反恐怖主义公约》等国际公约明确要求将这些宣扬、煽动行为规定为刑事犯罪。一些国家也对通过非法讲经等活动宣扬、鼓动恐怖主义、极端主义,煽动恐怖主义的行为规定了刑事责任,以阻止恐怖主义、极端主义思想的传播。在我国境内,恐怖主义、分裂主义和极端主义“三股势力”以各种方式散布恐怖主义、极端主义思想,境外恐怖活动组织也不断向我国境内渗透,进行宣传煽动,影响和控制信教群众,扶植境内民族分裂、宗教极端和暴力恐怖活动分子。实践证明,切断恐怖主义、极端主义传播的渠道,防止个人接触到恐怖主义、极端主义思想,从根源上防范恐怖主义、极端主义活动的发生,在反恐怖主义工作中居于十分重要的地位。近几年来,对于这类行为,有些是根据其宣扬、煽动的具体内容,构成煽动分裂国家罪,煽动民族仇恨、民族歧视罪的,依照刑法有关规定予以定罪处罚。但实践中也存在一些问题:第一,这类犯罪行为,通常在宣扬、煽动中夹杂了煽动分裂国家、煽动民族仇恨、民族歧视的内容,但对于仅仅宣扬恐怖主义、极端主义思想的行为,对于其煽动内容在表面上并不针对具体的某个民族的行为,实践中对如何适用法律存在不同认识,在适用法律上出现一些困难。第二,适用煽动分裂国家罪、煽动民族仇恨、民族歧视罪追究刑事责任,没有对其宣扬、煽动恐怖主义、极端主义的行为性质直接作出评价,难以充分发挥刑罚的威慑力和警示作用。考虑到以上情况,为有利于更有针对性和准确地打击宣扬、煽动恐怖主义、极端主义的犯罪行为,《刑法修正案(九)》明确规定了宣扬恐怖主义、极端主义,煽动恐怖活动的犯罪。

本条规定了宣扬恐怖主义、极端主义,煽动实施恐怖活动的犯罪及其处罚。这里所规定的“宣扬”,是指以各种方式散布、传播恐怖主义、极端主义观念、思想和主张的行为。全国人大常委会正在审议《中华人民共和国反恐怖主义法》(草案),其中拟对恐怖主义和极端主义作出定义性规定。在反恐怖主义法通过后,应当适用反恐怖主义法的规定对恐怖主义、极端主义作出认定。这里所规定的“煽动”,是指以各种方式对他人进行要求、鼓动、怂恿,意图使他人产生犯意,去实施所煽动的行为。煽动的具体内容,包括煽动参加恐怖活动组织、煽动实施暴力恐怖活动,也包括煽动资助或者以其他方式帮助暴力恐怖活动。对于煽动类的犯罪来说,只要行为人实施了煽动行为就构成犯罪,被煽动人是否接受煽动而实施恐怖活动犯罪,不影响犯罪的构成。

本条列举了宣扬恐怖主义、极端主义和煽动实施恐怖活动常见的一些形式,主要包括:

1. 制作、散发宣扬恐怖主义、极端主义的图书、音频视频资料或者其他物品。这里所说的“制作”，是指编写、出版、印刷、复制载有恐怖主义、极端主义思想内容的图书、音频视频资料或者其他物品的行为。“散发”，是指通过发行，当面散发，以邮寄、手机短信、电子邮件等方式发送，或者通过网络、微信等即时通讯工具公开发帖、转载，以使他人接触到恐怖主义、极端主义信息的行为。散发的目标可以是明确、具体的，也可以是针对不特定的多数人的。“图书、音频视频资料或者其他物品”，包括图书、报纸、期刊、音像制品、电子出版物，载有恐怖主义、极端主义思想内容的传单、图片、标语等，在手机、移动存储介质、电子阅读器、网络上展示的图片、文稿、音频、视频、音像制品，以及带有恐怖主义、极端主义标记、符号、文字、图像的服饰、纪念品、生活用品等。需要注意的是，制作、散发恐怖主义、极端主义的图书、音频视频资料或者其他物品的行为，是宣扬恐怖主义、极端主义活动的重要环节，因此，即使只实施了制作、寄递、出售等行为，也应当依照本条规定定罪处罚。例如，工厂明知所制作、印刷的是宣扬恐怖主义、极端主义图书、音频视频资料而制作的，寄递企业明知道是宣扬恐怖主义、极端主义图书、音频视频资料而寄递的，书店明知道是宣扬恐怖主义、极端主义图书、音频视频资料而出售的，也属于宣扬恐怖主义、极端主义的行为。

2. 讲授、发布信息等方式。这里所说的“讲授”，是指为宣扬对象讲解、传授恐怖主义、极端主义思想、观念、主张的。讲授的对象，可以是明确的一人或者数人，也可以是一定范围内的不特定的人，例如，在广场上针对围观的人群、对宗教活动场所内的人进行讲解。“发布信息”，则是面向特定个人或者不特定个人，通过手机短信、电子邮件等方式宣扬恐怖主义、极端主义，也可以是在网络平台上发布相关信息，使特定人或者不特定人看到这些信息的行为。

3. 其他方式。本条在列举宣扬、煽动的具体方式中使用了“等方式”的表述。在本条中列举宣扬、煽动的具体方式，主要是为了对司法执法活动提供指导，同时也向社会警示宣扬恐怖主义、极端主义，煽动实施恐怖活动在实践中常见的方式，发挥刑法对社会行为的引导和教育作用。这里所规定的“等方式”，意思是说宣扬恐怖主义、极端主义，煽动实施恐怖活动的方式不限于本条所列举的情形。例如，近些年来，我国部分地区利用地下讲经点宣扬恐怖主义、极端主义，煽动实施恐怖活动的情况比较严重，甚至有相当一部分未成年人进入这些秘密的地下讲经点，接受恐怖主义、极端主义的灌输、洗脑，进而成为恐怖活动组织成员，或者成为“独狼式”的恐怖活动人员。对于这些在私人场合或者秘密场合，在家庭、朋友之间，或者通过投寄信件、利用不开放的网络论坛或者聊天室等进行的宣扬、煽动行为，也属于本条规定的犯罪，应当依法追究其刑事责任。

根据本条规定，宣扬恐怖主义、极端主义，或者煽动实施恐怖活动的，处五年以下有期徒刑、拘役、管制或者剥夺政治权利，并处罚金；情节严重的，处五年以上有期徒刑，并处罚金或者没收财产。在实践中，对于是否属于“情节严重”，可以根据制作、散布的图书、音像制品等物品的数量，讲授、发布信息的次数和数量，宣扬、煽动的内容、场所和对象范围，以及引起恐怖活动发生的现实危险程度等因素综合进行衡量。例如，制作、散发宣扬恐怖主义、极端主义图书、音频视频资料数量特别巨大的，散布范围广大或者造成广泛影响的，接受讲授和信息的人员数量巨大的，在公共场所、人员密集场所公然散布图书、音频视频资料或者讲授、发布信息的，造成他人实施恐怖活动、极端主义行为等，可以认定为情节严重的行为。

在实践中，应当注意以下两个问题：

第一，要注意区分煽动和教唆行为。不指向具体的恐怖活动，而是概括性地煽动实施恐怖活动的，属于本条规定的煽动行为。对于鼓动、要求、怂恿他人参加或者实施特定的恐怖活动的，则应当按照刑法关于教唆的规定定罪处罚。如果既有煽动行为也有教唆行为，两者出现竞合的情形，应当按照处罚较重的规定定罪量刑。

第二，本罪名属于选择性罪名。从司法实践情况看，宣扬恐怖主义、极端主义和煽动实施恐怖活动往往交织在一起。有些犯罪分子在宣扬恐怖主义、极端主义的同时，也会煽动被宣传对象去实施恐怖活动。因此，在适用本条规定时，任何人无论是同时实施了宣扬恐怖主义、极端主义和煽动实施恐怖活动的行为，还是仅仅实施了宣扬恐怖主义、极端主义或者煽动实施恐怖活动行为中的某一种行为，都构成本罪，应当依法追究刑事责任。

第一百二十条之四*　利用极端主义煽动、胁迫群众破坏国家法律确立的婚姻、司法、教育、社会管理等制度实施的，处三年以下有期徒刑、拘役或者管制，并处罚金；情节严重的，处三年以上七年以下有期徒刑，并处罚金；情节特别严重的，处七年以上有期徒刑，并处罚金或者没收财产。

【释义】　本条是关于利用极端主义煽动、胁迫群众破坏国家法律制度实施的犯罪及其刑罚的规定。

极端主义是通过歪曲宗教教义或者其他方法煽动仇恨、煽动歧视、鼓吹暴力，是恐怖主义的思想基础。极端主义的危害是多方面的。很多人受极端主义的蛊惑和驱使，最终变成了恐怖活动分子。还有些人虽然没有从事恐怖活动，

---

* 根据2015年8月29日第十二届全国人民代表大会常务委员会第十六次会议通过的《中华人民共和国刑法修正案（九）》增加。

但也被极端主义利用,实施了其他危害社会的行为。这些行为本身可能不如爆炸、杀人等暴力恐怖活动造成非常严重的死伤、财产损失以及社会治安的恶化,但也会造成不同宗教、民族、群体之间的敌视和对抗,在人们心中引起恐慌甚至恐惧,进而会破坏国家的社会管理秩序,对人们的正常生活甚至国家安全、政权稳定造成很大的危害。很多国家通过立法禁止各种利用极端主义干扰人们正常生活,扰乱社会管理秩序的行为,对这类行为规定了相应的处罚。可以说,禁止利用宗教、民族等极端主义干预国家管理,干涉教育、政治等世俗生活,在世界范围内已经形成重要的趋势,是世界各国与恐怖主义、极端主义斗争的一个重要领域。

以极端主义为思想基础,以分裂主义为目的,以暴力恐怖袭击为表现形式,是我国当前恐怖主义的重要特征。近些年来,除了极端主义引发的恐怖活动外,在我国一些地区也出现了不少利用极端主义干扰他人正常生产、生活,破坏国家对社会的管理,破坏法律制度实施的行为。为了维护国家安全和社会稳定,维护人民群众的正常生产、生活,第十二届全国人民代表大会常务委员会第十六次会议于 2015 年 8 月 29 日通过《刑法修正案(九)》,在刑法中增加一条,将利用极端主义煽动、胁迫群众破坏国家法律确立的婚姻、司法、教育、社会管理等制度实施的行为单独规定为犯罪。

构成本条规定的犯罪,需要符合以下几个方面的条件:

1. 本罪的行为方式,表现为利用极端主义煽动、胁迫群众。只有利用极端主义实施本条规定的煽动、胁迫行为的,才构成本罪。这里所说的“极端主义”,是指通过歪曲宗教教义或者其他方法煽动仇恨、煽动歧视,崇尚暴力的思想和主张,以及以此为思想基础而实施的行为,经常表现为对其他文化、观念、族群等的完全歧视和排斥。在日常生活中,极端主义的具体形态多种多样,有的打着宗教的旗号,歪曲宗教教义,强制他人信仰宗教或者不信仰宗教,歧视信仰其他宗教或者不信仰宗教的人,破坏宪法规定的宗教信仰自由制度的实施。也有的披着民族传统、风俗习惯的外衣,打着“保护民族文化”的招牌,煽动仇恨与其民族、风俗习惯不同的群体,主张民族隔离,煽动抗拒现有法律秩序等。全国人大常委会正在审议《中华人民共和国反恐怖主义法》(草案),其中拟对极端主义作出定义性规定。在反恐怖主义法通过后,应当适用反恐怖主义法的规定对极端主义作出认定。

这里所说的“煽动”,是指利用极端主义,以各种方式对他人进行要求、鼓动、怂恿,意图使他人产生犯意,去实施所煽动的行为。这里所说的“胁迫”,是指通过暴力、威胁或者以给被胁迫人或者其亲属等造成人身、心理、经济等方面的损害为要挟,对他人形成心理强制,迫使其从事胁迫者希望其实施的特定行为。胁迫的方式可以是通过暴力手段,也可以是通过言语威胁或者对被胁迫者的利益进行限制、剥夺等方式。实践中,还出现以关爱朋友、亲情等为借口,或者以孤立、排斥等方法施加压力的情况。

2. 本罪中煽动、胁迫的目的,是破坏国家法律制度的实施。虽然行为人在进行煽动、胁迫时经常打着维护宗教教义或者民族风俗习惯的旗号,但其背后的真实目的是要煽动歧视、煽动仇恨,崇尚、鼓吹、挑动暴力,煽动、胁迫人们对政府管理活动的抵制甚至对抗,蛊惑人们不遵守国家法律确立的婚姻、司法、教育、社会管理等制度,制造国家对社会管理的真空,引起社会秩序的混乱。近些年来,在我国一些地区,出现了各种形式的利用极端主义煽动、胁迫群众破坏国家法律制度实施的情形。例如,煽动、胁迫群众按照宗教仪式举行婚礼或者离婚,不到政府机关进行婚姻登记,对已办理婚姻登记的撕毁结婚证等;煽动、胁迫群众以民族、宗教等名义干扰司法或者阻碍司法工作人员依法执行职务;煽动、胁迫群众出现纠纷不依照法律途径处理,甚至出现命案也通过私下谈判进行私了;煽动、胁迫群众不让孩子到学校读书,不接受义务教育,而是参加读经班,阻挠、破坏国家的教育制度实施;煽动、胁迫群众拒绝使用身份证、户口簿等国家法定证件以及人民币,甚至煽动、胁迫他人损毁身份证、户口簿等国家法定证件以及人民币;煽动、胁迫群众改变信仰;煽动、胁迫群众驱赶其他民族或者有其他信仰的人离开居住地;煽动、胁迫群众违反法律规定,干涉他人日常的生活方式、生产经营和人际交往等。这些行为都属于破坏国家法律制度实施的行为。

3. 本罪的直接危害,是破坏国家法律规定的管理制度,使国家法律确定的婚姻、司法、教育、社会管理等制度得不到有效实施。同时,本罪的危害还在于,这一行为还会使被煽动、胁迫的特定对象产生认识混乱或者恐惧心理,损害其个人的合法权益,进而危及公共利益、社会安全和秩序。因此,本罪不以被煽动、胁迫者实施破坏国家法律制度的具体行为为必要条件,只要行为人实施了煽动、胁迫的行为,就已经构成本罪。

根据本条规定,利用极端主义煽动、胁迫群众破坏国家法律确立的婚姻、司法、教育、社会管理等制度实施的,处三年以下有期徒刑、拘役或者管制,并处罚金;情节严重的,处三年以上七年以下有期徒刑,并处罚金;情节特别严重的,处七年以上有期徒刑,并处罚金或者没收财产。对于"情节严重"和"情节特别严重",可以根据其煽动、胁迫行为所使用的手段、涉及的人员多少和区域大小、造成的危害程度和影响等各方面因素综合考虑,分别适用不同的刑罚。必要的时候,也可以由有关部门制定司法解释,进一步作出具体的规定。

在实践中,应当注意以下几个问题:

第一，“利用极端主义”是构成本罪的一个要件。对于煽动、胁迫他人破坏国家法律制度实施但没有利用极端主义的，应当根据具体情况分别处理。对于组织、利用会道门、邪教组织或者利用迷信破坏国家法律、行政法规实施，构成犯罪的，依照本法第三百条的规定定罪处罚。有些人由于狭隘思想或者愚昧等原因，对宗教教义、民族风俗习惯产生不正确的理解，并进而破坏国家法律实施的，如果构成犯罪，可以按照刑法的其他规定定罪处罚。不构成犯罪的，依法予以行政处罚或者进行批评、教育。

第二，在处理这类犯罪时，应当正确区分敌我矛盾和人民内部矛盾，处理好依法打击和分化瓦解的关系，在依法严厉打击少数极端分子的同时，对受裹挟、蒙蔽的一般群众，应当最大限度地进行区分，进行团结和教育。

第一百二十条之五*　以暴力、胁迫等方式强制他人在公共场所穿着、佩戴宣扬恐怖主义、极端主义服饰、标志的，处三年以下有期徒刑、拘役或者管制，并处罚金。

【释义】　本条是关于强制他人穿着、佩戴恐怖主义、极端主义服饰、标志罪及处罚的规定。

近些年来，国际恐怖主义、极端主义活动日渐猖獗，给世界上许多国家和人民带来重大的人员伤亡和财产损失，甚至造成社会动荡。在这一背景下，我国的暴力恐怖事件也呈多发频发态势，对国家安全、政治稳定、经济社会发展、民族团结和公民生命安全构成严重威胁。一段时期以来，在我国一些地方，恐怖主义、极端主义思潮传播和蔓延的问题比较严重，并通过各种形式加以表现。一个突出的现象就是很多人在公共场所穿着、佩戴宣扬恐怖主义、极端主义的服饰、标志，给社会带来了不良影响。这些服饰、标志，并不代表我国民族的传统，在宗教经典中也没有要求，而是国际上一些恐怖主义、极端主义势力为彰显其恐怖主义、极端主义思想而作出的强制要求。我国一些地方出现穿戴这种服饰、标志的原因，是恐怖主义、极端主义势力利用人民群众的朴素情感，散布说穿着这类服饰、采用这种标志可以用来区别是否属于虔诚的教众，以此强化民族差异和宗教仪式感，煽动狂热情绪，渗透恐怖主义和极端主义思想。在一些地方，甚至出现恐怖主义、极端主义势力以暴力、胁迫等方式强制他人穿着、佩戴宣扬恐怖主义、极端主义的服饰、标志，干扰群众的宗教信仰自由，营造恐怖主义、极端主义氛围的现象。被胁迫、蛊惑而穿着、佩戴宣扬恐怖主义、极端主

* 根据2015年8月29日第十二届全国人民代表大会常务委员会第十六次会议通过的《中华人民共和国刑法修正案（九）》增加。

义服饰、标志的群众往往因此而无法参加正常的工作以及其他文化、体育活动，给生产、生活带来极大不便，并对其精神带来极大的压抑。这种现象的存在，形成一种不正常的社会氛围，扰乱了正常的社会秩序，对有效清除恐怖主义、极端主义思想观念，防范和打击恐怖主义、极端主义犯罪分子带来了障碍。根据有关资料，从世界范围看，一些国家，如荷兰、丹麦、瑞典在法律中对此都有明确的禁止性规定；法国、西班牙、比利时、意大利发布了禁止在公共场合穿着极端主义服饰的禁令；埃及、约旦、黎巴嫩等国家，也均不鼓励穿戴极端主义服饰；土耳其禁止在各级学校内戴头巾；叙利亚于 2007 年 7 月颁布禁令，禁止大学生和老师在校园内穿着极端主义服饰；美国则有三个州颁布法律，禁止教师在公立学校穿戴宗教服饰，以防止极端主义思想在公共场所散播。由此可见，穿着、佩戴宣扬恐怖主义、极端主义服饰、标志本身就具有一定的社会危害性，被世界上许多国家所禁止。特别是实践中表现突出的，一些恐怖主义、极端主义分子以暴力、胁迫等方式强制他人穿着、佩戴宣扬恐怖主义、极端主义的服饰标志的行为，社会危害性尤为严重。这种行为，不仅在社会上营造了恐怖主义、极端主义氛围，还直接侵犯了被害人的人身权利和正常的宗教信仰自由，必须予以严厉打击，以防止其扩散、蔓延，维护人民群众的合法权利。考虑到上述情况，根据加强反恐怖主义工作和维护社会秩序的需要，《刑法修正案（九）》增加规定了以暴力、胁迫等方式强制他人在公共场所穿着、佩戴宣扬恐怖主义、极端主义服饰、标志的犯罪。

本条规定的犯罪主体为一般主体，即任何强制他人在公共场所穿着、佩戴宣扬恐怖主义、极端主义服饰、标志的人。犯罪侵害的客体是多重客体，既在社会范围内渗透恐怖主义、极端主义思想，又侵犯被害人的人身权利、民主权利，同时也妨害社会管理秩序。犯罪的主观要件为故意，对强制他人在公共场所穿着、佩戴宣扬恐怖主义、极端主义服饰、标志的行为和结果都是明知并且希望结果的发生。

本条所说的“暴力”，是指殴打、捆绑、烧伤等直接伤害他人身体的方法，使被害人不能抗拒。“胁迫”，是指对被害人施以威胁、恐吓，进行精神上的强制，迫使被害人就范，不敢抗拒，如以杀害被害人、加害被害人的亲属相威胁，威胁要对被害人、被害人的亲属施以暴力，以揭发被害人的隐私相威胁，利用职权、教养关系、从属关系或者被害人孤立无援的环境胁迫被害人服从，等等。除了暴力、胁迫手段以外，通过采用对被害人产生肉体强制或者精神强制的其他手段，强制他人在公共场所穿着、佩戴宣扬恐怖主义、极端主义服饰、标志的，也构成本罪，如限制被害人的人身自由，强迫被害人长时间暴露在高温或者严寒中，负有监护责任的人对被监护人不给饭吃、不给衣穿等。这里的“公共场所”包括群众进行公开活动的场所，如商店、影剧院、体育场、街道等；也包括各类单位，如机关、团体、事业单位的办公场所，企业生产经营场所，医院、学校、幼儿园等；还包括公共交通工具，如火车、轮船、长途客运汽车、公共电车、汽车、民用航空器等。

本条规定的“宣扬恐怖主义、极端主义服饰、标志”，指的是穿着、佩戴的服饰、标志包含了恐怖主义、极端主义的符号、旗帜、徽记、文字、口号、标语、图形或者带有恐怖主义、极端主义的色彩，容易使人联想到恐怖主义、极端主义。实践中比较普遍的是穿着模仿恐怖活动组织统一着装的衣物，穿着印有恐怖主义、极端主义符号、旗帜等标志的衣物，佩戴恐怖活动组织标识或者恐怖主义、极端主义标志，留有象征恐怖主义、极端主义的特定发型等。从实践情况看，恐怖主义、极端主义势力通过强制他人在公共场所穿着、佩戴宣扬恐怖主义、极端主义服饰、标志等手段，在社会上强化了人们的身份差别意识，用异类的标识或者身份符号，刻意地制造出隔膜和距离感，以达到其渲染恐怖主义、极端主义氛围甚至宣扬恐怖主义、极端主义的目的，社会危害是很大的。

根据本条规定，对以暴力、胁迫等方式强制他人在公共场所穿着、佩戴宣扬恐怖主义、极端主义服饰、标志的，应当视情节的轻重，处以三年以下有期徒刑、拘役或者管制，并处罚金。

第一百二十条之六*　明知是宣扬恐怖主义、极端主义的图书、音频视频资料或者其他物品而非法持有，情节严重的，处三年以下有期徒刑、拘役或者管制，并处或者单处罚金。

【释义】　本条是关于非法持有宣扬恐怖主义、极端主义物品的犯罪及处罚的规定。

恐怖主义、极端主义的观念、主张和意识形态，是恐怖活动、极端主义行为的思想基础，也是其滋生的土壤和得以蔓延的催化剂。为更有针对性和准确地惩治宣扬、煽动恐怖主义、极端主义的犯罪行为，《刑法修正案（九）》明确规定了宣扬恐怖主义、极端主义，煽动恐怖活动的刑事责任。从近年来打击处理宣扬恐怖主义、极端主义违法犯罪行为的情况看，有两个特点比较突出：第一，宣扬恐怖主义、极端主义的图书、音频视频资料或者其他物品的危害性极大。实践中发现，随着互联网及微博、微信等各类即时通讯工具、聊天软件以及移动存储介质的普及应用，境内外恐怖主义、分裂主义和极端主义“三股势力”越来越多地通过制作语言通俗、内容生动的音视频以及图书等其他资料，传播恐怖主

---

* 根据2015年8月29日第十二届全国人民代表大会常务委员会第十六次会议通过的《中华人民共和国刑法修正案（九）》增加。

义、极端主义思想，煽动暴力恐怖活动。近年来破获的大量恐怖案件中，恐怖分子大多曾收听、观看、阅读过恐怖活动组织发布的恐怖主义、极端主义音视频、图书等资料，受蛊惑、蒙骗，被恐怖主义、极端主义思想“洗脑”，从而逐步成为极端主义狂热分子，进而发展成为实施暴力恐怖活动的恐怖主义犯罪分子。恐怖主义、极端主义宣传品的传播、蔓延，已经成为我国恐怖袭击多发的重要诱因。例如，2013 年 6 月在某地发生的暴恐案件中，十余名暴徒受暴恐音视频的煽动影响，袭击了当地派出所、旅社、特训警中队、建筑工地、镇政府、工商所及商店，共造成各族干部群众二十余人死亡、多人受伤。2013 年 8 月某暴恐案件中的涉案人员，在观看外来流动人员手机中携带的暴恐音视频后，受到蛊惑，进而在短时间内结成团伙，实施暴恐犯罪。2014 年 5 月某暴恐案件中，数名犯罪嫌疑人长期参与非法宗教活动，收听收看暴恐音视频，于 2013 年年底形成了暴恐团伙。2014 年 10 月北京金水桥暴恐案的组织者及同案的妻子也是受暴恐音视频的影响，接受恐怖主义、极端主义思想，筹集恐怖袭击经费，抛下年幼的儿女，前往北京实施恐怖袭击。大量的案例说明，恐怖主义、极端主义宣传品的危害巨大，绝不能任由其大量存在和传播。第二，实践中，经常发现有些人非法持有大量的宣扬恐怖主义、极端主义的图书、音频视频资料或者其他物品，但难以查明这些人是否存在制作、散发的行为。虽然这些人存在通过转发、散布等方式宣扬恐怖主义、极端主义的很大的可能性，但有时难以收集相关证据，这些人也可能是准备转发、散布但尚未开始实施。这种非法持有的状态，随时都有可能转化成散发、传播等行为。如果对这类行为不予以惩治，就难以遏制宣扬恐怖主义、极端主义，煽动实施恐怖活动的犯罪势头。考虑到上述情况，根据各方面的意见，《刑法修正案（九）》增加规定了非法持有宣扬恐怖主义、极端主义物品的犯罪及刑事责任。

根据本条规定，非法持有宣扬恐怖主义、极端主义物品的犯罪，是指明知是宣扬恐怖主义、极端主义的图书、音频视频资料或者其他物品而非法持有，情节严重的行为。本罪在主观上要求是故意，即行为人明知是宣扬恐怖主义、极端主义的图书、音频视频资料或者其他物品而非法持有的，才能构成本罪。这里所说的“明知”，是指知道或者应当知道。实践中，行为人有可能会辩解其“不明知”所持有物品的性质和内容。在这种情况下，不能仅听行为人本人的辩解，对是否“明知”的认定，应当结合案件的具体情况和有关证据材料进行全面分析。要坚持重证据、重调查研究，以行为人实施的客观行为为基础，结合其一贯表现，具体行为、程度、手段、事后态度，以及年龄、认知和受教育程度、所从事的职业、所生活的环境、所接触的人群等综合作出判断。例如，对曾因实施暴力恐怖、极端主义违法犯罪行为受过行政、刑事处罚的，或者被责令改正后又实施的,应当认定为明知。有其他共同犯罪嫌疑人、被告人或者其他知情人供认、指证,虽然行为人不承认其主观上"明知",但又不能作出合理解释的,依据其行为本身和认知程度,足以认定其确实知道或者应当知道的,应当认定为明知。但是,结合行为人的认知程度和客观条件,如果确实属于不明知所持有物品为宣扬恐怖主义、极端主义图书、音频视频资料等物品的,不能认定为本罪。例如,捡拾到保存有宣扬恐怖主义、极端主义音视频资料的手机、U 盘或者其他存储介质的;维修电脑的人员为修理电脑而暂时保管他人送修的存有宣扬恐怖主义、极端主义音视频资料,而事先未被告知,待公安机关查办案件时才发现的,等等。对于不属于明知而持有宣扬恐怖主义、极端主义的图书、音频视频资料等其他物品的,一旦发现后,就应当立即予以销毁、删除,个人无法销毁、删除的,应当将含有恐怖主义、极端主义的图书、音频视频资料或者其他物品交由公安机关或者基层组织,请求帮助销毁、删除。

本罪在客观上要求行为人有非法持有的行为。这里所规定的"持有",是指行为人对恐怖主义、极端主义宣传品处于占有、支配、控制的一种状态。不仅随身携带可以认定为持有,在其住所、驾驶的运输工具上发现的恐怖主义、极端主义宣传品也可以认定为持有。持有型犯罪以行为人持有特定物品或者财产的不法状态为基本的构成要素。我国刑法设置的持有型犯罪有:巨额财产来源不明罪,非法持有毒品罪,非法持有、私藏枪支、弹药罪,非法持有假币罪,非法持有国家绝密、机密文件、资料、物品罪,非法持有毒品原植物种子、幼苗罪等。在持有型犯罪中,有的持有物本身不具有危害性,如巨额财产、绝密、机密文件等,有的本身就是违禁品,如毒品、枪支、弹药、毒品原植物种子、幼苗等。无论是否违禁品,构成犯罪的前提都是非法持有。实践中有一些合法持有的情形,如查办案件的人民警察查封、扣押宣扬恐怖主义、极端主义的图书、音频视频资料等物品因而持有的;研究反恐怖主义问题的专家学者为进行学术研究而持有少量恐怖主义、极端主义宣传品的,则不能认定为犯罪。

从实践情况看,宣扬恐怖主义、极端主义的图书、音频视频资料和其他物品主要包含了两类内容:一是含有恐怖主义、极端主义的思想、观念和主张,煽动以暴力手段危害他人生命和公私财产安全,破坏法律实施等内容的。二是含有传授制造、使用炸药、爆炸装置、枪支、管制刀具、危险物品实施暴力恐怖犯罪的方法、技能等内容的。这些宣传品在形式上和内容上均表现多样。例如,有的宣扬参加暴力恐怖活动的,流血就能洗刷罪过,可以带自己和亲友上天堂,杀死一人胜做十年功,可以直接上天堂,在天堂中有仙女相伴等。有的利用地理环境相对闭塞地区的一些信教民众对外部正确信息了解甚少,辨别意识不强,借助区域经济差异、社会竞争压力等社会问题,对国家民族政策大肆诋毁,破坏民族关系。有的通过编造谣言或者炒作个别案例，将社会成员划分为不同群体，刻意制造不同信仰者、不同民族之间的隔阂和对立，煽动仇恨、歧视，争取一些民众对暴恐分子的同情。有的表面上是宣传宗教教义，但在内容上对宗教教义进行歪曲，或者在其中夹杂恐怖主义、极端主义的内容，诱骗一些对宗教教义知之甚少的群众将一些错误观点奉为经典，造成思想混乱，为暴恐活动披上"宗教"的合法外衣。本条中采用了"或者其他物品"的规定，是指除图书、音频视频资料外，恐怖主义、极端主义的宣传品还包括含有宣扬恐怖主义、极端主义内容的文稿、图片、存储介质、电子阅读器等。实践中，在网络存储空间内储存宣扬恐怖主义、极端主义的资料的，本质上与存储在个人电脑、手机、移动硬盘中没有区别，且更容易造成大面积传播，情节严重的，也构成本罪。关于恐怖主义、极端主义的含义，全国人大常委会正在审议《中华人民共和国反恐怖主义法》（草案），其中拟对恐怖主义和极端主义作出定义性规定。在反恐怖主义法通过后，应当适用反恐怖主义法的规定对恐怖主义、极端主义作出认定。此外，对涉案物品因涉及专门知识或者语言文字等内容难以鉴别的，可商请宗教、民族、新闻出版等部门提供鉴别意见。

根据本条规定，明知是宣扬恐怖主义、极端主义的图书、音频视频资料或者其他物品而非法持有的行为，只有达到情节严重的，才构成犯罪。对于是否属于"情节严重"，可以根据所持有的恐怖主义、极端主义宣传品的数量多少，所包含的内容的严重程度，曾经因类似行为受到处罚的情况，以及其事后的态度等因素作出认定。对于因为好奇或者思想认识不清楚，非法持有少量的恐怖主义、极端主义宣传品，没有其他的恐怖主义、极端主义违法行为，经发现后及时销毁、删除的，不作为犯罪追究。

实践中认定本罪需要注意的是，本罪作为持有型犯罪，是一项补充性罪名，目的是为了严密法网，防止放纵犯罪分子。在实践中，对于被查获的非法持有恐怖主义、极端主义宣传品的人，应当尽力调查其犯罪事实，如果经查证是为通过散发、讲授等方式宣扬恐怖主义、极端主义，煽动实施恐怖活动而非法持有的，或者为利用极端主义煽动群众破坏国家法律制度实施而非法持有的，应当依照刑法第一百二十条之三、第一百二十条之四的规定定罪处罚。

第一百二十一条　以暴力、胁迫或者其他方法劫持航空器的，处十年以上有期徒刑或者无期徒刑；致人重伤、死亡或者使航空器遭受严重破坏的，处死刑。

【释义】　本条是关于劫持航空器罪及其处罚的规定。

根据本条规定，行为人构成本罪必须是实施了以暴力、威胁或者其他方法劫持航空器的行为。这里所说的“暴力”，主要是指犯罪分子使用强暴手段，如杀害、殴打等方法劫持航空器的行为；“胁迫”，主要是指犯罪分子以爆炸飞机、枪杀旅客等手段要挟、强迫机组人员服从其劫持航空器的命令的行为；“其他方法”，是指犯罪分子使用除暴力、威胁方法以外的方法劫持航空器的行为，如航空器的驾驶人员，利用驾驶航空器的便利条件，违反规定直接驾机非法出逃境外，危害公众安全的行为。这里规定的“航空器”，是指各种运送旅客和运输物资的空中运输工具。

根据本条的规定，对以暴力、胁迫或者其他方法劫持航空器的犯罪的处刑分为两档，即一般情况下，处十年以上有期徒刑或者无期徒刑；致人重伤、死亡或者使航空器遭受严重破坏的，处死刑，这一情况主要是指犯罪分子在劫持航空器的过程中，造成旅客或者机组人员的重伤、死亡或者使航空器上的重要设施、设备遭受严重破坏等，对这些行为，都将处以死刑。

第一百二十二条　以暴力、胁迫或者其他方法劫持船只、汽车的，处五年以上十年以下有期徒刑；造成严重后果的，处十年以上有期徒刑或者无期徒刑。

【释义】　本条是关于劫持船只、汽车罪及其处罚的规定。

劫持船只、汽车罪，是指以暴力、胁迫或者其他方法劫持船只、汽车，危害公共安全的行为。其中，“以暴力、胁迫或者其他方法”规定的含义与第一百二十一条规定的劫持航空器罪中的“以暴力、胁迫或者其他方法”的基本含义是一致的，这里不再赘述。本条所说的“船只”，是指各种运送旅客或者物资的水上运输工具；“汽车”，主要是指公共汽车、电车等。根据本条规定，只要行为人实施了以暴力、胁迫或者其他方法劫持船只、汽车的，即构成本罪，处五年以上十年以下有期徒刑；造成严重后果的，即造成人员伤亡或者使国家和人民的财产遭受重大损失的，处十年以上有期徒刑或者无期徒刑。需要指出的是，本条规定的劫持船只、汽车行为的目的不是为了抢劫或者实施海盗行为，对于以抢劫为目的劫持船只、汽车的，应当依照抢劫罪的规定定罪处罚。本条规定的劫持船只、汽车的目的与第一百二十一条劫持航空器的目的是基本一致的，主要是为了逃避法律追究，让船只、汽车开往其指定的地点，或者以劫持车船作为要挟手段，让政府答应其提出的某项条件等。

第一百二十三条　对飞行中的航空器上的人员使用暴力，危及飞行安全，尚未造成严重后果的，处五年以下有期徒刑或者拘役；造成严重后果的，处五年以上有期徒刑。

【释义】　本条是关于暴力危及飞行安全罪及其处罚的规定。

考虑到在飞行中的航空器内使用暴力,对航空器的安全将构成极大威胁,同时,我国加入的保证民用航空器安全的国际公约规定,应将在飞行中的航空器上使用暴力的行为在国内法中规定为犯罪,因此,刑法作了这一规定。

根据本条规定,构成本罪的主体是一般主体,即任何在飞行中的航空器上的人员都可以构成本罪的主体。其中,“飞行中”是指航空器从装载完毕、机舱外部各门均已关闭时起,直至打开任一机舱门以便卸载时为止。构成本罪还必须具备以下条件:1. 必须是使用暴力。即对飞行中航空器上的人员使用暴力,如使用凶器行凶或者斗殴等。2. 危及飞行安全。在飞行中的航空器上,任何使用暴力的情况都会危及飞行安全,但本罪在处刑上区分了两种情况:(1)尚未造成严重后果的;(2)造成严重后果的。其中,“造成严重后果的”,主要是指因行为人在航空器中使用暴力的行为,致使航空器不能正常航行,以致迫降、坠毁等。根据本条规定,对尚未造成严重后果的,处五年以下有期徒刑或者拘役;造成严重后果的,处五年以上有期徒刑。

第一百二十四条 破坏广播电视设施、公用电信设施,危害公共安全的,处三年以上七年以下有期徒刑;造成严重后果的,处七年以上有期徒刑。

过失犯前款罪的,处三年以上七年以下有期徒刑;情节较轻的,处三年以下有期徒刑或者拘役。

【释义】 本条是关于破坏广播电视设施、公用电信设施罪及其处罚的规定。

第一款是对故意破坏广播电视设施、公用电信设施,危害公共安全行为的处罚规定。这里所说的“广播设施”,包括发射无线电广播信号的发射台站等;“电视设施”,主要是指传播新闻信息的电视发射台、转播台等;“公用电信设施”,主要是指用于社会公用事业的通信设施、设备以及其他公用的通信设施、设备。如国家电信部门的无线电发报设施、设备,包括发射机、天线等;还有电话交换局、交换站以及有关国家重要部门的电话交换台、无线电通信网络,如在航空、航海交通工具及交通设施中使用的无线电通信、导航设施等,总之,电信设施既包括各种机器设备,也包括其组成部分的线路等。应当注意的是,对于那种不可能影响公共安全的通信服务设备,如城市大街上的公用电话亭、一般的民用家庭电话等,不属于本条规定的“公用电信设施”范围内。如其破坏可按毁坏公私财物罪处理。随着现代科技的迅速发展,广播电视、电信在社会政治、经济、社会生活中发挥着越来越重要的作用,不仅仅是一种传播新闻信息的工具,在一些特定的情况下,如在发生重大的自然灾害或者出现一些突发性事件时,还担负着向公众及时传播情况,进行疏导,以保护广大人民群众的生命、财产安全,维护社会稳定的重要作用。根据本款的规定,行为人破坏广播电视设施、公用电信设施的行为,必须达到“危害公共安全”的程度,才能构成本罪。本款对破坏广播电视设施、公用电信设施的犯罪行为,规定了两档刑,危害公共安全的,处三年以上七年以下有期徒刑或者拘役;造成严重后果的,处七年以上有期徒刑。“造成严重后果的”,是指由于行为人破坏广播电视设施、公用电信设施的行为,致使广播电视传播或者公用通信中断,不能及时排除险情或者疏散群众,因而导致人员伤亡或者使公私财产遭受重大损失等情况。2004 年 12 月 30 日《最高人民法院关于审理破坏公用电信设施刑事案件具体应用法律若干问题的解释》为破坏公用电信设施罪提供了以下量刑标准:采用截断通信线路、损毁通信设备或者删除、修改、增加电信网计算机信息系统中存储、处理或者传输的数据和应用程序等手段,故意破坏正在使用的公用电信设施,造成火警、匪警、医疗急救、交通事故报警、救灾、抢险、防汛等通信中断或者严重障碍,并因此贻误救助、救治、救灾、抢险等,致使人员死亡一人、重伤三人以上或者造成财产损失三十万元以上的;造成二千以上不满一万用户通信中断一小时以上,或者一万以上用户通信中断不满一小时的;在一个本地网范围内,网间通信全阻、关口局至某一局向全部中断或网间某一业务全部中断不满二小时或者直接影响范围不满五万(用户 × 小时)的;造成网间通信严重障碍,一日内累计二小时以上不满十二小时的;其他危害公共安全的情形,属于刑法第一百二十四条规定的“危害公共安全”,处三年以上七年以下有期徒刑。实施上述行为,造成火警、匪警、医疗急救、交通事故报警、救灾、抢险、防汛等通信中断或者严重障碍,并因此贻误救助、救治、救灾、抢险等,致使人员死亡二人以上、重伤六人以上或者造成财产损失六十万元以上的;造成一万以上用户通信中断一小时以上的;在一个本地网范围内,网间通信全阻、关口局至某一局向全部中断或网间某一业务全部中断二小时以上或者直接影响范围五万(用户 × 小时)以上的;造成网间通信严重障碍,一日内累计十二小时以上的;造成其他严重后果的,属于刑法第一百二十四条规定的“严重后果”,处七年以上有期徒刑。解释同时规定,盗窃公用电信设施价值数额不大,但是构成危害公共安全犯罪的,依照刑法第一百二十四条的规定定罪处罚;盗窃公用电信设施同时构成盗窃罪和破坏公用电信设施罪的,依照处罚较重的规定定罪处罚。

第二款是对过失犯前款罪的行为规定的处罚。所谓“过失犯前款罪的”,是指由于行为人主观上的疏忽大意或者过于轻信等过失,造成广播电视设施、公用电信设施被损坏,危害公共安全的行为。根据本款规定,构成过失损坏广播电视设施、公用电信设施罪的,处三年以上七年以下有期徒刑;情节较轻的,即广播电视设施、公用电信设施被损坏的程度不太严重,对公共安全危害不大等行为，处三年以下有期徒刑或者拘役。

第一百二十五条[*] **非法制造、买卖、运输、邮寄、储存枪支、弹药、爆炸物的，处三年以上十年以下有期徒刑；情节严重的，处十年以上有期徒刑、无期徒刑或者死刑。**

非法制造、买卖、运输、储存毒害性、放射性、传染病病原体等物质，危害公共安全的，依照前款的规定处罚。

单位犯前两款罪的，对单位判处罚金，并对其直接负责的主管人员和其他直接责任人员，依照第一款的规定处罚。

【释义】 本条是关于非法制造、买卖、运输、邮寄、储存枪支、弹药、爆炸物罪和非法制造、买卖、运输、储存危险物质罪及其处罚的规定。

第一款是对非法制造、买卖、运输、邮寄、储存枪支、弹药、爆炸物的犯罪及其处罚的规定。这里所说的“非法”，既包括违反法律、法规，也包括违反国家有关部门发布的规章、通告等规范性文件。其中，“制造”，是指以各种方法生产枪支、弹药、爆炸物的行为；“买卖”，是指行为人购买或者出售枪支、弹药、爆炸物的行为；“运输”，是指通过各种交通工具移送枪支、弹药、爆炸物的行为；“邮寄”，是指通过邮局将枪支、弹药、爆炸物寄往目的地的行为；“储存”，是指明知是他人非法制造、买卖、运输、邮寄的枪支、弹药、爆炸物而为其存放的行为。应当注意的是，这里所说的“运输”与“邮寄”的主要区别是运输的方式，一个是通过交通工具，另一个是通过邮政系统，“运输”一般较“邮寄”的数量要多。

本款规定的“枪支”，是指以火药或者压缩气体等为动力，利用管状器具发射金属弹丸或者其他物质，足以致人伤亡或者丧失知觉的各种枪支，包括军用的手枪、步枪、冲锋枪、机枪以及射击运动用的各种枪支，还有各种民用的狩猎用枪等；“弹药”，是指上述枪支所使用的子弹、火药等；“爆炸物”，是指具有爆破性并对人体造成杀伤的物品，如手榴弹、炸药以及雷管、爆破筒、地雷等。根据本款规定，2001 年 5 月 15 日发布了《最高人民法院关于审理非法制造、买卖、运输枪支、弹药、爆炸物等刑事案件具体应用法律若干问题的解释》，2009 年 11 月 9 日最高人民法院审判委员会第 1476 次会议通过并公布的《最高人民法院

---

[*] 根据 2001 年 12 月 29 日第九届全国人民代表大会常务委员会第二十五次会议通过的《中华人民共和国刑法修正案（三）》修改。原条文是：“非法制造、买卖、运输、邮寄、储存枪支、弹药、爆炸物的，处三年以上十年以下有期徒刑；情节严重的，处十年以上有期徒刑、无期徒刑或者死刑。

“非法买卖、运输核材料的，依照前款的规定处罚。

“单位犯前两款罪的，对单位判处罚金，并对其直接负责的主管人员和其他直接责任人员，依照第一款的规定处罚。”

关于修改〈最高人民法院关于审理非法制造、买卖、运输枪支、弹药、爆炸物等刑事案件具体应用法律若干问题的解释〉的决定》对该解释进行了修改，在执法中应当按照修改后的司法解释执行。

第二款是对非法制造、买卖、运输、储存毒害性、放射性、传染病病原体等物质，危害公共安全犯罪的处罚规定。这里所说的“毒害性、放射性、传染病病原体等物质”，前面已有论述，这里不再赘述。根据本款规定，非法制造、买卖、运输、储存毒害性、放射性、传染病病原体等物质，必须是危害公共安全的，才构成犯罪，在处罚上依照第一款的规定进行，即处三年以上十年以下有期徒刑；情节严重的，处十年以上有期徒刑、无期徒刑或者死刑。

第三款是对单位犯前两款罪的处罚规定。这里所说的“单位”与刑法总则规定的“单位”犯罪的范围是一致的。根据本款的规定，单位非法制造、买卖、运输、邮寄、储存枪支、弹药、爆炸物或者非法制造、买卖、运输、储存毒害性、放射性、传染病病原体等物质，危害公共安全的，在对单位判处罚金的同时，对直接负责的主管人员和其他直接责任人员，依照本条第一款的刑期处罚。

第一百二十六条　依法被指定、确定的枪支制造企业、销售企业，违反枪支管理规定，有下列行为之一的，对单位判处罚金，并对其直接负责的主管人员和其他直接责任人员，处五年以下有期徒刑；情节严重的，处五年以上十年以下有期徒刑；情节特别严重的，处十年以上有期徒刑或者无期徒刑：

（一）以非法销售为目的，超过限额或者不按照规定的品种制造、配售枪支的；

（二）以非法销售为目的，制造无号、重号、假号的枪支的；

（三）非法销售枪支或者在境内销售为出口制造的枪支的。

【释义】　本条是关于违规制造、销售枪支罪及其处罚的规定。

根据本条的规定，构成本罪的主体只能是单位，即依法被指定、确定的枪支制造企业、销售企业。枪支是涉及国家安全、公共安全的特殊物品，国家对枪支的制造、销售等实行严格的管制，枪支管理法明确规定，国家对枪支的制造、配售实行特别许可证制度。未经许可，任何单位或者个人不得制造、买卖枪支，只有经国家专门指定或确定的企业才能从事枪支的制造或销售。这里所说的“依法”，是指枪支管理法和有关部门依据枪支管理法制定的有关规定。被指定、确定的枪支制造企业，是指根据枪支管理法由国家和有关部门指定、确定的允许制造枪支的企业。枪支管理法第十四条规定，公务用枪，即部队、警察、民兵以及其他特殊部门所装备的各种军用枪支，由国家指定的企业制造；民用枪支，即猎枪、麻醉注射枪、射击运动枪等其他非军用枪支，由国务院有关主管部门提出，由国务院公安部门确定。同时，制造民用枪支的企业，由国务院、公安部门核发民用枪支制造许可证件，有效期三年，期满需要继续制造民用枪支的，应当重新申请领取许可证件。被指定、确定的枪支销售企业，是指根据枪支管理法及国家有关部门的规定，由国务院有关部门确定的有权销售枪支的企业。根据枪支管理法的规定，配售民用枪支的企业，由省级人民政府公安机关确定，并由省级人民政府的公安机关核发民用枪支配售许可证件，有效期为三年，期满需继续配售民用枪支的，应当重新申请领取许可证件。

行为人违反枪支管理规定，实施了以下三种行为中的一种，才能构成本罪：1. 以非法销售为目的，超过限额或者不按规定的品种制造、配售枪支的。其中，“以非法销售为目的”，是指其生产活动、经营活动是以非法出售枪支获得非法利润为目的。“超过限额制造、配售枪支的”，是指枪支制造企业、销售企业超过国家有关主管部门下达的生产或配售枪支的数量指标或者任务，而擅自制造、配售枪支的行为。根据枪支管理法及有关主管部门的规定，制造、销售枪支的企业，每年的生产任务、销售总数都由各级公安部门及其他有关主管部门统一下达任务指标。“不按照规定的品种”，是指生产枪支的企业没有按照国家规定的技术标准生产枪支或者配售枪支的企业不按照国家规定的配售枪支的品种、型号去配售枪支。2. 以非法销售为目的，制造无号、重号、假号的枪支的。“制造无号、重号、假号的枪支”，是指生产枪支的企业，为了逃避检查，规避法律，在生产枪支过程中有意制造一批没有编号或者重复编号或者虚假编号的枪支，用以非法销售牟利的行为。根据枪支管理法的规定，公安部门对生产的民用枪支必须在生产前确定并统一编制枪支的序号，下达到制造民用枪支的企业。生产企业必须在民用枪支指定的部位铸印制造厂的厂名、枪种代码和公安部门统一编制的枪支序号。如果制造无号、重号或者假号的枪支，就可以逃避有关主管机关的检查，而达到非法牟利的目的。3. 非法销售枪支或者在境内销售为出口制造的枪支。这里所说的“非法销售枪支”，是指违反枪支管理的规定，销售枪支的行为。既包括根本没有销售枪支资格的，也包括超出国家有关部门规定的品种、数量，销售枪支的行为。“在境内销售为出口制造的枪支”，是指生产、销售、出口枪支部门将为出口制造的枪支，在境内销售牟利，包括出口退货后转内销，以出口为名生产后内销以及在完成出口任务后，将剩余的枪支非法在境内销售牟利等。根据本条规定和 2001 年 5 月 15 日发布的《最高人民法院关于审理非法制造、买卖、运输枪支、弹药、爆炸物等刑事案件具体应用法律若干问题的解释》规定，依法被指定、确定的枪支制造企业、销售企业有上述行为之一，即违规制造枪支五支以上的，违规销售枪支两支以上的，或者虽未达到上述最低数量标准，但具有造成严重后果等其他恶劣情节的，对单位判处罚金；并对直接负责的主管人员和其他直接责任人员，处五年以下有期徒刑；情节严重的，即违规制造枪支二十支以上的，违规销售枪支十支以上的，或者违规制造枪支五支以上，违规销售枪支两支以上，并具有造成严重后果等其他恶劣情节的，处五年以上十年以下有期徒刑；情节特别严重的，即违规制造枪支五十支以上的，违规销售枪支三十支以上的，或者违规制造枪支二十支以上，违规销售枪支十支以上，并具有造成严重后果等其他恶劣情节的，处十年以上有期徒刑或者无期徒刑。

第一百二十七条*　盗窃、抢夺枪支、弹药、爆炸物的，或者盗窃、抢夺毒害性、放射性、传染病病原体等物质，危害公共安全的，处三年以上十年以下有期徒刑；情节严重的，处十年以上有期徒刑、无期徒刑或者死刑。

抢劫枪支、弹药、爆炸物的，或者抢劫毒害性、放射性、传染病病原体等物质，危害公共安全的，或者盗窃、抢夺国家机关、军警人员、民兵的枪支、弹药、爆炸物的，处十年以上有期徒刑、无期徒刑或者死刑。

【释义】　本条是关于盗窃、抢夺枪支、弹药、爆炸物、危险物质罪以及抢劫枪支、弹药、爆炸物、危险物质罪及其处罚的规定。

2001年12月29日全国人大常委会通过的《刑法修正案（三）》对本条作了修改，增加规定了盗窃、抢夺、抢劫毒害性、放射性、传染病病原体等物质的犯罪。

第一款是对盗窃、抢夺枪支、弹药、爆炸物、毒害性、放射性、传染病病原体等物质的犯罪及其处罚的规定。盗窃枪支、弹药、危险物质罪，是指秘密窃取枪支、弹药、爆炸物或者毒害性、放射性、传染病病原体等危险物质的犯罪行为；抢夺枪支、弹药、爆炸物危险物质罪，是指乘人不备，公开夺取枪支、弹药、爆炸物或者毒害性、放射性、传染病病原体等危险物质的行为。根据本款的规定，只要行为人实施了盗窃、抢夺枪支、弹药、爆炸物或者毒害性、放射性、传染病病原体等危险物质的行为，就构成犯罪，处三年以上十年以下有期徒刑；对情节严重的，即盗窃、抢夺枪支、弹药、爆炸物或者毒害性、放射性、传染病病原体等物质数量较大、手段恶劣或者造成严重后果的等，处十年以上有期徒刑、无期徒刑或

* 根据2001年12月29日第九届全国人民代表大会常务委员会第二十五次会议通过的《中华人民共和国刑法修正案（三）》修改。原条文是："盗窃、抢夺枪支、弹药、爆炸物的，处三年以上十年以下有期徒刑；情节严重的，处十年以上有期徒刑、无期徒刑或者死刑。

"抢劫枪支、弹药、爆炸物或者盗窃、抢夺国家机关、军警人员、民兵的枪支、弹药、爆炸物的，处十年以上有期徒刑、无期徒刑或者死刑。"

者死刑。这里所说的“枪支、弹药、爆炸物”、“毒害性、放射性、传染病病原体等物质”的含义、范围与本法第一百二十五条的规定是一致的，前面已有论述，这里不再赘述。

第二款是对抢劫枪支、弹药、爆炸物，或者抢劫毒害性、放射性、传染病病原体等物质，危害公共安全或者盗窃、抢夺国家机关、军警人员、民兵的枪支、弹药、爆炸物的犯罪和处罚的规定。这里规定的“抢劫”，是指以暴力或者以暴力相威胁劫取枪支、弹药、爆炸物或者毒害性、放射性、传染病病原体等物质的行为。这里的“国家机关”，是指依法允许装备、使用枪支的国家机关；“军警人员”，是指军队、武装警察及其他人民警察中的人员；“民兵”，是指依照有关法律规定组成的不脱离生产的群众武装组织成员。本款规定的犯罪行为具有更为严重的社会危害性，因此规定对于抢劫枪支、弹药、爆炸物、毒害性、放射性、传染病病原体等物质及盗窃、抢夺上述机关、人员的枪支、弹药、爆炸物的，即处十年以上有期徒刑、无期徒刑或者死刑。

第一百二十八条　违反枪支管理规定，非法持有、私藏枪支、弹药的，处三年以下有期徒刑、拘役或者管制；情节严重的，处三年以上七年以下有期徒刑。

依法配备公务用枪的人员，非法出租、出借枪支的，依照前款的规定处罚。

依法配置枪支的人员，非法出租、出借枪支，造成严重后果的，依照第一款的规定处罚。

单位犯第二款、第三款罪的，对单位判处罚金，并对其直接负责的主管人员和其他直接责任人员，依照第一款的规定处罚。

【释义】　本条是关于非法持有、私藏枪支、弹药罪和非法出租、出借枪支罪及其处罚的规定。

第一款是关于非法持有、私藏枪支、弹药罪的处罚规定。本款规定的“枪支管理规定”，是指枪支管理法及国家有关主管部门对枪支、弹药管理等方面作的规定。如枪支管理法中对哪些部门、哪些单位、哪些人员可以配备、使用枪支，都作了明确规定。“非法持有”，是指不符合配备、配置枪支、弹药条件的人员，违反枪支管理法律、法规的规定，擅自持有枪支、弹药的行为。“私藏”，是指依法配备、配置枪支、弹药的人员，在配备、配置枪支、弹药的条件消失后，违反枪支管理法律、法规的规定，私自藏匿所配备、配置的枪支、弹药且拒不交出的行为。根据本款规定和其他有关司法解释，违反枪支管理规定，非法持有、私藏军用枪支一支的；非法持有、私藏以火药为动力发射枪弹的非军用枪支一支或者以压缩气体等为动力的其他非军用枪支两支以上的；非法持有、私藏军用子弹二十发以上，气枪铅弹一千发以上或者其他非军用子弹二百发以上的；非法持有、私藏手榴弹一枚以上的；或者非法持有、私藏的弹药造成人员伤亡、财产损失的，构成犯罪，处三年以下有期徒刑、拘役或者管制。情节严重的，即非法持有、私藏军用枪支两支以上的；非法持有、私藏以火药为动力发射枪弹的非军用枪支两支以上或者以压缩气体等为动力的其他非军用枪支五支以上的；非法持有、私藏军用子弹一百发以上，气枪铅弹五千发以上或者其他非军用子弹一千发以上的；非法持有、私藏手榴弹三枚以上的；非法持有、私藏枪支达到构成犯罪的最低数量标准，并具有造成严重后果等其他恶劣情节的，处三年以上七年以下有期徒刑。

第二款是关于配备公务用枪的人员非法出租、出借枪支罪的处罚规定。根据枪支管理法的规定，配备公务用枪，由国务院公安部门或者省级人民政府公安机关审批。这里所说的“依法配备公务用枪的人员”，一般是指公安机关、国家安全机关、监狱等机关的人民警察、人民法院的司法警察，人民检察院的司法警察和担负案件侦查任务的检察人员，以及海关的缉私人员，在依法履行职责时确有必要使用枪支的，还有国家重要的军工、金融、仓储、科研等单位的专职守护、押运人员在执行守护、押运任务时确有必要使用枪支等人员。这里所说的“公务用枪”，即因公务需要配备的枪支，主要指各种军用枪支，如手枪、冲锋枪、机枪等。“非法出租”，是指以牟利为目的，将配备给自己的枪支租给他人的行为；“非法出借”，是指擅自将配备给自己的枪支借给他人的行为。根据本款的规定，行为人在主观上对出租、出借的行为是明知的。有的是为牟利，有的是供给他人娱乐，但若明知他人使用枪支进行犯罪活动仍出租、出借的，则应定为共犯，不能适用本款定罪处刑。

第三款是关于依法配置枪支的人员，非法出租、出借枪支罪的处罚规定。本款与第二款在犯罪行为的表述和处刑上是一致的，但在犯罪构成上有两点不同：1. 这里所说的“枪支”，是指民用枪支，如猎枪、麻醉注射枪、射击运动枪等。对于配置上述民用枪支的范围，枪支管理法已作了明确规定。2. 构成本款之罪的，必须是造成严重后果的非法出租、出借行为，如使用人利用该枪支打伤、打死人等情况。也就是说，如果非法出租、出借民用枪支的行为没有造成严重后果的，则应按有关规定处理，不构成犯罪。

第四款是关于单位非法出租、出借枪支罪的处罚规定。单位犯非法出租、出借枪支罪，是指非法出租、出借枪支的犯罪行为，是由依法配备、配置枪支的单位领导集体决定或者由单位主要负责人代表单位决定。根据本款规定，单位出租、出借枪支，构成犯罪的，对单位判处罚金，对该单位直接负责的主管人员和其他直接责任人员，处三年以下有期徒刑、拘役或者管制；情节严重的，处三年以上七年以下有期徒刑。

第一百二十九条　依法配备公务用枪的人员，丢失枪支不及时报告，造成严重后果的，处三年以下有期徒刑或者拘役。

【释义】　本条是关于丢失枪支不报罪及其处罚的规定。

根据本条的规定，构成本罪的主体是特殊主体，即"依法配备公务用枪的人员"。这里所说的"依法配备公务用枪的人员"的范围与第一百二十八条规定的依法配备公务用枪的人员的范围是一致的。构成本罪行为人必须具有丢失枪支不及时报告的行为。这里所说的"枪支"，即指公务用枪，不包括民用枪支；"丢失枪支"，主要是指依法配备公务用枪的人员的枪支被盗、被抢或者遗失等情况。现实中丢失枪支的情况很复杂，有的行为人有过错，有的行为人没有过错，但无论枪支如何丢失，都构成犯罪的前提条件。为了划清罪与非罪的界限，本条规定，构成本罪必须具备以下两个条件：1. 丢枪后"不及时报告"。即行为人丢失枪支后不及时向本单位或者有关部门报告。如果行为人及时、如实地报告了自己丢失枪支的情况，则不能适用本条的规定。2. 丢枪的行为造成了严重后果。"造成严重后果"，是指枪支丢失后被犯罪分子用于犯罪活动等情况。根据本条规定，丢失枪支不及时报告，造成严重后果的，处三年以下有期徒刑或者拘役。

第一百三十条　非法携带枪支、弹药、管制刀具或者爆炸性、易燃性、放射性、毒害性、腐蚀性物品，进入公共场所或者公共交通工具，危及公共安全，情节严重的，处三年以下有期徒刑、拘役或者管制。

【释义】　本条是关于非法携带枪支、弹药、管制刀具、危险物品危及公共安全罪及其处罚的规定。

根据本条规定，构成本罪的，必须具备以下几个条件：1. 行为人具有非法携带枪支、弹药、管制刀具或者其他危险物品，进入公共场所或者公共交通工具的行为。这里所说的"枪支、弹药"及"爆炸性、易燃性、放射性、毒害性、腐蚀性物品"的含义、范围与本章其他条文所规定的内容是一致的。本条规定的"管制刀具"，是指国家依法进行管制，只能由特定人员持有、使用，禁止私自生产、买卖、持有的刀具，如匕首、三棱刮刀、弹簧刀以及类似的单刃刀、双刃刀和三棱尖刀等。"公共场所"，主要是指大众进行公开活动的场所，如商店、影剧院、体育场、街道等。"公共交通工具"，是指火车、轮船、长途客运汽车、公共电车、汽车、民用航空器等。2. 必须危及公共安全，且是情节严重的行为，才能构成本罪。一般而言，非法携带枪支、弹药、管制刀具或者其他危险物品进入公共场所或者公共交通工具，行为本身就必然危及公共安全，使广大公民及国家财产处于危险之中，但根据本条规定，只有上述行为达到情节严重的程度，才能构成本罪。根据有关司法解释的规定，非法携带枪支、弹药、爆炸物进入公共场所或者公共交通工具,危及公共安全;具有下列情形之一的,属于"情节严重":(1)携带枪支或者手榴弹的;(2)携带爆炸装置的;(3)携带炸药、发射药、黑火药五百克以上或者烟火药一千克以上、雷管二十枚以上或者导火索、导爆索二十米以上的;(4)携带的弹药、爆炸物在公共场所或者公共交通工具上发生爆炸或者燃烧,尚未造成严重后果的;(5)具有其他严重情节的。此外,行为人非法携带上述第(3)项规定的爆炸物进入公共场所或者公共交通工具,虽未达到上述数量标准,但拒不交出的,依照本条的规定定罪处罚;携带的数量达到最低数量标准,能够主动、全部交出的,可不以犯罪论处。

根据本条规定,构成本罪的,处三年以下有期徒刑、拘役或者管制。

第一百三十一条　航空人员违反规章制度,致使发生重大飞行事故,造成严重后果的,处三年以下有期徒刑或者拘役;造成飞机坠毁或者人员死亡的,处三年以上七年以下有期徒刑。

【释义】　本条是关于重大飞行事故罪及其处罚的规定。

根据本条规定,构成本罪必须符合以下条件:1. 构成本罪的主体必须是航空人员。"航空人员",是指从事民用航空活动的空勤人员和地面人员。空勤人员包括驾驶员、领航员、飞行机械人员、飞行通信员和乘务员;地面人员包括航空指挥人员、航空器维修人员、空中交通管制员、飞行签派员和航空电台通信员等。2. 行为人必须是违反了规章制度,致使发生重大飞行事故。这里所说的"违反规章制度",是指违反了对民用航空器的维修、操作管理、空域管理、运输管理及安全飞行管理等方面的规章制度,如民用航空器不按照空中交通管制单位指定的航路和飞行高度飞行,民用航空器机组人员的飞行时间、执勤时间大大超过国务院民用航空主管部门规定的时限等。"重大飞行事故",是指在航空器飞行过程中发生的航空器严重毁坏、破损造成人身伤亡的事件等。3. 必须是造成了严重后果。这里所说的"造成严重后果",是指造成人员重伤或者航空器严重损坏以及承运的货物毁坏等重大损失的情形。根据本条规定,构成本罪的,处三年以下有期徒刑或者拘役;造成飞机坠毁或者人员死亡的,处三年以上七年以下有期徒刑。

第一百三十二条　铁路职工违反规章制度,致使发生铁路运营安全事故,造成严重后果的,处三年以下有期徒刑或者拘役;造成特别严重后果的,处三年以上七年以下有期徒刑。

【释义】　本条是关于铁路运营安全事故罪及其处罚的规定。

根据本条规定,构成本罪,必须符合以下条件:1. 构成本罪的主体必须是铁路职工。"铁路职工",是指从事铁路管理、运输、维修等工作的人员,既包括工人,也包括管理人员。2. 行为人的行为违反了关于铁路运营安全方面的规章制度,致使发生铁路运营安全事故。这里所说的"违反规章制度",是指违反了有关主管部门制定、颁布的保证铁路运输安全的各种规章和制度,包括交通法规、技术操作规程、运输管理工作制度等。如违反操作规程冒险作业,不按时发出火车进出站信号、值班时睡觉等。"铁路运营安全事故",是指铁路在运输过程中发生的火车倾覆、出轨、撞车等造成人员伤亡、机车毁坏以及致使公私财产遭受重大损失的严重事件。这里规定的"铁路运营安全事故"不包括列车晚点、不能正点发车或到达等非安全事故。3. 由于行为人的行为,造成了严重后果。这里所说的"造成严重后果的",是指造成人员伤亡和公私财产遭受重大损失等结果。根据本条规定,铁路职工违反规章制度,致使发生铁路运营安全事故,造成严重后果的,处三年以下有期徒刑或者拘役;造成特别严重后果的,即造成多人伤亡或者使公私财产遭受特别重大损失等情形的,处三年以上七年以下有期徒刑。

第一百三十三条　违反交通运输管理法规,因而发生重大事故,致人重伤、死亡或者使公私财产遭受重大损失的,处三年以下有期徒刑或者拘役;交通运输肇事后逃逸或者有其他特别恶劣情节的,处三年以上七年以下有期徒刑;因逃逸致人死亡的,处七年以上有期徒刑。

【释义】　本条是关于交通肇事罪及其处罚的规定。

根据本条规定,构成本罪的,必须符合以下条件:1. 本条规定的犯罪主体为一般主体,任何人只要从事对机动车船驾驶的,均可成为本罪的主体。当然实际中主要是从事交通运输的人员,包括从事公路交通运输、水上交通运输的人员,如车辆、船舶的驾驶员、车长、船长等,以及对上述交通运输的正常、安全运行负有职责的其他有关人员。因本章已对航空人员、铁路职工违反规章制度,致使发生重大飞行事故、铁路运营安全事故作了专门的规定,所以本条不再包括上述两种人。2. 行为人对造成重大事故主观上是出于过失。如果行为人故意制造交通事故的则应按刑法其他有关条款定罪量刑,不能适用本条。3. 行为人必须实施了违反交通运输管理法规的行为。这里所说的"违反交通运输管理法规",是指违反国家有关交通运输管理方面的法律、法规以及国家有关部门制定的各种规定,如道路交通安全法、《道路交通安全法实施条例》、《铁路道口管理暂行规定》以及其他有关海运、船运等方面的法律、法规。4. 行为人的行为必须造成了重大事故,即致人重伤、死亡或者使公私财产遭受重大损失的,才能构成本罪。这一点是区分交通肇事罪与一般交通事故的主要标准,如果行为人违反有关交通法规的过失行为未造成上述危害后果的,就不构成犯罪,而应按交通事故由有关主管部门处理。本条对交通肇事罪规定了三档处刑,即致人重伤、死亡或者使公私财产遭受重大损失的,处三年以下有期徒刑或者拘役;交通肇事后逃逸或者有其他特别恶劣情节的,处三年以上七年以下有期徒刑;因逃逸致人死亡的,处七年以上有期徒刑。根据有关司法解释的规定,交通肇事具有下列情形之一的,构成犯罪,处三年以下有期徒刑或者拘役:(1)死亡一人或者重伤三人以上,负事故全部或者主要责任的;(2)死亡三人以上,负事故同等责任的;(3)造成公共财产或者他人财产直接损失,负事故全部或者主要责任,无能力赔偿数额在三十万元以上的。交通肇事致一人以上重伤,负事故全部或者主要责任,并具有下列情形之一的,以交通肇事罪定罪处罚:(1)酒后、吸食毒品后驾驶机动车辆的;(2)无驾驶资格驾驶机动车辆的;(3)明知是安全装置不全或者安全机件失灵的机动车辆而驾驶的;(4)明知是无牌证或者已报废的机动车辆而驾驶的;(5)严重超载驾驶的;(6)为逃避法律追究逃离事故现场的。本条所规定的"交通运输肇事后逃逸",是指行为人交通肇事构成犯罪,在发生交通事故后,为逃避法律追究而逃跑的行为。行为人交通肇事未造成严重后果而逃逸的,不属于本条所规定的情况,可作为行政处罚的从重情节考虑。"有其他特别恶劣情节",是指死亡二人以上或者重伤五人以上,负事故全部或者主要责任的;死亡六人以上,负事故同等责任的;造成公共财产或者他人财产直接损失,负事故全部或者主要责任,无能力赔偿数额在六十万元以上的。"因逃逸致人死亡",是指行为人在交通肇事后为逃避法律追究而逃跑,致使被害人因得不到救助而死亡的情形。实践中需要注意以下两个问题:一是交通肇事后,单位主管人员、机动车辆所有人、承包人或者乘车人指使肇事人逃逸,致使被害人因得不到救助而死亡的,以交通肇事罪的共犯论处。二是行为人在交通肇事后为逃避法律追究,将被害人带离事故现场后隐藏或者遗弃,致使被害人无法得到救助而死亡或者严重残疾的,应当分别依照刑法第二百三十二条、第二百三十四条第二款的规定,以故意杀人罪或者故意伤害罪定罪处罚。

第一百三十三条之一*　在道路上驾驶机动车,有下列情形之一的,处拘役,并处罚金:

---

* 本条经全国人民代表大会常务委员会增加,并修改一次。

根据2011年2月25日第十一届全国人民代表大会常务委员会第十九次会议通过的《中华人民共和国刑法修正案(八)》增加。

根据2015年8月29日第十二届全国人民代表大会常务委员会第十六次会议通过的《中华人民共和国刑法修正案(九)》修改。原新增条文是:"在道路上驾驶机动车追逐竞驶,情节恶劣的,或者在道路上醉酒驾驶机动车的,处拘役,并处罚金。

"有前款行为,同时构成其他犯罪的,依照处罚较重的规定定罪处罚。"

（一）追逐竞驶，情节恶劣的；

（二）醉酒驾驶机动车的；

（三）从事校车业务或者旅客运输，严重超过额定乘员载客，或者严重超过规定时速行驶的；

（四）违反危险化学品安全管理规定运输危险化学品，危及公共安全的。

机动车所有人、管理人对前款第三项、第四项行为负有直接责任的，依照前款的规定处罚。

有前两款行为，同时构成其他犯罪的，依照处罚较重的规定定罪处罚。

【释义】 本条是关于危险驾驶罪及其处罚的规定。

2011 年 2 月 25 日第十一届全国人民代表大会常务委员会第十九次会议通过的《刑法修正案（八）》增加了第一百三十三条之一，规定了危险驾驶罪。《刑法修正案（八）》关于危险驾驶罪的规定实施以来，有效地减少了这两种危险驾驶行为的发生，引领和推动良好社会风气的形成，越来越多的人接受了“开车不喝酒，喝酒不开车”的文明理念，取得了良好的社会效果。一些全国人大代表、法律专家和有关方面提出，除追逐竞驶、醉酒驾车的危险驾驶行为外，还有几种严重影响道路交通安全的顽疾难以根治，如有的校车管理不严，严重超员或者超速行驶的，有的客运公司为追求经济利益，在长途旅客运输中严重超员或者超速行驶的，还有的运输公司在运输危险化学品过程中严重违反有关管理规定的等。这几种情形，严重危及道路交通安全，社会各方面反响强烈。建议总结《刑法修正案（八）》危险驾驶罪的立法经验，将这些危险驾驶行为写入刑法。根据实践中交通安全事故的种类、危害性等情况，在深入调查研究、听取各方面意见和反复论证的基础上，《刑法修正案（九）》对危险驾驶罪的规定作出了修改，增加规定从事校车业务或者旅客运输，严重超过额定乘员载客，或者严重超过规定时速行驶的；以及违反危险化学品安全管理规定运输危险化学品，危及公共安全的，构成危险驾驶罪。并明确机动车所有人、管理人对这两类危险驾驶行为负有直接责任的，依照危险驾驶罪的规定追究其刑事责任。

有一个情况需要说明。在《刑法修正案（九）》的立法过程中，一些常委会组成人员和社会有关方面建议“毒驾”入刑，将吸食、注射毒品后在道路上驾驶机动车的行为纳入危险驾驶罪。对此问题，有关方面多次进行了研究论证，各方面一致认为，从严格禁毒、维护公共安全角度考虑，对吸食、注射毒品后驾驶机动车，危害公共安全的行为依法惩治是必要的。有的部门、专家提出，目前列入国家管制的精神药品和麻醉药品有二百余种，吸食、注射哪些毒品应该入刑，尚需研究；同时目前只能对几种常见毒品做到快速检测，还有一些执法环节的技术问题需要解决，需要进一步完善执法手段，提高可执行性，以保证严格执法、公正执法。经反复研究,考虑到目前有关方面对“毒驾”入刑的认识尚不一致,对于“毒驾”入刑罪与非罪的界限、可执行性等问题还需深入研究,目前对吸食、注射毒品后驾驶机动车的,可依法采取注销机动车驾驶证、强制隔离戒毒等措施,对“毒驾”造成严重后果的,还可以根据案件的具体情况追究其交通肇事、以危险方法危害公共安全的刑事责任。因此,《刑法修正案(九)》未将“毒驾”纳入危险驾驶罪的规定,拟对“毒驾”入刑的问题继续深入研究。

第一款是关于危险驾驶罪及其处罚的规定。本款规定的犯罪主体为一般主体,即任何在道路上行驶的机动车的驾驶人。本罪侵害的是双重客体,主要是道路交通秩序,同时也威胁到不特定多数人的生命、财产安全。犯罪人在主观上应当为故意,尽管犯罪人在主观上并没有追求交通事故、人员伤亡等后果的发生,但是对于危险驾驶的行为是明知或者放任发生的。

构成危险驾驶罪的前提是在道路上驾驶机动车。根据道路交通安全法第一百一十九条的规定,本款规定中的“道路”是指:公路、城市道路和虽在单位管辖范围但允许社会机动车通行的地方,包括广场、公共停车场等用于公众通行的场所。同样,根据该条规定,“机动车”是指以动力装置驱动或者牵引,上道路行驶的供人员乘用或者用于运送物品以及进行工程专项作业的轮式车辆。

根据本款规定,构成危险驾驶罪的行为有以下四种:

1. 追逐竞驶,情节恶劣的。这里规定的“追逐竞驶”,就是平常所说的“飙车”,是指在道路上,以在较短的时间内通过某条道路为目标或者以同行的其他车辆为竞争目标,追逐行驶。具体情形包括在道路上进行汽车驾驶“计时赛”,或者若干车辆在同时行进中互相追赶等,既包括超过限定时速的追逐竞驶,也包括未超过限定时速的追逐竞驶。根据本款规定,在道路上追逐竞驶,情节恶劣的才构成犯罪。判断是否“情节恶劣”,应结合追逐竞驶所在的道路、时段、人员流量,追逐竞驶造成的危害程度以及危害后果等方面进行认定。

2. 醉酒驾驶机动车的。道路交通安全法的相关规定区分了饮酒和醉酒两种情形。根据国家质量监督检验检疫总局 2011 年 1 月 4 日修订的《车辆驾驶人员血液、呼气酒精含量阈值与检验》(GB/T 19522 - 2010)的规定,饮酒驾车是指车辆驾驶人员血液中的酒精含量大于或者等于 20mg/100ml,小于 80mg/100ml 的驾驶行为;醉酒驾车是指车辆驾驶人员血液中的酒精含量大于或者等于 80mg/100ml 的驾驶行为。实践中,执法部门也是依据这一标准来判断酒后驾车和醉酒驾车两种行为。

醉酒驾驶机动车的行为不一定造成交通事故、人员伤亡的严重后果,只要行为人血液中的酒精含量大于或者等于 80mg/100ml,即构成危险驾驶的行为。根据最高人民法院、最高人民检察院、公安部联合发布的《关于办理醉酒驾驶机动车刑事案件适用法律若干问题的意见》中的规定，醉酒驾驶机动车造成交通事故且负事故全部或者主要责任，或者造成交通事故后逃逸，尚未构成其他犯罪的；血液酒精含量达到200mg/100ml以上的；在高速公路、城市快速路上醉酒驾驶的；醉酒驾驶载有乘客的营运机动车的；醉酒驾驶机动车并有严重超员、超载或者超速驾驶，无驾驶资格驾驶机动车，使用伪造或者变造的机动车牌证等严重违反道路交通安全法的行为的；醉酒驾驶机动车，逃避公安机关依法检查，或者拒绝、阻碍公安机关依法检查尚未构成其他犯罪的；曾因酒后驾驶机动车受过行政处罚或者刑事追究后又醉酒驾驶机动车的；醉酒驾驶机动车有其他可以从重处罚的情形的，应当从重处罚。

3. 从事校车业务或者旅客运输，严重超过额定乘员载客，或者严重超过规定时速行驶的。从事校车业务或者旅客运输，关系较多人的生命财产安全，也是近年来交通事故频发多发的重灾区，一旦发生事故，即是群死群伤，后果不堪设想。实践中，有的从事校车业务或者旅客运输的人员，为了追求利润，无视额定乘员数量或者规定时速，任意超员、超速，发生了大量触目惊心的事故。对这类行为，应当加强管理，加大处罚力度，防止惨案的发生。这里所规定的"校车"，是指依照国家规定取得使用许可，用于接送接受义务教育的学生上下学的七座以上的载客汽车。依照国务院颁布的《校车安全管理条例》的有关规定，从事校车业务应当取得许可。学校或者校车服务提供者申请取得校车使用许可，应当向县级或者设区的市级人民政府教育行政部门提交书面申请和证明其符合该条例第十四条规定条件的材料。教育行政部门应当自收到申请材料之日起三个工作日内，分别送同级公安机关交通管理部门、交通运输部门征求意见，公安机关交通管理部门和交通运输部门应当在三个工作日内回复意见。教育行政部门应当自收到回复意见之日起五个工作日内提出审查意见，报本级人民政府。本级人民政府决定批准的，由公安机关交通管理部门发给校车标牌，并在机动车行驶证上签注校车类型和核载人数；不予批准的，书面说明理由。校车标牌应当载明本车的号牌号码、车辆的所有人、驾驶人、行驶线路、开行时间、停靠站点以及校车标牌发牌单位、有效期等事项。禁止使用未取得校车标牌的车辆提供校车服务。这里规定的从事旅客运输的车辆，包括需要具备营运资格的公路客运、公交客运、出租客运、旅游客运以及其他从事旅客运输的微型面包车等非营运客车。从事旅客运输的驾驶人员需要具备一定的资质，由有关部门颁发准驾证明。实践中需要注意的是，有的从事校车业务的车辆并未取得许可，有的从事旅客运输的车辆不具备营运资格，还有一些未取得客运道路运输经营许可非法从事旅客运输的车辆，甚至还有货车违反规定载人、拖拉机载人的；有的从业人员并不具备相关资质，如有的校车驾驶员就是由幼儿园的管理人员担任的,有的客运车辆驾驶员并不具备相应的驾驶资格。但是,未取得许可或者不具备相关资质,不影响本罪刑事责任的认定,只要是从事了校车业务或者旅客运输,严重超过额定乘员载客,或者严重超过规定时速行驶的,都应当依照本条规定追究刑事责任。

从事校车业务的机动车和旅客运输车辆严重超员、超速的危害性很大。超员会导致车辆超出其载重质量,增加行车的不稳定性,引发爆胎、偏驶、制动失灵、转向失控等危险。超速行驶会降低驾驶人的判断能力,使反应距离和制动距离延长。这两种做法,都容易造成群死群伤的重特大交通事故,且会加大事故的伤亡后果。这里所规定的"严重"超员、超速的具体界限,需要由有关部门通过制定《刑法修正案(九)》的衔接性规定加以明确。只要从事校车业务的机动车和旅客运输车辆严重超员、超速的,无论是否造成严重后果,都应当追究危险驾驶罪的刑事责任。

4. 违反危险化学品安全管理规定运输危险化学品,危及公共安全的。根据国务院发布的《危险化学品安全管理条例》的规定,危险化学品,是指具有毒害、腐蚀、爆炸、燃烧、助燃等性质,对人体、设施、环境具有危害的剧毒化学品和其他化学品。目前,国内80%的危险化学品需要通过高速公路运输,每年全国通过公路运输的危险化学品达3500多个品种,约2.4亿吨。几个连接国内主要城市的高速公路均承担运输危险化学品的任务。虽然危险化学品运输安全事故占比不高,但损害结果严重,个案致死率高。危险化学品运输安全事故危害大,爆炸瞬间就能覆盖整个事故现场,有关人员往往根本来不及逃生。同时,基于危险化学品的危险特性,一旦发生事故,还易导致土壤、水源等环境污染,带来次生危害。因此,对于这类事故,必须严格防范。根据规定,从事危险化学品道路运输的,应当取得危险货物道路运输许可,并向工商行政管理部门办理登记手续。危险化学品道路运输企业应当配备专职安全管理人员。驾驶人员、装卸管理人员、押运人员应当经交通运输主管部门考核合格,取得从业资格。运输危险化学品,应当根据危险化学品的危险特性采取相应的安全防护措施,并配备必要的防护用品和应急救援器材。用于运输危险化学品的槽罐以及其他容器应当封口严密,能够防止危险化学品在运输过程中因温度、湿度或者压力的变化发生渗漏、洒漏;槽罐以及其他容器的溢流和泄压装置应当设置准确、起闭灵活。运输危险化学品的驾驶人员、装卸管理人员、押运人员应当了解所运输的危险化学品的危险特性及其包装物、容器的使用要求和出现危险情况时的应急处置方法。通过道路运输危险化学品的,托运人应当委托依法取得危险货物道路运输许可的企业承运,应当按照运输车辆的核定载质量装载危险化学品,不得超载。危险化学品运输车辆应当符合国家标准要求的安全技术条件,并按照国家有关规定定期进行安全技术检验,应当悬挂或者喷涂符合国家标准要求的警示标志。通过道路运输危险化学品的,应当配备押运人员,并保证所运输的危险化学品处于押运人员的监控之下。运输危险化学品途中因住宿或者发生影响正常运输的情况,需要较长时间停车的,驾驶人员、押运人员应当采取相应的安全防范措施;运输剧毒化学品或者易制爆危险化学品的,还应当向当地公安机关报告。未经公安机关批准,运输危险化学品的车辆不得进入危险化学品运输车辆限制通行的区域。危险化学品运输车辆限制通行的区域由县级人民政府公安机关划定,并设置明显的标志。根据本款规定,违反上述规定,危及公共安全的,应当依法追究刑事责任,尚未危及公共安全的,也应当依法予以行政处罚。这里所规定的"危及公共安全的",是划分罪与非罪的重要界限。在实践中,对于是否危及公共安全,应当结合运输的危险化学品的性质、品种及数量,运输的时间、路线,违反安全管理规定的具体内容及严重程度,一旦发生事故可能造成的损害后果等综合作出判断。

第二款是关于机动车所有人、管理人对危险驾驶行为承担刑事责任的规定。一般情况下,危险驾驶罪的行为主体为机动车的驾驶人。但是,从实践情况看,对于从事校车业务或者旅客运输,严重超过额定乘员载客,或者严重超过规定时速行驶的;违反危险化学品安全管理规定运输危险化学品,危及公共安全的,有时机动车的所有人、管理人也会成为共同的犯罪主体。例如,学校、校车服务提供者或者从事旅客运输的企业、车辆所有人、实际管理人强令、指使或者放任车辆驾驶人超过额定乘员载客或者严重超过规定时速行驶的;危险化学品运输企业、车辆所有人、实际管理人要求或者放任车辆驾驶人违反危险化学品安全管理规定运输危险化学品,危及公共安全的。这种情况,实际上是很多危险驾驶行为发生的直接原因,性质是很恶劣的,应当依法予以惩治,从根本上防范危险驾驶行为的发生。根据本款规定,机动车所有人、管理人对从事校车业务或者旅客运输的车辆驾驶人严重超过额定乘员载客,或者严重超过规定时速行驶负有直接责任的,对运输危险化学品的车辆驾驶人违反危险化学品安全管理规定,危及公共安全负有直接责任的,依照本条第一款关于危险驾驶罪的规定追究刑事责任。

第三款是关于有危险驾驶行为,同时又构成其他犯罪如何适用法律的规定。根据本款规定,具有上述竞合情形的,应当依照处罚较重的规定定罪处罚。这里主要涉及如何处理好本条规定的犯罪与交通肇事罪等其他罪名的关系。如果行为人有第一款规定的危险驾驶行为,造成人员伤亡或者公私财产重大损失,符合本法第一百三十三条交通肇事罪构成要件或者构成其他犯罪的,根据本款规定的原则,应当依照本法第一百三十三条的规定以交通肇事罪定罪处罚，或者依照本法其他有关规定定罪处罚，而行为人危险驾驶的行为，将会被作为处罚的量刑情节予以考虑。

第一百三十四条*　在生产、作业中违反有关安全管理的规定，因而发生重大伤亡事故或者造成其他严重后果的，处三年以下有期徒刑或者拘役；情节特别恶劣的，处三年以上七年以下有期徒刑。

强令他人违章冒险作业，因而发生重大伤亡事故或者造成其他严重后果的，处五年以下有期徒刑或者拘役；情节特别恶劣的，处五年以上有期徒刑。

【释义】　本条是关于重大责任事故罪及其处罚的规定。

1997年刑法中关于重大责任事故犯罪的规定，在遏制重大责任事故发生方面发挥了较好的作用。但是，随着经济和社会的发展，由于整个经济领域生产范围的扩大和生产规模的增长，重大责任事故罪出现了一些新的问题。一是原刑法规定的犯罪主体范围较窄，不适应经营主体日益多元化的情况。除了1997年刑法规定的工厂、矿山、林场、建筑企业或者其他企业、事业单位的职工等特殊主体外，一些个体生产经营单位和个人，甚至违法生产经营的单位和个人，如包工头、无证矿主等在生产、作业中违反安全管理规定，不顾工人生命安全，违章生产、作业，导致重大责任事故的情况时有发生。二是一些生产、经营单位或者个人，为了追求经济利益，不顾法律的制约，采取各种手段强令生产、作业人员违章冒险作业，因而发生重大责任事故，给人民群众生命健康和国家、集体、个人财产造成重大损失，群众反映非常强烈。这种强令工人违章冒险作业的行为，比一般的违章生产、作业的性质更为恶劣，危害更为严重，原刑法的有关规定已经不能满足打击犯罪、遏制犯罪的需要，有必要进行修改。为此，《刑法修正案（六）》对原规定作了两个方面的修改：一是将犯罪主体从原来的企业、事业单位的职工扩大到从事生产、作业的所有人员；二是将“强令他人违章冒险作业”与一般的违章生产、作业分开，作为第二款单独规定，并将其刑罚从最高七年有期徒刑提高到十五年有期徒刑。

第一款是关于重大责任事故罪及其处罚的规定。根据本款的规定，认定重大责任事故罪应当注意以下几个方面的问题：

1. 该罪的主体是在各类生产经营活动中从事生产、作业及其指挥管理的人员，既包括1997年刑法规定的工厂、矿山、林场、建筑企业或者其他企业、事业

---

* 根据2006年6月29日第十届全国人民代表大会常务委员会第二十二次会议通过的《中华人民共和国刑法修正案（六）》修改。原条文是：“工厂、矿山、林场、建筑企业或者其他企业、事业单位的职工，由于不服管理、违反规章制度，或者强令工人违章冒险作业，因而发生重大伤亡事故或者造成其他严重后果的，处三年以下有期徒刑或者拘役；情节特别恶劣的，处三年以上七年以下有期徒刑。”

单位的职工，也包括其他生产、经营单位的人员、个体经营户、群众合作经营组织的生产、管理人员，甚至违法经营单位、无照经营单位的生产、作业及其指挥管理人员等。只要在生产、作业中违反有关安全管理的规定，造成不特定人员伤亡或者公私财产重大损害的，无论其生产、作业性质，均可以构成该罪。

2. 本罪在客观方面表现为在生产、作业中违反有关安全管理的规定，因而发生重大伤亡事故或者造成严重后果。（1）行为人违反了有关安全管理的规定。这里所说的“有关安全管理的规定”，既包括国家制定的关于安全管理的法律、法规，如安全生产法等，也包括行业或者管理部门制定的关于安全生产、作业的规章制度、操作章程等。违反安全管理规定的行为往往具有不同的形式。普通职工主要表现为不服管理、不听指挥、不遵守操作规程和工艺设计要求或者盲目蛮干、擅离岗位等；生产管理人员主要表现为违背客观规律在现场盲目指挥，或者做出不符合安全生产、作业要求的工作安排等。（2）行为人违反有关安全管理规定的行为引起了重大伤亡事故，造成严重后果。本条规定了“重大伤亡”和“严重后果”两个标准，但只要具备其一便构成犯罪。其中，造成其他严重后果，是指除重大伤亡事故以外的其他后果，包括重大财产损失等。关于重大伤亡或者“其他严重后果”的认定标准，由于生产领域、地域、时间等情况的不同，一般由相关领域的管理规定作出规定。司法实践中，司法机关可以根据犯罪的具体情节、造成的后果、社会影响等综合认定。

3. 在主观方面本罪表现为过失。这种过失，是指对造成的重大人身伤亡或者其他严重后果由于疏忽大意没有预见，或者虽然预见但轻信可以避免而没有采取相应的措施。而对违反安全管理规定本身，则既可以是过失，也可以是故意，这对认定本罪没有影响，但在量刑时可以作为一个情节予以考虑。如果行为人对危害结果出于故意的心理状态，则不构成本罪，应当按照其他相应的犯罪定罪处罚。实践中，有些企业、事业单位或者群众合作经营组织、个体经营户招用从业人员，不经技术培训，也不进行必要的安全教育，直接安排其从事生产、作业，使职工在不了解安全管理规定的情况下违反安全管理规定，因而发生重大责任事故，对于生产、作业人员不宜认定为犯罪，但对发生事故的单位和经营组织、经营户的直接责任人员，则应当按照本罪定罪处罚。根据本款的规定，在生产、作业中违反有关安全管理的规定，因而发生重大伤亡事故或者造成其他严重后果的，处三年以下有期徒刑或者拘役；情节特别恶劣的，处三年以上七年以下有期徒刑。这里规定的“情节特别恶劣”，是指造成伤亡人数特别多；造成直接经济损失特别大，或者其他违反安全管理规定非常恶劣的情况。例如，经常违反规章制度，屡教不改；明知没有安全保证，不听劝阻；发生过事故不引以为戒，继续蛮干；违章行为特别恶劣，如已因违反规章制度受到批评教育或行政处罚而不改正，再次违反安全管理规定,造成重大事故;已发现事故苗头,仍然不听劝阻、一意孤行,拒不采纳工人和技术人员的意见,导致事故发生的;通过恶劣手段掩盖安全生产隐患,蒙骗工人作业,在出现险情的情况下仍然继续生产、作业或者指挥工人生产、作业的等。

第二款是关于强令他人违章冒险作业的处罚的规定。这种情况,主要是指那些负有生产、作业指挥和管理职责的人员,为了获取高额利润,明知道存在安全生产隐患,或者为了获得高额利润,采取违反安全管理规定的行为,在生产、作业人员拒绝的情况下,利用职权或者其他强制手段强令工人违章冒险作业,因而发生重大伤亡事故或者造成其他严重后果的。这种情况,首先表现在工人不愿听从生产、作业指挥管理人员违章冒险作业的命令,其次是生产、作业指挥管理人员利用自己的职权或者其他手段强迫命令工人在违章的情况下冒险作业,即强迫工人服从其错误的指挥,而工人不得不违章作业。这种"强令",不一定表现为恶劣的态度、强硬的语言或者行动,只要是能够对工人产生精神强制,使其不敢违抗命令,不得不违章冒险作业的,均构成"强令"。根据本款的规定,对于强令他人违章冒险作业,因而发生重大伤亡事故或者造成严重后果的,处五年以下有期徒刑或者拘役;情节特别恶劣的,处五年以上有期徒刑。这里所说的"情节特别恶劣",例如,用恶劣手段强令工人违章冒险作业等;已经出现事故苗头或者已经发生事故,仍然强令冒险作业的等。

在认定重大责任事故罪时,应当注意区分重大责任事故和自然事故的界限。自然事故,是指不以人的意志为转移的自然原因造成的事故,如雷电、暴风雨造成电路故障而引起的人员伤亡或经济损失。如果无人违章,纯属自然事故,不构成犯罪。此外,也应当区分重大责任事故罪与技术事故的界限。技术事故,是指由于技术手段或者设备条件所限而无法避免的人员伤亡或经济损失。如在生产和科学实验中,总会因为科技水平和设备条件的限制,不可避免地出现一些事故,造成一些损失,这不是犯罪问题,但是,如果凭借现有的科技和设备条件,经过努力本来可以避免事故发生,由于疏忽大意或者过于自信未能避免的,则可能构成重大责任事故罪。

第一百三十五条*　安全生产设施或者安全生产条件不符合国家规定,因

* 根据2006年6月29日第十届全国人民代表大会常务委员会第二十二次会议通过的《中华人民共和国刑法修正案(六)》修改。原条文是:"工厂、矿山、林场、建筑企业或者其他企业、事业单位的劳动安全设施不符合国家规定,经有关部门或者单位职工提出后,对事故隐患仍不采取措施,因而发生重大伤亡事故或者造成其他严重后果的,对直接责任人员,处三年以下有期徒刑或者拘役;情节特别恶劣的,处三年以上七年以下有期徒刑。"

而发生重大伤亡事故或者造成其他严重后果的，对直接负责的主管人员和其他直接责任人员，处三年以下有期徒刑或者拘役；情节特别恶劣的，处三年以上七年以下有期徒刑。

【释义】 本条是关于重大劳动安全事故罪及其处罚的规定。

我国1997年刑法第一百三十五条规定："工厂、矿山、林场、建筑企业或者其他企业、事业单位的劳动安全设施不符合国家规定，经有关部门或者单位职工提出后，对事故隐患仍不采取措施，因而发生重大伤亡事故或者造成其他严重后果的，对直接责任人员，处三年以下有期徒刑或者拘役；情节特别恶劣的，处三年以上七年以下有期徒刑。"刑法的这一规定，为规范各种劳动生产部门的安全生产，保障国家、集体和个人的财产以及劳动者的生命安全，提供了法律保障。随着我国社会主义经济建设的不断发展，在劳动生产安全方面也出现了新的特点。劳动生产部门和劳动生产方式呈现多样化，已不局限于过去传统意义上的工厂、矿山、林场、建筑企业或者其他企业、事业单位这些劳动生产部门。刑法第一百三十五条规定的犯罪主体已不能涵盖新出现的一些生产经济组织。有些全国人大代表、国家安全生产监督管理总局和一些地方提出，刑法的规定在实践中遇到以下问题：一是犯罪主体范围较窄，仅限于企业、事业单位，现实中大量存在的个体经营户、无照生产经营单位没有包括进去。二是将"单位的劳动安全设施不符合国家规定，经有关部门或者单位职工提出后，对事故隐患仍不采取措施"作为构成犯罪的前提条件，执行起来较为困难。有的矿难一次死亡几十人、上百人，但因为查不到"经有关部门或者单位职工提出后，对事故隐患仍不采取措施"的证据，而使一些发生重大安全事故的直接责任人员不能受到应有的惩处。三是有些生产经营单位无视劳动者生命健康，不仅劳动安全设施有问题，而且连最基本的劳动保护用品都不提供，使从业人员身体受到严重伤害，或者发生重大伤亡事故，而劳动防护用品又很难归入"劳动安全设施"。四是条文虽然规定追究"直接责任人员"的刑事责任，但是由于范围不明确，在实践中对直接责任人员在认定上常存在分歧意见。为更好地保障劳动生产部门的财产和劳动者的生命安全及适应形势发展的需要，有必要对刑法作相应的调整和修改。2006年6月29日第十届全国人民代表大会常务委员会第二十二次会议通过的《刑法修正案（六）》对1997年刑法第一百三十五条主要作了四个方面的修改：第一，删去了关于主体的规定。将犯罪主体从原来的企业、事业单位扩大到所有从事生产、经营的自然人、法人及非法人实体。即无论采取何种劳动生产方式和组织形式，其安全生产设施或者安全生产条件不符合国家规定，因而发生重大伤亡事故或者造成其他严重后果，构成犯罪的，都适用本条的规定。第二，将"不符合国家规定"的对象范围从"安全生产设施"扩大到"安全生产条件”。第三，删去了关于“经有关部门或者单位职工提出后，对事故隐患仍不采取措施”的规定。这是为了强化劳动生产单位负责人和组织者的劳动安全生产责任。无论生产什么产品，采取何种劳动的组织形式，劳动生产的组织者和主要负责人都必须自觉严格遵守国家有关劳动安全生产的法律、法规的规定，严格按照劳动安全的操作规程进行。我国安全生产法第四条明确规定：“生产经营单位必须遵守本法和其他有关安全生产的法律、法规，加强安全生产管理，建立、健全安全生产责任制和安全生产规章制度，改善安全生产条件，推进安全生产标准化建设，提高安全生产水平，确保安全生产。”修正案删去“经有关部门或者单位职工提出后，对事故隐患仍不采取措施”，也是为了由过去国家对生产单位的安全生产的管理所采取的监督管理转变为事后监督及让劳动单位积极预防的管理形式。如果劳动生产部门不按照国家有关劳动安全生产的规定组织劳动生产，一旦发生劳动生产安全事故，并符合本条规定的情形，构成犯罪的，国家将动用法律手段予以严厉的制裁。而不是像原来的规定那样，还要“经有关部门或者单位职工提出后，对事故隐患仍不采取措施”，才追究有关当事人的刑事责任。之所以作这样的修改，也是近年来现实生活中发生的许多触目惊心的劳动安全生产责任事故，给予人们深刻的教训所得出的认识。劳动生产的安全应当由劳动生产单位的组织者、劳动者自己本身加以重视。任何来自外在的监督都不如劳动生产单位自身的高度重视和严格的防范措施。因为劳动生产的安全绝非儿戏，其关系到众多劳动者的生命安全，一旦发生安全生产事故，后果不堪设想，损失也将无法挽回。特别是近年来出现的许多地方的小煤矿、小金矿等，许多业主唯利是图，不遵守国家有关安全生产的法律、法规的规定，采取野蛮施工的方式，结果造成矿塌人亡的事故，给劳动者的生命安全造成了不可弥补的严重损失。第四，考虑到安全生产设施、安全生产条件不符合国家规定一般都是单位行为，修正案将原条文中“直接责任人员”修改规定为“直接负责的主管人员和其他直接责任人员”，使应对重大伤亡事故负责的责任人员的范围更加明确。

本条规定的“安全生产设施或者安全生产条件不符合国家规定，因而发生重大伤亡事故或者造成其他严重后果的”行为中，“安全生产设施”主要是指用于安全生产的各种设施和设备，主要包括安全牢固的生产用房设施、符合安全标准的各种机器设备及隔离栏、防护网、危险标志、用于逃生的安全通道等。安全生产法第三十四条明确规定：“生产经营单位使用的危险物品的容器、运输工具，以及涉及人身安全、危险性较大的海洋石油开采特种设备和矿山井下特种设备，必须按照国家有关规定，由专业生产单位生产，并经具有专业资质的检测、检验机构检测、检验合格，取得安全使用证或者安全标志，方可投入使用。

检测、检验机构对检测、检验结果负责。”第三十五条还规定:“国家对严重危及生产安全的工艺、设备实行淘汰制度,具体目录由国务院安全生产监督管理部门会同国务院有关部门制定并公布。法律、行政法规对目录的制定另有规定的,适用其规定。省、自治区、直辖市人民政府可以根据本地区实际情况制定并公布具体目录,对前款规定以外的危及生产安全的工艺、设备予以淘汰。生产经营单位不得使用应当淘汰的危及生产安全的工艺、设备。”总之,劳动生产者使用的劳动生产设施、设备都必须符合国家有关安全标准的规定,确保劳动者使用安全的生产设施进行劳动生产。

本条规定的“安全生产条件”,主要是指劳动生产者在进行劳动生产时所处的环境条件及用于保护劳动者安全生产作业必不可少的安全防护用品和措施。特别是从事某种特殊或者危险工作的劳动生产,如从事某种有毒、高空作业等,都必须配备相应的符合国家有关生产安全标准的防毒设备和高空安全防护用具;又如用于防毒、绝缘、防火、避雷、防暴、通风等用品和措施。确保劳动者在一个安全的劳动条件或者具备安全防护措施的条件下进行劳动生产。

本条规定的“不符合国家规定”,主要是指用于劳动生产的安全生产设施或者安全生产条件,不符合国家的有关安全标准或者有关安全的要求的规定。实践中有的生产经营单位新建、改建、扩建工程的安全设施未依法经有关部门审查批准,擅自投入生产或使用;有的生产经营单位不按照国家有关法律、法规的规定为工人提供必要的劳动保护用品;有的生产经营单位由于不具备安全生产条件或者存在重大事故隐患,被行政执法机关责令停产、停业或者取缔、关闭后,仍强行生产经营等,均属于“不符合国家规定”的情形。另外,为了确保劳动生产的安全,国家对劳动生产设施采取国家统一的安全技术标准认定,并对生产设施、设备的安全使用期限都有严格的规定。劳动生产部门应当使用具有国家有关部门经过技术标准认定的生产设施和设备,严禁使用不符合技术标准的或者超过使用期限而应当报废的生产设施和设备。实践中有的生产经营单位擅自使用不符合国家规定的安全设施、设备或者使用超过安全使用期限的生产设施、设备也属于“不符合国家规定”的情形。再者,对劳动生产条件的安全,国家的有关法律、法规也都有明确的规定,特别是从事那种有毒有害或者危险作业的行业。有些生产经营单位不按规定给工人配备必要的安全防护用品和设备都是不符合国家规定的。“因而发生重大伤亡事故或者造成其他严重后果的”,是指由于安全生产设施或者安全生产条件不符合国家规定,从而发生重大伤亡事故或者造成其他严重后果的情况。“或者造成其他严重后果的”,是指造成重大伤亡事故以外的其他严重后果的情况,如给国家财产或集体财产造成严重损失或者造成国家有关的重要工程、生产计划不能如期完工的严重后果等情况。

构成本条规定之罪的，对直接负责的主管人员和其他直接责任人员，处三年以下有期徒刑或者拘役；情节特别恶劣的，处三年以上七年以下有期徒刑。其中，“情节特别恶劣”，是指由于有关直接负责的主管人员和其他直接责任人员，对长期存在的生产安全隐患，不及时进行治理或者明知是不符合国家规定的安全生产设施而安装或者使用等情况。

第一百三十五条之一*　举办大型群众性活动违反安全管理规定，因而发生重大伤亡事故或者造成其他严重后果的，对直接负责的主管人员和其他直接责任人员，处三年以下有期徒刑或者拘役；情节特别恶劣的，处三年以上七年以下有期徒刑。

【释义】　本条是关于大型群众性活动重大安全事故罪及其处罚的规定。

随着国家经济发展和人民生活水平的逐步提高，各类群众性文化体育活动日益广泛开展，但由于一些主办方人员缺乏法律意识和安全意识，不遵守有关的管理规定，或者安全监督不规范、不到位，致使一些地方的大型群众性活动中发生了重特大安全事故，给人民群众的生命和财产造成重大损失。为维护社会稳定，保障人民群众的生命财产安全，《刑法修正案（六）》对举办大型群众性活动违反安全管理规定，因而发生重大伤亡事故或者造成其他严重后果的行为，明确规定要追究刑事责任。

根据本条的规定，构成这一犯罪需要符合以下几个条件：

1. 行为人主观上是过失。即行为人对自己违反有关安全管理规定举办大型群众性活动的行为，可能发生的危害社会的结果，因为疏忽大意而没有预见，或者已经预见而轻信能够避免，以致发生这种结果。

2. 行为人客观上实施了违反安全管理规定，举办大型群众性活动的行为。大型活动的举办，其特点是在一定时期和有限的空间内，人员众多，身份复杂，物资汇聚，极易发生重大伤亡事故。针对这一特点，为预防和减少事故的发生，确保人民群众的生命和财产安全，我国的法律、法规对举办大型群众性活动规定了明确的条件。例如，2007 年颁布实施的《大型群众性活动安全管理条例》，对大型群众性活动有关人员的安全责任和安全管理要求作了明确规定。根据该规定，大型群众性活动的预计参加人数在一千人以上五千人以下的，由活动所在地县级人民政府公安机关实施安全许可；预计参加人数在五千人以上的，

* 根据 2006 年 6 月 29 日第十届全国人民代表大会常务委员会第二十二次会议通过的《中华人民共和国刑法修正案（六）》增加。

由活动所在地设区的市级人民政府公安机关或者直辖市人民政府公安机关实施安全许可;跨省、自治区、直辖市举办大型群众性活动的,由国务院公安部门实施安全许可。举办大型群众性活动,承办者应当制订大型群众性活动安全工作方案。根据本条的规定,构成这一犯罪的客观行为要同时具备两个条件:一是"违反安全管理规定"。这里的"安全管理规定"是广义的,不仅包括举办大型群众性活动应当具备的各种安全防范设施,还包括举办大型群众性活动涉及的人员管理的各种安全规定。如参加者人数大大超出场地人员的核定容量,没有迅速疏散人员的应急预案等存在严重安全隐患,不符合举办大型群众性活动的安全要求,可能危及参加者人身财产安全等情况。二是举办的是"大型群众性活动"。"大型群众性活动"一般是指法人或者其他组织面向社会公众举办的每场次预计参加人数达到一千人以上的各种群众活动,如体育比赛活动,演唱会、音乐会等文艺演出活动,展览、展销等活动,等等。

3.举办大型群众性活动违反安全管理规定的行为要达到"发生重大伤亡事故或者造成其他严重后果"的程度。这是区分罪与非罪的重要界限。根据本条的规定,举办大型群众性活动违反安全管理规定的行为与发生重大伤亡事故或者造成其他严重后果之间要有直接因果关系,因此本条在犯罪构成的表述上规定"因而"。而重大伤亡事故或者其他严重后果的具体标准,应当由司法机关根据实践的需要,在总结实际判例的基础上作出具体的规定。

对构成本条规定之罪的,法律对直接负责的主管人员和其他直接人员,规定了两档处刑:构成此罪的,处三年以下有期徒刑或者拘役;情节特别恶劣的,处三年以上七年以下有期徒刑。

第一百三十六条　违反爆炸性、易燃性、放射性、毒害性、腐蚀性物品的管理规定,在生产、储存、运输、使用中发生重大事故,造成严重后果的,处三年以下有期徒刑或者拘役;后果特别严重的,处三年以上七年以下有期徒刑。

【释义】 本条是关于危险物品肇事罪及其处罚的规定。

根据本条的规定,构成本罪的主体为从事生产、储存、运输、使用危险物品的工作的人员。行为人在主观上是出于过失,若行为人是故意制造爆炸等事故的,则不适用本条定罪处刑,而应适用其他有关条款定罪处罚,如爆炸罪等。本罪在客观上必须具有违反危险物品管理规定的行为。本条规定的"爆炸性"物品,是指多种具有爆炸性能的物品,如各种炸药、雷管、非电导爆系统、起爆药和爆破剂以及黑火药、烟火剂、信号弹和烟花爆竹等;"易燃性"物品,是指汽油、煤油、酒精、丙酮、橡胶水以及各种很容易燃烧的化学物品和液剂;"放射性"物品,是指铀、镭以及其他各种具有放射性能,并对人体或牲畜能够造成严重损害的物品；“毒害性”物品，是指如氰化钾等其他各种对人体或牲畜能够造成严重毒害的物品；“腐蚀性”物品，是指硫酸、盐酸等能够严重毁坏其他物品以及人身的物品。这些物品本身具有很大的危险性，为保证这些物品的安全生产、储存、运输、使用，国家有关主管部门有着严格的管理规定，以确保公民的人身和财产安全，防止危害公共安全。在正常情况下，只要严格遵守国家有关部门制定的各种规定，是可以避免发生危险事故的。根据本条规定，行为人违反危险物品管理规定的行为必须引发重大事故，造成严重后果的，才构成犯罪。其中，“发生重大事故，造成严重后果的”，是指造成人员伤亡或者使公私财产遭受重大损失的。对这种行为，本条规定，处三年以下有期徒刑或者拘役；对后果特别严重的，即造成多人伤亡或者使公私财产遭受特别重大损失的，处三年以上七年以下有期徒刑。

第一百三十七条　建设单位、设计单位、施工单位、工程监理单位违反国家规定，降低工程质量标准，造成重大安全事故的，对直接责任人员，处五年以下有期徒刑或者拘役，并处罚金；后果特别严重的，处五年以上十年以下有期徒刑，并处罚金。

【释义】　本条是关于工程重大安全事故罪及其处罚的规定。

随着我国改革开放的不断发展，经济建设得到迅速发展，建筑工程已成为经济建设中一个非常重要的项目。但是，一些不法分子为牟取暴利，置人民生命、财产安全于不顾，在建筑过程中偷工减料、降低工程质量标准或者使用不合格的建筑材料，导致楼房倒塌、桥梁断裂、铁路塌陷等重大安全事故，使人民的生命安全和公私财产遭受重大损失，严重地危害了公共安全，针对这些情况，刑法专门将这类行为规定为犯罪。

根据本条规定，构成本罪必须具备以下条件：1. 构成本罪的主体是单位，即建设单位、设计单位、施工单位及工程监理单位。其中，“建设单位”，是指对建设工程拥有所有权或者使用权的部门；“设计单位”，是指对建设工程进行专门设计的单位；“施工单位”，主要是指按照设计单位的设计及各种标准、要求进行建筑物建设的部门；“工程监理单位”，是指受建设单位聘请，担任工程质量监督工作的单位。2. 行为人的目的虽然并不希望重大安全事故的发生，但为了投机取巧，从中牟利，其降低工程质量标准的行为是故意的，而且在客观方面实施了违反国家规定，降低工程质量标准的行为，如降低水泥标号、使用不合格的残次建筑材料等。3. 必须是造成了重大安全事故。这是区分罪与非罪的重要界限。这里所说的“重大安全事故”，是指该建筑工程在建设中以及交付使用后，由于达不到质量标准或者存在严重问题，导致楼房倒塌、桥梁断裂、铁路塌陷，造成人员伤亡或者火车、汽车等交通工具倾覆事故等。根据本条规定，构成犯罪的，对直接责任人员，处五年以下有期徒刑或者拘役，并处罚金；对后果特别严重的，即造成多人伤亡或者使公私财产遭受特别重大损失的，处五年以上十年以下有期徒刑，并处罚金。

第一百三十八条　明知校舍或者教育教学设施有危险，而不采取措施或者不及时报告，致使发生重大伤亡事故的，对直接责任人员，处三年以下有期徒刑或者拘役；后果特别严重的，处三年以上七年以下有期徒刑。

【释义】　本条是关于教育设施重大安全事故罪及其处罚的规定。

根据本条规定，构成本罪的，必须具备以下条件：1. 构成本罪的主体主要是学校的校长以及其他对校舍或者教育教学设施的安全负有责任的人员和学校上级机关、有关房管部门的主管人员。2. 行为人对发生重大安全事故主观上是过失。3. 必须是明知校舍或者教育教学设施有危险，而不采取措施或者不及时报告。这里所说的"校舍"，主要是指各类学校及教育机构的教室、教学楼、行政办公室、宿舍、图书馆、阅览室等；"教育教学设施"，是指用于教育教学的各种设施、设备，如实验室、实验设备、体育器械等；"明知校舍或者教育教学设施有危险，而不采取措施或者不及时报告"，是指明知道校舍或者教育教学设施有倒塌或者发生人身伤害事故的危险、隐患，不履行自己应当履行的职责，采取有效的措施或者向有关主管部门、上级领导报告，以防止事故的发生的行为。在现实生活中，校舍及教育教学设施发生重大伤亡事故的原因很多，现有的校舍及教育教学设施，有的已十分陈旧，但由于资金有限，非主观愿望就可以改变现状，立法时充分考虑到这一实际情况，明确规定本罪打击的重点是那些负有领导责任的人员，对学校的危房及存在危险的教育教学设施漠不关心，发现问题不及时采取防范措施，对自己不能解决，也不向上级领导及有关主管机关及时报告的行为。4. 必须是发生了重大伤亡事故。这里所说的"重大伤亡事故"，是指发生校舍倒塌、设备仪器爆裂、爆炸事故，造成人员伤亡等情况。这是区分罪与非罪的界限，如只是发生校舍倒塌、教育教学设施遭到破坏而没有造成人员伤亡，则不构成本罪。

根据本条规定，构成犯罪的，处三年以下有期徒刑或者拘役；后果特别严重的，即造成人员伤亡众多，国家财产遭受特别重大损失，社会影响极为恶劣的情形，处三年以上七年以下有期徒刑。

第一百三十九条　违反消防管理法规，经消防监督机构通知采取改正措施而拒绝执行，造成严重后果的，对直接责任人员，处三年以下有期徒刑或者拘

役;后果特别严重的,处三年以上七年以下有期徒刑。

【释义】 本条是关于消防责任事故罪及其处罚的规定。

根据本条的规定,构成本罪的,必须具备以下条件:1. 本罪的主体是一般主体,但主要是负有防火安全职责的单位负责人员。2. 行为人对严重后果的发生是出于过失。3. 必须具有违反消防管理法规,经消防监督机构通知采取改正措施而拒绝执行的行为。这里所说的"消防管理法规",主要是指国家有关消防方面的法律、法规以及有关主管部门为保障消防安全所作的规定,如消防法、《烟草行业消防安全管理规定》等。"消防监督机构",主要是指根据有关法律、法规建立的专门负责消防监督检查工作的机构。如消防法中规定,国务院公安部门对全国的消防工作实施监督管理,县级以上地方各级人民政府公安机关对本行政区域内的消防工作实施监督管理,并由本级人民政府公安机关消防机构负责实施。同时,消防法还规定,公安机关消防机构应当对机关、团体、企业、事业等单位遵守消防法律、法规的情况依法进行监督检查。公安派出所可以负责日常消防监督检查。公安机关消防机构在消防监督检查中发现火灾隐患的,应当通知有关单位或者个人立即采取措施消除隐患;不及时消除隐患可能严重威胁公共安全的,公安机关消防机构应当依照规定对危险部位或者场所采取临时查封措施。根据本条规定,有关单位或者人员违反消防管理法规,接到消防监督机构提出的改正通知后,仍拒不执行消除火灾隐患,因而造成严重后果的,即构成本条规定的犯罪。本条将构成犯罪的要件之一限定为"经消防监督机构通知采取改正措施而拒绝执行"。一方面是限定犯罪的范围,防止打击面过宽,主要惩处情节恶劣者;另一方面也是对消防监督机构的巨大支持,强化了消防监督的重要性,使消防监督机构的改正措施通知更具有法律意义。但同时也对消防监督机构提出了严格的要求。4. 必须是造成严重后果。这里所说的"造成严重后果",是指因为没有执行消防监督机构提出的改正措施,因而发生重大火灾,造成人员伤亡或者使公私财产遭受严重损失。

根据本条规定,构成犯罪的,处三年以下有期徒刑或者拘役;后果特别严重的,即造成多人伤亡或者使公私财产遭受特别重大损失的,处三年以上七年以下有期徒刑。本条处罚的对象是直接责任人员,即对构成本罪具有直接责任的单位负责人和负有防火安全职责的具体工作人员。

第一百三十九条之一*　在安全事故发生后,负有报告职责的人员不报或

---

* 根据2006年6月29日第十届全国人民代表大会常务委员会第二十二次会议通过的《中华人民共和国刑法修正案(六)》增加。

者谎报事故情况，贻误事故抢救，情节严重的，处三年以下有期徒刑或者拘役；情节特别严重的，处三年以上七年以下有期徒刑。

【释义】　本条是关于不报、谎报安全事故罪及其处罚的规定。

这是《刑法修正案（六）》新增加的一条规定。一段时期以来，安全生产事故频频发生，一些生产经营单位无视国家法律，无视政府监管，无视劳动者的生命安全，违反有关安全管理的规定进行生产、作业，有的根本不具备基本的安全生产条件、安全生产设施，导致安全生产事故屡屡发生。更有甚者，一些事故单位的负责人和对安全事故负有监督管理职责的人员，在事故发生后，出于种种个人私利的考虑，弄虚作假、隐瞒不报或者谎报事故情况，延误了抢险救援的时机，使得本来可以避免的人员伤亡、财产损失未能幸免，造成损失进一步扩大。为了严惩这种无视生命的行为，《刑法修正案（六）》将其规定为犯罪予以刑罚处罚。

本罪具有以下特征：1. 犯罪的主体是特殊主体，即对安全事故的发生负有报告职责的人员。这里的“安全事故”，是指环境污染、水灾、矿难、大型群众性活动中发生的重大伤亡事故等各种安全事故。“负有报告职责的人员”，通常是指生产经营单位的主要负责人、雇主，对安全生产、作业负有组织、监督、管理职责的部门的监督检查人员，以及直接造成安全事故的责任人员。2. 行为人实施了不报或者谎报的行为。“不报”，是指行为人不按照规定及时报告。实践中，有的行为人一开始隐瞒了事故真实情况，被发现后不得已再报告，这种情况应视为不报。“谎报”，是指行为人虽然将发生了安全事故这件事按照规定向有关部门作了报告，但对事故的真实情况如人员伤亡、财产损失、事故原因等作了虚假的描述或隐瞒了某些情况，作避重就轻的描述。3. 由于行为人不报或者谎报事故情况，贻误事故抢救，情节严重的才构成犯罪，这是罪与非罪的界限。“贻误事故抢救”包括贻误对受伤人员的救治，也包括贻误对财产的抢救。“情节严重”，主要是指由于负有报告职责的人不报或者谎报事故情况，使得原本可以得救的人员失去了生还的机会；或者由于行为人不报或者谎报事故情况，使得有关部门没能采取及时有效的救助措施，造成伤员人数、财产损失扩大等情况。“情节特别严重”，主要是指负有报告职责的人在事故发生后不仅自己不报、谎报事故情况，而且还指使、授意甚至阻止他人报告，或者逃匿、伪造、破坏事故现场、转移、藏匿、销毁有关证据，不仅贻误了事故抢救，而且还给事故调查处理设置障碍等情况。实践中应当注意把握不报、谎报行为与安全事故的因果关系，本条主要是针对由于行为人不报或者谎报的行为致使贻误了事故抢救的最佳时机，造成事故进一步扩大的情况。

违反本条规定，构成犯罪的，处三年以下有期徒刑或者拘役；情节特别严重的，处三年以上七年以下有期徒刑。

第三章　破坏社会主义市场经济秩序罪

第一节　生产、销售伪劣商品罪

第一百四十条　生产者、销售者在产品中掺杂、掺假，以假充真，以次充好或者以不合格产品冒充合格产品，销售金额五万元以上不满二十万元的，处二年以下有期徒刑或者拘役，并处或者单处销售金额百分之五十以上二倍以下罚金；销售金额二十万元以上不满五十万元的，处二年以上七年以下有期徒刑，并处销售金额百分之五十以上二倍以下罚金；销售金额五十万元以上不满二百万元的，处七年以上有期徒刑，并处销售金额百分之五十以上二倍以下罚金；销售金额二百万元以上的，处十五年有期徒刑或者无期徒刑，并处销售金额百分之五十以上二倍以下罚金或者没收财产。

【释义】　本条是关于生产、销售伪劣产品罪及其处罚的规定。

根据本条的规定，生产、销售伪劣产品罪必须具备以下几个条件：1. 生产者、销售者有生产、销售伪劣产品从中牟利的故意，如果行为人在主观上不是故意的，不知所售产品是次品，而当作正品出售了，应承担民事责任，不能作为犯罪。2. 生产者、销售者在客观上实施了“在产品中掺杂、掺假，以假充真，以次充好或者以不合格产品冒充合格产品”等行为。“在产品中掺杂、掺假”，是指在产品中掺入杂质或者异物，致使产品质量不符合国家法律、法规或者产品明示质量标准规定的质量要求，降低、失去应有使用性能的行为。“以假充真”，是指以不具有某种使用性能的产品冒充具有该种使用性能的产品的行为。“以次充好”，是指以低等级、低档次产品冒充高等级、高档次产品，或者以残次、废旧零配件组合、拼装后冒充正品或者新产品的行为。“不合格产品”，是指不符合产品质量法第二十六条第二款规定的质量要求的产品。对上述行为难以确定的，应当委托法律、行政法规规定的产品质量检验机构进行鉴定。3. 生产者、销售者在产品中掺杂、掺假，以假充真，以次充好或者以不合格产品冒充合格产品，销售金额必须达到五万元以上，才构成犯罪，如果销售金额不足五万元的，不构成犯罪。4. 生产、销售伪劣产品的犯罪主体是生产者、销售者，消费者不能构成本罪的主体。

本条对于生产、销售伪劣产品罪的处罚，根据其销售金额的不同，分为四个档次，并对犯罪者在适用自由刑的同时，也注重财产刑的适用：销售金额五万元以上不满二十万元的，处二年以下有期徒刑或者拘役，并处或者单处销售金额百分之五十以上二倍以下罚金；销售金额二十万元以上不满五十万元的，处二年以上七年以下有期徒刑，并处销售金额百分之五十以上二倍以下罚金；销售金额五十万元以上不满二百万元的，处七年以上有期徒刑，并处销售金额百分之五十以上二倍以下罚金；销售金额二百万元以上的，处十五年有期徒刑或者无期徒刑，并处销售金额百分之五十以上二倍以下罚金或者没收财产。这里所说的"销售金额"，是指生产者、销售者出售伪劣产品后所得和应得的全部违法收入。多次实施生产、销售伪劣产品行为，未经处理的，伪劣产品的销售金额累计计算。

第一百四十一条*　生产、销售假药的，处三年以下有期徒刑或者拘役，并处罚金；对人体健康造成严重危害或者有其他严重情节的，处三年以上十年以下有期徒刑，并处罚金；致人死亡或者有其他特别严重情节的，处十年以上有期徒刑、无期徒刑或者死刑，并处罚金或者没收财产。

本条所称假药，是指依照《中华人民共和国药品管理法》的规定属于假药和按假药处理的药品、非药品。

【释义】　本条是关于生产、销售假药罪及其处罚的规定。

《刑法修正案（八）》对刑法第一百四十一条的规定作了修改。生产、销售假药犯罪危害严重，引起社会公众的广泛关注。近年来，全国人大代表、有关部门及社会公众多次建议完善本罪规定，以适应打击犯罪的需要。为加强对民生的保护，《刑法修正案（八）》对生产、销售假药犯罪的处刑作了修改，加大了对这类犯罪的打击力度。本条修改共有三处：一是降低了本罪的入罪门槛，根据原规定生产、销售假药，"足以严重危害人体健康"的才构成犯罪。在修改后的规定中，本罪为行为犯，只要实施生产、销售假药的行为就构成犯罪。这样修改是考虑到药品的主要功能是治疗疾病，维护人体健康，生产、销售假药的行为已经构成对人体健康的威胁。二是在加重处罚的情节中增加了关于有其他严重

---

* 第一款根据 2011 年 2 月 25 日第十一届全国人民代表大会常务委员会第十九次会议通过的《中华人民共和国刑法修正案（八）》修改。原第一款条文是："生产、销售假药，足以严重危害人体健康的，处三年以下有期徒刑或者拘役，并处或者单处销售金额百分之五十以上二倍以下罚金；对人体健康造成严重危害的，处三年以上十年以下有期徒刑，并处销售金额百分之五十以上二倍以下罚金；致人死亡或者对人体健康造成特别严重危害的，处十年以上有期徒刑、无期徒刑或者死刑，并处销售金额百分之五十以上二倍以下罚金或者没收财产。"

情节和特别严重情节的规定，主要是考虑到除对人体健康造成严重危害和致人死亡的情节外，司法实践中还存在其他严重情节和特别严重情节，如生产、销售假药数量巨大、对人体健康具有严重的潜在危害等，也需予以严惩。三是删除了罚金刑中关于数额的具体规定，既解决了在实践中假药销售金额难以认定的问题，也避免了与新修订的药品管理法第七十四条关于生产、销售假药处违法生产、销售药品货值金额二倍以上五倍以下的罚款规定的不协调，有利于法官根据案件具体情况决定需要判处的罚金数额。此外，考虑到生产、销售假药的行为危险性较大，一些全国人大常委委员和相关部门提出，对这种犯罪单独判处罚金，不足以发挥刑法的惩戒作用，《刑法修正案（八）》采纳了上述意见，删除了本条中单处罚金的规定。

本条第一款是对生产、销售假药罪的构成要件及其处罚的规定。根据本款的规定，生产、销售假药罪有以下构成要件：1. 本罪客体为复杂客体，不仅侵害了正常的药品生产、销售监管秩序，而且危及不特定多数人的生命健康。2. 本罪的主体可以是自然人，也可以是单位。根据刑法第一百五十条的规定，单位犯第一百四十一条规定之罪的，对单位判处罚金，并对其直接负责的主管人员和其他直接责任人员，依照该条的规定处罚。3. 行为人在主观上只能是故意。4. 行为人必须实施了生产、销售假药的行为。根据药品管理法的相关规定，"药品"是指用于预防、治疗、诊断人的疾病，有目的地调节人的生理机能并规定有适应症或者功能主治、用法和用量的物质，包括中药材、中药饮片、中成药、化学原料药及其制剂、抗生素、生化药品、放射性药品、血清、疫苗、血液制品和诊断药品等。

根据本款规定，只要实施了生产、销售假药的行为，即构成犯罪，并不要求一定要有实际的危害结果发生。鉴于生产、销售假药罪的极大危害性，刑法把对人体健康已造成严重危害后果的，作为一个加重处罚的情节。

本条第二款是对假药含义所作的解释。"假药"，是指依照药品管理法的规定，属于假药和按假药处理的药品、非药品。根据药品管理法第四十八条的规定，假药包括：(1)药品所含成分与国家药品标准规定的成分不符的；(2)以非药品冒充药品或者以他种药品冒充此种药品的。有下列情形之一的药品，按假药论处：(1)国务院药品监督管理部门规定禁止使用的；(2)依照该法必须批准而未经批准生产、进口，或者依照该法必须检验而未经检验即销售的；(3)变质的；(4)被污染的；(5)使用依照该法必须取得批准文号而未取得批准文号的原料药生产的；(6)所标明的适应症或者功能主治超出规定范围的。

第一百四十二条　生产、销售劣药，对人体健康造成严重危害的，处三年以上十年以下有期徒刑，并处销售金额百分之五十以上二倍以下罚金；后果特别严重的，处十年以上有期徒刑或者无期徒刑，并处销售金额百分之五十以上二倍以下罚金或者没收财产。

本条所称劣药，是指依照《中华人民共和国药品管理法》的规定属于劣药的药品。

【释义】　本条是关于生产、销售劣药罪及其处罚的规定。

第一款是对生产、销售劣药罪的构成要件及其处罚的规定。根据本款规定，生产、销售劣药罪有以下构成要件：1. 行为人在主观上只能是故意。2. 行为人必须有生产、销售劣药的行为。本条规定的药品，仅限于人用药品，不包括兽用药品。3. 生产、销售劣药，必须要有对人体健康造成严重危害的后果，才构成犯罪，这也是生产、销售劣药罪与生产、销售假药罪在犯罪构成上最大的不同。生产、销售假药，只要足以严重危害人体健康，不必有危害人体健康的结果发生，就构成犯罪；而生产、销售劣药，必须对人体造成严重危害的才能构成犯罪。根据司法实践，"对人体健康造成严重危害"，是指生产、销售的劣药被使用后，造成轻伤、重伤或者其他严重后果的。

对于生产、销售劣药罪的处罚，本条根据其对人体健康造成的危害后果的不同，分为两个档次：生产、销售劣药，对人体健康造成严重危害的，处三年以上十年以下有期徒刑，并处销售金额百分之五十以上二倍以下罚金；后果特别严重的，处十年以上有期徒刑或者无期徒刑，并处销售金额百分之五十以上二倍以下罚金或者没收财产。

第二款是对劣药的含义所作的解释。"劣药"，是指依照药品管理法的规定属于劣药的药品。根据药品管理法第四十九条的规定，药品成分的含量不符合国家药品标准的，为劣药。有下列情形之一的药品，按劣药论处：(1)未标明有效期或者更改有效期的；(2)不注明或者更改生产批号的；(3)超过有效期的；(4)直接接触药品的包装材料和容器未经批准的；(5)擅自添加着色剂、防腐剂、香料、矫味剂及辅料的；(6)其他不符合药品标准规定的。

在执行中应当注意区分生产、销售劣药罪与其他罪的区别：1. 与神汉、巫婆利用迷信手段骗取财物的区别：二者除犯罪主体不同外，在客观方面，生产、销售劣药罪有生产、销售劣药行为，而神汉、巫婆则是利用迷信手段，把根本不具备药品效能和外观、包装的物品当成是药品进行诈骗钱财，其所利用的不是人们认为药品可以治病的科学心理，而是利用人们的愚昧、迷信心理。2. 与生产、销售伪劣产品罪的区别：如果生产、销售劣药行为，同时触犯了两种罪名，则按处刑较重的罪处罚；如果生产、销售劣药，没有对人体造成严重危害的后果，而销售金额在五万元以上，则不构成生产、销售劣药罪，而应以生产、销售伪劣产品罪处罚。

第一百四十三条*　生产、销售不符合食品安全标准的食品，足以造成严重食物中毒事故或者其他严重食源性疾病的，处三年以下有期徒刑或者拘役，并处罚金；对人体健康造成严重危害或者有其他严重情节的，处三年以上七年以下有期徒刑，并处罚金；后果特别严重的，处七年以上有期徒刑或者无期徒刑，并处罚金或者没收财产。

【释义】　本条是关于生产、销售不符合食品安全标准的食品罪及其处罚的规定。

2009年2月28日第十一届全国人大常委会第七次会议通过了食品安全法。之后，一些全国人大代表、有关部门和社会公众提出，全国人大常委会已经通过了食品安全法，刑法应与食品安全法的有关规定相衔接，并且还应根据近年来食品安全违法犯罪方面出现的新情况，对刑法有关规定进行修改完善，以适应打击犯罪的需要。2011年2月25日第十一届全国人民代表大会常务委员会第十九次会议通过了《刑法修正案（八）》对本条作了修改，主要有四处修改：第一，根据食品安全法的有关规定，将“卫生标准”修改为“食品安全标准”，将“食源性疾患”改为“食源性疾病”。第二，在第二档刑罚中，增加了“其他严重情节”的构成条件，以适应打击犯罪的需要。第三，取消了单处罚金刑，加强了对犯罪的打击力度。第四，为解决实际执行中，有些犯罪的销售金额难以认定的问题，将具体罚金数额，即销售金额百分之五十以上二倍以下罚金的规定改为不再具体规定罚金数额。

根据本条规定，生产、销售不符合食品安全标准的食品罪必须具备以下几个构成要件：

1. 行为人在主观上是故意，即故意生产、销售不符合食品安全标准的食品。

2. 行为人有生产、销售不符合食品安全标准的食品的行为。这里的“食品”，是指各种供人食用或者饮用的成品和原料以及按照传统既是食品又是药品的物品，但是不包括以治疗为目的的物品。食品是人们最常用的生活必需

---

* 根据2011年2月25日第十一届全国人民代表大会常务委员会第十九次会议通过的《中华人民共和国刑法修正案（八）》修改。原条文是：“生产、销售不符合卫生标准的食品，足以造成严重食物中毒事故或者其他严重食源性疾患的，处三年以下有期徒刑或者拘役，并处或者单处销售金额百分之五十以上二倍以下罚金；对人体健康造成严重危害的，处三年以上七年以下有期徒刑，并处销售金额百分之五十以上二倍以下罚金；后果特别严重的，处七年以上有期徒刑或者无期徒刑，并处销售金额百分之五十以上二倍以下罚金或者没收财产。”

品,食品是否符合安全标准与公民的身体健康和生命安全息息相关。国家为了保证食品生产和经营符合安全标准,保障人民群众的身体健康和生命安全,制定了一系列的食品安全法律法规,详细规定了食品安全监督管理的一系列制度和安全标准。根据食品安全法的规定,食品安全标准是强制执行的标准,包括下列内容:(1)食品、食品添加剂、食品相关产品中的致病性微生物,农药残留、兽药残留、生物毒素、重金属等污染物质以及其他危害人体健康物质的限量规定;(2)食品添加剂的品种、使用范围、用量;(3)专供婴幼儿和其他特定人群的主辅食品的营养成分要求;(4)对与卫生、营养等食品安全要求有关的标签、标志、说明书的要求;(5)食品生产经营过程的卫生要求;(6)与食品安全有关的质量要求;(7)与食品安全有关的食品检验方法与规程;(8)其他需要制定为食品安全标准的内容。

根据食品安全法的规定,"不符合食品安全标准的食品"主要是指:(1)用非食品原料生产的食品或者添加食品添加剂以外的化学物质和其他可能危害人体健康物质的食品,或者用回收食品作为原料生产的食品;(2)致病性微生物,农药残留、兽药残留、生物毒素、重金属等污染物质以及其他危害人体健康的物质含量超过食品安全标准限量的食品、食品添加剂、食品相关产品;(3)用超过保质期的食品原料、食品添加剂生产的食品、食品添加剂;(4)超范围、超限量使用食品添加剂的食品;(5)营养成分不符合食品安全标准的专供婴幼儿和其他特定人群的主辅食品;(6)腐败变质、油脂酸败、霉变生虫、污秽不洁、混有异物、掺假掺杂或者感官性状异常的食品、食品添加剂;(7)病死、毒死或者死因不明的禽、畜、兽、水产动物肉类及其制品;(8)未按规定进行检疫或者检疫不合格的肉类,或者未经检验或者检验不合格的肉类制品;(9)被包装材料、容器、运输工具等污染的食品、食品添加剂;(10)标注虚假生产日期、保质期或者超过保质期的食品、食品添加剂;(11)无标签的预包装食品、食品添加剂;(12)国家为防病等特殊需要明令禁止生产经营的食品;(13)其他不符合法律、法规或者食品安全标准的食品、食品添加剂、食品相关产品。

3. 生产、销售不符合食品安全标准的食品,足以造成严重食物中毒事故或者其他食源性疾病。"食物中毒",是指食用了被有毒有害物质污染的食品或者食用了含有毒有害物质的食品后出现的急性、亚急性疾病。"食源性疾病",是指食品中致病因素进入人体引起的感染性、中毒性等疾病。

对生产、销售不符合食品安全标准的食品罪的处罚,根据其危害的不同,分为三个量刑档次:第一档刑,足以造成严重食物中毒事故或者其他严重食源性疾病的,处三年以下有期徒刑或者拘役,并处罚金。第二档刑,对人体健康造成严重危害或者有其他严重情节的,处三年以上七年以下有期徒刑,并处罚金。

这里的“对人体健康造成严重危害”,是指对人体器官造成严重损伤以及其他严重损害人体健康的情节。“其他严重情节”,是指具有大量生产、销售不符合食品安全标准的食品等情节。第三档刑,后果特别严重的,处七年以上有期徒刑或者无期徒刑,并处罚金或者没收财产。这里的“后果特别严重”,一般是指生产、销售不符合食品安全标准的食品被食用后,致人死亡、严重残疾、多人以上重伤或者造成其他特别严重后果的。

第一百四十四条*　在生产、销售的食品中掺入有毒、有害的非食品原料的,或者销售明知掺有有毒、有害的非食品原料的食品的,处五年以下有期徒刑,并处罚金;对人体健康造成严重危害或者有其他严重情节的,处五年以上十年以下有期徒刑,并处罚金;致人死亡或者有其他特别严重情节的,依照本法第一百四十一条的规定处罚。

【释义】　本条是关于生产、销售有毒、有害食品罪及其处罚的规定。

近年来,一些全国人大代表、有关部门和社会公众提出,全国人大常委会通过了食品安全法,刑法应与食品安全法的有关规定相衔接,有的规定还应针对近年来食品安全违法犯罪方面出现的新情况作相应调整。针对这些情况,《刑法修正案(八)》对本条作了修改,主要有三处修改:第一,取消了单处罚金刑和拘役刑,加强了对犯罪的打击力度。第二,为应对犯罪的复杂情况,根据打击犯罪的需要,将第二档刑处刑情节“造成严重食物中毒事故或者其他严重食源性疾患,对人体健康造成严重危害”修改为“对人体健康造成严重危害或者有其他严重情节”,将第三档刑处刑情节“致人死亡或者对人体健康造成特别严重危害”修改为“致人死亡或者有其他特别严重情节”。第三,为解决在适用罚金刑中有的犯罪的销售金额难以认定的问题,将具体罚金数额,即销售金额百分之五十以上二倍以下罚金的规定改为不再具体规定罚金数额。

根据本条规定,生产、销售有毒、有害食品罪必须具备以下几个构成要件:

1. 行为人在主观方面是故意犯罪,即故意往食品中掺入有毒、有害非食品原料或者明知是有毒、有害食品而销售的行为。

2. 行为人在客观上实施了在生产、销售的食品中掺入有毒、有害的非食品

---

* 根据2011年2月25日第十一届全国人民代表大会常务委员会第十九次会议通过的《中华人民共和国刑法修正案(八)》修改。原条文是:“在生产、销售的食品中掺入有毒、有害的非食品原料的,或者销售明知掺有有毒、有害的非食品原料的食品的,处五年以下有期徒刑或者拘役,并处或者单处销售金额百分之五十以上二倍以下罚金;造成严重食物中毒事故或者其他严重食源性疾患,对人体健康造成严重危害的,处五年以上十年以下有期徒刑,并处销售金额百分之五十以上二倍以下罚金;致人死亡或者对人体健康造成特别严重危害的,依照本法第一百四十一条的规定处罚。”

原料或者明知是掺有有毒、有害的非食品原料的食品而销售的行为，至于销售后有无具体危害后果的发生并不影响本罪的成立。“有毒、有害的非食品原料”，是指对人体具有生理毒性，食用后会引起不良反应，损害机体健康的不能食用的原料。如制酒时加入工业酒精，在饮料中加入国家严禁使用的非食用色素等。如果掺入的是食品原料，由于污染、腐败变质而具有了毒害性，不构成本罪。

对生产、销售有毒、有害食品罪的处罚，分为三个量刑档次：第一档刑，对于在生产、销售的食品中掺入有毒、有害的非食品原料的，或者销售明知掺有有毒、有害的非食品原料的食品的，处五年以下有期徒刑，并处罚金。第二档刑，对人体健康造成严重危害或者有其他严重情节的，处五年以上十年以下有期徒刑，并处罚金。这里所说的“对人体健康造成严重危害”，是指对人体器官造成严重损伤以及其他严重损害人体健康的情节。“其他严重情节”，是指具有大量生产、销售有毒、有害食品等情节。第三档刑，致人死亡或者有其他特别严重情节的，依照本法第一百四十一条的规定处罚，即处十年以上有期徒刑、无期徒刑或者死刑，并处罚金或者没收财产。这里的“致人死亡或者有其他特别严重情节”，是指生产、销售的有毒、有害食品被食用后，造成他人死亡或者致使多人严重残疾，以及具有生产、销售特别大量有毒、有害食品情节的。

第一百四十五条*　生产不符合保障人体健康的国家标准、行业标准的医疗器械、医用卫生材料，或者销售明知是不符合保障人体健康的国家标准、行业标准的医疗器械、医用卫生材料，足以严重危害人体健康的，处三年以下有期徒刑或者拘役，并处销售金额百分之五十以上二倍以下罚金；对人体健康造成严重危害的，处三年以上十年以下有期徒刑，并处销售金额百分之五十以上二倍以下罚金；后果特别严重的，处十年以上有期徒刑或者无期徒刑，并处销售金额百分之五十以上二倍以下罚金或者没收财产。

【释义】　本条是关于生产、销售不符合标准的医用器材的犯罪及其处罚的规定。

本条对原刑法第一百四十五条的修改主要有两处：第一，放宽了定罪的标

---

* 根据2002年12月28日第九届全国人民代表大会常务委员会第三十一次会议通过的《中华人民共和国刑法修正案（四）》修改。原条文是：“生产不符合保障人体健康的国家标准、行业标准的医疗器械、医用卫生材料，或者销售明知是不符合保障人体健康的国家标准、行业标准的医疗器械、医用卫生材料，对人体健康造成严重危害的，处五年以下有期徒刑，并处销售金额百分之五十以上二倍以下罚金；后果特别严重的，处五年以上十年以下有期徒刑，并处销售金额百分之五十以上二倍以下罚金，其中特别恶劣的，处十年以上有期徒刑或者无期徒刑，并处销售金额百分之五十以上二倍以下罚金或者没收财产。”

准。原条文规定生产、销售不符合国家标准、行业标准的医用器材，对人体健康造成严重危害的，才能构成本罪；本条修改为生产、销售不符合国家标准、行业标准的医用器材，足以严重危害人体健康的，就可构成犯罪，即并不一定要造成严重危害人体健康的实际后果，只要存在足以严重危害人体健康的实际危险就可以构成本罪。将法理上通常所说的“结果犯”改为“危险犯”。这样修改主要是考虑到医疗器械、医用卫生材料与广大人民群众的生命健康密切相关，生产、销售不符合国家标准、行业标准的医疗器械、医用卫生材料的行为，不仅破坏了经济秩序，而且危害了公共安全，因而这种行为只要是足以危害不特定多数人的健康，其社会危害性就很严重了，应当追究刑事责任。第二，对于“对人体健康造成严重危害”的犯罪行为加重了处罚。原刑法第一百四十五条规定，有这种犯罪行为，对人体造成严重危害的，最高可以判处五年有期徒刑；本条规定，对人体造成严重危害的，最高可以判处十年有期徒刑。

根据本条的规定，生产、销售不符合标准的医用器材罪有以下几个构成要件：1. 行为人在主观上是故意的。国家对于医疗器械、医用卫生材料的生产单位有严格的审批程序，还制定了严格的国家标准、行业标准，产品不符合标准的，不准出厂。作为生产者，对于所生产的医疗器械、医用卫生材料是否达到国家标准、行业标准是十分清楚的，如果生产不符合标准的医疗器材，其主观故意是明显的。作为销售者，本条规定是在明知是不符合标准的医疗器械、医用卫生材料的情况下销售的，才构成本罪，这种情况销售者当然在主观上是故意的。如果销售者不知道是不符合标准的医疗器械、医用卫生材料而销售的，不构成本罪。2. 生产者在客观上具有生产不符合保障人体健康的国家标准、行业标准的医疗器械、医用卫生材料的行为，销售者在客观上具有明知是不符合保障人体健康的国家标准、行业标准的医疗器械、医用卫生材料而予以销售的行为。这里规定的“国家标准、行业标准”，主要是指国家卫生主管部门或者医疗器械、医用卫生材料生产行业制定的旨在保障人们使用安全的有关质量与卫生标准。根据2001年4月发布的《最高人民法院关于办理生产、销售伪劣商品刑事案件具体应用法律若干问题的解释》的规定，没有国家标准、行业标准的医疗器械，其注册产品标准可视为“保障人体健康的行业标准”。“医疗器械”，是指用于人体疾病诊断、治疗、预防，调节人体生理功能或者替代人体器官的仪器、设备、材料、植入物和相关物品，如注射器、心脏起搏器、超声波诊断仪等。“医用卫生材料”，是指用于诊断、治疗、预防人的疾病，调节人的生理功能的辅助材料，如医用纱布、药棉等。3. 生产、销售不符合标准的医疗器械、医用卫生材料，只要足以严重危害人体健康，就构成犯罪。

本条对于生产、销售不符合标准的医用器材罪的处罚，根据其对人体健康的危害不同,分为三档:对生产、销售不符合标准的医疗器械、医用卫生材料,足以严重危害人体健康的,处三年以下有期徒刑或者拘役,并处销售金额百分之五十以上二倍以下罚金;对人体健康造成严重危害的,处三年以上十年以下有期徒刑,并处销售金额百分之五十以上二倍以下罚金;后果特别严重的,处十年以上有期徒刑或者无期徒刑,并处销售金额百分之五十以上二倍以下罚金或者没收财产。

第一百四十六条　生产不符合保障人身、财产安全的国家标准、行业标准的电器、压力容器、易燃易爆产品或者其他不符合保障人身、财产安全的国家标准、行业标准的产品,或者销售明知是以上不符合保障人身、财产安全的国家标准、行业标准的产品,造成严重后果的,处五年以下有期徒刑,并处销售金额百分之五十以上二倍以下罚金;后果特别严重的,处五年以上有期徒刑,并处销售金额百分之五十以上二倍以下罚金。

【释义】　本条是关于生产、销售不符合安全标准的产品罪及其处罚的规定。

根据本条规定,生产、销售不符合安全标准的产品罪有以下构成要件:

1. 行为人在主观方面是故意。由于电器、压力容器、易燃易爆产品使用危险性大,破坏性强,一旦发生爆炸、漏电、燃烧等,会给人的生命、健康和财产造成很大损失,因此,国家对电器、压力容器、易燃易爆产品规定了严格的国家标准和行业标准,不符合标准,不准出厂。作为生产者,对所生产的电器、压力容器、易燃易爆产品没有达到保障人身、财产安全的国家标准、行业标准是十分清楚的,但仍然生产,其行为显而易见是故意。作为销售者,是在明知是不符合安全标准的电器、压力容器、易燃易爆产品的情况下而销售,也具备故意心理状态。如果销售者不知是不符合安全标准的产品而销售,不构成此罪。

2. 生产者在客观上有生产不符合保障人身、财产安全的国家标准、行业标准的电器、压力容器、易燃易爆产品或者其他不符合保障人身、财产安全的国家标准、行业标准的产品的行为;销售者有销售明知是以上不符合保障人身、财产安全的国家标准、行业标准的产品的行为。“电器”,包括家用电器,如电视机、电冰箱、电冰柜、电热器、录像机、收录机等各种电信、电力器材等;“压力容器”,是指锅炉、氧气瓶、煤气罐、压力锅等高压容器;“易燃易爆产品”,是指烟花爆竹、雷管、民用炸药等容易燃烧爆炸的产品。

3. 生产、销售不符合安全标准的电器、压力容器、易燃易爆产品或者其他不符合保障人身、财产安全的国家标准、行业标准的产品,造成严重后果的,才构成犯罪,这也是划分罪与非罪的重要界限。如果没有造成严重后果,不构成此罪。

本条对于生产、销售不符合安全标准的产品罪的处罚，根据其造成的危害后果的不同，分为两档：对造成严重后果的，处五年以下有期徒刑，并处销售金额百分之五十以上二倍以下的罚金；后果特别严重的，处五年以上有期徒刑，并处销售金额百分之五十以上二倍以下的罚金。

第一百四十七条　生产假农药、假兽药、假化肥，销售明知是假的或者失去使用效能的农药、兽药、化肥、种子，或者生产者、销售者以不合格的农药、兽药、化肥、种子冒充合格的农药、兽药、化肥、种子，使生产遭受较大损失的，处三年以下有期徒刑或者拘役，并处或者单处销售金额百分之五十以上二倍以下罚金；使生产遭受重大损失的，处三年以上七年以下有期徒刑，并处销售金额百分之五十以上二倍以下罚金；使生产遭受特别重大损失的，处七年以上有期徒刑或者无期徒刑，并处销售金额百分之五十以上二倍以下罚金或者没收财产。

【释义】　本条是关于生产、销售伪劣农药、兽药、化肥、种子罪及其处罚的规定。

生产、销售伪劣农药、兽药、化肥、种子罪有以下几个构成要件：

1. 行为人在主观上是故意犯罪。无论是生产假农药、假兽药、假化肥，还是销售明知是假的或者失去使用效能的农药、兽药、化肥、种子，或是生产者、销售者以不合格的农用生产资料冒充合格的农用生产资料生产、销售的，其行为的故意是十分清楚的，目的都是为了非法牟利。

2. 行为人在客观上必须实施下列行为之一：(1)生产假农药、假兽药、假化肥。“假农药、假兽药、假化肥”，是指所含的成分与国家标准、行业标准不相符合或者以非农药、非化肥、非兽药冒充农药、化肥、兽药的。(2)销售明知是假的或者失去使用效能的农药、兽药、化肥、种子。“失去使用效能的农药、兽药、化肥、种子”，是指因为过期、受潮、腐烂、变质等原因失去了原有功效和使用效能，丧失了使用价值的农药、兽药、化肥、种子。(3)生产者、销售者以不合格的农药、兽药、化肥、种子冒充合格的农药、兽药、化肥、种子。“不合格”，是指不具备应当具备的使用性能或者没有达到应当达到的质量标准。

3. 生产、销售上述伪劣农用生产资料，使生产遭受较大损失的，才构成本罪，这也是区分罪与非罪的主要界限。由于上述各项生产资料的功效、作用不同，可能造成的损害也不一样，“使生产遭受较大损失”，实践中一般是指造成比较严重的或者比较大范围的粮食减产、较多的牲畜的病患或死亡等。

对于生产、销售伪劣农药、兽药、化肥、种子罪的处罚，本条根据其对生产造成的损失的大小，分为三个处罚档次：对使生产遭受较大损失的，处三年以下有期徒刑或者拘役，并处或者单处销售金额百分之五十以上二倍以下罚金；使生产遭受重大损失的，处三年以上七年以下有期徒刑，并处销售金额百分之五十以上二倍以下罚金；使生产遭受特别重大损失的，处七年以上有期徒刑或者无期徒刑，并处销售金额百分之五十以上二倍以下罚金或者没收财产。根据2001年《最高人民法院、最高人民检察院关于办理生产、销售伪劣商品刑事案件具体应用法律若干问题的解释》的规定，“较大损失”，是指以二万元为起点；“重大损失”，是指以十万元为起点；“特别重大损失”，是指以五十万元为起点。

第一百四十八条　生产不符合卫生标准的化妆品，或者销售明知是不符合卫生标准的化妆品，造成严重后果的，处三年以下有期徒刑或者拘役，并处或者单处销售金额百分之五十以上二倍以下罚金。

【释义】　本条是对生产、销售不符合卫生标准的化妆品罪及其处罚的规定。

生产、销售不符合卫生标准的化妆品罪有以下几个构成要件：

1. 行为人在主观上有犯罪的故意。国家制定了《化妆品卫生标准》，详细规定了化妆品的各项卫生标准，不符合卫生标准的化妆品不准出厂。生产者对所生产的化妆品不符合卫生标准，应当是十分清楚的，在这种情况下，仍然进行生产，无疑是一种故意行为。销售者对明知是不符合卫生标准的化妆品仍然销售，其行为的故意也十分清楚。

2. 行为人在客观上具有生产不符合卫生标准的化妆品，或者销售明知是不符合卫生标准的化妆品的行为。这里的“化妆品”，是指以涂擦、喷洒或者其他类似的方法，散布于人体表面的任何部位（皮肤、毛发、指甲、口唇等），以达到清洁、消除不良气味、护肤、美容和装饰的日用化学工业品，如护发素、洗发水、护肤霜、美容霜等日用化妆品，也有染发剂、祛斑霜、脱毛剂等特殊用途的化妆品。“不符合卫生标准”，是指不符合国家制定的各种化妆品的强制性标准。

3. 生产、销售不符合卫生标准的化妆品，必须造成严重后果，才构成本罪。如果生产、销售不符合卫生标准的化妆品，使用以后没有任何效果，根本不起作用，或者没有造成严重后果，不构成本罪。根据司法实践，“严重后果”一般是指：（1）致人毁容，或者严重皮肤损伤的；（2）生产、销售不符合卫生标准的化妆品，数量大的；（3）虽然没有致人毁容，但受害人数多、受害地域广，在社会上造成恶劣影响的；（4）导致其他严重后果，如受害人精神失常、自杀等。根据本条规定，对生产不符合卫生标准的化妆品，或者销售明知是不符合卫生标准的化妆品，造成严重后果的，处三年以下有期徒刑或者拘役，并处或者单处销售金额百分之五十以上二倍以下罚金。

第一百四十九条　生产、销售本节第一百四十一条至第一百四十八条所列产品，不构成各该条规定的犯罪，但是销售金额在五万元以上的，依照本节第一百四十条的规定定罪处罚。

生产、销售本节第一百四十一条至第一百四十八条所列产品，构成各该条规定的犯罪，同时又构成本节第一百四十条规定之罪的，依照处罚较重的规定定罪处罚。

【释义】　本条是关于对生产、销售伪劣产品犯罪法律规范适用与选择的规定。

第一款是关于生产、销售特殊伪劣产品行为，尚未构成生产、销售特定伪劣产品的有关犯罪，但销售金额在五万元以上，如何正确适用法律的规定。刑法除第一百四十条对生产、销售伪劣产品罪作了一般规定外，为了对群众反映强烈的一些生产、销售直接危害人民生命健康和严重影响生产安全的一些特定的假冒伪劣产品犯罪行为进行严厉打击，法律又对生产、销售一些特定伪劣产品专门规定了罪名，如刑法第一百四十一条至第一百四十八条规定的生产、销售假药罪，生产、销售劣药罪，生产、销售不符合安全标准的食品罪，生产、销售有毒、有害食品罪，生产、销售不符合标准的医用器材罪，生产、销售不符合安全标准的产品罪，生产、销售伪劣农药、兽药、化肥、种子罪，生产、销售不符合卫生标准的化妆品罪等，构成这些生产、销售特定伪劣产品犯罪的要件又各有不同。有的要以"对人体健康造成严重危害"为犯罪构成要件，有的则要求"造成严重后果"，还有的以"使生产遭受较大损失"为必要条件。这样在有些情况下，生产、销售了某些特定伪劣产品，销售金额已在五万元以上，由于构成这些犯罪所必需的"严重后果"还没有发生或者难以确定，不能适用有关生产、销售特定伪劣产品犯罪的规定，但其行为已构成刑法第一百四十条规定的生产、销售伪劣产品罪，因此，本款规定，对于"生产、销售本法第一百四十一条至第一百四十八条所列产品，不构成各该条规定的犯罪，但是销售金额在五万元以上的，依照本法第一百四十条的规定定罪处罚"，即可按生产、销售伪劣产品罪追究刑事责任。根据 2001 年《最高人民法院、最高人民检察院关于办理生产、销售伪劣商品刑事案件具体应用法律若干问题的解释》，本款所说的"销售金额"，是指生产者、销售者出售伪劣产品后所得和应得的全部违法收入。

第二款是对生产、销售特殊伪劣产品行为，如果同时触犯了两个罪名，如何正确适用法律的规定。生产、销售假药、劣药，不符合安全标准的食品，有毒、有害食品，不符合标准的医疗器械、医用卫生材料，不符合安全标准的电器、压力容器、易燃易爆产品，伪劣农药、兽药、化肥、种子，不符合卫生标准的化妆品等行为，有的时候不仅构成了刑法规定的生产、销售特定伪劣产品的犯罪，如果销售金额在五万元以上，也同时构成了一般的生产、销售伪劣产品罪，对于这种情况本款规定了从一重罪处罚的原则，规定对于生产、销售本法第一百四十一条至第一百四十八条所列产品，构成各该条规定的犯罪，同时又构成本法第一百四十条规定的犯罪的，依照处刑较重的规定定罪处罚。

第一百五十条　单位犯本节第一百四十条至第一百四十八条规定之罪的，对单位判处罚金，并对其直接负责的主管人员和其他直接责任人员，依照各该条的规定处罚。

【释义】　本条是关于单位犯生产、销售伪劣商品犯罪应当如何处罚的规定。

关于单位犯罪的处罚原则，刑法第三十一条作了规定："单位犯罪的，对单位判处罚金，并对其直接负责的主管人员和其他直接责任人员判处刑罚。"这就是"双罚制"原则。但是，考虑到单位犯罪的多样性、复杂性，刑法第三十一条又规定："本法分则和其他法律另有规定的，依照规定。"在刑法分则中，对于单位犯罪的处罚方式有多种，有对单位判处罚金，对直接负责的主管人员和其他直接责任人员依照对个人犯罪的规定处罚，还有对单位犯罪只处罚直接负责的主管人员和其他直接责任人员，对单位不判处罚金，如刑法第一百六十一条公司向股东和社会公众提供虚假财务报告罪的处罚规定等。根据本条规定，单位如果犯第一百四十条至第一百四十八条规定的生产、销售伪劣产品罪，生产、销售假药罪，生产、销售劣药罪，生产、销售不符合安全标准的食品罪，生产、销售有毒、有害食品罪，生产、销售不符合标准的医用器材罪，生产、销售不符合安全标准的产品罪，生产、销售伪劣农药、兽药、化肥、种子罪，生产、销售不符合卫生标准的化妆品罪的，对单位判处罚金，并对其直接负责的主管人员和其他直接责任人员，依照各该条对于个人犯罪的规定处罚。

第二节 走 私 罪

第一百五十一条*　走私武器、弹药、核材料或者伪造的货币的，处七年以上有期徒刑，并处罚金或者没收财产；情节特别严重的，处无期徒刑，并处没收财产；情节较轻的，处三年以上七年以下有期徒刑，并处罚金。

走私国家禁止出口的文物、黄金、白银和其他贵重金属或者国家禁止进出口的珍贵动物及其制品的，处五年以上十年以下有期徒刑，并处罚金；情节特别

---

* 本条经过三次修改。

根据2009年2月28日第十一届全国人民代表大会常务委员会第七次会议通过的《中华人民共和国刑法修正案(七)》第一次修改。原条文是："走私武器、弹药、核材料或者伪造的货币的，处七年以上有期徒刑，并处罚金或者没收财产；情节较轻的，处三年以上七年以下有期徒刑，并处罚金。

"走私国家禁止出口的文物、黄金、白银和其他贵重金属或者国家禁止进出口的珍贵动物及其制品的，处五年以上有期徒刑，并处罚金；情节较轻的，处五年以下有期徒刑，并处罚金。

"走私国家禁止进出口的珍稀植物及其制品的，处五年以下有期徒刑，并处或者单处罚金；情节严重的，处五年以上有期徒刑，并处罚金。

"犯第一款、第二款罪，情节特别严重的，处无期徒刑或者死刑，并处没收财产。

"单位犯本条规定之罪的，对单位判处罚金，并对其直接负责的主管人员和其他直接责任人员，依照本条各款的规定处罚。"

根据2011年2月25日第十一届全国人民代表大会常务委员会第十九次会议通过的《中华人民共和国刑法修正案(八)》第二次修改。第一次修改后的条文是："走私武器、弹药、核材料或者伪造的货币的，处七年以上有期徒刑，并处罚金或者没收财产；情节较轻的，处三年以上七年以下有期徒刑，并处罚金。

"走私国家禁止出口的文物、黄金、白银和其他贵重金属或者国家禁止进出口的珍贵动物及其制品的，处五年以上有期徒刑，并处罚金；情节较轻的，处五年以下有期徒刑，并处罚金。

"走私珍稀植物及其制品等国家禁止进出口的其他货物、物品的，处五年以下有期徒刑或者拘役，并处或者单处罚金；情节严重的，处五年以上有期徒刑，并处罚金。

"犯第一款、第二款罪，情节特别严重的，处无期徒刑或者死刑，并处没收财产。

"单位犯本条规定之罪的，对单位判处罚金，并对其直接负责的主管人员和其他直接责任人员，依照本条各款的规定处罚。"

根据2015年8月29日第十二届全国人民代表大会常务委员会第十六次会议通过的《中华人民共和国刑法修正案(九)》第三次修改。第二次修改后的条文是："走私武器、弹药、核材料或者伪造的货币的，处七年以上有期徒刑，并处罚金或者没收财产；情节特别严重的，处无期徒刑或者死刑，并处没收财产；情节较轻的，处三年以上七年以下有期徒刑，并处罚金。

"走私国家禁止出口的文物、黄金、白银和其他贵重金属或者国家禁止进出口的珍贵动物及其制品的，处五年以上十年以下有期徒刑，并处罚金；情节特别严重的，处十年以上有期徒刑或者无期徒刑，并处没收财产；情节较轻的，处五年以下有期徒刑，并处罚金。

"走私珍稀植物及其制品等国家禁止进出口的其他货物、物品的，处五年以下有期徒刑或者拘役，并处或者单处罚金；情节严重的，处五年以上有期徒刑，并处罚金。

"单位犯本条规定之罪的，对单位判处罚金，并对其直接负责的主管人员和其他直接责任人员，依照本条各款的规定处罚。"

严重的，处十年以上有期徒刑或者无期徒刑，并处没收财产；情节较轻的，处五年以下有期徒刑，并处罚金。

走私珍稀植物及其制品等国家禁止进出口的其他货物、物品的，处五年以下有期徒刑或者拘役，并处或者单处罚金；情节严重的，处五年以上有期徒刑，并处罚金。

单位犯本条规定之罪的，对单位判处罚金，并对其直接负责的主管人员和其他直接责任人员，依照本条各款的规定处罚。

【释义】 本条是关于走私国家禁止进出口的货物、物品犯罪及其处罚的规定。

走私犯罪直接侵犯国家的外贸监管制度，严重影响国家的关税征收、资金积累，冲击国内市场，具有很大的社会危害性。世界各国刑法都有关于走私罪的规定。1997 年刑法在第一百五十一条中，以具体列举的方式对走私国家禁止进出口货物、物品的犯罪作了专门规定，包括走私武器、弹药罪，走私核材料罪，走私假币罪，走私文物罪，走私贵重金属罪，走私珍贵动物、珍贵动物制品罪，走私珍稀植物、珍稀植物制品罪。同时还规定，对走私所列举的违禁货物、物品以外的普通货物、物品的，则按照偷逃关税的数额定罪量刑。

1997 年刑法实施后，有关部门提出，除了刑法所具体列举的禁止进出口的货物、物品外，国家还根据维护国家安全和社会公共利益的需要，规定了其他一些禁止进出口的货物、物品，如禁止进口来自疫区的动植物及其制品、禁止出口古植物化石等。对走私这类国家明令禁止进出口的货物、物品的，应直接定为犯罪，不应也无法同走私普通货物、物品一样，按其偷逃关税的数额定罪量刑。为适应惩治这类危害较大的走私行为的需要，2009 年 2 月 28 日第十一届全国人大常委会第七次会议通过的《刑法修正案（七）》对刑法第一百五十一条第三款的规定作了适当修改，增加走私“国家禁止进出口的其他货物、物品”的犯罪及刑事责任的规定。

中央关于深化司法体制和工作机制改革要求进一步落实宽严相济的刑事政策，完善死刑法律规定，适当减少死刑罪名，调整死刑与无期徒刑、有期徒刑之间的结构关系。各有关方面反复研究，一致认为我国的刑罚结构总体上能够适应当前惩治犯罪，教育改造罪犯，预防和减少犯罪的需要。但在实际执行中也存在死刑偏重、生刑偏轻等问题，需要通过修改刑法适当调整。第一，刑法规定的死刑罪名较多，共六十八个，从司法实践看，有些罪名较少适用或基本从未适用过，可以适当减少。第二，根据我国现阶段经济社会发展实际，适当取消一些经济性非暴力犯罪的死刑，不会给我国社会稳定大局和治安形势带来负面影响。针对上述情况，2011 年 2 月 25 日第十一届全国人民代表大会常务委员会第十九次会议通过的《刑法修正案(八)》取消了近年来较少适用或基本未适用过的十三个经济性非暴力犯罪的死刑。具体是:走私文物罪,走私贵重金属罪,走私珍贵动物、珍贵动物制品罪,走私普通货物、物品罪,票据诈骗罪,金融凭证诈骗罪,信用证诈骗罪,虚开增值税专用发票、用于骗取出口退税、抵扣税款发票罪,伪造、出售伪造的增值税专用发票罪,盗窃罪,传授犯罪方法罪,盗掘古文化遗址、古墓葬罪,盗掘古人类化石、古脊椎动物化石罪。以上取消的十三个死刑罪名,占死刑罪名总数的19.1%。

根据《刑法修正案(八)》的规定,本条作了两处修改:第一,取消走私文物罪,走私贵重金属罪,走私珍贵动物、珍贵动物制品罪的死刑。第二,对走私文物罪,走私贵重金属罪,走私珍贵动物、珍贵动物制品罪取消死刑后相应调整了这类犯罪的处刑,将原"处五年以上有期徒刑"的规定修改为"五年以上十年以下有期徒刑",将原"无期徒刑"的规定修改为"十年以上有期徒刑或者无期徒刑"。

党的十八届三中全会提出,"逐步减少适用死刑罪名"。中央关于深化司法体制和社会体制改革的任务中也要求,完善死刑法律规定,逐步减少适用死刑罪名。为了落实上述要求,经广泛征求有关方面的意见,反复研究论证,慎重评估,考虑到这类犯罪,近年来很少适用过死刑,最高处以无期徒刑也可以适应打击这类犯罪的实际需要,并做到罪刑相适应,因此,2015年8月29日第十二届全国人民代表大会常务委员会第十六次会议通过的《刑法修正案(九)》对本条作了修改,取消了走私武器、弹药罪,走私核材料罪和走私伪造货币罪的死刑。

本条第一款是关于走私武器、弹药罪,走私核材料罪,走私假币罪及其处罚的规定。本款主要规定了两个方面的内容。第一,明确了第一类走私物品的具体内容,即走私武器、弹药、核材料或者伪造的货币。其中"武器、弹药",是指各种军用武器、弹药和爆炸物以及其他类似军用武器、弹药和爆炸物等。"武器、弹药"的种类,参照《中华人民共和国海关进口税则》及《中华人民共和国禁止进出境物品表》的有关规定确定。"核材料",是指铀、钚等可以发生原子核变或聚合反应的放射性材料。"伪造的货币",是指伪造可在国内市场流通或者兑换的人民币、境外货币。根据2014年8月12日《最高人民法院、最高人民检察院关于办理走私刑事案件适用法律若干问题的解释》第七条规定,刑法第一百五十一条第一款规定的"货币",包括正在流通的人民币和境外货币。伪造的境外货币数额,折合成人民币计算。

本款规定的第二个方面的内容,就是对走私上述物品的犯罪行为的处罚规定。根据本款的规定,对于走私武器、弹药、核材料或者伪造的货币的行为,根据情节轻重规定了三个量刑档次:

第一档刑，走私武器、弹药、核材料或者伪造的货币的，处七年以上有期徒刑，并处罚金或者没收财产。《最高人民法院、最高人民检察院关于办理走私刑事案件适用法律若干问题的解释》第一条第二款规定，具有下列情形之一的，依照刑法第一百五十一条第一款的规定处七年以上有期徒刑，并处罚金或者没收财产：(1)走私以火药为动力发射枪弹的枪支一支，或者以压缩气体等非火药为动力发射枪弹的枪支五支以上不满十支的；(2)走私第一款第二项规定的弹药，数量在该项规定的最高数量以上不满最高数量五倍的；(3)走私各种口径在六十毫米以下常规炮弹、手榴弹或者枪榴弹等分别或者合计达到五枚以上不满十枚，或者各种口径超过六十毫米以上常规炮弹合计不满五枚的；(4)达到第一款第一、二、四项规定的数量标准，且属于犯罪集团的首要分子，使用特种车辆从事走私活动，或者走私的武器、弹药被用于实施犯罪等情形的。第六条第二款规定，走私伪造的货币具有下列情形之一的，依照刑法第一百五十一条第一款的规定处七年以上有期徒刑，并处罚金或者没收财产：(1)走私数额在二万元以上不满二十万元，或者数量在二千张(枚)以上不满二万张(枚)的；(2)走私数额或者数量达到第一款规定的标准，且具有走私的伪造货币流入市场等情节的。

第二档刑，情节特别严重的，处无期徒刑，并处没收财产。《最高人民法院、最高人民检察院关于办理走私刑事案件适用法律若干问题的解释》第一条第三款规定，具有下列情形之一的，应当认定为刑法第一百五十一条第一款规定的“情节特别严重”：(1)走私第二款第一项规定的枪支，数量超过该项规定的数量标准的；(2)走私第一款第二项规定的弹药，数量在该项规定的最高数量标准五倍以上的；(3)走私第二款第三项规定的弹药，数量超过该项规定的数量标准，或者走私具有巨大杀伤力的非常规炮弹一枚以上的；(4)达到第二款第一项至第三项规定的数量标准，且属于犯罪集团的首要分子，使用特种车辆从事走私活动，或者走私的武器、弹药被用于实施犯罪等情形的。第六条第三款规定，走私伪造的货币具有下列情形之一的，应当认定为刑法第一百五十一条第一款规定的“情节特别严重”：(1)走私数额在二十万元以上，或者数量在二万张(枚)以上的；(2)走私数额或者数量达到第二款第一项规定的标准，且属于犯罪集团的首要分子，使用特种车辆从事走私活动，或者走私的伪造货币流入市场等情形的。

第三档刑，情节较轻的，处三年以上七年以下有期徒刑，并处罚金。《最高人民法院、最高人民检察院关于办理走私刑事案件适用法律若干问题的解释》第一条第一款规定，走私武器、弹药，具有下列情形之一的，可以认定为刑法第一百五十一条第一款规定的“情节较轻”：(1)走私以压缩气体等非火药为动力发射枪弹的枪支二支以上不满五支的；(2)走私气枪铅弹五百发以上不满二千五百发，或者其他子弹十发以上不满五十发的；(3)未达到上述数量标准，但属于犯罪集团的首要分子，使用特种车辆从事走私活动，或者走私的武器、弹药被用于实施犯罪等情形的；(4)走私各种口径在六十毫米以下常规炮弹、手榴弹或者枪榴弹等分别或者合计不满五枚的。第三条规定，走私枪支散件，构成犯罪的，依照刑法第一百五十一条第一款的规定，以走私武器罪定罪处罚。成套枪支散件以相应数量的枪支计，非成套枪支散件以每三十件为一套枪支散件计。第四条规定，走私各种弹药的弹头、弹壳，构成犯罪的，依照刑法第一百五十一条第一款的规定，以走私弹药罪定罪处罚。具体的定罪量刑标准，按照该解释第一条规定的数量标准的五倍执行。弹头、弹壳是否属于前款规定的“报废或者无法组装并使用”或者“废物”，由国家有关技术部门进行鉴定。第六条第一款规定，走私伪造的货币，数额在二千元以上不满二万元，或者数量在二百张(枚)以上不满二千张(枚)的，可以认定为刑法第一百五十一条第一款规定的“情节较轻”。

本条第二款是关于走私文物罪，走私贵重金属罪，走私珍贵动物、珍贵动物制品罪及其刑事处罚的规定。本款主要规定了两个方面的内容。第一，规定了第二类走私物品的具体内容。即走私国家禁止出口的文物、黄金、白银和其他贵重金属或者国家禁止进出口的珍贵动物及其制品。其中，“国家禁止出口的文物”，是指国家馆藏一、二、三级文物及其他国家禁止出口的文物。“珍贵动物”，是指列入《国家重点保护野生动物名录》中的国家一、二级保护野生动物和列入《濒危野生动植物种国际贸易公约》附录Ⅰ、附录Ⅱ中的野生动物以及驯养繁殖的上述物种，主要有大熊猫、金丝猴、白唇鹿、扬子鳄、丹顶鹤、白鹤、天鹅、野骆驼等。珍贵动物的“制品”，是指珍贵野生动物的皮、毛、骨等制成品。“其他贵重金属”，是指铂、铱、锇、钛等金属以及国家规定禁止出口的其他贵重金属。

本款规定的第二个方面的内容，就是对走私上述物品的犯罪行为的处罚规定。根据本款规定，对于走私国家禁止出口的文物、黄金、白银和其他贵重金属或者国家禁止进出口的珍贵动物及其制品的行为，根据情节轻重规定了三个量刑档次：

第一档刑，对于走私国家禁止出口的文物、黄金、白银和其他贵重金属或者国家禁止进出口的珍贵动物及其制品的，处五年以上十年以下有期徒刑，并处罚金。《最高人民法院、最高人民检察院关于办理走私刑事案件适用法律若干问题的解释》第八条第二款规定，具有下列情形之一的，处本档刑：(1)走私国家禁止出口的二级文物不满三件，或者三级文物三件以上不满九件的；(2)走私国家禁止出口的三级文物不满三件，且具有造成文物严重毁损或者无法追回等情节的。第九条第二款规定，具有下列情形之一的，处本档刑：(1)走私国家一、二级保护动物达到本解释附表中(一)规定的数量标准的；(2)走私珍贵动物制品数额在二十万元以上不满一百万元的；(3)走私国家一、二级保护动物未达到本解释附表中(一)规定的数量标准，但具有造成该珍贵动物死亡或者无法追回等情节的。

第二档刑，情节特别严重的，处十年以上有期徒刑或者无期徒刑，并处没收财产。《最高人民法院、最高人民检察院关于办理走私刑事案件适用法律若干问题的解释》第八条第三款规定，具有下列情形之一的，应当认定为刑法第一百五十一条第二款规定的"情节特别严重"：(1)走私国家禁止出口的一级文物一件以上，或者二级文物三件以上，或者三级文物九件以上的；(2)走私国家禁止出口的文物达到第二款第一项规定的数量标准，且属于犯罪集团的首要分子，使用特种车辆从事走私活动，或者造成文物严重毁损、无法追回等情形的。第九条第三款规定，具有下列情形之一的，应当认定为刑法第一百五十一条第二款规定的"情节特别严重"：(1)走私国家一、二级保护动物达到本解释附表中(二)规定的数量标准的；(2)走私珍贵动物制品数额在一百万元以上的；(3)走私国家一、二级保护动物达到本解释附表中(一)规定的数量标准，且属于犯罪集团的首要分子，使用特种车辆从事走私活动，或者造成该珍贵动物死亡、无法追回等情形的。第十条规定，刑法第一百五十一条第二款规定的"珍贵动物"，包括列入《国家重点保护野生动物名录》中的国家一、二级保护野生动物，《濒危野生动植物种国际贸易公约》附录Ⅰ、附录Ⅱ中的野生动物，以及驯养繁殖的上述动物。

第三档刑，情节较轻的，处五年以下有期徒刑，并处罚金。《最高人民法院、最高人民检察院关于办理走私刑事案件适用法律若干问题的解释》第八条第一款规定，走私国家禁止出口的三级文物二件以下的，可以认定为刑法第一百五十一条第二款规定的"情节较轻"。第九条第一款规定，走私国家一、二级保护动物未达到本解释附表中(一)规定的数量标准，或者走私珍贵动物制品数额不满二十万元的，可以认定为刑法第一百五十一条第二款规定的"情节较轻"。

本条第三款是对走私珍稀植物、珍稀植物制品罪等国家禁止进出口的其他货物、物品犯罪及其刑事处罚的规定。本款规定了两个方面的内容。第一，规定了第三类走私的物品和范围，即走私珍稀植物及其制品等国家禁止进出口的其他货物、物品。其中规定的"珍稀植物"，根据《最高人民法院、最高人民检察院关于办理走私刑事案件适用法律若干问题的解释》第十二条规定，刑法第一百五十一条第三款规定的“珍稀植物”，包括列入《国家重点保护野生植物名录》《国家重点保护野生药材物种名录》《国家珍贵树种名录》中的国家一、二级保护野生植物、国家重点保护的野生药材、珍贵树木，《濒危野生动植物种国际贸易公约》附录Ⅰ、附录Ⅱ中的野生植物，以及人工培育的上述植物。珍稀植物的“制品”，是指用珍稀植物加工的药材、木材、标本、器具等制成品。其他国家禁止进出口的货物、物品，是指本条所列货物、物品以外的，被列入国家禁止进出口物品目录或者法律规定禁止进出口的货物、物品，如来自疫区的动植物及其制品、古植物化石等。

本款规定的第二个方面的内容，就是对走私上述物品的犯罪行为的处罚规定。其中，对于走私珍稀植物、珍稀植物制品罪等国家禁止进出口的其他货物、物品犯罪，本款规定了两个量刑档次：第一档刑，对走私珍稀植物及其制品等国家禁止进出口的其他货物、物品的，处五年以下有期徒刑或者拘役，并处或者单处罚金。第二档刑，情节严重的，处五年以上有期徒刑，并处罚金。

本条第四款是对单位走私国家禁止进出口物品罪的处罚规定。依照本款的规定，单位犯本条规定之罪的，对单位判处罚金，并对直接负责的主管人员和其他直接责任人员依照本条各款的规定处罚。

需要注意的是，犯本条所列走私国家禁止进出口物品罪，行为人主观上必须具有犯罪故意，客观上必须有逃避海关监管，非法运输、携带、邮寄国家禁止进出口的物品进出口的行为。由于本条所列物品有的是违禁品，有的是国家严禁出口的物品，对走私本条所列物品犯罪的条件，在数量上一般没有限制，凡是走私本条所列物品，原则上都构成犯罪。在实际执行中应当注意区分罪与非罪的界限，如行为人不知其所携带出境的文物是国家禁止出口的文物的，且如实申报而没有逃避海关监管，即使其运输、携带或者邮寄的属于禁止出口的文物，也不应作为犯罪处理。

第一百五十二条*　以牟利或者传播为目的，走私淫秽的影片、录像带、录

---

* 根据2002年12月28日第九届全国人民代表大会常务委员会第三十一次会议通过的《中华人民共和国刑法修正案（四）》修改。原条文是：“以牟利或者传播为目的，走私淫秽的影片、录像带、录音带、图片、书刊或者其他淫秽物品的，处三年以上十年以下有期徒刑，并处罚金；情节严重的，处十年以上有期徒刑或者无期徒刑，并处罚金或者没收财产；情节较轻的，处三年以下有期徒刑、拘役或者管制，并处罚金。

“单位犯前款罪的，对单位判处罚金，并对其直接负责的主管人员和其他直接责任人员，依照前款的规定处罚。”

音带、图片、书刊或者其他淫秽物品的，处三年以上十年以下有期徒刑，并处罚金；情节严重的，处十年以上有期徒刑或者无期徒刑，并处罚金或者没收财产；情节较轻的，处三年以下有期徒刑、拘役或者管制，并处罚金。

逃避海关监管将境外固体废物、液态废物和气态废物运输进境，情节严重的，处五年以下有期徒刑，并处或者单处罚金；情节特别严重的，处五年以上有期徒刑，并处罚金。

单位犯前两款罪的，对单位判处罚金，并对其直接负责的主管人员和其他直接责任人员，依照前两款的规定处罚。

【释义】 本条是关于走私淫秽物品罪、走私废物罪及其处罚的规定。

根据第一款的规定，走私淫秽物品罪有以下几个构成要件：

1. 行为人在主观上有犯罪故意，即以牟利或者传播为目的，这是构成本罪的一个必备条件。以牟利为目的，是指行为人走私淫秽物品是为了出卖、出租或者通过其他方式牟取非法利润；以传播为目的，是指行为人走私淫秽物品是为了在社会上传播、扩散。如果行为人携带少量的淫秽物品入境，目的是为了自己使用，则不应按走私淫秽物品罪处罚。

2. 行为人在客观上有逃避海关监管，运输、携带、邮寄淫秽物品的行为。本条所说的淫秽物品，主要是指具体描绘性行为或者露骨宣扬色情的诲淫性影片、录像带、录音带、图片及其他淫秽物品。这里的"其他淫秽物品"，主要是指除淫秽的影片、录像带、录音带、图片、书刊以外的，通过文字、声音、影像等形式表现淫秽内容的影碟、音碟、电子出版物等物品。

3. 本罪的犯罪主体为一般主体，单位或者自然人都可以成为本罪的犯罪主体。

对于走私淫秽物品罪的处罚，本款规定：以牟利或者传播为目的，走私淫秽物品的，处三年以上十年以下有期徒刑，并处罚金；情节严重的，处十年以上有期徒刑或者无期徒刑，并处罚金或者没收财产；情节较轻的，处三年以下有期徒刑、拘役或者管制，并处罚金。实践中办理走私淫秽物品的案件，涉及具体的数额标准，可以参照2014年2月24日《最高人民法院、最高人民检察院关于办理走私刑事案件适用法律若干问题的解释》中关于"情节较轻"、"情节严重"等解释内容办理。

本罪在实际执行中要注意正确把握罪与非罪的界限。是否"以牟利或者传播为目的"，是区分罪与非罪的界限，判断是否具有牟利或者传播的目的，不能只凭行为人的口供或者辩解，要具体情况具体分析，根据各种证据，加以分析判断。如果行为人走私大量淫秽物品，显然超出了自用的范围，就可以认定是以牟利或者传播为目的，至于"牟利"或者"传播"的目的是否实现，并不影响本罪的成立。

第二款是2002年12月28日第九届全国人大常委会第三十一次会议通过的《刑法修正案(四)》新增加和修改的内容,即将原刑法第一百五十五条第(三)项“逃避海关监管将境外固体废物运输进境的”内容移到本款,并根据海关法的规定和实践中的具体情况,增加了将液态废物和气态废物运输进境的规定。原第一百五十五条第(三)项没有单独规定刑罚,而是规定以走私罪论处,依照刑法关于走私罪的有关规定处罚。由于刑法关于“走私罪”一章,除第一百五十一条、第一百五十二条明确规定走私几类违禁品的处罚以外,对走私罪是按照行为人偷逃应缴税额的多少规定刑罚的,而在司法实践中,对有些走私固体废物的行为无法计算应缴税额,因此,司法机关对本罪在量刑上存在一定的困难。本次修改,对逃避海关监管将境外固体废物、液态废物和气态废物运输进境的行为规定为犯罪并单独规定了两档刑罚。本款所说的“固体废物”,是指国家禁止进口的固体废物和国家限制进口的可用作原料的固体废物。国家限制进口的可用作原料的固体废物,按照《国家限制进口的可用作原料的固体废物目录》执行。本款所说的“液态废物”,是指区别于固体废物的液体形态的废物,是有一定的体积但没有一定的形状,可以流动的物质。“气态废物”,是指放置在容器中的气体形态的废物。我国对于境外固体废物、液态废物和气态废物入境有严格的限制和批准程序,近年来,国内一些单位或者个人见利忘义,以各种方式逃避海关监管,向海关隐瞒、掩饰,擅自将境外固体废物、液态废物和气态废物偷运入境。对于这种危害国家和人民利益的走私行为,给予严厉打击是完全必要的。

根据本款规定,走私固体废物、液态废物、气态废物,情节严重的,处五年以下有期徒刑,并处或者单处罚金;情节特别严重的,处五年以上有期徒刑,并处罚金。

第三款是对单位犯走私淫秽物品罪、走私废物罪的处罚规定。本款也由《刑法修正案(四)》作了修改,虽只是文字修改,但修改后的内容却有了实质的变化。原来只规定对单位犯走私淫秽物品罪的处罚,现在增加了单位犯走私废物罪的处罚。对单位犯上述罪行的,采用双罚制原则。对单位判处罚金,并对其直接负责的主管人员和其他直接责任人员,依照前两款的规定处罚。

第一百五十三条* **走私本法第一百五十一条、第一百五十二条、第三百四十七条规定以外的货物、物品的，根据情节轻重，分别依照下列规定处罚：**

（一）走私货物、物品偷逃应缴税额较大或者一年内曾因走私被给予二次行政处罚后又走私的，处三年以下有期徒刑或者拘役，并处偷逃应缴税额一倍以上五倍以下罚金。

（二）走私货物、物品偷逃应缴税额巨大或者有其他严重情节的，处三年以上十年以下有期徒刑，并处偷逃应缴税额一倍以上五倍以下罚金。

（三）走私货物、物品偷逃应缴税额特别巨大或者有其他特别严重情节的，处十年以上有期徒刑或者无期徒刑，并处偷逃应缴税额一倍以上五倍以下罚金或者没收财产。

单位犯前款罪的，对单位判处罚金，并对其直接负责的主管人员和其他直接责任人员，处三年以下有期徒刑或者拘役；情节严重的，处三年以上十年以下有期徒刑；情节特别严重的，处十年以上有期徒刑。

对多次走私未经处理的，按照累计走私货物、物品的偷逃应缴税额处罚。

【释义】 本条是关于走私普通货物、物品罪及其处罚的规定。

1979 年刑法规定了走私罪，但对走私违禁品和走私普通货物、物品没有区分。为了严厉打击走私犯罪，便于执法，1988 年 1 月 21 日第六届全国人大常委会第二十四次会议通过的《关于惩治走私罪的补充规定》将走私违禁品与走私普通货物、物品分别作了规定，对走私所列举的违禁品以外的普通货物、物品的，则按照走私物品的价额定罪量刑。该补充规定第四条规定，走私本规定严禁出入境以外的货物、物品的，根据情节轻重，分别依照下列规定处罚：(1)走私货物、物品价额在五十万元以上的，处十年以上有期徒刑或者无期徒刑，并处罚

---

* 根据 2011 年 2 月 25 日第十一届全国人民代表大会常务委员会第十九次会议通过的《中华人民共和国刑法修正案（八）》修改。原条文是："走私本法第一百五十一条、第一百五十二条、第三百四十七条规定以外的货物、物品的，根据情节轻重，分别依照下列规定处罚：

"（一）走私货物、物品偷逃应缴税额在五十万元以上的，处十年以上有期徒刑或者无期徒刑，并处偷逃应缴税额一倍以上五倍以下罚金或者没收财产；情节特别严重的，依照本法第一百五十一条第四款的规定处罚。

"（二）走私货物、物品偷逃应缴税额在十五万元以上不满五十万元的，处三年以上十年以下有期徒刑，并处偷逃应缴税额一倍以上五倍以下罚金；情节特别严重的，处十年以上有期徒刑或者无期徒刑，并处偷逃应缴税额一倍以上五倍以下罚金或者没收财产。

"（三）走私货物、物品偷逃应缴税额在五万元以上不满十五万元的，处三年以下有期徒刑或者拘役，并处偷逃应缴税额一倍以上五倍以下罚金。

"单位犯前款罪的，对单位判处罚金，并对其直接负责的主管人员和其他直接责任人员，处三年以下有期徒刑或者拘役；情节严重的，处三年以上十年以下有期徒刑；情节特别严重的，处十年以上有期徒刑。

"对多次走私未经处理的，按照累计走私货物、物品的偷逃应缴税额处罚。"

金或者没收财产;情节特别严重的,处死刑,并处没收财产。(2)走私货物、物品价额在十五万元以上不满五十万元的,处七年以上有期徒刑,并处罚金或者没收财产;情节特别严重的,处无期徒刑,并处没收财产。(3)走私货物、物品价额在五万元以上不满十五万元的,处三年以上十年以下有期徒刑,并处罚金。(4)走私货物、物品价额在二万元以上不满五万元的,处三年以下有期徒刑,并处罚金;情节较轻的,或者价额不满二万元的,由海关没收走私货物、物品和违法所得,可以并处罚款。1997 年修订刑法时,考虑到走私的主要目的是偷逃关税,按照偷逃关税的数额定罪量刑更为适宜,将该条修改后纳入刑法。

《刑法修正案(八)》对本条主要作了四处修改:第一,根据中央深化司法体制和工作机制改革中关于落实宽严相济刑事政策,适当减少死刑罪名的精神,取消了走私普通货物、物品罪的死刑规定。第二,针对实践中出现的"蚂蚁搬家"式的走私行为,无法予以追究刑事责任的情况,将一年内曾因走私被给予二次行政处罚后又走私的行为规定为犯罪。近年来,有的部门和一些全国人大代表的议案、建议提出,在我国一些地区,小额多次走私的情况严重,由于行为人有意将每次偷逃应缴税额控制在五万元以下,海关查获后只能予以行政处罚。行为人屡罚屡犯,从主观恶性和社会危害性的程度上看,应当以犯罪处理,才能起到惩戒作用,有效维护海关监管秩序。因此,本款进行了相应修改。第三,根据司法实践的经验和打击犯罪的需要,将"偷逃应缴税额在五万元以上不满十五万元"改为"偷逃应缴税额较大",将"偷逃应缴税额在十五万元以上不满五十万元"改为"偷逃应缴税额巨大或者有其他严重情节",将"偷逃应缴税额在五十万元以上"改为"偷逃应缴税额特别巨大或者有其他特别严重情节"。第四,调整处罚顺序,由重到轻改为由轻到重;并整合处刑档次,将五档处刑改为三档处刑。

本条第一款是对走私普通货物、物品的处罚规定。构成本罪必须具备以下几个要件:

1. 行为人主观方面是故意犯罪,要具有偷逃关税的目的。

2. 行为人在客观上具有逃避海关监管,走私普通货物、物品,偷逃应缴税额,应当追究刑事责任的行为。刑法第一百五十一条规定了对走私武器、弹药、核材料、伪造的货币、国家禁止出口的文物、黄金、白银和其他贵重金属、国家禁止进出口的珍贵动物及其制品、国家禁止进出口的珍稀植物及其制品等国家禁止进出口的其他货物、物品的刑事处罚。第一百五十二条规定了走私淫秽物品的刑事处罚。第三百四十七条规定了走私、贩卖、运输、制造毒品的刑事处罚。本款规定的"本法第一百五十一条、第一百五十二条、第三百四十七条规定以外的货物、物品",实践中主要包括两类:一类是国家限制进出口的货物、物品,即国家对其进口或者出口实行配额或者许可证管理的货物、物品。例如，烟、酒、贵重中药材及其成药、汽车、摩托车等。另一类是应纳税货物、物品。例如，玻璃制品、造纸材料、塑料等进口货物和钨矿砂及精矿、淡水鱼、虾、海蜇等出口物品。本条之所以要把走私一般货物、物品同走私国家禁止进出口物品、走私淫秽物品以及走私毒品分开来规定，是因为走私物品的种类不同，其社会危害性也不同，在处罚上也应有所区别。第一百五十一条、第一百五十二条和第三百四十七条所列物品，都是国家禁止进出口的物品，走私这类物品，对社会的危害性大，往往难以用物品的价额或者偷逃应缴税额来计算。因此，对于走私国家禁止进出口物品和淫秽物品的处刑，都没有规定价额或者数额标准，原则上只要走私就构成犯罪，但走私普通货物、物品，其危害程度主要是根据偷逃应缴税额的大小来决定的。这里的“应缴税额”，是指进出口货物、物品应当缴纳的进出口关税和进口环节、海关代征代扣的其他税款，偷逃应缴税额越大，危害性也就越大。考虑到普通货物、物品的进出口税率是不一样的，走私相同价额不同种类的货物、物品，由于国家规定的税率不同，所以可能偷逃的关税和可能给国家造成的损失也不同。因此，本条将衡量定罪处罚的标准规定为“应缴税额”。

对于走私普通货物、物品的处罚，本款根据偷逃应缴税的大小规定了三个量刑档次：第一档刑，走私货物、物品偷逃应缴税额较大或者一年内曾因走私被给予二次行政处罚后又走私的，处三年以下有期徒刑或者拘役，并处偷逃应缴税额一倍以上五倍以下罚金。2014 年 2 月 24 日《最高人民法院、最高人民检察院关于办理走私刑事案件适用法律若干问题的解释》第十八条规定，刑法第一百五十三条规定的“应缴税额”，包括进出口货物、物品应当缴纳的进出口关税和进口环节海关代征税的税额。应缴税额以走私行为实施时的税则、税率、汇率和完税价格计算；多次走私的，以每次走私行为实施时的税则、税率、汇率和完税价格逐票计算；走私行为实施时间不能确定的，以案发时的税则、税率、汇率和完税价格计算。第二档刑，走私货物、物品偷逃应缴税额巨大或者有其他严重情节的，处三年以上十年以下有期徒刑，并处偷逃应缴税额一倍以上五倍以下罚金。其中，“其他严重情节”主要是指，虽然走私货物、物品偷逃应缴税额尚未达到“巨大”标准，但具有多次走私等严重情节。第三档刑，走私货物、物品偷逃应缴税额特别巨大或者有其他特别严重情节的，处十年以上有期徒刑或者无期徒刑，并处偷逃应缴税额一倍以上五倍以下罚金或者没收财产。

本条第二款是对单位犯走私普通货物、物品罪的处罚规定。单位走私普通货物、物品的，根据本款规定对单位判处罚金，并对其直接负责的主管人员和直接责任人员，处三年以下有期徒刑或者拘役；情节严重的，处三年以上十年以下有期徒刑，情节特别严重的，处十年以上有期徒刑。

本条第三款是对多次走私未经处理的如何处罚的规定。“多次走私未经处理”，是指走私未受到行政执法机关或者司法机关处理的，如果其走私行为受到某一机关处理过，不管行政处罚或者刑事处罚，就不属于未经处理之列。根据本款规定，对多次走私未经处理的，按照累计走私货物、物品的偷逃应缴税额处罚。

在执法中，应注意在走私本条规定的货物、物品同时，走私刑法第一百五十一条、第一百五十二条、第三百四十七条、第三百五十条规定的物品的正确处理问题。根据2014年2月24日《最高人民法院、最高人民检察院关于办理走私刑事案件适用法律若干问题的解释》第二十二条规定，在走私的货物、物品中藏匿刑法第一百五十一条、第一百五十二条、第三百四十七条、第三百五十条规定的货物、物品，构成犯罪的，以实际走私的货物、物品定罪处罚，构成数罪的，实行数罪并罚。

第一百五十四条　下列走私行为，根据本节规定构成犯罪的，依照本法第一百五十三条的规定定罪处罚：

（一）未经海关许可并且未补缴应缴税额，擅自将批准进口的来料加工、来件装配、补偿贸易的原材料、零件、制成品、设备等保税货物，在境内销售牟利的；

（二）未经海关许可并且未补缴应缴税额，擅自将特定减税、免税进口的货物、物品，在境内销售牟利的。

【释义】　本条是关于走私保税货物和特定减免税货物罪及其处罚的规定。

根据本条第（一）项规定，“未经海关许可并且未补缴应缴税额，擅自将批准进口的来料加工、来件装配、补偿贸易的原材料、零件、制成品、设备等保税货物，在境内销售牟利”的行为，是走私行为。如果个人或者单位偷逃应缴税额在五万元以上，就构成犯罪，应分别依照本法第一百五十三条的规定处罚。本条规定的“保税货物”，根据海关法第一百条第五款的规定，是指经海关批准未办理纳税手续进境，在境内储存、加工、装配后复运出境的货物。保税货物包括通过加工贸易、补偿贸易等方式进口的货物，以及在保税仓库、保税工厂、保税区或者免税商店等储存、加工、寄售的货物。保税货物进境时未交纳关税，如从境外进口原料、部件，在境内加工制成成品后，复运出境，海关按实际加工出口的数量免征进口税。这部分料件，有的所有权属于境外，有的虽经我方买入，但目的不是为了消费，而是为了加工成成品在境外销售，以赚取外汇收入。如果对这部分料件入境时征收关税，出境时再退税，难免手续繁杂，不利于开展对外贸易。为了保证保税货物能复运出境，国家规定由海关对其储存、加工、装配过程进行监管。进口多少料件，出口多少成品，不允许采取隐瞒、欺骗的方法擅自在境内销售。如果情况发生变化，需要转入国内市场销售的，必须经过海关批准并补缴应缴税额。

本条第（二）项所列的走私行为是“未经海关许可并且未补缴应缴税额，擅自将特定减税、免税进口的货物、物品，在境内销售牟利的”，本条所说的“特定减税、免税进口的货物、物品”，主要是指：经济特区等特定地区进口的货物；三资企业进口的货物；为特定用途进口的货物等。根据本条规定，个人或者单位如果有上述行为，偷逃应缴税款在五万元以上，就构成犯罪，应分别依照本法第一百五十三条的规定定罪处罚。

第一百五十五条*　下列行为，以走私罪论处，依照本节的有关规定处罚：

（一）直接向走私人非法收购国家禁止进口物品的，或者直接向走私人非法收购走私进口的其他货物、物品，数额较大的；

（二）在内海、领海、界河、界湖运输、收购、贩卖国家禁止进出口物品的，或者运输、收购、贩卖国家限制进出口货物、物品，数额较大，没有合法证明的。

【释义】　本条是关于对直接向走私人非法收购走私进口的货物、物品以及在内海、领海、界河、界湖运输、收购、贩卖国家禁止进出口或者限制进出口货物、物品的行为以走私罪论处的规定。

《刑法修正案（四）》对本条作了如下修改：1. 删去了第（三）项规定。将此项内容放在刑法第一百五十二条中作为第二款加以规定，对逃避海关监管将境外固体废物、液态废物和气态废物运输进境，情节严重的行为均规定追究刑事责任。2. 增加了在界河、界湖运输、收购、贩卖国家禁止进出口或者限制进出口货物、物品的犯罪行为。针对当时在界河、界湖运输、收购、贩卖国家禁止进出口或者限制进出口货物、物品的犯罪较为严重的情况，2000 年修改海关法时，对按走私行为论处的条款进行了补充、完善。《刑法修正案（四）》根据海关法的规定作了相应的修改。对直接向走私人收购走私物品，或者在内海、领海、界河、界湖运输、收购、贩卖国家禁止进出口或者限制进出口的物品的行为，虽然不存在逃避海关监管的问题，而且是发生在我国境内或界河、界湖上，不具有典

---

* 根据 2002 年 12 月 28 日第九届全国人民代表大会常务委员会第三十一次会议通过的《中华人民共和国刑法修正案（四）》修改。原条文是：“下列行为，以走私罪论处，依照本节的有关规定处罚：

“（一）直接向走私人非法收购国家禁止进口物品的，或者直接向走私人非法收购走私进口的其他货物、物品，数额较大的；

“（二）在内海、领海运输、收购、贩卖国家禁止进口物品的，或者运输、收购、贩卖国家限制进出口货物、物品，数额较大，没有合法证明的；

“（三）逃避海关监管将境外固体废物运输进境的。”

型的走私罪特征，但正是由于这些行为为走私入境的货物提供了销售和进入国内市场的渠道，为走私出口的货物提供了货源，成为走私犯罪的一个重要环节。为了严厉打击走私犯罪，刑法把这些行为作为准走私犯罪予以打击，规定对这些行为以“走私罪论处”。

本条第一项所列行为，要以犯罪论处必须符合以下两个条件：

1. 行为人在境内必须直接向走私人非法收购国家禁止进口或者走私进口的其他货物、物品，即所谓的“第一手交易”。如果不是直接向走私分子收购走私进境的货物、物品，而是经过第二手、第三手甚至更多的收购环节后收购的，即使收购人明知是走私货物、物品，也不能以走私罪论处。

2. 直接向走私人非法收购武器、弹药、核材料或者伪造的货币和淫秽物品等禁止进口物品的，没有数额的限制；但收购走私进口的其他货物、物品，必须达到数额较大，才能构成犯罪。根据刑法第一百五十三条的规定，个人收购走私货物、物品偷逃应缴税额在五万元以上，即为“数额较大”。

本条第二项所列行为，要以走私罪论处必须符合以下两个条件：

1. 行为人必须在内海、领海、界河、界湖运输、收购、贩卖国家禁止进出口物品或者国家限制进出口的货物、物品。“内海”，是指我国领海基线以内包括海港、领海、海峡、直基线与海岸之间的海域，还包括内河的入海口水域，它属于我国内水的范围。“领海”，是指邻接我国陆地领土和内水的一带海域。我国的领海宽度从领海基线量起为十二海里。这里所说的“界河”，是指我国与另一国家之间的分界河流。“界湖”，是指我国与另一国家之间的分界湖泊。界河和界湖都是可航水域。如果行为人不是在内海、领海、界河、界湖，而是在内地运输、收购、贩卖国家禁止进出口的货物、物品或者国家限制进出口的货物、物品，不能以走私罪论处。

2. 在内海、领海、界河、界湖运输、收购、贩卖国家限制进出口的货物、物品，必须达到数额较大，没有合法证明，才能构成犯罪。本项所称“国家限制进出口货物、物品”，是指国家对进口或者出口实行配额或者许可证管理的货物、物品，其他一般应纳税物品不包括在内。本条所说的“合法证明”，是指有关主管部门颁发的进出口货物、物品许可证、准运证等能证明其来源、用途合法的证明文件。只有数额达到较大，又无合法证明的，才能以走私罪论处。

第一百五十六条　与走私罪犯通谋，为其提供贷款、资金、帐号、发票、证明，或者为其提供运输、保管、邮寄或者其他方便的，以走私罪的共犯论处。

【释义】 本条是关于走私罪共犯的规定。

本条规定了以走私罪的共犯论处的几种情形。本条规定的以走私罪论处的行为应当具备以下两个条件：

1. 行为人在主观上有犯罪故意。“与走私罪犯通谋”，是指行为人有犯罪故意的外在表现形式，主要是指事前与走私罪犯共同商议，制定走私计划以及进行走私分工等活动。

2. 行为人在客观上有为走私罪犯“提供贷款、资金、帐号、发票、证明，或者为其提供运输、保管、邮寄或者其他方便”等行为。“提供贷款、资金”，是指金融机构或者其他单位的工作人员，提供贷款、资金给走私分子从事犯罪活动；提供“帐号”，是指将本人或者单位在银行或者金融机构中设立的帐号提供给走私分子，供其在走私中使用；提供“发票”，是指为走私分子提供可作为记帐、纳税、报销等凭据的写有售出商品名称、数量、价格、金额、日期等内容的发货票或者空白发票等；“提供证明”，是指非法为走私分子提供运输、收购、贩卖走私货物、物品所需要的有关证明，如进出口许可证、商检证明等；“提供运输方便”，是指为犯罪分子运输走私货物、物品提供各种运输工具；“提供保管方便”，是指为犯罪分子存放走私货物、物品提供存放仓库、场所或者代为储存、保管等便利；“提供邮寄方便”，是指海关、邮电工作人员明知他人邮寄的物品是国家禁止进出口的物品，或者是超过国家规定的进出境限额的物品而准予邮寄的行为；“其他方便”，是指除上述所列情形以外的其他各种帮助，如为犯罪分子传递重要信息等。

根据本条规定，行为人如果“与走私罪犯通谋，为其提供贷款、资金、帐号、发票、证明，或者为其提供运输、保管、邮寄或者其他方便的，以走私罪的共犯论处”。

第一百五十七条*　武装掩护走私的，依照本法第一百五十一条第一款的规定从重处罚。

以暴力、威胁方法抗拒缉私的，以走私罪和本法第二百七十七条规定的阻碍国家机关工作人员依法执行职务罪，依照数罪并罚的规定处罚。

【释义】　本条是对武装掩护走私和以暴力、威胁方法抗拒缉私犯罪刑事处罚的规定。

《刑法修正案（八）》根据社会、经济情况的变化，对刑法第一百五十一条进行了修改：一是删除其第四款的规定，取消了走私文物罪，走私贵重金属罪，走

---

* 第一款根据2011年2月25日第十一届全国人民代表大会常务委员会第十九次会议通过的《中华人民共和国刑法修正案（八）》修改。原第一款条文是：“武装掩护走私的，依照本法第一百五十一条第一款、第四款的规定从重处罚。”

私珍贵动物、珍贵动物制品罪等走私犯罪的死刑。二是在第一款中增加了“情节特别严重的,处无期徒刑或者死刑,并处没收财产”的规定。由于《刑法修正案(八)》删除了原第一百五十一条第四款,原刑法第一百五十七条第一款中“依照一百五十一条第四款从重处罚”的规定也就不再适用,《刑法修正案(八)》因此作了相应修改,删除了“依照一百五十一条第一款、第四款从重处罚”中的“第四款”。

第一款是关于武装掩护走私刑事处罚的规定。“武装掩护走私”,是指行为人携带武器用以保护走私活动的行为。在实践中,有的犯罪分子在遇到缉私检查时,公然持武器进行抵抗,有的没有用武器进行抵抗或者没有来得及用武器进行抵抗,便被捕获。只要犯罪分子携带武器武装掩护,无论是否使用武器,都不影响本条的适用。武装掩护走私,是最严重的走私行为之一,社会危害性极大,所以本款规定,对武装掩护走私的,依照本法第一百五十一条第一款的规定从重处罚。第一百五十一条第一款将量刑幅度分为三个档次:走私武器、弹药、核材料或者伪造的货币的,处七年以上有期徒刑,并处罚金或者没收财产;情节特别严重的,处无期徒刑,并处没收财产;情节较轻的,处三年以上七年以下有期徒刑,并处罚金。本款所说的从重处罚,是指根据情节轻重,在相应的量刑档次内从重,而不是在该档的量刑幅度以外从重。另外,应当注意的是,刑法对武装掩护走私有特别规定的,根据特别规定处罚。例如,对于武装掩护走私、贩卖、运输、制造毒品的,应当根据刑法第三百四十七条第二款的规定,处十五年有期徒刑、无期徒刑或者死刑,并处没收财产,而不是适用本条规定。

第二款是对以暴力、威胁方法抗拒缉私行为刑事处罚的规定。“暴力”,一般是指使用有形的力量,如殴打、捆绑等。“威胁”,一般是指使用无形的力量,使对方在精神上形成压力,在心理上造成一种恐惧感。例如,扬言对他人使用暴力,或以杀害、毁坏财产、报复家人、破坏名誉等相威胁。如果走私分子使用暴力、威胁手段抗拒缉私,根据本款的规定,应当以走私罪和本法第二百七十七条规定的阻碍国家机关工作人员依法执行职务罪数罪并罚。

在实际执行中应当注意的是,行为人必须是走私分子,而且其走私行为已经构成犯罪,又有以暴力、威胁方法抗拒缉私的行为,才能以数罪并罚的规定处罚。根据刑法第六十九条的规定,数罪并罚,是指对两个以上独立的犯罪实行并罚。如果行为人的走私行为尚不构成走私罪,但使用暴力、威胁方法抗拒缉私的,则只能按刑法第二百七十七条阻碍国家机关工作人员依法执行职务罪定罪处罚。

第三节 妨害对公司、企业的管理秩序罪

第一百五十八条 申请公司登记使用虚假证明文件或者采取其他欺诈手段虚报注册资本,欺骗公司登记主管部门,取得公司登记,虚报注册资本数额巨大、后果严重或者有其他严重情节的,处三年以下有期徒刑或者拘役,并处或者单处虚报注册资本金额百分之一以上百分之五以下罚金。

单位犯前款罪的,对单位判处罚金,并对其直接负责的主管人员和其他直接责任人员,处三年以下有期徒刑或者拘役。

【释义】 本条是关于虚报注册资本骗取公司登记罪及其处罚的规定。

第一款是对申请公司登记的个人犯虚报注册资本骗取公司登记罪的刑事处罚规定。根据本条规定,本罪有以下几个构成要件:1. 犯罪主体是特殊主体,即必须是申请公司登记的个人或者单位。这里所说的“公司”,是指依法实行注册资本实缴登记制的公司。根据商业银行法、保险法、证券法、证券投资基金法等法律的规定,商业银行、保险公司、证券公司、公开募集基金的基金管理公司等,注册资本必须为实缴货币资本。2. 行为人在客观上必须实施了使用虚假证明文件或者采取其他欺诈手段虚报注册资本,欺骗公司登记主管部门的行为。这里所说的“证明文件”,主要是指依法设立的注册会计师事务所和审计师事务所等法定验资机构依法对申请公司登记的人的出资所出具的验资报告、资产评估报告、验资证明等材料。“其他欺诈手段”,主要是指采取贿赂等非法手段收买有关机关和部门的工作人员,恶意串通,虚报注册资本,或者采用其他隐瞒事实真相的方法欺骗公司登记主管部门的行为。“公司登记主管部门”,是指工商行政管理机关。这里需要指出的是,无论使用虚假证明文件还是采取其他欺诈手段,其目的是为了虚报注册资本,欺骗公司登记主管机关。如果使用虚假证明文件或者其他欺诈手段是为了夸大公司员工的人数或生产经营条件,虚构生产经营场所等,与虚报注册资本无关,不构成本罪。如果使用虚假的证明文件或者采取其他欺诈手段,没有到工商行政管理机关去申请公司设立登记,而是去欺骗另一方当事人,签订经济合同,诈骗钱财,也不构成本罪,对其行为应当依照刑法其他有关条款进行处罚。3. 行为人必须取得了公司登记,而且虚报注册资本数额巨大、后果严重或者有其他严重情节的,才构成犯罪。“取得公司登记”,是指经工商行政管理部门核准并发给《企业法人营业执照》,还包括取得公司设立登记和变更登记的情况。如果在申请登记过程中,工商行政管理部门发现其使用的是虚假的证明文件或者采取了欺诈手段,没有予以登记,不构成本罪。因此,“取得公司登记”是区分罪与非罪的一个重要界限。虚报注册资本必

须有“数额巨大”、后果严重或者有其他严重情节的，才构成犯罪，这是本罪区分罪与非罪的另一个界限。如果虚报注册资本，欺骗公司登记主管机关，数额不大，后果不严重，也没有其他严重情节，就不构成犯罪。至于什么是“数额巨大”、“后果严重”、“其他严重情节”，本条未作具体规定，这主要是考虑到，实际发生的公司注册资本虚报的情况比较复杂，要由司法解释作出具体规定。

需要特别说明的是，2013 年 12 月 28 日，全国人大常委会对公司法作出修改，将一般公司的注册资本实缴登记制改为认缴登记制，取消注册资本最低限额制度和缴足出资的期限规定。同时，明确对金融机构、具有准金融机构性质的企业、募集设立的股份有限公司、直销企业、对外劳务合作企业、劳务派遣企业等法律、行政法规和国务院另有规定的公司，仍然实行注册资本实缴登记制。公司法对注册资本制度作出的重大修改，体现了全面深化改革的要求，是落实十二届全国人大一次会议批准的关于国务院机构改革和职能转变方案的重要举措，有利于充分发挥市场作用，进一步激发各类市场主体的创业活力。根据修改后的公司法的规定，除法律、行政法规和国务院另有规定实行注册资本实缴登记制的公司以外，对于实行注册资本认缴登记制的公司，法律已不再将实收资本作为公司登记的法定条件。实践中如果出现股东有虚假出资、抽逃出资等行为的，除应当按照公司章程规定向公司足额缴纳出资外，还应当依法承担相应的违约责任等，对此可由其他股东依法主张权利，可以不再依照刑法第一百五十八条、第一百五十九条的规定追究刑事责任。对于法律、行政法规和国务院规定实行注册资本实缴登记制的公司，刑法第一百五十八条、第一百五十九条的规定仍然适用。2014 年 4 月 24 日全国人民代表大会常务委员会通过了《关于〈中华人民共和国刑法〉第一百五十八条、第一百五十九条的解释》，明确刑法第一百五十八条、第一百五十九条的规定，只适用于依法实行注册资本实缴登记制的公司。

根据本款对于犯虚报注册资本骗取公司登记罪处罚的规定，虚报注册资本数额巨大、后果严重或者有其他严重情节的，处三年以下有期徒刑或者拘役，并处或者单处虚报注册资本金额百分之一以上百分之五以下罚金。

第二款是对单位犯虚报注册资本骗取公司登记罪的处罚规定。本款所说“单位”，是指不是以个人名义而是代表一个单位去申请登记的情况。对单位犯虚报注册资本骗取公司登记罪的处罚，本款的规定体现了双罚制原则，即对单位判处罚金，并对其直接负责的主管人员和其他直接责任人员，处三年以下有期徒刑或者拘役。

第一百五十九条　公司发起人、股东违反公司法的规定未交付货币、实物或者未转移财产权，虚假出资，或者在公司成立后又抽逃其出资，数额巨大、后果严重或者有其他严重情节的，处五年以下有期徒刑或者拘役，并处或者单处虚假出资金额或者抽逃出资金额百分之二以上百分之十以下罚金。

单位犯前款罪的，对单位判处罚金，并对其直接负责的主管人员和其他直接责任人员，处五年以下有期徒刑或者拘役。

【释义】　本条是关于虚假出资、抽逃出资罪及其处罚的规定。

第一款是对自然人犯虚假出资、抽逃出资罪及其刑事处罚的规定。根据本条规定，虚假出资、抽逃出资罪的构成要件有以下几个：

1. 此罪的犯罪主体是特殊主体，即公司的发起人或者股东。这里所说的“公司”，是指依法实行注册资本实缴登记制的公司。根据商业银行法、保险法、证券法、证券投资基金法等法律的规定，商业银行、保险公司、证券公司、公开募集基金的基金管理公司等，注册资本必须为实缴货币资本。“公司发起人”，是指依法创立筹办公司的人。“股东”，是指公司的出资人。

2. 行为人必须有违反有关法律关于注册资本实缴制度的规定，未交付货币、实物或者未转移财产权，虚假出资，或者在公司成立后又抽逃其出资的行为。“未交付货币”，是指没有按规定足额交付其所认缴的出资额或者根本就没有交付任何货币。“未交付实物或者未转移财产权”，是指以实物、工业产权、非专利技术或者土地使用权出资的，根本没有实物移交或者没有办理所有权、土地使用权转让手续。“虚假出资”，主要是指对以实物、工业产权、非专利技术或者土地使用权出资的，在评估作价时，故意高估或者低估作价，然后再作为出资等情况。目前在实践中发生最多的是对个人或非国有资产作为出资额时高估作价，而对国有资产故意低估作价。这样做，不仅损害了国家和人民的利益，同时也是一种虚假出资的行为。“公司成立后又抽逃其出资”一般包括两种情况：一种是为达到设立公司的目的，通过向其他企业借款或者向银行贷款等手段取得资金，作为自己的出资，待公司登记成立后，又抽回这些资金；另一种是在公司设立时，依法缴纳了自己的出资，但当公司成立后，又将其出资撤回。

3. 虚假出资、抽逃出资的数额巨大、后果严重或者有其他严重情节的，才构成犯罪。这是划清罪与非罪的主要界限。如果股东、公司发起人虽有未交付货币、实物或未转移财产权，虚假出资，或者在公司设立后又抽逃其出资等行为，但数额不大，或者情节、后果不严重，不构成犯罪，可用其他方式处理。由于在实际经济生活中发生的公司发起人、股东虚假出资、抽逃出资的情况非常复杂，对于“数额巨大”、“后果严重”或者“有其他严重情节”如何掌握，由最高人民法院、最高人民检察院作出具体司法解释。对于个人犯虚假出资、抽逃出资罪的处罚,本条规定,处五年以下有期徒刑或者拘役,并处或者单处虚假出资金额或者抽逃出资金额百分之二以上百分之十以下罚金。

这里需要特别说明的是,2013 年 12 月 28 日,全国人大常委会对公司法作出修改,将一般公司的注册资本实缴登记制改为认缴登记制,取消注册资本最低限额制度和缴足出资的期限规定。2014 年 4 月 24 日全国人民代表大会常务委员会通过了《关于〈中华人民共和国刑法〉第一百五十八条、第一百五十九条的解释》,明确刑法第一百五十八条、第一百五十九条的规定,只适用于依法实行注册资本实缴登记制的公司。关于这一立法的背景,在前面对第一百五十八条的释义中已经阐明,在此不再赘述。

第二款是对单位犯虚假出资、抽逃出资罪的处罚规定。对单位犯本罪的,实行双罚制原则,即对单位判处罚金,并对其直接负责的主管人员和其他直接责任人员,处五年以下有期徒刑或者拘役。

在实际执行中应注意抽逃出资与转让出资的区别。公司发起人、股东在公司成立后如需收回或减少自己的资本,可以依照法律规定采取转让出资或适当减少注册资本的方式,这与抽逃出资的行为是根本不同的。

第一百六十条　在招股说明书、认股书、公司、企业债券募集办法中隐瞒重要事实或者编造重大虚假内容,发行股票或者公司、企业债券,数额巨大、后果严重或者有其他严重情节的,处五年以下有期徒刑或者拘役,并处或者单处非法募集资金金额百分之一以上百分之五以下罚金。

单位犯前款罪的,对单位判处罚金,并对其直接负责的主管人员和其他直接责任人员,处五年以下有期徒刑或者拘役。

【释义】　本条是关于制作虚假的招股说明书、认股书、公司、企业债券募集办法发行股票、公司、企业债券罪及其处罚的规定。

第一款是个人犯制作虚假的招股说明书、认股书、公司、企业债券募集办法发行股票、公司、企业债券罪及其刑事处罚的规定。公司的招股说明书、认股书、公司、企业债券募集办法是公司、企业设立和公司、企业向社会筹集资金的重要书面文件。公司法及国家有关规定对制作这些文件的内容要求都有明确具体的规定,目的是使社会公众了解公司、企业真实情况,保护投资者和社会公众的利益,维护正常的市场经济秩序。如果内容虚假,其实质就是欺骗投资者,使投资者在不明真相的情况下作出错误的判断和选择,使投资处于高风险之中,不仅会给投资者带来重大的经济损失,还会扰乱证券市场管理秩序,影响社会稳定。根据本条规定,构成制作虚假招股说明书、认股书、公司、企业债券募集办法发行股票、公司、企业债券罪必须具备以下几个构成要件:1. 行为人在主观方面有非法发行股票、债券的故意。2. 行为人在客观上必须有“在招股说明书、认股书、公司、企业债券募集办法中隐瞒重要事实或者编造重大虚假内容，发行股票或者公司、企业债券”的行为。本款所说的“在招股说明书、认股书、公司、企业债券募集办法中隐瞒重要事实或者编造重大虚假内容”，是指违反公司法及其有关法律、法规的规定，制作的招股说明书、认股书、公司、企业债券募集办法的内容全部都是虚构的，或者对其中重要的事项和部分内容作虚假的陈述或记载，或者对某些重要事实进行夸大或者隐瞒，或者故意遗漏有关的重要事项等。例如，虚构发起人认购股份数额；故意夸大公司、企业生产经营利润和公司、企业净资产额；对所筹资金的使用提出虚假的计划和虚假的经营生产项目；故意隐瞒公司、企业所负债务和正在进行的重大诉讼；故意遗漏公司、企业签订的重要合同等。本款所说的“发行股票或者公司、企业债券”，是指实际已经发行了股票或者公司、企业债券，如果制作了虚假的招股说明书、认股书、公司、企业债券募集办法，但只锁在办公室抽屉里，或者还未来得及发行就被阻止，未实施向社会发行股票或公司、企业债券的行为，不构成犯罪。是否已经发行了股票或者公司、企业债券是区分罪与非罪的一个重要界限。3. 制作虚假的招股说明书、认股书、公司、企业债券募集办法，发行股票或者公司、企业债券必须数额巨大、后果严重或者有其他严重情节，才构成犯罪。这里所说的“数额巨大”，是指制作虚假的招股说明书、认股书、公司、企业债券募集办法发行股票或者公司、企业债券的数额巨大，如果数额不大，且又无其他严重后果或严重情节，虽然违法，但不构成犯罪。在司法实践中具体达到多大数额才算数额巨大，本条未作具体规定，主要是考虑到各类公司、企业的大小差别很大，具体的数额标准可由司法机关作出解释。这里所说的“后果严重”，主要是指造成了投资者或者其他债权人的重大经济损失；严重影响了债权人、投资人的生产、经营活动，甚至造成他们的破产；破坏了债权人、投资人的正常生活甚至激发了一些社会矛盾，影响了社会安定和正常的社会生活秩序等。“其他严重情节”，主要是指除数额巨大和后果严重外，严重违反法律规定，扰乱金融和社会管理秩序的其他情节。根据本条规定，对个人犯制作虚假的招股说明书、认股书、公司、企业债券募集办法发行股票或者公司、企业债券罪，处五年以下有期徒刑或者拘役，并处或者单处非法募集资金金额百分之一以上百分之五以下罚金。

第二款是对单位犯制作虚假的招股说明书、认股书、公司、企业债券募集办法发行股票或者公司、企业债券罪的处罚规定。这里所说的“单位”，包括有限责任公司、股份有限公司和其他企业法人。对单位犯罪，本条采取了双罚制原则，即对单位判处罚金，并对其直接负责的主管人员和其他直接责任人员，处五年以下有期徒刑或者拘役。

在实际执行中应当注意的问题是,如果有限责任公司、股份有限公司和其他企业法人的直接负责的主管人员和其他有直接责任的人员将非法募集的资金中饱私囊,落入个人腰包,则属于贪污行为或侵占行为,构成犯罪的,应当分别依照刑法贪污罪、侵占罪的规定定罪处罚。

第一百六十一条*　依法负有信息披露义务的公司、企业向股东和社会公众提供虚假的或者隐瞒重要事实的财务会计报告,或者对依法应当披露的其他重要信息不按照规定披露,严重损害股东或者其他人利益的,或者有其他严重情节的,对其直接负责的主管人员和其他直接责任人员,处三年以下有期徒刑或者拘役,并处或者单处二万元以上二十万元以下罚金。

【释义】　本条是关于公司、企业不按照规定披露信息犯罪及其处罚的规定。

2006年6月29日第十届全国人民代表大会常务委员会第二十二次会议通过的《刑法修正案(六)》对1997年刑法第一百六十一条作了修改。随着我国金融市场的发展和完善,出现了一些新情况,使得该条近年来在执行中出现了以下问题:(1)犯罪主体范围偏窄,根据证券法的规定,除上市公司外,公司债券上市交易的公司等其他实体同样负有信息披露义务,对这些组织不按照规定披露信息的行为缺乏刑事责任的规定;(2)披露的对象仅局限于财务会计报告,根据证券法等法律的规定,应予以披露的还有招股说明书、债券募集办法等信息,实践中这些信息的重要性不亚于财务会计报告,却没有列入刑法保护范围;(3)在披露方式上除虚假披露外,误导性陈述、重大遗漏等行为具有同等危害性,法律也应当作出规定;(4)原条文规定为结果犯,"严重损害股东或者其他人利益的"才构成犯罪,实践中的损失很难认定,给司法机关的侦查及法官定罪量刑带来了一定困难。针对这些问题,《刑法修正案(六)》对第一百六十一条作了三处修改:第一,将主体扩大为"依法负有信息披露义务的公司、企业";第二,增加了"对依法应当披露的其他重要信息不按照规定披露"的行为方式;第三,增设了"有其他严重情节"的定罪标准。修改后条文对本罪犯罪构成作了如下规定:

犯罪主体为"依法负有信息披露义务的公司、企业"。依据公司法、证券法、银行业监督管理法、证券投资基金法等法律、法规的规定,负有信息披露义务的

---

* 根据2006年6月29日第十届全国人民代表大会常务委员会第二十二次会议通过的《中华人民共和国刑法修正案(六)》修改。原条文是:"公司向股东和社会公众提供虚假的或者隐瞒重要事实的财务会计报告,严重损害股东或者其他人利益的,对其直接负责的主管人员和其他直接责任人员,处三年以下有期徒刑或者拘役,并处或者单处二万元以上二十万元以下罚金。"

公司、企业包括:证券发行人、上市公司、公司债券上市交易的公司及其他信息披露义务人、银行、基金管理人、基金托管人和其他基金信息披露义务人等。

在客观方面,行为人实施了向股东提供虚假的或者隐瞒重要事实的财务会计报告或者对依法应当披露的其他重要信息不按照规定披露的行为。

公司法规定:公司应当在每一会计年度终了时,依照法律、行政法规和国务院财政部门的规定编制财务会计报告,并依法经会计师事务所审计。有限责任公司应当依照公司章程规定的期限将财务会计报告送交各股东。股份有限公司的财务会计报告应当在召开股东大会年会的二十日前置备于本公司,供股东查阅;公开发行股票的股份有限公司必须公告其财务会计报告。依照上述规定,制作并向股东和社会公众提供财务会计报告是公司的一项法定义务。客观地记录和反映公司经营情况,如实地制作财务会计报告,才能让股东准确地了解其出资或投资的收益情况。公司向股东和社会公众提供虚假的或者隐瞒重要事实的财务会计报告,对股东和社会公众的利益造成损害,应追究其相应的刑事责任。

"依法应当披露的其他重要信息不按照规定披露的行为",是指违反法律、行政法规和国务院证券管理部门对信息披露的规定,对除财务会计报告以外的其他重要信息不披露或者进行虚假披露,如作虚假记载、误导性陈述或者有重大遗漏等。根据公司法、证券法、银行业监督管理法、证券投资基金法等法律、法规的规定,"依法应当披露的其他重要信息"包括:招股说明书、债券募集办法、财务会计报告、上市报告等文件,上市公司中期报告、年度报告、临时报告及其他信息披露资料;金融机构财务会计报告、风险管理状况、董事和高级管理人员变更以及其他重大事项等信息及基金信息等。证券法第六十三条规定:"发行人、上市公司依法披露的信息,必须真实、准确、完整,不得有虚假记载、误导性陈述或者重大遗漏。"对于不按照规定披露以上重要信息的,在《刑法修正案(六)》修改后的条文中增加了对这一行为的处罚。

本条规定对"严重损害股东或者其他人利益的,或者有其他严重情节的"才追究刑事责任。关于损害标准,《最高人民检察院、公安部关于公安机关管辖的刑事案件立案追诉标准的规定(二)》作了具体规定,如造成股东、债权人或者其他人直接经济损失数额累计在五十万元以上的,致使不符合发行条件的公司、企业骗取发行核准并且上市交易的,等等。

本罪为单位犯罪,但采用单罚制,只对公司直接负责的主管人员和其他直接责任人员判处刑罚,对公司不再判处罚金。这是因为,公司的违法行为已经损害了股东和投资者的利益,如果再对其判处罚金,将会加重股东和其他投资者的损失程度。因此,根据本条规定,公司、企业不按照规定披露信息,严重损害股东或者其他人利益的,或者有其他严重情节的,对其直接负责的主管人员和其他直接责任人员处三年以下有期徒刑或者拘役,并处或者单处二万元以上二十万元以下罚金。"其他严重情节",主要包括隐瞒多项应当披露的重要信息、多次虚假披露或者不按照规定披露、因不按照规定披露受到处罚后又违反等情形。

第一百六十二条　公司、企业进行清算时,隐匿财产,对资产负债表或者财产清单作虚伪记载或者在未清偿债务前分配公司、企业财产,严重损害债权人或者其他人利益的,对其直接负责的主管人员和其他直接责任人员,处五年以下有期徒刑或者拘役,并处或者单处二万元以上二十万元以下罚金。

【释义】　本条是关于妨害清算罪及其处罚的规定。

公司、企业清算是公司、企业因解散、分立、合并或者破产,依照法律规定清理公司、企业的债权债务的活动。公司、企业决定停止对外经营活动,使其法人资格消失的行为,就是公司、企业的解散。公司、企业的解散有三种情况:公司、企业章程规定的营业期限届满或者其他解散事由出现;股东会议决议解散;因违反法律、法规被责令关闭。此外,公司、企业因不能清偿到期债务,被依法宣告破产,也需进行破产清算。由于清算活动与公司、企业、股东及其他债权人、债务人有直接的经济利益关系,因此,清算活动必须严格依照法律规定的程序和条件进行,以确保清算活动的公正性,维护公司、企业、股东、债权人、债务人等各方面的合法权益。根据本条规定,构成本罪必须具备以下几个要件:1. 本罪的主体在一般情况下,是进行清算的公司、企业法人。但如果清算组成员与公司、企业相勾结共同实施本条规定的行为,也应以共同犯罪依照本条规定追究刑事责任。2. 本罪在客观方面表现为在公司、企业清算时,有隐匿财产、对资产负债表或者财产清单作虚伪记载,或者在公司、企业清偿债务前分配公司、企业财产的行为。本条所说的"隐匿财产",是指将公司、企业财产予以转移、隐藏。公司、企业的财产既包括资金,也包括工具、设备、产品、货物等各种财物。"对资产负债表或者财产清单作虚伪记载",是指公司、企业在制作资产负债表或者财产清单时,故意采取隐瞒或者欺骗等方法,对资产负债或者财产清单进行虚报,以达到逃避公司、企业债务的目的。虚报公司、企业的财产,有时可能采用少报、低报的手段,故意隐瞒或者缩小公司、企业的实际财产的数额;有时也可能采取夸大的手段,多报公司、企业的实际资产,如将公司、企业的厂房、设备、产品的实际价值高估高报,用以抵销或者偿还债务;也有的对公司、企业现有债务状况进行夸张或不实记载,等等。总之,隐匿财产、虚报财产的目的是为了逃避公司、企业的债务,或者使少数股东、债权人在分配公司、企业财产或者清偿公司、企业债务时优于其他股东或者债权人分得财产或者得到抵偿,其后果将损害债权人和其他人的利益。“在未清偿债务前分配财产”,是指在清算过程中,违反法律规定,在清偿债务之前,就分配公司、企业的财产,这样的结果,会造成对公司、企业所欠债务不能履行,损害债权人的合法权益。3. 行为人隐匿公司、企业的财产,在未清偿债务前分配公司、企业的财产,严重损害债权人或其他人利益的,才构成犯罪。“严重损害债权人的利益”,是指由于公司、企业的上述行为,使本应得到偿还的债权人的巨额债务无法得到偿还,等等;这里所说的“严重损害其他人的利益”,是指严重损害实际债权人利益以外的其他人的利益,主要是指由于公司、企业的上述行为造成公司、企业长期拖欠的职工工资和劳动保险费用、国家巨额税款得不到清偿等情形。如果公司、企业虽有隐瞒财产或在未清偿债务之前分配公司、企业财产等行为,并没有影响向债权人履行还债义务,或者对债权人或者其他人利益虽有损害,但尚未达到严重的程度,不能构成此罪。对于其违法行为可作其他处理。

根据本条规定,犯隐匿公司、企业财产或者擅自分配公司、企业财产罪的,对其直接负责的主管人员和其他直接责任人员,处五年以下有期徒刑或者拘役,并处或者单处二万元以上二十万元以下罚金。在这里,没有规定对公司、企业处以罚金,这是考虑到如果采用双罚制,既处罚直接负责的主管人员和其他直接责任人员,又对公司、企业判处罚金,就可能使该公司、企业所欠债务更加难以偿还,更不利于保护债权人和其他人的合法权益。

在实际执行中应注意本罪与侵占罪、贪污罪的区别:尽管这几个罪名都可能有隐匿公司、企业财产的行为,但本罪的犯罪主体是公司和企业法人,其目的是为了逃避公司、企业债务;而侵占罪、贪污罪的主体是自然人,其目的是为了将公司、企业的财产非法占为己有。如果是清算组的成员利用职务上的便利,侵吞、窃取、骗取或者以其他手段非法将进行清算的公司、企业财物据为己有的,应当以侵占罪追究其刑事责任;国有公司、企业的工作人员有以上行为的,应当以贪污罪追究刑事责任。

第一百六十二条之一*　隐匿或者故意销毁依法应当保存的会计凭证、会计帐簿、财务会计报告,情节严重的,处五年以下有期徒刑或者拘役,并处或者单处二万元以上二十万元以下罚金。

单位犯前款罪的,对单位判处罚金,并对其直接负责的主管人员和其他直

---

* 根据1999年12月25日第九届全国人民代表大会常务委员会第十三次会议通过的《中华人民共和国刑法修正案》增加。

接责任人员，依照前款的规定处罚。

【释义】 本条是关于隐匿或者故意销毁依法应当保存的会计凭证、会计帐簿、财务会计报告的犯罪及其处罚的规定。

1997年修改刑法时，对虚报注册资本、虚假出资、提供虚假的财务报告以及中介组织人员提供虚假证明文件等直接做假帐，严重破坏会计秩序的违法行为已规定为犯罪，但对隐匿、故意销毁会计凭证、会计帐簿、财务会计报告的违法行为没有单独规定为犯罪。当时主要是考虑隐匿、故意销毁会计凭证、会计帐簿、财务会计报告不是犯罪的目的，一般是行为人实施了刑法规定的犯罪后，掩盖犯罪事实、毁灭犯罪证据的行为，或是进行某种犯罪的手段。例如，刑法第二百零一条规定的纳税人采取伪造、变造、隐匿、擅自销毁帐簿、记帐凭证等手段，不缴或少缴应纳税款的犯罪，其犯罪目的是为了偷逃税款。实践中，行为人实施了刑法规定的许多经济犯罪如偷税罪、骗取出口退税罪、贷款诈骗罪、侵占罪、贪污罪、私分国有资产罪、挪用资金罪、挪用公款罪等，为逃避法律追究，都有可能隐匿、销毁会计资料，因此未对此种行为作为单独的犯罪加以规定。

随着社会主义市场经济的发展和改革的不断深化，会计工作在加强经济管理、提高经济效益、维持社会主义市场经济秩序、实现国家加强宏观经济调控的要求等方面的特殊重要作用越来越显现出来。一方面，它要记录本单位的真实经济活动情况，为搞好本单位的经济核算，提高本单位的经济效益提供帮助；另一方面，它又通过提供各种经济活动资料，为国家经济决策和宏观调控提供会计帮助。因此，会计信息、会计资料失真，其完整性遭到破坏，不仅会使本单位的经济管理陷入混乱，同时也会造成国家宏观经济失调。同时，会计凭证、会计帐簿、财务会计报告等会计资料也是国家行政机关、司法机关监督检查会计工作，追究有关经济犯罪的重要依据和证据。1999年10月31日第九届全国人民代表大会常务委员会第十二次会议修订的会计法第三十五条规定："各单位必须依照有关法律、行政法规的规定，接受有关监督检查部门依法实施的监督检查，如实提供会计凭证、会计帐簿、财务会计报告和其他会计资料以及有关情况，不得拒绝、隐匿、谎报。"但目前有些单位为小团体利益弄虚作假，有的甚至从事某些经济犯罪活动，当有关部门监督检查时，将有关的会计资料转移、藏匿起来，拒不交出接受检查，有的甚至将其销毁，给行政机关、司法机关查处经济违法犯罪活动设置障碍，严重影响了司法机关对经济犯罪的追究。为维护国家利益、公众利益和社会经济秩序，严厉打击这种违法行为，《刑法修正案》将隐匿、故意销毁会计凭证、会计帐簿、财务会计报告的行为增加规定为犯罪。

第一款是关于个人犯罪的处罚规定。本款对犯罪主体未作特别规定。任何人只要实施了本款规定的隐匿或者故意销毁依法应当保存的会计凭证、会计帐簿、财务会计报告行为,情节严重的就构成犯罪。隐匿,是指有关机关要求其提供会计凭证、会计帐簿、财务会计报告,以便监督检查其会计工作,查找犯罪证据时,故意转移、隐藏应当保存的会计凭证、会计帐簿、财务会计报告的行为。故意销毁,是指故意将应当依法保存的会计凭证、会计帐簿、财务会计报告予以毁灭、损毁的行为。会计凭证,是指记录经济业务发生和完成情况,明确经济责任,作为记帐依据的书面证明。会计凭证包括原始凭证和记帐凭证。会计帐簿,是指由一定格式、相互联系的帐页组成,以会计凭证为依据,用以序时地、分类地、全面地、系统地记录、反映和监督一个单位经济业务活动情况的会计簿籍。会计账簿按其不同用途和会计法的规定,可以分为总帐、明细帐、日记帐和其他辅助性帐簿。财务会计报告,是指根据会计帐簿记录和有关会计核算资料编制的反映单位财务状况和经营成果的报告文书。根据会计法第二十三条的规定,各单位对会计凭证、会计帐簿、财务会计报告和其他会计资料应当建立档案,妥善保管。会计档案的保管期限和销毁办法,由国务院财政部门会同有关部门规定。各单位应当对本单位的会计凭证、会计帐簿、财务会计报告等会计资料,按照国家规定的期限、方法妥善保管,需要销毁时,应当按照规定的程序办理手续,由规定的人员进行销毁,不得违反国家规定予以隐匿或者故意销毁。如果行为人实施了上述行为,且达到情节严重的程度,无论其出于何种目的,均构成本罪,处五年以下有期徒刑或者拘役,并处或者单处二万元以上二十万元以下罚金。

第二款是关于单位犯罪的规定。目前,有些单位经济管理混乱,会计工作秩序一团糟,其原因是多方面的,有的是会计人员个人所为,但主要是单位行为,为明确单位负责人员对本单位会计工作和保证会计资料真实性、完整性的责任,会计法第四条明确规定:单位负责人对本单位的会计工作和会计资料的真实性、完整性负责。根据本款的规定,单位隐匿或者故意销毁依法应当保存的会计凭证、会计帐簿、财务会计报告构成犯罪的,除对单位判处罚金外,对单位直接负责的主管人员和其他直接责任人员还要依照第一款的规定处罚,即处五年以下有期徒刑或者拘役,并处或者单处二万元以上二十万元以下罚金。

应当指出的是,《刑法修正案》将新增该条放在刑法第一百六十二条之后作为第一百六十二条之一,主要是考虑到新增加的内容与刑法第一百六十二条的内容最为接近。新增该条虽然放在刑法分则第三章“妨害对公司、企业的管理秩序罪”一节中,并不意味着该条的犯罪主体仅限于公司、企业。对于该条的法律含义应从条文本身的内容去分析理解,而不要只从节名划定该条的犯罪主体。正如该节第一百六十六条、第一百六十七条和第一百六十八条虽然也在刑法分则第三章“妨害对公司、企业的管理秩序罪”一节中,但犯罪主体不仅包括国有公司、企业,也包括国有事业单位一样。按照第一百六十二条之一的规定,所有必须依照会计法的规定办理会计事务的国家机关、社会团体、公司、企业、事业单位等组织和个人,都可以成为该罪的犯罪主体。

由于本条是新增加的犯罪规定,所以,其实施日期应当从《刑法修正案》公布之日起实施,即 1999 年 12 月 25 日起实施。对于实施后的本条犯罪,应当按照本条规定追究刑事责任。对于《刑法修正案》实施以前有本条规定行为的,根据刑法第十二条"从旧兼从轻"的原则处理。

第一百六十二条之二*　公司、企业通过隐匿财产、承担虚构的债务或者以其他方法转移、处分财产,实施虚假破产,严重损害债权人或者其他人利益的,对其直接负责的主管人员和其他直接责任人员,处五年以下有期徒刑或者拘役,并处或者单处二万元以上二十万元以下罚金。

【释义】　本条是关于虚假破产罪及其处罚的规定。

刑法第一百六十二条规定了妨害清算罪,对公司、企业在进行清算时,隐匿财产,对资产负债表或者财产清单做虚伪记载或者在未清偿债务前分配公司、企业财产,严重损害债权人或者其他人利益的行为,规定了刑事处罚。近年来,随着市场经济的发展,在公司、企业普遍建立现代企业制度的同时也出现了一些新的情况。一些公司、企业在没有进入破产清算之前,就以隐匿财产、承担虚构的债务等方式非法转移、处分财产,造成不能清偿到期债务或者资不抵债的假象,申请进入破产程序,以达到假破产真逃债的目的。这些行为,不仅严重侵害了债权人和其他人的利益,妨害公司、企业管理,而且破坏了正常的市场经济秩序,违背社会诚信,影响社会稳定,社会危害性严重,应当予以惩治。1997 年修订的刑法所规定的犯罪不能完全涵盖这些行为,为完善刑法的规定,根据各方面的意见,《刑法修正案(六)》在刑法中增加了虚假破产罪的规定。

按照我国法律的规定,破产是在公司、企业不能清偿到期债务时,为满足债权人正当合理的清偿要求,在人民法院的指挥和监督下,就债务人的总财产实行的以分配为目的清算程序。在正常情况下,进入破产程序的公司、企业往往其全部财产尚不足以清偿其所负债务,按照有关法律规定的破产程序进行清算、破产财产分配后,大部分债权人的债权也只能得到部分的清偿甚至不能得到清偿。而破产程序一旦终结,即破产公司、企业的破产财产分配完毕后,根据法律的规定,未得到清偿的债权就不再清偿了。有的公司、企业利用破产制度

---

* 根据 2006 年 6 月 29 日第十届全国人民代表大会常务委员会第二十二次会议通过的《中华人民共和国刑法修正案(六)》增加。

的这一特点，通过隐匿财产、承担虚构的债务或者其他转移、处分财产的办法，制造本不符合破产条件的公司、企业无法清偿到期债务的假象，向人民法院申请破产。待公司、企业剩余的“破产财产”被按照法律的规定分配完毕之后，未能清偿的债务便不再清偿了，债权人的利益遭到了损失，该公司、企业则达到了其假破产真逃债，侵吞他人财产的目的。为维护市场主体的合法权益和国家对公司、企业的管理秩序，本条把该种行为规定为犯罪。

根据本条规定，构成虚假破产罪必须具备以下几个要件：1. 本罪的主体是公司、企业。“公司”是指依照公司法设立的有限责任公司和股份有限公司；“企业”是指依法设立的从事生产经营的法人实体。2. 本罪的主观方面是故意犯罪，即具有通过虚假破产逃避债务的犯罪故意。3. 本罪的客观方面表现为实施了通过隐匿财产、承担虚构的债务或者以其他方法转移，处分财产，实施虚假破产的行为，严重损害了债权人或者其他人利益。本条规定的“隐匿财产”，是指将公司、企业的财产予以转移、隐藏，或者对公司、企业的财产清单和资产负债表作虚假记载，或者采用少报、低报的手段，故意隐瞒、缩小公司、企业财产的实际数额。公司、企业的财产既包括资金，也包括工具、设备、产品、货物等各种财物。“承担虚构的债务”，是指夸大公司、企业的负债状况，目的是造成公司资不抵债的假象。“以其他方法转移、处分财产”，是指以隐匿财产、承担虚构的债务以外的方法转移、处分公司、企业的财产，如将公司、企业财产无偿或者以明显不合理的低价转让，以明显高于市场的价格受让财产，放弃公司、企业的债权等。“实施虚假破产”是“隐匿财产、承担虚构的债务或者以其他方法转移、处分财产”的目的，是本罪行为的本质特征，是指通过上述转移、处分财产的行为，造成本不符合法律规定的破产条件的公司、企业不能清偿到期债务或者资不抵债的假象，从而向人民法院申请宣告破产或者被债权人申请宣告破产，致使公司、企业进入有关法律规定的破产程序。严重损害债权人的利益，是指由于公司、企业的上述行为，使本应得到偿还的债权人的巨额债务无法得到偿还等。严重损害其他人利益，主要是指由于公司、企业的上述行为造成公司、企业拖欠的职工工资、劳动保险费用和国家税款得不到清偿，或者使公司、企业的其他股东的合法权益受到损害等情形。需要注意的是，如果公司、企业虽然实施了通过隐匿财产、承担虚构的债务或者以其他方法转移、处分财产，实施虚假破产的行为，但尚未对债权人或者其他人的利益造成严重损害的，不能构成本条规定的犯罪，应当由有关主管部门对其违法行为进行处理。“严重损害”的具体含义，即本罪的追诉标准，可以由司法机关根据案件的实际情况确定或者通过作出司法解释来予以明确。

本条规定的犯罪是单位犯罪，根据其规定，对犯本条罪的公司、企业的直接负责的主管人员和其他直接责任人员，处五年以下有期徒刑或者拘役，并处或单处二万元以上二十万元以下罚金。在这里，没有规定对犯罪的公司、企业处以罚金。根据刑法第三十一条的规定，对于单位犯罪，一般情况下都实行既处罚犯罪单位，又处罚该单位直接负责的主管人员和其他直接责任人员的双罚制，只有在法律另有规定的例外情况下才实行只处罚直接负责的主管人员和其他直接责任人员，不处罚单位的单罚制。本条即属于此种例外情况，之所以没有规定对公司、企业判处罚金，是考虑到这可能使该公司、企业所欠债务更加难以偿还，更不利于保护债权人和其他人的合法权益。

第一百六十三条*　公司、企业或者其他单位的工作人员利用职务上的便利，索取他人财物或者非法收受他人财物，为他人谋取利益，数额较大的，处五年以下有期徒刑或者拘役；数额巨大的，处五年以上有期徒刑，可以并处没收财产。

公司、企业或者其他单位的工作人员在经济往来中，利用职务上的便利，违反国家规定，收受各种名义的回扣、手续费，归个人所有的，依照前款的规定处罚。

国有公司、企业或者其他国有单位中从事公务的人员和国有公司、企业或者其他国有单位委派到非国有公司、企业以及其他单位从事公务的人员有前两款行为的，依照本法第三百八十五条、第三百八十六条的规定定罪处罚。

【释义】　本条是关于公司、企业或者其他单位的工作人员受贿犯罪及其处罚的规定。

《刑法修正案（六）》新增加了其他单位工作人员受贿犯罪的规定。根据刑法的规定，对国家工作人员和公司、企业工作人员的受贿行为可依法追究刑事责任，但对除此以外其他单位工作人员有受贿行为的应当如何处罚没有明确规定。一些部门提出，对公司、企业以外的单位的非国家工作人员利用职务的便利进行“权钱交易”、危害社会利益的行为，如发生在事业单位中的商业贿赂行

---

* 根据2006年6月29日第十届全国人民代表大会常务委员会第二十二次会议通过的《中华人民共和国刑法修正案（六）》修改。原条文是：“公司、企业的工作人员利用职务上的便利，索取他人财物或者非法收受他人财物，为他人谋取利益，数额较大的，处五年以下有期徒刑或者拘役；数额巨大的，处五年以上有期徒刑，可以并处没收财产。

“公司、企业的工作人员在经济往来中，违反国家规定，收受各种名义的回扣、手续费，归个人所有的，依照前款的规定处罚。

“国有公司、企业中从事公务的人员和国有公司、企业委派到非国有公司、企业从事公务的人员有前两款行为的，依照本法第三百八十五条、第三百八十六条的规定定罪处罚。”

为，数额较大的，也应当追究刑事责任。因此，将刑法第一百六十三条的犯罪主体扩大到公司、企业以外的其他单位的工作人员。

第一款是关于公司、企业或者其他单位的工作人员受贿犯罪及其处罚的规定。本款有三层含义：第一，明确了犯罪的主体范围，即“公司、企业或者其他单位的工作人员”，包括非国有公司、企业、事业单位或者其他组织的工作人员。第二，明确了犯罪的行为特征，即行为人必须实施利用职务上的便利，索取他人财物或者非法收受他人财物，为他人谋取利益的行为。“利用职务上的便利”，是指公司、企业或者其他单位的工作人员利用自己职务上组织、领导、监管、主管、经管、负责某项工作的便利条件。“索取他人财物”，主要是指公司、企业或者其他单位的工作人员以为他人谋取利益为条件，向他人索取财物。“非法收受他人财物”，主要是指公司、企业或者其他单位的工作人员利用其职务上的便利或权力，接受他人主动送予的财物。“为他人谋取利益”，从谋取利益的性质上看，既包括他人应当得到的合法的、正当的利益，也包括他人不应当得到的非法的、不正当的利益；从利益的实现方面看，包括已为他人谋取的利益、意图谋取或者正在谋取，但尚未谋取到的利益。如果非法收受他人财物，没有利用职务之便或者没有谋取利益，不构成本罪。第三，索取或者非法收受他人财物，必须达到数额较大，才构成犯罪。本款在罪状表述上，只原则规定了“数额较大”、“数额巨大”，其具体数额标准由最高人民法院、最高人民检察院在总结司法实践经验的基础上，根据案件实际情况，通过司法解释解决。对受贿数额不大的，可以通过其他方式予以处理。

根据本款规定，对公司、企业或者其他单位的工作人员受贿犯罪的处罚，分为两档刑：数额较大的，处五年以下有期徒刑或者拘役；数额巨大的，处五年以上有期徒刑，可以并处没收财产。

第二款是关于对公司、企业或者其他单位的工作人员收受回扣、手续费的处罚规定。根据本款规定，公司、企业或者其他单位的工作人员在经济往来中，利用职务上的便利，违反国家规定，收受各种名义的回扣、手续费，归个人所有的，即构成非国家工作人员受贿罪。这里所说的“回扣”，是指在商品或者劳务活动中，由卖方从所收到的价款中，按照一定的比例扣出一部分返还给买方或者其经办人的款项。“手续费”，是指在经济活动中，除回扣以外，其他违反国家规定支付给公司、企业或者其他单位的工作人员的各种名义的钱，如信息费、顾问费、劳务费、辛苦费、好处费，等等。违反国家规定，收取各种名义的回扣、手续费，是否归个人所有，是区分罪与非罪的主要界限，如果收取的回扣、手续费，都上交给公司、企业或者本单位的，不构成犯罪；只有将收取的回扣、手续费归个人所有的，才构成犯罪。

根据本款规定,对收受各种名义的回扣、手续费,归个人所有的处罚,按照第一款的规定,即数额较大的,处五年以下有期徒刑或者拘役;数额巨大的,处五年以上有期徒刑,可以并处没收财产。

第三款是关于国有公司、企业或者其他国有单位中从事公务的人员和国有公司、企业或者其他国有单位委托到非国有公司、企业或者其他单位从事公务的人员有第一款、第二款犯罪行为如何定罪处罚的规定。根据本款规定,国有公司、企业或者其他国有单位中从事公务的人员和国有公司、企业或者其他国有单位委派到非国有公司、企业以及其他单位从事公务的人员,利用职务上的便利,索取他人财物或者非法收受他人财物为他人谋取利益,数额较大的,或者在经济往来中,利用职务便利,违反国家规定收受各种名义的回扣、手续费,归个人所有的,依照刑法第三百八十五条、第三百八十六条国家工作人员受贿罪的规定定罪处罚。根据刑法第三百八十六条的规定,应当依照刑法第三百八十三条的规定处罚。2015 年 8 月 29 日第十二届全国人民代表大会常务委员会第十六次会议通过的《刑法修正案(九)》对刑法第三百八十三条进行了修改。主要是对原来规定的贪污罪的处罚规定作了调整。由过去对受贿具体数额作为定罪量刑根据,修改为原则性规定。具体规定是:(1)贪污数额较大或者有其他较重情节的,处三年以下有期徒刑或者拘役,并处罚金。(2)贪污数额巨大或者有其他严重情节的,处三年以上十年以下有期徒刑,并处罚金或者没收财产。(3)贪污数额特别巨大或者有其他特别严重情节的,处十年以上有期徒刑或者无期徒刑,并处罚金或者没收财产;数额特别巨大,并使国家和人民利益遭受特别重大损失的,处无期徒刑或者死刑,并处没收财产。对多次贪污未经处理的,按照累计贪污数额处罚。犯第一款罪,在提起公诉前如实供述自己罪行、真诚悔罪、积极退赃,避免、减少损害结果的发生,有第一项规定情形的,可以从轻、减轻或者免除处罚;有第二项、第三项规定情形的,可以从轻处罚。犯第一款罪,有第三项规定情形被判处死刑缓期执行的,人民法院根据犯罪情节等情况可以同时决定在其死刑缓期执行二年期满依法减为无期徒刑后,终身监禁,不得减刑、假释。法律这样规定,主要体现了对国家工作人员犯罪要比一般的公司、企业或者其他单位的工作人员从重处罚的立法精神。

第一百六十四条*　为谋取不正当利益，给予公司、企业或者其他单位的工作人员以财物，数额较大的，处三年以下有期徒刑或者拘役，并处罚金；数额巨大的，处三年以上十年以下有期徒刑，并处罚金。

为谋取不正当商业利益，给予外国公职人员或者国际公共组织官员以财物的，依照前款的规定处罚。

单位犯前两款罪的，对单位判处罚金，并对其直接负责的主管人员和其他直接责任人员，依照第一款的规定处罚。

行贿人在被追诉前主动交待行贿行为的，可以减轻处罚或者免除处罚。

【释义】　本条是关于对公司、企业或者其他单位的工作人员，以及外国公职人员或者国际公共组织官员行贿犯罪及其处罚的规定。

按照党的十八届三中全会对加强反腐工作、完善惩治腐败法律规定的要求，为进一步完善有关法律规定，特别是刑法关于惩罚行贿、受贿犯罪的规定，《刑法修正案（九）》对本条作了修改，主要是：对为谋取不正当利益，给予公司、企业或者其他单位的工作人员以财物，数额较大的，在处三年以下有期徒刑或者拘役的同时，增加了“并处罚金”的规定。这一修改增加对行贿犯罪财产刑的

---

*　本条经过三次修改。

根据2006年6月29日第十届全国人民代表大会常务委员会第二十二次会议通过的《中华人民共和国刑法修正案（六）》第一次修改。原条文是：“为谋取不正当利益，给予公司、企业的工作人员以财物，数额较大的，处三年以下有期徒刑或者拘役；数额巨大的，处三年以上十年以下有期徒刑，并处罚金。

“单位犯前款罪的，对单位判处罚金，并对其直接负责的主管人员和其他直接责任人员，依照前款的规定处罚。

“行贿人在被追诉前主动交待行贿行为的，可以减轻处罚或者免除处罚。”

根据2011年2月25日第十一届全国人民代表大会常务委员会第十九次会议通过的《中华人民共和国刑法修正案（八）》第二次修改。第一次修改后的条文是：“为谋取不正当利益，给予公司、企业或者其他单位的工作人员以财物，数额较大的，处三年以下有期徒刑或者拘役；数额巨大的，处三年以上十年以下有期徒刑，并处罚金。

“单位犯前款罪的，对单位判处罚金，并对其直接负责的主管人员和其他直接责任人员，依照前款的规定处罚。

“行贿人在被追诉前主动交待行贿行为的，可以减轻处罚或者免除处罚。”

根据2015年8月29日第十二届全国人民代表大会常务委员会第十六次会议通过的《中华人民共和国刑法修正案（九）》第三次修改。第二次修改后的条文是：“为谋取不正当利益，给予公司、企业或者其他单位的工作人员以财物，数额较大的，处三年以下有期徒刑或者拘役；数额巨大的，处三年以上十年以下有期徒刑，并处罚金。

“为谋取不正当商业利益，给予外国公职人员或者国际公共组织官员以财物的，依照前款的规定处罚。

“单位犯前款罪的，对单位判处罚金，并对其直接负责的主管人员和其他直接责任人员，依照前款的规定处罚。

“行贿人在被追诉前主动交待行贿行为的，可以减轻处罚或者免除处罚。”

规定,进一步提高了惩治行贿犯罪的力度,使犯罪分子在受到人身处罚的同时,在经济上也得不到好处。

1997 年刑法第一百六十三条中规定:“公司、企业的工作人员利用职务上的便利,索取他人财物或者非法收受他人财物,为他人谋取利益,数额较大的,处五年以下有期徒刑或者拘役;数额巨大的,处五年以上有期徒刑,可以并处没收财产。”第一百六十四条第一款规定:“为谋取不正当利益,给予公司、企业的工作人员以财物,数额较大的,处三年以下有期徒刑或者拘役;数额巨大的,处三年以上十年以下有期徒刑,并处罚金。”2006 年 6 月 29 日第十届全国人大常委会第二十二次会议通过的《刑法修正案(六)》对刑法第一百六十三条规定的非国家工作人员受贿罪作了修改,增加了关于公司、企业以外的“其他单位”的非国家工作人员受贿犯罪的规定。考虑到行贿与受贿互为对向犯,与此对应,《刑法修正案(六)》对刑法第一百六十四条作了修改,将向公司、企业以外的“其他单位”的非国家工作人员行贿的行为也规定为犯罪。

2011 年 2 月 25 日第十一届全国人民代表大会常务委员会第十九次会议通过的《刑法修正案(八)》又对本条进行了修改,将“为谋取不正当商业利益,给予外国公职人员或者国际公共组织官员以财物”的行为增加规定为犯罪,作为本条的第二款,原第二款、第三款分别作为修改后的第三款、第四款。这样修改,是考虑到随着我国改革开放的进行,国际经济交往日益增多,这些交往中如果出现贿赂外国公职人员或者国际公共组织官员以谋取不正当商业利益的情况,不仅违背公平竞争的市场规则,也影响到正常的商业秩序,不利于我国的经济发展,特别是国际经济交往。为了维护我国正常的经济秩序,保障国家经济社会健康发展,有必要将这类行为规定为犯罪并给予刑事处罚。另外,《联合国反腐败公约》要求各缔约国应当采取必要的立法措施,将贿赂外国公职人员或者国际公共组织官员的行为规定为犯罪并追究刑事责任。2005 年 10 月 27 日第十届全国人民代表大会常务委员会第十八次会议批准了《联合国反腐败公约》。我国作为《联合国反腐败公约》的缔约国,将贿赂外国公职人员或者国际公共组织官员的行为规定为犯罪并处罚,也是我国坚决履行反腐败公约的重要举措。

本条第一款是关于个人向公司、企业或者其他单位的工作人员行贿及其处罚的规定。本款包含三层含义:第一,行为人必须具有谋取不正当利益的目的。根据 2008 年 11 月 20 日《最高人民法院、最高人民检察院关于办理商业贿赂刑事案件适用法律若干问题的意见》的规定,在行贿犯罪中“谋取不正当利益”,是指行贿人谋取违反法律、法规、规章或者政策规定的利益,或者要求对方违反法律、法规、规章、政策、行业规范的规定提供帮助或者各种便利条件,以获取私利的情况。另外，在招标投标、政府采购等商业活动中，违背公平原则，给予相关人员财物以谋取竞争优势的，也属于“谋取不正当利益”。第二，行为人必须实施了给予公司、企业或者其他单位的工作人员以财物的行为。这里的“给予”应当是实际给付行为，即作为贿赂物的财物已经从行贿人手中转移到受贿人控制之下。第三，行贿的财物必须达到数额较大，才构成犯罪。本条在罪状表述上，只原则规定了“数额较大”、“数额巨大”，其具体数额标准可由最高人民法院、最高人民检察院在总结司法实践经验的基础上，根据案件实际情况，通过司法解释解决。对行贿数额不大的，可以通过其他方式予以处理。根据本款规定，对公司、企业或者其他单位的工作人员行贿犯罪的处罚，分为两档刑：数额较大的，处三年以下有期徒刑或者拘役，并处罚金；数额巨大的，处三年以上十年以下有期徒刑，并处罚金。

本条第二款是关于为谋取不正当商业利益，给予外国公职人员或者国际公共组织官员以财物的犯罪的规定。其中，“为谋取不正当商业利益”是指行为人谋取违反法律、法规、规章或者政策规定的利益，或者要求对方违反法律、法规、规章、政策、行业规范的规定提供帮助或者各种便利条件，以获取私利的情况。另外，这里所称“外国公职人员”是指外国经任命或选举担任立法、行政、行政管理或者司法职务的人员，以及为外国国家及公共机构或者公营企业行使公共职能的人员；“国际公共组织官员”是指国际公务人员或者经国际组织授权代表该组织行事的人员；“财物”是指不论是物质的还是非物质的、动产还是不动产、有形的还是无形的各种资产，以及证明对这种资产的产权或者权益的法律文件或者文书。根据本款规定，为谋取不正当商业利益，给予外国公职人员或者国际公共组织官员以财物的，依照第一款的规定处罚，即数额较大的，处三年以下有期徒刑或者拘役，并处罚金；数额巨大的，处三年以上十年以下有期徒刑，并处罚金。

本条第三款是关于单位向公司、企业的工作人员行贿及其处罚的规定。对单位犯本罪的，本条采取了双罚制原则，即对单位判处罚金，并对其直接负责的主管人员和其他直接责任人员，依照本条第一款关于个人向公司、企业人员行贿的规定处罚。

对于向公司、企业人员行贿的追诉标准，2010 年 5 月 7 日《最高人民检察院、公安部关于公安机关管辖的刑事案件立案追诉标准的规定（二）》规定，为谋取不正当利益，给予公司、企业或者其他单位的工作人员以财物，个人行贿数额在一万元以上的，单位行贿数额在二十万元以上的，应予立案追诉。

本条第四款是关于对行贿人可以减轻处罚或者免除处罚的条件的规定。根据本款规定，对行贿人减轻处罚或者免除处罚的，必须具备两个条件：一是必须主动交待行贿行为；二是交待的时间必须在被追诉之前，二者缺一不可。“主动交待”，是指行贿人主动向司法机关或者其他有关部门如实交待其行贿事实。因司法机关调查或者其他有关部门查询而不得不交待的，或者为了避重就轻不如实交待的，均不属于本款中的“主动交待”。本款所称“在被追诉前”，是指在司法机关立案、开始追究刑事责任之前。如果司法机关已经发现了行贿事实，并认为应当追究刑事责任而立案后，行贿人交待行贿行为的，不适用本款规定。本款规定的目的，在于在刑事政策上给予行贿人从宽处理和出路，鼓励行贿人悔过，揭发检举受贿人，有利于节省司法资源，及时发现、惩罚贿赂犯罪。

第一百六十五条　国有公司、企业的董事、经理利用职务便利，自己经营或者为他人经营与其所任职公司、企业同类的营业，获取非法利益，数额巨大的，处三年以下有期徒刑或者拘役，并处或者单处罚金；数额特别巨大的，处三年以上七年以下有期徒刑，并处罚金。

【释义】　本条是关于国有公司、企业董事、经理非法经营同类营业罪及其处罚的规定。

根据本条规定，非法经营同类营业罪在犯罪构成上具有以下特征：1. 本罪的主体是特殊主体，即国有公司、企业董事、经理。2. 本罪在客观方面表现为行为人利用职务便利，自己经营或者为他人经营与所任职公司、企业同类的营业，获取非法利益的行为。“利用职务便利”，是指利用自己在国有公司、企业任董事、经理掌管材料、物资、市场、计划、销售等便利条件。“自己经营”包括以私人名义另行注册公司，有的是以亲友的名义出面注册公司、企业，或者是在他人经办的公司、企业中入股进行经营。“经营与其所任职公司、企业同类的营业”，是指从事与其所任职国有公司、企业相同或者相近似的业务。这样，行为人利用其在国有公司任职所获得的在产、供、销、市场、物资、信息等方面的优势，利用其所任职公司、企业的人力、资金、物质、信息资源、客户渠道等，有可能在市场竞争中占据有利地位，排挤所任职的国有公司企业，损害国有公司、企业的利益。3. 国有公司、企业董事、经理非法经营同类营业行为，获取非法利益，数额巨大的，才构成犯罪。“数额巨大”，是指通过上述手段，转移利润或者转嫁损失，获取了大量非法利润，国有公司、企业由此遭受重大损失。

根据本条规定，犯非法经营同类营业罪，获取非法利益，数额巨大的，处三年以下有期徒刑或者拘役，并处或者单处罚金；获取非法利益，数额特别巨大的，处三年以上七年以下有期徒刑，并处罚金。

第一百六十六条　国有公司、企业、事业单位的工作人员，利用职务便利，有下列情形之一，使国家利益遭受重大损失的，处三年以下有期徒刑或者拘役，并处或者单处罚金；致使国家利益遭受特别重大损失的，处三年以上七年以下有期徒刑，并处罚金：

（一）将本单位的盈利业务交由自己的亲友进行经营的；

（二）以明显高于市场的价格向自己的亲友经营管理的单位采购商品或者以明显低于市场的价格向自己的亲友经营管理的单位销售商品的；

（三）向自己的亲友经营管理的单位采购不合格商品的。

【释义】 本条是对国有公司、企业、事业单位的工作人员利用职务便利为亲友非法牟利犯罪的规定。

根据本条规定，为亲友非法牟利罪具有以下特征：1. 本罪的主体是国有公司、企业、事业单位的工作人员。2. 行为人具有利用职务便利，为亲友非法牟利的行为。本条列举了三项具体的行为：（1）将本单位的盈利业务交由自己的亲友经营的。这是指行为人利用自己决定、参与经贸项目、购销往来掌握经贸信息市场行情的职务便利，将明知是可以盈利的业务项目交给自己的亲友去经营。这里的“交由自己的亲友进行经营”包括交给由其亲友投资、管理、控股的单位经营。（2）以明显高于市场的价格向自己的亲友经营管理的单位采购商品或者以明显低于市场的价格向自己的亲友经营管理的单位销售商品的。如果行为人向其亲友采购或者销售的商品不是明显背离市场价格则不构成犯罪。（3）向自己的亲友经营管理的单位采购不合格商品的。这表现在国有公司、企业、事业单位购进原材料时，从自己的亲友经营管理的单位购入质次价高的商品。3. 行为人为亲友非法牟利的行为，使国家利益遭受重大损失的，才构成犯罪。本条所称“使国家利益遭受重大损失的”，是指通过上述手段，转移国有公司、企业、事业单位的利润或者转嫁自己亲友经营的损失，数额巨大的。

本条对于国有公司、企业、事业单位工作人员为亲友牟利罪，规定了两档刑：使国家利益遭受重大损失的，处三年以下有期徒刑或者拘役，并处或者单处罚金；致使国家利益遭受特别重大损失的，处三年以上七年以下有期徒刑，并处罚金。

第一百六十七条*　国有公司、企业、事业单位直接负责的主管人员，在签

---

* 1998 年 12 月 29 日第九届全国人民代表大会常务委员会第六次会议通过的《全国人民代表大会常务委员会关于惩治骗购外汇、逃汇和非法买卖外汇犯罪的决定》第七条规定：“金融机构、从事对外贸易经营活动的公司、企业的工作人员严重不负责任，造成大量外汇被骗或者逃汇，致使国家利益遭受重大损失的，依照刑法第一百六十七条的规定定罪处罚。”

订、履行合同过程中，因严重不负责任被诈骗，致使国家利益遭受重大损失的，处三年以下有期徒刑或者拘役；致使国家利益遭受特别重大损失的，处三年以上七年以下有期徒刑。

【释义】 本条是关于签订、履行合同失职被骗罪的规定。

根据本条规定，签订、履行合同失职被骗罪有如下特征：1. 犯罪主体是特殊主体，即国有公司、企业、事业单位直接负责的主管人员。2. 行为人在签订、履行合同过程中，因严重不负责任被诈骗。应当注意的是，本条规定的犯罪是以单位作为受害人的。这是因为订立合同、履行合同的行为都是以单位名义实施的，同时所产生的经济后果也是由单位来承担的。但另一方面，单位的上述行为又是由于直接责任人员的严重不负责任造成的。因此，对这种犯罪行为，本条规定，只追究直接负责的主管人员的刑事责任。本条中的"严重不负责任"在实践中表现为各种各样的行为：有的盲目轻信，不认真审查对方当事人的合同主体资格、资信情况；有的不认真审查对方的履约能力和货源情况；有的贪图个人私利，关心的不是产品的质量和价格，而是个人能否得到回扣，从中捞取多少，在得到好处后，在质量上舍优求劣，在价格上舍低就高，在路途上舍近求远，在供货来源上舍公取私；销售商品时则对并非滞销甚至是紧俏的商品，让价出售或赊销，以权谋私，导致被骗；有的无视规章制度和工作纪律，擅自越权，签订或者履行经济合同；有的急于推销产品，上当受骗；有的不辨真假，盲目吸收投资，同假外商签订引资合作协议等；有的违反规定为他人签订经济合同提供担保，导致发生纠纷时承担保证责任。3. 本罪须以致使国家利益遭受重大损失为条件，"国家利益遭受重大损失"包括造成大量财物被诈骗。因为被骗，对方根本无法供货，造成停产、工厂濒临破产倒闭等。具体标准可由最高人民法院、最高人民检察院作司法解释。

对于签订、履行合同失职被骗罪的处罚，本条根据后果规定了两档刑：致使国家利益遭受重大损失的，对其直接负责的主管人员，处三年以下有期徒刑或者拘役；致使国家利益遭受特别重大损失的，处三年以上七年以下有期徒刑。本罪将直接负责的主管人员作为处罚的对象，是因为他们对于本单位被诈骗负有不可推卸的责任。

在实践中适用本条，应正确区分罪与非罪的界限，其中十分重要的是看行为人是正确履行职责还是严重不负责任。这关键看行为人应尽的职责和义务，在有条件、有可能履行的情况下，是正确履行，还是放弃职守、不积极履行、放任自流；看行为人是否滥用职权、超越职权、擅自作出决定；看行为人是否违反国家法律、政策、企业管理规章制度和经商原则。

应当指出的是，在外汇业务中，一些外汇交易中心、国家指定的商业银行工作人员，不认真审查、核定购汇公司、企业和单位提供的凭证的单据是否真实就售汇或者付汇；或一些从事对外贸易经营活动的公司、企业的工作人员，不认真审查要求其作为购汇单位是否实际进行了对外贸易经营活动，就拿着要求其代为购汇的单位提供的虚假的购汇凭证和单据到银行和外汇交易中心购汇，致使国家大量外汇被骗购或者逃汇，使国家利益遭受重大损失。为了更有力地打击骗汇、逃汇活动，惩治严重渎职行为，1998 年 12 月 29 日第九届全国人大常委会第六次会议通过了《关于惩治骗购外汇、逃汇和非法买卖外汇犯罪的决定》（以下简称《决定》），其中第七条明确规定："金融机构、从事对外贸易经营活动的公司、企业的工作人员严重不负责任，造成大量外汇被骗购或者逃汇，致使国家利益遭受重大损失的，依照刑法第一百六十七条的规定定罪处罚。"《决定》的这一规定，扩大了刑法第一百六十七条犯罪主体的范围。"金融机构"，是指经外汇管理机关批准，有权经营外汇业务的商业银行和外汇交易中心。"从事对外贸易经营活动的公司、企业"，即对外贸易经营者，是指有权从事货物进出口与技术进出口的外贸单位以及国际服务贸易企业和组织。行为人在客观方面实施了严重不负责任，造成大量外汇被骗购或者逃汇的行为。"严重不负责任"，是指违反国家有关外汇管理的法律、法规和规章制度，放弃职责，不履行、不正确履行应当履行的职责，或者在履行职责中马虎草率，敷衍塞责，不负责任，或者放弃职守，对自己应当负责的工作撒手不管等。行为人实施上述行为，还必须"致使国家利益遭受重大损失的"才能构成本罪，是否"致使国家利益遭受重大损失的"是区分罪与非罪的界限，如果未使国家利益遭受重大损失的，可以由有关部门给予批评教育或者行政处分。"致使国家利益遭受重大损失"，主要是使国家外汇造成大量流失，具体数额由最高人民法院、最高人民检察院依据实践经验作出司法解释。

根据《决定》的规定，金融机构、从事对外贸易经营活动的公司、企业的工作人员具有上述行为的，应当依照刑法第一百六十七条的规定定罪处罚，即处三年以下有期徒刑或者拘役；致使国家利益遭受特别重大损失的，处三年以上七年以下有期徒刑。

第一百六十八条*　国有公司、企业的工作人员，由于严重不负责任或者滥用职权，造成国有公司、企业破产或者严重损失，致使国家利益遭受重大损失

* 根据 1999 年 12 月 25 日第九届全国人民代表大会常务委员会第十三次会议通过的《中华人民共和国刑法修正案》修改。原条文是："国有公司、企业直接负责的主管人员，徇私舞弊，造成国有公司、企业破产或者严重亏损，致使国家利益遭受重大损失的，处三年以下有期徒刑或者拘役。"

的，处三年以下有期徒刑或者拘役；致使国家利益遭受特别重大损失的，处三年以上七年以下有期徒刑。

国有事业单位的工作人员有前款行为，致使国家利益遭受重大损失的，依照前款的规定处罚。

国有公司、企业、事业单位的工作人员，徇私舞弊，犯前两款罪的，依照第一款的规定从重处罚。

【释义】 本条是关于国有公司、企业、事业单位人员失职罪和国有公司、企业、事业单位人员滥用职权罪的规定。

1997年修改刑法时，考虑到国家机关工作人员在行使国家权力时玩忽职守、滥用职权给国家和人民利益造成重大损失的行为与企业领导人在行使企业管理权出现的这类行为在性质上是不同的，对国家机关工作人员行使权力的渎职行为严加惩处，有利于更好地促进国家机关工作人员廉政、勤政，正确行使人民赋予的权力。同时，为了有利于政企分开，对国家机关工作人员的渎职行为与企业人员在企业管理活动中的严重不负责任滥用职权的犯罪行为分别作了具体规定，并增加规定了一些具体的渎职行为，将渎职罪的主体由原来的国家工作人员修改为国家机关工作人员，同时规定了较重的处罚。对国有公司、企业、事业单位工作人员在工作中不尽职守，给国家造成损失的渎职行为，根据其行为所侵害的不同客体分别在有关章节中作了具体规定，如刑法第一百三十五条对安全生产设施或者安全生产条件不符合国家规定，因而发生重大伤亡事故或者造成其他严重后果的行为规定为犯罪；第一百三十七条对建设、设计、施工、工程监理单位，降低工程质量，造成重大安全事故的行为规定为犯罪；第一百六十七条对国有公司、企业直接负责的主管人员，在签订、履行合同过程中，因严重不负责任被诈骗，致使国家利益遭受重大损失的行为规定为犯罪；第一百六十八条对国有公司、企业直接负责的主管人员徇私舞弊造成国有公司、企业破产或者严重亏损，致使国家利益遭受重大损失的行为规定为犯罪；第一百六十九条对国有公司、企业或者其上级主管部门直接负责的主管人员，徇私舞弊，将国有资产低价折股或者低价出售，致使国家利益遭受重大损失的行为规定为犯罪等。

在刑法执行过程中，有些人大代表、最高人民检察院和一些单位、部门反映，刑法的上述规定，尤其是刑法第一百六十八条的规定在司法实践中遇到一些问题，主要是：(1)构成犯罪的行为要件规定得过于严格。刑法第一百六十八条规定："国有公司、企业直接负责的主管人员，徇私舞弊，造成国有公司、企业破产或者严重亏损，致使国家利益遭受重大损失的，处三年以下有期徒刑或者拘役。"实践中，有些国有公司、企业主管人员由于严重不负责任或者在工作中公然违反国家有关规定,致使国家利益遭受重大损失,如擅自为他人提供担保,给本单位造成重大损失的;违反国家规定,在国际外汇、期货市场上进行外汇、期货投机,给国家造成重大损失的;在仓储或者企业管理方面严重失职,给企业造成重大损失等社会危害性很大的行为,应当追究刑事责任,但根据刑法第一百六十八条的规定,由于行为人不具有徇私舞弊的情节,难以追究刑事责任。此外,在司法实践中,对于刑法第一百六十八条规定的造成国有公司、企业“严重亏损”,是指国有公司、企业年底结算以后总账面出现严重亏损,还是指行为人徇私舞弊的行为给单位造成的经济损失不清楚,如果单位直接负责的主管人员徇私舞弊的行为给单位造成几百万元甚至上千万元的经济损失,但年终结算时单位仍然是盈利的,能否追究有关人员的刑事责任,在认识上也有分歧。(2)犯罪主体规定得过窄。第一百六十八条规定的犯罪主体只限为国有公司、企业直接负责的主管人员。实践中,这种犯罪有些是国有公司、企业的一般工作人员所为,如负责管理粮库的保管员,由于严重不负责任,致使库存粮食发霉、变质,给国家利益造成重大损失,就无法适用该条追究刑事责任。(3)处罚太轻。第一百六十八条规定的徇私舞弊造成破产、亏损罪,最高刑为三年有期徒刑,不利于打击这种渎职犯罪活动。为解决司法实践中存在的上述问题,《刑法修正案》对刑法第一百六十八条作了修改。

第一款是关于对国有公司、企业的工作人员,由于严重不负责任或者滥用职权,造成国有公司、企业破产或者严重损失,致使国家利益遭受重大损失追究刑事责任的规定。《刑法修正案》对第一款的规定作了修改,本款规定的犯罪主体与原第一百六十八条相比,由原来的“国有公司、企业直接负责的主管人员”扩大为“国有公司、企业的工作人员”,范围上有较大的变化。在行为的构成要件上,由原来的“徇私舞弊,造成国有公司、企业破产或者严重亏损,致使国家利益遭受重大损失”修改为“由于严重不负责任或者滥用职权,造成国有公司、企业破产或者严重损失,致使国家利益遭受重大损失”。本款列举了国有公司、企业渎职犯罪两种常见的行为,即严重不负责任和滥用职权。“严重不负责任”客观上表现为不履行、不正确履行或者放弃履行自己的职责,通常表现为工作马马虎虎,草率行事,或公然违反职责规定,或放弃职守,对自己负责的工作撒手不管等。“滥用职权”,通常表现为行为人超越职责权限或违反行使职权所应遵守的程序。根据本款规定,如果行为人严重不负责任或者滥用职权的行为,造成国有公司、企业破产或严重损失,致使国家利益遭受重大损失的就构成犯罪;行为如果没有达到致使国家利益遭受重大损失的,则不构成犯罪。这是区分罪与非罪的重要界限。“破产”,是指国有公司、企业由于到期债务无法偿还而宣告倒闭。本款将原条文中的“严重亏损”改为“严重损失”,意思更加明确。“严重损失”既包括直接经济损失，也包括间接的或者其他方面的损失，如企业的名声、品牌的信誉等；既包括给国有公司、企业造成亏损，也包括造成赢利减少，即虽然总体上经营没有出现亏损，但使本应获得的利润大量减少，也属于造成严重损失。“致使国家利益遭受重大损失”，包括国家经济利益等造成严重损失。

第二款是关于国有事业单位的工作人员有第一款规定行为的如何定罪处罚的规定。根据本款规定，国有事业单位的工作人员严重不负责任或者滥用职权，造成国有事业单位严重损失，致使国家利益遭受重大损失的，依照第一款的规定处罚，即处三年以下有期徒刑或者拘役；致使国家利益遭受特别重大损失的，处三年以上七年以下有期徒刑。

第三款是关于国有公司、企业、事业单位的工作人员，徇私舞弊，犯前两款罪的如何定罪处罚的规定。徇私舞弊，是指行为人徇个人私情、私利的行为。由于这种行为是从个人利益出发，置国家利益于不顾，主观恶性较大，因此本款规定依照第一款的规定从重处罚。

根据《刑法修正案》的规定，本条于 1999 年 12 月 25 日起施行。根据刑法总则的规定，本条在时间效力上应当适用刑法总则的规定，即第十二条规定的不溯及既往和从旧兼从轻的原则，也就是说，对本条实施以前发生的行为，如果当时的法律不认为是犯罪，而本条认为是犯罪的，应当适用当时的法律，不认为是犯罪；如果当时的法律认为是犯罪，本条也认为是犯罪，依照刑法总则第四章第八节关于时效的规定应当追诉的，按照当时的法律追究刑事责任，但是如果本条规定的处刑较轻的，适用本条的规定。对在本条实施后，发生的本条规定的犯罪行为，应当适用本条的规定。

第一百六十九条　国有公司、企业或者其上级主管部门直接负责的主管人员，徇私舞弊，将国有资产低价折股或者低价出售，致使国家利益遭受重大损失的，处三年以下有期徒刑或者拘役；致使国家利益遭受特别重大损失的，处三年以上七年以下有期徒刑。

【释义】　本条是关于徇私舞弊低价折股、出售国有资产罪及其处罚的规定。

根据本条规定，本罪有以下特征：1. 本罪主体是特殊主体，即国有公司、企业或者其上级主管部门直接负责的主管人员。2. 行为人在客观上有徇私舞弊，将国有资产低价折股或者低价出售的行为。本条中的“国有资产”，是指国家以各种形式对国有公司、企业投资和投资收益形成的财产，以及依据法律、行政法规认定的公司、企业国有财产。“将国有资产低价折股或者低价出售”，其表现形式是多种多样的：有的是在合资、合营、股份制改革过程，对国有财产不进行资产评估，或者虽进行资产评估，但背离所评估资产的价值低价折股；有的低估实物资产；有的国有资产未按重置价格折股，未计算其增值部分，只是按账面原值折股；有的对公司、企业的商标、信誉等无形资产未计入国家股；有的不经主管部门批准，不经评估组织作价，擅自将属于企业的土地、厂房低价卖给小团体或私营业主，从中收取回扣。3. 行为人有以上行为，致使国家利益遭受重大损失的，才构成犯罪。本条中“致使国家利益遭受重大损失”，一般是指造成国有公司、企业财产流失严重或造成国有公司、企业严重亏损，无法进行生产经营，濒临倒闭等。具体标准，需通过司法解释来加以规定。

对于将国有资产低价折股、低价出售罪的处罚，本条根据致使国家利益遭受的损失不同规定了两档刑：对致使国家利益遭受重大损失的，处三年以下有期徒刑或者拘役；致使国家利益遭受特别重大损失的，处三年以上七年以下有期徒刑。

第一百六十九条之一*　上市公司的董事、监事、高级管理人员违背对公司的忠实义务，利用职务便利，操纵上市公司从事下列行为之一，致使上市公司利益遭受重大损失的，处三年以下有期徒刑或者拘役，并处或者单处罚金；致使上市公司利益遭受特别重大损失的，处三年以上七年以下有期徒刑，并处罚金：

（一）无偿向其他单位或者个人提供资金、商品、服务或者其他资产的；

（二）以明显不公平的条件，提供或者接受资金、商品、服务或者其他资产的；

（三）向明显不具有清偿能力的单位或者个人提供资金、商品、服务或者其他资产的；

（四）为明显不具有清偿能力的单位或者个人提供担保，或者无正当理由为其他单位或者个人提供担保的；

（五）无正当理由放弃债权、承担债务的；

（六）采用其他方式损害上市公司利益的。

上市公司的控股股东或者实际控制人，指使上市公司董事、监事、高级管理人员实施前款行为的，依照前款的规定处罚。

犯前款罪的上市公司的控股股东或者实际控制人是单位的，对单位判处罚金，并对其直接负责的主管人员和其他直接责任人员，依照第一款的规定处罚。

【释义】　本条是关于操纵上市公司损害自身利益犯罪及其处罚的规定。

第一款是对上市公司的董事、监事、高级管理人员违背对公司的忠实义务，

---

* 根据2006年6月29日第十届全国人民代表大会常务委员会第二十二次会议通过的《中华人民共和国刑法修正案（六）》增加。

损害上市公司利益的犯罪及其处罚的规定。上市公司的董事、监事、高级管理人员是公司经营管理活动的重要决策者、监督者和执行者，这些人员利用其在公司中担任的职务，操纵公司进行不公平的交易等损害公司利益的活动，是一种严重的背信行为。同时，上市公司是股票在证券市场上市交易的公司，非法损害上市公司利益，也会给广大中小投资者的利益造成损失，动摇公众投资者的信心，扰乱证券市场的正常秩序，妨碍资本市场的正常发展。为了保证公司的董事、监事、高级管理人员恪尽职守，公司法明确规定，董事、监事、高级管理人员对公司负有忠实义务，不得有挪用公司资金、擅自出借公司资金、擅自为他人提供担保等违反对公司忠实义务的行为。但是从近些年来证券市场的实际情况看，上市公司资产被非法侵占的情况比较普遍，有的上市公司甚至被以各种方式“掏空”。这种情况的存在和蔓延已经严重影响我国上市公司的整体质量，阻碍证券市场的健康发展。为了维护证券市场的正常秩序，保护上市公司和公众投资人的利益，必须对这种行为依法予以打击，对其中严重损害上市公司和广大投资人利益的，有必要予以刑事制裁。《刑法修正案（六）》增加本罪就是针对这种情况的。

根据本款规定，损害上市公司利益犯罪具有以下特征：

1. 犯罪主体是上市公司的董事、监事、高级管理人员。根据公司法的规定，上市公司的董事会由股东大会选举产生，对股东大会负责，代表股东大会行使对公司的管理权。上市公司的监事会则承担对公司财务活动，以及公司董事、高级管理人员执行公司职务的行为等情况进行监督的职权。上市公司的董事作为董事会的成员，具体承担着对公司各项重要经营管理事项的决策职责；而上市公司的监事，则具体承担监事会的监督职责。上市公司的高级管理人员，是指公司的经理、副经理、财务负责人、董事会秘书和公司章程规定的其他人员。

2. 本罪客观方面表现为行为人违背对公司的忠实义务，利用职务便利，操纵上市公司从事有损自身利益的活动，给公司造成重大损失。违背对公司的忠实义务，是指上市公司的董事、监事、高级管理人员，在代表上市公司从事经营活动或者履行相关职责时，违背其对公司负有的忠实于公司利益的义务，损害公司权益的行为，简单地说，就是“吃里爬外”。实践中，行为人之所以在公司经营活动中千方百计损害本公司利益，往往是因为其为交易对方所收买、控制，或者其本身就是交易对方利用大股东地位或者控制关系安排到上市公司中的，实际代表的正是上市公司的大股东或者实际控制人的利益。但认定本罪并不需要证明行为人的动机，只要行为人有利用职务便利，操纵上市公司损害自身利益的行为即可。

操纵公司从事有损自身利益的行为，是这种行为在形式上的重要特点。与公司、企业的经营管理人员个人利用职务之便，收受贿赂、侵占公司资产，以牟取私利不同，本罪中损害上市公司利益的行为总是以公司行为的形式出现，是上市公司"自己损害自身的利益"。而本罪的行为人，上市公司的董事、监事、高级管理人员，则是以履行相关经营管理职责的名义，从事决策、执行等"职务行为"，形式上并不存在牟取个人私利的情况。但是，从行为人代表上市公司所进行的经营活动的本质看，则是严重损害上市公司自身利益的，行为人是利用其代表上市公司从事经营管理活动的身份，故意为上市公司安排不公平交易，将上市公司的资金、利益向外输送到其他公司、企业中去。根据本条规定，行为人利用职务便利，操纵上市公司损害自身利益，主要有以下几种表现形式：

（1）无偿向其他单位或者个人提供资金、商品、服务或者其他资产。这种行为对上市公司利益的损害是显而易见的，但实践中这种行为是比较常见的。例如，将上市公司募集来的资金直接划拨给其他单位或者个人使用，或者替其他单位、个人偿还债务；将公司的产品无偿提供给其他公司、个人等；进行没有实际交易的资金划拨；由上市公司代为支付费用；为其他公司、个人提供服务不收费用等。认定这种行为，要注意与一些企业正常的捐赠行为相区别。在现代社会中，企业在追求自身经济利益之外，积极地承担一定的社会责任也是越来越为企业和社会所认可的。适当的捐助行为，还可以改善企业形象，提高企业的美誉度，对企业开拓市场、提高品牌竞争力是有帮助的，因而在总体上是有利于企业利益的。捐赠行为在形式上也符合无偿提供资金、商品、服务的特征，但是，捐赠在性质上是一种慈善活动，捐助的对象一般是有特殊困难的弱势群体，或者是社会公益组织。而本罪中的无偿提供资金、商品、服务的行为，是一种利益输送行为，是上市公司的董事、监事、高级管理人员利用职务便利，让上市公司从事损己利人的"自杀行为"，是"掏空"上市公司的一种手段，无论是其提供资产的对象、数额、目的、对上市公司的影响，都与正常的企业捐赠行为有明显区别。

（2）以明显不公平的条件，提供、接受资金、商品、服务或者其他资产。这种行为带有一定的隐蔽性，行为人安排的利益输送是以交易的形式进行的，如表面上是在进行资金的有偿借贷、商品的买卖等，也约定有价款等交易条件，貌似正常交易。但是，分析实际交易条件，则是明显不公平的。实质是上市公司以明显不公平的高价收购他人的资产或者接受他人提供的商品、服务，或者将上市公司的资产以明显不公平的低价转让、提供给他人，从而掏空上市公司。这种利益输送在进、出两个环节都可以实现。在进的环节，有意高估交易对价，接受他人的资金、商品、服务：如在商品、服务采购过程中，以明显高于市场的价格采购商品,接受服务;在接受资产转让时,故意高估对方资产的实际价值,多支付对价。在出的环节,以明显低于市场的价格出售商品,或者将公司优良资产、预期良好的赢利项目,低价转让等。明显不公平的条件,主要是指交易价格明显高于、低于市场价格或者资产的实际价值。此外,在付款时间、付款方式等其他交易条件方面,故意做不利于上市公司的安排,也可以达到利益输送的目的。例如,在借贷资金给他人的活动中,除了采用故意约定极低利息这种方式外,也可能约定的利息并不明显过低,但是对还款时间和支付利息的时间故意不作要求,由借款人随意使用。这种情况只要符合本条规定,也可以依法追究。

(3)向明显不具有清偿能力的单位或者个人提供资金、商品、服务或者其他资产。这种行为的特点是,行为人为上市公司安排的交易活动从表面上看,不存在"无偿"或者"明显不公平的条件",如签订有买卖合同,合同的价款也是合乎市场价格的。但是,从交易对象的偿付能力看,对方明显不具有支付货款的可能性,向其提供商品、服务属于"肉包子打狗,有去无回"。任何一个公司,在了解交易对象属于无偿付能力的情况下,都不会与其从事这种交易活动。因此,行为人操纵上市公司向明显不具有清偿能力的单位或者个人提供资金、商品、服务或者其他资产,对上市公司利益的损害是显而易见的。

(4)为明显不具有清偿能力的单位或者个人提供担保,或者无正当理由为其他单位或者个人提供担保。故意让上市公司为他人提供担保,也是"掏空"上市公司的一种常见方式。一些上市公司的控股股东、实际控制人,利用这种方式,故意让上市公司为其他单位或者个人,甚至是明显不具有清偿能力的单位提供担保,取得贷款后迅速将贷款以各种方式转移,偿还责任则由上市公司承担。这样,上市公司成了骗取银行信用的工具,间接地成为其"取款机"。为他人的债务进行担保,担保人是要承担债务人不履行债务的法律责任的,因此,担保本身实际上是承担风险的活动。上市公司的董事、监事、高级管理人员,让上市公司为明显没有清偿能力的单位或者个人提供担保,或者在没有正当理由的情况下,让上市公司为他人提供担保,是不适当地让上市公司承担本不应承担的风险,承受本不应承受的损失,从而损害了上市公司和公众投资人的利益。从实践中的情况看,利用这种手段"掏空"的案件相当多,给上市公司造成的损失往往也是巨额的,很多上市公司因此而陷入绝境。

(5)无正当理由放弃债权、承担债务。上市公司的债权是公司资产的重要构成部分,其利益归于上市公司的全体股东;而上市公司的债务则需要以公司的资产偿还。没有正当理由而放弃债权,会导致公司资产的直接减少,从而损害上市公司和公众投资人的利益。同样,没有正当理由而随意承担债务,也会导致上市公司的负担加重,间接减少公司资产,从而损害上市公司和公众投资人的利益。上市公司董事、监事、高级管理人员的职责是通过勤勉的经营管理活动，使公司的资产保值、增值。这些人员随意放弃应收债权，增加公司不应有的债务，违背了对公司的忠实义务，严重损害了上市公司的利益，应当承担法律责任。

(6)采用其他方式损害上市公司利益。这是一项兜底性规定。为了便于司法实践中准确认定本罪，本条第一款采用列举的方式，明确规定了比较常见的五种损害上市公司利益的行为方式。同时，考虑到实践中“掏空”上市公司的情况比较复杂，法律上难以列举穷尽；也不排除一些行为人为了逃避法律追究，采用其他更为隐蔽的手段，损害上市公司利益，本款又在明确列举的同时，规定了这一兜底性规定。这样，除上述五种明确列举的损害上市公司利益的行为外，其他符合本款规定的特征的行为，也可以依法追究。

第二款是关于上市公司的控股股东或者实际控制人，指使上市公司董事、监事、高级管理人员实施损害上市公司利益的行为的处罚的规定。上市公司的控股股东是指其持有的股份占上市公司股本总额百分之五十以上的股东，或者其持有股份虽不足百分之五十，但持有股份所享有的表决权已足以对股东大会的决议产生重大影响的股东。上市公司的实际控制人，是指虽不是公司的股东，但通过投资关系、协议或者其他安排，能够实际支配公司行为的人。根据刑法总则有关共同犯罪的规定，上市公司的控股股东、实际控制人指使上市公司的董事、监事、高级管理人员，利用职务便利，操纵上市公司从事损害自身利益行为的，应当按照共犯，通常情况下还应当作为主犯，追究其刑事责任。因此，本款即使未作规定，实际上也不应影响对相关人员刑事责任的追究。但是，考虑到实践中上市公司的董事、监事、高级管理人员之所以实施这种“吃里爬外”的犯罪，往往是因为受上市公司控股股东、实际控制人的唆使、控制。这些人员实际上只是上市公司控股股东、实际控制人利用以实施犯罪的工具，在幕后进行操纵的控股股东、实际控制人在许多情况下就是“掏空”上市公司的罪魁祸首和实际受益人。因此，有必要在法律中对这些人员的责任予以明确规定。对其中符合刑法总则关于共同犯罪中主犯、首要分子规定的人员，应当依照有关追究主犯、首要分子刑事责任的规定，予以处罚。

第三款是关于单位指使上市公司的董事、监事、高级管理人员，实施损害上市公司利益行为的处罚规定。实践中“掏空”上市公司的行为，多为上市公司的控股股东或者实际控制人所指使，而上市公司的控股股东、实际控制人又多为单位。因此，本款明确规定，上市公司的控股股东、实际控制人是单位的，对该单位判处罚金；对单位直接负责的主管人员和其他直接责任人员，依照第一款关于上市公司的董事、监事、高级管理人员的处罚规定处罚。

第四节　破坏金融管理秩序罪

第一百七十条[*]　**伪造货币的，处三年以上十年以下有期徒刑，并处罚金；有下列情形之一的，处十年以上有期徒刑或者无期徒刑，并处罚金或者没收财产：**

（一）伪造货币集团的首要分子；

（二）伪造货币数额特别巨大的；

（三）有其他特别严重情节的。

【释义】　本条是关于伪造货币罪及其处罚的规定。

2015年8月29日第十二届全国人民代表大会常务委员会第十六次会议通过的《刑法修正案（九）》对本条作了修改，主要是取消了伪造货币犯罪的死刑。慎杀少杀是我国一直坚持的一项重要的刑事政策。党的十八届三中全会进一步提出，"逐步减少适用死刑罪名"。中央关于深化司法体制和社会体制改革的任务也要求，完善死刑法律规定，逐步减少适用死刑的罪名。为了落实上述要求，经与有关方面认真研究和广泛征求有关部门、专家的意见，并经过慎重评估，考虑到伪造货币犯罪，主要是牟利性犯罪，近年来很少适用过死刑，最高处以无期徒刑也可以适应打击这类犯罪的实际需要，并做到罪刑相适应。因此，《刑法修正案（九）》对本条作了修改，即取消了伪造货币犯罪的死刑。同时修正案还对本条的罚金刑做了修改完善，由原来的具体数额规定改为原则性规定，以便司法机关根据不同个案情况具体掌握，更好做到罪刑相适应。

根据本条规定，构成本罪，应当具备以下条件：

1. 行为人实施了伪造货币的行为。本条规定的"伪造货币"，是指仿照人民币或者外币的图案、色彩、形状等，使用印刷、复印、描绘、拓印等各种制作方法，将非货币的物质非法制造为假货币，冒充真货币的行为。同时，还包括实践中出现的制造货币版样的行为。制造货币版样的行为，是伪造货币活动中的一部分，这种行为为大量伪造货币提供了条件。至于行为人出于何种目的，是否牟

---

* 根据2015年8月29日第十二届全国人民代表大会常务委员会第十六次会议通过的《中华人民共和国刑法修正案（九）》修改。原条文是："伪造货币的，处三年以上十年以下有期徒刑，并处五万元以上五十万元以下罚金；有下列情形之一的，处十年以上有期徒刑、无期徒刑或者死刑，并处五万元以上五十万元以下罚金或者没收财产：

"（一）伪造货币集团的首要分子；

"（二）伪造货币数额特别巨大的；

"（三）有其他特别严重情节的。"

利，使用何种方法，并不影响本罪的构成。只要行为人实施了制造货币版样或将非货币的物质非法制造为假货币，冒充真货币的行为，即构成本罪。

2.本罪的犯罪对象是人民币和外币。这里所说的“货币”，是指可在国内市场流通或者兑换的人民币和外币。根据中国人民银行法的规定，中华人民共和国的法定货币是人民币。这里所说的“外币”，是广义的，是指境外正在流通使用的货币。也就是说，既包括港、澳、台地区的货币，还包括可在中国兑换的外国货币，如美元、英镑等。中国人民银行法规定，人民币由中国人民银行统一印制、发行。中国人民银行发行新版人民币，应当将发行时间、面额、图案、式样、规格予以公告。随着我国经济的发展，一些国内外不法分子把人民币作为犯罪的侵害对象。近年来，伪造人民币的犯罪也突出起来。犯罪分子出于各种非法目的，通过各种非法手段伪造人民币，而且这类犯罪呈现愈演愈烈的趋势。这些犯罪通过伪造人民币或者进行假币交易，或者向社会投放伪造的假币的犯罪活动，严重损害了人民币的信誉，扰乱了国家正常的金融秩序和人民群众的生活秩序，社会影响面大，社会危害性大，针对这种情况，刑法对伪造货币罪作了专门规定。

3.行为人在主观上是故意的。伪造货币是一种故意犯罪，在实际发生的案件中，犯罪分子的犯罪目的可能有所不同，如有的是为了某种政治目的，有的是为了牟取暴利，但在主观上具有犯罪的故意则是相同的。

本条列举了三种加重处罚的犯罪情形。

第一种情形是“伪造货币集团的首要分子”。这里所说的“伪造货币集团的首要分子”，是指在伪造货币集团中起组织、领导、策划作用的犯罪分子。依照本条规定，应当处十年以上有期徒刑或者无期徒刑，并处罚金或者没收财产。

第二种情形是“伪造货币数额特别巨大的”。关于伪造货币构成犯罪的具体数额，2000年通过的《最高人民法院关于审理伪造货币等案件具体应用法律若干问题的解释》规定，伪造货币的总面额在二千元以上不满三万元或者币量在二百张（枚）以上不足三千张（枚）的，应当追究刑事责任。伪造货币的总面额在三万元以上的，属于“伪造货币数额特别巨大”，依照本条规定，应当处十年以上有期徒刑或者无期徒刑，并处罚金或者没收财产。

第三种情形是“有其他特别严重情节的”。“其他特别严重情节”，主要是指以伪造货币为常业，伪造货币技术特别先进、规模特别巨大等情况。实践中，从被捣毁的制造假币的犯罪窝点可以看出，有些犯罪活动呈现出专业化很强、技术化程度很高、分工很细致的情况，有些制造的假币几乎乱真，平日生活中很难加以辨别，危害性极大。依照本条规定，应处十年以上有期徒刑或者无期徒刑，并处罚金或者没收财产。对实践中出现的制造货币版样或者与他人事前通谋，为他人伪造货币提供版样的行为，规定依照本条规定定罪处罚。

第一百七十一条　出售、购买伪造的货币或者明知是伪造的货币而运输，数额较大的，处三年以下有期徒刑或者拘役，并处二万元以上二十万元以下罚金；数额巨大的，处三年以上十年以下有期徒刑，并处五万元以上五十万元以下罚金；数额特别巨大的，处十年以上有期徒刑或者无期徒刑，并处五万元以上五十万元以下罚金或者没收财产。

银行或者其他金融机构的工作人员购买伪造的货币或者利用职务上的便利，以伪造的货币换取货币的，处三年以上十年以下有期徒刑，并处二万元以上二十万元以下罚金；数额巨大或者有其他严重情节的，处十年以上有期徒刑或者无期徒刑，并处二万元以上二十万元以下罚金或者没收财产；情节较轻的，处三年以下有期徒刑或者拘役，并处或者单处一万元以上十万元以下罚金。

伪造货币并出售或者运输伪造的货币的，依照本法第一百七十条的规定定罪从重处罚。

【释义】　本条是关于出售、购买、运输假币罪和金融工作人员购买假币、以假币换取货币罪及其处罚的规定。

第一款是关于出售、购买、运输假币罪及其处罚的规定。本条规定的“出售伪造的货币”，是指以营利为目的，以一定的价格卖出伪造的货币的行为。“购买伪造的货币”，是指行为人以一定的价格用货币换取伪造的货币的行为。“明知是伪造的货币而运输”，是指行为人主观上明明知道是伪造的货币，而使用汽车、飞机、火车、轮船等交通工具或者以其他方式将伪造的货币从甲地携带到乙地的行为。本款共规定了以下三个罪名：

1. 出售假币罪。出售假币罪具有以下特征：第一，行为人在主观上必须是故意的。众所周知，人民币不是商品，是不能出售的，在现实生活中更不可能存在用低于某种货币的面值出售该种货币的情况，只有在所持有的“货币”是伪造的、不具有其票面所标明价值的情况下，才可能出现某些不法分子为牟取不义之财进行出售的情况。在这种情况下，行为人主观上的故意是不言而喻的。第二，行为人必须实施了出售伪造货币的行为。第三，行为人出售伪造货币要达到一定的数量。根据本款规定，出售伪造货币的数额较大，即构成本罪。至于“数额较大”的具体标准是多少，需要最高人民法院、最高人民检察院总结具体案件情况和审判实践经验作出规定。对于出售了少量伪造的货币，没有达到数额较大的，应当按照有关规定，给予相应的行政处罚。

2. 购买假币罪。构成购买假币罪，应具备以下特征：一是行为人在主观上一般都以牟取非法利益为目的，如有的购买后冒充货币使用或者行骗，有的购买后再进行贩卖以牟取暴利。出于好奇原因购买少量伪造货币的行为不能构成本罪。二是行为人必须实施了以一定的价格购买伪造货币的行为,在通常情况下,其买入的价格一般远远低于票面所印价格。三是购买的伪造货币的数额较大。

3. 运输假币罪。根据本款规定,构成本罪应当具备以下特征:一是行为人首先要具有运输伪造货币的行为。二是行为人在主观上必须是明知的,即行为人清楚知道其运输的货物是伪造的货币。从实际情况看,运输伪造货币的行为与出售伪造货币的行为、购买伪造的货币的行为不同。出售、购买伪造货币的,行为人具有主观上的故意是不言而喻的;运输伪造货币的案件,主观状态则比较复杂,在有些情况下,托运人并未向承运人如实告知所运货物的情况,承运人也无法了解所运货物的真实情况。在这种情况下,承运人是被蒙骗的,对这种因受蒙骗等原因在不知道运输的是伪造的货币的情况下而运输的,不能作为犯罪处理。因此本款明确将"明知"规定为构成犯罪的要件。三是运输的伪造的货币的数额较大。

根据本款和最高人民法院司法解释的规定,对出售、购买伪造的货币或者明知是伪造的货币而运输,数额较大的,即总面额在四千元以上不满五万元的,处三年以下有期徒刑或者拘役,并处二万元以上二十万元以下罚金;数额巨大的,即总面额在五万元以上不满二十万元的,处三年以上十年以下有期徒刑,并处五万元以上五十万元以下罚金;数额特别巨大的,即总面额在二十万元以上的,处十年以上有期徒刑或者无期徒刑,并处五万元以上五十万元以下罚金或者没收财产。对于行为人购买伪造的货币后使用,构成犯罪的,依照本条购买假币罪定罪,并从重处罚。对于行为人出售、运输假币构成犯罪,同时有使用假币行为进行犯罪的,应当分别依照本条和本法一百七十二条的规定,实行数罪并罚。

第二款是关于银行或者其他金融机构的工作人员购买伪造的货币,或者利用职务上的便利以伪造的货币换取货币的犯罪及处罚的规定。这里所说的"其他金融机构",是指除商业银行以外的信用社、投资融资租赁、证券等非银行金融机构。"利用职务上的便利,以伪造的货币换取货币",是指银行或者其他金融机构的工作人员,利用职务上管理金库、出纳现金、吸收付出存款等便利条件,以伪造的货币换取货币的行为。银行及其他金融机构从事货币流通及其相关的业务活动,其工作人员出于工作性质和工作的需要,有更多的机会和条件接触货币。一些银行或者其他金融机构的工作人员购买伪造货币或者以伪造货币换取货币的案件,涉及的犯罪金额往往巨大,不仅给国家造成了严重的经济损失,而且严重影响了银行及其他金融机构的声誉,严重扰乱了国家的金融秩序,也违背了他们维护货币的正常流通及金融秩序稳定的职责,他们的行为较一般公民购买伪造货币或者以伪造的货币换取货币的行为具有更为严重的社会危害性。因此,本款对银行或者其他金融机构工作人员购买伪造货币和银行或者其他金融机构的工作人员利用职务上的便利,以伪造的货币换取货币的行为,规定了比一般公民更为严厉的刑罚。

本款规定的银行或者其他金融机构的工作人员购买假币罪,其犯罪构成在主观方面和行为特征上与普通人购买伪造的货币是一样的。所不同的是普通人购买伪造的货币数额较大的才构成犯罪,本款规定没有这一限制。也就是说,银行或者其他金融机构的工作人员,只要实施了购买伪造货币的行为,不论数额大小都可构成犯罪。

本款规定的银行或者其他金融机构的工作人员以假币换取货币罪,其犯罪构成具有以下特征:第一,犯罪主体必须是特定的,即必须是银行或者其他金融机构的工作人员。第二,行为人必须实施了用伪造的货币换取货币的行为,即以假币换真币的行为。第三,行为人必须利用了职务上的便利。如果行为人没有利用职务上的便利,而是在私下场合用自己所持有的假币向别人换取真币,不能构成本罪。第四,行为人在主观上必须是故意的。如果行为人在工作中误将假币支付给他人,不能视为利用职务便利以假币换真币。

根据本款和最高人民法院司法解释的规定,银行或者其他金融机构工作人员购买假币或者利用职务上的便利,以假币换取货币,总面额在四千元以上不满五万元或者币量在四百张(枚)以上不足五千张(枚)的,处三年以上十年以下有期徒刑,并处二万元以上二十万元以下罚金;数额巨大即总面额在五万元以上或者币量在五千张(枚)以上或者有其他严重情节的,处十年以上有期徒刑或者无期徒刑,并处二万元以上二十万元以下罚金或者没收财产;情节较轻即总面额不满四千元或者币量不足四百张(枚)或者具有其他较轻情节的,处三年以下有期徒刑或者拘役,并处或者单处一万元以上十万元以下罚金。

第三款是关于伪造货币并出售或者运输伪造货币的,依照本法第一百七十条伪造货币罪的规定定罪从重处罚的规定。根据本款的规定,行为人伪造货币,并将伪造的货币出售的;或者伪造货币,并将伪造的货币运输到他处的,应当以伪造货币罪定罪,并根据行为人所犯罪行的具体情节,在本法第一百七十条规定的伪造货币罪的量刑幅度内从重处罚。

第一百七十二条　明知是伪造的货币而持有、使用,数额较大的,处三年以下有期徒刑或者拘役,并处或者单处一万元以上十万元以下罚金;数额巨大的,处三年以上十年以下有期徒刑,并处二万元以上二十万元以下罚金;数额特别

巨大的，处十年以上有期徒刑，并处五万元以上五十万元以下罚金或者没收财产。

【释义】 本条是关于持有、使用假币罪及其处罚的规定。

本条规定的明知是伪造的货币而持有，是指行为人在主观上明确地知道所持有的货币是伪造的人民币或者外币的情况下而违反国家的有关规定非法持有的行为。本条规定的明知是伪造的货币而使用，是指行为人明确地知道是伪造的人民币或者外币而以真货币的名义进行支付、汇兑、储蓄等使用的行为。本条规定了两个罪名：

1. 持有假币罪。考虑到故意持有伪造的货币的行为不仅可能构成伪造货币、运输、出售、走私、购买伪造货币等犯罪，而且这种行为本身对国家正常的金融秩序造成了一定的危害，具有社会危害性，因而本条将明知是伪造的货币而持有的行为规定为犯罪。构成本罪应当具备下列条件：(1)行为人具有持有伪造的货币的行为。这里所说的“持有”的概念是广义的，不仅仅是指行为人随身携带伪造的货币，而且包括行为人在自己家中、亲属朋友处保存伪造的货币，自己或者通过他人传递伪造的货币等行为。(2)行为人在主观上明知其所持有的是伪造的货币，如果行为人在主观上不知道其所持有的是伪造的货币，则不构成本罪。(3)行为人所持有的伪造货币的数额要达到较大的程度。这里所说的“数额较大”，是指在客观方面行为人的行为构成伪造货币罪的条件。如果行为人持有的伪造货币的数额没有达到“数额较大”的，则不构成本罪。

根据本条和最高人民法院司法解释的规定，明知是伪造的货币而持有，数额较大的，即总面额在四千元以上不满五万元的，处三年以下有期徒刑或者拘役，并处或者单处一万元以上十万元以下罚金；数额巨大的，即总面额在五万元以上不满二十万元的，处三年以上十年以下有期徒刑，并处二万元以上二十万元以下罚金；数额特别巨大的，即总面额在二十万元以上的，处十年以上有期徒刑，并处五万元以上五十万元以下罚金或者没收财产。

2. 使用假币罪。使用伪造货币的行为，为伪造货币的继续流通、泛滥全国提供了条件，严重扰乱了国家的金融秩序，影响了人民群众的正常生活。同时，通过使用伪造货币行为，也使伪造货币、走私、运输、购买、出售伪造货币等犯罪活动的有利可图成为可能。因此，应当予以刑事处罚。本条在将使用伪造的货币规定为犯罪的同时，对构成这种犯罪的条件也作了规定。根据本条规定，构成使用假币罪应当具备下列条件：(1)行为人实施了明知是伪造的货币而使用的行为。这里所说的“使用”，包括行为人出于各种目的，以各种方式将伪造的货币作为货币流通的行为，如使用伪造的货币购买商品；将伪造的货币存入银行；用伪造的外币在境内进行兑换；以伪造的货币清偿债务等。（2）行为人在主观上明知其使用的是伪造的货币。行为人在主观上是否明知，是区分罪与非罪的标准之一，如果行为人不知是伪造的货币而使用的，不能构成本罪。（3）行为人所使用的伪造的货币的数额较大。行为人使用伪造的货币如果不是数额较大，不能构成犯罪。这里规定的"数额较大"，是区分行为人是否构成本罪的标准。另外，本条还规定行为人使用伪造货币"数额巨大"或者"数额特别巨大"的，作为加重刑事处罚的情节。如果行为人使用伪造的货币，没有达到"数额较大"的，不能构成犯罪。

根据本条和最高人民法院司法解释的规定，行为人明知是伪造的货币而使用，数额较大的，即总面额在四千元以上不满五万元的，处三年以下有期徒刑或者拘役，并处或单处一万元以上十万元以下罚金；数额巨大的，即总面额在五万元以上不满二十万元的，处三年以上十年以下有期徒刑，并处二万元以上二十万元以下罚金；数额特别巨大的，即总面额在二十万元以上的，处十年以上有期徒刑，并处五万元以上五十万元以下罚金或者没收财产。

第一百七十三条　变造货币，数额较大的，处三年以下有期徒刑或者拘役，并处或者单处一万元以上十万元以下罚金；数额巨大的，处三年以上十年以下有期徒刑，并处二万元以上二十万元以下罚金。

【释义】　本条是关于变造货币罪及其处罚的规定。

本条规定的"变造货币"，是指行为人在真人民币或外币的基础上或者以真货币为基本材料，通过挖补、剪接、涂改、揭层等加工处理，使原货币改变数量、形态和面值的行为。

一般来讲，广义的伪造货币包含变造货币的行为，因为就本质而言，经过变造的货币已不再是起初的货币。因此，1979 年刑法第一百二十二条只对伪造国家货币的犯罪行为作了处罚规定，对变造货币的行为没有作为一个独立的罪名予以明确规定。对实际发生的变造货币的行为也是作为伪造货币罪处理的。考虑到变造货币与伪造货币的行为在行为特点、社会危害等方面存在差异，1997 年刑法将变造货币罪作为一个独立的罪名加以规定。

根据本条规定，构成变造货币罪应当具备以下条件：

1. 行为人必须具有变造货币的行为。变造货币的行为表现为剪贴、挖补、揭层、涂改等各种不同方式。不论行为人以其中何种方式变造货币，都可构成本罪。变造货币的行为与伪造货币的行为是不同的，变造货币是在货币的基础上进行的加工处理，以增加原货币的面值，伪造货币则不是对货币进行加工处理，而是将非货币的一些物质经过加工后伪造成为货币，有的伪造货币的行为要利用货币,如采用彩色复印机伪造货币的。变造的货币在某种程度上有原货币的成分,如原货币的纸张、金属防伪线、油墨等。伪造的货币则不具有原货币的成分。

2. 行为人在主观上具有非法牟利的目的,即本罪的行为人在主观上是故意的。如果行为人不具有非法牟利的目的,如出于好奇等原因对货币进行了涂改,改变了货币的金额,但并未进行使用,且不具有使用的意图,不能构成本罪。

3. 行为人变造货币的数额要达到一定的标准,即“数额较大”。这里所说的“数额较大”,是构成本罪的要件之一。变造货币的数额是衡量该行为社会危害性的主要标准。一般来说变造货币的数额小,其社会危害性也比较小;变造货币的数额大,社会危害性也大。本条以“数额较大”作为构成犯罪的条件。同时还对变造货币数额巨大的,规定了较重的处罚。本条所规定的“数额较大”、“数额巨大”的具体数额和标准,可以由最高人民法院、最高人民检察院根据司法实践的需要,并总结处理这类案件的经验作出具体规定。行为人变造货币的数额不大的,如剪贴了几张小面额的货币等,不构成犯罪,可以由公安机关处罚。

根据本条和最高人民法院司法解释的规定,行为人变造货币,数额较大的,即总面额在二千元以上不满三万元的,处三年以下有期徒刑或者拘役,并处或单处一万元以上十万元以下罚金;数额巨大的,即总面额在三万元以上的,处三年以上十年以下有期徒刑,并处二万元以上二十万元以下罚金。

本条对变造货币罪规定了比伪造货币罪较轻的刑罚,主要是考虑这类犯罪由于受到行为方式的限制,一般情况下变造的货币的数额要远远小于伪造的货币的数额,而且变造货币的犯罪是在货币的基础上进行加工处理,犯罪分子还需要先投入一部分真的货币才能进行这种犯罪活动,从这个角度上讲,这类犯罪所能牟取的非法利益也要相对小于伪造货币的犯罪,而伪造货币的犯罪有时则是成批、大量地生产“货币”,对国家的金融秩序的危害要比变造货币严重,为了体现区别对待、罪刑相适应的原则,本法对变造货币的犯罪和伪造货币的犯罪规定了不同的刑罚。

根据最高人民法院司法解释的规定,司法部门在办案涉及上述第一百七十条至第一百七十三条犯罪案件时,货币面额应当以人民币计算,除人民币以外的其他币种应当以发案时,国家外汇管理机关发布的外汇牌价折算成人民币计算。

第一百七十四条*　未经国家有关主管部门批准，擅自设立商业银行、证券交易所、期货交易所、证券公司、期货经纪公司、保险公司或者其他金融机构的，处三年以下有期徒刑或者拘役，并处或者单处二万元以上二十万元以下罚金；情节严重的，处三年以上十年以下有期徒刑，并处五万元以上五十万元以下罚金。

伪造、变造、转让商业银行、证券交易所、期货交易所、证券公司、期货经纪公司、保险公司或者其他金融机构的经营许可证或者批准文件的，依照前款的规定处罚。

单位犯前两款罪的，对单位判处罚金，并对其直接负责的主管人员和其他直接责任人员，依照第一款的规定处罚。

【释义】　本条是关于擅自设立金融机构罪和伪造、变造、转让金融机构经营许可证、批准文件罪及其处罚的规定。

第一款是对擅自设立金融机构罪及其处罚的规定。本条曾于1999年被《刑法修正案》修改，主要修改是：将1997年刑法第一百七十四条第一款规定的"未经中国人民银行批准，擅自设立商业银行或者其他金融机构"，修改为"未经国家有关主管部门批准，擅自设立商业银行、证券交易所、期货交易所、证券公司、期货经纪公司、保险公司或者其他金融机构"。

根据本款规定，擅自设立商业银行、证券交易所、期货交易所、证券公司、期货经纪公司、保险公司或者其他金融机构的犯罪具有以下特征：

1. 犯罪的主体包括自然人和单位。

2. 犯罪的主观方面为具有非法设立商业银行、证券交易所、期货交易所、证券公司、期货经纪公司、保险公司或者其他金融机构的主观故意，即行为人主观上明知设立上述金融机构应当经过有关主管机关的审查和批准，但是为了达到获取非法利益的目的，而故意违反有关的法律、法规擅自设立从事金融业务的机构。

3. 本罪所侵犯的客体，是国家对设立商业银行、证券交易所、期货交易所、证券公司、期货经纪公司、保险公司和其他金融机构的审批管理制度。设立商

---

* 根据1999年12月25日第九届全国人民代表大会常务委员会第十三次会议通过的《中华人民共和国刑法修正案》修改。原条文是："未经中国人民银行批准，擅自设立商业银行或者其他金融机构的，处三年以下有期徒刑或者拘役，并处或者单处二万元以上二十万元以下罚金；情节严重的，处三年以上十年以下有期徒刑，并处五万元以上五十万元以下罚金。

"伪造、变造、转让商业银行或者其他金融机构经营许可证的，依照前款的规定处罚。

"单位犯前两款罪的，对单位判处罚金，并对其直接负责的主管人员和其他直接责任人员，依照第一款的规定处罚。"

业银行、证券交易所、期货交易所、证券公司、期货经纪公司、保险公司和其他金融机构必须由中国人民银行、中国证券监督管理委员会、中国保险监督管理委员会等国家指定的主管机关进行审批和监督管理。这是国家对金融业进行宏观调控的一个主要方面,特别是我国社会主义经济建设逐步进入社会主义市场经济的轨道后,在建立健全完善的金融运作体系和管理秩序的过程中,加强对金融业的监督和管理,显得尤为重要。而违反国家的法律、法规的规定,擅自设立这些金融机构的行为,则破坏了国家规定的审批管理制度,必然会严重损害国家的金融管理秩序,也会给整个国民经济建设造成严重的破坏。

4. 本罪的客观方面表现为行为人实施了非法设立商业银行、证券交易所、期货交易所、证券公司、期货经纪公司、保险公司和其他金融机构的犯罪行为。这种行为具有以下两个方面的特点:一是它表现为作为的形式,即行为人必须有设立这些机构的具体行为。二是事实上已经设立了这些机构。也就是说,如果行为人仅仅是预谋设立这些机构不构成本罪。根据银行业监督管理法和商业银行法的有关规定,商业银行依法接受中国银行业监督管理委员会(以下简称银监会)的监督管理,商业银行的设立及其经营范围都必须经过银监会的审查和批准。未经批准,任何单位和个人如果擅自设立商业银行的,就是“擅自设立商业银行”的行为。其中,“商业银行”是指根据商业银行法和公司法成立的,经银监会批准的,并以“银行”名义对外吸收公众存款、发放贷款、办理结算以及开展其他金融业务、具有法人资格、以实现利润为其经营目的的金融机构。根据中国证券监督管理委员会(以下简称证监会)的有关规定,证券交易所、期货交易所、证券公司、期货经纪公司接受证监会的监督管理。这些交易所及其公司的设立和经营范围都必须经过证监会的审查、批准。这里所说的“证券交易所”是指经证监会审查批准设立的专门从事买卖股票、公债、公司债券等有价证券的交易场所;“期货交易所”是指经证监会审查批准设立的以期货为主要交易内容的交易场所;“证券公司”是指经证监会审查批准设立的经营股票、债券等上市证券业务的企业法人;“期货经纪公司”是指经证监会审查批准设立的,主要从事代理期货上市交易的经纪公司。根据中国保险监督管理委员会(以下简称保监会)的有关规定,保险公司接受保监会的监督管理。保险公司的设立及其经营范围必须经保监会审查和批准。这里所说的“保险公司”是指经保监会审查批准设立的经营保险业务的具有法人资格的企业。另外,本款所说的“其他金融机构”是指除上述规定的商业银行、证券交易所、期货交易所、证券公司、期货经纪公司、保险公司以外的,经国家有关主管部门批准设立的其他依法参与金融活动、开展金融业务的,具有法人资格的组织。从我国目前的情况来看,“其他金融机构”主要有以下几类:信托投资公司、融资租赁公司、农村和城市的信用合作社、企业集团财务公司等。

这里需要说明的是，有些商业银行、证券公司、期货经纪公司、保险公司或者其他金融机构，为了扩展业务，不向主管机关申报而擅自扩建营业网点、增设分支机构，或者虽向主管机关申报，但在主管机关尚未批准前就擅自设立分支机构进行营业活动，虽然这些行为也都违法，但与那些未取得金融业务经营资格的单位或者个人违反法律、法规的规定擅自设立商业银行、证券交易所、期货交易所、证券公司、期货经纪公司、保险公司或者其他金融机构的行为在本质上是有区别的。前者应由有关主管部门查处后按违纪行为处理，如责令取消未经批准设立和扩建的营业网点和分支机构等，而不应当按照犯罪处理。

第二款是关于伪造、变造、转让金融机构经营许可证或者批准文件的犯罪及其处罚的规定。本款规定的犯罪具有以下特征：

1. 犯罪主体是自然人和单位。当然由于伪造、变造、转让经营金融业务许可证或者批准文件这三种犯罪的行为有其各自的特征，所以从事这种犯罪的主体成分也会有所区别。就一般而言，伪造、变造经营金融业务许可证或者批准文件的行为一般是个人所为，当然也不排除个别单位从事这类犯罪活动的可能性。而转让经营金融业务许可证或者批准文件的犯罪，则一般都是由该许可证的所有者即单位所为。但在实践中也会有个人未经单位同意，或者通过窃取手段将许可证私下转让的行为的发生。

2. 犯罪行为侵犯的客体是国家对商业银行、证券交易所、期货交易所、证券公司、期货经纪公司、保险公司和其他金融机构的管理秩序。

3. 行为人在主观方面都具有伪造、变造和转让经营金融业务许可证或者批准文件的主观故意。从这类犯罪行为的方法可以看出，行为人都是在明知其行为是法律严格禁止的情况下，为了达到使自己或他人非法经营金融业务的目的，而故意实施伪造、变造和转让经营金融业务许可证或者批准文件的危害社会的行为。

4. 行为人必须实施了伪造、变造或转让经营金融业务许可证或者批准文件的行为。其中“商业银行的经营许可证”，是指由银监会审查批准的商业银行经营金融业务及其经营范围的具有法律意义的证明文件，被批准设立的商业银行持经营金融业务许可证，可以到工商行政管理机关办理营业执照。“证券交易所、期货交易所、证券公司、期货经纪公司的经营许可证”，是指由证监会审查批准的这些机构经营有关金融业务及其经营范围的证明文件。“保险公司的经营许可证”，是指由保监会审查批准的经营保险业务及其经营范围的证明文件。“其他金融机构的经营许可证”，是指根据有关法律、法规的规定，由有关主管部门审查批准的经营金融业务及其经营范围的许可证或者证明文件。

本款规定的“伪造”金融机构经营许可证或者批准文件，是指仿照经营金融业务许可证或者批准文件的形状、特征、色彩、样式，非法制造假的经营金融业务许可证或者批准文件的行为。“变造”金融机构经营许可证或者批准文件，是指通过涂改、拼改、挖补等手段，改变经营金融业务许可证或者批准文件内容的行为，如通过上述手段改变原许可证或者批准文件上的经营业务的范围、单位的名称、批准的日期、批准的单位等。“转让”金融机构经营许可证或者批准文件，是指行为人将自己的经营金融业务许可证或者批准文件通过出售、出租、出借、赠与等方式有偿或者无偿转与或者让与其他的机构或者个人使用的行为。在实际发生的案件中，伪造、变造、转让经营金融许可证或者批准文件的行为，从方式上讲可能是多种多样的，但无论行为人采取什么方式、方法，均不影响犯罪的成立。这里应当注意的是，本款在罪状的表述上没有将伪造、变造或者转让经营金融业务许可证的数量或者其他情节作为定罪的界限。根据本款的规定，行为人只要实施了伪造、变造或转让经营金融业务许可证或者批准文件的行为，就构成犯罪。当然，对于个别“情节显著轻微、危害不大”的，可以依照刑法总则的有关规定不予刑事处罚。

对构成伪造、变造、转让金融机构经营许可证或者批准文件的犯罪的，应当依照本条第一款规定的刑罚处罚，即对伪造、变造、转让商业银行、证券交易所、期货交易所、证券公司、期货经纪公司、保险公司和其他金融机构的经营许可证或者批准文件的犯罪，应当处以三年以下有期徒刑或者拘役，并处或者单处二万元以上二十万元以下罚金。对“情节严重”的，处以三年以上十年以下有期徒刑，并处五万元以上五十万元以下罚金。其中“情节严重”主要是指行为人实施本款规定的犯罪行为情节恶劣或者造成严重后果，如通过伪造、变造、转让经营许可证或者批准文件，使自己或者他人开始非法经营大量的金融业务，严重干扰了国家金融秩序，或者给客户、经营单位造成重大经济损失等严重后果的；或者多次从事这类犯罪行为，屡教不改又再次从事这类犯罪活动的；或者利用伪造、变造、转让的经营许可证或者批准文件，进行诈骗活动的，等等。

第三款是关于单位犯本条第一、二款犯罪的规定。根据本款规定，单位犯前两款罪的，对单位判处罚金，并对其直接负责的主管人员和其他直接责任人员，依照第一款的规定处罚。经济活动中存在着有些单位从事擅自设立商业银行、证券交易所、期货交易所、证券公司、期货经纪公司、保险公司或者其他金融机构以及伪造、变造、转让商业银行、证券交易所、期货交易所、证券公司、期货经纪公司、保险公司或者其他金融机构的经营许可证或者批准文件的违法犯罪行为。由于单位从事这类违法犯罪活动，从某种意义上讲要比个人从事这类违法犯罪活动的社会危害程度更严重，特别是单位擅自设立商业银行、证券交易所、期货交易所、证券公司、期货经纪公司、保险公司的违法犯罪行为，给国家的金融管理秩序造成的危害后果更大，因此有必要对单位犯罪作出单独的规定。

根据本条第三款的规定，对单位犯罪采取双罚原则，即如果单位构成本条前两款规定的擅自设立金融机构、证券交易所、期货交易所、证券公司、期货经纪公司、保险公司的犯罪和伪造、变造、转让商业银行、证券交易所、期货交易所、证券公司、期货经纪公司、保险公司或者其他金融机构的经营许可证或者批准文件的犯罪的，对单位直接负责的主管人员和其他直接责任人员依照第一款的规定判处三年以下有期徒刑或者拘役，并处或者单处二万元以上二十万元以下罚金；情节严重的，处三年以上十年以下有期徒刑，并处五万元以上五十万元以下罚金。同时对单位判处罚金。

第一百七十五条　以转贷牟利为目的，套取金融机构信贷资金高利转贷他人，违法所得数额较大的，处三年以下有期徒刑或者拘役，并处违法所得一倍以上五倍以下罚金；数额巨大的，处三年以上七年以下有期徒刑，并处违法所得一倍以上五倍以下罚金。

单位犯前款罪的，对单位判处罚金，并对其直接负责的主管人员和其他直接责任人员，处三年以下有期徒刑或者拘役。

【释义】　本条是关于高利转贷罪及其处罚的规定。

第一款是个人套取金融机构贷款转贷他人非法牟利犯罪及其处罚的规定。根据本条的规定，本罪在构成要件上有以下特征：1. 本罪的主体包括自然人和单位。2. 行为人在客观上有将套取的金融机构信贷资金高利转贷给他人，转贷牟利的行为。本条所说“套取金融机构信贷资金高利转贷他人”，是指编造虚假理由，从银行、信托投资公司、农村信用社、城市合作银行等金融机构获得信贷资金后又转贷给第三人。行为人转贷给他人的资金必须是金融机构的信贷资金。如果行为人只是将自己的剩余资金借贷给他人，不构成犯罪。本条所说的“高利转贷他人”，是指行为人以比金融机构贷款利率高出许多的利率将套取的金融机构的信贷资金转贷他人，从中获取不法利益。3. 行为人在主观上有转贷牟利的目的。4. 行为人将金融机构信贷资金转贷他人，获取非法利益，数额较大的，才构成犯罪，这是区分罪与非罪的重要界限。

对于个人犯本罪，本条根据违法所得数额的大小，规定了两档处罚：违法所得数额较大的，处三年以下有期徒刑或者拘役，并处违法所得一倍以上五倍以下罚金；数额巨大的，处三年以上七年以下有期徒刑，并处违法所得一倍以上五倍以下罚金。

第二款是关于单位将金融机构的信贷转贷他人，非法牟利犯罪及其处罚的规定。这里的“单位”，不仅包括非金融系统的公司、企业或者其他单位，也包括金融系统本身办的一些所谓三产企业、单位。有些银行或者其他金融机构办的所谓三产单位，利用自身为金融机构下属单位的有利条件，低息从金融机构获取贷款后，高息转贷他人，获取非法利益，严重地破坏了金融秩序，必须给予坚决打击，根据本条规定，单位犯本条规定之罪的，对单位判处罚金，并对其直接负责的主管人员和其他直接责任人员，处三年以下有期徒刑或者拘役。

第一百七十五条之一*　以欺骗手段取得银行或者其他金融机构贷款、票据承兑、信用证、保函等，给银行或者其他金融机构造成重大损失或者有其他严重情节的，处三年以下有期徒刑或者拘役，并处或者单处罚金；给银行或者其他金融机构造成特别重大损失或者有其他特别严重情节的，处三年以上七年以下有期徒刑，并处罚金。

单位犯前款罪的，对单位判处罚金，并对其直接负责的主管人员和其他直接责任人员，依照前款的规定处罚。

【释义】　本条是关于骗取贷款、票据承兑以及金融票证的犯罪及其处罚的规定。

《刑法修正案(六)》对刑法的有关内容进行了修改、补充。本条所规定的行为是一种新的犯罪行为，是对1997年刑法条文的补充。

第一款是关于个人骗用银行或者其他金融机构的贷款及其他信用的犯罪行为及刑事处罚的规定。根据本条的规定，构成这一犯罪需要符合以下几个条件：1. 犯罪的主体。构成本罪的犯罪主体既包括个人，也包括单位。第一款是关于个人犯罪的规定。2. 犯罪人必须采取了欺骗的手段。“欺骗手段”，是指行为人在取得银行或者其他金融机构的贷款、票据承兑、信用证、保函等信贷资金、信用时，采用的是虚构事实、隐瞒真相等手段，掩盖了客观事实，骗取了银行或者其他金融机构的信任。只要申请人在申请贷款的过程中有虚构事实、掩盖真相的情节，或者在申请贷款过程中，提供假证明、假材料，或者贷款资金没有按申请的用途去用，都符合这一条件。3. 犯罪的对象是银行或者其他金融机构的贷款、票据承兑、信用证、保函等。这里所说的“银行”，包括中国人民银行和各类商业银行。“其他金融机构”，是指除银行以外的各种开展金融业务的机构，如证券、保险、期货、外汇、融资租赁、信托投资公司等。“贷款”，是指贷款人向借款人提供的、按照借款合同的约定还本付息的货币资金。“信用证”，是指

---

* 根据2006年6月29日第十届全国人民代表大会常务委员会第二十二次会议通过的《中华人民共和国刑法修正案(六)》增加。

开证银行根据客户(申请开证人)的请求或者自己主动向一方(受益人)所签发的一种书面约定,如果受益人满足了该书面约定的各项条款,开证银行即向受益人支付该书面约定的款项的凭证。实际上,信用证就是开证行有条件地向受益人付款的书面凭证。"票据承兑",是指汇票付款人承诺在汇票到期日支付汇票金额的票据行为,其目的在于使承兑人依票据载明的义务承担支付票据金额的义务。"保函",是指银行以自身的信用为他人承担责任的担保文件,是重要的银行资信文件。4.给银行或者其他金融机构造成重大损失或者有其他严重情节,这是区分是否构成本罪的界限。根据实践中出现的情况和打击此类严重犯罪的需要,本条对构成本罪规定了两个条件:(1)给银行或者其他金融机构造成重大损失。(2)有其他严重情节。符合这两个条件的任何一个,即构成本罪。"给银行或者其他金融机构造成重大损失"是一个客观标准,指的是上述行为直接造成的经济损失,如贷款无法追回,银行由于出具的信用所承担的还款或者付款等实际经济损失。"有其他严重情节",是指行为人采取的手段恶劣、涉及的金额较大等因素。

对于构成本罪的,本款规定了两档刑:给银行或者其他金融机构造成重大损失或者有其他严重情节的,处三年以下有期徒刑或者拘役,并处或者单处罚金;给银行或者其他金融机构造成特别重大损失或者有其他特别严重情节的,处三年以上七年以下有期徒刑,并处罚金。

第二款是对单位从事第一款的行为追究刑事责任的规定。根据本款的规定,单位犯前款罪的,对单位判处罚金,并对其直接负责的主管人员和其他直接责任人员,依照前款的规定处罚。

在适用本罪时,要注意以下两个问题:

第一,本罪的客体不仅仅是银行等金融机构的信贷资金,还包括银行的票据承兑、信用证等其他信用。当前社会上以虚构事实、隐瞒真相等欺骗手段骗取银行等金融机构的贷款及其他信用的现象比较严重,严重危害了我国金融安全。加上我国诚信体系建设滞后,严重制约了对失信行为的惩戒,培育全社会的信用文化和加强诚信立法已成为打击金融欺诈的当务之急。《刑法修正案(六)》的这一规定,正是为了解决这一问题。就设立本罪的目的而言,既要保护银行等金融机构信贷资金的安全,同时,还要保障银行等金融机构的信誉体系。金融机构从事信用证、票据承兑、保函等信用业务,与发放贷款一样,存在很大的风险,且在实际操作中也比照贷款业务进行审查和管理。行为人以欺骗手段骗取银行或者其他金融机构信用证、票据承兑、保函等,一旦不能还款,银行或者其他金融机构将承担相应的还款或者付款责任,其结果也是给银行或者其他金融机构造成损失。也就是说,它不仅是侵害了国家整个金融行业的信誉,存在引发系统性金融风险的可能，同时，还会给银行或者其他金融机构自身造成重大财产损失。

第二，与刑法第一百九十三条贷款诈骗罪的关系。本罪与刑法第一百九十三条规定的贷款诈骗罪是两个不同的独立的罪。本条所规定的骗取贷款罪，在构成要件上与刑法第一百九十三条的贷款诈骗罪有很大的区别，构成本罪不要求行为人要以"非法占有为目的"，降低了打击这类犯罪的门槛。需要注意的是，不能因此忽视对以非法占有为目的，诈骗银行或者其他金融机构贷款行为的打击。对在司法实践中能够认定的行为人的以"非法占有为目的"的诈骗贷款行为，应依照刑法第一百九十三条贷款诈骗罪追究其刑事责任。且两个罪在法定最高刑上也是不同的，贷款诈骗罪最高可以判处无期徒刑，而骗取贷款罪最高法定刑仅为七年有期徒刑。

第一百七十六条　非法吸收公众存款或者变相吸收公众存款，扰乱金融秩序的，处三年以下有期徒刑或者拘役，并处或者单处二万元以上二十万元以下罚金；数额巨大或者有其他严重情节的，处三年以上十年以下有期徒刑，并处五万元以上五十万元以下罚金。

单位犯前款罪的，对单位判处罚金，并对其直接负责的主管人员和其他直接责任人员，依照前款的规定处罚。

【释义】　本条是关于非法吸收公众存款罪及其处罚的规定。

第一款是对非法吸收公众存款和变相吸收公众存款的犯罪及其处罚的规定。"非法吸收公众存款"，是指行为人违反国家法律、法规的规定在社会上以存款的形式公开吸收公众资金的行为。广义的非法吸收公众存款，包含两种情况：一是行为人不具有吸收存款的主体资格而吸收公众存款破坏金融秩序。二是行为人具有吸收存款的主体资格，但是，其吸收公众存款所采用的方法是违法的。例如，有的银行或其他金融机构为争揽储户，违反中国人民银行关于利率的规定，采用擅自提高利率的方式吸收存款，进行恶意竞争，破坏了国家的利率政策，扰乱了金融秩序。对后一种情况，商业银行法已具体规定了行政处罚，一般不宜作为犯罪处理。

通常所说的"存款"，是指存款人将资金存入银行或者其他金融机构，银行或者其他金融机构向存款人支付利息，使其得到收益的一种经济活动。"公众存款"，指的是存款人是不特定的群体的存款，如果存款人只是少数个人或者属于特定的范围，如仅限本单位的人员等，不能认为是公众存款。

本款所说的"变相吸收公众存款"，是指行为人不以存款的名义而是通过其他形式吸收公众资金，从而达到吸收公众存款的目的的行为。例如，有些单位和个人,未经批准成立各种基金会吸收公众的资金,或者以投资、集资入股等名义吸收公众资金,但并不按正常投资的形式分配利润、股息,而是以一定的利息进行支付的行为。变相吸收公众存款规避国家对吸收公众存款的监督管理,其危害和犯罪的性质与非法吸收公众存款是相同的。

根据本条的规定,构成非法吸收公众存款罪应符合以下条件:1. 非法吸收公众存款罪的主体可以是自然人,也可以是单位。2. 行为人在主观上具有非法吸收公众存款或者变相吸收公众存款的故意。行为人一般都要千方百计冒充银行或者其他金融机构,或者谎称金融机构授权,或者变换手法、巧立名目,变相地吸收公众存款,以逃避法律的追究。3. 在犯罪的客观方面,行为人实施了非法向公众吸收存款或者变相吸收存款的行为。实践中,行为人吸收存款的手段可能是多种多样的,无论其采取什么方法,只要其行为具有非法吸收公众存款的特征,即符合本条规定的条件。至于采取什么样的手段、吸收的存款的人数,存款的数量,均不影响本罪的构成。4. 本罪侵犯的客体是国家的金融管理秩序。非法吸收公众存款或者变相吸收公众存款的行为,一般都是通过采取提高利率的方式或手段,将大量的资金集中到自己手中,从而造成大量社会闲散资金失控。同时,行为人任意提高利率,形成在吸收存款上的不正当竞争,破坏了利率的统一,影响币值的稳定,严重扰乱国家金融秩序。

根据本款规定,对非法吸收公众存款或者变相吸收公众存款、扰乱金融秩序的,处三年以下有期徒刑或者拘役,并处或者单处二万元以上二十万元以下罚金;对数额巨大或者有其他严重情节的,处三年以上十年以下有期徒刑,并处五万元以上五十万元以下罚金。这里所说的"数额巨大"的数额具体是多少,可由最高人民法院、最高人民检察院通过司法解释解决。"其他严重情节"一般是指:吸收公众存款或者变相吸收公众存款的犯罪手段恶劣的;屡教不改的;吸收的公众存款用于违法活动,或者给储户造成重大损失的;以及具有其他属于严重危害国家金融秩序的情况。

第二款是对单位非法吸收公众存款和变相吸收公众存款犯罪及其处罚的规定。本款规定对于单位犯前款罪的,采取两罚原则,即对单位判处罚金,对单位直接负责的主管人员和其他直接责任人员根据犯罪的不同情节,分别依照第一款规定的刑罚处罚。

第一百七十七条　有下列情形之一,伪造、变造金融票证的,处五年以下有期徒刑或者拘役,并处或者单处二万元以上二十万元以下罚金;情节严重的,处五年以上十年以下有期徒刑,并处五万元以上五十万元以下罚金;情节特别严重的,处十年以上有期徒刑或者无期徒刑,并处五万元以上五十万元以下罚金

或者没收财产：

（一）伪造、变造汇票、本票、支票的；

（二）伪造、变造委托收款凭证、汇款凭证、银行存单等其他银行结算凭证的；

（三）伪造、变造信用证或者附随的单据、文件的；

（四）伪造信用卡的。

单位犯前款罪的，对单位判处罚金，并对其直接负责的主管人员和其他直接责任人员，依照前款的规定处罚。

【释义】 本条是关于伪造、变造金融票证罪及其处罚的规定。

这里所说的"金融票证"，主要包括汇票、本票、支票、信用证或者附随的单据、文件、信用卡以及委托收款凭证、汇款凭证、银行存单等其他银行结算凭证等。对伪造、变造金融票证的行为，第一款具体规定了四项：

第一项规定了伪造、变造汇票、本票、支票的行为。这里所说的"伪造"，是指行为人仿照真实的汇票、本票或者支票的形式、图案、颜色、格式，通过印刷、复印、绘制等制作方法非法制造以上票据的行为。这里所说的"变造"，是指行为人在真实的汇票、本票或者支票的基础上或以真实的票据为基本材料，通过剪接、挖补、覆盖、涂改等方法，对票据的主要内容，非法加以改变的行为，如改变出票人名称、持票人名称、金额、有效期等。

第二项规定了伪造、变造银行结算凭证的行为。这里所说的"银行结算凭证"，是指办理银行结算的凭据和证明，主要有汇票、本票、支票以及委托收款凭证、汇款凭证、进账单等银行、单位和个人填写的各种结算凭证。其中，"委托收款凭证"，是指收款人在委托银行向付款人收取款项时，所填写提供的凭据和证明。委托收款凭证分为邮寄和电报划回两种，由收款人选择。"汇票凭证"，是指汇款人委托银行将款项汇给收款人时，所填写的凭据和证明。"银行存单"，既是一种信用凭证，也是一种银行结算凭证。"伪造"，是指行为人未经国家有关主管部门的批准，非法印制银行结算凭证的行为。

第三项规定了伪造、变造信用证或者附随的单据、文件的行为。信用证是国际贸易结算的一种方式，是银行有条件地保证付款的凭证。规范的信用证有标准的格式和内容。"伪造信用证"，是指行为人采用描绘、复制、印刷等方法仿照信用证的格式、内容制造假信用证的行为或以编造、冒用某银行的名义开出假信用证的行为。"变造信用证"，是指行为人在原信用证的基础上，采用涂改、剪贴、挖补等方法改变原信用证的内容和主要条款使其成为虚假的信用证的行为。作为国际贸易结算手段的依据的绝大多数是跟单信用证。按照这种结算方式，开证银行根据买方的资信情况，要求其提供一定的抵押或缴纳一定的保证金,也可以要求其先将货款存入开证银行后,开证银行按照买方的要求开具信用证,通知卖方或卖方的开户银行,卖方按买卖合同和信用证规定的条款组织发运货物,同时备齐所有单据,银行对卖方所提交的单据进行审查后,如认为符合信用证的规定即代买方预付款,同时通知买方备款赎单。从信用证的交易过程看,信用证交易实际上就是单据买卖,信用证各当事人所处理的是单据而不是货物。单据是卖方对买方履行了合同义务的证明文件,买方也只能通过单据了解货物的情况。因此,单据是否真实,是否真正代表了符合要求的货物就很重要了。因此信用证附随的单据在信用证交易中起着十分重要的作用。信用证附随的单据主要有运输单据、商业发票和保险单据三种。运输单据是表明运送人已将货物装船或发运或接受监管的单据,包括海运提单、航空运单、铁路运单等。保险单据是关于货物运输保险的单据。商业发票是证明卖方已履行了合同的凭证,也是海关实行货物进出口管理的依据,是买方验收货物是否完全符合合同规定的数量、质量、品种等的依据。此外,有的信用证还需要附其他的单据,如领事发票、海关发票、出口许可证、产地证明书等。伪造、变造附随的单据、文件是指行为人在使用信用证时伪造、变造提单等必须附随信用证的单据的行为。

第四项规定了伪造信用卡的行为。伪造信用卡的犯罪主要分为两种情况:一是非法制造信用卡,即模仿信用卡的质地、模式、版块、图样以及磁条密码等制造信用卡。二是在真卡的基础上进行伪造,即信用卡本身是合法制造出来的,但是未经银行或者信用卡发卡机构发行给用户正式使用,即在信用卡面上未加打卡号或者姓名,在磁条上也未输入一定的密码等信息,将这种空白的信用卡再进行一番"加工",使其貌似已经发行给用户的信用卡,也属于伪造信用卡。这种信用卡的伪造,多发生在银行内部或者发行信用卡机构的内部,一般为这些机构内部的工作人员所为。刑法规定的"信用卡"含义是指商业银行和其他金融机构发行的电子支付卡。随着商业银行和其他金融机构业务的发展,出现了多种形式的电子支付卡。中国人民银行为了加强对电子支付卡的管理,将银行和其他金融机构发行的各种形式的电子支付卡细分为信用卡、借记卡,并将信用卡再细分为贷记卡和准贷记卡。这样,司法实践中对伪造或者利用商业银行或者其他金融机构发行的电子支付卡进行的犯罪活动,在适用法律上出现了不同认识。有的案件按照信用卡诈骗罪处理,有的按照金融凭证诈骗罪处理,有的按照普通诈骗罪处理,有的未作犯罪处理。针对实践中存在的问题,对刑法规定的信用卡的含义作出明确的解释,以利于统一执法,打击犯罪是十分必要的。2004 年 12 月 29 日第十届全国人民代表大会常务委员会第十三次会议通过《关于〈中华人民共和国刑法〉有关信用卡规定的解释》,对刑法有关信用卡规定的含义拟作出如下解释:刑法规定的"信用卡",是指由商业银行或者其他金融机构发行的具有消费、信用贷款、转账结算、存取现金等全部功能或者部分功能的电子支付卡。

根据本款规定,对伪造、变造金融票证的处五年以下有期徒刑或者拘役,并处或者单处二万元以上二十万元以下罚金;情节严重的,处五年以上十年以下有期徒刑,并处五万元以上五十万元以下罚金;情节特别严重的,处十年以上有期徒刑或者无期徒刑,并处五万元以上五十万元以下罚金或者没收财产。

第二款是对单位犯本条之罪时进行处罚的规定。根据本款规定,单位犯伪造、变造金融票证罪的,对单位判处罚金,并对其直接负责的主管人员和其他直接责任人员,根据案件的具体情况依照前款个人犯此罪的三个量刑档次进行处罚。

第一百七十七条之一*　有下列情形之一,妨害信用卡管理的,处三年以下有期徒刑或者拘役,并处或者单处一万元以上十万元以下罚金;数量巨大或者有其他严重情节的,处三年以上十年以下有期徒刑,并处二万元以上二十万元以下罚金:

(一)明知是伪造的信用卡而持有、运输的,或者明知是伪造的空白信用卡而持有、运输,数量较大的;

(二)非法持有他人信用卡,数量较大的;

(三)使用虚假的身份证明骗领信用卡的;

(四)出售、购买、为他人提供伪造的信用卡或者以虚假的身份证明骗领的信用卡的。

窃取、收买或者非法提供他人信用卡信息资料的,依照前款规定处罚。

银行或者其他金融机构的工作人员利用职务上的便利,犯第二款罪的,从重处罚。

【释义】　本条是关于妨害信用卡管理和窃取、收买、非法提供信用卡信息的犯罪及其处罚的规定。

1997年刑法第一百七十七条规定了伪造、变造金融票证的犯罪行为,其中对伪造信用卡的犯罪作了专门规定。近年来,随着信用卡应用的普及,伪造信用卡的犯罪活动也出现了一些新的情况。这类犯罪出现了境内外互相勾结、集团化、专业化的特点,从窃取、非法提供他人信用卡信息资料、制作假卡,到运

---

* 根据2005年2月28日第十届全国人民代表大会常务委员会第十四次会议通过的《中华人民共和国刑法修正案(五)》增加。

输、销售、使用伪造的信用卡等各环节,分工细密,犯罪活动猖獗。虽然这些具体的犯罪行为都属于伪造信用卡和使用伪造的信用卡进行诈骗的犯罪,但是由于在各个犯罪环节上表现的形式不同,在具体适用刑法时存在一定困难。司法机关和金融主管部门建议对这一犯罪作出进一步的具体规定。为了保护银行等金融机构和广大社会公众的合法利益,维护金融机构的信誉和金融秩序,立法机构适时修改刑法,增加规定了妨害信用卡管理等方面的犯罪。2004 年 12 月 29 日第十届全国人民代表大会常务委员会第十三次会议通过的《关于〈中华人民共和国刑法〉有关信用卡规定的解释》对刑法有关信用卡规定的含义作了如下解释:刑法规定的"信用卡",是指由商业银行或者其他金融机构发行的具有消费、信用贷款、转账结算、存取现金等全部功能或者部分功能的电子支付卡。

第一款是关于妨害信用卡管理的犯罪及其处罚的规定。根据本条的规定,构成妨害信用卡管理的犯罪,必须符合以下构成要件:1. 行为人主观上为故意,即明知自己的行为会发生妨害信用卡管理的后果,并希望这种结果发生。2. 行为人客观上实施了妨害信用卡管理的行为。根据本条的规定,行为人实施的妨害信用卡管理的行为主要有以下形式:(1)明知是伪造的信用卡而持有、运输的,或者明知是伪造的空白信用卡而持有、运输,数量较大的。近年来,为了逃避打击,许多犯罪组织之间形成了细致的分工。从空白银行卡的印制、运输、买卖,到写入磁条信息完成假卡制作,再到使用假卡取现或骗取财物的各个环节往往由不同犯罪组织的人员承担。除了在伪造和使用环节查获的案件以外,对其他环节查获的人员,如果要按照共同犯罪来追究,则行为人之间的共同犯罪故意很难查证。实践中查获的一些案件,行为人持有大量伪造的银行卡或者伪造的空白银行卡,但如果不能查明该银行卡系其本人伪造,或者要用于实施诈骗,就很难追究刑事责任。因此,修改刑法,在妨害信用卡管理的犯罪行为中规定了非法持有伪造的信用卡或者伪造的空白信用卡的行为。值得注意的是,持有、运输伪造的信用卡,无论数量多少,均可构成犯罪;而持有、运输伪造的空白信用卡,必须达到数量较大,才能构成犯罪。(2)非法持有他人信用卡,数量较大的。近年查获的多起持有大量他人信用卡的案件,是国际信用卡犯罪的一种新形式,在我国境内也有发生,如有的国际信用卡犯罪集团或者个人在他国与资信状况不良者串通,帮助其领取信用卡后予以收买,然后将大量信用卡携带至我国境内消费或取现。当发卡行向持卡人催收欠款时,持卡人以其未曾出境为由拒付,而按照有关规定,信用卡只能供持卡人本人使用。虽然也不排除在民事活动中,有的持卡人违反规定将信用卡交给他人使用的情况,但从这类案件中行为人持有他人信用卡的数量、行为人与持卡人的关系等,不难判断其行为的诈骗性质。但如果要一一查明行为人所持的信用卡的来历,行为人与持卡人的串通情节等,不仅很困难,而且也没必要。有些信用卡犯罪集团也正是利用跨国取证难这一点来逃避打击。因此,将持有大量他人银行卡,无法说明其合法来源的行为规定为犯罪不仅是必要的,也是完全可行的。当然,构成本罪,必须是行为人持有他人信用卡的数量较大,否则不构成本罪。(3)使用虚假的身份证明骗领信用卡的。使用虚假的身份证明、资信证明等,骗领信用卡后大量透支诈骗银行贷款的犯罪,是当前多发的一种信用卡诈骗活动。有的行为人使用伪造的身份证明、任职证明、收入证明骗领信用卡;有的假借招聘,骗取求职者身份资料后,使用真实的身份证复印件,伪造在职证明、收入证明等一次骗领大量信用卡;有的公司冒用员工名义骗领信用卡后供公司使用。有的不法分子以信用卡代理公司的名义,专门帮助他人骗领信用卡牟利。这些人员利用熟悉银行内部发卡审核程序的便利,替申请人伪造各种资信证明文件和资料,向多个发卡银行骗领多张信用卡,有的为一个申请人一次申领十余张信用卡。这些申请人往往资信状况较差,骗取信用卡就是为了透支取现。有的代理公司还以各种手段骗取银行授权,成为特约商户,然后帮助申请人在其 POS 机上取现,并收取高额手续费。针对这种情况,有必要将使用虚假身份证明骗领信用卡的行为规定为犯罪,因为这种行为人主观上非法占有的目的是很明显的。至于一些申请人为了顺利取得信用卡,或者获得较高的授信额度,在申请信用卡时对自己的收入状况等作了不实陈述的行为,因为其主观上并无非法占有的目的,性质是不同于上述骗领信用卡的。(4)出售、购买、为他人提供伪造的信用卡或者以虚假的身份证明骗领的信用卡的。这些行为往往是信用卡诈骗犯罪的重要环节,属于信用卡诈骗犯罪的上游犯罪,其危害性不言而喻,必须运用刑罚的手段予以惩治,以维护我国的金融安全。

根据本款的规定,妨害信用卡管理的,处三年以下有期徒刑或者拘役,并处或者单处一万元以上十万元以下罚金;数量巨大或者有其他严重情节的,处三年以上十年以下有期徒刑,并处二万元以上二十万元以下罚金。

第二款是关于窃取、收买或者非法提供他人信用卡信息资料的犯罪及其处罚的规定。伪造银行卡的最后也是最关键的环节,是在银行卡的磁条或者芯片上写入事先非法获取的他人银行卡的磁条或芯片信息。银行卡的磁条或者芯片信息,是一组有关发卡行代码、持卡人账户、账号、密码等内容的加密电子数据,由发卡行在发卡时使用专用设备写入银行卡的磁条或者芯片中。银行卡磁条或者芯片信息是 POS 机、ATM 机等终端机器识别合法用户的依据,没有这些信息,伪造的银行卡是无法使用的。银行卡犯罪集团非法获取他人银行卡磁条或者芯片信息的一种方式是自行窃取,主要是使用望远镜偷窥、在 ATM 机上安装摄像头偷录，或者安装吞卡装置并张贴假的客服电话骗取持卡人信息等方式，获取有自设密码保护的借记卡的磁条或者芯片信息。另一种方式就是收买特约商户的收银员、金融机构的工作人员，利用受理银行卡业务之际盗录他人银行卡磁条或者芯片信息。这成为伪造信用卡集团获取信用卡磁条或者芯片信息的主要来源。磁条或者芯片信息本身只是一组加密数据，除了用于伪造他人银行卡外别无他用。但如果要将非法获取、向他人非法提供银行卡磁条或者芯片信息的行为人按照伪造银行卡的共犯处理，就需要查明行为人非法获取他人银行卡磁条或者芯片信息是否要用于伪造银行卡，或者非法提供他人银行卡磁条或者芯片信息的行为人与伪造银行卡者之间有无共同犯罪的故意。这一点很难查证。在刑法中明确规定非法获取、非法提供他人银行卡磁条或者芯片信息的行为为犯罪，有利于从源头上打击银行卡犯罪活动。

根据本款的规定，窃取、收买或者非法提供他人信用卡信息资料的，处三年以下有期徒刑或者拘役，并处或者单处一万元以上十万元以下罚金；数量巨大或者有其他严重情节的，处三年以上十年以下有期徒刑，并处二万元以上二十万元以下罚金。

第三款是关于银行或者其他金融机构的工作人员利用职务上的便利，犯窃取、收买或者非法提供他人信用卡信息资料罪的，从重处罚的规定。在实际工作中，银行或者其他金融机构的工作人员接触他人信用卡的机会较多，也容易获取他人的信用卡资料。而这些信用卡资料属于信用卡管理系统中的核心环节，更是犯罪分子千方百计想要得到的东西。因为凭借这些信用卡资料，犯罪分子伪造信用卡或者利用伪造的信用卡诈骗将比较容易。而获取信用卡资料的最佳来源就是银行或者其他金融机构。这样，一些经常接触他人信用卡资料的银行或者其他金融机构工作人员就成为犯罪分子的目标，他们往往以财物的形式向这些工作人员提出收购要求。某些银行或者其他金融机构的工作人员为了牟取利益，利用接触他人信用卡资料的职务之便，窃取、收买或者非法提供他人信用卡信息资料罪。上述行为的存在严重影响了我国银行或者其他金融机构的信誉，危及我国的金融安全，必须予以严厉的惩处。因此，本条规定，对银行或者其他金融机构的工作人员利用职务上的便利，犯窃取、收买、非法提供信用卡信息罪的，从重处罚。

第一百七十八条　伪造、变造国库券或者国家发行的其他有价证券，数额较大的，处三年以下有期徒刑或者拘役，并处或者单处二万元以上二十万元以下罚金；数额巨大的，处三年以上十年以下有期徒刑，并处五万元以上五十万元以下罚金；数额特别巨大的，处十年以上有期徒刑或者无期徒刑，并处五万元以

上五十万元以下罚金或者没收财产。

伪造、变造股票或者公司、企业债券，数额较大的，处三年以下有期徒刑或者拘役，并处或者单处一万元以上十万元以下罚金；数额巨大的，处三年以上十年以下有期徒刑，并处二万元以上二十万元以下罚金。

单位犯前两款罪的，对单位判处罚金，并对其直接负责的主管人员和其他直接责任人员，依照前两款的规定处罚。

【释义】　本条是关于伪造、变造国家有价证券、股票、公司企业债券罪及其处罚的规定。

第一款是关于伪造、变造国家有价证券罪及其刑事处罚的规定。社会主义现代化建设的快速发展需用大量资金，在当前国家财政收入还不富裕、资金比较短缺的情况下，为了给国家的经济建设筹集资金，政府每年都发行大量的国库券和其他有价证券，这些国家发行的有价证券作为国家债券，以其信誉好、收益率高受到群众的普遍欢迎。但同时，也成为一些不法分子瞄准的犯罪目标，他们伪造、变造国库券和国家发行的其他有价证券，严重破坏了金融秩序，必须予以严厉打击。本条对伪造、变造国家有价证券罪的犯罪构成方面作了如下规定：1. 行为人在主观上有犯罪故意，即有伪造、变造国家发行的有价证券牟取非法利益的目的。2. 行为人在客观上实施了伪造、变造国库券或者国家发行的有价证券的行为。本条所称“伪造”，是指行为人仿照真实的有价证券的形式、图案、颜色、格式、面额，通过印刷、复印、绘制等制作方法非法制造有价证券的行为。本条所称“变造”，是指行为人在真实的有价证券的基础上或者以真实的有价证券为基本材料，通过剪接、挖补、覆盖、涂改等方法，对有价证券的主要内容，非法加以改变的行为，如改变有价证券的面额、发行期限等。本条所称“国家发行的其他有价证券”，是指国家发行的除国库券以外的其他国家有价证券以及国家银行金融债券，如财政债券、国家建设债券、保值公债、国家重点建设债券等。本罪犯罪行为所指向的对象是国库券和国家发行的其他有价证券。这是本罪区别于伪造、变造金融票证罪的主要区别。3. 行为人伪造、变造政府债券的行为，数额较大的，才构成犯罪，这是区别罪与非罪的重要界限。对于什么是“数额较大”，本条没作具体规定，可由司法机关总结司法实践经验作出司法解释。

对于伪造、变造国家有价证券罪的处罚，本条根据数额规定了三档刑：数额较大的，处三年以下有期徒刑或者拘役，并处或者单处二万元以上二十万元以下罚金；数额巨大的，处三年以上十年以下有期徒刑，并处五万元以上五十万元以下罚金；数额特别巨大的，处十年以上有期徒刑或者无期徒刑，并处五万元以上五十万元以下罚金或者没收财产。

第二款是关于伪造、变造股票、公司、企业债券罪及其刑事处罚的规定。本罪在主观方面、行为特点上与伪造、变造国家有价证券罪没有什么区别，最大的不同在于本罪的行为对象是股票、公司债券、企业债券而不是国家债券。本条所称的“股票”，是指股份有限公司为筹集自有资本发给股东的入股凭证，是代表股份资本所有权的证书和股东借以取得股息和红利的一种有价证券。“公司、企业债券”，是指公司、企业依照法定程序发行的、约定在一定期限还本付息的有价证券。

对伪造、变造股票、公司、企业债券罪的处罚，本款根据数额规定了两档刑：数额较大的，处三年以下有期徒刑或者拘役，并处或者单处一万元以上十万元以下罚金；数额巨大的，处三年以上十年以下有期徒刑，并处二万元以上二十万元以下罚金。

第三款是关于单位犯伪造、变造国家有价证券罪及伪造、变造股票、公司、企业债券罪及其刑事处罚的规定。根据本款规定，单位犯前两款罪的，对单位判处罚金，并对其直接负责的主管人员和其他直接责任人员，根据案件的具体情况，分别依照本条第一款、第二款的规定处罚。

第一百七十九条　未经国家有关主管部门批准，擅自发行股票或者公司、企业债券，数额巨大、后果严重或者有其他严重情节的，处五年以下有期徒刑或者拘役，并处或者单处非法募集资金金额百分之一以上百分之五以下罚金。

单位犯前款罪的，对单位判处罚金，并对其直接负责的主管人员和其他直接责任人员，处五年以下有期徒刑或者拘役。

【释义】　本条是关于擅自发行股票、公司、企业债券罪及其处罚的规定。

第一款是对自然人擅自发行股票、公司、企业债券犯罪及其刑事处罚的规定。根据本条规定，擅自发行股票、公司、企业债券罪有以下几个构成要件：1. 本罪的犯罪主体是一般主体，即自然人或单位。既包括那些根本不具备发行股票、公司、企业债券条件的单位和个人，也包括那些具备了发行股票、公司、企业债券条件，但还没有得到国家有关主管部门批准，而擅自发行股票、公司、企业债券的单位和个人。2. 行为人必须实施了未经国家有关主管部门批准，擅自发行股票、公司、企业债券的行为。发行股票、公司、企业债券是企业实行公司制以后，市场经济条件下的一种有效的集资手段。但由于面向社会公众，这种大规模的集资方式并非只是一家公司自己筹措资金的简单行为，而是事关广大股票、债券投资者的切身利益。因为发行股票、公司、企业债券的单位要向投资者负责。发行股票要定期付给股东红利，发行公司、企业债券要按时归还本金及利息，这依赖于发行公司、企业的生产经营管理及其经济效益的好坏，具有一定风险性，同时由于这种活动涉及面广，事关大量资金的流向，与社会金融秩序的稳定甚至社会安定密切相关。因此，公司法对发行股票、公司债券规定了严格的条件和批准程序：股份有限公司的设立如果采用募集设立形式需向社会发行股票募集股份的，或者股份有限公司成立后需发行新股的，都必须要先报经国务院证券管理部门批准，必须由证券经营机构采取承销方式发行股票，必须公告招股说明书并制作认股书，并将募集情况报国务院证券管理部门备案或者向公司登记机关办理变更登记，并公告。公司发行公司债券，必须报经国务院证券管理部门批准；国有独资公司要发行公司债券，则必须在国家授权投资的机构或者国家授权的部门作出决定，再经国务院证券管理部门批准后，才能发行。公司法的这些规定，体现了国家对发行股票、公司债券活动的严格监督和管理。本条所说的“未经国家有关主管部门批准，擅自发行股票、公司、企业债券”，就是指违反了公司法关于发行股票、公司、企业债券的上述规定，未报经国务院证券管理部门批准，擅自发行股票、公司、企业债券。行为人是否实际上已经发行了股票、公司、企业债券，是区分罪与非罪的主要界限之一。如果不是采取发行股票、公司、企业债券的方式，而是采取其他方法非法筹集资金的，不构成本罪。3. 擅自发行股票、公司、企业债券，必须达到数额巨大，或者造成严重后果或者有其他严重情节的，才构成犯罪，这是区分罪与非罪的另一主要界限。本条对什么是“数额巨大”、“后果严重”和“其他严重情节”，没有作具体规定，可由最高人民法院、最高人民检察院根据司法实践情况作出司法解释。

对于擅自发行股票、公司、企业债券罪的处罚，本款规定处五年以下有期徒刑或者拘役，并处或者单处非法募集资金金额百分之一以上百分之五以下罚金。

第二款是对单位犯擅自发行股票、公司、企业债券罪的处罚规定。单位犯本罪的，对单位判处罚金，并对其直接负责的主管人员和其他直接责任人员，处五年以下有期徒刑或者拘役。

第一百八十条[*] **证券、期货交易内幕信息的知情人员或者非法获取证券、期货交易内幕信息的人员，在涉及证券的发行，证券、期货交易或者其他对证券、期货交易价格有重大影响的信息尚未公开前，买入或者卖出该证券，或者从事与该内幕信息有关的期货交易，或者泄露该信息，或者明示、暗示他人从事上述交易活动，情节严重的，处五年以下有期徒刑或者拘役，并处或者单处违法所得一倍以上五倍以下罚金；情节特别严重的，处五年以上十年以下有期徒刑，并处违法所得一倍以上五倍以下罚金。**

单位犯前款罪的，对单位判处罚金，并对其直接负责的主管人员和其他直接责任人员，处五年以下有期徒刑或者拘役。

内幕信息、知情人员的范围，依照法律、行政法规的规定确定。

证券交易所、期货交易所、证券公司、期货经纪公司、基金管理公司、商业银行、保险公司等金融机构的从业人员以及有关监管部门或者行业协会的工作人员，利用因职务便利获取的内幕信息以外的其他未公开的信息，违反规定，从事与该信息相关的证券、期货交易活动，或者明示、暗示他人从事相关交易活动，情节严重的，依照第一款的规定处罚。

【释义】 本条是关于内幕交易、泄露内幕信息、金融机构从业人员不正当获利犯罪及其处罚的规定。

1999年12月《刑法修正案》在刑法有关证券犯罪的规定中增加了相关期

---

* 本条经过两次修改。

根据1999年12月25日第九届全国人民代表大会常务委员会第十三次会议通过的《中华人民共和国刑法修正案》第一次修改。原条文是："证券交易内幕信息的知情人员或者非法获取证券交易内幕信息的人员，在涉及证券的发行、交易或者其他对证券的价格有重大影响的信息尚未公开前，买入或者卖出该证券，或者泄露该信息，情节严重的，处五年以下有期徒刑或者拘役，并处或者单处违法所得一倍以上五倍以下罚金；情节特别严重的，处五年以上十年以下有期徒刑，并处违法所得一倍以上五倍以下罚金。

"单位犯前款罪的，对单位判处罚金，并对其直接负责的主管人员和其他直接责任人员，处五年以下有期徒刑或者拘役。

"内幕信息的范围，依照法律、行政法规的规定确定。

"知情人员的范围，依照法律、行政法规的规定确定。"

根据2009年2月28日第十一届全国人民代表大会常务委员会第七次会议通过的《中华人民共和国刑法修正案（七）》第二次修改。第一次修改后的条文是："证券、期货交易内幕信息的知情人员或者非法获取证券、期货交易内幕信息的人员，在涉及证券的发行，证券、期货交易或者其他对证券、期货交易价格有重大影响的信息尚未公开前，买入或者卖出该证券，或者从事与该内幕信息有关的期货交易，或者泄露该信息，情节严重的，处五年以下有期徒刑或者拘役，并处或者单处违法所得一倍以上五倍以下罚金；情节特别严重的，处五年以上十年以下有期徒刑，并处违法所得一倍以上五倍以下罚金。

"单位犯前款罪的，对单位判处罚金，并对其直接负责的主管人员和其他直接责任人员，处五年以下有期徒刑或者拘役。

"内幕信息、知情人员的范围，依照法律、行政法规的规定确定。"

货犯罪的内容。近年来,随着市场经济的发展,在证券、期货犯罪领域出现了一些新问题和新情况,主要是一些证券投资基金管理公司、证券公司等金融机构的从业人员,利用其因职务便利知悉的法定内幕信息以外的其他未公开的经营信息,如本单位受托管理资金的交易信息等,违反规定从事相关交易活动,牟取非法利益或者转嫁风险,即通常所说的"老鼠仓",严重破坏金融管理秩序,损害公众投资者利益。2009 年 2 月 28 日《刑法修正案(七)》在本条中增加规定了这类行为。同时,对于掌握内幕信息的人员,如明示、暗示他人从事相关证券、期货交易活动,情节严重的,也作了规定。

第一款是关于个人犯内幕交易罪、泄露内幕信息罪的处罚规定。根据本款的规定,构成内幕交易罪、泄露内幕信息罪必须符合下列构成要件:

1. 主体符合本款的规定。该罪的主体是特殊主体,即证券、期货交易内幕信息的知情人员和非法获取证券、期货交易内幕信息的人员。根据本条第三款的规定,内幕信息、知情人员的范围,依照法律、行政法规的规定确定。由于证券、期货交易的差异,二者所指向的内幕信息和知情人员也有所不同。

根据证券法的规定,"内幕信息"是指在证券交易活动中,涉及公司的经营、财务或者对该公司证券的市场价格有重大影响的尚未公开的信息,具体包括:(1)证券法列举的重大事件:①公司的经营方针和经营范围的重大变化;②公司的重大投资行为和重大的购置财产的决定;③公司订立了重要合同,而该合同可能对公司的资产、负债、权益和经营成果产生重要影响;④公司发生重大债务和未能清偿到期重大债务的违约情况;⑤公司发生重大亏损或者重大损失;⑥公司生产经营的外部条件发生的重大变化;⑦公司的董事、三分之一以上的监事或者经理发生变动;⑧持有公司百分之五以上股份的股东或者实际控制人,其持有股份或者控制公司的情况发生较大变化;⑨公司减资、合并、分立、解散及申请破产的决定;⑩涉及公司的重大诉讼,股东大会、董事会决议被依法撤销或宣告无效;⑪公司涉嫌犯罪被司法机关立案调查,公司董事、监事、高级管理人员涉嫌犯罪被司法机关采取强制措施;⑫国务院证券监督管理机构规定的其他事项。(2)公司分配股利或者增资的计划。(3)公司股权结构的重大变化。(4)公司债务担保的重大变更。(5)公司营业用的主要资产的抵押、出售或者报废一次超过该资产的百分之三十。(6)公司的董事、监事、高级管理人员的行为可能依法承担重大损害赔偿责任。(7)上市公司收购的有关方案。(8)国务院证券监督管理机构认定的对证券交易价格有显著影响的其他重要信息。

根据证券法的规定,"知情人员",是指获知证券交易内幕信息的下列人员:(1)发行人的董事、监事、高级管理人员;(2)持有公司百分之五以上股份的股东及其董事、监事、高级管理人员,公司的实际控制人及其董事、监事、高级管理人员;(3)发行人控股的公司及其董事、监事、高级管理人员;(4)由于所任的公司职务可以获取公司有关内幕信息的人员;(5)证券监督管理机构工作人员以及由于法定的职责对证券的发行、交易进行管理的其他人员;(6)保荐人、承销的证券公司、证券交易所、证券登记结算公司、证券服务机构的有关人员;(7)国务院证券监督管理机构规定的其他人员。

在期货交易中,根据《期货交易管理条例》的规定,"内幕信息",是指可能对期货交易价格产生重大影响的尚未公开的信息,包括国务院期货监督管理机构以及其他相关部门制定的对期货交易价格可能发生重大影响的政策,期货交易所作出的可能对期货交易价格发生重大影响的决定,期货交易所会员、客户的资金和交易动向以及国务院期货监督管理机构认定的对期货交易价格有显著影响的其他重要信息。"内幕信息的知情人员",是指由于其管理地位、监督地位或者职业地位,或者作为雇员、专业顾问履行职务,能够接触或者获得内幕信息的人员,包括期货交易所的管理人员以及其他由于任职可获取内幕信息的从业人员,国务院期货监督管理机构和其他有关部门的工作人员以及国务院期货监督管理机构规定的其他人员。本条所称的"非法获取证券、期货交易内幕信息的人员",是指利用骗取、套取、偷听、监听或者私下交易等手段获取证券、期货交易内幕信息的人员。

2. 行为人在主观上有犯罪的故意,即有让自己或者他人从中牟利的目的,过失不构成本罪。

3. 在客观上,行为人实施了在涉及证券的发行,证券、期货交易或者其他对证券、期货交易价格有重大影响的信息尚未公开前,买入或者卖出该证券,或者从事与该内幕信息有关的期货交易,或者泄露该信息,或者明示、暗示他人从事上述交易活动的行为。在证券、期货交易中,信息披露制度是公开、公平、公正原则的具体体现和要求,是确保证券、期货市场公平交易的一项重要制度。而且,在信息披露过程中,要求有关方面必须及时、准确地将证券、期货信息公布于众,才能保证投资者都能够平等地获取信息。而少数人利用获取内幕信息的有利地位或者非法获取的内幕信息进行内幕交易,不但违背了市场规则,更主要的是在这种情况下,证券、期货交易价格失去了客观公正性和真实性,从而破坏了证券、期货市场的正常运行程序。同时,这种行为侵犯了其他投资者的合法权益。因此,为维护证券、期货市场的公平、公正运行,对内幕交易及泄露内幕信息的行为必须予以严惩。本条所称的"泄露该信息",主要是指将内幕信息透露、提供给不应知道该信息的人,让他人利用该信息买入、卖出股票或者进行期货交易,获取不正当利益。

4. 必须是情节严重的行为。内幕交易行为及泄露内幕信息行为是否构成犯罪,主要在于其行为情节的轻重。根据 2012 年 3 月 29 日《最高人民法院、最高人民检察院关于办理内幕交易、泄露内幕信息刑事案件具体应用法律若干问题的解释》第六条规定,在内幕信息敏感期内从事或者明示、暗示他人从事或者泄露内幕信息导致他人从事与该内幕信息有关的证券、期货交易,具有下列情形之一的,应当认定为刑法第一百八十条第一款规定的“情节严重”:(1)证券交易成交额在五十万元以上的;(2)期货交易占用保证金数额在三十万元以上的;(3)获利或者避免损失数额在十五万元以上的;(4)三次以上的;(5)具有其他严重情节的。该解释第七条规定,在内幕信息敏感期内从事或者明示、暗示他人从事或者泄露内幕信息导致他人从事与该内幕信息有关的证券、期货交易,具有下列情形之一的,应当认定为刑法第一百八十条第一款规定的“情节特别严重”:(1)证券交易成交额在二百五十万元以上的;(2)期货交易占用保证金数额在一百五十万元以上的;(3)获利或者避免损失数额在七十五万元以上的;(4)具有其他特别严重情节的。本款根据情节轻重,对内幕交易、泄露内幕信息罪的处罚,规定了两档刑:对情节严重的,处五年以下有期徒刑或者拘役,并处或者单处违法所得一倍以上五倍以下罚金;情节特别严重的,处五年以上十年以下有期徒刑,并处违法所得一倍以上五倍以下罚金。

第二款是关于单位犯内幕交易罪、泄露内幕信息罪的处罚规定。知悉证券、期货交易内幕信息的单位或者非法获取证券、期货交易内幕信息的单位,在涉及证券的发行,证券、期货交易或者其他对证券、期货交易价格有重大影响的信息尚未公开前,买入或者卖出该证券,或者从事与该内幕信息有关的期货交易,或者泄露该信息,或者建议他人从事上述交易活动,情节严重的,根据本款的规定,对单位判处罚金,并对其直接负责的主管人员和其他直接责任人员,处五年以下有期徒刑或者拘役。

第三款是对“内幕信息、知情人员”的范围作出的原则规定,在本条第一款内容说明中已作了解释,在此不再赘述。

在实际执行中,内幕交易罪与侵犯商业秘密罪侵害的对象具有一定的相似性,都属于尚未公开的,可能给当事人带来经济利益的有关信息,但是在侵害对象、客体、行为主体等方面存在以下区别:1. 从侵害对象而言,内幕信息是尚未公开的,涉及证券的发行,证券、期货交易或者其他对证券、期货交易价格有重大影响的信息;而商业秘密,是指不为公众所知悉,能为权利人带来经济利益,具有实用性并经权利人采取保密措施的技术信息和经营信息。2. 内幕交易罪侵犯的客体是国家金融管理秩序的正常运行,而侵犯商业秘密罪侵犯的是企事业单位经营活动的正常进行,二者侵犯的客体属于不同的领域和范畴。3. 内幕交易罪的主体为证券、期货交易内幕信息的知情人员或者非法获取证券、期货交易内幕信息的人员，具有相对的特殊性；而侵犯商业秘密罪的主体为一般主体。

泄露内幕信息罪与泄露国家秘密的犯罪也存在着不同之处：1. 行为人的主观心态不同。泄露内幕信息罪只能由主观故意构成，过失不构成本罪，而泄露国家秘密的犯罪的主观方面包括故意和过失。2. 侵犯的对象不同。泄露内幕信息罪侵犯的是证券、期货交易中的内幕信息，而泄露国家秘密的犯罪侵犯的是国家秘密。3. 侵害的客体不同。泄露内幕信息罪侵害的是证券、期货市场的管理秩序，泄露国家秘密的犯罪侵害的是国家的安全和重大利益。

第四款是关于金融机构工作人员利用职务之便不正当获利犯罪的处罚规定，是 2009 年 2 月 28 日第十一届全国人民代表大会常务委员会第七次会议通过的《刑法修正案（七）》中新增加的规定。

构成本款规定的犯罪，须注意以下两个方面：

一是本罪属于特殊主体，即证券交易所、期货交易所、证券公司、期货经纪公司、基金管理公司、商业银行、保险公司等金融机构的从业人员以及有关监管部门或者行业协会的工作人员。这些金融机构大都开展代客理财的业务，手中握有大量的客户资金，可以投向证券、期货等市场。这部分人员在证券、期货交易中具有信息优势，其利用职务便利可以先行知悉一些内幕信息以外的其他未公开的信息。同时，这部分人员一旦利用这些信息从事证券、期货交易，对市场的危害性将是十分严重的，必须予以惩处。

二是犯罪分子所利用的信息不属于内幕信息的范畴，但属于未公开的信息，如基金投资公司即将建仓、出仓的信息等。

根据本款规定，上述人员违反规定，从事与该信息相关的证券、期货交易活动，或者明示、暗示他人从事相关交易活动，情节严重的，依照第一款的规定从重处罚。

第一百八十一条[*] **编造并且传播影响证券、期货交易的虚假信息，扰乱证**

---

* 根据 1999 年 12 月 25 日第九届全国人民代表大会常务委员会第十三次会议通过的《中华人民共和国刑法修正案》修改。原条文是："编造并且传播影响证券交易的虚假信息，扰乱证券交易市场，造成严重后果的，处五年以下有期徒刑或者拘役，并处或者单处一万元以上十万元以下罚金。

"证券交易所、证券公司的从业人员，证券业协会或者证券管理部门的工作人员，故意提供虚假信息或者伪造、变造、销毁交易记录，诱骗投资者买卖证券，造成严重后果的，处五年以下有期徒刑或者拘役，并处或者单处一万元以上十万元以下罚金；情节特别恶劣的，处五年以上十年以下有期徒刑，并处二万元以上二十万元以下罚金。

"单位犯前两款罪的，对单位判处罚金，并对其直接负责的主管人员和其他直接责任人员，处五年以下有期徒刑或者拘役。"

券、期货交易市场，造成严重后果的，处五年以下有期徒刑或者拘役，并处或者单处一万元以上十万元以下罚金。

证券交易所、期货交易所、证券公司、期货经纪公司的从业人员，证券业协会、期货业协会或者证券期货监督管理部门的工作人员，故意提供虚假信息或者伪造、变造、销毁交易记录，诱骗投资者买卖证券、期货合约，造成严重后果的，处五年以下有期徒刑或者拘役，并处或者单处一万元以上十万元以下罚金；情节特别恶劣的，处五年以上十年以下有期徒刑，并处二万元以上二十万元以下罚金。

单位犯前两款罪的，对单位判处罚金，并对其直接负责的主管人员和其他直接责任人员，处五年以下有期徒刑或者拘役。

【释义】　本条是关于编造并传播证券、期货交易虚假信息罪，诱骗投资者买卖证券、期货合约罪及其处罚的规定。

1997 年修改刑法时，规定了编造并传播证券交易虚假信息罪和诱骗投资者买卖证券罪。随着国家加强对期货市场的整顿和规范工作，期货市场也存在一些不容忽视的问题，如编造并传播期货交易虚假信息和诱骗投资者买卖期货合约的现象屡有发生，严重侵犯了其他投资者的利益和扰乱了期货市场管理秩序，对这种行为必须从严惩处。据此，《刑法修正案》考虑到期货犯罪与证券犯罪的相似性，将编造并传播期货交易虚假信息和诱骗投资者买卖期货合约的行为规定为犯罪，并纳入刑法第一百八十一条的规定之中。

第一款是关于编造并传播证券、期货交易虚假信息罪的规定。根据本款的规定，构成编造并传播证券、期货交易虚假信息罪必须符合下列条件：1. 犯罪主体为自然人。主要是证券交易所、期货交易所、证券公司、期货经纪公司的从业人员，证券业协会、期货业协会或者证券期货监督管理部门的工作人员，证券、期货咨询服务机构及相关机构的人员，以及证券、期货交易的客户、行情分析人员等。2. 行为人主观上具有犯罪故意，即明知编造并且传播影响证券、期货交易的虚假信息，会扰乱证券、期货交易市场秩序，仍实施该行为，并希望危害结果出现。3. 行为人客观上实施了编造并且传播影响证券、期货交易的虚假信息，扰乱证券、期货交易市场的行为。本条所称的影响证券交易的虚假信息，主要是指可能对上市公司股票交易价格产生较大影响的虚假信息，如涉及公司分配股利或者增资的计划；公司债务担保的重大变更；公司发生重大亏损或者遭受重大损失；公司减资、合并、分立、解散等虚假信息。影响期货交易的虚假信息，主要是指可能对期货合约的交易产生较大影响的虚假信息，如金融银根政策、有关会议内容、市场整顿措施、新品种上市、税率调整、大户入市、保证金比例的提高、交易头寸变化、仓量调整、新法规新措施的出台等。值得注意的是，这里的“虚假信息”，是指凭空捏造的、歪曲事实的或者有误导性的，能引起市场行情变化的信息，如引起价格上涨或者下跌、大量抛售或者吸纳等。行为人必须既具有编造又具有传播影响证券、期货交易的虚假信息的行为。至于行为人是否从中牟利，不影响本罪的构成。如果行为人只是编造而没有传播，或者道听途说又散布给他人，不能以犯罪论处。行为人编造并传播的必须是能够影响证券、期货交易的虚假信息，如该虚假信息对证券、期货交易无影响，也不构成本罪。4. 构成本罪必须是扰乱证券、期货交易市场，造成严重后果的行为。“扰乱证券、期货交易市场，造成严重后果”，是指虚假信息引起股票价格、期货交易价格重大波动，或者在股民、期货交易客户中引起了心理恐慌，大量抛售或者买进某种股票、期货交易品种，给股民、投资者造成重大经济损失，或者造成恶劣的社会影响，等等。

对于编造并传播影响证券、期货交易虚假信息罪的处罚，根据本款的规定，处五年以下有期徒刑或者拘役，并处或者单处一万元以上十万元以下罚金。

本条第二款是关于诱骗投资者买卖证券、期货合约罪的规定。根据本款的规定，构成本罪须符合以下条件：1. 本罪是特殊主体，即证券交易所、期货交易所、证券公司、期货经纪公司的从业人员，证券业协会、期货业协会或者证券期货监督管理部门的工作人员，其他人不能成为本罪的主体。2. 行为人主观上具有犯罪故意，即故意提供虚假信息，诱骗投资者买卖证券、期货合约。本条所称的“期货合约”，是指由期货交易所统一制定的、规定在将来某一特定的时间和地点交割一定数量和质量商品的标准化合约。3. 行为人客观上实施了提供虚假信息或者伪造、变造、销毁交易记录的行为。本条所称的“伪造交易记录”，是指制作假的交易记录，即原来未进行交易，在交易记录中谎报进行了交易，原来未进行大量交易，而在交易记录中谎报进行了大量交易。“变造”，是指用涂改、擦消、拼接等方法，对真实的业务记录文件进行篡改，变更其内容的行为。“销毁”，是指把真实的交易记录加以毁灭的行为。4. 构成本罪的必须是故意提供虚假信息或者伪造、变造、销毁交易记录，诱骗投资者买卖证券、期货合约，造成严重后果的行为。“造成严重后果”，主要是指使投资者造成重大经济损失，造成证券、期货市场秩序严重混乱等。

对于诱骗投资者买卖证券、期货合约罪的处罚，本款规定了两档刑：造成严重后果的，处五年以下有期徒刑或者拘役，并处或者单处一万元以上十万元以下罚金；情节特别恶劣的，处五年以上十年以下有期徒刑，并处二万元以上二十万元以下罚金。

本条第三款是关于单位犯编造并传播证券、期货交易虚假信息罪、诱骗投资者买卖证券、期货合约罪的处罚规定。本款对单位犯前两款罪的处罚采取了双罚制原则，即对单位判处罚金，并对其直接负责的主管人员和其他直接责任人员，处五年以下有期徒刑或者拘役。

本条在执行中，要正确划清市场行情分析失误与编造并传播虚假信息的界限。在证券、期货市场中，一些经纪人、咨询人员、行情分析人员等业内人士或者专家学者经常对证券、期货市场的行情发表评论。这种评论往往是依据个人的经验和知识、结合市场行情的走向、有关的数据资料、技术分析作出的判断或者预测。这只是个人之见，其目的是为投资者正确决策提供参考。因此，判断失误在所难免。而编造并传播虚假信息是通过虚构事实、隐瞒真相等欺诈手段散布信息，造成严重后果的行为。因此，二者的主要区别在于是否具有故意编造虚假信息的行为。

第一百八十二条*　有下列情形之一，操纵证券、期货市场，情节严重的，处

---

* 本条经过两次修改。

根据1999年12月25日第九届全国人民代表大会常务委员会第十三次会议通过的《中华人民共和国刑法修正案》第一次修改。原条文是："有下列情形之一，操纵证券交易价格，获取不正当利益或者转嫁风险，情节严重的，处五年以下有期徒刑或者拘役，并处或者单处违法所得一倍以上五倍以下罚金：

"（一）单独或者合谋，集中资金优势、持股优势或者利用信息优势联合或者连续买卖，操纵证券交易价格的；

"（二）与他人串通，以事先约定的时间、价格和方式相互进行证券交易或者相互买卖并不持有的证券，影响证券交易价格或者证券交易量的；

"（三）以自己为交易对象，进行不转移证券所有权的自买自卖，影响证券交易价格或者证券交易量的；

"（四）以其他方法操纵证券交易价格的。

"单位犯前款罪的，对单位判处罚金，并对其直接负责的主管人员和其他直接责任人员，处五年以下有期徒刑或者拘役。"

根据2006年6月29日第十届全国人民代表大会常务委员会第二十二次会议通过的《中华人民共和国刑法修正案（六）》第二次修改。第一次修改后的条文是："有下列情形之一，操纵证券、期货交易价格，获取不正当利益或者转嫁风险，情节严重的，处五年以下有期徒刑或者拘役，并处或者单处违法所得一倍以上五倍以下罚金：

"（一）单独或者合谋，集中资金优势、持股或者持仓优势或者利用信息优势联合或者连续买卖，操纵证券、期货交易价格的；

"（二）与他人串通，以事先约定的时间、价格和方式相互进行证券、期货交易，或者相互买卖并不持有的证券，影响证券、期货交易价格或者证券、期货交易量的；

"（三）以自己为交易对象，进行不转移证券所有权的自买自卖，或者以自己为交易对象，自买自卖期货合约，影响证券、期货交易价格或者证券、期货交易量的；

"（四）以其他方法操纵证券、期货交易价格的。

"单位犯前款罪的，对单位判处罚金，并对其直接负责的主管人员和其他直接责任人员，处五年以下有期徒刑或者拘役。"

五年以下有期徒刑或者拘役，并处或者单处罚金；情节特别严重的，处五年以上十年以下有期徒刑，并处罚金：

（一）单独或者合谋，集中资金优势、持股或者持仓优势或者利用信息优势联合或者连续买卖，操纵证券、期货交易价格或者证券、期货交易量的；

（二）与他人串通，以事先约定的时间、价格和方式相互进行证券、期货交易，影响证券、期货交易价格或者证券、期货交易量的；

（三）在自己实际控制的帐户之间进行证券交易，或者以自己为交易对象，自买自卖期货合约，影响证券、期货交易价格或者证券、期货交易量的；

（四）以其他方法操纵证券、期货市场的。

单位犯前款罪的，对单位判处罚金，并对其直接负责的主管人员和其他直接责任人员，依照前款的规定处罚。

【释义】 本条是关于操纵证券、期货市场罪及其处罚的规定。

1999 年国务院颁布了《期货交易管理暂行条例》，为了使期货交易市场健康有序地发展，一方面需要建立健全期货交易规则和各项期货交易规章制度，采取加强行政干预手段管理和规范期货交易行为；另一方面还需要采取刑事处罚手段，惩治期货交易过程中的犯罪行为，保障期货交易正常秩序。为此，1999 年 12 月 25 日《刑法修正案》将操纵期货交易价格，情节严重的行为规定为犯罪，并纳入刑法第一百八十二条中。

随着证券、期货交易市场的不断成熟，刑法的有些规定已不能适应市场形势的发展，且证券法于 2005 年 10 月 27 日作了全面的修订，为了更好地适应不断发展的证券、期货交易市场，与证券法相衔接，2006 年 6 月 29 日全国人大常委会通过的《刑法修正案（六）》对刑法第一百八十二条又一次作了修改。根据新修订的证券法的规定和中央有关部门以及一些地方的建议，对原第一百八十二条主要修改了以下几项内容：第一，将原第一款中的“操纵证券、期货交易价格”修改为“操纵证券、期货交易市场”；同时删去了“获取不正当利益或者转嫁风险”的规定。第二，关于处罚幅度，原条文规定了一档刑，此次修改增加了一档刑，即情节特别严重的，处五年以上十年以下有期徒刑，并处罚金。且将原第一款中规定的“一倍以上五倍以下罚金”修改为“罚金”。第三，删去了原第（二）项中的“或者相互买卖并不持有的证券”的规定。第四，在原第（三）项中增加了“在自己实际控制的帐户之间进行证券交易”，同时，删去了“以自己为交易对象，进行不转移证券所有权的自买自卖”行为的规定。第五，将第二款对单位犯罪的直接负责的主管人员和其他直接责任人员的处罚，由原来直接规定的处自由刑修改为依照自然人犯罪的规定处罚，既处自由刑也处财产刑。

第一款是关于个人操纵证券、期货市场罪及其处罚的规定。打击操纵证券、期货市场的犯罪行为，既是我国证券、期货市场规范化建设的一个重要内容，也是我国证券、期货市场健康发展的客观需要。“操纵证券、期货交易市场”的行为，是背离市场自由竞争和供求关系原则，人为地操纵证券、期货交易价格，或者制造证券、期货交易的虚假价格或者交易量，引诱他人参与证券、期货交易，为自己牟取不正当利益或者转嫁风险的市场欺诈行为。这种行为既损害投资者的利益，同时也对证券、期货市场的秩序造成极大的危害，所以，必须严厉打击。

根据本款规定，构成操纵证券、期货市场罪，必须同时具备以下条件：

1. 必须具有操纵证券、期货市场的行为。本款具体列举了四种操纵证券、期货交易市场的行为，只要实施了四种行为之一，情节严重的，就构成操纵证券、期货市场的犯罪。四种行为分别是：

(1) 单独或者合谋，集中资金优势、持股或者持仓优势或者利用信息优势联合或者连续买卖，操纵证券、期货交易价格或者证券、期货交易量。“单独或者合谋”，是指操纵证券、期货交易价格的行为人既可以是买方也可以是卖方，甚至既是买方又是卖方，可以是一个人所为也可以是多人联合所为。“集中资金优势、持股或者持仓优势或者利用信息优势”，是指证券、期货的投资大户、会员单位等利用手中持有的大量资金、股票、期货合约或者利用了解某些内幕信息等优势，进行证券、期货交易。“联合买卖”，是指行为人在一段时间内共同对某种股票或者期货合约进行买进或者卖出的行为。“连续买卖”即连续交易，是指行为人在短时间内对同一股票或者期货合约反复进行买进又卖出的行为。这种操纵方式一般是行为人先筹足一大笔资金，并锁定某种具有炒作潜力且易操作的股票或者期货合约，暗中利用不同帐户在市场上吸足筹码，然后配合各式炒作题材连续拉抬股价或期货价格，制造多头行情，以诱使投资人跟进追小涨，使股价或期货价格一路攀升，等股价或期货价格上涨到一定高度时，暗中释放出手中所持股票或期货合约，甚至融券卖空，此时交易量明显放大，价格出现剧烈震荡，行为人出清所持股票或期货合约后，交易量萎缩，股票或期货价格丧失支撑旋即暴跌，等价格回跌再乘低补进，以便为下次操作准备筹码，以此方式循环操作，操纵证券、期货交易价格，从上涨和下跌中两面获利。

(2) 与他人串通，以事先约定的时间、价格和方式相互进行证券、期货交易，影响证券、期货交易价格或者证券、期货交易量。这种操纵证券价格的方式又称为“对敲”，主要表现为行为人与他人通谋，在事先以约定的时间、约定的价格在自己卖出或者买入股票或者期货合约时，另一约定人同时实施买入或者卖出股票或者期货合约，或者相互买卖证券或者期货合约，通过几家联手反复实施买卖行为，目的在于虚假造势，从而可能抬高或者打压某种股票或者期货的价格，最后，行为人乘机建仓或者平仓，以获取暴利或者转嫁风险。这种行为会使其他投资者对证券、期货市场产生极大误解，导致错误判断而受损，对证券、期货市场的破坏力很大。这种操纵行为方式主要表现为相互交易，即与他人串通，以事先约定的时间、价格和方式相互进行证券、期货交易。在现行集中交易市场电脑竞价撮合成交的交易状态下，串通者所买进与卖出的证券、期货要完全相同，几乎是不可能的。只要串通双方的委托在时间上和价格上具有相似性，数量上具有一致性，即可成立。也不要求必须以整个市场价格为对象，只要影响了某种股票或者期货品种的交易价格即可。

(3)在自己实际控制的帐户之间进行证券交易，或者以自己为交易对象，自买自卖期货合约，影响证券、期货交易价格或者证券、期货交易量。“在自己实际控制的帐户之间进行证券交易”，是指将预先配好的委托分别下达给两个证券公司，由一个证券公司买进，另一个证券公司卖出，实际上是自买自卖证券的行为，其所有权并没有发生转移。这种行为实际上也对证券的交易价格和交易量产生着很大的影响。“以自己为交易对象，自买自卖期货合约”，主要是指以不转移期货合约形式进行虚假买卖。这种情况也称为虚假交易，主要包括两种情况：一种是自我买卖，即会员单位或者客户在期货交易中既作为卖方又作为买方，形式上买进卖出，实际上期货合约的所有人并没有发生变化，实践中这种人往往在开设帐户时一客多户，或假借他人帐户，或用假名虚设账户，在买卖期货过程中，形式上是多个客户在交易，实质为同一客户；另一种是不同行为人之间进行的交易，他们事先合谋，相互买卖期货合约，但事后买进的一方，返还给另一方。这种不转移合约所有权形式的虚假交易行为，显然会影响期货行情，制造出虚假价格。例如，行为人通过反复的虚假买卖，引发期货价格的波动，蒙蔽其他投资者入市，当期货价格上涨或下跌到一定价位后，操纵者乘机建仓或平仓，牟取不法利益。“期货合约”，是指由期货交易所统一制定的、规定在将来某一特定的时间和地点交割一定数量和质量商品的标准化合约。行为人实施了以自己为交易对象，进行不转移证券所有权的自买自卖。

(4)以其他方法操纵证券、期货市场，即除上述三种情形以外其他操纵证券、期货市场的方法。行为人不管采用什么手法，也不问其主观动机是什么，只要客观上造成了操纵证券、期货市场的结果，就属于操纵证券、期货市场的行为。这样规定主要是考虑在上述三种操纵证券、期货市场的形式以外，操纵者还会采用许多新的手法，法律难以一一列全，作出这一概括性的规定，可以适应复杂的实际情况，有利于严厉打击操纵证券、期货市场的行为。以其他方法操纵证券、期货市场的行为，目前有利用职务便利操纵证券、期货市场，主要是证券交易所、期货交易所、证券公司、期货经纪公司及其从业人员，利用手中掌握的证券、期货委托、报价交易等职务便利,人为地压低或者抬高证券、期货价格,从中牟取暴利,其表现形式包括:擅自篡改证券、期货行情记录,引起证券、期货价格波动;在委托交易中,利用时间差,进行强买强卖故意引起价格波动;串通客户共同操纵证券、期货价格;在证券、期货代理过程中,违反规定取得多个客户的全权委托,并实际操作客户账户,实施操纵交易;会员单位或客户利用多个会员或客户的帐户与注册编码,规避交易所持股、持仓量或交易头寸的限制超量持股、持仓以及借股、借仓交易等操纵价格的行为;交易所会员或客户在现货市场上超越自身经营范围或实际需求,囤积居奇,企图或实际严重影响期货市场价格的;交易所会员或客户超越自身经营范围或实际要求,控制大量交易所指定仓库标准仓单,企图或实际严重影响期货市场价格的;交易所会员故意阻止、延误或改变客户某一方向的交易指令,或擅自下达交易指令或诱导、强制客户按照自己的意志进行交易,操纵证券、期货交易价格的,等等。

2. 行为人有操纵证券、期货市场的行为,情节严重的才构成犯罪。"情节严重",主要是指行为人获取不正当利益巨大的;多次操纵证券、期货市场的;造成恶劣社会影响的;造成股票、期货价格暴涨暴跌,严重影响证券、期货市场交易秩序的;给其他投资者造成巨大经济损失的等。

原刑法第一百八十二条以获取不正当利益或转嫁风险作为构成犯罪的必备要件。以目的为定罪要件在实践中很难把握,不好界定,所以,《刑法修正案(六)》删去了"获取不正当利益或转嫁风险"的规定。由于操纵证券、期货市场的犯罪是故意犯罪,所以,要构成操纵证券、期货市场的犯罪,行为人主观上必须具有操纵证券、期货市场的故意,客观上已经实施了操纵证券、期货市场的行为,情节严重的,并不要求必须以获取不正当利益或转嫁风险为目的,对于是否获取了利益不影响本罪的成立。

根据本款规定,构成操纵证券、期货市场罪的,处五年以下有期徒刑或者拘役,并处或者单处罚金;情节特别严重的,处五年以上十年以下有期徒刑,并处罚金。为了严厉打击操纵证券、期货市场的犯罪行为,此次修改,增加了第二档刑。关于罚金的规定,原条文规定处违法所得一倍以上五倍以下罚金。对这一规定实践中有些误解,认为操纵证券、期货市场的行为必须要以获利为前提,如果没有获利,就不构成犯罪。同时,司法机关和有关部门提出,按违法所得的倍数处罚金,而实际执行中违法所得的数额难以查处和计算,建议对罚金的数额具体化。为了灵活地掌握和有力地打击操纵证券、期货市场的犯罪行为,规范证券、期货市场秩序,还是笼统规定为好,具体可由司法机关根据案件的不同情况作出司法解释。

第二款是关于单位操作证券、期货市场的犯罪及其处罚的规定。根据本款规定,单位有前款行为的,对单位判处罚金,并对其直接负责的主管人员和其他直接责任人员,依照前款的规定处罚,即采取了双罚制原则。这样,单位操纵证券、期货市场,情节严重的,对单位判处罚金,并对单位直接负责的主管人员和其他直接责任人员,处五年以下有期徒刑或者拘役,并处或者单处罚金;情节特别严重的,处五年以上十年以下有期徒刑,并处罚金。原条文对单位犯罪的直接负责的主管人员和其他直接责任人员没有规定处罚金,只是单独规定了判处有期徒刑或拘役。《刑法修正案(六)》对单位直接负责的主管人员和其他直接责任人员没有单独规定处罚,而是依照前款自然人犯罪的规定处罚,既有自由刑也有罚金刑,体现了法律的公平原则和从重打击的精神。

第一百八十三条　保险公司的工作人员利用职务上的便利,故意编造未曾发生的保险事故进行虚假理赔,骗取保险金归自己所有的,依照本法第二百七十一条的规定定罪处罚。

国有保险公司工作人员和国有保险公司委派到非国有保险公司从事公务的人员有前款行为的,依照本法第三百八十二条、第三百八十三条的规定定罪处罚。

【释义】 本条是关于保险公司工作人员虚假理赔犯罪及其处罚的规定。

保险公司工作人员利用职务上的便利,故意编造未曾发生的保险事故,骗取保险金的行为,不仅严重背离了保险从业人员的执业道德,扰乱了保险业正常的经营秩序,同时也损害了保险公司的信誉和利益,实际上是利用职权侵占或者贪污保险资金的行为,应当依法惩处,刑法规定对这种行为分别按照侵占罪或者贪污罪的有关规定定罪处罚。

第一款是关于保险公司的工作人员进行虚假理赔犯罪及其刑事处罚的规定。根据本款规定,保险工作人员虚假理赔犯罪有以下几个构成要件:1. 本罪的犯罪主体是特殊主体,即保险公司的工作人员。如果是非保险公司的工作人员故意编造未曾发生的保险事故,进行虚假理赔,不构成此罪,而构成保险诈骗罪。2. 行为人在主观上有犯罪故意。行为人有故意编造未曾发生的保险事故进行虚假理赔,骗取保险金的目的。3. 行为人实施了利用职务上的便利,故意编造未曾发生的保险事故进行虚假理赔,并将骗取的保险金归自己所有的行为。本款所说的"保险",是指投保人根据合同约定,向保险人支付保险费,保险人对于合同约定的可能发生的事故因其发生所造成的财产损失承担赔偿保险金责任,或者当被保险人死亡、伤残、疾病或者达到合同约定的年龄、期限时,承担给付保险金责任的商业保险行为。"保险公司",是指与投保人订立保险合同,并承担赔偿或者给付保险金责任的保险人。"保险公司的工作人员利用职务上的便利，故意编造未曾发生的保险事故进行虚假理赔”，是指保险公司的工作人员利用他们直接负责保险事故的理赔工作的便利条件，利用投保人与保险公司签订的保险合同关系，谎称发生保险事故，利用职务进行“理赔”，并将理赔款据为己有，从而骗取保险金的犯罪活动。本条所说的“保险事故”，是指保险合同约定的保险责任范围内的事故，是否骗取了保险金是区别罪与非罪的界限。如果行为人虽然有利用职务上的便利，故意编造未曾发生的保险事故进行虚假理赔，但其虚假理赔的行为被及时揭穿，骗取保险金的阴谋未能得逞，就不宜作为犯罪处理，其性质属于违反保险法的违法行为。如果行为人将骗取的保险金归自己所有，依照本款规定，应当依照本法第二百七十一条职务侵占罪的规定定罪处罚，即对骗取保险金数额较大的，处五年以下有期徒刑或者拘役；数额巨大的，处五年以上有期徒刑，可以并处没收财产。

第二款是关于国有保险公司工作人员和国有保险公司委派到非国有保险公司从事公务的人员犯虚假理赔犯罪的处罚规定。本条规定，对于国有保险公司工作人员和国有保险公司委派到非国有保险公司从事公务的人员犯此罪，依照刑法第三百八十二条、第三百八十三条贪污罪的规定定罪处罚，最高刑可到死刑。法律作这样的规定，体现了对国家工作人员犯罪从重处罚的立法精神。

第一百八十四条　银行或者其他金融机构的工作人员在金融业务活动中索取他人财物或者非法收受他人财物，为他人谋取利益的，或者违反国家规定，收受各种名义的回扣、手续费，归个人所有的，依照本法第一百六十三条的规定定罪处罚。

国有金融机构工作人员和国有金融机构委派到非国有金融机构从事公务的人员有前款行为的，依照本法第三百八十五条、第三百八十六条的规定定罪处罚。

【释义】　本条是关于金融机构工作人员受贿及其处罚的规定。

第一款是关于银行或者其他金融机构工作人员受贿及其刑事处罚的规定。本条所称“银行”，包括各商业银行以及其他在我国境内设立的合资、外资银行。本条所称“其他金融机构”，是指除银行以外的其他经营保险、信托投资、证券、外汇、期货、融资租赁等金融业务的机构。金融机构工作人员受贿有以下特征：1. 主体是银行或者其他金融机构的工作人员，其他人员不能成为本罪的行为主体。2. 行为人在办理金融业务的活动中有索取、收受贿赂的行为。本条所称“金融业务”，是指银行办理的吸收公众存款，发放短期、中期和长期贷款，办理国内外结算，办理票据贴现，发行金融债券，代理发行、代理兑付、承销政府债券，买卖政府债券，从事同业拆借，买卖、代理外汇，提供信用证服务及担保，代理收付款项及代理保险业务，提供保管箱服务等业务，以及其他金融机构办理的保险、信托投资、证券、外汇、期货、融资租赁等业务。本条所称“索取”贿赂，是指行为人公开向对方索要财物，或者以各种方式提示对方行贿。“收受贿赂”，是指行为人接受对方给予的财物。本条所称“违反国家规定，收受各种名义的回扣、手续费”，是指银行或者其他金融机构的工作人员违反国家规定，以收取回扣或者其他各种名义的手续费的形式变相收取贿赂的行为。近年来，一些银行、金融机构工作人员将自己手中的贷款权、结算权视为特权，公然向贷款申请人索取、收受贿赂；也有的在发放贷款时，不按应付的贷款金额发放，而是予以克扣；还有的在贷款利率之外，或者在国家规定收取的手续费之外，又额外地收取费用归个人所有；有的公然向贷款人、客户要房子、车子等归个人使用。这些行为严重破坏了正常金融秩序，败坏了金融机构的声誉，损害了国家和人民的利益，应当予以严厉打击。本条规定，对银行或者其他金融机构的工作人员索取、收受贿赂，或者收受各种名义的回扣、手续费的，依照本法第一百六十三条的规定定罪处罚，即定非国家工作人员受贿罪，对于受贿数额较大的，处五年以下有期徒刑或者拘役；受贿数额巨大的，处五年以上有期徒刑，可以并处没收财产。

第二款是对国有金融机构工作人员和国有金融机构委派到非国有金融机构从事公务的人员受贿的，依照本法第三百八十五条、第三百八十六条定罪处罚的规定。本条所说的“国有金融机构工作人员和国有金融机构委派到非国有金融机构从事公务的人员”，主要是指中国人民银行、国有商业银行或者其他国有金融机构的工作人员以及受国有银行委派到非国有商业银行和金融机构从事公务的人员。如果他们在金融业务活动中索取、收受贿赂，或者违反国家规定收受各种名义的回扣、手续费的，定受贿罪，并根据受贿所得数额及情节轻重处罚。法律做这样的规定，体现了对国家工作人员犯罪从严惩处的立法精神。

第一百八十五条*　商业银行、证券交易所、期货交易所、证券公司、期货经

* 根据1999年12月25日第九届全国人民代表大会常务委员会第十三次会议通过的《中华人民共和国刑法修正案》修改。原条文是：“银行或者其他金融机构的工作人员利用职务上的便利，挪用本单位或者客户资金的，依照本法第二百七十二条的规定定罪处罚。

“国有金融机构工作人员和国有金融机构委派到非国有金融机构从事公务的人员有前款行为的，依照本法第三百八十四条的规定定罪处罚。”

纪公司、保险公司或者其他金融机构的工作人员利用职务上的便利，挪用本单位或者客户资金的，依照本法第二百七十二条的规定定罪处罚。

国有商业银行、证券交易所、期货交易所、证券公司、期货经纪公司、保险公司或者其他国有金融机构的工作人员和国有商业银行、证券交易所、期货交易所、证券公司、期货经纪公司、保险公司或者其他国有金融机构委派到前款规定中的非国有机构从事公务的人员有前款行为的，依照本法第三百八十四条的规定定罪处罚。

【释义】 本条是关于金融机构工作人员挪用本单位、客户资金和国有金融机构的工作人员挪用公款以及国有金融机构委派到非国有金融机构中从事公务的人员挪用公款的犯罪及其处罚的规定。

1997年刑法实施以来，随着金融体制改革的不断深化和金融管理体制的不断发展变化，一些部门对刑法中规定的这类非银行的“其他金融机构”所包含的范围认识不一致，特别是原来不明确的期货交易所、期货经纪公司等机构的工作人员有本条规定的行为如何适用法律也需要加以明确，作出进一步的具体化规定，因此，1999年12月25日《刑法修正案》将刑法第一百八十五条的犯罪主体进一步明确规定为“商业银行、证券交易所、期货交易所、证券公司、期货经纪公司、保险公司或者其他金融机构的工作人员”。

第一款是关于金融机构工作人员挪用本单位或者客户资金的犯罪及其处罚的规定。根据本款规定，构成挪用本单位资金或者客户资金罪必须同时具备以下四个条件：1. 犯罪主体必须是商业银行、证券交易所、期货交易所、证券公司、期货经纪公司、保险公司或者其他金融机构的工作人员。这里的“其他金融机构的工作人员”，是指除本款明确规定的商业银行、证券交易所、期货交易所、证券公司、期货经纪公司、保险公司外从事信托投资、融资租赁等金融业务的机构，如信托投资公司、融资租赁公司、财务公司等机构的工作人员。2. 行为人在主观方面必须具有故意，而不是由于工作的过失或者因业务不熟而造成的失误。其挪用资金是为个人使用或者借贷给他人。3. 行为人挪用本单位或者客户资金的行为利用了职务上的便利。“利用职务上的便利”，是指本款所列主体利用分管、负责或者办理某项业务的权力或者职权所形成的便利条件。“挪用本单位或者客户资金”，是指个人利用职务之便，擅自挪用本单位所有或者有权支配的资金以及本单位客户存入本单位或者委托本单位办理结算、转汇、保管等业务的资金。4. 行为人擅自挪用本单位或者客户资金，必须达到法定的条件，才能构成犯罪。

根据本款规定，商业银行、证券交易所、期货交易所、证券公司、期货经纪公司、保险公司或者其他金融机构的工作人员利用职务上的便利，挪用本单位或者客户资金的，依照本法第二百七十二条的规定定罪处罚。本款“依照本法第二百七十二条的规定定罪处罚”，就是指构成犯罪的条件、定罪量刑的情节和具体的处罚幅度按第二百七十二条第一款的规定执行。根据第二百七十二条第一款的规定，挪用本单位或者客户资金构成犯罪的条件有三种情况：第一种情况是挪用本单位或者客户资金归个人使用或借贷给他人，数额较大、超过三个月未还的。这里所说的“归个人使用”，是指将本单位或者客户资金供本人、亲友或者其他自然人使用，或者以个人名义将本单位或者客户资金供其他单位使用，或者个人决定以单位名义将本单位或者客户资金供其他单位使用，谋取个人利益等情形。这里所说的“借贷给他人”，是指个人为私利挪用本单位或者客户资金借贷给他人使用，这里的“他人”是广义的，包括个人和单位。“超过三个月未还的”，是指在案发前（被司法机关、主管部门或者有关单位发现前）挪用资金超过三个月并且未归还的情况。挪用本单位或者客户资金归个人使用或者借贷给他人，数额较大，超过三个月未还的，一般是指挪用资金用于个人生活，而不是进行非法活动或者营利活动，如盖私房、购买交通工具或者挥霍等。第二种情况是挪用本单位或者客户资金归个人使用或借贷给他人，虽未超过三个月，但数额较大、进行营利活动的。这里所说的“进行营利活动”，主要是指利用挪用的资金在生产、流通领域中进行经营或者其他获取利润的行为，如做买卖、经商办企业、投资或者将挪用的资金存入银行获取利息、用于信贷等。至于是否实际获得利润不影响本罪的成立。对于这种情况，只要达到数额较大同时进行营利活动就构成犯罪。第三种情况是挪用本单位或者客户资金归个人使用或借贷给他人，进行非法活动的。这里的“非法活动”既包括犯罪活动如走私、贩毒等，也包括尚未构成犯罪的违法活动，如赌博、嫖娼等。对挪用本单位或者客户资金归个人使用进行非法活动的，不论时间长短、数额大小，都应当构成犯罪。上述三种情况，只要具备其中之一就构成犯罪，应当处三年以下有期徒刑或者拘役。挪用本单位资金归个人使用或借贷给他人，数额巨大的或者数额较大不退还的，处三年以上十年以下有期徒刑。由于这种情况使挪用的资金收不回来，造成单位利益较大损失，所以规定了较重的刑罚。

第二款是关于国有金融机构的工作人员以及国有金融机构委派到非国有金融机构中从事公务的人员挪用公款的犯罪及其处罚的规定。

本款规定的犯罪主体与第一款规定的犯罪主体是不同的，有两种：一种是国有商业银行、证券交易所、期货交易所、证券公司、期货经纪公司、保险公司或者其他国有金融机构的工作人员；另一种是国有商业银行、证券交易所、期货交易所、证券公司、期货经纪公司、保险公司或者其他国有金融机构委派到非国有的商业银行、证券交易所、期货交易所、证券公司、期货经纪公司、保险公司或者其他金融机构中从事公务的人员。根据本款规定，挪用公款罪的犯罪构成与挪用资金罪是相似的。根据本款规定，对有挪用本单位或者客户资金行为的犯罪分子，应当依照刑法第三百八十四条挪用公款罪的规定定罪处罚。也就是说，国有商业银行、证券交易所、期货交易所、证券公司、期货经纪公司、保险公司或者其他国有金融机构的工作人员和上述机构委派到非国有的商业银行、证券交易所、期货交易所、证券公司、期货经纪公司、保险公司或者其他金融机构中从事公务的人员，如果利用职务上的便利挪用本单位或者客户资金的，将以国家工作人员论处，按照刑法第三百八十四条的规定追究刑事责任。这里所说的"依照本法第三百八十四条的规定定罪处罚"，是指构成犯罪的条件、定罪量刑的情节和具体的处罚幅度按第三百八十四条的规定执行。

第一百八十五条之一*　商业银行、证券交易所、期货交易所、证券公司、期货经纪公司、保险公司或者其他金融机构，违背受托义务，擅自运用客户资金或者其他委托、信托的财产，情节严重的，对单位判处罚金，并对其直接负责的主管人员和其他直接责任人员，处三年以下有期徒刑或者拘役，并处三万元以上三十万元以下罚金；情节特别严重的，处三年以上十年以下有期徒刑，并处五万元以上五十万元以下罚金。

社会保障基金管理机构、住房公积金管理机构等公众资金管理机构，以及保险公司、保险资产管理公司、证券投资基金管理公司，违反国家规定运用资金的，对其直接负责的主管人员和其他直接责任人员，依照前款的规定处罚。

【释义】　本条是关于金融机构违背受托义务挪用客户资金或者委托、信托财产的犯罪以及社会保障基金管理机构、住房公积金管理机构等公众资金管理机构，以及保险公司、保险资产管理公司、证券投资基金管理公司，违反国家规定运用资金的犯罪及其处罚的规定。

委托理财是指委托人通过委托或者信托与受托人约定，将资金、证券等金融性资产给受托人，由受托人在一定期限内按照委托人的意愿管理，进行投资等经营，并按照约定支付给委托人一定比例收益的资产管理活动。受托人有时利用其优势地位滥用权力，表现为在客户资金运用上的暗箱违规操作、侵吞客户资产，或者将客户资金用于操纵市场，进行不必要的买卖以赚取交易手续费等违规行为。这些行为的存在，不仅败坏金融机构的声誉，动摇公众对金融机构委托理财的信任，严重损害委托人的利益，而且使资产管理活动存在较大的

---

* 根据2006年6月29日第十届全国人民代表大会常务委员会第二十二次会议通过的《中华人民共和国刑法修正案(六)》增加。

金融风险,严重扰乱了金融秩序,对于情节严重的,应当追究其刑事责任。

第一款是关于背信运用受托财产罪的规定。该罪应当符合如下条件:1. 本罪的犯罪主体是单位,即商业银行、证券交易所、期货交易所、证券公司、期货经纪公司、保险公司或者其他金融机构。“其他金融机构”,是指除上述规定的商业银行、证券交易所、期货交易所、证券公司、期货经纪公司、保险公司以外的,经国家有关主管部门批准有资格从事委托理财等金融业务的金融机构,如信托投资公司、投资咨询公司等。2. 行为人在主观方面必须是故意,过失实施本款规定行为的不构成本罪。3. 必须实施了违背受托义务,擅自运用客户资金或者其他委托、信托的财产的行为。违背受托义务,不仅限于违背委托人与受托人之间具体约定的义务,还包括违背法律、行政法规、部门规章规定的法定义务。例如,《证券公司客户资产管理业务管理办法》规定,证券公司从事客户资产管理业务不得挪用客户资产;不得以转移资产管理帐户收益或者亏损为目的,在自营帐户与资产管理帐户之间或者不同的资产管理帐户之间进行买卖,损害客户的利益;不得以获取佣金或者其他利益为目的,用客户资产进行不必要的证券交易,等等。这里所说的“客户资金”,是指客户存入上述金融机构的资金。委托、信托的财产,主要是指在当前的委托理财业务中,存放在各类金融机构中的以下财产:(1)证券投资业务中的客户交易结算资金;(2)委托理财业务中的客户资产;(3)信托业务中的信托财产;(4)证券投资基金。4. 构成本款规定的犯罪,必须达到情节严重的程度。具体如何认定行为的情节轻重程度,应当由司法机关根据案件情况确定或者由最高人民法院、最高人民检察院在总结司法实践的基础上,通过司法解释予以明确。一般情况下,情节严重主要是指涉案资金的数额大,给委托人造成了重大财产损失,多次实施违背受托义务的行为,等等。

第二款是关于违法运用资金罪的规定。该罪应当符合如下条件:1. 本款规定的犯罪主体是单位,包括社会保障基金管理机构、住房公积金管理机构等公众资金经营、管理机构,以及保险公司、保险资产管理公司、证券投资基金管理公司。2. 主观方面是故意的。3. 必须实施了违反国家规定运用资金的行为。根据刑法第九十六条的规定,违反国家规定是指违反全国人民代表大会及其常务委员会制定的法律和决定,国务院制定的行政法规、规定的行政措施、发布的决定和命令。本款与前款不同,本款对于公众资金等的运用违背的并不是受托义务,而是违反了国家对资金运用的条件、程序等的规定。例如,《住房公积金管理条例》第五条规定:住房公积金应当用于职工购买、建造、翻建、大修自住住房,任何单位和个人不得挪作他用。如果相关住房公积金管理机构违反上述规定,挪用住房公积金从事其他用途的活动的,属于这里规定的违法运用资金的行为。4. 必须达到情节严重的程度，如擅自动用的资金的数额比较大，社会影响比较恶劣，影响了社会的稳定等，具体如何认定情节严重，需要最高人民法院和最高人民检察院在总结司法实践经验的基础上，就这一问题作出司法解释。2010 年，在《最高人民检察院、公安部关于公安机关管辖的刑事案件立案追诉标准的规定（二）》中对违法运用资金罪的立案追诉标准作了规定，根据该规定第四十一条，社会保障基金管理机构、住房公积金管理机构等公众资金管理机构，以及保险公司、保险资产管理公司、证券投资基金管理公司，违反国家规定运用资金数额在三十万元以上的；或者虽未达到上述数额标准，但多次违反国家规定运用资金的；或者有其他情节严重情形的，予以立案追诉。实践中在定罪量刑时，可以参照上述规定的数额，根据具体案件的性质、情节和危害后果，裁量刑罚。

本条根据情节轻重，对前款两个犯罪规定了两档刑：对情节严重的，对单位判处罚金，并对其直接负责的主管人员和其他直接责任人员，处三年以下有期徒刑或者拘役，并处三万元以上三十万元以下罚金；情节特别严重的，处三年以上十年以下有期徒刑，并处五万元以上五十万元以下罚金。

第一百八十六条*　银行或者其他金融机构的工作人员违反国家规定发放贷款，数额巨大或者造成重大损失的，处五年以下有期徒刑或者拘役，并处一万元以上十万元以下罚金；数额特别巨大或者造成特别重大损失的，处五年以上有期徒刑，并处二万元以上二十万元以下罚金。

银行或者其他金融机构的工作人员违反国家规定，向关系人发放贷款的，依照前款的规定从重处罚。

单位犯前两款罪的，对单位判处罚金，并对其直接负责的主管人员和其他直接责任人员，依照前两款的规定处罚。

关系人的范围，依照《中华人民共和国商业银行法》和有关金融法规确定。

---

* 根据 2006 年 6 月 29 日第十届全国人民代表大会常务委员会第二十二次会议通过的《中华人民共和国刑法修正案（六）》修改。原条文是："银行或者其他金融机构的工作人员违反法律、行政法规规定，向关系人发放信用贷款或者发放担保贷款的条件优于其他借款人同类贷款的条件，造成较大损失的，处五年以下有期徒刑或者拘役，并处一万元以上十万元以下罚金；造成重大损失的，处五年以上有期徒刑，并处二万元以上二十万元以下罚金。

"银行或者其他金融机构的工作人员违反法律、行政法规规定，向关系人以外的其他人发放贷款，造成重大损失的，处五年以下有期徒刑或者拘役，并处一万元以上十万元以下罚金；造成特别重大损失的，处五年以上有期徒刑，并处二万元以上二十万元以下罚金。

"单位犯前两款罪的，对单位判处罚金，并对其直接负责的主管人员和其他直接责任人员，依照前两款的规定处罚。"

【释义】 本条是关于违法发放贷款犯罪及其处罚的规定。

1997年刑法对违法向关系人发放贷款罪、违法发放贷款罪作了规定。在司法实践中，金融主管部门提出，刑法第一百八十六条的规定对防止金融机构工作人员滥用职权发放贷款，保障金融安全发挥了积极的作用。但在具体适用时也遇到了一些需要进一步解决的问题：一是对违法发放贷款造成的损失难以认定，损失是以立案时的损失还是以量刑时的损失计算，在实践中经常引起分歧。二是金融机构贷款有一系列程序，包括贷前调查、贷中审查、贷后检查等环节，一旦造成损失，应对哪个环节定罪难以界定，必须等违法发放贷款的损失产生以后，才能追究行为人刑事责任，致使对此类犯罪的定罪量刑带来了困难。为了维护金融安全，促进社会经济的健康发展，《刑法修正案（六）》对刑法第一百八十六条第一款、第二款作了相应的修改。

第一款是关于违法发放贷款犯罪及其处罚的规定。贷款是银行或者其他金融机构通过一定的程序将资金附条件地借给单位和个人使用的一种金融活动。根据贷款用途，贷款可分为工商贷款、不动产贷款、消费者贷款、农业贷款等；根据贷款的偿还期限，贷款可分为活期贷款、定期贷款、透支等；根据贷款的保障程度，贷款可分为抵押贷款、信用贷款，等等。加强信贷管理，对搞活经济、发展宏观调控十分重要。一些银行和其他金融机构的工作人员，违反国家规定，发放人情贷款、关系贷款，给国家和金融机构造成重大经济损失，严重扰乱了国家的正常金融秩序，为严厉打击这类犯罪，刑法规定了非法发放贷款罪。这次又以修正案的形式作出了相应的修改。根据本条规定，该罪有以下几个构成要件：1. 本罪的犯罪主体是特殊主体，即银行或者其他金融机构的工作人员，非上述人员，不能构成本罪。这里的“银行”，是广义的，包括各商业银行以及其他在我国境内设立的合资、外资银行。这里的“其他金融机构”，是指除银行以外的其他经营保险、信托投资、证券、外汇、期货、融资租赁等金融业务的机构。2. 行为人必须实施了违反国家规定发放贷款的行为。这里所说的“违反国家规定”，主要是指违反有关贷款的法律、行政法规，如商业银行法等。关于发放贷款，商业银行法规定：商业银行贷款，应当对借款人的借款用途、偿还能力、还款方式等情况进行严格审查。商业银行贷款，应当实行审贷分离、分级审批的制度。商业银行贷款，借款人应当提供担保。商业银行应当对保证人的偿还能力，抵押物、质权的权属和价值以及实现抵押权、质权的可行性进行严格审查。经商业银行审查、评估，确认借款人资信良好，确能偿还贷款的，可以不提供担保。商业银行贷款，应当与借款人订立书面合同。合同应当约定贷款种类、借款用途、金额、利率、还款期限、还款方式、违约责任和双方认为需要约定的其他事项。如果行为人违反国家规定发放贷款，如不严格审查借款人的偿还能力、保证人的偿还能力、抵押物的权属以及实现抵押权、质权的可行性；优于其他借款人同类贷款的条件而发放贷款，在向关系人提供贷款时采用了比普通贷款人更为优惠的条件，如要求关系人提供担保的数额低于对其他人要求的数额，或者对关系人发放的担保贷款所收取的利率比其他借款人低，贷款期限比其他借款人长等，就属于违反国家规定发放贷款。3. 行为人非法发放贷款行为，必须数额巨大或者造成了重大损失的，才构成犯罪。这是本罪修改后的犯罪构成的重要变化。相对于原条文的犯罪构成，又增加了“数额巨大”的规定。也就是说，违法发放贷款罪的犯罪构成条件有两个结果性条款，任何一项结果成就，都可能构成本罪。这主要是考虑到实践中认定因违法发放贷款所造成的损失特别困难，单一以造成重大损失来认定犯罪，难以定性。“重大损失”，是指银行或者其他金融机构由于行为人非法发放贷款的行为，致使贷款全部或者部分不能收回的情况。

根据本款的规定，银行或者其他金融机构的工作人员违反国家规定发放贷款，数额巨大或者造成重大损失的，处五年以下有期徒刑或者拘役，并处一万元以上十万元以下罚金；数额特别巨大或者造成特别重大损失的，处五年以上有期徒刑，并处二万元以上二十万元以下罚金。

第二款是对违法向关系人发放贷款从重处罚的规定。

根据本款的规定，违法向关系人发放贷款的予以从重处罚。关于向关系人发放贷款，商业银行法规定：“商业银行不得向关系人发放信用贷款；向关系人发放担保贷款的条件不得优于其他借款人同类贷款的条件。”行为人违反国家规定向关系人发放贷款，即指违反上述规定，向关系人发放信用贷款，或者向关系人发放担保贷款的条件优于其他借款人同类贷款的条件。这里所说的“信用贷款”，是指银行不要求借款人提供任何的经济担保，只凭借款人可靠的信用发放的贷款。这里所说的“借款人可靠的信用”，主要是指借款人有雄厚的物质基础；具有健全的管理制度，能合理地、高效益地使用资金；有能力及时、足额地归还以往贷款，并能保证按期还本付息。这里所说的“担保贷款”，是指借款人向银行提供具有相应经济实力的单位或者个人的经济担保，或者向银行提供物资，以银行票据、股票等实物抵押，以取得银行贷款。

根据本款的规定，银行或者其他金融机构的工作人员违反国家规定，向关系人发放贷款的，依照第一款的规定从重处罚，即根据具体犯罪情节，在第一款规定的两个量刑幅度内处以较违法向非关系人发放贷款行为更重的刑罚。

第三款是关于单位犯违法发放贷款罪及其处罚的规定。

本条对单位违法发放贷款罪的处罚采用双罚制原则，即对单位判处罚金，并对其直接负责的主管人员和其他直接责任人员，依照本条第一、二款的规定判处刑罚。本条所说的“单位”，是指银行或者其他金融机构等有信贷业务的单位。“直接负责的主管人员”，一般是指对本单位违反法律、行政法规非法发放贷款的犯罪负有直接责任的单位领导人员，如银行的行长、信托投资公司的经理等。“其他直接责任人员”，一般是指具体实施非法发放贷款犯罪活动的主要执行人，如信贷员等。

第四款是关于关系人范围的确定依据。

根据本款的规定，关系人的范围，依照商业银行法和有关金融法规确定。根据商业银行法的规定，商业银行的关系人是指：(1)商业银行的董事、监事、管理人员、信贷业务人员及其近亲属；(2)前项所列人员投资或者担任高级管理职务的公司、企业和其他经济组织。至于其他金融机构的关系人的情况比较复杂，还需要由有关金融法规予以明确。这里所说的法规是指法律和行政法规。

第一百八十七条*　银行或者其他金融机构的工作人员吸收客户资金不入帐，数额巨大或者造成重大损失的，处五年以下有期徒刑或者拘役，并处二万元以上二十万元以下罚金；数额特别巨大或者造成特别重大损失的，处五年以上有期徒刑，并处五万元以上五十万元以下罚金。

单位犯前款罪的，对单位判处罚金，并对其直接负责的主管人员和其他直接责任人员，依照前款的规定处罚。

【释义】　本条是关于吸收客户资金不入帐的犯罪及其处罚的规定。

第一款是关于金融机构工作人员犯吸收客户资金不入帐罪及其处罚的规定。

1997年刑法第一百八十七条第一款主要是针对当时发生较多的一些金融机构的工作人员利用办理存储业务，发放贷款的便利，收受储户存款，开出存单，资金却不入帐，以银行名义为单位之间非法拆借巨额资金做担保，或者高息吸收存款后私自放贷等逃避金融监管，扰乱金融秩序的行为作出的规定。这一规定为严惩这种新的犯罪，维护金融秩序，保护储户的合法利益和国家财产不受损失提供了有力的法律保障。在司法实践中，有关部门提出，目前有的金融机构帐外经营的问题时有发生，由于是在帐外经营，它所造成的负债无法监控，

* 第一款根据2006年6月29日第十届全国人民代表大会常务委员会第二十二次会议通过的《中华人民共和国刑法修正案（六）》修改。原第一款条文是：“银行或者其他金融机构的工作人员以牟利为目的，采取吸收客户资金不入帐的方式，将资金用于非法拆借、发放贷款，造成重大损失的，处五年以下有期徒刑或者拘役，并处二万元以上二十万元以下罚金；造成特别重大损失的，处五年以上有期徒刑，并处五万元以上五十万元以下罚金。”

潜在的风险难以预防，直接影响金融安全。原刑法条文“以牟利为目的”、“将资金用于非法拆借、发放贷款”、“造成重大损失”等规定存在适用范围小、实践中难以认定等问题。考虑到金融机构工作人员吸收客户资金不入帐的行为，不仅逃避了国家对金融机构运营资金的监管，造成潜在的金融风险，危害金融安全，而且容易引发其他犯罪，只要数额巨大就应追究刑事责任。因此，《刑法修正案（六）》对此作了如下修改：第一，删去了“以牟利为目的”的规定。这种犯罪的牟利目的是不言而喻的，而且主观目的在实践中往往难以证明。这种犯罪无论是否以牟利为目的，客观上都对金融秩序和金融安全构成威胁，应当予以惩处。第二，删去了“将资金用于非法拆借、发放贷款”的规定。将资金用于非法拆借、发放贷款只是一种用途，不入帐的行为可能会发生不同的结果，如个人侵吞、非法拆借、私自发放贷款、挪用等。只要行为人实施了吸收客户资金不入帐的行为，就逃避了金融监管，扰乱了金融秩序，至于将这部分资金用于何种用途不影响对其刑事责任的追究。第三，增加了“数额巨大”这一犯罪构成要件。考虑到在有些情况下，虽未达到数额巨大，但造成的损失是重大的，也应追究刑事责任。因此，《刑法修正案（六）》同时保留了“造成重大损失”的规定。本罪具有以下特征：1. 犯罪主体是特殊主体，即银行或者其他金融机构的工作人员。这里所称“银行”，主要是指商业银行；“其他金融机构”，是指除银行以外的信用社、融资租赁机构、证券机构等具有货币资金融通职能的机构。2. 行为人客观上实施了吸收客户资金不入帐的行为。“吸收客户资金不入帐”，是指违反金融法律、法规，对收受客户的存款资金不如实记入银行或者其他金融机构存款帐目，账目上反映不出这笔新增存款业务，或者帐目上的记载与出具给储户的存单、存折上的记载不相符。3. 行为人吸收客户资金不入帐，数额巨大或者造成重大损失的才构成犯罪。这是罪与非罪的界限。至于什么是“数额巨大”，什么是“重大损失”，需要在总结实践的基础上，由司法解释加以规定。

对金融机构工作人员犯本款规定之罪的，根据其行为造成的损失和数额规定了两档刑罚：数额巨大或者造成重大损失的，处五年以下有期徒刑或者拘役，并处二万元以上二十万元以下罚金；数额特别巨大或者造成特别重大损失的，处五年以上有期徒刑，并处五万元以上五十万元以下罚金。

第二款是对单位犯本罪的规定。实践中存在一些银行或者其他非银行金融机构为本单位的小集体利益而违反规定以单位名义吸收客户资金不入帐的情况。根据本款的规定，单位犯此罪的，对单位判处罚金，并对其直接负责的主管人员或者其他直接责任人员根据其犯罪情节依照第一款的规定处罚。

第一百八十八条*　银行或者其他金融机构的工作人员违反规定，为他人出具信用证或者其他保函、票据、存单、资信证明，情节严重的，处五年以下有期徒刑或者拘役；情节特别严重的，处五年以上有期徒刑。

单位犯前款罪的，对单位判处罚金，并对其直接负责的主管人员和其他直接责任人员，依照前款的规定处罚。

【释义】　本条是关于违规出具金融票证罪及其处罚的规定。

第一款是对个人违规出具金融票证罪及其刑事处罚的规定。随着我国商业银行和金融机构的中间业务迅猛发展，金融票证的开立和使用日益广泛。一些金融机构的工作人员违反规定，出具信用证、保函、票据、存单、资信证明，不仅可能为诈骗等犯罪提供条件和手段，给金融机构带来重大财产损失，而且破坏了金融机构的声誉和信誉。司法机关和有关部门提出，在实践中，对如何认定非法出具金融票证的行为所造成的损失，较为困难。是否只包括给银行或其他金融机构造成的直接经济损失；对其他单位和个人的经济损失、给金融机构造成的社会损失、声誉和信誉损失能否计算在内；非法出具信用证、保函、票据、存单、资信证明，涉及金额巨大，但有的在案发时尚未给金融机构造成经济损失，还要不要追究刑事责任；损失"较大"、"重大"如何认定等。对这些问题由于认识不一致，影响了对这类行为的追究，不能有效遏制违法出具金融票证行为的发生。2006 年 6 月 29 日第十届全国人大常委会第二十二次会议通过的《刑法修正案（六）》根据司法实践的需要，对 1997 年刑法第一百八十八条第一款作了修改，将"造成较大损失"修改为"情节严重"，将"造成重大损失"修改为"情节特别严重"。

根据本款规定，构成该罪必须具备以下几个条件：

1. 行为人必须是银行或者其他金融机构的工作人员。这里所说"银行"主要是指各类商业银行；"其他金融机构"包括除银行以外的各种开展金融业务的机构。

2. 行为人必须有违反规定，为他人出具信用证或者其他保函、票据、存单、资信证明的行为。本条所说的"违反规定"，是指违反了有关金融法律、行政法规、规章以及银行金融机构内部规定的一些重要业务规则和规章制度。"他人"

---

* 第一款根据 2006 年 6 月 29 日第十届全国人民代表大会常务委员会第二十二次会议通过的《中华人民共和国刑法修正案（六）》修改。原第一款条文是："银行或者其他金融机构的工作人员违反规定，为他人出具信用证或者其他保函、票据、存单、资信证明，造成较大损失的，处五年以下有期徒刑或者拘役；造成重大损失的，处五年以上有期徒刑。

"单位犯前款罪的，对单位判处罚金，并对其直接负责的主管人员和其他直接责任人员，依照前款的规定处罚。"

不仅包括自然人，也包括单位。“信用证”是指开证银行根据客户（申请开证人）的请求或者自己主动向一方（受益人）所签发的一种书面约定，如果受益人满足了该书面约定的各项条款，开证银行即向受益人支付该书面约定的款项的凭证。简单地说，信用证就是开证银行有条件地向受益人付款的书面凭证。“保函”是指银行以其自身的信用为他人承担责任的担保文件，是重要的银行资信文件。根据商业银行法的规定，商业银行可以提供担保服务，但是商业银行的工作人员不得违反规定徇私向亲属朋友提供担保；人民银行法规定：“中国人民银行不得向任何单位和个人提供担保。”如果人民银行或者商业银行的工作人员违反规定擅自为他人出具保函，都属于本条所说的违反规定为他人出具“保函”的情形。违反规定出具“票据”，是指违反票据法、行政法规和其他各项业务管理的规定，为他人非法出具汇票、本票、支票的行为。“资信证明”是指证明个人或者单位经济实力的文件，广义的资信证明包括票据、银行存单、房契、地契以及其他各种产权证明等，此外，还包括由银行出具的有关财产方面的委托书、协议书等。

3. 行为人违规为他人出具金融票据，情节严重的，才构成犯罪。“情节严重”不仅包括给金融机构造成了较大损失，还包括虽然还没有造成较大损失，但非法出具金融票证涉及金额巨大，或者多次非法出具金融票证等情形。如果行为人有以上违反规定的行为，但被及时发现并制止，情节不严重的，可作为违法行为处理，不宜以犯罪论处。至于具体什么是“情节严重”，由于个案情况不同，实践情况比较复杂，本条没有作出具体规定，可以由司法机关根据案件的具体情况确定，也可以在总结司法实践经验的基础上作出司法解释。

对本罪的处罚，本款根据情节严重程度规定了两档刑罚：情节严重的，处五年以下有期徒刑或者拘役；情节特别严重的，处五年以上有期徒刑。

第二款是关于单位犯违规出具金融票据罪的刑事处罚规定。本条采用了双罚制原则，单位犯本罪，对单位判处罚金，并对其直接负责的主管人员和其他直接责任人员，根据其犯罪情节，依照本条第一款的规定判处刑罚，即情节严重的，处五年以下有期徒刑或者拘役；情节特别严重的，处五年以上有期徒刑。

第一百八十九条　银行或者其他金融机构的工作人员在票据业务中，对违反票据法规定的票据予以承兑、付款或者保证，造成重大损失的，处五年以下有期徒刑或者拘役；造成特别重大损失的，处五年以上有期徒刑。

单位犯前款罪的，对单位判处罚金，并对其直接负责的主管人员和其他直接责任人员，依照前款的规定处罚。

【释义】　本条是关于违法票据承兑、付款、保证罪及其处罚的规定。

第一款是关于个人犯违法票据承兑、付款、保证罪及其刑事处罚的规定。

对于个人犯违法票据承兑、付款、保证罪的构成要件,本款作了以下规定:1.本罪的犯罪主体是特殊主体,即只能是银行或者其他金融机构的工作人员,其他人不能成为本罪的主体。"其他金融机构",主要指可以经营金融业务的信托投资公司、农村信用社、城市合作银行等金融机构。2.行为人在主观上主要表现为过失,即由于工作不负责,审查不严所致。3.行为人在客观上实施了对违反票据法规定的票据予以承兑、付款或者保证的行为。票据法明确规定:汇票的出票人必须与付款人具有真实的委托付款关系,并且具有支付汇票金额的可靠资金来源。付款人及其代理付款人付款时,应当审查汇票背书的连续,并审查提示付款人的合法身份证明和有效证件。如果行为人不认真审查,对违反票据法规定的票据予以承兑、付款或者保证,即构成本罪的犯罪行为。本条所称票据"承兑",是指汇票付款人承诺在汇票到期日支付汇票金额的票据行为,承兑系汇票所特有的一种法律制度,仅适用于汇票,其目的在于使承兑人依票据载明的义务承担支付票据金额的义务。本条所称"付款",是指汇票的付款人或者代理付款人支付汇票金额以消灭票据关系的附属票据行为。4.行为人对违反票据法规定的票据予以承兑、付款或者保证,造成重大损失的,才构成犯罪,这是划分罪与非罪的重要界限。"重大损失",是指由于行为人的违法承兑、付款、保证,使银行或者其他金融机构被骗,造成重大经济损失。

对于个人犯违法票据承兑、付款、保证罪的处罚,本款根据造成的损失,规定了两档刑罚:造成重大损失的,处五年以下有期徒刑或者拘役;造成特别重大损失的,处五年以上有期徒刑。

第二款是关于单位犯违法票据承兑、付款、保证罪及其刑事处罚的规定。对单位犯本罪,本款采取了双罚制原则,即对单位判处罚金,并对其直接负责的主管人员和其他直接责任人员,依照本条第一款的规定处罚:即造成重大损失的,处五年以下有期徒刑或者拘役;造成特别重大损失的,处五年以上有期徒刑。

第一百九十条*　公司、企业或者其他单位,违反国家规定,擅自将外汇存放境外,或者将境内的外汇非法转移到境外,数额较大的,对单位判处逃汇数额百分之五以上百分之三十以下罚金,并对其直接负责的主管人员和其他直接责

---

* 根据1998年12月29日第九届全国人民代表大会常务委员会第六次会议通过的《全国人民代表大会常务委员会关于惩治骗购外汇、逃汇和非法买卖外汇犯罪的决定》修改。原条文是:"国有公司、企业或者其他国有单位,违反国家规定,擅自将外汇存放境外,或者将境内的外汇非法转移到境外,情节严重的,对单位判处罚金,并对其直接负责的主管人员和其他直接责任人员,处五年以下有期徒刑或者拘役。"

任人员处五年以下有期徒刑或者拘役；数额巨大或者有其他严重情节的，对单位判处逃汇数额百分之五以上百分之三十以下罚金，并对其直接负责的主管人员和其他直接责任人员处五年以上有期徒刑。

【释义】 本条是关于逃汇罪及其处罚的规定。

为了维护外汇管理秩序，防止外汇的大量流失，国家除了制定一系列有关外汇管理的法律、行政法规等规范性文件外，在刑事立法方面也规定了对外汇方面犯罪的打击。早在1988年全国人民代表大会常务委员会制定的《关于惩治走私罪的补充规定》中就对逃汇犯罪作了明确规定，1997年修订刑法时又对逃汇罪作了规定。针对在实际执行中遇到的一些新的情况和问题，1998年12月29日第九届全国人民代表大会常务委员会第六次会议审议并通过了《关于惩治骗购外汇、逃汇和非法买卖外汇的决定》，对刑法第一百九十条的内容作了以下修改：

第一，扩大了犯罪主体。原刑法第一百九十条规定的逃汇罪，犯罪主体仅限于国有公司、企业或者其他国有单位。而我国外汇管理所覆盖的管理对象，不仅限于国有单位，还包括外商投资企业、股份制企业、集体企业、私营企业等，且从数量上来看非国有单位远远多于国有单位，从外汇经营规模上来看也不小于国有单位。到目前为止，在全国有贸易经营权的单位中非国有单位及其他们的进出口总额均分别占有很大的比重。与此同时，从已经发现的逃汇案件来看，也有相当部分为非国有单位。这些逃汇行为影响了国家的外汇储备，对汇率及金融秩序的稳定造成了严重影响。为了有力地打击逃汇犯罪，有必要将逃汇罪的犯罪主体由国有公司、企业和其他国有单位扩大为所有的公司、企业和其他单位。

第二，提高了法定刑。原刑法第一百九十条规定对犯逃汇罪的单位，实行双罚制，即对单位判处罚金，并对其直接负责的主管人员和其他直接责任人员判处刑罚，但对剥夺人身自由的刑罚只规定了一档刑，即"五年以下有期徒刑或者拘役"，法定最高刑为五年有期徒刑。鉴于近年来发生的逃汇犯罪的规模、情节及其社会危害性已远远超过制定刑法时的情况。刑法对这类犯罪规定的刑罚已不足以遏制和惩罚这类犯罪，有必要从立法上提高对犯逃汇罪的单位直接负责的主管人员和其他直接责任人员判处的刑罚，同时考虑到逃汇罪不同的情节和社会危害程度，对犯逃汇罪的单位，将其直接负责的主管人员和其他直接责任人员判处的刑罚修改为两档刑，即第一档刑为"五年以下有期徒刑或者拘役"，第二档刑为"五年以上有期徒刑"，法定最高刑为十五年有期徒刑。

第三，增加了对罚金数额的规定。明确规定了罚金数额，并将罚金数额规定在"百分之五以上百分之三十以下"。

根据本条规定,逃汇罪包含两种情况:

第一种情况是公司、企业或者其他单位,违反国家规定,擅自将外汇存放境外,数额较大的。本条所称的"违反国家规定,擅自将外汇存放境外",是指违反了国家有关外汇管理的规定,将应调回国内的外汇不调回国内,而存放境外的行为。根据《外汇管理条例》第九条的规定,境内机构、境内个人的外汇收入可以调回境内或者存放境外;调回境内或者存放境外的条件、期限等,由国务院外汇管理部门根据国际收支状况和外汇管理的需要作出规定。此外,我国对境内机构资本项目外汇收入的管理,按照现行的有关规定,主要是《外汇管理条例》第二十一条的规定,资本项目外汇收入保留或者卖给经营结汇、售汇业务的金融机构,应当经外汇管理机关批准,但国家规定无须批准的除外。

第二种情况是公司、企业或者其他单位,违反国家规定,将境内的外汇非法转移到境外,数额较大的,依法追究刑事责任。本条所称的"违反国家规定,将境内的外汇非法转移到境外",是指违反国家规定,未经批准将境内外汇非法转移到境外的行为。

根据本条规定,对于犯逃汇罪的,对单位判处逃汇数额百分之五以上百分之三十以下罚金,并对其直接负责的主管人员和其他直接责任人员处五年以下有期徒刑或者拘役;数额巨大或者有其他严重情节的,对单位判处逃汇数额百分之五以上百分之三十以下罚金,并对其直接负责的主管人员和其他直接责任人员处五年以上有期徒刑。

本条规定在实际执行中应当注意以下两点:

第一,本条规定的构成犯罪的条件是,擅自将外汇存放境外,或者将境内的外汇非法转移到境外,数额较大的行为。未达到数额较大的逃汇行为不能作为犯罪处理,应当依照《外汇管理条例》的规定由外汇管理机关责令限期调回外汇,处逃汇金额30%以下的罚款;情节严重的,处逃汇金额30%以上等值以下的罚款。对于什么是"数额较大",本条没作具体规定,可由最高人民法院在总结司法实践经验的基础上作出司法解释。

第二,本条规定的犯罪是单位犯罪,犯罪主体限于公司、企业或者其他单位,个人不能成为逃汇罪的犯罪主体,不能构成逃汇罪。对于个人携带大量外汇或外币支付凭证、有价证券等出境,逃避海关监管,构成走私等行为的,应当按照国家有关规定处理。

根据1998年12月29日第九届全国人大常委会第六次会议通过的《关于惩治骗购外汇、逃汇和非法买卖外汇犯罪的决定》第五条的规定,海关、外汇管理部门以及金融机构、从事对外贸易经营活动的公司、企业或者其他单位的工作人员与本条规定的逃汇行为人通谋,为其提供购买外汇的有关凭证或者其他便利的，或者明知是伪造、变造的凭证和单据而售汇、付汇的，以逃汇罪的共犯论处，并从重处罚。这里所说的“从重处罚”，是指在本条规定的罚金幅度内和量刑幅度内从重处罚。对于刑罚的从重，既可以选择较重的刑期，也可以选择较重的刑种。

第一百九十一条*　明知是毒品犯罪、黑社会性质的组织犯罪、恐怖活动犯罪、走私犯罪、贪污贿赂犯罪、破坏金融管理秩序犯罪、金融诈骗犯罪的所得及其产生的收益，为掩饰、隐瞒其来源和性质，有下列行为之一的，没收实施以上犯罪的所得及其产生的收益，处五年以下有期徒刑或者拘役，并处或者单处洗钱数额百分之五以上百分之二十以下罚金；情节严重的，处五年以上十年以下有期徒刑，并处洗钱数额百分之五以上百分之二十以下罚金：

（一）提供资金帐户的；

---

* 本条经过两次修改。

根据2001年12月29日第九届全国人民代表大会常务委员会第二十五次会议通过的《中华人民共和国刑法修正案（三）》第一次修改。原条文是：“明知是毒品犯罪、黑社会性质的组织犯罪、走私犯罪的违法所得及其产生的收益，为掩饰、隐瞒其来源和性质，有下列行为之一的，没收实施以上犯罪的违法所得及其产生的收益，处五年以下有期徒刑或者拘役，并处或者单处洗钱数额百分之五以上百分之二十以下罚金；情节严重的，处五年以上十年以下有期徒刑，并处洗钱数额百分之五以上百分之二十以下罚金：

“（一）提供资金帐户的；

“（二）协助将财产转换为现金或者金融票据的；

“（三）通过转帐或者其他结算方式协助资金转移的；

“（四）协助将资金汇往境外的；

“（五）以其他方法掩饰、隐瞒犯罪的违法所得及其收益的性质和来源的。

“单位犯前款罪的，对单位判处罚金，并对其直接负责的主管人员和其他直接责任人员，处五年以下有期徒刑或者拘役。”

根据2006年6月29日第十届全国人民代表大会常务委员会第二十二次会议通过的《中华人民共和国刑法修正案（六）》第二次修改。第一次修改后的条文是：“明知是毒品犯罪、黑社会性质的组织犯罪、恐怖活动犯罪、走私犯罪的违法所得及其产生的收益，为掩饰、隐瞒其来源和性质，有下列行为之一的，没收实施以上犯罪的违法所得及其产生的收益，处五年以下有期徒刑或者拘役，并处或者单处洗钱数额百分之五以上百分之二十以下罚金；情节严重的，处五年以上十年以下有期徒刑，并处洗钱数额百分之五以上百分之二十以下罚金：

“（一）提供资金帐户的；

“（二）协助将财产转换为现金或者金融票据的；

“（三）通过转帐或者其他结算方式协助资金转移的；

“（四）协助将资金汇往境外的；

“（五）以其他方法掩饰、隐瞒犯罪的违法所得及其收益的来源和性质的。

“单位犯前款罪的，对单位判处罚金，并对其直接负责的主管人员和其他直接责任人员，处五年以下有期徒刑或者拘役；情节严重的，处五年以上十年以下有期徒刑。”

（二）协助将财产转换为现金、金融票据、有价证券的；

（三）通过转帐或者其他结算方式协助资金转移的；

（四）协助将资金汇往境外的；

（五）以其他方法掩饰、隐瞒犯罪所得及其收益的来源和性质的。

单位犯前款罪的，对单位判处罚金，并对其直接负责的主管人员和其他直接责任人员，处五年以下有期徒刑或者拘役；情节严重的，处五年以上十年以下有期徒刑。

【释义】 本条是关于洗钱罪及其处罚的规定。

本条对刑法原第一百九十一条的修改补充主要有两处：

第一，扩大了洗钱罪上游犯罪的范围。1997 年修订刑法时，将洗钱罪的上游犯罪规定为毒品犯罪、黑社会性质的组织犯罪和走私罪。为了适应打击恐怖活动犯罪的需要，2001 年《刑法修正案（三）》将恐怖活动犯罪增加为洗钱罪的上游犯罪。近年来，对贪污贿赂犯罪、破坏金融管理秩序犯罪和金融诈骗犯罪的所得及其收益进行洗钱的犯罪活动日益频繁，不仅破坏了我国金融秩序，而且危害到经济安全和社会稳定。同时，在经济全球化和资本流动国际化的背景下，洗钱活动具有跨国（境）性，国际社会也加强了反洗钱的国际合作。我国已经批准加入的《联合国禁止非法贩运麻醉药品和精神药物公约》、《联合国打击跨国有组织犯罪公约》、《联合国反腐败公约》等，均明确要求各成员国将对毒品犯罪、腐败犯罪以及一些严重犯罪的所得及收益进行掩饰、隐瞒的行为在国内法中列为犯罪予以惩处。为了适应打击洗钱犯罪的需要，更好地承担国际义务，《刑法修正案（六）》将贪污贿赂犯罪、破坏金融管理秩序犯罪、金融诈骗犯罪规定为洗钱罪的上游犯罪，加大了对这些洗钱犯罪的打击力度。

第二，在第一款第（二）项中明确地将"协助将财产转换为有价证券"的行为列为洗钱方式之一。原刑法第一百九十一条只是将"协助将财产转换为现金或者金融票据"列为洗钱的行为之一，而刑法中规定的金融票据一般特指汇票、本票、支票这三种银行票据，在司法实践中对于协助将财产转换为股票、债券等有价证券的行为是否属于洗钱行为的认识不一致，本条进一步予以明确。

第一款是关于个人犯洗钱罪的处罚规定。根据本条第一款的规定，构成洗钱罪必须具备以下条件：1. 行为人在主观上有犯罪故意，即明知是毒品犯罪、黑社会性质的组织犯罪、恐怖活动犯罪、走私犯罪、贪污贿赂犯罪、破坏金融管理秩序犯罪、金融诈骗犯罪的所得及其收益而有意掩饰、隐瞒的。本条所称"犯罪的所得及其产生的收益"，是指犯罪分子犯罪所获得的非法利益以及利用犯罪所得的非法利益所生产的孳息或者进行经营活动所产生的经济利益。本条把洗钱行为对象只限于毒品犯罪、黑社会性质的组织犯罪、恐怖活动犯罪、走私犯罪、贪污贿赂犯罪、破坏金融管理秩序犯罪、金融诈骗犯罪的所得及其产生的收益。2.行为人实施了掩饰、隐瞒毒品犯罪、黑社会性质的组织犯罪、恐怖活动犯罪、走私犯罪、贪污贿赂犯罪、破坏金融管理秩序犯罪、金融诈骗犯罪的所得及其产生收益的来源和性质的行为。洗钱罪的本质在于为非法资金披上合法外衣,消灭犯罪线索和证据,逃避法律追究和制裁,实现赃钱的安全循环使用。本条列举了五种洗钱行为:(1)提供资金帐户,是指为犯罪分子提供银行帐户的编号,为其转移非法资金提供方便。(2)协助将财产转换为现金、金融票据或者有价证券的,是指协助犯罪分子将犯罪所得的财产通过交易转换为现金或者汇票、本票、支票等金融票据或者股票、债券、邮票等有价证券,以掩饰、隐瞒犯罪所得财产的真实所有权关系。(3)通过转帐或者其他结算方式协助资金转移。这种行为的目的是帮助犯罪分子掩盖犯罪所得资金的来源、去向。(4)协助将资金汇往境外,是指以各种方式将犯罪所得资金转移到境外的国家或地区,兑换成外币、购买财产或以国外亲友名义存入银行。(5)以其他方法掩饰、隐瞒犯罪所得及其收益的来源和性质,是指通过将犯罪所得投资于各种行业进行合法经营,将非法获得的收入注入合法收入中,或者用犯罪所得购买不动产等各种手段,掩饰、隐瞒犯罪所得及其收益的来源和性质的行为。

对于个人犯洗钱罪的处罚,本款根据情节轻重规定了两档刑罚:构成洗钱犯罪的,没收犯罪的所得及其产生的收益,处五年以下有期徒刑或者拘役,并处或者单处洗钱数额百分之五以上百分之二十以下罚金;情节严重的,处五年以上十年以下有期徒刑,并处洗钱数额百分之五以上百分之二十以下罚金。

第二款是关于单位犯洗钱罪的处罚规定。对单位犯洗钱罪,本条规定实行双罚制原则,既处罚单位又处罚有关的责任人员。本条根据犯罪情节规定了两档刑罚:对于单位实施洗钱行为构成犯罪的,对单位判处罚金,并对其直接负责的主管人员和其他直接责任人员,处五年以下有期徒刑或者拘役。情节严重的,除对单位判处罚金外,对其直接负责的主管人员和其他直接责任人员,处五年以上十年以下有期徒刑。

附加内容：

《全国人民代表大会常务委员会关于惩治骗购外汇、逃汇和非法买卖外汇犯罪的决定》第二条释义*：

二、规定有下列情形之一，骗购外汇，数额较大的，处五年以下有期徒刑或者拘役，并处骗购外汇数额百分之五以上百分之三十以下罚金；数额巨大或者有其他严重情节的，处五年以上十年以下有期徒刑，并处骗购外汇数额百分之五以上百分之三十以下罚金；数额特别巨大或者有其他特别严重情节的，处十年以上有期徒刑或者无期徒刑，并处骗购外汇数额百分之五以上百分之三十以下罚金或者没收财产：

（一）使用伪造、变造的海关签发的报关单、进口证明、外汇管理部门核准件等凭证和单据的；

（二）重复使用海关签发的报关单、进口证明、外汇管理部门核准件等凭证和单据的；

（三）以其他方式骗购外汇的。

伪造、变造海关签发的报关单、进口证明、外汇管理部门核准件等凭证和单据，并用于骗购外汇的，依照前款的规定从重处罚。

明知用于骗购外汇而提供人民币资金的，以共犯论处。

单位犯前三款罪的，对单位依照第一款的规定判处罚金，并对其直接负责的主管人员和其他直接责任人员，处五年以下有期徒刑或者拘役；数额巨大或者有其他严重情节的，处五年以上十年以下有期徒刑；数额特别巨大或者有其他特别严重情节的，处十年以上有期徒刑或者无期徒刑。

【释义】 本条是关于骗购外汇罪及其处罚的规定。

1997年修订刑法时，对于这一问题曾作过研究。当时对于骗购外汇行为，没有规定为犯罪，而由外汇管理部门根据外汇管理条例对套汇行为给予行政处罚，即由外汇管理机关给予警告，强制收兑，并处非法套汇金额百分之三十以上三倍以下的罚款。

随着东南亚金融危机的爆发，国际资本流向逆转，纷纷从亚洲国家抽逃，我国的资本流入也有所减少。一些不法犯罪分子利令智昏，大肆进行骗购外汇、

---

* 1998年12月29日第九届全国人民代表大会常务委员会第六次会议通过《全国人民代表大会常务委员会关于惩治骗购外汇、逃汇和非法买卖外汇犯罪的决定》，该决定自1998年12月29日起施行。决定第一条增加了骗购外汇的犯罪，第五条对常见的几类为骗购外汇提供帮助的行为，明确以骗购外汇的共犯论，从重处罚。本书对决定的这两条作了释义。

此外，决定中的其他条文主要涉及对刑法相关规定的修改或者明确其适用，对决定的这些条文，在本书相关条文释义中一并阐述，此处不作专门释义。

逃汇和非法买卖外汇的违法犯罪活动,致使我国的外汇资金流失严重。为了惩治骗购外汇、逃汇和非法买卖外汇的犯罪行为,维护国家外汇管理秩序,全国人大常委会于1998年12月28日通过了《关于惩治骗购外汇、逃汇和非法买卖外汇犯罪的决定》,增加规定了骗购外汇罪。

根据第一款的规定,构成骗购外汇罪,需要符合以下几个条件:

1. 行为人主观上具有犯罪的故意。

2. 行为人客观上实施了骗购外汇的行为。骗购外汇,主要是行为人通过使用伪造或者变造相关的凭证和单据等方法,虚构进口业务、夸大进口数量等方式,利用人民币资金,购买国家外汇资金的行为。根据本款的规定,主要采用以下几种方式:

(1)使用伪造、变造的海关签发的报关单、进口证明、外汇管理部门核准件等凭证和单据的。

本条所说的"报关单",是指进出口货物的收发货人或者其代理人向海关递交的申报货物情况,以及海关依法监管货物进出口的重要凭证。报关单位必须认真如实填写报关单,并对所填写的报关单的真实性、合法性负责,承担相应的法律和经济责任。根据海关的有关规定,报关单位依进出口货物的不同,填写不同颜色的报关单,同时,又按贸易方式的不同填制不同份数的报关单。而只有经过海关签发,才具有国家机关公文的性质,并且才能成为申请付汇、购汇的有效凭证。

"伪造"海关签发的报关单,是指行为人依照海关签发的报关单的颜色、式样、形状等,通过印刷、复印、描绘等方法,制作假的报关单,以冒充真的报关单的行为。"变造"海关签发的报关单,主要是指行为人在真的海关签发的报关单的基础上,通过涂改、添加数额等方式进行加工处理,使海关签发的报关单的数量、金额、单价、税率等改变的行为,如在报关单上涂改、添加数额等。"海关签发的报关单",是指海关接受报关单位的报关申请后,依照有关法律、行政法规的规定,对报关单及其随附有关单证进行检查,经检查确定该项进出口业务符合海关法和国家的有关政策、法令的规定而签发的报关单,如签盖"放行"章或者"验讫"章等。经过海关签发的报关单,即为具有相应的国家公文性质的文书。

本条所说的"进口证明",是指报关单位在申请进口付汇时,按照有关法律、法规和政策的规定,所提交的除进口货物报关单以外的相关单据和凭证。在一般情况下,根据对外结算方式及费用的不同,除进口付汇核销单外,申请购汇单位还须持有的证明,如用跟单信用证、保函方式结算的贸易进口,持进口合同、开证申请书;用跟单托收方式结算的贸易进口,持进口合同、进口付汇通知书;

用汇款方式结算的贸易进口，持进口合同、发票、正本报关单、正本运输单据等。“伪造、变造的进口证明”，是指伪造、变造国家规定的，进口货物所应当具备的有关证明材料。

本条所说的“外汇管理部门”，根据《外汇管理条例》的规定，主要是指国务院外汇管理部门及其分支机构。“外汇管理部门的核准件”，主要是指在出口收汇和进口付汇过程中，由外汇管理部门制发的，进出口单位及受委托单位所填写的，海关凭以受理报关，外汇管理部门凭以核销收汇或者付汇的凭证。这是当前外汇管理制度中最重要的一份单证，也是国家为了保障充足的外汇来源，满足用汇需要的一项重要手段。这里所说的伪造、变造的外汇管理部门核准件，主要指伪造、变造的进口收汇核销单等。

(2)重复使用海关签发的报关单、进口证明、外汇管理部门核准件等凭证和单据的。这也是骗购外汇的犯罪行为的一种主要形式。重复使用，主要是使用已经使用完毕，并已用于进口付汇的海关签发的报关单、进口证明、外汇管理部门核准件等凭证和单据。

(3)其他方式骗购外汇的。考虑到发生的骗购外汇的犯罪案件中，骗购外汇的方式很多，犯罪分子为了逃避追究，也在不断地变换犯罪方式，犯罪手段层出不穷，为了有利于及时根据犯罪情况的变化，对犯罪进行打击，本款在具体列举了前两项犯罪方式的同时，还规定了“其他方式骗购外汇”，例如，行为人以对外宣传费、对外援助费、对外捐赠用汇、国际组织会费、参加国际会议的注册费、报名费；在境外举办展览、招商、培训及拍摄影视片等用汇；在境外设立代表处或者办事机构的开办费和经费为名进行骗购国家外汇等行为。

3. 行为人骗购外汇“数额较大”，这是区别罪与非罪的重要界限。如果行为人所骗购的外汇未达到数额较大标准，则不构成犯罪，应当按照相关的法律、法规予以行政处罚。至于“数额较大”、“数额巨大”、“数额特别巨大”的具体数额为多少，应当由根据与实际犯罪作斗争的需要，结合经济发展形势，通过司法解释作出具体的规定。

根据本条第一款的规定，对犯骗购外汇罪的，处五年以下有期徒刑或者拘役，并处骗购外汇数额百分之五以上百分之三十以下罚金；数额巨大或者有其他严重情节的，处五年以上十年以下有期徒刑，并处骗购外汇数额百分之五以上百分之三十以下罚金；数额特别巨大或者有其他特别严重情节的，处十年以上有期徒刑或者无期徒刑，并处骗购外汇数额百分之五以上百分之三十以下罚金或者没收财产。

第二款是关于行为人伪造、变造海关签发的报关单、进口证明、外汇管理部门核准件等凭证和单据并用于骗购外汇如何处罚的规定。

这是骗购外汇犯罪中经常出现的一种形式。在这种情况下,犯罪行为侵犯的客体,既包括国家外汇管理秩序,也包括国家机关公文、证件、印章的管理秩序,对于这种竞合的情况,根据刑法理论和司法实践的惯例,对行为人应当从一重罪进行处罚。考虑到这类犯罪的危害性和犯罪情节比单纯实施伪造、变造有关凭证和单据或者骗购外汇的行为要严重,因此,本款规定依照骗购外汇罪处罚的同时,还必须从重处罚。这里所说的从重处罚,是指根据行为人所犯罪行的数额、情节,在本条第一款规定的量刑幅度内从重处罚。

第三款是关于明知是骗购外汇而提供人民币资金的,以共犯论处的规定。

骗购外汇与其他诈骗犯罪不同之处在于,其必须用人民币资金购买国家外汇,所需的人民币资金往往也是数额巨大的。行为人侵犯的是国家外汇管理秩序,而不是非法占有他人财物。为了取得一定数额的人民币资金,行为人除了自筹资金外,还往往需要通过其他方式筹集资金,如向他人借贷,向银行等其他金融机构申请贷款等。考虑到在经济生活中,向他人提供资金的情况是十分复杂的,为了划清罪与非罪的界限,本款规定"明知是骗购外汇而提供人民币资金的,以共犯论处"。这里所说的"明知",是指提供资金人明知其所提供的资金将被用于骗购外汇。根据本款规定,如果他人或者有关单位明知行为人筹集资金是用于骗购外汇,而仍然向其提供的,应当构成骗购外汇犯罪的共犯。如果行为人不知道自己所提供的资金被用于骗购外汇,主观上没有犯罪的故意,则不构成犯罪。

第四款是关于单位犯骗购外汇罪的处罚规定。

从实际查处的骗购外汇的案件来看,骗购外汇的犯罪往往与单位联系在一起,因为骗购外汇所需要的一些凭证和单据必须是有关单位才能拥有的。特别是单位犯罪的形式复杂多样,有的是为本单位骗购外汇,也有的是代理他人骗购外汇。为了有效惩处骗购外汇的行为,对单位犯罪行为必须予以惩处。这里所说的单位范围,既包括国有公司、企业,私营公司、企业,也包括外商投资企业、股份制企业、集体企业,以及其他单位,如科研院所等。

根据本条第四款的规定,对单位骗购外汇,数额较大的,对单位依照本条第一款的规定,判处罚金,即处骗购外汇数额百分之五以上百分之三十以下罚金;并对其直接负责的主管人员和其他直接责任人员,处五年以下有期徒刑或者拘役;单位骗购外汇数额巨大或者有其他严重情节的,处骗购外汇数额百分之五以上百分之三十以下罚金,并对其直接负责的主管人员和其他直接责任人员处五年以上十年以下有期徒刑;数额特别巨大或者有其他特别严重情节的,处骗购外汇数额百分之五以上百分之三十以下罚金或者没收财产,并对其直接负责的主管人员和其他直接责任人员,处十年以上有期徒刑或者无期徒刑。

《全国人民代表大会常务委员会关于惩治骗购外汇、逃汇和非法买卖外汇犯罪的决定》第五条释义：

五、海关、外汇管理部门以及金融机构、从事对外贸易经营活动的公司、企业或者其他单位的工作人员与骗购外汇或者逃汇的行为人通谋，为其提供购买外汇的有关凭证或者其他便利的，或者明知是伪造、变造的凭证和单据而售汇、付汇的，以共犯论，依照本决定从重处罚。

【释义】 本条是关于有关人员与骗购外汇、逃汇的行为人通谋以共犯论的规定。

本条所说的“海关”，是指国家海关总署及下属的各级海关。“金融机构”，主要是指外汇管理机关批准经营结汇和售汇业务的银行。“从事对外贸易活动的公司、企业”，是指享有进出口经营权的公司、企业。“其他单位”，是指在经常项目下用汇的一些单位，如需要将外籍专家的合法收入购汇出境的一些国内单位；需要将外籍员工的工资及合法收入完税后汇寄出境的公司、企业；聘请国外专家、学者来华讲学的国内教学科研单位；需要购汇用于支付出国旅游的费用的旅行社等，一些未享有外贸经营权的单位和组织。

这里所说的“工作人员”，是指海关、外汇管理部门以及金融机构、从事对外贸易经营活动的公司、企业或者其他单位的工作人员，既包括该单位的主管人员，也包括其他一般工作人员。总之，只要是上述单位的工作人员，与骗购外汇或者逃汇的行为人通谋，为其提供购买外汇有关凭证或者其他便利的，或者明知是伪造、变造的凭证和单据而售汇、付汇的，就以共犯论，依照本条规定从重处罚。其中，“通谋”是指上述工作人员在犯罪前或者犯罪过程中，与骗购外汇或者逃汇行为人相互勾结、共同策划、进行分工，共同实施骗购外汇和逃汇的犯罪行为。“为其提供购买外汇的有关凭证”，是指上述机关和单位的工作人员为骗购外汇的行为人提供购买凭证。“其他便利”，是指在骗购外汇或者逃汇犯罪行为的实施过程中，上述工作人员为骗购外汇或者逃汇人提供有关单据或者其他帮助的行为。例如，享有外贸经营权的公司、企业充当骗购外汇行为的代理人，个别金融机构的工作人员明知行为人在进行骗购外汇或者逃汇犯罪活动，仍利用职务上的便利，违规出具核销手续，等等。“明知是伪造、变造的凭证和单据而售汇、付汇”，是指在外汇管理的售、付汇业务中，负有核销、检查用汇单位或者个人所提供的有效凭证和有效商业单据的单位的工作人员，虽然未与骗购外汇或者逃汇的行为人通谋，但明知用汇单位或者个人提供的有关凭证和单据是伪造、变造的，而出于徇私情或者其他利益，而予以售汇、付汇的行为。

根据本条的规定，海关、外汇管理部门以及金融机构、从事对外贸易经营活动的公司、企业或者其他单位的工作人员与骗购外汇的行为人通谋，或者明知是伪造、变造的凭证和单据而售汇、付汇的，以共犯论，以骗购外汇罪从重处罚。上述工作人员与骗购外汇的行为人通谋犯罪，以骗取国家外汇为目的，存在共同的犯罪故意，而其向骗购外汇的行为人提供有关凭证或者其他便利，其行为是整个犯罪过程中的一部分，这种情形为典型的共犯。明知是伪造、变造的凭证和单据而售汇、付汇的，也应按共犯处理。本条规定的“从重处罚”，是指根据犯罪情节，在本决定规定的量刑档次内，处以较重的刑期或者刑种。

第五节　金融诈骗罪

第一百九十二条　以非法占有为目的，使用诈骗方法非法集资，数额较大的，处五年以下有期徒刑或者拘役，并处二万元以上二十万元以下罚金；数额巨大或者有其他严重情节的，处五年以上十年以下有期徒刑，并处五万元以上五十万元以下罚金；数额特别巨大或者有其他特别严重情节的，处十年以上有期徒刑或者无期徒刑，并处五万元以上五十万元以下罚金或者没收财产。

【释义】　本条是关于集资诈骗罪及其处罚的规定。

本条所说的“以非法占有为目的”，是指犯罪行为人在主观上具有将非法聚集的资金据为己有的目的。这里的“非法占有”是广义的，通常是指将非法募集的资金的所有权转归为自己所有，或任意挥霍，或占有资金后携款潜逃等。在司法实践中，认定是否具有非法占有为目的，应当坚持主客观相一致的原则，既要避免单纯根据损失结果客观归罪，也不能仅凭被告人自己的供述，而应当根据案件具体情况具体分析。根据2011年1月4日施行的《最高人民法院关于审理非法集资刑事案件具体应用法律若干问题的解释》第四条，具有下列情形之一的，可以认定为具有非法占有的目的：(1)集资后不用于生产经营活动或者用于生产经营活动与筹集资金规模明显不成比例，致使集资款不能返还的；(2)肆意挥霍集资款，致使集资款不能返还的；(3)携带集资款逃匿的；(4)将集资款用于违法犯罪活动的；(5)抽逃、转移资金、隐匿财产，逃避返还资金的；(6)隐匿、销毁账目，或者搞假破产、假倒闭，逃避返还资金的；(7)拒不交代资金去向，逃避返还资金的；(8)其他可以认定非法占有目的的情形。集资诈骗罪中的非法占有目的，应当区分情形进行具体认定。行为人部分非法集资行为具有非法占有目的的，对该部分非法集资行为所涉集资款以集资诈骗罪定罪处罚；非法集资共同犯罪中部分行为人具有非法占有目的，其他行为人没有非法占有集资款的共同故意和行为的，对具有非法占有目的的行为人以集资诈骗罪定罪处罚。“非法集资”,是指公司、企业、个人或其他组织未经批准,违反法律、法规,通过不正当的渠道,向社会公众或者集体募集资金的行为。既指未经批准向社会募集资金,也指虽经批准但已经被撤销,仍然继续向社会募集资金。

本条所规定的“使用诈骗方法非法集资”,是指行为人以非法占有为目的,通过编造谎言、捏造或者隐瞒事实真相等欺骗的方法,骗取他人资金的行为。不论其采取什么欺骗手段,实质都是为了隐瞒事实真相,诱使公众信以为真,错误地相信非法集资者的谎言,以达到其进行非法集资进而非法占有集资款的目的。

综上所述,认定非法集资的行为是否构成本条规定的犯罪,应当从行为人的主观目的、行为方式、后果等方面的具体情节研究确定。

构成本罪,必须符合以下几个要件:

1. 本罪的犯罪主体既可以是自然人,也可以是公司、企业等单位。从实际发生的案例来看,在自然人作为犯罪主体时,一般都是以公司、企业或其他组织的名义进行这一犯罪。

2. 在犯罪的主观方面,本罪和普通诈骗罪一样,行为人在主观上都具有非法占有他人财物的目的,也就是说犯罪行为人明知“使用诈骗方法非法集资”是侵犯他人财产的行为,是违反国家法律的,但是仍然希望这种危害结果发生。无论采取什么方式、什么手段来隐瞒事实真相,编造虚假情况,其最终目的只有一个,即非法将他人的财物占为己有。

3. 本罪侵犯的客体是复杂客体。这类犯罪一方面将公众的资金作为犯罪的直接侵害对象,严重地侵犯了公众财产的所有权;另一方面还严重地扰乱了国家正常的金融秩序,因此,刑法将这一犯罪规定在破坏金融管理秩序罪中。

4. 在本罪的客观方面,行为人必须实施了“使用诈骗方法非法集资”的行为。根据本条的规定,行为人在客观方面,应当符合以下两个条件:一是行为人必须实施了虚构事实、隐瞒真相等欺骗他人的行为;二是这种欺骗行为具体体现在违反法律、法规在社会上进行非法集资的活动中,缺少其中任何一个条件都不符合该罪行为的特征。至于行为人是否已实际将他人的资金占为己有,并不影响本罪的成立。

本款对集资诈骗罪规定了三个档次的处刑:处五年以下有期徒刑或者拘役,并处二万元以上二十万元以下罚金;对诈骗数额巨大或者有其他严重情节的,处五年以上十年以下有期徒刑,并处五万元以上五十万元以下罚金;对数额特别巨大或者有其他特别严重情节的,处十年以上有期徒刑或者无期徒刑,并处五万元以上五十万元以下罚金或者没收财产。由于这类犯罪案件情况较为复杂,从实际发生的案例来看,诈骗的数额一般都很大,有的数额在百万元、千万元以上,有的甚至达到数亿元、数十亿元。根据《最高人民法院关于审理非法集资刑事案件具体应用法律若干问题的解释》第五条规定:个人进行集资诈骗,数额在十万元以上的,应当认定为“数额较大”;数额在三十万元以上的,应当认定为“数额巨大”;数额在一百万元以上的,应当认定为“数额特别巨大”。单位进行集资诈骗,数额在五十万元以上的,应当认定为“数额较大”;数额在一百五十万元以上的,应当认定为“数额巨大”;数额在五百万元以上的,应当认定为“数额特别巨大”。集资诈骗的数额以行为人实际骗取的数额计算,案发前已归还的数额应予扣除。行为人为实施集资诈骗活动而支付的广告费、中介费、手续费、回扣,或者用于行贿、赠与等费用,不予扣除。行为人为实施集资诈骗活动而支付的利息,除本金未归还可予折抵本金以外,应当计入诈骗数额。

应当注意的是,本罪与非法吸收公众存款罪是有区别的,主要表现在:第一,犯罪的目的不同。用诈骗方法非法集资罪的行为人的目的是非法占有所募集的资金;而非法吸收公众存款罪的行为人在主观上不具有非法占有的目的。第二,犯罪的行为不同。对非法集资的犯罪行为人必须使用诈骗的方法;而非法吸收公众存款或者变相吸收公众存款的犯罪行为则不以使用诈骗方法作为构成犯罪的要件。第三,侵犯的客体不同。非法集资罪侵犯的是双重客体;而非法吸收公众存款的犯罪侵犯的客体在一般情况下主要是国家的金融管理秩序。当然,在有些情况下由于行为人经营不善等原因造成亏损,无法兑现其在吸收公众存款时的承诺,甚至给投资人、存款人造成了经济损失。但是,这种损失与直接侵犯公私财物的所有权是不同的。

第一百九十三条　有下列情形之一,以非法占有为目的,诈骗银行或者其他金融机构的贷款,数额较大的,处五年以下有期徒刑或者拘役,并处二万元以上二十万元以下罚金;数额巨大或者有其他严重情节的,处五年以上十年以下有期徒刑,并处五万元以上五十万元以下罚金;数额特别巨大或者有其他特别严重情节的,处十年以上有期徒刑或者无期徒刑,并处五万元以上五十万元以下罚金或者没收财产:

(一)编造引进资金、项目等虚假理由的;

(二)使用虚假的经济合同的;

(三)使用虚假的证明文件的;

(四)使用虚假的产权证明作担保或者超出抵押物价值重复担保的;

(五)以其他方法诈骗贷款的。

【释义】　本条是关于贷款诈骗罪及其处罚的规定。

本条中规定的“以非法占有为目的,诈骗银行或者其他金融机构的贷款”,是指行为人用欺骗的手段骗取银行或者其他金融机构的贷款并据为己有的行为。这里所说的“其他金融机构”，是指除银行以外的信托投资公司、城市信用社、农村信用社等具有信贷业务的非银行金融机构。

构成本罪应当具备下列条件：

1. 行为人必须具有诈骗银行或者其他金融机构贷款的行为。本条对诈骗银行或者其他金融机构贷款的行为作了具体的规定：(1)编造引进资金、项目等虚假理由骗取银行或者其他金融机构贷款。(2)使用虚假的经济合同诈骗银行或者其他金融机构的贷款。这里所说的“虚假的经济合同”，是指伪造的合同、变造的合同(如篡改原合同的标的、价款等)、无效的合同(如采取欺诈手段签订的合同)，以及伪造印章虚制的合同等。(3)使用虚假的证明文件诈骗银行或者其他金融机构的贷款。这里所说的“证明文件”，包括银行的存款证明、公司和金融机构的担保函、划款证明等向银行或者其他金融机构申请贷款时所需要的文件。(4)使用虚假的产权证明作担保，骗取银行或者其他金融机构贷款。这里所说的“产权证明”，是指能够证明行为人对房屋等不动产或者汽车、货币、可即时兑付的票据等动产具有所有权的一切文件以及以其他方法诈骗银行或者其他金融机构贷款。(5)以其他方法诈骗贷款。这里规定的“其他方法”，是指伪造单位公章、印鉴骗取贷款；以非法占有为目的，先借贷后采用欺诈手段拒不还贷等情况。考虑到要在法律中将所有的诈骗银行或者其他金融机构贷款的行为都具体列举，并予以规定，是难以做到的，因而本条规定了以其他方法诈骗银行或者其他金融机构贷款的情况，根据这一规定，不论行为人是以何种方法诈骗贷款的，都要予以追究刑事责任。

2. 行为人在主观上具有非法占有银行或者其他金融机构贷款的目的。这是确定行为人构成诈骗银行或者其他金融机构贷款犯罪的要件之一。至于行为人非法占有贷款是为了挥霍享受，还是为了转移隐匿，都不影响本罪的构成。如果行为人虽然在向银行或者其他金融机构申请贷款的过程中使用了欺骗的手段，但其目的是为了解决生产经营的一时急需等，以后还要想方设法归还贷款，而不是为了非法占有贷款，则不能构成本罪。

3. 行为人诈骗银行或者其他金融机构的贷款数额较大。

根据本条的规定，行为人以非法占有为目的，诈骗银行或者其他金融机构的贷款，数额较大的，处五年以下有期徒刑或者拘役，并处二万元以上二十万元以下罚金；数额巨大或者有其他严重情节的，处五年以上十年以下有期徒刑，并处五万元以上五十万元以下罚金；数额特别巨大或者有其他特别严重情节的，处十年以上有期徒刑或者无期徒刑，并处五万元以上五十万元以下罚金或者没收财产。“其他特别严重情节”，主要是指行为人的诈骗手段或诈骗行为给银行或其他金融机构造成的损失等情况。

第一百九十四条　有下列情形之一，进行金融票据诈骗活动，数额较大的，处五年以下有期徒刑或者拘役，并处二万元以上二十万元以下罚金；数额巨大或者有其他严重情节的，处五年以上十年以下有期徒刑，并处五万元以上五十万元以下罚金；数额特别巨大或者有其他特别严重情节的，处十年以上有期徒刑或者无期徒刑，并处五万元以上五十万元以下罚金或者没收财产：

（一）明知是伪造、变造的汇票、本票、支票而使用的；

（二）明知是作废的汇票、本票、支票而使用的；

（三）冒用他人的汇票、本票、支票的；

（四）签发空头支票或者与其预留印鉴不符的支票，骗取财物的；

（五）汇票、本票的出票人签发无资金保证的汇票、本票或者在出票时作虚假记载，骗取财物的。

使用伪造、变造的委托收款凭证、汇款凭证、银行存单等其他银行结算凭证的，依照前款的规定处罚。

【释义】　本条是关于票据诈骗罪、金融凭证诈骗罪及其处罚的规定。

第一款是关于票据诈骗罪的规定，这里所说的“金融票据诈骗”，是指利用汇票、本票、支票进行诈骗的行为。本款具体列举了五项金融票据诈骗的行为。

本款第一项规定了使用伪造、变造的汇票、本票或者支票进行诈骗的行为。根据本项规定，使用伪造、变造的汇票、本票或者支票进行诈骗。应当具备以下几个条件：

1. 行为人在主观上对其所使用的汇票、本票或者支票，必须“明知”是伪造、变造的。在主观上是否明知所使用的汇票、本票或者支票是伪造、变造的，是划分是否构成此项犯罪的重要界限之一。如果行为人在使用汇票、本票或者支票时，在主观上确实不知道该票据是伪造、变造的，则不构成此项犯罪。

2. 行为人必须使用了明知是伪造、变造的汇票、本票或者支票。这里所说的“使用”，是指行为人以伪造、变造的金融票据冒充真票据，以非法占有他人财物为目的，进行诈骗活动的行为。是否实际实施了使用伪造、变造票据的行为，是区分此罪与彼罪的界限。如果行为人仅是伪造、变造了汇票、本票或者支票，而没有使用，则构成了刑法第一百七十七条规定的伪造、变造金融票证罪，不构成此项犯罪。

本款第二项规定了明知是作废的汇票、本票、支票而使用的诈骗行为。根据本项规定，使用作废的汇票、本票、支票进行诈骗犯罪应当符合以下几个条件：

1. 行为人主观上必须“明知”。在主观上是否明知其使用的汇票、本票或者支票是作废的，是构成本项犯罪的罪与非罪的主要界限之一。如果行为人在使用汇票、本票或者支票时,在主观上确实不知道该票据已作废的,则不构成此项犯罪。

2. 行为人实施了使用作废的汇票、本票或者支票的行为。这里所说的“作废”票据,是指根据法律和有关规定不能使用的票据。这里的“作废”一词是广义的,它既包括票据法中所说的“过期”的票据,也包括无效的以及被依法宣布作废的票据。对于无效的票据,票据法作了明确的规定,主要包括以下几类:(1)票据金额以中文大写和数码同时记载,二者不一致的。(2)更改票据金额、日期、收款人名称。(3)汇票未记载下列事项:①表明“汇票”的字样;②无条件支付的委托;③确定的金额;④付款人名称;⑤收款人名称;⑥出票日期;⑦出票人签章。(4)本票未记载下列事项:①表明“本票”的字样;②无条件支付的承诺;③确定的金额;④收款人名称;⑤出票日期;⑥出票人签章。(5)支票未记载下列事项:①表明“支票”的字样;②无条件支付的委托;③确定的金额;④付款人名称;⑤出票日期;⑥出票人签章。

作废的汇票、本票或者支票,还包括银行根据国家有关规定予以作废的票据,如国家规定更换票据版本,而旧的、不得再行使用的票据版本就是作废的票据。

本款第三项规定了冒用他人汇票、本票、支票进行诈骗的行为。根据本项规定构成冒用他人金融票据进行诈骗的行为应当具备以下特征:

1. 行为人实施了冒用他人票据的行为。这里所说的“冒用”,是指行为人擅自以合法持票人的名义,支配、使用、转让自己不具备支配权利的他人的票据的行为。这里所说的“冒用”通常表现为以下几种情况:一是指行为人以非法手段获取的票据,如以欺诈、偷盗或者胁迫等手段取得的票据,或者明知是以上述手段取得的票据而使用,进行欺诈活动。二是指没有代理权而以代理人名义或者代理人超越代理权限的行为。三是指用他人委托代为保管的或者捡拾他人遗失的票据进行使用,骗取财物的行为。

2. 行为人冒用他人票据的行为必须是故意的。对于冒用他人票据骗取财物的行为人来说,其主观上具有进行诈骗的故意是不言而喻的。但是在有些情况下,可能会出现有些行为人冒用他人的票据是在不知情的情况下所为的,如持票人所持票据是其前手诈骗或者窃取的;有的行为人是受他人委托并使用委托人提供的票据,进行购物、支付、结算等活动,而该票据本身是冒用的;委托人为了逃避追查,隐瞒了该票据持有人的真实情况;请他人代为使用。在这些行为人不知票据是冒用的情况下,主观上当然也就不具有诈骗的故意。因此,就不应承担本项规定的法律责任。

本款第四项规定了签发空头支票或者与其预留印鉴不符的支票,骗取财物的行为。根据本项规定，构成签发空头支票或者与预留印鉴不符的支票进行诈骗行为，应当符合以下几个条件：

1. 行为人主观上是故意的。在实践中出现签发空头支票或者与其预留印鉴不符的支票的情况比较复杂，造成这种情况的原因很多。有些是由于企业内部缺乏管理的原因；有些则是由于资金转让、结算等方法的原因，如有的银行、金融机构在办理结算、汇款等业务中“压单”、“压票”情况比较严重，使原本按正常期限应当到帐的款项被拖延，单位在这种情况下，可能会误认为钱已到帐而开出空头支票。在这种情况下，行为人主观方面不具有犯罪的故意，不构成本款所说的票据诈骗罪。

2. 行为人必须实施了签发空头支票或者与其预留的本人签名式样或者印鉴不符的支票的行为。这里所说的“空头支票”，是指出票人所签发的支票金额超过其付款时在付款人处实有的存款金额的支票。付款人就是指签发空头支票人开立帐户的银行或者其他金融机构。简单地说，出票人签发的支票金额超过其在银行现有的存款金额，这样的支票就是空头支票。本项所说的签发与其预留印鉴不符的支票，就是指票据签发人在其签发的支票上加盖与其预留存在银行或者其他金融机构处印鉴不一致的财务公章或者支票签发人的名章。这里所说的“与其预留印鉴”不符，可以是与其预留的某一个印鉴不符，也可以是与所有的预留印鉴都不符。

3. 行为人的目的是骗取财物。这是区分罪与非罪的界限。也就是说要求行为人故意签发空头支票或者与其预留印鉴不符的支票。行为人的目的如果不是骗取财物的，不构成犯罪。例如，有的企业因一时资金周转不过来签发了空头支票，事后及时在帐上补充资金。在这种情况下行为人主观上没有骗取财物的目的，只是违反了票据法及有关行政法规，应受到行政处罚，但不构成犯罪。

本款第五项规定了签发无资金保证的汇票、本票或者在出票时作虚假记载、骗取财物的行为，构成此项犯罪行为，应当符合以下几个条件：

1. 构成本罪的行为主体必须是汇票、本票的出票人。汇票、本票的出票人是票据的当事人。这里所说的“出票人”，是指依法定方式制作汇票、本票并在这些票据上签章，将汇票、本票交付给收款人的人。对于出票人承担的责任，票据法第四条作了规定：“票据出票人制作票据，应当按照法定条件在票据上签章，并按照所记载的事项承担票据责任。”根据票据法的规定，所谓票据责任，就是指票据债务人向持票人支付票据金额的义务。

2. 行为人必须实施了签发无资金保证的汇票、本票或者在出票时作虚假记载的行为。出票人签发汇票、本票时，必须具有可靠的资金保证。这是其承担票据责任的基础和保证。这里所说的“资金保证”,是指票据的出票人在承兑票据时具有按票据支付的能力。由于汇票许多不是即时支付的,有的是远期汇票。因此,汇票的出票人在出票时并不要求其当时即具有支付能力,而是要求其保证在汇票到期日具有支付能力即可。

3. 行为人签发的无资金保证的对象必须是汇票和本票。这里所说的汇票,包括银行汇票和商业汇票两种。其中“银行汇票”是指汇款人将款项交存银行,由银行签发给汇款人持往异地办理转帐结算或者支取现金的票据。“商业汇票”,是指由企业、事业、机关、团体等单位签发的汇票。商业汇票按其承兑人的不同,又可分为商业承兑汇票和银行承兑汇票两种。其中由收款人签发,经付款人承兑或者由付款人签发并承兑的票据是商业承兑汇票;而银行承兑汇票,是指以银行为付款人并由付款银行承兑的远期汇票。

这里所说的“本票”,就是指银行本票。“银行本票”,是指由申请人将款项交存银行,由银行签发给其凭以办理转帐结算和支取现金的票据。

4. 行为人具有骗取财物的目的。是否以非法占有他人财物为目的,是构成此项犯罪的罪与非罪的重要界限之一。如果汇票、本票的出票人签发无资金保证的汇票、本票或者在出票时作虚假记载,是出于过失或者其他原因,而不具有骗取财物的目的,则不构成此项犯罪。

根据本款规定,有上述五类行为之一,数额较大的,处五年以下有期徒刑或者拘役,并处二万元以上二十万元以下罚金;数额巨大或者有其他严重情节的,处五年以上十年以下有期徒刑,并处五万元以上五十万元以下罚金;数额特别巨大或者有其他特别严重情节的,处十年以上有期徒刑或者无期徒刑,并处五万元以上五十万元以下罚金或者没收财产。

第二款是关于金融凭证诈骗罪及其处罚的规定。

根据本款规定,构成金融凭证诈骗罪,应符合以下条件:

1. 行为人使用的银行结算凭证,必须是伪造、变造的。这里所说的“伪造”,是指行为人未经国家有关主管部门批准,非法印制银行结算凭证的行为;“变造”,是指行为人在真实、合法的银行结算凭证的基础上或者以真实的银行结算凭证为基本材料,通过剪接、挖补、涂改等手段,对银行结算凭证的主要内容,非法加以改变的行为。

2. 行为人必须实施了“使用”伪造、变造的委托收款凭证、汇款凭证、银行存单等其他银行结算凭证的行为。这里所说的“使用”,是指以非法占有他人财物为目的,进行诈骗活动。如果行为人仅是伪造、变造了委托收款凭证、汇款凭证、银行存单等其他银行结算凭证,而没有使用的,则不构成此款犯罪行为。这里所说的“银行结算凭证”,是指办理银行结算的凭据和证明。其中“委托收款凭证”,是指收款人在委托银行向付款人收取款项时,所填写提供的凭据和证明。这里所说的“汇款凭证”,是指汇款人委托银行将款项汇给外地收款人时,所填写的凭据和证明。这里所说的“银行存单”,既是一种信用凭证,也是一种银行结算凭证。银行凭以办理收付次数比较少、具有固定性的储蓄业务,如一次存取的整存整取和定活两便储蓄存款等。它是由储户向银行交存款项,办理开户,银行签发载有户名、帐号、存款金额、存期、存入日、到期日、利率等内容的存单,凭以办理存款的取存。存款到期后,银行有到期绝对付款的责任,可以挂失。因此,可以说银行存单是一种重要的信用和结算凭证。

根据本款规定,对本款规定的犯罪行为依照票据诈骗罪的量刑规定处罚。

第一百九十五条　有下列情形之一,进行信用证诈骗活动的,处五年以下有期徒刑或者拘役,并处二万元以上二十万元以下罚金;数额巨大或者有其他严重情节的,处五年以上十年以下有期徒刑,并处五万元以上五十万元以下罚金;数额特别巨大或者有其他特别严重情节的,处十年以上有期徒刑或者无期徒刑,并处五万元以上五十万元以下罚金或者没收财产:

(一)使用伪造、变造的信用证或者附随的单据、文件的;

(二)使用作废的信用证的;

(三)骗取信用证的;

(四)以其他方法进行信用证诈骗活动的。

【释义】　本条是关于信用证诈骗罪及其处罚的规定。

为保证金融秩序的稳定,打击信用证诈骗犯罪活动,第八届全国人民代表大会委员会第十四次会议通过的《关于惩治破坏金融秩序犯罪的决定》,对1979年刑法作了补充和修改。1997年修订刑法时将该决定第十三条规定的内容经过修改后纳入刑法。

信用证是指开证银行根据作为进口商的开证申请人的请求,开给受益人(通常情况下为出口商)的一种在其具备了约定的条件以后,即可得到由开证银行或支付银行支付的约定金额的保证付款的凭证。信用证是以买卖合同的确立为基础和前提,同时又不依附于买卖合同而独立于其之外的一个凭证,信用证一经开出就成为信用证中规定的各当事人之间达成一致的承诺和约定。针对信用证诈骗活动的不同情况,本条具体列举了以下四项信用证诈骗犯罪行为:

1. 使用伪造、变造的信用证或者附随的单据、文件的。伪造的信用证是指行为人采用描绘、复制、印刷等方法仿照信用证的格式、内容制造假信用证的行为或以其编造、冒用的某银行的名义开出假信用证的行为。“使用伪造的信用证”，是指行为人利用伪造的信用证骗取钱物的行为。变造的信用证，是指行为人在原信用证的基础上，采用涂改、剪贴、挖补等方法改变原信用证的内容和主要条款使其成为虚假的信用证的行为。“使用变造的信用证”，是指行为人利用变造的信用证诈骗钱财的行为。

使用伪造、变造附随的单据、文件，是指使用伪造、变造提单等必须附随信用证的单据，骗取信用证项下货款。由于信用证是独立于买卖合同之外的银行信用，银行在付款时，只凭单据，不看货物，即银行在审查单据时强调的是信用证与基础贸易相分离的书面形式的认证。犯罪分子利用信用证支付方式的这一特点，在货物根本不存在的情况下，伪造各种单据，使开证银行因全部单据与信用证在形式上相符合而无条件付款，从而达到诈骗货款的目的。这种犯罪有的是伪造提单，有的是伪造签字；有的是采用空头提单；有的则是对提单上所载明的货物作假，如提单所载明的货物与实际货物不相符或者伪造根本不存在的货物。

使用伪造、变造的信用证或者附随的单据、文件，既包括行为人自己伪造、变造后自己使用，也包括明知他人提供的信用证或附随的单据、文件是伪造的而使用。

2. 使用作废的信用证的。这主要是指使用过期的信用证，使用无效的信用证，使用明知是经他人涂改的信用证等情况。

3. 骗取信用证的。这是指行为人编造虚假的事实或隐瞒事实真相，欺骗银行为其开具信用证的行为。

4. 以其他方法进行信用证诈骗活动的。

考虑到利用信用证诈骗的情况较为复杂，表现形式多样，在法律上难以具体一一列举，因此，本条在列举了几种常见的诈骗行为的同时还规定了“以其他方法进行信用证诈骗”。

以其他方法进行信用证诈骗的手段很多，如有的利用“软条款”信用证进行诈骗活动。“软条款”信用证，是指在开立信用证时，故意制造一些隐蔽性的条款，这些条款实际上赋予了开证人或开证行单方面的主动权，从而使信用证随时因开证行或开证申请人单方面的行为而解除，以达到骗取财物的目的。例如，有些不法分子利用远期信用证诈骗，由于采用远期信用证支付时，进口商是先取货后付款，在信用证到期付款前存有一段时间，犯罪分子就利用这段时间，制造付款障碍，以达到骗取货物的目的；有的是取得货物后，将财产转移，宣布企业破产；有的则是与银行勾结，在信用证到期付款前，将银行资金转移，宣布银行破产；甚至有的国外小银行，其本身的资金就少于信用证所开出的金额，仍以开证行名义为进口商开具信用证，待进口商取得货物后，宣告资不抵债。

根据本条规定，有上述四项行为之一构成犯罪的，处五年以下有期徒刑或者拘役，并处二万元以上二十万元以下罚金；数额巨大或者有其他严重情节的，处五年以上十年以下有期徒刑，并处五万元以上五十万元以下罚金；数额特别巨大或者有其他特别严重情节的，处十年以上有期徒刑或者无期徒刑，并处五万元以上五十万元以下罚金或者没收财产。

这里的情节严重、情节特别严重主要应从犯罪行为所使用的手段、造成的后果和影响等多种因素来考虑。

第一百九十六条*　有下列情形之一，进行信用卡诈骗活动，数额较大的，处五年以下有期徒刑或者拘役，并处二万元以上二十万元以下罚金；数额巨大或者有其他严重情节的，处五年以上十年以下有期徒刑，并处五万元以上五十万元以下罚金；数额特别巨大或者有其他特别严重情节的，处十年以上有期徒刑或者无期徒刑，并处五万元以上五十万元以下罚金或者没收财产：

（一）使用伪造的信用卡，或者使用以虚假的身份证明骗领的信用卡的；

（二）使用作废的信用卡的；

（三）冒用他人信用卡的；

（四）恶意透支的。

前款所称恶意透支，是指持卡人以非法占有为目的，超过规定限额或者规定期限透支，并且经发卡银行催收后仍不归还的行为。

盗窃信用卡并使用的，依照本法第二百六十四条的规定定罪处罚。

【释义】　本条是关于信用卡诈骗犯罪及其处罚的规定。

信用卡是银行或者信用卡公司发给用户（包括单位和个人）用于购买商品、取得服务或者提取现金的信用凭证。信用卡在经济活动中主要具有消费、信用

---

* 根据2005年2月28日第十届全国人民代表大会常务委员会第十四次会议通过的《中华人民共和国刑法修正案（五）》修改。原条文是："有下列情形之一，进行信用卡诈骗活动，数额较大的，处五年以下有期徒刑或者拘役，并处二万元以上二十万元以下罚金；数额巨大或者有其他严重情节的，处五年以上十年以下有期徒刑，并处五万元以上五十万元以下罚金；数额特别巨大或者有其他特别严重情节的，处十年以上有期徒刑或者无期徒刑，并处五万元以上五十万元以下罚金或者没收财产：

"（一）使用伪造的信用卡的；

"（二）使用作废的信用卡的；

"（三）冒用他人信用卡的；

"（四）恶意透支的。

"前款所称恶意透支，是指持卡人以非法占有为目的，超过规定限额或者规定期限透支，并且经发卡银行催收后仍不归还的行为。

"盗窃信用卡并使用的，依照本法第二百六十四条的规定定罪处罚。"

贷款、转账结算、存取现金等功能。以信用卡为凭证,持卡人可以在暂不支付现金的情况下先得到某项商品或服务,进行消费活动。由于信用卡的使用以持卡人的个人信用为基础,这就决定了信用卡业务具有较高的风险性。信用卡作为一种大众化的支付工具,流通范围广、环节多,任何一个环节出现问题,都有可能给发卡机构或者特约商户带来损失的风险,或者造成经济损失。利用信用卡进行诈骗活动,更容易对金融机构和社会公众的利益造成严重损失,对金融机构的信誉和金融秩序造成严重破坏。

为进一步严厉打击信用卡诈骗犯罪活动,保证金融秩序的稳定,2005 年 2 月 28 日第七届全国人民代表大会常务委员会第十四次会议通过的《刑法修正案(五)》对 1997 年刑法第一百九十六条进行了修改,主要是在第一项中增加了“或者使用以虚假的身份证明骗领的信用卡的”行为。

第一款是关于信用卡诈骗的犯罪行为及其刑事处罚的规定。本款列举了以下四种信用卡诈骗的犯罪行为:

1. 使用伪造的信用卡,或者使用以虚假的身份证明骗领信用卡的。2004 年 12 月 29 日第十届全国人民代表大会常务委员会第十三次会议通过《关于〈中华人民共和国刑法〉有关信用卡规定的解释》,对刑法有关信用卡规定的含义作了如下解释:刑法规定的“信用卡”,是指由商业银行或者其他金融机构发行的具有消费、信用贷款、转账结算、存取现金等全部功能或者部分功能的电子支付卡。“使用伪造的信用卡,或者使用以虚假的身份证明骗领的信用卡”,包括用伪造的信用卡或者以虚假的身份证明骗领的信用卡购买商品、在银行或者自动柜员机上支取现金以及接受用信用卡进行支付结算的各种服务等。使用伪造的信用卡或者以虚假的身份证明骗领的信用卡,无论是进行购物或者接受各种有偿性的服务,在性质上都属于诈骗行为。使用伪造的信用卡或者以虚假的身份证明骗领的信用卡,既包括自己伪造或者骗领后供自己使用,也包括明知是他人伪造或者骗领后自己使用。“伪造的信用卡”,是指仿照信用卡的材料、图案、磁性等,使用各种方法制造的假信用卡。“虚假的身份证明”,是指不能反映信用卡申领人真实身份信息的居民身份证、护照、军官证等身份证件,既包括伪造的假身份证明,也包括与信用卡申领人真实身份不符的其他人的身份证明。

《刑法修正案(五)》在本项原规定的基础上,将使用以虚假的身份证明骗领信用卡的行为增加规定为犯罪。需要注意的是,一些信用卡申领人为了顺利取得信用卡,或者获得较高的授信额度,而在申请信用卡时对自己的收入状况等作了不实的陈述,因为其主观上并无非法占有目的,性质是不同于上述骗领信用卡的行为的,不应作为犯罪处理。

2. 使用作废的信用卡的。这里规定的“使用作废的信用卡”，包括用作废的信用卡购买商品、在银行或者自动柜员机上支取现金以及接受用信用卡进行支付结算的各种服务等。“作废的信用卡”，是指因法定的原因失去效用的信用卡。根据规定，信用卡作废主要有以下几种情况：(1)信用卡超过有效使用期而自动失效。(2)信用卡持卡人在信用卡有效期限内中途停止使用信用卡，并将信用卡交回发卡机构。由于种种原因，有的持卡人决定不再使用某种信用卡，而该信用卡还在有效使用期限内，持卡人可将该信用卡退回发卡机构办理退卡手续。此时该信用卡有效期虽未到，但在办理退卡手续后即属于作废的信用卡。(3)因挂失而使信用卡失效。现实生活中，信用卡丢失的情况经常发生，有的是因为被盗，有的是不慎遗失，或者因其他种种原因使持卡人失去信用卡。所以，任何一个发卡机构对于信用卡的丢失都规定有挂失的制度，以防止在信用卡丢失的情况下被他人冒用而使持卡人受到经济损失。

3. 冒用他人信用卡的。“冒用他人信用卡”，是指非持卡人以持卡人名义使用持卡人的信用卡骗取财物的行为，如使用捡得的信用卡的；未经持卡人同意，使用为持卡人代为保管的信用卡的。构成本项规定的冒用他人信用卡的犯罪，行为人主观上必须具备骗取他人财物的目的。只有主观上具备诈骗的故意，客观上有冒用他人信用卡的行为，才构成本项规定的犯罪。实践中有的信用卡持有人将自己的信用卡借给他人使用，如借给自己的亲属、朋友等，虽然这种行为是违反信用卡使用规定的，但是使用人在主观上不是以非法占有持卡人财物为目的，因此不具备诈骗罪的本质特征。在这种情况下可以对其进行纠正或者按照有关规定处理，不能适用本项规定作为犯罪处理。根据《最高人民法院、最高人民检察院关于办理妨害信用卡管理刑事案件具体应用法律若干问题的解释》第五条规定，具有下列情形的，属于“冒用他人信用卡”：(1)拾得他人信用卡并使用的；(2)骗取他人信用卡并使用的；(3)窃取、收买、骗取或者以其他非法方式获取他人信用卡信息资料，并通过互联网、通讯终端等使用的；(4)其他冒用他人信用卡的情形。

4. 恶意透支的。这里规定的“透支”，是指在银行设立帐户的客户在帐户上已无资金或者资金不足的情况下，经过银行批准，以超过其帐上资金的额度支用款项的行为。信用卡基本上都有透支功能，只有持卡人恶意透支，数额较大的，才构成本项规定的犯罪。本条第二款对恶意透支的含义进行了解释。《关于办理妨害信用卡管理刑事案件具体应用法律若干问题的解释》第六条规定：持卡人以非法占有为目的，超过规定限额或者规定期限透支，并且经发卡银行两次催收后超过三个月仍不归还的，应当认定为“恶意透支”。

根据本款规定，行为人有上述行为之一，数额较大的，处五年以下有期徒刑或者拘役，并处二万元以上二十万元以下罚金；数额巨大或者有其他严重情节的，处五年以上十年以下有期徒刑，并处五万元以上五十万元以下罚金；数额特别巨大或者有其他特别严重情节的，处十年以上有期徒刑或者无期徒刑，并处五万元以上五十万元以下罚金或者没收财产。结合《最高人民法院、最高人民检察院关于办理妨害信用卡管理刑事案件具体应用法律若干问题的解释》第五条规定，使用伪造的信用卡、以虚假的身份证明骗领的信用卡、作废的信用卡或者冒用他人信用卡，进行信用卡诈骗活动，数额在五千元以上不满五万元的，应当认定为刑法第一百九十六条规定的"数额较大"；数额在五万元以上不满五十万元的，应当认定为刑法第一百九十六条规定的"数额巨大"；数额在五十万元以上的，应当认定为刑法第一百九十六条规定的"数额特别巨大"。需要注意的是，该司法解释第六条对"恶意透支"规定为：数额在一万元以上不满十万元的，应当认定为刑法第一百九十六条规定的"数额较大"；数额在十万元以上不满一百万元的，应当认定为刑法第一百九十六条规定的"数额巨大"；数额在一百万元以上的，应当认定为刑法第一百九十六条规定的"数额特别巨大"。恶意透支的数额，是持卡人符合"恶意透支"的条件，拒不归还的数额或者尚未归还的数额，不包括复利、滞纳金、手续费等发卡银行收取的费用。

第二款是对第一款第四项"恶意透支"含义的解释。按照本款的规定，利用信用卡进行恶意透支的诈骗犯罪活动，行为人在主观上应当具有非法占有的目的，这是恶意透支与善意透支的本质区别。根据《最高人民法院、最高人民检察院关于办理妨害信用卡管理刑事案件具体应用法律若干问题的解释》第六条规定，"以非法占有为目的"的情形包括：(1)明知没有还款能力而大量透支，无法归还的；(2)肆意挥霍透支的资金，无法归还的；(3)透支后逃匿、改变联系方式，逃避银行催收的；(4)抽逃、转移资金，隐匿财产，逃避还款的；(5)使用透支的资金进行违法犯罪活动的；(6)其他非法占有资金，拒不归还的行为。恶意透支在客观上表现为超过规定限额或者规定期限透支，并且经发卡银行催收后仍不归还。"规定限额或者规定期限"，是指有关主管部门规章和发卡银行规定中规定的透支限额或者透支期限。"催收"，是指发卡银行以函件、电话、电子邮件等各种方式催促持卡人归还透支款项的行为。

第三款是关于盗窃信用卡并使用的犯罪如何处理的规定。"盗窃信用卡并使用"，是指盗窃他人信用卡后使用该信用卡购买商品、在银行或者自动柜员机上支取现金以及接受用信用卡进行支付结算的各种服务，诈骗财物的行为。根据本款规定，对这种犯罪行为，应当依照刑法第二百六十四条的规定以盗窃罪定罪处罚。

第一百九十七条　使用伪造、变造的国库券或者国家发行的其他有价证券，进行诈骗活动，数额较大的，处五年以下有期徒刑或者拘役，并处二万元以上二十万元以下罚金；数额巨大或者有其他严重情节的，处五年以上十年以下有期徒刑，并处五万元以上五十万元以下罚金；数额特别巨大或者有其他特别严重情节的，处十年以上有期徒刑或者无期徒刑，并处五万元以上五十万元以下罚金或者没收财产。

【释义】　本条是关于有价证券诈骗罪及其处罚的规定。

对于使用伪造、变造的国家有价证券进行诈骗犯罪，本条规定了以下几个构成要件：1. 行为人在主观上有犯罪故意，即有获取不法利益的目的。2. 行为人在客观上实施了使用伪造、变造的国库券或者国家发行的其他有价证券，进行诈骗活动的行为。本条所称“伪造、变造的国库券或者国家发行的其他有价证券”，已在第一百七十八条作了解释，在此不再赘述。本条所称“使用”，是指行为人将伪造、变造的国库券或者国家发行的其他有价证券用于兑换现金、抵消债务等获取财物或者财产性利益的活动。3. 行为人骗取财物数额较大的才构成犯罪。这是区分罪与非罪的重要界限。如果行为人在使用伪造、变造的国库券或者国家发行的其他有价证券进行诈骗活动时被识破，诈骗没有得逞，或者只诈骗了少量财物，不宜作为犯罪处理。

对于使用伪造、变造的国家有价证券进行诈骗犯罪的处罚，本条根据数额规定了三档刑罚：数额较大的，处五年以下有期徒刑或者拘役，并处二万元以上二十万元以下罚金；数额巨大或者有其他严重情节的，处五年以上十年以下有期徒刑，并处五万元以上五十万元以下罚金；数额特别巨大或者有其他特别严重情节的，处十年以上有期徒刑或者无期徒刑，并处五万元以上五十万元以下罚金或者没收财产。

第一百九十八条　有下列情形之一，进行保险诈骗活动，数额较大的，处五年以下有期徒刑或者拘役，并处一万元以上十万元以下罚金；数额巨大或者有其他严重情节的，处五年以上十年以下有期徒刑，并处二万元以上二十万元以下罚金；数额特别巨大或者有其他特别严重情节的，处十年以上有期徒刑，并处二万元以上二十万元以下罚金或者没收财产：

（一）投保人故意虚构保险标的，骗取保险金的；

（二）投保人、被保险人或者受益人对发生的保险事故编造虚假的原因或者夸大损失的程度，骗取保险金的；

（三）投保人、被保险人或者受益人编造未曾发生的保险事故，骗取保险金的；

（四）投保人、被保险人故意造成财产损失的保险事故，骗取保险金的；

（五）投保人、受益人故意造成被保险人死亡、伤残或者疾病，骗取保险金的。

有前款第四项、第五项所列行为，同时构成其他犯罪的，依照数罪并罚的规定处罚。

单位犯第一款罪的，对单位判处罚金，并对其直接负责的主管人员和其他直接责任人员，处五年以下有期徒刑或者拘役；数额巨大或者有其他严重情节的，处五年以上十年以下有期徒刑；数额特别巨大或者有其他特别严重情节的，处十年以上有期徒刑。

保险事故的鉴定人、证明人、财产评估人故意提供虚假的证明文件，为他人诈骗提供条件的，以保险诈骗的共犯论处。

【释义】 本条是关于保险诈骗罪及其处罚的规定。

第一款具体规定了保险诈骗的犯罪行为及其处罚。根据近些年来发生在保险业中诈骗犯罪案的情况，针对保险活动各个环节可能发生的问题，具体规定了保险诈骗罪的五种表现形式：

1. 投保人故意虚构保险标的，骗取保险金的。这里所说的“投保人”，是指与保险人订立保险合同，并根据保险合同负支付保险费义务的人；“保险人”，是指与投保人订立保险合同，并根据保险合同收取保险费，在保险事故发生或者约定的保险期间届满时，承担赔偿或者给付保险金责任的保险公司。一般情况下，保险合同还涉及另外两种人，即被保险人和受益人。“被保险人”，是指在保险事故发生或者约定的保险期间届满时，依据保险合同，有权向他人请求补偿损失或者领取保险金的人。“受益人”，则是指由保险合同明确指定的或者依照法律规定有权取得保险金的人。“保险标的”，是指作为保险对象的物质财富及有关利益、人的生命或健康。保险标的从某种意义上讲是订立保险合同的核心内容。可以说，保险活动的当事人所进行的保险活动都是围绕着保险标的而开展的，或者与保险标的有着直接或间接的关系。本款所称“投保人故意虚构保险标的”，是指投保人违背法律关于诚实信用的原则，在与他人订立保险合同时，故意虚构保险标的的行为。从行为特征看，投保人是出于故意，即明知这样做是违法的而故意为之。虚构保险标的，是指投保人为骗取保险金，虚构了一个根本不存在的保险对象与保险人订立保险合同的行为。

2. 投保人、被保险人或者受益人对发生的保险事故编造虚假的原因或者夸大损失的程度，骗取保险金的。本项所说的“对发生的保险事故编造虚假的原因”，主要是指投保人、被投保人或者受益人，为了骗取保险金，在发生保险事故后，对造成保险事故的原因作虚假的陈述或者隐瞒真实情况的行为。一般来说，保险合同中关于保险事故发生后的赔偿约定都是有条件的，不是对任何原因引起的保险事故保险人都负赔偿责任的。在我国有关保险方面的法律、法规一般都明确规定了某种保险赔偿的责任范围以及除外条款，以明确保险人在什么情况下才负有保险赔偿的责任，在什么情况下则不予赔偿。在许多情况下，发生保险事故后，引起保险事故发生的原因，是确定保险合同双方当事人的责任，以及是否予以理赔的一个重要依据。“编造虚假的原因”，主要是指编造使保险人承担保险赔偿责任的虚假原因。“夸大损失的程度，骗取保险金的”，是指投保人、被保险人或者受益人对发生的保险事故，故意夸大由于保险事故造成保险标的的损失程度，从而更多地取得保险赔偿金的行为。应当明确的是，本项规定的“对发生的保险事故编造虚假的原因或者夸大损失的程度”是两种行为，行为人只要实施了其中的一个行为，就构成犯罪，就应当依本条的规定追究其刑事责任。

3. 投保人、被保险人或者受益人编造未曾发生的保险事故，骗取保险金的。编造未曾发生的保险事故，是指投保人、被保险人或者受益人在未发生保险事故的情况下，虚构事实，谎称发生保险事故，骗取保险金的行为。

4. 投保人、被保险人故意造成财产损失的保险事故，骗取保险金的。故意造成财产损失的保险事故，是指投保财产险的投保人、被保险人，在保险合同的有效期内，故意人为地制造保险标的出险的保险事故，造成财产损失，从而骗取保险金的行为。根据保险法的规定，对投保人、被保险人或者受益人故意制造保险事故的，他人不负赔偿责任。保险人对投保人、被保险人或者受益人的赔偿，以在保险合同有效期间发生了保险事故为前提条件。因此，在没有发生保险事故的情况下，故意制造财产损失的保险事故，骗取保险金，就成为一些不法的投保人、被保险人或者受益人骗取保险金的一种手段。

5. 投保人、受益人故意造成被保险人死亡、伤残或者疾病，骗取保险金的。这种情况发生于人身保险，因为人身保险是以人的生命以及健康为保险内容的保险。这类保险除个别的具有“两全”储蓄性质的险种外，一般都是以被保险人的死亡、伤残或者发生疾病为赔偿条件的。在这种情况下，有些投保人、受益人为了取得保险金，就会千方百计地促成赔偿条件的实现。这里所说的“故意造成被保险人死亡、伤残或者疾病，骗取保险金的”，是指投保人、受益人采取杀害、伤害、虐待、遗弃、投毒、传播传染病以及利用其他方法故意造成人身事故，致使被保险人死亡、伤残或者生病，以取得保险金的行为。

需要指出的是，本款所列五项情形，从主体上看是有区别的。这里主要是根据保险活动的各个阶段的特点和保险当事人参与保险活动的情况来确定的。如第一项规定的情形只列举了投保人，这是因为这类犯罪行为发生在保险活动的开始，一般只能由投保人所为。第二项和第三项所规定的情形则列举了投保人、被保险人和受益人，因为对发生保险事故编造虚假的原因或者夸大损失的程度和编造未曾发生的保险事故，这三种人都可能有条件实施此种行为。第四项规定的情形列举了投保人、被保险人，因为在一般情况下，对财产的投保，被保险人就是受益人。第五项规定的情形比较复杂，虽然也涉及投保人、受益人和被保险人，但故意造成被保险人死亡、伤残或者疾病的，通常情况下，多是投保人和受益人所为。当然也不排除实践中会发生被保险人为使受益人取得保险金而自杀、自残的情况。这类情况按照保险法的规定是不予赔偿的，可不作为犯罪处理。因此，本项只列举了投保人和受益人为犯罪主体。掌握了本条所列五项情形中有关主体的规定，对有效地防止和查清这类诈骗犯罪活动，有着重要意义。

根据本款规定，有上述所列五项行为之一数额较大的，处五年以下有期徒刑或者拘役，并处一万元以上十万元以下罚金；数额巨大或者有其他严重情节的，处五年以上十年以下有期徒刑，并处二万元以上二十万元以下罚金；数额特别巨大或者有其他特别严重情节的，处十年以上有期徒刑，并处二万元以上二十万元以下罚金或者没收财产。

第二款规定，有前款第四项、第五项所列行为，同时构成其他犯罪的，依照数罪并罚的规定处罚。这样规定是因为行为人在实施前款规定的保险诈骗犯罪的过程中，其行为还可能触犯刑法的其他条款，如第四项规定的"造成财产损失的保险事故，骗取保险金的"，如果行为人采取纵火、爆炸等方法制造保险事故的，无论其保险诈骗行为是否继续实施，是否得逞，其所实施的纵火、爆炸行为已触犯了刑法关于危害公共安全罪的规定。又如第五项规定的"投保人、受益人故意造成被保险人死亡、伤残或者疾病"，如果行为人采取伤害或谋杀等手段，就同时构成保险诈骗罪和故意杀人、故意伤害罪，对这种情况，根据本款的规定，应当数罪并罚。需要注意的是，在有些情况下，行为人为达到保险诈骗的目的，其采取的方法已构成独立的犯罪，如杀人、纵火等。其所要进行的保险诈骗行为由于各种原因没有或者未能继续实施下去，或者未能得逞，在这种情况下，其保险诈骗罪不能成立，但并不因此而影响对其实施的杀人、纵火等行为追究刑事责任。

第三款是关于单位犯罪的规定。根据本款规定，单位犯第一款罪的，对单位判处罚金，并对其直接负责的主管人员和其他直接责任人员，依照本款的规定处罚。具体分为三档刑：对于数额较大的，处五年以下有期徒刑或者拘役；数额巨大或者有其他严重情节的，处五年以上十年以下有期徒刑；数额特别巨大或者有其他特别严重情节的，处十年以上有期徒刑。

第四款是关于保险事故的鉴定人、证明人、财产评估人故意提供虚假的证明文件，为他人诈骗提供条件的，以保险诈骗的共犯论处的规定。其中，保险事故的鉴定人、证明人、财产评估人，是指在保险事故发生后，参与保险事故调查工作的人员。他们所提供的鉴定、证明和财产评估方面的材料，直接影响保险事故调查结果的真伪，如果他们故意提供虚假的证明文件，为他人诈骗提供条件，则以保险诈骗犯罪的共犯论处。

在实践中，认定本罪要注意划分罪与非罪的界限。只有在保险诈骗数额较大的情况下，才能构成本罪；数额不是较大的，则不构成犯罪。

第一百九十九条*　~~犯本节第一百九十二条规定之罪，数额特别巨大并且给国家和人民利益造成特别重大损失的，处无期徒刑或者死刑，并处没收财产。~~

【释义】　本条原来是关于对集资诈骗犯罪加重处罚的规定，现已删去。

2015 年 8 月 29 日第十二届全国人民代表大会常务委员会第十六次会议通过的《刑法修正案（九）》删除了本条的规定，同时意味着取消了集资诈骗犯罪的死刑。

刑法对集资诈骗犯罪的死刑规定，从增加到取消，有一个历史演变的过程。为惩治金融诈骗活动，第八届全国人大常委会第十四次会议通过了《关于惩治破坏金融秩序犯罪的决定》，将使用诈骗方法非法集资的犯罪，作为一种特殊的诈骗犯罪加以规定，同时规定对这种犯罪最高刑可以判处死刑。1997 年修改刑法将决定第八条的规定纳入刑法。1997 年刑法第一百九十九条规定，犯刑法第一百九十二条、第一百九十四条、第一百九十五条规定之罪，即集资诈骗罪、票据诈骗罪、金融凭证诈骗罪和信用证诈骗罪，数额特别巨大并且给国家和人民利益造成特别重大损失的，处无期徒刑或者死刑，并处没收财产。在当时的社会经济发展形势下，对于这几种严重破坏国家金融秩序，危害国家和人民利益的金融诈骗犯罪，规定在犯罪数额特别巨大并且给国家和人民利益造成特别重大损失的情况下，判处无期徒刑或者死刑，对于严厉打击和震慑金融诈骗犯罪活动，维护社会主义市场经济秩序，具有十分重要的意义。在十几年来的司法实践中，司法机关对于这些金融诈骗犯罪适用死刑，是十分慎重的。近年来，我

---

* 本条经过修改一次，后删去。

根据 2011 年 2 月 25 日第十一届全国人民代表大会常务委员会第十九次会议通过的《中华人民共和国刑法修正案（八）》修改。原条文是："犯本节第一百九十二条、第一百九十四条、第一百九十五条规定之罪，数额特别巨大并且给国家和人民利益造成特别重大损失的，处无期徒刑或者死刑，并处没收财产。"

根据 2015 年 8 月 29 日第十二届全国人民代表大会常务委员会第十六次会议通过的《中华人民共和国刑法修正案（九）》删去。

国社会主义市场经济体制建设不断推进，金融监管、风险防范的制度日臻完善，金融诈骗犯罪的势头得到了有效的遏制。有关部门、一些全国人大代表和专家多次提出，我国刑法规定的死刑罪名较多，对于一些社会危害性没有达到极其严重，判处生刑足以起到惩罚和震慑作用的犯罪，可以考虑不再规定死刑。中央深化司法体制和工作机制改革的意见要求，适当减少死刑罪名。立法机关经研究认为，刑法第一百九十四条、第一百九十五条规定的票据诈骗罪、金融凭证诈骗罪和信用证诈骗罪，属于非暴力的经济性犯罪，社会危害性不是最严重的，取消其死刑，符合宪法尊重和保障人权的要求，不会给社会稳定大局和治安形势带来负面影响。对于犯这些罪，数额特别巨大或者有其他特别严重情节的，依照刑法第一百九十四条、第一百九十五条规定判处无期徒刑，足以起到惩罚和震慑的作用。为此，《刑法修正案（八）》对本条进行了修改，删去了这三个罪名可以判处死刑的规定。

在《刑法修正案（八）》草案的起草和审议过程中，有些部门和专家学者建议，一并取消刑法第一百九十二条规定的集资诈骗罪的死刑。立法机关经广泛征求意见，反复研究认为，集资诈骗罪虽然与票据诈骗罪、金融凭证诈骗罪和信用证诈骗罪同属金融诈骗犯罪，但该罪的被害人往往是不特定的人民群众，受害者人数众多，涉案金额惊人，不仅侵犯人民群众的财产权益，扰乱金融秩序，还严重影响社会稳定。这类犯罪在当时尚未得到有效遏制，在一些地方仍然时有发生。在这种情况下，对于集资诈骗数额特别巨大并且给国家和人民利益造成特别重大损失的犯罪，在当时保留死刑是必要的。因此，《刑法修正案（八）》保留了集资诈骗犯罪可以判处死刑的规定。

根据我国慎用死刑的一贯政策，对犯集资诈骗罪可以判处死刑的条件作了非常严格的限制，即犯集资诈骗罪，“数额特别巨大并且给国家和人民利益造成特别重大损失的，处无期徒刑或者死刑，并处没收财产”。根据这一规定，犯集资诈骗罪判处死刑，不仅要看数额是否达到特别巨大，还要看是否给国家和人民利益造成特别重大损失。而且即使以上两个条件都符合，也不一定都必须判处死刑，还可以判处无期徒刑。

党的十八届三中全会提出，“逐步减少适用死刑罪名”。中央关于深化司法体制和社会体制改革的任务中也要求，完善死刑法律规定，逐步减少适用死刑的罪名。为了落实上述的要求，同时考虑到近年来国家对民间集资进行了有效的清理，通过政府加强监管，拓宽民间资本投资渠道，加强对中小企业的资金支持，加大对非法集资的打击力度，已有效遏制了非法集资诈骗犯罪，而且集资诈骗也是非暴力的经济性犯罪，最高处以无期徒刑也可以做到罪行相适应，因此，经与各方面研究一致，2015 年 8 月 29 日第十二届全国人民代表大会常务委员会第十六次会议通过的《刑法修正案(九)》删除本条,即取消了集资诈骗罪的死刑。关于集资诈骗犯罪的具体释义,请详细阅读本法第一百九十四条的释义内容,这里不再赘述。

第二百条*　单位犯本节第一百九十二条、第一百九十四条、第一百九十五条规定之罪的,对单位判处罚金,并对其直接负责的主管人员和其他直接责任人员,处五年以下有期徒刑或者拘役,可以并处罚金;数额巨大或者有其他严重情节的,处五年以上十年以下有期徒刑,并处罚金;数额特别巨大或者有其他特别严重情节的,处十年以上有期徒刑或者无期徒刑,并处罚金。

【释义】　本条是关于单位犯集资诈骗罪、票据诈骗罪和信用证诈骗罪及其处罚的规定。

对于集资诈骗、票据诈骗和信用证诈骗的犯罪行为,实践中既有个人实施的情形,也存在单位实施的情形。为稳定金融市场秩序,对单位犯这些罪的也应当予以打击。由于上述三种犯罪行为都规定在金融诈骗罪一节中,从立法技术考虑,将单位犯这三种罪的处罚在本节最后一条单独规定,有利于做到对三种犯罪在适用刑罚上的均衡,体现罪刑相适应原则。

我国刑法规定了单位犯罪双罚制原则。刑法第三十一条规定,单位犯罪的,对单位判处罚金,并对其直接负责的主管人员和其他直接责任人员判处刑罚。实践中在单位经济犯罪的情况下,直接负责的主管人员或者直接责任人员不仅是单位犯罪的实施者,在为单位获取非法利益的同时,往往本人也获得非法利益。对这种单位犯罪中直接负责的主管人员和其他直接责任人员规定罚金刑,一方面是罪刑相适应原则的要求,有利于这几条在刑罚适用上的均衡,另一方面也使犯罪分子在经济上占不到便宜,并且剥夺其再次实施犯罪的能力,符合双罚制原则的要求。另外,对于个人犯刑法第一百九十二条、第一百九十四条、第一百九十五条规定之罪的,各条都有并处罚金刑的规定。单位犯这几条规定之罪的情况下,对其直接负责的主管人员和其他直接责任人员,根据双罚制的要求并处罚金,对于统一量刑标准也是必要的。因此,2011年2月25日第十一届全国人民代表大会常务委员会第十九次会议通过

---

* 根据2011年2月25日第十一届全国人民代表大会常务委员会第十九次会议通过的《中华人民共和国刑法修正案(八)》修改。原条文是:"单位犯本节第一百九十二条、第一百九十四条、第一百九十五条规定之罪的,对单位判处罚金,并对其直接负责的主管人员和其他直接责任人员,处五年以下有期徒刑或者拘役;数额巨大或者有其他严重情节的,处五年以上十年以下有期徒刑;数额特别巨大或者有其他特别严重情节的,处十年以上有期徒刑或者无期徒刑。"

的《刑法修正案(八)》增加了单位犯第一百九十二条、第一百九十四条、第一百九十五条规定之罪情况下,对直接负责的主管人员和其他直接责任人员"并处罚金"的规定。

根据本条的规定,对于单位犯集资诈骗罪、票据诈骗罪和信用证诈骗罪的采用双罚制原则,即对单位判处罚金,并对其直接负责的主管人员和其他直接责任人员,处五年以下有期徒刑或者拘役,可以并处罚金;数额巨大或者有其他严重情节的,处五年以上十年以下有期徒刑,并处罚金;数额特别巨大或者有其他特别严重情节的,处十年以上有期徒刑或者无期徒刑,并处罚金。

第六节　危害税收征管罪

第二百零一条*　纳税人采取欺骗、隐瞒手段进行虚假纳税申报或者不申报,逃避缴纳税款数额较大并且占应纳税额百分之十以上的,处三年以下有期徒刑或者拘役,并处罚金;数额巨大并且占应纳税额百分之三十以上的,处三年以上七年以下有期徒刑,并处罚金。

扣缴义务人采取前款所列手段,不缴或者少缴已扣、已收税款,数额较大的,依照前款的规定处罚。

对多次实施前两款行为,未经处理的,按照累计数额计算。

有第一款行为,经税务机关依法下达追缴通知后,补缴应纳税款,缴纳滞纳金,已受行政处罚的,不予追究刑事责任;但是,五年内因逃避缴纳税款受过刑事处罚或者被税务机关给予二次以上行政处罚的除外。

【释义】　本条是关于逃税罪及其处罚的规定。

随着我国社会主义市场经济的发展,逃避履行纳税义务的情况也变得越来越复杂,同样的逃税数额在不同时期对社会的危害程度也有所不同,如何对逃税罪进行处罚,更好地体现宽严相济的刑事政策,应当根据实践需要作相应调

---

* 根据2009年2月28日第十一届全国人民代表大会常务委员会第七次会议通过的《中华人民共和国刑法修正案(七)》修改。原条文是:"纳税人采取伪造、变造、隐匿、擅自销毁帐簿、记帐凭证,在帐簿上多列支出或者不列、少列收入,经税务机关通知申报而拒不申报或者进行虚假的纳税申报的手段,不缴或者少缴应纳税款,偷税数额占应纳税额的百分之十以上不满百分之三十并且偷税数额在一万元以上不满十万元的,或者因偷税被税务机关给予二次行政处罚又偷税的,处三年以下有期徒刑或者拘役,并处偷税数额一倍以上五倍以下罚金;偷税数额占应纳税额的百分之三十以上并且偷税数额在十万元以上的,处三年以上七年以下有期徒刑,并处偷税数额一倍以上五倍以下罚金。

"扣缴义务人采取前款所列手段,不缴或者少缴已扣、已收税款,数额占应缴税额的百分之十以上并且数额在一万元以上的,依照前款的规定处罚。

"对多次犯有前两款行为,未经处理的,按照累计数额计算。"

整,《刑法修正案(七)》对刑法第二百零一条适时作出了修改。

第一款是关于逃税罪及其处罚的规定。逃税罪具有以下特征:

1. 犯罪主体必须是纳税人。这里规定的“纳税人”,是指根据法律和行政法规的规定负有纳税义务的单位和个人。2. 行为人实施了逃税行为,主要通过虚假纳税申报,或者不申报手段进行。其中,“虚假纳税申报”,是指纳税人在进行纳税申报过程中,制造虚假情况,如不如实填写或者提供纳税申报表、财务会计报表及其他的纳税资料等。实践中,虚假纳税申报主要有以下手段:(1)伪造、变造、隐匿和擅自销毁帐簿、记帐凭证,如设立虚假的帐簿、记帐凭证;对帐簿、记帐凭证进行挖补、涂改等;未经税务主管机关批准而擅自将正在使用中或尚未过期的帐簿、记帐凭证销毁处理等行为。(2)在帐簿上多列支出或者不列、少列收入,如在帐簿上大量填写超出实际支出的数额以冲抵或减少实际收入的数额。“不申报”,是指应依法办理纳税申报的纳税人,不按照法律、行政法规的规定办理纳税申报的行为。3. 逃避缴纳税额达到一定数额并达到本款规定的所占应纳税额的比例。

根据本款规定,逃税数额较大并且占应纳税额的百分之十以上的,处三年以下有期徒刑或者拘役,并处罚金;数额巨大并且占应纳税额的百分之三十以上的,处三年以上七年以下有期徒刑,并处罚金。应当注意的是,逃税数额占应纳税额的比例和实际逃税的数额这两种数额必须都达到本条规定的标准,才构成逃税罪。这是根据逃税罪本身的特点来制定的。因为,逃税数额所占应纳税额的比例大小,从一定程度上反映了行为人的主观恶性程度的大小,逃税数额多少实际上反映了客观的社会危害程度。规定一个百分比,同时规定一个数额作为基数,这样从这两方面来确定是否构成犯罪及处罚比较科学和严谨。这里的“逃税数额”,是指行为人在一个纳税期间所逃的各种税的总额,既包括国税,也包括地税。“应纳税额”,是纳税义务人在一个纳税期间应当缴纳的各种税的总额,也包括国税和地税。一个纳税期间,一般是指一个会计年度,即从每年的一月一日至十二月三十一日。

值得注意的是,无论是构成逃税罪的数额还是判处罚金的数额,本条只是作出原则规定,具体数额可由司法机关根据社会经济发展状况等因素通过司法解释规定。

第二款是关于扣缴义务人采取第一款所列手段,不缴或者少缴已扣、已收税款的行为及其处罚的规定。

本款规定的“扣缴义务人”,是指根据不同的税种,由有关的法律、行政法规规定的,负有代扣代缴、代收代缴税收义务的单位和个人。他们所代扣代缴和代收代缴的税款,应依法上缴税务机关。如果扣缴义务人采取第一款规定的

“虚假纳税申报或者不申报”手段,不缴或者少缴已扣、已收税款,实际上是一种截留国家税款的行为。对这类行为,数额较大的,应当依照前款的规定处罚。

第三款是对多次犯有前两款规定的违法行为未经处理的,按照累计数额计算的规定。这里规定的“未经处理”,是指未经税务机关或者司法机关处理的,既包括行政处罚,也包括刑事处罚。“按照累计数额计算”,是指按照行为人历次逃税的数额累计相加。只要多次犯有逃税行为,不管每次的数额多少,只要累计达到了法定起刑数额标准,即应按本条的规定追究刑事责任。

第四款是对逃税构成犯罪不予追究刑事责任的特殊规定,是2009年2月28日全国人大常委会第七次会议通过的《刑法修正案(七)》新增加的内容。主要是考虑到打击逃税犯罪的目的是为了加强税收征管,保证国家税款收入,对行为人经税务机关催缴后主动补交税款和滞纳金,接受处罚的,如果能够不追究刑事责任,事实上更有利于巩固税源和扩大税基,有利于提高公民、企业自觉纳税意识和加强税收征管力度。从国外的经验看,也多采用这种处理方式。

根据本款规定,当发现纳税人具有虚假纳税申报或者不申报行为后,税务机关应当根据纳税人的逃税事实依法下达追缴通知,要求其补缴应纳税款,缴纳滞纳金,并且接受行政处罚。如果当事人按照税务机关下发的追缴通知和行政处罚决定书的规定,积极采取措施,补缴税款,缴纳滞纳金,接受行政处罚的,则不作为犯罪处理;如果当事人拒不配合税务机关的上述要求,或者仍逃避自己的纳税义务的,则税务机关有权将此案件转交公安机关立案侦查进入刑事司法程序。应当指出的是,本条宽大处理的规定仅针对初犯者,五年内曾因逃避缴纳税款受过刑事处罚或者被税务机关给予二次以上行政处罚的除外,如果达到第一款规定的逃税数额和比例,即作为涉嫌犯罪移交公安机关立案处理。

第二百零二条　以暴力、威胁方法拒不缴纳税款的,处三年以下有期徒刑或者拘役,并处拒缴税款一倍以上五倍以下罚金;情节严重的,处三年以上七年以下有期徒刑,并处拒缴税款一倍以上五倍以下罚金。

【释义】 本条是关于抗税罪及其处罚的规定。

本条规定的抗税罪,是指负有缴纳税款义务的纳税义务人,以暴力、威胁方法拒不缴纳税款的犯罪。

本条规定的以暴力方法拒不缴纳税款,是指行为人对税务人员采用暴力方法,包括殴打、推搡、伤害等直接侵害人身安全的暴力方法拒不缴纳税款的行为;以威胁方法拒不缴纳税款,是指纳税人采用威胁的方法拒不缴纳税款,如扬言以拼命的威胁方法拒缴税款，或扬言对税务人员及亲属的人身、财产的安全采取伤害、破坏手段，威胁税务人员，达到拒不缴税的目的。其中，威胁方法包括当面直接威胁，也包括采取其他间接的威胁方法，如打恐吓电话、寄恐吓信件等。

在司法实践中，虽然根据本条的规定，只要行为人实施了以暴力、威胁方法抗拒纳税的行为，就构成犯罪，并不意味着对所有的抗税行为不分具体情节，一律定罪处罚。同样也存在区分罪与非罪的界限问题。据此，两者的界限主要在于情节是否轻微，情节可从以下两方面考虑：一是暴力程度、后果及威胁的内容，如只是一般的争执、推搡，或只是一般的威胁，情节较轻的，不按犯罪处理较妥。二是抗拒的税款数额，如数额较小，也不宜以抗税罪论处。

本条对抗税罪，规定处三年以下有期徒刑或者拘役，并处拒缴税款一倍以上五倍以下罚金，这是对一般的抗税罪的处罚规定。另外对情节严重的，规定处三年以上七年以下有期徒刑，并处拒缴税款一倍以上五倍以下罚金。这里所说的“情节严重”，主要是指暴力抗税的方法特别恶劣、造成严重后果或者抗税数额巨大等。根据《最高人民法院关于审理偷税抗税刑事案件具体应用法律若干问题的解释》第五条规定，具有下列情形的属于刑法第二百零二条规定的“情节严重”：(1)聚众抗税的首要分子；(2)抗税数额在十万元以上的；(3)多次抗税的；(4)故意伤害致人轻伤的；(5)具有其他严重情节。

第二百零三条　纳税人欠缴应纳税款，采取转移或者隐匿财产的手段，致使税务机关无法追缴欠缴的税款，数额在一万元以上不满十万元的，处三年以下有期徒刑或者拘役，并处或者单处欠缴税款一倍以上五倍以下罚金；数额在十万元以上的，处三年以上七年以下有期徒刑，并处欠缴税款一倍以上五倍以下罚金。

【释义】 本条是关于逃避追缴欠税罪及其处罚的规定。

本条规定的逃避追缴欠税罪，是指负有纳税义务的单位或个人，故意逃避税务机关追缴欠税款的犯罪。

逃避追缴欠税罪是故意犯罪，是纳税人采取本条规定的手段逃避纳税。根据本条规定，构成本罪是以纳税人欠缴应纳税款为前提的。在欠税情况下行为人采取转移或者隐匿财产的手段，逃避纳税。这里所说的“采取转移或者隐匿财产的手段”，是指负有纳税义务的单位或个人在欠缴应纳税款的情况下将其所有的财产转移或隐藏起来，使税务机关无法根据法律、行政法规的有关规定，对其采取相应的行政强制措施而追缴其欠缴的税款。

根据本条规定，数额在一万元以上不满十万元的，处三年以下有期徒刑或者拘役,并处或者单处欠缴税款一倍以上五倍以下罚金。这里所说的“数额”,是指纳税人欠缴应纳税款的数额。数额在十万元以上的,处三年以上七年以下有期徒刑,并处欠缴税款一倍以上五倍以下罚金。

第二百零四条　以假报出口或者其他欺骗手段,骗取国家出口退税款,数额较大的,处五年以下有期徒刑或者拘役,并处骗取税款一倍以上五倍以下罚金;数额巨大或者有其他严重情节的,处五年以上十年以下有期徒刑,并处骗取税款一倍以上五倍以下罚金;数额特别巨大或者有其他特别严重情节的,处十年以上有期徒刑或者无期徒刑,并处骗取税款一倍以上五倍以下罚金或者没收财产。

纳税人缴纳税款后,采取前款规定的欺骗方法,骗取所缴纳的税款的,依照本法第二百零一条的规定定罪处罚;骗取税款超过所缴纳的税款部分,依照前款的规定处罚。

【释义】 本条是关于骗取出口退税罪及其处罚的规定。

1979年刑法没有规定此罪。为了有效地打击骗取国家出口退税款的犯罪,1992年9月4日第七届全国人大常委会第二十七次会议通过的《关于惩治偷税、抗税犯罪的补充规定》第五条作了规定。1997年修改刑法时,基本保留了该条规定的内容,所作的修改主要是:第一,将决定第一款规定的“企业事业单位采取对所生产或者经营的商品假报出口等欺骗手段”修改为“以假报出口或者其他欺骗手段”。将决定中规定的单位犯罪和自然人犯罪合并为一条,即将特殊主体修改为一般主体。第二,对刑罚作了修改,将补充规定中规定按照诈骗罪处理的,直接规定了刑罚,以利于执行。第三,根据实践中以假报出口或者其他欺骗手段,骗取国家出口退税的两种情况,分别规定了两种不同的处罚,体现了罪刑相适应原则。

第一款是关于以假报出口或者其他欺骗手段骗取国家出口退税罪及其处罚的规定。骗取出口退税罪同其他诈骗罪一样是故意犯罪,行为人具有非法牟利的目的,行为人实施了假报出口或者其他欺骗手段。根据有关规定,申请退税,必须提供海关盖有“验讫章”的产品出口报关单、出口销售发票、出口产品购进发票和银行的出口结汇单。税务机关正是根据上述有关凭证、单据,依法对出口企业办理退税。而“假报出口”,则是行为人根本没有出口产品,但为了骗取国家的出口退税款而采取伪造合同、有关单据、凭证等手段,假报出口的行为。根据《最高人民法院关于审理骗取出口退税刑事案件具体应用法律若干问题的解释》第一条规定,以虚构已税货物出口事实为目的,具有下列情形之一的行为,可认定为“假报出口”:(1)伪造或者签订虚假的买卖合同;(2)以伪造、变造或者其他非法手段取得出口货物报关单、出口收汇核销单、出口货物专用缴款书等有关出口退税单据、凭证;(3)虚开、伪造、非法购买增值税专用发票或者其他可以用于出口退税的发票;(4)其他虚构已税货物出口事实的行为。"其他欺骗手段",是指除了"假报出口"以外的所有为骗取国家出口退税而采取的欺骗手段。根据《最高人民法院关于审理骗取出口退税刑事案件具体应用法律若干问题的解释》第二条的规定,"其他欺骗手段"包括:(1)骗取出口货物退税资格的;(2)将未纳税或者免税货物作为已税货物出口的;(3)虽有货物出口,但虚构该出口货物的品名、数量、单价等要素,骗取未实际纳税部分出口退税款的;(4)以其他手段骗取出口退税款的。

本款关于处刑的规定分为三档刑:第一档刑是数额较大的,处五年以下有期徒刑或者拘役,并处骗取税款一倍以上五倍以下罚金;第二档刑是数额巨大或者有其他严重情节的,处五年以上十年以下有期徒刑,并处骗取税款一倍以上五倍以下罚金;第三档刑是数额特别巨大或者有其他特别严重情节的,处十年以上有期徒刑或者无期徒刑,并处骗取税款一倍以上五倍以下罚金或者没收财产。根据《最高人民法院关于审理骗取出口退税刑事案件具体应用法律若干问题的解释》,第一档刑的"数额较大"为:骗取国家出口退税款五万元以上的;第二档刑的"数额巨大"为:骗取国家出口退税款五十万元以上的。"其他严重情节的"包括:(1)造成国家税款损失三十万元以上并且在第一审判决宣告前无法追回的;(2)因骗取国家出口退税行为受过行政处罚,两年内又骗取国家出口退税款数额在三十万元以上的;(3)情节严重的其他情形;第三档刑的"数额特别巨大"为:骗取国家出口退税款二百五十万元以上的。"其他特别严重情节的"包括:(1)造成国家税款损失一百五十万元以上并且在第一审判决宣告前无法追回的;(2)因骗取国家出口退税行为受过行政处罚,两年内又骗取国家出口退税款数额在一百五十万元以上的;(3)情节特别严重的其他情形。

第二款是关于纳税人缴纳税款后,采取前款规定的欺骗方法,骗取所缴纳的税款及其处罚的规定。本款与前款规定的不同之处在于本款所规定的犯罪主体仅限于纳税人。"纳税人缴纳税款后",是指纳税人骗取税款的行为是发生在缴纳税款后。"采取前款规定的欺骗方法",是指采取本条第一款规定的"以假报出口或者其他欺骗手段"。"骗取所缴纳的税款的",是指纳税人将已缴纳的税款骗回的行为。

在实际发生的案件中,这类情况的骗税人往往超过其所缴纳的税额骗取退税。为了区别情况,真正做到罪刑相当,本款规定,骗取所缴纳的税款的,依照本法第二百零一条的规定定罪处罚,即按照逃税罪的规定处罚;骗取税款超过所缴纳的税款的部分,依照前款关于骗税罪的规定处罚。这是考虑到骗取自己所缴纳的税款，实际上等于没有缴纳，性质与逃税差不多；而超过所缴纳的税款骗取税款，其所骗取的超过所缴纳的税款部分，实际是国家金库中的财产，将这部分财产占为己有的，与第一款规定的骗取国家出口退税罪的性质是一样的。所以对“超过所缴纳的税款部分”，本款规定依照前款规定处罚。

第二百零五条*　虚开增值税专用发票或者虚开用于骗取出口退税、抵扣税款的其他发票的，处三年以下有期徒刑或者拘役，并处二万元以上二十万元以下罚金；虚开的税款数额较大或者有其他严重情节的，处三年以上十年以下有期徒刑，并处五万元以上五十万元以下罚金；虚开的税款数额巨大或者有其他特别严重情节的，处十年以上有期徒刑或者无期徒刑，并处五万元以上五十万元以下罚金或者没收财产。

单位犯本条规定之罪的，对单位判处罚金，并对其直接负责的主管人员和其他直接责任人员，处三年以下有期徒刑或者拘役；虚开的税款数额较大或者有其他严重情节的，处三年以上十年以下有期徒刑；虚开的税款数额巨大或者有其他特别严重情节的，处十年以上有期徒刑或者无期徒刑。

虚开增值税专用发票或者虚开用于骗取出口退税、抵扣税款的其他发票，是指有为他人虚开、为自己虚开、让他人为自己虚开、介绍他人虚开行为之一的。

【释义】　本条是关于虚开增值税专用发票、用于骗取出口退税、抵扣税款发票犯罪及其处罚的规定。

2011年2月25日，第十一届全国人大常委员第十九次会议通过的《刑法修正案（八）》对刑法第二百零五条作了修改。删去了该条原第二款的规定，即虚开增值税专用发票或者虚开用于骗取出口退税、抵扣税款的其他发票骗取国家

---

* 根据2011年2月25日第十一届全国人民代表大会常务委员会第十九次会议通过的《中华人民共和国刑法修正案（八）》修改。原条文是：“虚开增值税专用发票或者虚开用于骗取出口退税、抵扣税款的其他发票的，处三年以下有期徒刑或者拘役，并处二万元以上二十万元以下罚金；虚开的税款数额较大或者有其他严重情节的，处三年以上十年以下有期徒刑，并处五万元以上五十万元以下罚金；虚开的税款数额巨大或者有其他特别严重情节的，处十年以上有期徒刑或者无期徒刑，并处五万元以上五十万元以下罚金或者没收财产。

“有前款行为骗取国家税款，数额特别巨大，情节特别严重，给国家利益造成特别重大损失的，处无期徒刑或者死刑，并处没收财产。

“单位犯本条规定之罪的，对单位判处罚金，并对其直接负责的主管人员和其他直接责任人员，处三年以下有期徒刑或者拘役；虚开的税款数额较大或者有其他严重情节的，处三年以上十年以下有期徒刑；虚开的税款数额巨大或者有其他特别严重情节的，处十年以上有期徒刑或者无期徒刑。

“虚开增值税专用发票或者虚开用于骗取出口退税、抵扣税款的其他发票，是指有为他人虚开、为自己虚开、让他人为自己虚开、介绍他人虚开行为之一的。”

税款,“数额特别巨大,情节特别严重,给国家利益造成特别重大损失的,处无期徒刑或者死刑,并处没收财产”。

1997年刑法实施十几年来,这一规定有力地打击了虚开增值税专用发票等犯罪行为,原第二百零五条第二款虚开增值税专用发票或者虚开用于骗取出口退税、抵扣税款的其他发票骗取国家税款的,处死刑的规定,对犯罪分子也起到了震慑作用。在维护国家的税收制度,保障国家的财政收入方面起到了积极的作用。随着税收制度的不断完善,政府管理部门也在不断探索对发票的新的管理方法,提高监管能力,如近几年实行的“金税工程”,使税收制度信息化、网络化,在税收管理手段上提高科技含量和透明度,加强监管力度,从制度上杜绝对发票弄虚作假的行为,使犯罪分子无空可钻。近几年的实践证明,虚开增值税专用发票、伪造增值税专用发票和虚开伪造的增值税专用发票等行为逐年在减少。考虑到虚开发票的犯罪,属于经济性非暴力犯罪,且近年来这种犯罪已基本得到遏制,根据司法体制和工作机制改革的要求,完善死刑法律规定,适当减少死刑罪名,体现宽严相济的刑事政策,《刑法修正案(八)》对刑法的修改取消了虚开增值税专用发票或者虚开用于骗取出口退税、抵扣税款的其他发票骗取国家税款死刑的规定。也就是说,修改后的虚开增值税专用发票或者虚开用于骗取出口退税、抵扣税款的其他发票犯罪的最高刑为无期徒刑。

删去原第二款关于死刑的规定,是《刑法修正案(八)》减少的十三个死刑罪名中的一个。在草案征求意见的过程中,对这一问题有两种不同的意见:多数意见认为,应当取消其死刑。主要理由是:第一,从近几年虚开发票犯罪的情况看,案件逐年在减少,尤其是大案、要案基本上是降到了最低点;第二,经济类犯罪和暴力性犯罪虽都是犯罪行为,但其性质是有区别的,社会危害程度也不同。对于经济类犯罪除了在经济上给予严厉处罚外,最高刑规定为无期徒刑基本符合罪刑相适应原则;第三,世界上其他一些国家对于经济类犯罪也基本不规定死刑,符合世界刑罚轻刑化趋势。立法机关采纳了这一意见。

第一款是关于虚开增值税专用发票或者可以用于骗取出口退税、抵扣税款的其他发票罪的规定。本条规定的“增值税专用发票”,是指国家税务部门根据增值税征收管理需要,兼记货物或劳务所负担的增值税税额而设定的一种专用发票。根据十届全国人大常委会第十九次会议2005年12月29日所作的立法解释,“出口退税、抵扣税款的其他发票”,是指除增值税专用发票以外的,具有出口退税、抵扣税款功能的收付款凭证或者完税凭证。目前,在我国的税收征管制度中,除增值税专用发票以外,还有几种其他发票也具有抵扣税款的功能。主要是农林牧水产品收购发票、废旧物品收购发票、运输发票以及海关出具的代征增值税专用缴款书等,还有征课消费税的产品出口所开具的发票也可以作为出口退税的凭证。随着税收征管工作的进一步加强,今后还可能会出现一些具有抵扣税款或者退税功能的专用发票。另外,本款规定的“虚开”主要有两种情况:一种是根本不存在商品交易,无中生有,虚构商品交易内容和税额开具发票,然后利用虚开的发票抵扣税款;另一种是虽然存在真实的商品交易,但是以少开多,达到偷税的目的。

根据本款规定,凡有本款所规定行为的,即构成犯罪,处三年以下有期徒刑或者拘役,并处二万元以上二十万元以下罚金;虚开的税款数额较大或者有其他严重情节的,处三年以上十年以下有期徒刑,并处五万元以上五十万元以下罚金;虚开的税款数额巨大或者有其他特别严重情节的,处十年以上有期徒刑或者无期徒刑,并处五万元以上五十万元以下罚金或者没收财产。

第二款是关于单位犯本条规定之罪及其处罚的规定。

本款中“单位犯本条规定之罪的”,是指单位触犯本条关于虚开发票罪的规定而构成犯罪的情况。本款对单位犯本条规定之罪的处刑规定采取了双罚制,即对单位判处罚金,同时规定对单位直接负责的主管人员和其他直接责任人员,处三年以下有期徒刑或者拘役;虚开的税款数额较大或者有其他严重情节的,处三年以上十年以下有期徒刑;虚开的税款数额巨大或者有其他特别严重情节的,处十年以上有期徒刑或者无期徒刑。

第三款是虚开发票的定义。

本款规定,虚开增值税专用发票或者虚开用于骗取出口退税、抵扣税款的其他发票,是指有为他人虚开、为自己虚开、让他人为自己虚开、介绍他人虚开行为之一的行为。“为他人虚开”是指行为人本人无商品交易活动,但利用所持有的上述发票,采用无中生有或者以少开多的手段,为他人虚开发票的行为。其中也包括以往所说的“代开”发票的行为。这里规定的“他人”,既包括企业、事业单位、机关团体,也包括个人。“为自己虚开”,是指利用自己所持有的上述发票,虚开以后自己使用,如进行抵扣税款或者骗取出口退税。“让他人为自己虚开”是指要求或者诱骗收买他人为自己虚开上述发票的行为。“介绍他人虚开”是指在虚开上述发票的犯罪过程中起牵线搭桥、组织策划作用的犯罪行为。

根据本条的规定,虚开增值税专用发票、用于骗取出口退税、抵扣税款发票罪属于行为犯,即只要具有虚开行为,便构成犯罪,没有“数额”、“情节”的限定。但是,任何犯罪行为都存在情节问题,因此,虚开行为情节显著轻微危害不大,如虚开的数额较小等,根据刑法第十三条的规定,应不认为是犯罪。从这个意义上讲,构成虚开增值税专用发票、用于骗取出口退税、抵扣税款发票罪,也存在定罪的标准,1996 年 10 月 17 日《最高人民法院关于适用〈全国人大常委会关于惩治虚开、伪造和非法出售增值税专用发票犯罪的决定〉的若干问题的解释》曾对此作出过规定,在没有新的司法解释颁布前仍可参考使用。根据该解释的规定,虚开税款数额一万元以上的或者虚开上述发票致使国家税款被骗取五千元以上的,构成本罪。其中,虚开税款数额十万元以上的,属于“数额较大”。有下列情形之一的,属于“有其他严重情节”:(1)因虚开上述发票致使国家税款被骗五万元以上的;(2)具有其他严重情节的。

第二百零五条之一*　虚开本法第二百零五条规定以外的其他发票,情节严重的,处二年以下有期徒刑、拘役或者管制,并处罚金;情节特别严重的,处二年以上七年以下有期徒刑,并处罚金。

单位犯前款罪的,对单位判处罚金,并对其直接负责的主管人员和其他直接责任人员,依照前款的规定处罚。

【释义】　本条是关于对虚开第二百零五条规定以外的其他发票行为定罪及其处罚的规定。

1997年修订刑法时,针对当时虚开增值税专用发票或者虚开用于骗取出口退税、抵扣税款的其他发票特别严重的情况,将虚开增值税专用发票或者虚开用于骗取出口退税、抵扣税款的其他发票的行为规定为犯罪。近年来,虚开增值税专用发票的违法犯罪行为得到有效遏制,不法分子把违法犯罪目标和重点转向其他发票,虚开普通发票的行为泛滥猖獗。对于发票的管理和使用,有关法律法规作了严格规定。《发票管理办法》规定,所有单位和从事生产、经营活动的个人在购买商品、接受服务以及从事其他经营活动支付款项时,应当向收款方取得发票。取得发票时,不得要求变更品名和金额。开具发票应当按照规定的时限、顺序、栏目,全部联次一次性如实开具,并加盖发票专用章。但在实践中,一些单位和个人为了获取非法利益,采取以虚假身份注册多个公司的方式,用貌似合法的经营和纳税为掩护,从税务机关大量套购骗领发票,在无实际经营业务的情况下,从事虚开发票活动,采取“大头小尾”、“阴阳票”等手段虚开发票,有些甚至直接用伪造的假发票虚开。虚开发票的行为泛滥,不仅直接诱发逃税等税收违法犯罪行为,还为财务造假、贪污贿赂、挥霍公款、洗钱等违法犯罪行为提供了条件,严重扰乱市场经济秩序和社会管理秩序,并滋生各类腐败现象,败坏社会风气,具有严重的社会危害性。对于虚开这些发票以外的其他发票的行为,1997年刑法没有单独规定罪名。为了进一步加强发票管理,加大对虚开发票行为的打击力度,维护正常的经济秩序,2011年2月25日第十

---

* 根据2011年2月25日第十一届全国人民代表大会常务委员会第十九次会议通过的《中华人民共和国刑法修正案(八)》增加。

一届全国人民代表大会常务委员会第十九次会议通过的《刑法修正案(八)》将虚开第二百零五条规定以外的其他发票的行为规定为犯罪。

第一款是关于虚开第二百零五条规定以外的其他发票行为的处罚规定。“虚开发票”是指为他人虚开、为自己虚开、让他人为自己虚开、介绍他人虚开等行为。虚开的手段则多种多样,如大头小尾开阴阳票、改变品目、使用地税营业税发票开国税业务发票,甚至使用假发票等。虚开的目的,可以是为了赚取手续费,也可以是通过虚开发票少报收入,偷税、骗税,甚至是用于非法经营、贪污贿赂、侵占等违法犯罪活动。“第二百零五条规定以外的其他发票”,是指除增值税专用发票或者其他具有退税、抵扣税款功能的发票以外的普通发票,既包括真的,也包括伪造、变造的普通发票。根据本款规定,对于虚开本法第二百零五条规定以外的其他发票,情节严重的,处二年以下有期徒刑、拘役或者管制,并处罚金;情节特别严重的,处二年以上七年以下有期徒刑,并处罚金。对于情节认定的具体标准,可以由最高人民法院、最高人民检察院根据司法实践情况通过制定司法解释确定。对于尚不属于“情节严重”或者“情节特别严重”的一般虚开其他发票的行为,尚不够刑罚处罚的,可以根据《发票管理办法》的规定,由税务机关没收违法所得;虚开金额在一万元以下的,可以并处五万元以下的罚款;虚开金额超过一万元的,并处五万元以上五十万元以下的罚款。税务机关在处理这些行为的过程中,如果发现其虚开发票的行为已经构成犯罪的,应当依法移送司法机关追究刑事责任。

第二款是关于单位犯罪的规定。对于单位犯本条规定之罪的,实行双罚制,即对单位判处罚金,同时对其直接负责的主管人员和其他直接责任人员,依照第一款的规定处罚,即情节严重的,处二年以下有期徒刑、拘役或者管制,并处罚金;情节特别严重的,处二年以上七年以下有期徒刑,并处罚金。

第二百零六条*　伪造或者出售伪造的增值税专用发票的,处三年以下有

---

* 根据2011年2月25日第十一届全国人民代表大会常务委员会第十九次会议通过的《中华人民共和国刑法修正案(八)》修改。原条文是:“伪造或者出售伪造的增值税专用发票的,处三年以下有期徒刑、拘役或者管制,并处二万元以上二十万元以下罚金;数量较大或者有其他严重情节的,处三年以上十年以下有期徒刑,并处五万元以上五十万元以下罚金;数量巨大或者有其他特别严重情节的,处十年以上有期徒刑或者无期徒刑,并处五万元以上五十万元以下罚金或者没收财产。

“伪造并出售伪造的增值税专用发票,数量特别巨大,情节特别严重,严重破坏经济秩序的,处无期徒刑或者死刑,并处没收财产。

“单位犯本条规定之罪的,对单位判处罚金,并对其直接负责的主管人员和其他直接责任人员,处三年以下有期徒刑、拘役或者管制;数量较大或者有其他严重情节的,处三年以上十年以下有期徒刑;数量巨大或者有其他特别严重情节的,处十年以上有期徒刑或者无期徒刑。”

期徒刑、拘役或者管制，并处二万元以上二十万元以下罚金；数量较大或者有其他严重情节的，处三年以上十年以下有期徒刑，并处五万元以上五十万元以下罚金；数量巨大或者有其他特别严重情节的，处十年以上有期徒刑或者无期徒刑，并处五万元以上五十万元以下罚金或者没收财产。

单位犯本条规定之罪的，对单位判处罚金，并对其直接负责的主管人员和其他直接责任人员，处三年以下有期徒刑、拘役或者管制；数量较大或者有其他严重情节的，处三年以上十年以下有期徒刑；数量巨大或者有其他特别严重情节的，处十年以上有期徒刑或者无期徒刑。

【释义】　本条是关于伪造、出售伪造的增值税专用发票犯罪及其处罚的规定。

2011年2月25日第十一届全国人民代表大会常务委员会第十九次会议通过的《刑法修正案（八）》对刑法第二百零六条进行了修改。根据《刑法修正案（八）》第三十四条的规定，删去了本条第二款规定。主要是删去本条有关死刑的规定。本条原第二款规定，伪造并出售伪造的增值税专用发票，数量特别巨大，情节特别严重，严重破坏经济秩序的，处无期徒刑或者死刑，并处没收财产。规定了对于伪造并出售伪造的增值税专用发票的犯罪，最高刑期可判处死刑。刑法原来的这一规定，在当时对于打击有关增值税专用发票的犯罪，起到了一定的震慑作用。特别是在当时我国正在处于税制改革的初期，有关伪造和出售增值税专用发票的犯罪非常猖狂，给国家的税制造成了严重的破坏。利用刑法手段来保证国家税制改革的顺利进行和严厉打击这方面的犯罪，在当时的情况下是非常必要的。经过了这些年，随着我国在税制方面改革的进一步深化，特别是经过逐步建立健全有关税制方面的制度建设，采取了先进的科学防伪措施等行政监管的有效机制，使得这方面的犯罪得到了一定程度的有效控制和防范，使得伪造并出售增值税专用发票的犯罪不再显得那么突出了，需要在有关这方面的犯罪的刑罚规定方面作出一些调整。《刑法修正案（八）》对刑法中有关死刑规定的减少，就包括了删去本条关于伪造并出售增值税专用发票的死刑规定。

第一款是关于伪造或者出售伪造的增值税专用发票的犯罪及其处罚的规定。其中，伪造增值税专用发票，是指仿照增值税专用发票的形状、样式、色彩、图案等，使用各种仿制方法制造假增值税专用发票的行为。出售伪造的增值税专用发票，是指将伪造的增值税专用发票进行出售的行为。

本款关于处刑规定分为三档刑，人民法院可在审理这类案件时，根据本条的规定和案件的情况，适用相应的刑罚规定。第一档刑为“处三年以下有期徒刑、拘役或者管制，并处二万元以上二十万元以下罚金”，这是对一般的伪造或者出售伪造的增值税专用发票行为的处罚规定；第二档刑为“数量较大或者有其他严重情节的，处三年以上十年以下有期徒刑，并处五万元以上五十万元以下罚金”；第三档刑为“数量巨大或者有其他特别严重情节的，处十年以上有期徒刑或者无期徒刑，并处五万元以上五十万元以下罚金或者没收财产”。其中，对“数量较大”、“有其他严重情节”、“数量巨大”、“有其他特别严重情节”没有作具体规定，一般是指伪造或者出售增值税专用发票的本数、份数较大、巨大的或者屡教不改、以伪造或者出售伪造的增值税专用发票为常业等。

第二款是对单位犯本条规定之罪及其处罚的规定。其中，“单位犯本条规定之罪的”，是指单位触犯本条规定的伪造或者出售伪造和伪造并出售伪造的增值税专用发票的构成犯罪的情况。对单位犯本条规定之罪的处刑规定采取双罚制的原则，即“对单位判处罚金”，同时规定，对单位直接负责的主管人员和其他责任人员，处三年以下有期徒刑、拘役或者管制；数量较大或者有其他严重情节的，处三年以上十年以下有期徒刑；数量巨大或者有其他特别严重情节的，处十年以上有期徒刑或者无期徒刑。

根据本条的规定，构成本罪，只要具有伪造或者出售伪造的增值税专用发票的其中一种行为即可，不要求同时具备两种行为。如果同一主体同时具有伪造和出售伪造的增值税专用发票的行为，则应以伪造、出售伪造的增值税专用发票罪定罪处刑，而不数罪并罚，但出售行为应作为量刑情节在量刑时予以考虑。

第二百零七条　非法出售增值税专用发票的，处三年以下有期徒刑、拘役或者管制，并处二万元以上二十万元以下罚金；数量较大的，处三年以上十年以下有期徒刑，并处五万元以上五十万元以下罚金；数量巨大的，处十年以上有期徒刑或者无期徒刑，并处五万元以上五十万元以下罚金或者没收财产。

【释义】　本条是关于非法出售增值税专用发票罪及其处罚的规定。

本条规定的非法出售增值税专用发票，是指除税务机关依照规定发售增值税专用发票外，增值税专用发票持有人违反法律规定出售发票的行为。增值税专用发票由国家税务机关依照规定发售，只限于增值税的一般纳税人领购使用。除此之外，任何人和单位不得出售，对增值税专用发票必须进行非常严格的管理。另外，本条规定的“非法出售”是广义的，既包括税务机关及其工作人员故意违反法律、法规的规定进行出售的行为，也包括其他任何人非法出售增值税专用发票的行为。另外，非法出售增值税专用发票，首先是以持有这种发票为条件的，行为人取得这种发票的方式多样，有的是从合法渠道领取的，即符合一般纳税人条件的单位和个人依法从税务部门领取的增值税专用发票，有的是与税务人员相勾结,非法取得的增值税专用发票。但无论非法出售的增值税专用发票的来源是否合法,并不影响本罪的成立。应当注意的是,本条规定的非法出售的增值税专用发票,必须是国家统一印制的增值税专用发票,而不是伪造的。

关于非法出售增值税专用发票罪的处刑,本条根据非法出售增值税专用发票犯罪行为的情节,规定了三档刑。第一档刑是处三年以下有期徒刑、拘役或者管制,并处二万元以上二十万元以下罚金。第二档刑是对"数量较大"的,规定处三年以上十年以下有期徒刑,并处五万元以上五十万元以下罚金。第三档刑是对"数量巨大"的,规定处十年以上有期徒刑或者无期徒刑,并处五万元以上五十万元以下罚金或者没收财产。关于本罪的立案追诉标准,《最高人民检察院、公安部关于公安机关管辖的刑事案件立案追诉标准的规定(二)》中有规定,即非法出售增值税专用发票二十五份以上或者票面额累计在十万元以上的,应予立案追诉。

在司法实践中,会出现盗窃、骗取增值税专用发票后又非法出售的行为如何定性的问题。从立法本义来讲,构成非法出售增值税专用发票罪对其来源并没有特别的限制,无论来源是合法还是非法。同时,根据刑法第二百一十条第一、二款的规定,盗窃、骗取增值税专用发票的,应当分别以盗窃罪和诈骗罪定罪处罚。但对于盗窃或骗取增值税专用发票后又非法出售的行为如何定罪处罚,刑法并没有明确规定。在刑法理论上,这两种行为应当属于牵连关系,其中,目的行为是非法出售增值税专用发票,而方法行为触犯盗窃罪、诈骗罪,按照牵连犯的处罚原则,应从一重罪处罚。

第二百零八条　非法购买增值税专用发票或者购买伪造的增值税专用发票的,处五年以下有期徒刑或者拘役,并处或者单处二万元以上二十万元以下罚金。

非法购买增值税专用发票或者购买伪造的增值税专用发票又虚开或者出售的,分别依照本法第二百零五条、第二百零六条、第二百零七条的规定定罪处罚。

【释义】 本条是关于非法购买增值税专用发票、购买伪造的增值税专用发票及非法购买后又虚开或者出售的犯罪及其处罚的规定。

第一款是关于非法购买增值税专用发票或者购买伪造的增值税专用发票的犯罪及其处罚的规定。其中,"非法购买增值税专用发票",是相对于依法领购而言的。根据国家有关规定,购买增值税专用发票,必须符合一般纳税人的条件,而且须经税务机关认定并经过一定的程序到税务机关领购,除此之外,禁止任何组织和个人私自购买增值税专用发票,凡是私自购买的,都是非法购买。“购买伪造的增值税专用发票”,是指所购买的增值税专用发票,不是国家税务机关发售的真的增值税专用发票,而是伪造的。根据本款规定,非法购买增值税专用发票或者购买伪造的增值税专用发票,是犯罪行为。根据《最高人民检察院、公安部关于公安机关管辖的刑事案件立案追诉标准的规定(二)》的规定,非法购买增值税专用发票或者购买伪造的增值税专用发票二十五份以上或者票面额累计在十万元以上的,应予立案追诉。对非法购买增值税专用发票或者购买伪造的增值税专用发票构成犯罪的,处五年以下有期徒刑或者拘役,并处或者单处二万元以上二十万元以下罚金。

第二款是关于非法购买增值税专用发票或者购买伪造的增值税专用发票又虚开或者出售的犯罪及其处罚的规定。其中,“又虚开或者出售”,是指在非法购买增值税专用发票或者购买伪造的增值税专用发票后,又从事虚开或者出售的犯罪活动的情况。如果购买后又进行上述其他犯罪活动,应当从一重罪判处刑罚。而虚开和出售增值税专用发票的刑罚规定要比购买的犯罪行为重,因此,要按虚开或者出售的刑罚处罚。本法第二百零五条、第二百零六条、第二百零七条中将虚开、出售增值税专用发票或者出售伪造的增值税专用发票作为发票犯罪中十分严重的罪行加以规定,并规定了更为严厉的刑罚。本款明确了对这种牵连形式的犯罪从一重罪判处的处刑原则。也就是说,对于非法购买增值税专用发票或者购买伪造的增值税专用发票又虚开或者出售的,应根据不同的犯罪情节,分别依照本法第二百零五条、第二百零六条和第二百零七条的规定定罪处罚。

第二百零九条　伪造、擅自制造或者出售伪造、擅自制造的可以用于骗取出口退税、抵扣税款的其他发票的,处三年以下有期徒刑、拘役或者管制,并处二万元以上二十万元以下罚金;数量巨大的,处三年以上七年以下有期徒刑,并处五万元以上五十万元以下罚金;数量特别巨大的,处七年以上有期徒刑,并处五万元以上五十万元以下罚金或者没收财产。

伪造、擅自制造或者出售伪造、擅自制造的前款规定以外的其他发票的,处二年以下有期徒刑、拘役或者管制,并处或者单处一万元以上五万元以下罚金;情节严重的,处二年以上七年以下有期徒刑,并处五万元以上五十万元以下罚金。

非法出售可以用于骗取出口退税、抵扣税款的其他发票的,依照第一款的规定处罚。

非法出售第三款规定以外的其他发票的,依照第二款的规定处罚。

【释义】 本条是关于伪造、擅自制造或者出售伪造、擅自制造的可以用于骗取出口退税、抵扣税款的其他发票等犯罪及其处罚的规定。

第一款是关于伪造、擅自制造或者出售伪造、擅自制造的可以用于骗取出口退税、抵扣税款的其他发票的犯罪及其处罚的规定。其中,“伪造”,是指仿照本款规定的发票的样式、图案、色彩以及面额等,私自制造假发票的行为。“擅自制造”,是指被税务机关指定印制发票的企业,未按照税务机关规定的数量和规模,擅自超额印制的行为。“出售”,是指进行出售,从中牟利的行为。根据十届全国人大常委会第十九次会议于2005年12月29日所作的立法解释,“出口退税、抵扣税款的其他发票”,是指除增值税专用发票以外的,具有出口退税、抵扣税款功能的收付款凭证或者完税凭证。目前主要有:(1)农林牧水产品收购发票;(2)废旧物品收购发票;(3)运输发票;(4)海关代征增值税专用缴款书。

本款关于处罚的规定是,处三年以下有期徒刑、拘役或者管制,并处二万元以上二十万元以下罚金;数量巨大的,处三年以上七年以下有期徒刑,并处五万元以上五十万元以下罚金;数量特别巨大的,处七年以上有期徒刑,并处五万元以上五十万元以下罚金或者没收财产。这里所说的“数量巨大”、“数量特别巨大”,是对犯罪分子量刑的标准,具体界定可由最高人民法院、最高人民检察院总结司法实践经验,作出司法解释确定。关于本罪的立案追诉标准,《最高人民检察院、公安部关于公安机关管辖的刑事案件立案追诉标准的规定(二)》中作了规定,即伪造、擅自制造或者出售伪造、擅自制造的可以用于骗取出口退税、抵扣税款的非增值税专用发票五十份以上或者票面额累计在二十万元以上的,应予立案追诉。

第二款是关于伪造、擅自制造或者出售伪造、擅自制造的第一款规定以外的其他发票的犯罪及其处罚的规定。本款规定的“伪造”、“擅自制造”、“出售”等含义在上款释义中已经作了详细的阐述。这里所说的“前款规定以外的其他发票”,是指不具有可以抵扣税款、用于出口退税功能的普通发票,如餐饮业、零售业、旅馆业发票等。本款关于处刑的规定是,处二年以下有期徒刑、拘役或者管制,并处或者单处一万元以上五万元以下罚金;情节严重的,处二年以上七年以下有期徒刑,并处五万元以上五十万元以下罚金。这里规定的“情节严重”,一般是指多次伪造、擅自制造或者多次出售伪造、擅自制造的前款规定以外的其他发票,或者数量较大等情况。关于本罪的立案追诉标准,《最高人民检察院、公安部关于公安机关管辖的刑事案件立案追诉标准的规定(二)》中作了规定,即伪造、擅自制造或者出售伪造、擅自制造的不具有骗取出口退税、抵扣税款功能的普通发票一百份以上或者票面额累计在四十万元以上的,应予立案追诉。应当注意的是,前款规定的犯罪对象是可以用于骗取出口退税、抵扣税款的其他发票,而本款规定的犯罪对象则是普通发票,由于犯罪对象不同,在犯罪的危害方面也不一样,处刑也有所不同。

第三款是关于非法出售可以用于骗取出口退税、抵扣税款的其他发票的犯罪及其处罚的规定。本款规定的出售行为,是指非法出售从各种途径得到的可以用于骗取出口退税、抵扣税款的增值税专用发票以外的其他发票的行为。行为人出售的发票可能是非法取得的,也可能是合法取得发票后出售,无论其来源如何,都不影响犯罪的构成。本款关于处刑的规定是,依照本条第一款的规定处罚,即处三年以下有期徒刑、拘役或者管制,并处二万元以上二十万元以下罚金;数量巨大的,处三年以上七年以下有期徒刑,并处五万元以上五十万元以下罚金;数量特别巨大的,处七年以上有期徒刑,并处五万元以上五十万元以下罚金或者没收财产。根据《最高人民检察院、公安部关于公安机关管辖的刑事案件立案追诉标准的规定(二)》的规定,非法出售可以用于骗取出口退税、抵扣税款的非增值税专用发票五十份以上或者票面额累计在二十万元以上的,应予立案追诉。

第四款是关于非法出售第三款规定以外的其他发票的犯罪及其处罚的规定。其中,“非法出售第三款规定以外的其他发票”,是指非法出售不能用于骗取出口退税、抵扣税款的其他发票的行为。本款关于处刑的规定是,“依照第二款的规定处罚”,即处二年以下有期徒刑、拘役或者管制,并处或者单处一万元以上五万元以下罚金;情节严重的,处二年以上七年以下有期徒刑,并处五万元以上五十万元以下罚金。根据《最高人民检察院、公安部关于公安机关管辖的刑事案件立案追诉标准的规定(二)》的规定,非法出售普通发票一百份以上或者票面额累计在四十万元以上的,应予立案追诉。

第二百一十条　盗窃增值税专用发票或者可以用于骗取出口退税、抵扣税款的其他发票的,依照本法第二百六十四条的规定定罪处罚。

使用欺骗手段骗取增值税专用发票或者可以用于骗取出口退税、抵扣税款的其他发票的,依照本法第二百六十六条的规定定罪处罚。

【释义】 本条是关于盗窃或者骗取增值税专用发票或者可以用于骗取出口退税、抵扣税款的其他发票的犯罪及其处罚的规定。

第一款是关于盗窃增值税专用发票或者可以用于骗取出口退税、抵扣税款的其他发票的犯罪及其处罚的规定。其中,“盗窃”,是指秘密窃取。“增值税专用发票”,是指国家税务部门根据增值税征收管理需要,兼记货物或劳务所负担的增值税税额而设定的一种专用发票。“可以用于骗取出口退税、抵扣税款的其他发票”，是指具有出口退税或直接抵扣税款功能的其他发票，主要指农林牧水产品收购发票、废旧物品收购发票、运输发票等。本款关于处刑的规定是，对本款规定的盗窃发票的犯罪，按照刑法第二百六十四条关于盗窃罪的规定定罪处罚。

第二款是关于使用欺骗手段骗取增值税专用发票或者可以用于骗取出口退税、抵扣税款的其他发票的犯罪及其处罚的规定。其中，“使用欺骗手段”，是指采取编造谎言或虚假理由，或者采取其他欺骗方法。本款关于处刑的规定是，按照刑法第二百六十六条关于诈骗罪的规定定罪处罚。

第二百一十条之一*　明知是伪造的发票而持有，数量较大的，处二年以下有期徒刑、拘役或者管制，并处罚金；数量巨大的，处二年以上七年以下有期徒刑，并处罚金。

单位犯前款罪的，对单位判处罚金，并对其直接负责的主管人员和其他直接责任人员，依照前款的规定处罚。

【释义】　本条是关于持有伪造发票罪及其处罚的规定。

近些年，公安、税务机关反映，在查处发票犯罪案件时，经常在嫌疑人的身边、处所或者运输工具上查获大量的假发票，但无法查明假发票是否系嫌疑人伪造。虽然根据种种迹象判断这些假发票很大可能是用于出售，只是还未出售出去而已，但由于行为人即便出售假发票大多没有账本，没有其他证据，有时认定非法出售发票罪追究刑事责任比较困难。这样，对这类处于伪造与出售假发票中间环节的行为处理存在法律上的盲区。如果对这类行为不追究刑事责任，对于打击和遏制猖獗的假发票犯罪势头毫无益处。为加大对假发票犯罪的打击力度，2011 年 2 月 25 日第十一届全国人民代表大会常务委员会第十九次会议通过的《刑法修正案（八）》增加了非法持有伪造的发票罪，规定在刑法第二百一十条后增加一条，作为第二百一十条之一。

办理本罪案件应当注意把握三点：一是行为人对持有伪造的发票必须以明知为前提，不明知的不能认定为犯罪。当然，是否明知不能光听嫌疑人本人的辩解，应当结合案件的有关证据材料全面分析，综合判断。并且在认定“持有”之前，应当尽量查证清楚伪造的发票的真正来源，只有当有关证据确实无法获取的情况下，才能以本罪认定并处罚行为人。二是本条所说的“持有”是指行为人对伪造的发票处于占有、支配、控制的一种状态。不仅随身携带的伪造的发

---

* 根据 2011 年 2 月 25 日第十一届全国人民代表大会常务委员会第十九次会议通过的《中华人民共和国刑法修正案（八）》增加。

票可以认定为持有，而且在其住所、驾驶的运输工具上发现的伪造的发票也同样可以认定为持有。这里规定的持有的“伪造的发票”，不仅包括伪造的普通发票，而且还包括伪造的增值税专用发票和其他具有出口退税、抵扣税款功能的收付款凭证或者完税凭证。三是持有伪造的发票必须达到“数量较大”，才构成犯罪。根据《最高人民检察院、公安部关于公安机关管辖的刑事案件立案追诉标准的规定（二）的补充规定》的规定，明知是伪造的发票而持有，具有下列情形之一的，应予立案追诉：(1)持有伪造的增值税专用发票五十份以上或者票面额累计在二十万元以上的，应予立案追诉；(2)持有伪造的可以用于骗取出口退税、抵扣税款的其他发票一百份以上或者票面额累计在四十万元以上的，应予立案追诉；(3)持有伪造的第(1)项、第(2)项规定以外的其他发票二百份以上或者票面额累计在八十万元以上的，应予立案追诉。

本罪持有伪造的发票犯罪规定了两档刑，考虑到这类犯罪是牟利性的，除自由刑外，还规定了罚金刑：持有伪造的发票，数量较大的，处两年以下有期徒刑、拘役或者管制，并处罚金；数量巨大的，处二年以上七年以下有期徒刑，并处罚金。鉴于目前查获的假发票犯罪涉及单位的也不少，所以本条对单位持有伪造的发票犯罪也作了规定。

第二百一十一条　单位犯本节第二百零一条、第二百零三条、第二百零四条、第二百零七条、第二百零八条、第二百零九条规定之罪的，对单位判处罚金，并对其直接负责的主管人员和其他直接责任人员，依照各该条的规定处罚。

【释义】　本条是对单位犯本节有关条文规定之罪及其处罚的规定。

本条规定的“单位犯本节第二百零一条、第二百零三条、第二百零四条、第二百零七条、第二百零八条、第二百零九条规定之罪”，是指单位触犯本节有关条文的规定构成犯罪的情况。

本条关于单位犯罪的处罚规定，采取了“双罚制”的原则，即对单位判处罚金，并同时对单位的直接负责的主管人员和其他直接责任人员，依照各该条的规定处罚。

第二百一十二条　犯本节第二百零一条至第二百零五条规定之罪，被判处罚金、没收财产的，在执行前，应当先由税务机关追缴税款和所骗取的出口退税款。

【释义】　本条是关于犯本节有关条文规定之罪，被判处罚金、没收财产的，在执行前，应当先由税务机关追缴税款和所骗取的出口退税款的规定。

根据本条规定，人民法院对构成本节第二百零一条至第二百零五条的犯罪案件审理后，作出的判处罚金刑或没收财产刑的判决，在执行前，由税务机关先行追缴税款。税收是国家财政收入的主要来源，也是国家从事国民经济建设的重要经济支柱。而本节第二百零一条至第二百零五条规定的犯罪，属于偷逃和骗取国家税款的犯罪，税收的流失势必造成国家整体利益的受损。因此，为了不使危害税收征管的犯罪行为导致国家税收的大量流失，保证国家税制改革的顺利进行，法律作这样的规定是必要的，也是合理的。

第七节　侵犯知识产权罪

第二百一十三条　未经注册商标所有人许可，在同一种商品上使用与其注册商标相同的商标，情节严重的，处三年以下有期徒刑或者拘役，并处或者单处罚金；情节特别严重的，处三年以上七年以下有期徒刑，并处罚金。

【释义】　本条是关于假冒注册商标罪及其处罚的规定。

商标是商品的标记，注册商标是生产经营者为了维护自己商誉，使用文字名称或图形，经向国家商标管理机关申请注册，从而取得商标专用权。我国早在1950年就公布了《商标注册暂行条例》，1956年经全国人大常委会批准由国务院公布了《商标管理条例》，1982年全国人大常委会审议通过了商标法，1993年、2001年、2013年又三次对该法作了修改。国务院也颁布了《商标法实施细则》。这些规定，对加强商标管理，维护生产经营者信誉，鼓励开创名牌产品，不断提高产品质量，发挥了重要作用。根据商标法的规定，凡经国家商标管理机关注册登记的商标，享有商标专用权，受法律保护。假冒他人注册商标的行为，不仅严重影响了其他企业的商品信誉，同时也侵害了消费者的合法权益，破坏了社会主义市场经济条件下正常的竞争秩序，必须予以惩处。

根据本条规定，构成本罪应具备以下条件：

1. 行为人使用他人注册商标未经注册商标人许可。“注册商标所有人”，即商标注册人。在我国，凡依法提出商标注册申请，并经商标局核准的商标注册申请人即成为注册商标所有人。本条规定的“未经注册商标所有人许可”，是指行为人使用他人注册商标时，未经注册商标所有人同意。这是构成本罪的前提条件，根据商标法的规定，商标注册人可以通过签订商标使用许可合同的方式，许可他人使用其注册商标。如果行为人已得到注册商标所有人的许可，而只是未按法定程序办理有关手续，不能认为构成犯罪。

2. 构成本条规定的犯罪，行为人在客观上要实施了在同一种商品上使用与他人注册商标相同的商标的行为，即商标相同，使用该商标的商品为同一种类，这两个条件必须同时具备。如果行为人在同一种商品上使用与他人注册商标近似的商标,或者在类似商品上使用与他人注册商标相同的商标,或者在类似商品上使用与他人注册商标近似的商标,均属商标侵权行为,不构成本罪。

根据2011年《最高人民法院、最高人民检察院、公安部关于办理侵犯知识产权刑事案件适用法律若干问题的意见》的规定,名称相同的商品以及名称不同但指同一事物的商品,可以认定为“同一种商品”。“名称”是指国家工商行政管理总局商标局在商标注册工作中对商品使用的名称,通常即《商标注册用商品和服务国际分类》中规定的商品名称。“名称不同但指同一事物的商品”是指在功能、用途、主要原料、消费对象、销售渠道等方面相同或者基本相同,相关公众一般认为是同一种事物的商品。认定“同一种商品”,应当在权利人注册商标核定使用的商品和行为人实际生产销售的商品之间进行比较。关于“与其注册商标相同的商标”的认定问题,具有下列情形之一,可以认定为“与其注册商标相同的商标”:(1)改变注册商标的字体、字母大小写或者文字横竖排列,与注册商标之间仅有细微差别的;(2)改变注册商标的文字、字母、数字等之间的间距,不影响体现注册商标显著特征的;(3)改变注册商标颜色的;(4)其他与注册商标在视觉上基本无差别、足以对公众产生误导的商标。

3. 根据本条规定,行为人的上述行为,情节严重的才构成犯罪,这是区分罪与非罪的界限。根据《最高人民检察院、公安部关于公安机关管辖的刑事案件立案追诉标准的规定(二)》的规定,未经注册商标所有人许可,在同一种商品上使用与其注册商标相同的商标,应予立案追诉的情形包括:(1)非法经营数额在五万元以上或者违法所得数额在三万元以上的;(2)假冒两种以上注册商标,非法经营数额在三万元以上或者违法所得数额在二万元以上的;(3)其他情节严重的情形。

本条对假冒他人注册商标犯罪的处罚分为两个档次:即情节严重的,处三年以下有期徒刑或者拘役,并处或者单处罚金;情节特别严重的,处三年以上七年以下有期徒刑,并处罚金。根据《最高人民法院、最高人民检察院关于办理侵犯知识产权刑事案件具体应用法律若干问题的解释》的规定,这里的“情节严重”包括如下情形:(1)非法经营数额在五万元以上或者违法所得数额在三万元以上的;(2)假冒两种以上注册商标,非法经营数额在三万元以上或者违法所得数额在二万元以上的;(3)其他情节严重的情形。“情节特别严重”包括下列情形:(1)非法经营数额在二十五万元以上或者违法所得数额在十五万元以上的;(2)假冒两种以上注册商标,非法经营数额在十五万元以上或者违法所得数额在十万元以上的;(3)其他情节特别严重的情形。

实践中,如果行为人假冒他人注册商标生产、销售伪劣商品构成犯罪的,应按照刑法规定的处罚较重的规定处罚。

第二百一十四条　销售明知是假冒注册商标的商品，销售金额数额较大的，处三年以下有期徒刑或者拘役，并处或者单处罚金；销售金额数额巨大的，处三年以上七年以下有期徒刑，并处罚金。

【释义】　本条是关于销售假冒注册商标的商品罪及其处罚的规定。

销售假冒注册商标商品的行为，侵犯了注册商标权利人的商标专用权，而且客观上使大量的伪、劣、次产品进入市场，对名优产品及同类产品造成冲击，也严重损害了消费者的合法权益。构成本条规定的犯罪，应具备以下条件：

1. 行为人主观上必须是明知，即明知是假冒他人注册商标的商品仍然销售，从中牟取非法利益。行为人是否明知，是本罪罪与非罪的重要界限。适用本条规定时，必须有证据证明行为人明知其销售的商品是假冒他人注册商标的商品，如果行为人不知是假冒注册商标的商品而销售，不构成本罪。实践中，主要从以下几个方面判断行为人是否明知：(1)行为人是否曾被告知所销售的商品是假冒注册商标的商品；(2)销售商品进货价格和质量明显低于市场上被假冒的注册商标商品的进货价格和质量；(3)根据行为人本人的经验和知识，能够知道自己销售的是假冒注册商标的商品。

2. 行为人在客观上实施了销售明知是假冒注册商标的商品的行为。这里的"销售"应是广义的，包括批发、零售、代售、贩卖等各个销售环节。"假冒注册商标"，是指假冒他人已经注册了的商标。如果将还未有人注册过的商标冒充已经注册的商标在商品上使用，不构成本条规定的犯罪，而是属于违反注册商标管理的行为。

3. 销售金额必须达到数额较大，才构成犯罪，这也是罪与非罪的重要界限。根据《最高人民检察院、公安部关于公安机关管辖的刑事案件立案追诉标准的规定(二)》的规定，销售金额在五万元以上的；尚未销售，货值金额在十五万元以上的；销售金额不满五万元，但已销售金额与尚未销售的货值金额合计在十五万元以上的，应予追诉。

本条对销售明知是假冒注册商标的商品的犯罪，规定了两档刑：即销售金额数额较大的，处三年以下有期徒刑或者拘役，并处或者单处罚金；销售金额数额巨大的，处三年以上七年以下有期徒刑，并处罚金。根据《最高人民法院、最高人民检察院关于办理侵犯知识产权刑事案件具体应用法律若干问题的解释》的规定，这里的"数额较大"，是指销售金额在五万元以上的情形；"数额巨大"，是指销售金额在二十五万元以上的情形。

实践中，如果行为人销售的商品假冒了他人的注册商标，同时商品本身是伪劣产品，构成生产、销售伪劣商品罪的，应依照刑法规定的处罚较重的规定处罚。

第二百一十五条　伪造、擅自制造他人注册商标标识或者销售伪造、擅自制造的注册商标标识，情节严重的，处三年以下有期徒刑、拘役或者管制，并处或者单处罚金；情节特别严重的，处三年以上七年以下有期徒刑，并处罚金。

【释义】 本条是关于非法制造、销售非法制造的注册商标标识罪及其处罚的规定。

本条规定了两种行为。第一种是伪造、擅自制造他人注册商标标识的行为。构成这一犯罪，行为人必须实施了伪造、擅自制造的行为。“伪造”，是指按商标所有人的商标标识进行仿制的行为，商标标识本身就是假的。“擅自制造”，主要是指商标印制单位在与注册商标所有人的商标印制合同规定的印数之外，又私自加印商标标识的行为，商标标识本身是真的。“商标标识”，是指在商品本身或者在商品的包装上使用的附有文字、图形或其组合所构成的商标图案的物质实体，如商标纸、商标的包装、装潢、服装上的商标织带等。第二种是销售伪造、擅自制造的注册商标标识的行为。这里的“销售”包括批发、零售，既包括在内部销售，也包括在市场上销售。上述行为，必须达到“情节严重”的程度才构成犯罪，这是罪与非罪的重要界限。根据《最高人民检察院、公安部关于公安机关管辖的刑事案件立案追诉标准的规定（二）》的规定，伪造、擅自制造他人注册商标标识或者销售伪造、擅自制造的注册商标标识，涉嫌下列情形之一的，应予立案追诉：(1)伪造、擅自制造或者销售伪造、擅自制造的注册商标标识数量在二万件以上，或者非法经营数额在五万元以上，或者违法所得数额在三万元以上的；(2)伪造、擅自制造或者销售伪造、擅自制造两种以上注册商标标识数量在一万件以上，或者非法经营数额在三万元以上，或者违法所得数额在二万元以上的；(3)其他情节严重的情形。

对非法制造、销售非法制造的注册商标标识的犯罪，本条规定了两个处罚档次：即对情节严重的，处三年以下有期徒刑、拘役或者管制，并处或者单处罚金；情节特别严重的，处三年以上七年以下有期徒刑，并处罚金。根据《最高人民法院、最高人民检察院关于办理侵犯知识产权刑事案件具体应用法律若干问题的解释》的规定，这里的“情节严重”包括如下情形：(1)伪造、擅自制造或者销售伪造、擅自制造的注册商标标识数量在二万件以上，或者非法经营数额在五万元以上，或者违法所得数额在三万元以上的；(2)伪造、擅自制造或者销售伪造、擅自制造两种以上注册商标标识数量在一万件以上，或者非常经营数额在三万元以上，或者违法所得数额在二万元以上的；(3)其他情节严重的情形。“情节特别严重”包括下列情形：(1)伪造、擅自制造或者销售伪造、擅自制造的注册商标标识数量在十万件以上，或者非法经营数额在二十五万元以上，或者违法所得数额在十五万元以上的;(2)伪造、擅自制造或者销售伪造、擅自制造两种以上注册商标标识数量在五万件以上,或者非法经营数额在十五万元以上,或者违法所得数额在十万元以上的;(3)其他情节特别严重的情形。

第二百一十六条 假冒他人专利,情节严重的,处三年以下有期徒刑或者拘役,并处或者单处罚金。

【释义】 本条是关于假冒专利罪及其处罚的规定。

通常意义上的专利就是指专利权,是国家专利机关依据专利法授予专利申请人或其他权利继承人,在法定期限内对其发明创造享有的制造、使用或销售的专有权利。专利权是一种专有权,一经授予,任何单位、个人都不得未经许可实施其专利。专利作为一项工业产权,是技术、经济和法律相结合的整体。具有以下特点:第一,它是一种具备创造性并能够解决生产实际问题的新技术方案。第二,它是发明创造者的一种无形财产。专利权人依法保护其专利不受侵占,并有义务在法定有效期内对其专利技术加以推广应用。第三,它是专利权人在法定有效期内对发明创造享有的专有权。专利必须向社会公开,并记载于将专利公开、公告的专利证书和专利文献上。可见,专利有较高的经济价值且极易被他人利用,为加强对专利权人的保护,对专利侵权行为除了作出行政、民事处理外,对其中情节严重的,有必要追究侵权人的刑事责任。

本条规定的"假冒他人专利",是指侵权人在自己产品上加上他人的专利标记和专利号,或使其与专利产品相类似,使公众认为该产品是他人的专利产品,以假乱真,侵害他人合法权利的行为。专利侵权,主要是指未经专利权人许可,使用其专利的行为。"专利权人"包括单位和个人,也包括在我国申请专利的国外的单位和个人。"使用其专利",是指行为人为生产经营目的,将他人专利用于生产、制造产品的行为。根据专利法的规定,任何单位或者个人实施他人专利,必须与专利权人订立书面实施许可合同,向专利权人支付专利使用费。被许可人无权允许合同规定以外的任何单位或个人实施该专利。这里规定的"许可"不是一般的口头同意,而是要签订专利许可合同。专利许可意味着专利权人允许被许可人有权在专利权期限内,在其效力所及的范围内对该发明创造加以利用。如果行为人已经得到专利权人同意,只是还未签订书面许可合同,或者还未向专利权人支付使用费,不构成犯罪。行为人的上述行为必须达到"情节严重"的程度,才构成犯罪,这是罪与非罪的界限。根据《最高人民检察院、公安部关于公安机关管辖的刑事案件立案追诉标准的规定(二)》的规定,假冒他人专利,非法经营数额在二十万元以上或者违法所得数额在十万元以上的;给专利权人造成直接经济损失在五十万元以上的;假冒两项以上他人专利,非法经营数额在十万元以上或者违法所得数额在五万元以上的；以及其他情节严重的情形，应予追诉。

本条规定对假冒他人专利，情节严重的，处三年以下有期徒刑或者拘役，并处或者单处罚金。根据《最高人民法院、最高人民检察院关于办理侵犯知识产权刑事案件具体应用法律若干问题的解释》的规定，这里的“情节严重”包括如下情形：(1)非法经营数额在二十万元以上或者违法所得数额在十万元以上的；(2)给专利权人造成直接经济损失五十万元以上的；(3)假冒两项以上他人专利，非法经营数额在十万元以上或者违法所得数额在五万元以上的；(4)其他情节严重的情形。

第二百一十七条　以营利为目的，有下列侵犯著作权情形之一，违法所得数额较大或者有其他严重情节的，处三年以下有期徒刑或者拘役，并处或者单处罚金；违法所得数额巨大或者有其他特别严重情节的，处三年以上七年以下有期徒刑，并处罚金：

（一）未经著作权人许可，复制发行其文字作品、音乐、电影、电视、录像作品、计算机软件及其他作品的；

（二）出版他人享有专有出版权的图书的；

（三）未经录音录像制作者许可，复制发行其制作的录音录像的；

（四）制作、出售假冒他人署名的美术作品的。

【释义】　本条是关于侵犯著作权罪及其处罚的规定。

著作权是法律赋予作者因创作文学、艺术和科学作品而享有的专有权利。这项权利既包括人身权，也包括财产权。侵犯他人著作权的行为不仅侵犯了著作权人的合法权益，同时也破坏了国家对文化市场的管理秩序。著作权是一种智力成果，是民事权利的一部分，著作权问题产生的纠纷，主要是通过民事法律调整，但对其中情节严重构成犯罪的，应依法追究刑事责任。根据本条规定，构成侵犯著作权罪必须具备以下条件：

1. 行为人在主观上是故意的，并且以营利为目的。这是罪与非罪的界限。“以营利为目的”，是指行为人侵犯他人权利的行为是为了获取非法利益。本条规定的以营利为目的，主要区别于其他目的，如有些教学科研单位未经权利人许可复制他人作品供教学、科研之用；有些个人复制音像制品或计算机某一程序供个人观赏、学习、使用，没有将其作为商品进入商品流通领域，不是以营利为目的，不构成犯罪。

2. 行为人在客观上实施了本条规定的侵犯他人著作权的行为。本条对侵犯他人著作权的行为具体规定为以下四种情形：(1)未经著作权人许可，复制发行其文字作品、音乐、电影、电视、录像作品、计算机软件及其他作品。“著作权人”，是指著作权的主体，即著作权权利义务的承受者。根据著作权法的规定，著作权人可以是作者本人，也可以是其他依照著作权法享有著作权的公民、法人或者其他组织。“未经著作权人许可”，是指没有得到著作权人授权或者伪造、涂改著作权人授权许可文件或者超出授权许可范围的情形。“复制”，是指以印刷、复印、拓印、录音、录像、翻录、翻拍等方式将作品制作一份或多份的行为。“发行”，既包括通过批发、出售、出租等方式，向公众提供作品的复制品，也包括侵权产品的持有人通过广告、征订等方式推销侵权产品。“复制发行”，包括复制、发行或者既复制又发行的行为。通过信息网络向公众传播他人文字作品、音乐、电影、电视、录像作品、计算机软件及其他作品的行为，应当视为复制发行行为。复制发行行为未得到著作权人的许可是构成犯罪的必备条件。“作品”，根据著作权法规定，包括以下列形式创作的文学、艺术和自然科学、社会科学、工程技术等作品：文字作品；口述作品；音乐、戏剧、曲艺、舞蹈、杂技艺术作品；美术、建筑作品；摄影作品；电影作品和以类似摄制电影的方法创作的作品；工程设计图、产品设计图、地图、示意图等图形作品和模型作品；计算机软件；法律、行政法规规定的其他作品。(2)出版他人享有专有出版权的图书。“出版”，是指将作品编辑加工后，通过复制向公众发行。“专有出版权”，是指图书出版者依据其与著作权人之间订立的出版合同而享有独家出版权。(3)未经录音录像制作者许可，复制发行其制作的录音录像。录音录像制作者，通过对原著作品编辑加工，以声音图像直观感性的形式把抽象的原著作品再现出来，对再现出来的作品形式享有专有出版权。未经录音录像制作者许可，复制发行其制作的录音录像，是一种侵犯他人著作权的行为。(4)制作、出售假冒他人署名的美术作品。“美术作品”，是指以线条、色彩或其他方式构成的有审美意义的平面或立体的造型艺术作品，包括绘画、书法、雕塑、建筑、工艺美术等。制作出售假冒他人署名的美术作品，包括以下三种方式：一是临摹他人的画，署上他人的名，假冒他人的画出售；二是以自己的画，署上名画家的名，假冒他人的画出售；三是把他人的画，署上名画家的名，假冒名画家的画出售，从中牟利。

3. 行为人的上述行为，必须是违法所得数额较大或者有其他严重情节的，才构成犯罪。对侵犯著作权罪，本条规定了两档处罚：即违法所得数额较大或者有其他严重情节的，处三年以下有期徒刑或者拘役，并处或者单处罚金；违法所得数额巨大或者有其他特别严重情节的，处三年以上七年以下有期徒刑，并处罚金。根据2004年12月《最高人民法院、最高人民检察院关于办理侵犯知识产权刑事案件具体应用法律若干问题的解释》的规定，违法所得数额在三万元以上的，属于“违法所得数额较大”；具有下列情形之一的，属于“有其他严重情节”:(1)非法经营数额在五万元以上的;(2)未经著作权人许可,复制发行其文字作品、音乐、电影、电视、录像作品、计算机软件及其他作品,复制品数量合计在一千张(份)以上的;(3)其他严重情节的情形。根据上述司法解释的规定,违法所得数额在十五万元以上的,属于“违法所得数额巨大”;具有下列情形之一的,属于“有其他特别严重情节”:(1)非法经营数额在二十五万元以上的;(2)未经著作权人许可,复制发行其文字作品、音乐、电影、电视、录像作品、计算机软件及其他作品,复制品数量合计在五千张(份)以上的;(3)其他特别严重情节的情形。根据情况的变化,2007年4月又发布了《最高人民法院、最高人民检察院关于办理侵犯知识产权刑事案件具体应用法律若干问题的解释(二)》,该解释第一条降低了复制发行侵权产品的数量标准,规定以营利为目的,未经著作权人许可,复制发行其文字作品、音乐、电影、电视、录像作品、计算机软件及其他作品,复制品数量合计在五百张(份)以上的,属于刑法第二百一十七条规定的“有其他严重情节”;复制品数量在二千五百张(份)以上的,属于刑法第二百一十七条规定的“有其他特别严重情节”。该解释自2007年4月5日实施以后,复制发行侵权复制品构成刑法第二百一十七条规定之罪的,应适用新解释规定的数量标准。2011年《最高人民法院、最高人民检察院、公安部关于办理侵犯知识产权刑事案件适用法律若干问题的意见》对通过信息网络传播侵权作品行为的定罪处罚作了进一步明确:以营利为目的,未经著作权人许可,通过信息网络向公众传播他人文字作品、音乐、电影、电视、美术、摄影、录像作品、录音录像制品、计算机软件及其他作品,具有下列情形之一的,属于刑法第二百一十七条规定的“其他严重情节”:(1)非法经营数额在五万元以上的;(2)传播他人作品的数量合计在五百件(部)以上的;(3)传播他人作品的实际被点击数达到五万次以上的;(4)以会员制方式传播他人作品,注册会员达到一千人以上的;(5)数额或者数量虽未达到第(1)项至第(4)项规定标准,但分别达到其中两项以上标准一半以上的;(6)其他严重情节的情形。实施上述行为,数额或者数量达到第(1)项至第(5)项规定标准五倍以上的,属于刑法第二百一十七条规定的“其他特别严重情节”。

第二百一十八条　以营利为目的,销售明知是本法第二百一十七条规定的侵权复制品,违法所得数额巨大的,处三年以下有期徒刑或者拘役,并处或者单处罚金。

【释义】　本条是关于销售侵权复制品罪及其处罚的规定。

构成本条规定的犯罪,必须具备以下条件:

1. 行为人主观上必须:一是以营利为目的;二是明知是侵权复制品而销售,

这是罪与非罪的重要界限。如果行为人不知其销售的是侵权复制品,不构成犯罪。

2. 行为人实施了销售复制品的行为,并且其所销售的复制品必须是第二百一十七条规定的侵权复制品,即"未经著作权人许可,复制发行其文字作品、音乐、电影、电视、录像作品、计算机软件及其他作品","出版他人享有专有出版权的图书","未经录音录像制作者许可,复制发行其制作的录音录像"以及"制作、出售假冒他人署名的美术作品"等侵权复制品。

3. 销售本条规定的侵权复制品必须是违法所得数额巨大的,才构成犯罪。根据《最高人民法院、最高人民检察院关于办理侵犯知识产权刑事案件具体应用法律若干问题的解释》的规定,违法所得数额在十万元以上的,属于"违法所得数额巨大"。如果销售量很小,违法所得数额不大,不构成犯罪。

根据本条规定,对销售侵权复制品违法所得数额巨大构成犯罪的,处三年以下有期徒刑或者拘役,并处或者单处罚金。

第二百一十九条　有下列侵犯商业秘密行为之一,给商业秘密的权利人造成重大损失的,处三年以下有期徒刑或者拘役,并处或者单处罚金;造成特别严重后果的,处三年以上七年以下有期徒刑,并处罚金:

(一)以盗窃、利诱、胁迫或者其他不正当手段获取权利人的商业秘密的;

(二)披露、使用或者允许他人使用以前项手段获取的权利人的商业秘密的;

(三)违反约定或者违反权利人有关保守商业秘密的要求,披露、使用或者允许他人使用其所掌握的商业秘密的。

明知或者应知前款所列行为,获取、使用或者披露他人的商业秘密的,以侵犯商业秘密论。

本条所称商业秘密,是指不为公众所知悉,能为权利人带来经济利益,具有实用性并经权利人采取保密措施的技术信息和经营信息。

本条所称权利人,是指商业秘密的所有人和经商业秘密所有人许可的商业秘密使用人。

【释义】 本条是关于侵犯商业秘密罪及其处罚的规定。

侵犯商业秘密是一种不正当竞争的行为。随着经济体制的改革,出现了多种所有制形式,有些企业不是通过自身的努力去开拓市场,与其他企业开展竞争,而是采取一些不正当的手段,如采取以高薪聘请,甚至用金钱收买等手段,将其他企业的技术人员"挖走",同时获取该企业的技术诀窍、销售渠道等商业秘密,从而为本企业牟取利益,严重违反了公平竞争的原则,侵犯了其他企业的合法权益。

第一款是关于侵犯他人商业秘密的行为的规定。本条具体列举了三种侵犯商业秘密的行为:(1)以盗窃、利诱、胁迫或者其他不正当手段获取权利人的商业秘密。实施这一行为的人,一般是享有商业秘密的权利人的竞争对手。“其他不正当手段”,包括以高薪聘请“挖”人才、以重金收买知悉秘密的人等。这里“挖人才”的目的是获取他人的商业秘密,不是单纯的高薪聘请人才。“权利人”,是指商业秘密的所有人和经商业秘密所有人许可的商业秘密使用人。(2)披露、使用或者允许他人使用以前项手段获取的权利人的商业秘密。“披露”,是指向他人透露行为人以盗窃、利诱、胁迫或者其他不正当手段获取的他人商业秘密的行为。“使用”,是指自己使用。(3)违反约定或者违反了权利人有关保守商业秘密的要求,披露、使用或者允许他人使用其所掌握的商业秘密。这主要是指行为人所掌握的商业秘密是合法获取的,但是违反了与权利人之间的约定或者违反了权利人有关保守商业秘密的要求,向第三人违约披露、使用或者允许第三人使用其所获取的商业秘密。实施这一行为的,有可能是与拥有商业秘密的企业订立许可使用合同的一方当事人,也可能是本企业技术人员,因工作关系获得商业秘密,但擅自告诉他人或自己使用、允许他人使用。

第二款是关于以侵犯商业秘密论的行为的规定。根据这一规定,第三人自己虽未直接实施上述侵权行为,但如果明知或者应知他人具有上述三种侵犯商业秘密的行为,仍然从他那里获取、使用或者披露他人商业秘密的,以侵犯商业秘密论。由于第三人不是非法获取商业秘密的直接责任人,因此,第三人主观上必须是明知或者应知,才构成犯罪。

第三款是关于商业秘密概念的规定。根据这一规定,商业秘密包括技术信息和经营信息。“技术信息”,是指技术配方、技术诀窍、工艺流程等。“经营信息”,是指采取什么方式进行经营等有关经营的重大决策以及与自己有业务往来的客户的情况等。作为商业秘密,首先权利人对其采取了保密措施。权利人将某种技术信息和经营信息作为商业秘密,采取特殊的防范措施,防止外人轻而易举地获取。其次具有一定的经济价值。侵犯商业秘密的目的,是获得他人的经济利益。因此,该信息必须能给权利人带来经济利益,且具有实用性。最后,该信息不为公众所知,只限于一部分人知道。如果通过其他渠道就轻易可以获得的信息,不能认为是商业秘密。

第四款是关于权利人概念的规定。根据这一规定,权利人包括商业秘密所有人和经商业秘密所有人许可的商业秘密使用人。商业秘密使用人,是与商业秘密所有人订立商业秘密使用许可合同的人。根据规定,商业秘密使用人只能自己使用,不得披露或允许他人使用商业秘密。

根据本条规定，对侵犯他人商业秘密，给商业秘密的权利人造成重大损失的，处三年以下有期徒刑或者拘役，并处或者单处罚金；造成特别严重后果的，处三年以上七年以下有期徒刑，并处罚金。根据《最高人民法院、最高人民检察院关于办理侵犯知识产权刑事案件具体应用法律若干问题的解释》的规定，给商业秘密的权利人造成损失数额在五十万元以上的，属于“给商业秘密的权利人造成重大损失”；给商业秘密的权利人造成损失数额在二百五十万元以上的，属于“造成特别严重后果”。

第二百二十条　单位犯本节第二百一十三条至第二百一十九条规定之罪的，对单位判处罚金，并对其直接负责的主管人员和其他直接责任人员，依照本节各该条的规定处罚。

【释义】　本条是关于单位侵犯他人知识产权的犯罪及其处罚的规定。

根据本条规定，本节规定的犯罪，犯罪主体除自然人外，还包括单位。实践中，一些单位参与本节规定的犯罪活动，牟取非法利益的情况较为突出，为加大对侵犯知识产权犯罪的打击力度，进一步维护权利人的合法权利，有必要对单位犯罪作专门的规定。根据本条规定，单位犯第二百一十三条（假冒注册商标罪）、第二百一十四条（销售假冒注册商标的商品罪）、第二百一十五条（非法制造、销售非法制造的注册商标标识罪）、第二百一十六条（假冒专利罪）、第二百一十七条（侵犯著作权罪）、第二百一十八条（销售侵权复制品罪）、第二百一十九条（侵犯商业秘密罪）规定之罪的，除对单位判处罚金外，还对其直接负责的主管人员和其他直接责任人员，依照本节各该条的规定处罚。根据2007年4月《最高人民法院、最高人民检察院关于办理侵犯知识产权刑事案件具体应用法律若干问题的解释（二）》的规定，单位实施刑法第二百一十三条至第二百一十九条规定的行为，按照《最高人民法院、最高人民检察院关于办理侵犯知识产权刑事案件具体应用法律若干问题的解释》和本解释规定的相应个人犯罪的定罪量刑标准定罪处罚。

第八节　扰乱市场秩序罪

第二百二十一条　捏造并散布虚伪事实，损害他人的商业信誉、商品声誉，给他人造成重大损失或者有其他严重情节的，处二年以下有期徒刑或者拘役，并处或者单处罚金。

【释义】　本条是关于损害商业信誉、商品声誉罪及其处罚的规定。

这里所称的“捏造”，既包括完全虚构，也包括在真实情况的基础上的部分虚构，歪曲事实真相。“散布”，既包括口头散布，也包括以书面方式散布，如宣传媒介、信函等。他人的商业信誉，主要是指他人在从事商业活动中的信用程度和名誉等，如他人在信守合约或履行合同中的信誉度，他人的生产能力和资金状况是否良好等；他人的商品声誉，主要是指他人商品在质量等方面的可信赖程度和经过长期良好地生产、经营所形成的知名度等。造成损害他人的商业信誉、商品声誉的后果是多方面的，既可以是直接的，也可以是潜在的，如使他人的商业信用降低，无法签订合同或无法开展正常的商业活动等；或者使他人的商品声誉遭到破坏，产品大量积压，无法销售等。

本条对损害商业信誉、商品声誉罪的处罚规定是，“给他人造成重大损失或者有其他严重情节的，处二年以下有期徒刑或者拘役，并处或者单处罚金”。鉴于这类犯罪往往具有贪利性质，本条在规定对行为人判自由刑的同时，还规定“并处或者单处罚金”。根据《最高人民检察院、公安部关于公安机关管辖的刑事案件立案追诉标准的规定（二）》的规定，捏造并散布虚伪事实，损害他人的商业信誉、商品声誉，涉嫌下列情形之一的，应予立案追诉：（1）给他人造成直接经济损失数额在五十万元以上的。（2）虽未达到上述数额标准，但具有下列情形之一的：①利用互联网或者其他媒体公开损害他人商业信誉、商品声誉的；②造成公司、企业等单位停业、停产六个月以上，或者破产的。（3）其他给他人造成重大损失或者有其他严重情节的情形。

第二百二十二条　广告主、广告经营者、广告发布者违反国家规定，利用广告对商品或者服务作虚假宣传，情节严重的，处二年以下有期徒刑或者拘役，并处或者单处罚金。

【释义】　本条是关于虚假广告罪及其处罚的规定。

本条规定的“虚假广告罪”的犯罪主体是特殊主体，即广告主、广告经营者和广告发布者。根据广告法的规定，“广告主”，是指为推销商品或者提供服务，自行或者委托他人设计、制作、发布广告的自然人、法人或者其他组织；“广告经营者”，是指受委托提供广告设计、制作、代理服务的自然人、法人或者其他组织；“广告发布者”，是指为广告主或者广告主委托的广告经营者发布广告的自然人、法人或者其他组织。

行为人实施了违反国家规定，利用广告对商品或者服务进行虚假宣传的行为。这里的“广告”，是指商品经营者或者服务提供者承担费用，通过一定媒介和形式直接或者间接地介绍自己所推销的商品或者所提供的服务的商业广告。“违反国家规定”，根据本法第九十六条的规定，是指违反全国人民代表大会及其常务委员会制定的法律和决定，国务院制定的行政法规、规定的行政措施、发布的决定和命令。在这里主要是指违反了国家制定发布的有关广告管理的法律、行政法规。广告法规定,广告不得含有虚假的内容,不得欺骗和误导消费者。反不正当竞争法规定,经营者不得利用广告或者其他方法,对商品的质量、制作成分、性能、用途、生产者、有效期限、产地等作引人误解的虚假宣传。广告法对规范广告活动作了更为具体明确的规定,主要有:广告内容必须真实,广告不得含有虚假的内容,不得欺骗和误导消费者;广告必须合法,不得损害国家、民族利益和尊严,不得损害社会公众利益、妨碍社会公共秩序和违背社会良好风尚;广告内容必须准确、清晰等。例如,规定"广告中对商品的性能、功能、产地、用途、质量、成分、价格、生产者、有效期限、允诺等或者对服务的内容、提供者、形式、质量、价格、允诺等有表示的,应当准确、清楚、明白"。"广告使用数据、统计资料、调查结果、文摘、引用语等引证内容的,应当真实、准确,并表明出处。引证内容有适用范围和有效期限的,应当明确表示。"本条规定的"利用广告对商品或者服务作虚假宣传",就是指违反了上述法律及有关法律、行政法规规定,利用广告这种特殊的传播媒介,对所生产的产品或者提供的服务作夸张、虚伪和不实的宣扬或传播,足以产生使消费者受到欺骗或误导消费者的消费行为的行为。

有本条规定的行为,"情节严重的"才构成犯罪。根据《最高人民检察院、公安部关于公安机关管辖的刑事案件立案追诉标准的规定(二)》的规定,广告主、广告经营者、广告发布者违反国家规定,利用广告对商品或者服务作虚假宣传,涉嫌下列情形之一的,应予立案追诉:(1)违法所得数额在十万元以上的;(2)给单个消费者造成直接经济损失数额在五万元以上的,或者给多个消费者造成直接经济损失数额累计在二十万元以上的;(3)假借预防、控制突发事件的名义,利用广告作虚假宣传,致使多人上当受骗,违法所得数额在三万元以上的;(4)虽未达到上述数额标准,但两年内因利用广告作虚假宣传,受过行政处罚二次以上,又利用广告作虚假宣传的;(5)造成人身伤残的;(6)其他情节严重的情形。对行为人实施的一般虚假广告宣传行为,可以根据广告法或其他有关法律、法规的规定给予相应的行政处罚或者通过民事索赔的方法解决。

根据本条规定,对虚假广告罪,处二年以下有期徒刑或者拘役,并处或者单处罚金。

第二百二十三条　投标人相互串通投标报价,损害招标人或者其他投标人利益,情节严重的,处三年以下有期徒刑或者拘役,并处或者单处罚金。

投标人与招标人串通投标,损害国家、集体、公民的合法利益的,依照前款的规定处罚。

【释义】 本条是关于串通投标罪及其处罚的规定。

我国从20世纪80年代初开始逐步实行招标投标制度，先后在利用国外贷款、机电设备进口、建设工程发包等领域推行。招标投标的特点是公开、公平、公正。实行这一制度，对于推进投资融资体制改革，创造公平竞争的市场环境，提高经济效益，保证工程质量，具有重要意义。但实践中也存在一些突出问题，招标投标中的不正当交易和腐败现象较为严重，招标人虚假招标、私泄标底，投标人串通投标、贿赂投标，中标人中标后擅自切割标段、转包、分包，"吃回扣"、钱权交易等违法犯罪行为时有发生。这些问题，损害了招标、投标人的利益，破坏了公平竞争的环境，影响了市场经济的健康发展。本条规定的串通投标罪，是一种违反法律规定，破坏投标的公正性，损害招标人或者其他投标人的合法权益及损害国家、集体和公民的合法权益，扰乱市场经济秩序的不正当竞争的犯罪。

第一款是关于投标人相互串通投标报价，损害招标人或者其他投标人利益的犯罪及其处罚的规定。其中，"投标人"根据招标投标法的规定，是指响应招标、参加投标竞争的法人或者其他组织；"相互串通投标报价"，是指投标人在投标中，包括投标前和投标过程中，串通一气，商量好采取抬高标价或者压低标价等行为，既包括多方相互串通，也包括多方串通；"招标人"根据招标投标法规定，是指提出招标项目、进行招标的法人或者其他组织。反不正当竞争法规定，投标者不得串通投标，抬高标价或者压低标价。招标投标法规定，招标投标活动应当遵循公开、公平、公正和诚实信用的原则。投标人不得相互串通投标报价，不得排挤其他投标人，损害招标人或者其他投标人的合法权益。"损害招标人或者其他投标人利益"，是指由于投标人相互串通投标报价而使招标人无法达到最佳的竞标结果或者其他投标人无法在公平竞争的条件下参与投标竞争而受到损害的情况，包括已经造成损害和造成潜在的损害两种情况。根据本款规定，投标人相互串通投标报价，损害招标人或者其他投标人利益，"情节严重的"才构成犯罪。本款在处刑规定中，还规定了"并处或者单处罚金"，即人民法院在对行为人依法科以自由刑外，还应当根据案件的情况和本条的规定，并处或者单处罚金刑。

第二款是关于投标人与招标人串通投标，损害国家、集体、公民的合法利益的犯罪及其处罚的规定。反不正当竞争法规定，投标者和招标者不得相互勾结，排挤竞争对手的公平竞争。招标投标法规定，投标人不得与招标人串通投标，损害国家利益、社会公共利益或者他人的合法权益。这里的"串通投标"，是指投标人与招标人私下串通，事先根据招标底价确定投标报价、中标价格，而不是在公平竞争的条件下确定中标价格，从而破坏招标公正的行为。根据本款规定,有本款行为"依照前款的规定处罚",即处三年以下有期徒刑或者拘役,并处或者单处罚金。

根据《最高人民检察院、公安部关于公安机关管辖的刑事案件立案追诉标准的规定(二)》的规定,投标人相互串通投标报价,或者投标人与招标人串通投标,涉嫌下列情形之一的,应予立案追诉:(1)损害招标人、投标人或者国家、集体、公民的合法利益,造成直接经济损失数额在五十万元以上的;(2)违法所得数额在十万元以上的;(3)中标项目金额在二百万元以上的;(4)采取威胁、欺骗或者贿赂等非法手段的;(5)虽未达到上述数额标准,但两年内因串通投标,受过行政处罚二次以上,又串通投标的;(6)其他情节严重的情形。

第二百二十四条　有下列情形之一,以非法占有为目的,在签订、履行合同过程中,骗取对方当事人财物,数额较大的,处三年以下有期徒刑或者拘役,并处或者单处罚金;数额巨大或者有其他严重情节的,处三年以上十年以下有期徒刑,并处罚金;数额特别巨大或者有其他特别严重情节的,处十年以上有期徒刑或者无期徒刑,并处罚金或者没收财产:

(一)以虚构的单位或者冒用他人名义签订合同的;

(二)以伪造、变造、作废的票据或者其他虚假的产权证明作担保的;

(三)没有实际履行能力,以先履行小额合同或者部分履行合同的方法,诱骗对方当事人继续签订和履行合同的;

(四)收受对方当事人给付的货物、货款、预付款或者担保财产后逃匿的;

(五)以其他方法骗取对方当事人财物的。

【释义】　本条是关于合同诈骗罪及其处罚的规定。

本条规定的犯罪是在签订合同或者履行合同过程中实施的。这里所讲的"合同",主要是指受法律保护的各类经济合同,如供销合同、借贷合同等,只要行为人在签订、履行合同中,其行为特征符合本条规定,即构成合同诈骗罪。

根据本条规定,构成合同诈骗罪具有以下特征:1. 行为人在主观上具有"非法占有"的目的,这是构成本条规定之罪的主观要件。非法占有的目的,一般来说,可以从行为人的行为判断出来,如行为人自始就根本没有履行合同的条件,也没有去创造履行合同的条件或者无意履行或者携款潜逃等。2. 行为人实施了本条规定的诈骗行为。本条共列举了五项犯罪行为:(1)以虚构的单位或者冒用他人名义签订合同的,即虚构合同主体的情形。其中"虚构的单位",是指采用根本不存在的单位的名义订立合同;"冒用他人名义",是指未经他人允许或委托而采取他人的名义,即冒名订立合同的行为。(2)以伪造、变造、作废的票据或者其他虚假的产权证明作担保的,即虚构担保。在签订合同时,根据法律、法规的规定或者对方当事人的要求，出具合同担保，是减少合同风险和保障合同履行的常规做法。这里所说的“票据”，主要指的是汇票、本票、支票等金融票据。“产权证明”包括土地使用证、房屋所有权证以及能证明动产、不动产权属的各种有效证明文件。采用虚构的担保文件的方式欺骗对方当事人而与其签订、履行合同，是合同诈骗中一种常见的方式。(3)没有实际履行能力，以先履行小额合同或者部分履行合同的方法，诱骗对方当事人继续签订和履行合同的。这是通常讲的“钓鱼式合同”，即行为人以履行小额合同或者部分履行合同为诱饵，骗取对方当事人的信任后，继续与其签订合同，以骗取更多的财物的情况。(4)收受对方当事人给付的货物、货款、预付款或者担保财产后逃匿的。这是指行为人一旦收受了对方当事人按合同约定给付的上述财产后，一逃了之的行为。这里的“逃匿”即指行为人采取使对方当事人无法寻找到的任何逃跑、隐藏、躲避的方式。(5)以其他方法骗取对方当事人财物的。这一项规定是指采取上述四项规定以外的其他方法骗取对方当事人财物的行为，也是为了适应这类犯罪的多样性、复杂性而规定的。3. 行为人骗取对方当事人财物达到数额较大的才构成犯罪，数额不大的不构成犯罪。根据《最高人民检察院、公安部关于公安机关管辖的刑事案件立案追诉标准的规定(二)》的规定，以非法占有为目的，在签订、履行合同过程中，骗取对方当事人财物，数额在二万元以上的，应予立案追诉。

本条对合同诈骗罪处刑的规定分为三档刑。第一档刑为数额较大的，处三年以下有期徒刑或者拘役，并处或者单处罚金；第二档刑为数额巨大或者有其他严重情节的，处三年以上十年以下有期徒刑，并处罚金；第三档刑为数额特别巨大或者有其他特别严重情节的，处十年以上有期徒刑或者无期徒刑，并处罚金或者没收财产。

第二百二十四条之一*　组织、领导以推销商品、提供服务等经营活动为名，要求参加者以缴纳费用或者购买商品、服务等方式获得加入资格，并按照一定顺序组成层级，直接或者间接以发展人员的数量作为计酬或者返利依据，引诱、胁迫参加者继续发展他人参加，骗取财物，扰乱经济社会秩序的传销活动的，处五年以下有期徒刑或者拘役，并处罚金；情节严重的，处五年以上有期徒刑，并处罚金。

【释义】　本条是关于组织、领导传销活动罪及其处罚的规定。

---

* 根据2009年2月28日第十一届全国人民代表大会常务委员会第七次会议通过的《中华人民共和国刑法修正案(七)》增加。

本条是2009年2月28日全国人大常委会通过的《刑法修正案(七)》新增加的规定。在《刑法修正案(七)》增加本条之前,实践中司法机关打击传销犯罪活动主要是适用刑法第二百二十五条非法经营罪的规定;也有根据具体案件的不同情况,分别适用集资诈骗罪,诈骗罪,生产、销售伪劣商品罪等规定处理的,在执法上不够统一。《刑法修正案(七)》对组织、领导传销活动的犯罪行为单独作出规定,更有利于打击传销犯罪活动。

根据本条的规定,组织、领导传销活动犯罪中的传销活动具有以下特征:

1. 往往以从事商品、服务推销等经营活动为名,诱骗他人参加。传销活动一直为国家所禁止。一些不法分子为了逃避打击,诱骗不明真相的群众参加,往往利用一些群众急于"发财致富"的心理,编造各种名目的"经营项目",如"种植"、"养殖"、"共销入股"、"网络倍增"、"消费联盟"等,有的甚至打广告,拉名人做宣传。不论行为人编造何种名目,其承诺或者宣传的高额回报是虚假的,至于其经营的商品,只是象征性的"道具",有的甚至没有任何商品或者服务,而纯粹欺骗参加者去"拉人头"。

2. 要求参加者以缴纳费用或者购买商品、服务等方式获得加入资格。传销活动的目的就是诱骗尽可能多的参加者加入传销组织,骗取参加者缴纳的钱财。参加传销组织的条件,就是按照传销组织的要求,购买传销组织"经营"的"商品"或者"服务",又称"入门费"。需要注意的是,这里的"商品"和"服务",有的具有真实内容,但物非所值,有的仅仅是名义上的,是虚拟的。无论以何种形式存在,其本质是只有在"购买"了一定数量或者金额的"商品"或者"服务"后,才能取得进一步发展其他成员加入传销组织并按照一定比例抽取报酬的资格。

3. 按照一定顺序组成层级,直接或者间接以发展人员的数量作为计酬或者返利的依据。这是关于传销组织在结构特征上的层级性的规定。各种传销活动不论名目如何,在组织结构上都是按照加入的顺序、发展人员的多少、"业绩"大小等因素组成"金字塔"型层级结构。尽管每一个传销组织具体确定层级所采用的计算方式和称谓可能各不相同,如有的实行"五级三阶制"等,但所有传销组织的共同特征是,参加传销者的回报取决于其在传销组织中的层级位置;而参加传销者的层级位置则取决于其直接或者间接发展的人员的数量。"直接或者间接"以发展人员的数量作为计酬或者返利的依据,是指有的传销组织直接以参加者所发展的人员的数量作为计算其回报的依据;有的传销组织的"计酬规则"虽然没有明确规定直接以参加者发展人员的数量多少计算回报,但是以参加者的"业绩",或者参加者所发展的人员(下线)的"业绩"作为计算回报的依据,这实际上也是"间接"地以发展人员的数量计算回报。这样一种机制就诱使传销的参加者不断挖空心思,欺朋骗友地“发展”他人参加,使传销组织像滚雪球一样越滚越大。因此,也有将传销组织形象地称为“老鼠会”。这里的“计酬”与“返利”,并无本质不同,是针对传销组织所采用的不同名目的回报计算方式所作的规定。

4. 传销活动最本质的特征在于其诈骗性。传销活动尽管名目繁多,组织内部的结构也不尽相同,但其共同点在于以高额回报为诱饵,对参加者进行精神乃至人身控制,诱骗甚至迫使其成员不断发展新成员(下线),以敛取成员缴纳的“入门费”。传销组织所虚假宣传的“经营”活动,根本不可能保持传销组织的运转。有的传销组织甚至没有任何实际经营活动。传销组织许诺或者支付给成员的回报,来自成员缴纳的“入门费”,要保持传销组织的运转,必须使新成员以一定的倍数不断增加。由于其人员不可能无限增加,资金链必然断裂。由此可见,传销活动实际上是一种特殊的诈骗活动,传销组织是一种诈骗组织。这种诈骗的特殊性在于,传销组织实际上建立了一种诈骗机制。参与传销的人员不论对传销组织的诈骗本质是否有所认识,一旦加入传销组织,就成为这种诈骗组织的一部分,其不断发展下线的活动本身又导致更多的人卷入传销诈骗组织,骗取大量参加者的财物。因此,传销活动的参加者既是这种诈骗活动的受害者,又是使这种诈骗机制发挥作用的违法者。

5. 传销活动具有多方面的社会危害性。一方面,传销活动的组织者、领导者利用传销活动骗取参与传销者大量财产,给传销参与者造成重大财产损失。另一方面,从实际情况看,受蒙蔽参与传销的多是农民、下岗工人等低收入、不具有抗风险能力的群体,这些人受传销组织蛊惑,有的变卖家产,有的将失地补偿金、买断工龄补偿金等投入传销。传销活动使这些梦想暴富的传销痴迷者倾家荡产,生活无着,影响社会稳定。同时,传销活动往往打着从事各种“经营”活动的旗号,有的还借机销售假冒伪劣商品,严重干扰其他市场主体的正常经营活动,扰乱市场经济秩序。

关于组织、领导传销活动罪的犯罪主体,根据本条规定,只有传销活动的组织者、领导者才能构成本罪。其他参与传销活动的人员,如上所述,既是受害者,也是害人的违法者。本着教育、挽救大多数的原则,对其应当依法予以行政处罚或者批评教育。根据2010年《最高人民检察院、公安部关于公安机关管辖的刑事案件立案追诉标准的规定(二)》的规定,传销活动的组织者、领导者,是指在传销活动中起组织、领导作用的发起人、决策人、操纵人,以及在传销活动中担负策划、指挥、布置、协调等重要职责,或者在传销活动实施中起到关键作用的人员。根据2013年《最高人民法院、最高人民检察院、公安部关于办理组织领导传销活动刑事案件适用法律若干问题的意见》的规定,下列人员可以认定为传销活动的组织者、领导者：(1)在传销活动中起发起、策划、操纵作用的人员；(2)在传销活动中承担管理、协调等职责的人员；(3)在传销活动中承担宣传、培训等职责的人员；(4)曾因组织、领导传销活动受过刑事处罚，或者一年以内因组织、领导传销活动受过行政处罚，又直接或者间接发展参与传销活动人员在十五人以上且层级在三级以上的人员；(5)其他对传销活动的实施、传销组织的建立、扩大等起关键作用的人员。以单位名义实施组织、领导传销活动犯罪的，对于受单位指派，仅从事劳务性工作的人员，一般不予追究刑事责任。

关于组织、领导传销活动罪的处罚，本条规定了两档刑罚：对构成犯罪的，处五年以下有期徒刑或者拘役；情节严重的，处五年以上有期徒刑。根据2013年《最高人民法院、最高人民检察院、公安部关于办理组织领导传销活动刑事案件适用法律若干问题的意见》规定，以推销商品、提供服务等经营活动为名，要求参加者以缴纳费用或者购买商品、服务等方式获得加入资格，并按照一定顺序组成层级，直接或者间接以发展人员的数量作为计酬或者返利依据，引诱、胁迫参加者继续发展他人参加，骗取财物，扰乱经济社会秩序的传销组织，其组织内部参与传销活动人员在三十人以上且层级在三级以上的，应当对组织者、领导者追究刑事责任。组织、领导多个传销组织，单个或者多个组织中的层级已达三级以上的，可将在各个组织中发展的人数合并计算。组织者、领导者形式上脱离原传销组织后，继续从原传销组织获取报酬或者返利的，原传销组织在其脱离后发展人员的层级数和人数，应当计算为其发展的层级数和人数。具有下列情形之一的，应当认定为"情节严重"：(1)组织、领导的参与传销活动人员累计达一百二十人以上的；(2)直接或者间接收取参与传销活动人员缴纳的传销资金数额累计达二百五十万元以上的；(3)曾因组织、领导传销活动受过刑事处罚，或者一年以内因组织、领导传销活动受过行政处罚，又直接或者间接发展参与传销活动人员累计达六十人以上的；(4)造成参与传销活动人员精神失常、自杀等严重后果的；(5)造成其他严重后果或者恶劣社会影响的。

此外，针对传销组织属于以骗取财物为目的的贪利性犯罪的特点，本条对组织、领导传销活动犯罪作了"并处罚金"的规定，即对于构成本罪的，均应当处以罚金。司法实践中应当注意对此类犯罪财产刑的适用，以剥夺犯罪行为人的犯罪收益，消除其再犯的经济基础。

第二百二十五条*　违反国家规定，有下列非法经营行为之一，扰乱市场秩序，情节严重的，处五年以下有期徒刑或者拘役，并处或者单处违法所得一倍以上五倍以下罚金；情节特别严重的，处五年以上有期徒刑，并处违法所得一倍以上五倍以下罚金或者没收财产：

（一）未经许可经营法律、行政法规规定的专营、专卖物品或者其他限制买卖的物品的；

（二）买卖进出口许可证、进出口原产地证明以及其他法律、行政法规规定的经营许可证或者批准文件的；

（三）未经国家有关主管部门批准非法经营证券、期货、保险业务的，或者非法从事资金支付结算业务的；

（四）其他严重扰乱市场秩序的非法经营行为。

【释义】　本条是关于非法经营罪及其处罚的规定。

1999年12月25日第九届全国人民代表大会常务委员会第十三次会议通过的《刑法修正案》，根据实践中出现的非法经营证券、期货或保险业务的情况，对本条规定的非法经营行为增加了一项，即"未经国家有关主管部门批准，非法经营证券、期货或保险业务的"。2009年，全国人大常委会又针对实践当中一些地方从事"地下钱庄"的非法经营活动较为猖獗，对其从事的犯罪活动，如买卖外汇、非法吸收存款等都可以依法追究刑事责任，但对其从事的非法资金支付结算业务很难追究刑事责任的情况，在《刑法修正案（七）》中对本条作了相应

---

* 本条经过两次修改。

根据1999年12月25日第九届全国人民代表大会常务委员会第十三次会议通过的《中华人民共和国刑法修正案》第一次修改。原条文是："违反国家规定，有下列非法经营行为之一，扰乱市场秩序，情节严重的，处五年以下有期徒刑或拘役，并处或单处违法所得一倍以上五倍以下罚金；情节特别严重的，处五年以上有期徒刑，并处违法所得一倍以上五倍以下罚金或者没收财产：

"（一）未经许可经营法律、行政法规规定的专营、专卖物品或者其他限制买卖的物品的；

"（二）买卖进出口许可证、进出口原产地证明以及其他法律、行政法规规定的经营许可证或者批准文件的；

"（三）其他严重扰乱市场秩序的非法经营行为。"

根据2009年2月28日第十一届全国人民代表大会常务委员会第七次会议通过的《中华人民共和国刑法修正案（七）》第二次修改。第一次修改后的条文是："违反国家规定，有下列非法经营行为之一，扰乱市场秩序，情节严重的，处五年以下有期徒刑或者拘役，并处或者单处违法所得一倍以上五倍以下罚金；情节特别严重的，处五年以上有期徒刑，并处违法所得一倍以上五倍以下罚金或者没收财产：

"（一）未经许可经营法律、行政法规规定的专营、专卖物品或者其他限制买卖的物品的；

"（二）买卖进出口许可证、进出口原产地证明以及其他法律、行政法规规定的经营许可证或者批准文件的；

"（三）未经国家有关主管部门批准，非法经营证券、期货或者保险业务的；

"（四）其他严重扰乱市场秩序的非法经营行为。"

修改,增加了有关非法从事资金支付结算业务的规定。

本条规定的非法经营罪,是指违反国家规定,有所列非法经营行为之一,扰乱市场秩序的犯罪。其中,“违反国家规定”,根据本法规定,是指违反全国人民代表大会及其常务委员会制定的法律和决定,国务院制定的行政法规、规定的行政措施、发布的决定和命令。本条所列举的四项行为是:

1. 未经许可经营法律、行政法规规定的专营、专卖物品或者其他限制买卖的物品。其中,“未经许可”,是指未经国家有关主管部门批准;“法律、行政法规规定的专营、专卖的物品”,是指由法律、行政法规明确规定的由专门的机构经营的专营、专卖的物品,如食盐、烟草等。“其他限制买卖的物品”,是指国家根据经济发展和维护国家、社会和人民群众利益的需要,规定在一定时期实行限制性经营的物品,如化肥、农药等。专营、专卖物品和限制买卖的物品的范围,不是固定不变的,随着社会主义市场经济的发展,法律、行政法规的规定可以出现变化。

2. 买卖进出口许可证、进出口原产地证明以及其他法律、行政法规规定的经营许可证或者批准文件。其中,“进出口许可证”是国家外贸主管部门对企业颁发的可以从事进出口业务的确认资格的文件。“进出口原产地证明”是从事进出口经营活动中,由法律规定的,进出口产品时必须附带的由原产地有关主管机关出具的证明文件。为维护市场经济有序和规范发展,国家对某些生产经营活动实行许可证管理制度或审批管理制度,这里的“其他法律、行政法规规定的经营许可证或者批准文件”,指的是法律、行政法规规定的所有的经营许可证或者批准文件,如林木采伐、矿产开采、野生动物狩猎许可证等。

3. 未经国家有关主管部门批准非法经营证券、期货、保险业务的,或者非法从事资金支付结算业务。其中,非法经营证券、期货业务,主要是指以下几种行为:未经有关主管部门批准,擅自开展证券或者期货经纪业务;从事证券、期货咨询性业务的证券、期货咨询公司、投资服务公司擅自超越经营范围从事证券、期货业务等。非法经营保险业务,主要是指以下几种行为:未经授权进行保险代理业务;保险经纪人超越经营范围从事保险业务等。“非法从事资金支付结算业务”是针对非法为他人办理大额资金转移、非法套现等资金支付结算业务情节严重的行为所作的规定。支付结算是商业银行的一项最基本的业务。根据《支付结算办法》的规定,银行是支付结算和资金清算的中介机构。未经中国人民银行批准的非银行金融机构和其他单位不得作为中介机构经营支付结算业务。这里的“非法从事资金支付结算业务”,主要是指不具有法定的从事资金支付结算业务的资格,非法为他人办理资金支付结算业务和外币兑换的行为,如为他人非法提供境内资金转移、分散提取现金服务等。

4. 其他严重扰乱市场秩序的非法经营行为。这是针对现实生活中非法经营犯罪活动的复杂性和多样性所作的概括性规定，这里所说的其他非法经营行为应当具备以下条件：一是这种行为发生在经营活动中，主要是生产、流通领域。二是这种行为违反法律、法规的规定。三是具有社会危害性，严重扰乱市场经济秩序。如《最高人民法院、最高人民检察院关于办理妨害预防、控制突发传染病疫情等灾害的刑事案件具体应用法律若干问题的解释》规定，违反国家在预防、控制突发传染病疫情等灾害期间有关市场经营、价格管理等规定，哄抬物价、牟取暴利，严重扰乱市场秩序，违法所得数额较大或者有其他严重情节的，依照刑法第二百二十五条第(四)项的规定，以非法经营罪定罪，依法从重处罚。《最高人民法院、最高人民检察院关于办理非法生产、销售、使用禁止在饲料和动物饮用水中使用的药品等刑事案件具体应用法律若干问题的解释》规定，在生产、销售的饲料中添加盐酸克仑特罗等禁止在饲料和动物饮用水中使用的药品，或者销售明知是添加有该类药品的饲料，情节严重的，依照刑法第二百二十五条第(四)项的规定，以非法经营罪追究刑事责任。《最高人民法院关于审理扰乱电信市场管理秩序案件具体应用法律若干问题的解释》规定，违反国家规定，采取租用国际专线、私设转接设备或者其他方法，擅自经营国际电信业务或者涉港澳台电信业务进行营利活动，扰乱电信市场管理秩序，情节严重的，依照刑法第二百二十五条第(四)项的规定，以非法经营罪定罪处罚。

此外，对于非法买卖外汇的行为，1998 年 12 月 29 日第九届全国人民代表大会常务委员会第六次会议通过了《关于惩治骗购外汇、逃汇和非法买卖外汇犯罪的决定》，该决定第四条规定："在国家规定的交易场所以外非法买卖外汇，扰乱市场秩序，情节严重的，依照刑法第二百二十五条的规定定罪处罚。"这里的"国家规定的交易场所"，是指根据国家有关法律、法规规定设立的外汇交易中心、外汇指定银行以及由国家外汇管理机构批准的具有外汇买卖业务资格的非银行金融机构。根据《最高人民法院关于审理骗购外汇、非法买卖外汇刑事案件具体应用法律若干问题的解释》的规定，非法买卖外汇二十万美元以上的，或者违法所得五万元人民币以上的，即构成"情节严重"。根据前述决定规定，单位犯前款罪的，对单位判处罚金，并对其直接负责的主管人员和其他直接责任人员，依照第二百二十五条规定处罚。

本条非法经营罪的处刑分为两档刑：第一档刑为情节严重的，处五年以下有期徒刑或者拘役，并处或者单处违法所得一倍以上五倍以下罚金；第二档刑为情节特别严重的，处五年以上有期徒刑，并处违法所得一倍以上五倍以下罚金或者没收财产。对于什么是"情节严重"、"情节特别严重"，刑法没有作具体规定，可由司法解释根据司法实践作出规定。此外，关于本罪的立案追诉标准，

《最高人民检察院、公安部关于公安机关管辖的刑事案件立案追诉标准的规定（二）》作了规定，根据该规定，违反国家规定，进行非法经营活动，扰乱市场秩序，涉嫌下列情形之一的，应予立案追诉：1. 违反国家有关盐业管理规定，非法生产、储运、销售食盐，扰乱市场秩序，具有下列情形之一的：（1）非法经营食盐数量在二十吨以上的；（2）曾因非法经营食盐行为受过二次以上行政处罚又非法经营食盐，数量在十吨以上的。2. 违反国家烟草专卖管理法律法规，未经烟草专卖行政主管部门许可，无烟草专卖生产企业许可证、烟草专卖批发企业许可证、特种烟草专卖经营企业许可证、烟草专卖零售许可证等许可证明，非法经营烟草专卖品，具有下列情形之一的：（1）非法经营数额在五万元以上，或者违法所得数额在二万元以上的；（2）非法经营卷烟二十万支以上的；（3）曾因非法经营烟草专卖品三年内受过二次以上行政处罚，又非法经营烟草专卖品且数额在三万元以上的。3. 未经国家有关主管部门批准，非法经营证券、期货、保险业务，或者非法从事资金支付结算业务，具有下列情形之一的：（1）非法经营证券、期货、保险业务，数额在三十万元以上的；（2）非法从事资金支付结算业务，数额在二百万元以上的；（3）违反国家规定，使用销售点终端机具（POS 机）等方法，以虚构交易、虚开价格、现金退货等方式向信用卡持卡人直接支付现金，数额在一百万元以上的，或者造成金融机构资金二十万元以上逾期未还的，或者造成金融机构经济损失十万元以上的；（4）违法所得数额在五万元以上的。4. 非法经营外汇，具有下列情形之一的：（1）在外汇指定银行和中国外汇交易中心及其分中心以外买卖外汇，数额在二十万美元以上的，或者违法所得数额在五万元以上的；（2）公司、企业或者其他单位违反有关外贸代理业务的规定，采用非法手段，或者明知是伪造、变造的凭证、商业单据，为他人向外汇指定银行骗购外汇，数额在五百万美元以上或者违法所得数额在五十万元以上的；（3）居间介绍骗购外汇，数额在一百万美元以上或者违法所得数额在十万元以上的。5. 出版、印刷、复制、发行严重危害社会秩序和扰乱市场秩序的非法出版物，具有下列情形之一的：（1）个人非法经营数额在五万元以上的，单位非法经营数额在十五万元以上的；（2）个人违法所得数额在二万元以上的，单位违法所得数额在五万元以上的；（3）个人非法经营报纸五千份或者期刊五千本或者图书二千册或者音像制品、电子出版物五百张（盒）以上的，单位非法经营报纸一万五千份或者期刊一万五千本或者图书五千册或者音像制品、电子出版物一千五百张（盒）以上的；（4）虽未达到上述数额标准，但具有下列情形之一的：两年内因出版、印刷、复制、发行非法出版物受过行政处罚二次以上的，又出版、印刷、复制、发行非法出版物的；因出版、印刷、复制、发行非法出版物造成恶劣社会影响或者其他严重后果的。6. 非法从事出版物的出版、印刷、复制、发行业务，严重扰乱市场秩序，具有下列情形之一的:(1)个人非法经营数额在十五万元以上的,单位非法经营数额在五十万元以上的;(2)个人违法所得数额在五万元以上的,单位违法所得数额在十五万元以上的;(3)个人非法经营报纸一万五千份或者期刊一万五千本或者图书五千册或者音像制品、电子出版物一千五百张(盒)以上的,单位非法经营报纸五万份或者期刊五万本或者图书一万五千册或者音像制品、电子出版物五千张(盒)以上的;(4)虽未达到上述数额标准,两年内因非法从事出版物的出版、印刷、复制、发行业务受过行政处罚二次以上的,又非法从事出版物的出版、印刷、复制、发行业务的。7. 采取租用国际专线、私设转接设备或者其他方法,擅自经营国际电信业务或者涉港澳台电信业务进行营利活动,扰乱电信市场管理秩序,具有下列情形之一的:(1)经营去话业务数额在一百万元以上的;(2)经营来话业务造成电信资费损失数额在一百万元以上的;(3)虽未达到上述数额标准,但具有下列情形之一的:两年内因非法经营国际电信业务或者涉港澳台电信业务行为受过行政处罚二次以上,又非法经营国际电信业务或者涉港澳台电信业务的;因非法经营国际电信业务或者涉港澳台电信业务行为造成其他严重后果的。8. 从事其他非法经营活动,具有下列情形之一的:(1)个人非法经营数额在五万元以上,或者违法所得数额在一万元以上的;(2)单位非法经营数额在五十万元以上,或者违法所得数额在十万元以上的;(3)虽未达到上述数额标准,但两年内因同种非法经营行为受过二次以上行政处罚,又进行同种非法经营行为的;(4)其他情节严重的情形。根据《最高人民法院、最高人民检察院关于办理危害药品安全刑事案件适用法律若干问题的解释》规定,违反国家药品管理法律法规,未取得或者使用伪造、变造的药品经营许可证,非法经营药品,情节严重的,依照刑法第二百二十五条的规定以非法经营罪定罪处罚。以提供给他人生产、销售药品为目的,违反国家规定,生产、销售不符合药用要求的非药品原料、辅料,情节严重的,依照刑法第二百二十五条的规定以非法经营罪定罪处罚。实施前两款行为,非法经营数额在十万元以上,或者违法所得数额在五万元以上的,应当认定为刑法第二百二十五条规定的“情节严重”;非法经营数额在五十万元以上,或者违法所得数额在二十五万元以上的,应当认定为刑法第二百二十五条规定的“情节特别严重”。根据《最高人民法院、最高人民检察院、公安部关于办理利用赌博机开设赌场案件适用法律若干问题的意见》规定,以提供给他人开设赌场为目的,违反国家规定,非法生产、销售具有退币、退分、退钢珠等赌博功能的电子游戏设施设备或者其专用软件,情节严重的,依照刑法第二百二十五条的规定,以非法经营罪定罪处罚。实施前款规定的行为,具有下列情形之一的,属于非法经营行为“情节严重”:(1)个人非法经营数额在五万元以上,或者违法所得数额在一万元以上的;(2)单位非法经营数额在五十万元以上，或者违法所得数额在十万元以上的；（3）虽未达到上述数额标准，但两年内因非法生产、销售赌博机行为受过二次以上行政处罚，又进行同种非法经营行为的；（4）其他情节严重的情形。具有下列情形之一的，属于非法经营行为"情节特别严重"：（1）个人非法经营数额在二十五万元以上，或者违法所得数额在五万元以上的；（2）单位非法经营数额在二百五十万元以上，或者违法所得数额在五十万元以上的。根据《最高人民法院、最高人民检察院关于办理非法生产、销售烟草专卖品等刑事案件具体应用法律若干问题的解释》规定，非法经营烟草专卖品，具有下列情形之一的，应当认定为刑法第二百二十五条规定的"情节严重"：（1）非法经营数额在五万元以上的，或者违法所得数额在二万元以上的；（2）非法经营卷烟二十万支以上的；（3）曾因非法经营烟草专卖品三年内受过二次以上行政处罚，又非法经营烟草专卖品且数额在三万元以上的。具有下列情形之一的，应当认定为刑法第二百二十五条规定的"情节特别严重"：（1）非法经营数额在二十五万元以上，或者违法所得数额在十万元以上的；（2）非法经营卷烟一百万支以上的。

第二百二十六条*　以暴力、威胁手段，实施下列行为之一，情节严重的，处三年以下有期徒刑或者拘役，并处或者单处罚金；情节特别严重的，处三年以上七年以下有期徒刑，并处罚金：

（一）强买强卖商品的；

（二）强迫他人提供或者接受服务的；

（三）强迫他人参与或者退出投标、拍卖的；

（四）强迫他人转让或者收购公司、企业的股份、债券或者其他资产的；

（五）强迫他人参与或者退出特定的经营活动的。

【释义】　本条是关于强迫交易罪及其处罚的规定。

近年来，在工程招标、物品拍卖、同业经营竞争和资产转让收购等领域，强迫交易行为愈加猖狂，并已成为黑恶势力攫取社会财富和资源的常用手段。这种以暴力、威胁手段为后盾的强迫交易行为，不仅严重破坏了社会主义市场秩序，而且侵犯了公民的人身权利，具有严重的社会危害性，应当予以严厉打击。2011 年 2 月 25 日第十一届全国人民代表大会常务委员会第十九次会议通过的《刑法修正案（八）》对本条作了修改，一是增加了三种新的犯罪行为，即强迫他

---

* 根据 2011 年 2 月 25 日第十一届全国人民代表大会常务委员会第十九次会议通过的《中华人民共和国刑法修正案（八）》修改。原条文是："以暴力、威胁手段强买强卖商品、强迫他人提供服务或者强迫他人接受服务，情节严重的，处三年以下有期徒刑或者拘役，并处或者单处罚金。"

人参与或者退出投标、拍卖的行为;强迫他人转让或者收购公司、企业的股份、债券或者其他资产的行为;强迫他人参与或者退出特定的经营活动的行为。二是该罪的法定最高刑由原来的三年提高到七年。

本条规定了五种行为。第一种行为是以暴力、威胁手段强买强卖商品的犯罪行为。其中,“以暴力、威胁手段”,是指行为人采取了暴力方法或威胁手段。例如,在商品交易中,不是以公平自愿的方式,而是对交易对方采取殴打等暴力方法或者以人多力强等威胁方式迫使交易对方接受不公平的交易的行为;“强买强卖商品”,是指在商品交易中违反法律、法规和商品交易规则,不顾交易对方是否同意,以暴力、威胁手段强行买进或者强行卖出的行为。第二种行为是以暴力、威胁手段强迫他人提供或者接受服务的行为。“强迫他人提供服务”,主要是指行为人在享受服务消费时,不遵守公平自愿的原则,不顾提供服务方是否同意,以暴力、威胁手段,强迫对方提供某种服务的行为;“强迫他人接受服务”,主要是指餐饮业、旅游业、娱乐业、美容服务业、维修业等服务性质的行业在营业中,违反法律、法规和商业道德及公平自愿的原则,不顾消费者是否同意,以暴力、威胁手段强迫消费者接受其服务的行为。第三种行为是以暴力、威胁手段强迫他人参与或者退出投标、拍卖的行为。其主要是指在一些工程竞标、拍卖等活动中,使用暴力或者威胁手段,强迫参与竞标的参与者退出投标、拍卖活动,目的是为了使自己中标或者在没有竞拍者竞拍的情况下以不公平的价格购买到拍卖品。按照正常的市场运作,竞标市场或者拍卖市场应当是在公平竞争的原则下,均以平等的身份参与竞标或竞拍活动的,也只有这样竞标和竞拍的最终结果才能使得具有真正实力和资质的竞标者或竞拍者胜出,以达到竞标项目或拍卖品竞拍的最终目的,使得竞标项目或工程得到符合要求的保证、高质量地完成以及竞拍的拍卖品能让有真正收藏实力的人收藏。而以暴力、威胁手段强迫他人参与或者退出投标、拍卖的行为,不但破坏了正常的竞标和竞拍的市场秩序,在不公平的情况下得到竞标结果和拍卖品,而且使得没有资质和实力的施工队伍或项目经营者混入了市场,使他人不能合法地参与竞争。第四种行为是以暴力、威胁手段强迫他人转让或者收购公司、企业的股份、债券或者其他资产的行为。公司、企业的资产转让,应当按照正常的市场法则进行。以暴力、威胁手段强迫他人转让或者收购公司、企业的股份、债券或者其他资产的行为,就是为了获得不正当的利益,以暴力、威胁手段,强迫他人在不符合市场价值规律和不利于出让人、收购人的情况下转让、收购公司、企业的股份、债券或者其他资产,自己从中获取不法利益,而使他人利益受损。第五种行为是以暴力、威胁手段强迫他人参与或者退出特定的经营活动的行为。其中特定的经营活动,是指在不法分子指定的经营活动范围内,由于屈从于暴力、威胁手段，在没有选择的情况下，从事或者退出经营活动的情况。

犯本条规定的犯罪，处两档刑。“情节严重的”，处三年以下有期徒刑或者拘役，并处或者单处罚金。“情节特别严重的”，处三年以上七年以下有期徒刑，并处罚金。应当注意的是，如果行为人在使用暴力过程中造成被害人重伤、死亡的，则应依照本法有关规定定罪处罚。

第二百二十七条　伪造或者倒卖伪造的车票、船票、邮票或者其他有价票证，数额较大的，处二年以下有期徒刑、拘役或者管制，并处或者单处票证价额一倍以上五倍以下罚金；数额巨大的，处二年以上七年以下有期徒刑，并处票证价额一倍以上五倍以下罚金。

倒卖车票、船票，情节严重的，处三年以下有期徒刑、拘役或者管制，并处或者单处票证价额一倍以上五倍以下罚金。

【释义】　本条是关于伪造、倒卖伪造的有价票证罪，倒卖车票、船票罪及其处罚的规定。

第一款是关于伪造或者倒卖伪造的车票、船票、邮票或者其他有价票证的犯罪及其处罚的规定。其中，“伪造”，是指仿照车票、船票、邮票或者其他有价票证的样式、图案、规格，用印刷、描绘等手段，制作假车票、假船票、假邮票或者其他假有价票证的行为。“车票”，主要是指客运火车票、长途客运汽车票。“船票”，主要是指客船票。“邮票”，是指由邮电部发行的各类邮票。“其他有价票证”，是指除车票、船票、邮票以外的，由有关主管部门统一发行和管理的有价票证。有价票证的情况比较复杂，在不同时期有价票证的种类不同，且不同的有价票证的作用、价值也不同，法律很难列举全面。刑法只列举了实践中较常见的危害较为严重的伪造、倒卖伪造的车票、船票、邮票的行为，至于对伪造或者倒卖伪造的其他有价票证的行为，作了概括性的规定。这样规定也便于司法机关在查处这类犯罪活动时，灵活掌握。因为，随着形势的发展还会出现新的破坏有价票证的犯罪行为。例如，根据《最高人民检察院法律政策研究室关于非法制作、出售、使用IC电话卡行为如何适用法律问题的答复》规定，非法制作或者出售非法制作的IC电话卡，数额较大的，应当依照刑法第二百二十七条第一款的规定，以伪造、倒卖伪造的有价票证罪追究刑事责任，犯罪数额可以根据销售数额认定。本款关于处刑的规定分为两档：第一档为数额较大的，处二年以下有期徒刑、拘役或者管制，并处或者单处票证价额一倍以上五倍以下罚金；第二档为数额巨大的，处二年以上七年以下有期徒刑，并处票证价额一倍以上五倍以下罚金。这里的“票证价额”，是指本条规定的伪造或者倒卖伪造的有价票证的票面价额。根据《最高人民检察院、公安部关于公安机关管辖的刑事案件立案追诉标准的规定(一)》的规定,伪造或者倒卖伪造的车票、船票、邮票或者其他有价票证,涉嫌下列情形之一的,应予立案追诉:(1)车票、船票票面数额累计二千元以上,或者数量累计五十张以上的;(2)邮票票面数额累计五千元以上,或者数量累计一千枚以上的;(3)其他有价票证价额累计五千元以上,或者数量累计一百张以上的;(4)非法获利累计一千元以上的;(5)其他数额较大的情形。

第二款是关于倒卖车票、船票的犯罪及其处罚的规定。不同于第一款,本款规定的是倒卖真的车票、船票的犯罪行为。对于这种犯罪的处刑规定是,情节严重的,处三年以下有期徒刑、拘役或者管制,并处或者单处票证价额一倍以上五倍以下罚金。根据《最高人民检察院、公安部关于公安机关管辖的刑事案件立案追诉标准的规定(一)》的规定,倒卖车票、船票或者倒卖车票坐席、卧铺签字号以及订购车票、船票凭证,涉嫌下列情形之一的,应予立案追诉:(1)票面数额累计五千元以上的;(2)非法获利累计二千元以上的;(3)其他情节严重的情形。

第二百二十八条　以牟利为目的,违反土地管理法规,非法转让、倒卖土地使用权,情节严重的,处三年以下有期徒刑或者拘役,并处或者单处非法转让、倒卖土地使用权价额百分之五以上百分之二十以下罚金;情节特别严重的,处三年以上七年以下有期徒刑,并处非法转让、倒卖土地使用权价额百分之五以上百分之二十以下罚金。

【释义】　本条是关于非法转让、倒卖土地使用权罪及其处罚的规定。

本条规定的非法转让、倒卖土地使用权罪,是指以牟利为目的,违反土地管理法规,非法转让、倒卖土地使用权的犯罪行为。其中,“以牟利为目的”,是指以获取经济利益为目的。“违反土地管理法规”,根据2001年8月31日第九届全国人大常委会第二十三次会议通过的《全国人民代表大会常务委员会关于〈中华人民共和国刑法〉第二百二十八条、第三百四十二条、第四百一十条的解释》的规定,是指违反土地管理法、森林法、草原法等法律以及有关行政法规中关于土地管理的规定。非法转让土地使用权,是指将依法管理和持有的土地使用权违反上述法律、行政法规的有关规定,擅自转让给他人的行为。非法倒卖土地使用权,是指违反上述法律、行政法规的规定,将土地使用权进行倒卖,从而进行牟利的行为。土地管理法规定,任何单位和个人不得侵占、买卖或者以其他形式非法转让土地。土地使用权可以依法转让。可见,土地使用权的享有和转让是由国家法律、行政法规明确规定的,不能随意买卖。即使进行土地使用权的有偿转让,也应根据有关法律、法规的规定和通过有关主管部门的审查和批准才能进行。

本条关于处刑的规定为两档刑:第一档刑为情节严重的,处三年以下有期徒刑或者拘役,并处或者单处非法转让、倒卖土地使用权价额百分之五以上百分之二十以下罚金;第二档刑为情节特别严重的,处三年以上七年以下有期徒刑,并处非法转让、倒卖土地使用权价额百分之五以上百分之二十以下罚金。根据2010年《最高人民检察院、公安部关于公安机关管辖的刑事案件立案追诉标准的规定(二)》的规定,以牟利为目的,违反土地管理法规,非法转让、倒卖土地使用权,涉嫌下列情形之一的,应予立案追诉:(1)非法转让、倒卖基本农田五亩以上的;(2)非法转让、倒卖基本农田以外的耕地十亩以上的;(3)非法转让、倒卖其他土地二十亩以上的;(4)违法所得数额在五十万元以上的;(5)虽未达到上述数额标准,但因非法转让、倒卖土地使用权受过行政处罚,又非法转让、倒卖土地的;(6)其他情节严重的情形。根据2000年《最高人民法院关于审理破坏土地资源刑事案件具体应用法律若干问题的解释》的规定,具有下列情形之一的,属于非法转让、倒卖土地使用权"情节严重":(1)非法转让、倒卖基本农田五亩以上的;(2)非法转让、倒卖基本农田以外的耕地十亩以上的;(3)非法转让、倒卖其他土地二十亩以上的;(4)非法获利五十万元以上的;(5)非法转让、倒卖土地接近上述数量标准并具有其他恶劣情节的,如曾因非法转让、倒卖土地使用权受过行政处罚或者造成严重后果等。具有下列情形之一的,属于非法转让、倒卖土地使用权"情节特别严重":(1)非法转让、倒卖基本农田十亩以上的;(2)非法转让、倒卖基本农田以外的耕地二十亩以上的;(3)非法转让、倒卖其他土地四十亩以上的;(4)非法获利一百万元以上的;(5)非法转让、倒卖土地接近上述数量标准并具有其他恶劣情节,如造成严重后果等。本条具体规定了罚金刑的处罚幅度,即"非法转让、倒卖土地使用权价额百分之五以上百分之二十以下"。这是根据这种犯罪具有牟利性的特点规定的。其中罚金数额的具体确定,是以实际转让、倒卖土地使用权的价额为计算基数,非法转让、倒卖土地使用权价额越高,应当判处的罚金数额也就越大。

第二百二十九条　承担资产评估、验资、验证、会计、审计、法律服务等职责的中介组织的人员故意提供虚假证明文件,情节严重的,处五年以下有期徒刑或者拘役,并处罚金。

前款规定的人员,索取他人财物或者非法收受他人财物,犯前款罪的,处五年以上十年以下有期徒刑,并处罚金。

第一款规定的人员,严重不负责任,出具的证明文件有重大失实,造成严重后果的,处三年以下有期徒刑或者拘役,并处或者单处罚金。

【释义】 本条是关于提供虚假证明文件罪和出具证明文件重大失实罪及其处罚的规定。

第一款是关于承担资产评估、验资、验证、会计、审计、法律服务等职责的中介组织人员故意提供虚假证明文件及其处罚的规定。构成本款规定的犯罪,必须符合以下特征:1. 主体是特定的,必须是中介机构的从业人员。随着市场经济的发展,中介组织发挥着越来越重要的作用,其活动对市场主体资格的取得,从事市场行为有着重要的影响,并直接关系到市场秩序的正常进行。为此,在一系列法律、法规中都对中介组织的权利、义务、行为规范及中介组织违反这些规定所应负的法律责任作了规定。这里规定的"承担资产评估、验资、验证、会计、审计、法律服务等职责的中介组织",是指依法成立的资产评估事务所、审计师事务所、会计师事务所、律师事务所等。"人员",是指在这些中介机构中,具有国家认可的专业资格并负有职责的专业从业人员。2. 行为人实施了故意提供虚假证明文件的行为。这里所说的虚假证明文件,既包括伪造的证明文件,也包括内容虚假的文件,主要是指应顾客要求,在资产评估、验资、验证、会计、审计、法律服务等方面,出具虚假的有关证明文件,包括有关资料、报表、数据和各种结果、结论方面的报告和材料等。3. 情节严重的。根据《最高人民检察院、公安部关于公安机关管辖的刑事案件立案追诉标准的规定(二)》的规定,承担资产评估、验资、验证、会计、审计、法律服务等职责的中介组织的人员故意提供虚假证明文件,涉嫌下列情形之一的,应予立案追诉:(1)给国家、公众或者其他投资者造成直接经济损失数额在五十万元以上的;(2)违法所得数额在十万元以上的;(3)虚假证明文件虚构数额在一百万元且占实际数额百分之三十以上的;(4)虽未达到上述数额标准,但具有下列情形之一的:在提供虚假证明文件过程中索取或者非法接受他人财物的;两年内因提供虚假证明文件,受过行政处罚二次以上,又提供虚假证明文件的;(5)其他情节严重的情形。根据本款规定,对故意提供虚假证明文件构成犯罪的,处五年以下有期徒刑或者拘役,并处罚金。

第二款是关于前款规定的人员索取他人财物或者非法收受他人财物,犯前款罪及其处罚的规定。本款规定的犯罪,从行为特征上看与第一款的规定基本一致。不同的是,增加了"索取他人财物或者非法收受他人财物"的客观要件。中介机构的性质决定了它所出具的证明文件应当公正,但实际上其却提供了虚假的证明文件,如果利用手中权力进行物质利益交换以后再出具虚假的证明文件,危害性就更大了。因此为了确保中介机构的公正性,对于中介机构的人员索取他人财物或者非法收受他人财物而故意提供虚假证明文件的行为必须给予严厉打击。出于以上考虑,本款规定的处刑也比第一款规定的要高,最高刑可判至十年有期徒刑,并处罚金。

第三款是关于第一款规定的人员,严重不负责任,出具的证明文件有重大失实的犯罪及其处罚的规定。其中"第一款规定的人员",是指第一款规定的中介组织的人员;"出具的证明文件有重大失实",是指所出具的证明文件,在内容上存在重大的不符合实际的错误或者内容虚假。这里规定的证明文件与第一款规定的证明文件的内容和范围是相同的。本款规定的犯罪与第一款规定的犯罪的主要区别在于行为人主观方面不同,第一款规定的犯罪是故意犯罪,而本款规定的则是过失犯罪。因此,本款规定造成严重后果的,才负刑事责任。根据《最高人民检察院、公安部关于公安机关管辖的刑事案件立案追诉标准的规定(二)》的规定,承担资产评估、验资、验证、会计、审计、法律服务等职责的中介组织的人员严重不负责任,出具的证明文件有重大失实,涉嫌下列情形之一的,应予立案追诉:(1)给国家、公众或者其他投资者造成直接经济损失数额在一百万元以上的;(2)其他造成严重后果的情形。由于本款规定的出具证明文件重大失实罪是一种过失犯罪,较提供虚假证明文件罪在主观恶性上要轻一些,因此在处刑的规定上也较第一款规定的提供虚假证明文件罪的处刑要轻,最高刑期为三年,并处或者单处罚金。

第二百三十条　违反进出口商品检验法的规定,逃避商品检验,将必须经商检机构检验的进口商品未报经检验而擅自销售、使用,或者将必须经商检机构检验的出口商品未报经检验合格而擅自出口,情节严重的,处三年以下有期徒刑或者拘役,并处或者单处罚金。

【释义】　本条是关于逃避商检罪及其处罚的规定。

本条规定的逃避商检罪,是指违反进出口商品检验法的规定,逃避商品检验的犯罪。

构成逃避商检罪应当具备以下特征:1. 行为人主观上有逃避商检的故意。"逃避商品检验",是指行为人通过自己的作为或者故意的不作为使应当经过进出口商品检验部门检验的商品,避开检验的行为。必须经商检机构检验的进出口商品,是指国家进出口商品检验主管部门依法列入必须实施检验的进出口商品目录中的商品。根据进出口商品检验法的规定,列入目录的进出口商品,由商检机构实施检验。进口商品未经检验的,不准销售、使用;出口商品未经检验合格的,不准出口。2. 行为人实施了逃避海关监管的行为。根据本条规定,构成本条规定的犯罪行为主要有以下两种情况:一是"未报经检验而擅自销售、使用",是指行为人将进口商品未报经商检机构检验,就自行将商品在境内销售或者自行使用的情况。行为人未报经检验就自行销售、使用的行为,直接破坏了国家对进出口商品的监督和管理。二是“未报经检验合格而擅自出口”，是指没有经商检机构检验合格就自行出口的行为。因为出口商品是否符合国家规定的出口条件，应经商检机构通过出口商品的检验才能确定。3. 逃避商检的行为“情节严重”。根据《最高人民检察院、公安部关于公安机关管辖的刑事案件立案追诉标准的规定（二）》的规定，违反进出口商品检验法的规定，逃避商品检验，将必须经商检机构检验的进口商品未报经检验而擅自销售、使用，或者将必须经商检机构检验的出口商品未报经检验合格而擅自出口，涉嫌下列情形之一的，应予立案追诉：（1）给国家、单位或者个人造成直接经济损失数额在五十万元以上的；（2）逃避商检的进出口货物货值金额在三百万元以上的；（3）导致病疫流行、灾害事故的；（4）多次逃避商检的；（5）引起国际经济贸易纠纷，严重影响国家对外贸易关系，或者严重损害国家声誉的；（6）其他情节严重的情形。应当注意的是，无论是未经检验、自行销售或者使用进口商品，还是擅自出口商品，其所销售、使用、出口的商品都是法律、法规规定的必须经过检验的商品；如果不是必须经过检验的商品，不构成本罪。

本条对逃避商品检验构成犯罪的处罚规定是，处三年以下有期徒刑或者拘役，并处或者单处罚金。

第二百三十一条　单位犯本节第二百二十一条至第二百三十条规定之罪的，对单位判处罚金，并对其直接负责的主管人员和其他直接责任人员，依照本节各该条的规定处罚。

【释义】　本条是关于单位犯本节规定之罪及其处罚的规定。

本条规定的“单位犯本节第二百二十一条至第二百三十条规定之罪的”，是指单位触犯本节各条规定的犯罪。这里的“单位”，根据本法第三十条的规定，是指公司、企业、事业单位、机关、团体。本条关于对单位犯罪的处罚规定，采取了双罚制原则，即对单位判处罚金，并对其直接负责的主管人员和其他直接责任人员，依照本节各条的规定处罚。

第四章　侵犯公民人身权利、民主权利罪

第二百三十二条　故意杀人的，处死刑、无期徒刑或者十年以上有期徒刑；情节较轻的，处三年以上十年以下有期徒刑。

【释义】　本条是关于故意杀人罪及其处罚的规定。

故意杀人罪，是指故意非法剥夺他人生命的行为，是一种最严重的侵犯公民人身权利的犯罪。本罪侵犯的客体是他人的生命权利。生命权是公民最重要的人身权利，根据我国的司法实践，胎儿脱离母体，能够独立呼吸，就有了生命，具有生命的权利，任何人也不能非法剥夺。本罪在客观方面表现为非法剥夺他人生命的行为，在实际发生的案件中，非法剥夺他人生命的方法是多种多样的，行为人采用什么方法，不影响本罪的成立。但是，正当防卫行为、人民警察依法执行职务的行为、依法对罪犯执行死刑的行为，不属于非法剥夺他人生命的行为，不构成本罪。本罪是故意犯罪，包括直接故意和间接故意。直接故意是有明确的杀人目的，并且希望其行为能致使被害人死亡；间接故意是对自己的行为可能造成被害人死亡的后果采取放任的态度。

关于故意杀人罪的刑罚，本条共规定了两档刑：故意杀人的，处死刑、无期徒刑或者十年以上有期徒刑；故意杀人情节较轻的，处三年以上十年以下有期徒刑。这里所规定的“情节较轻”，实践中可以从犯罪的动机、原因、后果等方面加以考虑，如出于义愤杀人等情况。考虑到故意杀人罪是一种非常严重的侵犯公民人身权利的犯罪，必须予以严厉打击，本条对于刑罚作了比较特殊的表述，是按照从重刑到轻刑的顺序列举的。

实践中应当注意的是，认定故意杀人罪不能客观归罪，不能只看行为的后果，要根据行为人的故意内容来认定。如果行为人不是要故意非法剥夺他人生命，而是出于其他故意行为致人死亡的，如故意伤害致人死亡的，强奸妇女致使被害人死亡的，使用暴力进行抢劫致人死亡的，等等，不能认定为故意杀人罪，而应将致人死亡这一后果作为各该罪的量刑情节考虑。

第二百三十三条　过失致人死亡的，处三年以上七年以下有期徒刑；情节较轻的，处三年以下有期徒刑。本法另有规定的，依照规定。

【释义】 本条是关于过失致人死亡罪及其处罚的规定。

过失致人死亡罪属于过失犯罪，是指由于过失导致他人死亡后果的行为。过失致人死亡，包括疏忽大意的过失致人死亡和过于自信的过失致人死亡。前者是指行为人应当预见自己的行为可能造成他人死亡的结果，由于疏忽大意而没有预见，以致造成他人死亡；后者是指行为人已经预见到其行为可能会造成他人死亡的结果，但由于轻信能够避免以致造成他人死亡。如果行为人主观上没有过失，而是由于其他无法预见的原因导致他人死亡的，属于意外事件，行为人不负刑事责任。

关于过失致人死亡罪的刑罚，本条规定，过失致人死亡的，处三年以上七年以下有期徒刑；情节较轻的，处三年以下有期徒刑。同时规定，“本法另有规定的，依照规定”，也就是说，过失致人死亡，除本条的一般规定外，刑法规定的其他犯罪中也有过失致人死亡的情况，根据特殊规定优于一般规定的原则，对于本法另有特殊规定的，适用特殊规定，而不按本条定罪处罚，如本法第一百一十五条关于失火、过失决水、过失爆炸、过失投放危险物质等的规定，第一百三十三条关于交通肇事致人死亡的规定，第一百三十四条关于重大责任事故致人死亡的规定等。

本条在实践中应当注意区分过于自信的过失致人死亡与间接故意杀人的区别。虽然二者的行为人都预见到可能发生他人死亡的后果，但前者的行为人并不希望或放任这种结果发生，而只是轻信能够避免；后者的行为人则对结果的发生采取放任、听之任之和漠不关心的态度。

第二百三十四条　故意伤害他人身体的，处三年以下有期徒刑、拘役或者管制。

犯前款罪，致人重伤的，处三年以上十年以下有期徒刑；致人死亡或者以特别残忍手段致人重伤造成严重残疾的，处十年以上有期徒刑、无期徒刑或者死刑。本法另有规定的，依照规定。

【释义】 本条是关于故意伤害罪及其处罚的规定。

本条第一款是关于故意伤害他人，尚未致人重伤、死亡的犯罪及其处罚的规定。故意伤害，是指故意非法损害他人身体健康的行为。故意伤害的方法很多，行为人采用什么方法不影响本罪的构成。依据本款规定，故意伤害他人身体，尚未致人重伤、死亡的，处三年以下有期徒刑、拘役或者管制。

本条第二款是关于故意伤害他人，致人重伤或者死亡的犯罪及其处罚的规定。这里所说的“重伤”，依照刑法第九十五条的规定，是指有下列情形之一的伤害：(1)使人肢体残废或者毁人容貌的；(2)使人丧失听觉、视觉或者其他器官机能的;(3)其他对于人身健康有重大伤害的。其中“其他对于人身健康有重大伤害的”,主要是指上述几种重伤之外的在受伤当时危及生命或者在损伤过程中能够引起威胁生命的并发症,以及其他严重影响人体健康的损伤,主要包括颅脑损伤、颈部损伤、胸部损伤、腹部损伤、骨盆部损伤、脊柱和脊髓损伤以及烧伤、烫伤、冻伤、电击损伤、物理、化学或者生物等致伤因素引起的损伤等。这里所说的“特别残忍手段”,是指故意要造成他人严重残疾而采用毁容、挖人眼睛、砍掉人双脚等特别残忍的手段伤害他人的行为。依照本款规定,故意伤害他人身体,致人重伤的,处三年以上十年以下有期徒刑;致人死亡或者以特别残忍手段致人重伤造成严重残疾的,处十年以上有期徒刑、无期徒刑或者死刑。本款同时还规定,“本法另有规定的,依照规定”,这是指故意伤害他人身体,除本条的一般性规定外,刑法规定的其他犯罪中也有故意伤害他人身体的情况,根据特别规定优于一般规定的原则,对于本法另有特别规定的,适用特别规定,而不依照本条的规定定罪处罚。

本条在实践中应当注意划清以下两个界限:1. 故意伤害罪与故意杀人罪的界限。两罪的主要区别在于是否以非法剥夺他人生命为故意内容,如果行为人没有这种非法剥夺他人生命的故意,而只有伤害他人身体健康的故意,即使行为导致了他人的死亡,也只能定故意伤害罪;如果行为人有非法剥夺他人生命的故意,即使其行为没有造成他人死亡的结果,也构成故意杀人罪(未遂)。2. 故意伤害罪与过失致人重伤罪的界限。过失致人重伤罪在主观上是过失的,而且法律要求必须造成他人重伤的结果才能构成犯罪;而故意伤害罪在主观上是故意的,即使致人轻伤,也构成故意伤害罪。2013 年 8 月发布了《最高人民法院、最高人民检察院、公安部、国家安全部、司法部人体损伤程度鉴定标准》,自 2014 年 1 月 1 日起施行,在司法实践中,损伤程度的评定和认定主要是依据该标准进行的。

第二百三十四条之一*　组织他人出卖人体器官的,处五年以下有期徒刑,并处罚金;情节严重的,处五年以上有期徒刑,并处罚金或者没收财产。

未经本人同意摘取其器官,或者摘取不满十八周岁的人的器官,或者强迫、欺骗他人捐献器官的,依照本法第二百三十四条、第二百三十二条的规定定罪处罚。

违背本人生前意愿摘取其尸体器官,或者本人生前未表示同意,违反国家

---

* 根据 2011 年 2 月 25 日第十一届全国人民代表大会常务委员会第十九次会议通过的《中华人民共和国刑法修正案(八)》增加。

规定，违背其近亲属意愿摘取其尸体器官的，依照本法第三百零二条的规定定罪处罚。

【释义】 本条是关于组织他人出卖或者非法摘取他人人体器官罪及其处罚的规定。

本条规定的犯罪是新增加的犯罪。2011 年 2 月 25 日第十一届全国人民代表大会常务委员会第十九次会议通过的《刑法修正案（八）》第三十七条规定，在刑法第二百三十四条后增加一条，作为第二百三十四条之一，对非法摘取他人人体器官的犯罪行为作了具体规定。

近些年来，一些不法之徒利用我国人体器官移植需求量大，而自愿捐献人体器官人数稀少的情况，组织他人出卖人体器官，自己从中获利，他们采取种种卑劣的手段和方法，获得他人的人体器官进行不法交易，或采取强迫、引诱欺骗手段，或利用他人家境贫困、急需用钱的窘况，多方串通、联系，组织所谓的"器官捐献者"出卖人体器官。有的未经本人同意，摘除其器官，甚至有的专门摘取不满十八岁的未成年人的器官；还有的违背本人生前意愿摘取其尸体器官。这些行为严重侵害了公民生命、健康权利，违反了社会伦理道德底线，扰乱社会管理秩序，具有严重社会危害性。因此对这种具有严重的社会危害性的犯罪行为需要给予严厉的打击。在近几年的人民代表大会期间，许多代表也纷纷提出立法建议要求对这种犯罪行为使用刑事法律加以调整。为了适应打击这类犯罪活动的客观需要和顺应社会各方面的强烈要求以及确保建设和谐社会的顺利进行，第十一届全国人民代表大会常务委员会第十九次会议通过的《刑法修正案（八）》第三十七条中明确规定，在刑法第二百三十四条后增加一条作为第二百三十四条之一，对组织他人出卖或者非法摘取他人人体器官的犯罪作了具体规定。

第一款规定，组织他人出卖人体器官的，处五年以下有期徒刑，并处罚金；情节严重的，处五年以上有期徒刑，并处罚金或者没收财产。其中，组织他人出卖人体器官的，是指在违反国家有关规定的情况下，组织他人进行出卖人体器官的行为。国务院 2007 年颁发的《人体器官移植条例》规定："任何组织或者个人不得以任何形式买卖人体器官，不得从事与买卖人体器官有关的活动。"由此可见，组织他人出卖人体器官的行为严重破坏了国家对人体器官移植规范的正常秩序，严重损害他人的身体健康、侵犯了他人基本人权，具有严重的社会危害性，必须给予严厉打击。根据本条规定，构成组织他人出卖人体器官犯罪的，处五年以下有期徒刑，并处罚金；情节严重的，处五年以上有期徒刑，并处罚金或者没收财产。其中，"情节严重"，是指多次组织他人出卖人体器官或者获利数额较大等情况。具体还有哪些情况属于情节严重，可由司法机关根据司法实践做出具体的司法解释。

第二款规定，未经本人同意摘取其器官，或者摘取不满十八周岁的人的器官，或者强迫、欺骗他人捐献器官的，依照本法第二百三十四条、第二百三十二条的规定定罪处罚。首先，应当说明的是，本条的“摘取”不包括出于医学治疗需要摘取、切除，而是指违反国家规定，非医学治疗需要的摘取人体器官。“未经本人同意摘取其器官”，是指在没有得到被摘取器官的本人的同意，就摘取其器官的行为，包括在本人不明真相的情况下摘取其器官和未经本人同意采取强制手段摘取其器官两种情况。根据《人体器官移植条例》的规定，严禁未经公民本人同意摘取其活体器官。因此，未经本人同意摘取其器官，根据本条的规定就已经构成了犯罪行为。“摘取不满十八周岁的人的器官”，是指摘取未满十八周岁的未成年人的器官。未成人的合法权利一向是被法律重点保护的对象。由于他们是处于社会中的弱体，处于身体发育阶段，对事物的判断能力还不成熟，更需要法律加以特殊的保护。因此不论未成年人本人是否同意，只要是非医学救治的需要而摘取其器官就构成了犯罪。“强迫、欺骗他人捐献器官”，是指采取强迫、欺骗的手段，使他人捐献器官的行为。公民捐献器官，一般是出于人道主义，自愿地对生患严重疾病或绝症的人给予人体器官捐赠的行为。《人体器官移植条例》规定：“人体器官捐献应当遵循自愿、无偿的原则。”“公民享有捐献或者不捐献其人体器官的权利；任何组织或者个人不得强迫、欺骗或者利诱他人捐献人体器官。”根据本条的规定，强迫、欺骗他人捐献器官，违背了本人意愿，是对公民的人身权利的赤裸裸的侵犯。从本款规定的三种情形看，未经本人同意摘取其器官，或者摘取不满十八周岁的人的器官，或者强迫、欺骗他人捐献器官的行为，有一些共同特点：即违背了器官被摘取者的意愿，行为人都知道摘取他人人体器官会对他人身体造成严重损害，甚至可能导致死亡。因此，本条规定对于上述行为的刑事责任，依据本款的规定，“依照本法第二百三十四条、第二百三十二条的规定定罪处罚”，即可依照故意伤害罪、故意杀人罪定罪处罚，最高刑可判处死刑。

第三款规定，违背本人生前意愿摘取其尸体器官，或者本人生前未表示同意，违反国家规定，违背其近亲属意愿摘取其尸体器官的，依照本法第三百零二条的规定定罪处罚。其中，“违背本人生前遗愿摘取其尸体器官”，是指虽然已故公民在生前已经明确表示死后不愿意捐献人体器官但仍违背其生前遗愿摘取其器官的行为。“违反国家规定，违背其近亲属意愿摘取其尸体器官”，是指违反了《人体器官移植条例》的规定，即“公民生前未表示不同意捐献其人体器官的，该公民死亡后，其配偶、成年子女、父母可以以书面形式共同表示同意捐献该公民人体器官的意愿”。从这一规定可以看出，对没有在生前留下捐献器官意愿的死者，在没有其近亲属以书面形式共同表示同意摘取其器官的情况下，如果摘取其器官，也是被禁止的，也就构成了本条规定的犯罪。根据本款规定，构成本款规定犯罪的，依照本法第三百零二条的规定处罚。刑法第三百零二条规定，“盗窃、侮辱、故意毁坏尸体、尸骨、骨灰的，处三年以下有期徒刑、拘役或者管制”。本款规定的违背本人生前遗愿摘取其尸体器官，或者本人生前未表示同意，违反国家规定，违背其近亲属意愿摘取其尸体器官的行为，对死者尸体的完整性造成了破坏，不仅是对死者人格尊严的亵渎，也给死者近亲属带来了极大的痛苦和伤害，属于刑法规定的有关侮辱、毁坏尸体行为，因此本款规定依照该罪定罪处罚。

第二百三十五条　过失伤害他人致人重伤的，处三年以下有期徒刑或者拘役。本法另有规定的，依照规定。

【释义】　本条是关于过失致人重伤罪及其处罚的规定。

过失致人重伤罪，是指过失伤害他人身体，致人重伤的行为。本罪是过失犯罪，行为人对于伤害他人的结果不是持希望或者放任的态度，而是由于疏忽大意或轻信能够避免而致使他人重伤的结果发生。疏忽大意的过失重伤他人，是指行为人应当预见自己的行为可能造成他人重伤的结果，由于疏忽大意而没有预见，以致造成他人重伤。过于自信的过失致人重伤，是指行为人已经预见到其行为可能会造成他人重伤的结果，但由于轻信能够避免以致造成他人重伤。行为人的过失行为，只有造成他人重伤的才能构成犯罪，造成他人轻伤的不构成犯罪。如果行为人主观上没有过失，而是由于无法预见的原因导致他人重伤的，属于意外事故，行为人不负刑事责任。

依照本条规定，过失伤害他人致人重伤的，处三年以下有期徒刑或者拘役。本条同时还规定，“本法另有规定的，依照规定”，是指过失行为致人重伤的，除本条的一般性规定外，刑法规定的其他犯罪中也有过失致人重伤的情况，根据特别规定优于一般规定的原则，对于本法另有特别规定的，一律适用特别规定，而不依照本条的规定定罪处罚，如本法第一百三十三条关于交通肇事致人重伤的规定，第一百三十四条关于重大责任事故致人重伤的规定等。

第二百三十六条　以暴力、胁迫或者其他手段强奸妇女的，处三年以上十年以下有期徒刑。

奸淫不满十四周岁的幼女的，以强奸论，从重处罚。

强奸妇女、奸淫幼女，有下列情形之一的，处十年以上有期徒刑、无期徒刑或者死刑：

（一）强奸妇女、奸淫幼女情节恶劣的；

（二）强奸妇女、奸淫幼女多人的；

（三）在公共场所当众强奸妇女的；

（四）二人以上轮奸的；

（五）致使被害人重伤、死亡或者造成其他严重后果的。

【释义】 本条是关于强奸罪及其处罚的规定。

强奸罪是一项性质恶劣的刑事犯罪，严重侵犯妇女人身权利及性自由权，使妇女的身心健康遭受严重摧残，有的甚至造成被害妇女死亡、伤残的后果，因此，强奸罪是刑法重点惩治的犯罪之一。我国1979年刑法第一百三十九条对强奸罪及其处刑作了规定。在此基础上，1997年修订刑法时，对强奸罪的严重情形予以相应的具体化，以利于指导司法实践。

强奸罪，是指违背妇女的意志，以暴力、胁迫或者其他手段强行与妇女发生性关系的行为。本罪的犯罪主体一般是男子，教唆、帮助男子强奸妇女的女子，也可以成为强奸罪的共犯。本罪在客观方面表现为违背妇女意志强行与妇女发生性关系的行为。这种行为具有以下特征：1. 必须是违背了妇女的真实意愿。判断与妇女发生性关系是否违背妇女的意志，要结合性关系发生的时间、周围环境、妇女的性格、体质等各种因素进行综合分析，不能将妇女抗拒作为违背其意愿的唯一要件。对于有的被害妇女由于害怕等原因而不敢反抗、失去反抗能力的，也应认定是违背了妇女的真实意愿。同无责任能力的妇女（如呆傻妇女或精神病患者）发生性关系的，由于这些妇女无法正常表达自己的真实意愿，因此无论其是否"同意"，均构成强奸妇女罪。2. 行为人必须以暴力、胁迫或者其他手段，强行与妇女发生性关系。这里所说的"暴力"手段，是指犯罪分子直接对被害妇女施以殴打等危害妇女人身安全和人身自由，使妇女不能抗拒的手段；"胁迫"手段，是指犯罪分子对被害妇女施以威胁、恫吓，进行精神上的强制，迫使妇女就范，不敢抗拒的手段，如以杀害被害人、加害被害人的亲属相威胁的，以揭发被害人的隐私相威胁的，利用职权、教养关系、从属关系及妇女孤立无援的环境相胁迫的，等等。"其他手段"，是指犯罪分子使用暴力、胁迫以外的使被害妇女不知抗拒、无法抗拒的手段，如假冒为妇女治病而进行奸淫的，利用妇女患病、熟睡之机进行奸淫的，将妇女灌醉、麻醉后进行奸淫的，等等。

第一款对构成强奸罪如何处罚作了规定。依照本款规定，对于犯强奸罪的，处三年以上十年以下有期徒刑。

第二款对奸淫幼女及其处罚作了规定。奸淫幼女，是指与不满十四周岁的幼女发生性关系的行为，即构成强奸罪。构成本罪应具有两个要件：1. 被害人必须是不满十四周岁的幼女；2. 必须具有奸淫幼女的行为。不论行为人采用什么手段,也不论幼女是否同意,只要与幼女发生了性关系,就构成本罪。依照本款的规定,奸淫不满十四周岁的幼女的,以强奸论,从重处罚。

这里有一个问题需要注意,刑法第三百六十条第二款规定"嫖宿不满十四周岁的幼女的,处五年以上有期徒刑,并处罚金"。对刑法的这一规定,有意见提出建议删去,对实践中有此类行为的,按照本条第二款的规定处理。2015 年 8 月 29 日,第十二届全国人民代表大会常务委员会第十六次会议通过的《刑法修正案(九)》删去了第三百六十条第二款关于嫖宿幼女罪的规定。关于这样修改的主要考虑,可以参考本书关于第三百六十条的释义。需要强调的是,删去刑法第三百六十条第二款,并不是对这类行为不再追究,在《刑法修正案(九)》施行之后,对于实践中发生的此类行为,应适用本条第二款关于奸淫幼女的规定,以强奸论,从重处罚。

第三款规定了对犯强奸罪情节严重的应如何处罚。对于强奸妇女、奸淫幼女情节严重的,本款共列了五项情形:(1)强奸妇女、奸淫幼女情节恶劣的。(2)强奸妇女、奸淫幼女多人的。(3)在公共场所当众强奸妇女的。(4)二人以上轮奸的。这里所说的"轮奸",是指两个以上的男子在同一犯罪活动中,以暴力、胁迫或者其他手段对同一妇女或幼女进行强奸或者奸淫的行为。(5)致使被害人重伤、死亡或者造成其他严重后果的。这里所说的"致使被害人重伤、死亡",是指因强奸妇女、奸淫幼女导致被害人性器官严重损伤,或者造成其他严重伤害,甚至死亡的。强奸、奸淫幼女,只要具有上述所列五种情形之一的,就属于情节严重的情况,依法应当予以严惩。依照本款规定,属于上述情况的,处十年以上有期徒刑、无期徒刑或者死刑。

第二百三十七条*　以暴力、胁迫或者其他方法强制猥亵他人或者侮辱妇女的,处五年以下有期徒刑或者拘役。

聚众或者在公共场所当众犯前款罪的,或者有其他恶劣情节的,处五年以上有期徒刑。

猥亵儿童的,依照前两款的规定从重处罚。

【释义】　本条是关于强制猥亵他人、侮辱妇女或者猥亵儿童的犯罪及其处

* 根据 2015 年 8 月 29 日第十二届全国人民代表大会常务委员会第十六次会议通过的《中华人民共和国刑法修正案(九)》修改。原条文是:"以暴力、胁迫或者其他方法强制猥亵妇女或者侮辱妇女的,处五年以下有期徒刑或者拘役。

"聚众或者在公共场所当众犯前款罪的,处五年以上有期徒刑。

"猥亵儿童的,依照前两款的规定从重处罚。"

罚的规定。

针对近年来猥亵他人不法行为的实际情况，为加强对公民人身权利的保护，《刑法修正案（九）》对本罪做了两处修改完善：

一是将猥亵妇女改为猥亵他人。本条原第一款规定：以暴力、胁迫或者其他方法强制猥亵妇女或者侮辱妇女的，处五年以下有期徒刑或者拘役。该款着重强调了刑法对妇女这一群体的特殊保护。妇女、儿童虽然是猥亵行为的主要受害群体，但实践中猥亵男性的情况也屡有发生，猥亵十四周岁以上男性的行为如何适用刑法并不明确，对此，社会有关方面多次建议和呼吁，要求扩大猥亵罪适用范围，包括猥亵十四岁以上男性的行为，以同等保护男性的人身权利。因此，《刑法修正案（九）》将第一款罪状中的"猥亵妇女"修改为"猥亵他人"，使该条保护的对象由妇女扩大到了年满十四周岁男性。

二是增加规定了加重处罚情形，加大了对猥亵犯罪的惩治力度。实践中，仅对"聚众"或者在"公共场所当众"两种情况下加重处罚已不能适应当前惩治、遏制猥亵犯罪的实际需要。例如，近来曝光的教师猥亵多名学生以及多次猥亵学生，造成严重后果，社会影响恶劣等情形，仅按第一款规定处以五年以下有期徒刑或者拘役，难以做到罪刑相适应。对此，各方面强烈建议加大对情节恶劣的猥亵犯罪的惩治力度。为此，立法机关经广泛听取意见，反复研究论证，在《刑法修正案（九）》本条及第二款规定的基础上，增加了"有其他恶劣情节的"加重处罚的规定。

本条原第三款在《刑法修正案（九）》中并未修改，但由于第二款增加规定了猥亵的"其他恶劣情节"，因此，猥亵儿童具有上述情节的，也应依照第二款的规定从重处罚。这也体现了刑法对儿童人身权利的特殊保护。

第一款是关于强制猥亵他人或者侮辱妇女的犯罪及其处罚规定。本款规定的"暴力"，是指行为人直接对他人或被害妇女施以伤害、殴打等危害他人或妇女人身安全和人身自由，使他人或妇女不能抗拒的方法。"胁迫"，是指行为人对他人或被害妇女施以威胁、恫吓，进行精神上的强制，迫使他人或妇女就范，不敢抗拒的方法。例如，以杀害被害人、加害被害人的亲属相威胁的，以揭发被害人的隐私相威胁的，利用职权、教养关系、从属关系及他人或妇女孤立无援的环境相胁迫的，等等。"其他方法"，是指行为人使用暴力、胁迫以外的使他人或被害妇女不能抗拒的方法。例如，利用他人或妇女患病、熟睡之机进行猥亵、侮辱的，用酒将他人或妇女灌醉、用药物将他人或妇女麻醉后进行猥亵、侮辱的，等等。本款规定的"强制猥亵"，主要是指违背他人的意愿，以搂抱、抠摸等淫秽下流的手段侵犯他人性权利的行为。"他人"，是指年满十四周岁的人。

本款规定的"侮辱妇女"，主要是指对妇女实施猥亵行为以外的、损害妇女人格尊严的淫秽下流、伤风败俗的行为。例如,以多次偷剪妇女的发辫、衣服,向妇女身上泼洒腐蚀物、涂抹污物,故意向妇女显露生殖器,追逐、堵截妇女等手段侮辱妇女的行为。行为人"侮辱妇女"的,既是出于减损妇女的人格和名誉等目的,也是出于寻欢作乐的淫秽下流心理。

依照本款的规定,以暴力、胁迫或者其他方法强制猥亵妇女或者侮辱妇女的,处五年以下有期徒刑或者拘役。

第二款是关于对猥亵罪加重处罚情形的规定。强制猥亵他人、侮辱妇女是对被害人的人格、尊严等人身权利的严重侵害,而聚众或者在公共场所实施强制猥亵、侮辱的行为,以及多次实施等"情节恶劣的行为",对被害人造成的伤害更大,社会影响更恶劣,应当予以严惩。"其他恶劣情节",主要是指对多人实施猥亵或侮辱行为的,多次实施猥亵、侮辱行为的,造成被害人伤亡等严重后果的,以及手段特别恶劣的,等等。本款规定,聚众或者在公共场所当众犯前款罪,或者有其他恶劣情节的,处五年以上有期徒刑。

第三款是关于猥亵儿童罪的规定。猥亵儿童罪,是指猥亵不满十四周岁的儿童的行为。这里所说的"猥亵",主要是指以抠摸、指奸、鸡奸等淫秽下流的手段猥亵儿童的行为。考虑到不满十四周岁的儿童的认识能力,尤其是对性的认识能力很欠缺,为了保护儿童的身心健康,构成猥亵儿童罪并不要求以暴力、胁迫或者其他方法强制进行。只要对儿童实施了猥亵行为,就构成了本款规定的犯罪。本款在实际执行中应当注意区分猥亵儿童与一般的对儿童表示"亲昵"的行为。猥亵儿童的行为是出于行为人的淫秽下流的欲望,往往对儿童的身体或者思想、认识造成伤害或者不良影响,行为一般为当地的风俗、习惯所不容。此外,猥亵儿童同时对儿童造成伤害的情况时有发生。在猥亵儿童时,造成儿童轻伤以上后果,同时符合刑法第二百三十四条或者第二百三十二条的规定,构成故意伤害罪、故意杀人罪的,依照处罚较重的规定定罪处罚。仅具有猥亵儿童行为的,依照本款的规定,在五年以下有期徒刑或者拘役量刑幅度内从重处罚;对于聚众、在公共场所或者具有其他恶劣情节的猥亵儿童行为,在五年以上有期徒刑量刑幅度内从重处罚。

司法实践中应当注意以下两个问题:1. 要注意区分罪与非罪的界限,要将强制猥亵他人、侮辱妇女行为与一般的猥亵他人、侮辱妇女的违法行为加以区分,具有"强制"行为的,才能作为犯罪处理。2. 要区分本罪与侮辱罪的区别,侮辱罪以败坏他人名誉为目的,必须是公然地针对特定的人实施,而且侵犯的对象不限于妇女、儿童;而侮辱妇女罪则是出于满足行为人的淫秽下流的欲望,不要求公然地针对特定的人实施,侵犯的对象只限于妇女。

第二百三十八条 非法拘禁他人或者以其他方法非法剥夺他人人身自由的,处三年以下有期徒刑、拘役、管制或者剥夺政治权利。具有殴打、侮辱情节的,从重处罚。

犯前款罪,致人重伤的,处三年以上十年以下有期徒刑;致人死亡的,处十年以上有期徒刑。使用暴力致人伤残、死亡的,依照本法第二百三十四条、第二百三十二条的规定定罪处罚。

为索取债务非法扣押、拘禁他人的,依照前两款的规定处罚。

国家机关工作人员利用职权犯前三款罪的,依照前三款的规定从重处罚。

【释义】 本条是关于非法拘禁罪及其处罚的规定。

非法拘禁罪,是指以拘禁或者其他强制方法非法剥夺他人人身自由的行为。非法拘禁表现在两个方面:首先是实施了拘禁他人的行为,其次是这种拘禁行为是非法的。拘禁行为的方法多种多样,如捆绑、关押、扣留等,其实质就是强制剥夺他人的人身自由。在我国,对逮捕、拘留有严格的法律规定,必须由专门机关按照法律规定的程序进行。例如,根据宪法和刑事诉讼法等法律规定,公民的人身自由不受侵犯;任何公民非经人民检察院批准或者决定或者人民法院决定,并由公安机关执行,不受逮捕;拘留只能由公安机关、人民检察院决定,并由公安机关执行。因此,任何机关、团体、企业、事业单位和个人不依照法律规定或者不依照法律规定的程序拘禁他人都是非法的。对违法者,应当依法惩处。依照刑事诉讼法及有关法律的规定,公民对正在实行犯罪或者犯罪后被及时发觉的、通缉在案的、越狱逃跑的、正在被追捕的人有权立即扭送到司法机关。这种扭送行为,包括在途中实施的捆绑、扣留等行为,不能认为是非法拘禁行为。此外,构成非法拘禁罪的行为还必须是故意实施的,过失的不构成犯罪。这里所说的"具有殴打、侮辱情节",是指在非法拘禁的过程中,对被害人实施了殴打、侮辱行为,如打骂、游街示众等。依照本条第一款的规定,非法拘禁他人或者以其他方法非法剥夺他人人身自由的,处三年以下有期徒刑、拘役、管制或者剥夺政治权利。具有殴打、侮辱情节的,从重处罚。

第二款是关于非法拘禁致人重伤、死亡和使用暴力致人伤残、死亡的应如何处罚的规定。这里所规定的"致人重伤",是指在非法拘禁过程中,由于捆绑过紧、长期囚禁、进行虐待等致使被害人身体健康受到重大伤害的;被害人在被非法拘禁期间不堪忍受,自伤自残,身体健康受到重大伤害的。"致人死亡",是指在非法拘禁过程中,由于捆绑过紧、用东西堵住嘴导致窒息等,致使被害人死亡的,以及被害人在被非法拘禁期间自杀身亡的。"使用暴力致人伤残、死亡",是指在非法拘禁的同时,故意使用暴力损害被害人的身体健康或者杀害被害人致使被害人伤残、死亡的。依照本款的规定,非法拘禁他人或者以其他方法非法剥夺他人人身自由，致人重伤的，处三年以上十年以下有期徒刑；致人死亡的，处十年以上有期徒刑。使用暴力致人伤残、死亡的，依照本法第二百三十四条关于故意伤害罪、第二百三十二条关于故意杀人罪的规定定罪处罚。

需要注意的是，实践中有的非法拘禁行为中轻微的推搡、拉扯行为不能认为使用了暴力，因为被害人被非法拘禁后会自然产生一种抵抗，行为人为了达到其拘禁的目的，不可避免地会与被害人发生身体上的接触。是否使用了暴力，可根据行为人的主观意志是否存在损害被害人身体的故意及当时案发情况等因素综合分析。

第三款是对为索取债务非法扣押、拘禁他人的犯罪及其处罚的规定。这里所说的"为索取债务非法扣押、拘禁他人"，是指为了胁迫他人履行合法的债务，而将他人非法扣留，剥夺其人身自由的行为。这种行为在特征上与一般的非法拘禁不同，其目的不在于剥夺他人的人身自由，而是以剥夺他人人身自由为手段，来胁迫他人履行债务。考虑到这类犯罪情况比较复杂，以索取合法的债务为目的，主观恶性与以勒索财物等为目的绑架他人有所不同，对被非法扣押、拘禁的人的人身危险性也要小一些，但不能放任这种非法行为，因此本条规定，这类犯罪也认定为非法拘禁罪，依照前两款的规定处罚，即处三年以下有期徒刑、拘役、管制或者剥夺政治权利。具有殴打、侮辱情节的，从重处罚。为索取债务，非法扣押、拘禁他人，致人重伤的，处三年以上十年以下有期徒刑；致人死亡的，处十年以上有期徒刑。使用暴力致人伤残、死亡的，依照本法第二百三十四条关于故意伤害罪、第二百三十二条关于故意杀人罪的规定处罚。

目前社会上一些丑恶现象时有出现，如高利贷、地下赌场等，由此引发的纠纷也逐渐增多，由于法律对高利贷、赌债等非法债务不予保护，当事人往往会走极端，采取限制人身自由的方法逼取非法债务。对于这些行为如何定罪，根据2000年6月《最高人民法院关于对为索取法律不予保护的债务非法拘禁他人行为如何定罪问题的解释》规定，"行为人为索取高利贷、赌债等法律不予保护的债务，非法扣押、拘禁他人的，依照刑法第二百三十八条的规定定罪处罚"。

第四款是关于国家机关工作人员利用职权犯前三款罪应当从重处罚的规定。依照本款的规定，国家机关工作人员利用职权非法拘禁他人或者以其他方法非法剥夺他人人身自由的，利用职权非法拘禁他人或者以其他方法非法剥夺他人人身自由，致人重伤、死亡或者使用暴力致人伤残、死亡的，以及为索取债务拘禁他人的，依照本条前三款的规定从重处罚。

本条在实践中应当注意：1. 对出于非法剥夺他人生命的故意，以非法拘禁为手段杀人，如故意以拘禁的方法冻死、饿死他人的，不能认定为本条第二款规定的非法拘禁他人"致人死亡"，而应当以故意杀人罪定罪处罚；2. 根据本条第四款的规定，国家机关工作人员只有利用职权犯非法拘禁罪的，才能依照本条前三款的规定从重处罚，对于未利用职权而犯非法拘禁罪，应当分别依照本条第一款、第二款的规定处罚。

第二百三十九条*　以勒索财物为目的绑架他人的，或者绑架他人作为人质的，处十年以上有期徒刑或者无期徒刑，并处罚金或者没收财产；情节较轻的，处五年以上十年以下有期徒刑，并处罚金。

犯前款罪，杀害被绑架人的，或者故意伤害被绑架人，致人重伤、死亡的，处无期徒刑或者死刑，并处没收财产。

以勒索财物为目的偷盗婴幼儿的，依照前两款的规定处罚。

【释义】　本条是关于绑架罪及其处罚的规定。

1997年刑法规定的绑架罪的起刑点为十年以上有期徒刑。从多年来的司法实践看，对绑架这类严重侵犯人身权利的犯罪，规定较重的刑罚是必要的。但是，随着社会的发展，绑架犯罪活动从犯罪形式到犯罪的危害程度都呈现出多样的形态，不仅行为人的主观恶性具有轻重差异，犯罪手法和危害结果也多有不同。有的行为人主观恶性、犯罪手段、危害后果尚不十分恶劣；有的在公安机关的工作下，中止实施犯罪等，对这些行为人一律判处十年以上有期徒刑，很难根据不同行为的社会危害性做到罪刑相适应。为解决司法实践中绑架罪的量刑适用缺乏层次性的问题，《刑法修正案（七）》修改了本条，增加了一档刑："情节较轻的，处五年以上十年以下有期徒刑，并处罚金"，以适应处理各种不同绑架犯罪的实际需要。

原第二款规定犯前款罪，致使被绑架人死亡或者杀害被绑架人的，处死刑，并处没收财产。即只要出现被绑架人死亡结果，或者具有杀害被绑架人行为

---

*　本条经过两次修改。

根据2009年2月28日第十一届全国人民代表大会常务委员会第七次会议通过的《中华人民共和国刑法修正案（七）》第一次修改。原条文是："以勒索财物为目的绑架他人的，或者绑架他人作为人质的，处十年以上有期徒刑或者无期徒刑，并处罚金或者没收财产；致使被绑架人死亡或者杀害被绑架人的，处死刑，并处没收财产。

"以勒索财物为目的偷盗婴幼儿的，依照前两款的规定处罚。"

根据2015年8月29日第十二届全国人民代表大会常务委员会第十六次会议通过的《中华人民共和国刑法修正案（九）》修改。第一次修改后的条文是："以勒索财物为目的绑架他人的，或者绑架他人作为人质的，处十年以上有期徒刑或者无期徒刑，并处罚金或者没收财产；情节较轻的，处五年以上十年以下有期徒刑，并处罚金。

"犯前款罪，致使被绑架人死亡或者杀害被绑架人的，处死刑，并处没收财产。

"以勒索财物为目的偷盗婴幼儿的，依照前两款的规定处罚。"

的，均适用死刑。这一规定，虽体现了从严惩处精神，但由于实践中绑架的情况复杂，绝对刑罚在适用时缺少选择，有时难以体现罪刑相适应。例如，有的被绑架人由于惊吓，心脏病发作死亡；有的人被置于车辆的后备箱中，呼吸不畅死亡；有的人试图翻窗跳楼逃跑时意外摔死，跳河溺死等。这些情况下，行为人对被绑架人的死亡结果是过失的，与直接故意杀害被绑架人的，在主观恶性上差异很大，一律处以死刑，难以适应案件的不同情况，做到罪刑相适应。另外，行为人故意伤害被绑架人，以特别残忍的手段致被绑架人重伤或造成残疾的，由于没有杀害被绑架人的故意，也未造成被绑架人死亡，所以只能适用绑架罪的第一款处刑，最高只能判处无期徒刑。考虑到这类行为对被绑架人的人身危害极其严重，社会危害极大，且故意伤害罪也规定有死刑，对这类行为造成特别严重后果的，也应可以判处死刑。对此，有关方面尤其是司法机关多次提出修改完善建议。综上，《刑法修正案（九）》将此款修改为"犯前款罪，杀害被绑架人的，或者故意伤害被绑架人，致人重伤、死亡的，处无期徒刑或者死刑，并处没收财产。"

第一款是关于绑架罪的构成及其处罚的规定。规定了两种犯罪情形。

第一，"以勒索财物为目的绑架他人的"勒索型绑架，即通常说的"绑票"或者"掳人勒赎"。"勒索财物"，是指行为人在绑架他人以后，以不答应要求就杀害或伤害人质相威胁，勒令与人质有特殊关系的人于指定时间，以特定方式，在指定地点交付一定数量的金钱或财物。这里的"绑架"指行为人完全控制了人质，人质被剥夺了人身自由。绑架的行为方式多样，可以是暴力劫持、强抢，也可以是暴力威胁，还可以是用欺骗、诱惑甚至麻醉的方法实施。行为人控制人质，常以非法将他人掳走、带离原来常习的处所的方法，使他人丧失行动自由，但也不排除行为人将他人拘禁于原处所作为人质的情形。同时，绑架人质的行为人会向与人质有特殊关系的人或组织提出财物给付的要求。在勒索型绑架犯罪中，犯罪既遂与否的实质标准是看绑架行为是否实施，从而使被害人丧失行动自由并受到行为人的实际支配。至于勒索财物的行为是否来得及实施，以及虽实施了勒索行为，但由于行为人意志以外的原因而未达到勒索财物的目的，都不影响勒索型绑架既遂的成立。勒索财物目的是否实现仅是一个量刑加以考虑的情节。现实生活中，与被害人有特殊关系的他人或组织会收到行为人将要杀死或伤害人质的威胁，但是人质自身可能仍处于平和的被控制状态，甚至都无从察觉其所陷入的危险，如孩童被行为人引诱去打游戏机的情形。因此，有的情况下，被害人自身是否认识到被绑架，并不影响绑架罪既遂的认定。

第二，绑架他人作为人质的情形。行为人实施绑架行为是为了要求对方作出妥协、让步或满足某种要求，有时还具有政治目的。绑架行为作为一种持续性犯罪，犯罪既遂以后所造成的不法状态在一段时间内仍然延续，会给被害人造成长期的身心折磨和伤害。应当注意的是，以出卖为目的，使用暴力、胁迫或者麻醉方法绑架妇女、儿童的行为不属于本条所规定的绑架罪的范围，而应当依照本法第二百四十条关于拐卖妇女、儿童犯罪的规定处罚。

本款对绑架罪规定了两档刑罚。第一档刑为“处五年以上十年以下有期徒刑，并处罚金”，需要符合“情节较轻”的条件，例如有些行为人没有伤害被绑架人的意图、勒索小额财物，绑架过程中没有使用暴力，绑架他人后善待人质，又主动释放的，控制被绑架人时间较短的，等等。第二档刑为“处十年以上有期徒刑或者无期徒刑，并处罚金或者没收财产”，适用于没有较轻情节的一般绑架犯罪。

第二款是关于对绑架罪加重处罚的规定。本款的“杀害被绑架人”即通常说的“撕票”，是指以剥夺被绑架人生命为目的实施的各种行为。“杀害”只需要行为人有故意杀人的故意及行为，并不要求“杀死”被绑架人的结果。“杀害”既可以是积极作为也可以是消极不作为。积极作为，指以杀害为目的，将被绑架人抛入深潭或水库中让其溺毙等情形；消极不作为，指以杀害为目的，将被绑架人抛入人迹罕至的地方等待其冻饿死等情形。实践中，杀害被绑架人未遂的情况时有发生。对于被绑架人基于各种原因最终生还的，并不影响“杀害”行为的认定。

本款经修改后，规定了“故意伤害被绑架人，致人重伤、死亡的”加重处罚情形。这里规定的“故意伤害”，是指以伤害被绑架人的身体为目的实施各种行为。“致人重伤、死亡”，是指造成被绑架人重伤、死亡的结果。依照本款规定，故意伤害被绑架人，致人重伤、死亡的，处无期徒刑或者死刑。需要注意的是，这里的故意伤害被绑架人的行为应与被绑架人重伤、死亡的加重结果具有直接因果关系，两者仅具有间接关系的，如行为人实施故意伤害行为，被绑架人自杀而造成重伤或死亡结果的，可依本条第一款的规定处罚。此外，对行为人过失造成被绑架人重伤、死亡后果的，可以依照第一款规定，最高处以无期徒刑。

第三款是对“以勒索财物为目的偷盗婴幼儿”的行为应如何处罚的规定。这里所说的“以勒索财物为目的偷盗婴幼儿”，是指以向婴幼儿的亲属或者其他监护人索取财物为目的，将被害婴幼儿秘密窃取并扣作人质的行为。“偷盗”，主要是指趁被害婴幼儿亲属或者监护人不备，将该婴幼儿抱走、带走的行为，如潜入他人住宅将婴儿抱走，趁家长不备将正在玩耍的幼儿带走，以及采取利诱、拐骗方法将婴幼儿哄骗走等。婴幼儿的具体年龄界限，刑法未作具体规定。实践中一般是指未满六周岁的未成年人。1997 年刑法修订以后，对婴幼儿的具体年龄的界限，仍可参考上述规定。需要特别注意的是，由于婴幼儿缺乏辨别是非的能力，无论是将其抱走、带走，还是哄骗走，都是偷盗婴幼儿的行为，都应当依照绑架罪的规定处罚。依照本款的规定，以勒索财物为目的偷盗婴幼儿的，处十年以上有期徒刑或者无期徒刑，并处罚金或者没收财产；情节较轻的，处五年以上十年以下有期徒刑，并处罚金；杀害被偷盗的婴幼儿或者故意伤害被偷盗的婴幼儿致使其重伤、死亡的，处无期徒刑或者死刑，并处没收财产。

司法实践中，应当注意行为人为索要债务而实施"绑架"行为的问题。这里涉及了绑架罪与非法拘禁罪的区别。"索财型"绑架罪与"索债型"非法拘禁罪都实施了剥夺他人的人身自由并向他人索要财物的行为，但两罪主要有以下三方面区别：一是行为人非法限制他人人身自由的主观目的不同。绑架罪以勒索财物为目的，对财物无因而索；索要债务的非法拘禁行为，索债是事出有因。二是行为人侵犯的客体不同。"索财型"绑架罪侵犯的是复杂客体，即他人的人身权利和财产权利；"索债型"非法拘禁罪侵犯的客体是简单客体，即他人的人身权利。三是危险性不同。绑架罪需以暴力、胁迫等犯罪方法，对被害人的健康、生命有较大的危害；非法拘禁在实施扣押、拘禁他人的过程中也可能出现捆绑、推搡、殴打等行为，但更多的是侵害他人的人身自由，而非他人的生命健康。

第二百四十条　拐卖妇女、儿童的，处五年以上十年以下有期徒刑，并处罚金；有下列情形之一的，处十年以上有期徒刑或者无期徒刑，并处罚金或者没收财产；情节特别严重的，处死刑，并处没收财产：

（一）拐卖妇女、儿童集团的首要分子；

（二）拐卖妇女、儿童三人以上的；

（三）奸淫被拐卖的妇女的；

（四）诱骗、强迫被拐卖的妇女卖淫或者将被拐卖的妇女卖给他人迫使其卖淫的；

（五）以出卖为目的，使用暴力、胁迫或者麻醉方法绑架妇女、儿童的；

（六）以出卖为目的，偷盗婴幼儿的；

（七）造成被拐卖的妇女、儿童或者其亲属重伤、死亡或者其他严重后果的；

（八）将妇女、儿童卖往境外的。

拐卖妇女、儿童是指以出卖为目的，有拐骗、绑架、收买、贩卖、接送、中转妇女、儿童的行为之一的。

【释义】　本条是关于拐卖妇女、儿童罪及其处罚的规定。

第一款是关于对犯拐卖妇女、儿童罪的应如何处罚的规定。

根据拐卖妇女、儿童罪的实际情况，本款具体规定了三个量刑档次：1. 拐卖妇女、儿童的，处五年以上十年以下有期徒刑，并处罚金。2. 拐卖妇女、儿童情节严重的，处十年以上有期徒刑或者无期徒刑，并处罚金或者没收财产。本款具体列举了八项适用上述刑罚的严重情形：(1)拐卖妇女、儿童集团的首要分子。集团作案是拐卖妇女、儿童犯罪的主要特点之一。在大量拐卖妇女、儿童的案件中，妇女、儿童拐出地和拐入地的犯罪分子相互勾结起来，结成团伙，拐骗、接送、中转、出卖，都有预谋并且分工明确，形成所谓的“一条龙”，有的已形成职业性的犯罪集团。这种拐卖妇女、儿童的犯罪集团，社会危害性极大。因此，这种犯罪集团，特别是这种犯罪集团的首要分子属于重点打击的对象，应规定十分严厉的刑罚。这里所说的“拐卖妇女、儿童集团”，是指有计划、有组织地进行拐卖妇女、儿童犯罪活动的犯罪集团；“首要分子”，是指在犯罪集团中起组织、领导、指挥作用的犯罪分子，可能是一人，也可能是多人。(2)拐卖妇女、儿童三人以上的。这里所说的“三人以上”，是指犯罪分子直接参与拐卖的人数(包括本数在内)。“拐卖妇女、儿童三人以上”既包括以出卖为目的拐骗妇女、儿童三人以上，也包括在拐卖妇女、儿童犯罪活动中中转、接送、收买、贩卖妇女、儿童三人以上；既包括在一次犯罪活动中拐卖妇女、儿童三人以上，也包括多次进行拐卖活动，累计拐卖妇女、儿童三人以上。需要特别注意的是，对于拐卖妇女、儿童集团的首要分子应依照本款第一项的规定处理，对于拐卖集团中的其他成员，则不应以整个犯罪集团拐卖的人数当作该犯罪分子拐卖的人数，而应以其直接参与拐卖的妇女、儿童的人数作为处罚的根据。(3)奸淫被拐卖的妇女的。这里所说的“奸淫被拐卖的妇女”，是指犯罪分子在拐卖过程中与被害妇女发生性关系的行为，这种行为既包括犯罪分子利用被害妇女处于孤立无援的境地和不敢反抗的心理与其发生性关系的行为，也包括以暴力、胁迫或者其他手段强奸被害妇女的行为。只要犯罪分子在拐卖过程中与被害妇女发生了性关系，无论其是否使用了暴力或者胁迫手段，也无论被害人是否有反抗的表示或行为，都应按照本项规定追究刑事责任。根据这一规定，拐卖人强奸被拐卖妇女的行为已作为处重刑的情节之一，所以对于犯罪分子不再适用数罪并罚。(4)诱骗、强迫被拐卖的妇女卖淫或者将被拐卖的妇女卖给他人迫使其卖淫的。这里所说的“诱骗”被拐卖的妇女卖淫，是指犯罪分子以金钱、物质或者某种许愿等方法引诱、欺骗被拐卖的妇女进行卖淫活动。“强迫”被拐卖的妇女卖淫，是指犯罪分子以暴力、威胁手段迫使被拐卖的妇女卖淫。“将被拐卖的妇女卖给他人迫使其卖淫”，是指犯罪分子明知收买人收买被拐卖的妇女后将迫使其卖淫，但出于营利等目的，仍将该妇女出卖的行为。(5)以出卖为目的，使用暴力、胁迫或者麻醉方法绑架妇女、儿童的。这里所规定的绑架妇女、儿童，只要求以出卖为目的，不论犯罪分子是否将被绑架的妇女、儿童卖掉，都构成本项规定的情形。(6)以出卖为目的，偷盗婴幼儿的。这里规定的偷盗婴幼儿，是以出卖为目的，如果偷盗婴幼儿是为了勒索婴幼儿的父母或者亲属的财物，则不能按照本罪定罪处罚，而应当根据刑法第二百三十九条第三款的规定，以绑架罪定罪处罚。(7)造成被拐卖的妇女、儿童或者其亲属重伤、死亡或者其他严重后果的，即在拐卖过程中，犯罪分子采用捆绑、殴打、虐待、侮辱等手段，造成被害人重伤、死亡等严重后果的，以及被害人及其亲属因犯罪分子的拐卖行为而自杀、精神失常或者造成其他严重后果的。需要特别注意的是，如果上述后果是因收买人对所收买的妇女、儿童在收买后实施虐待等行为所致，则不属于本项所列的情况，应依法追究收买人的相应责任。如果犯罪分子对被拐卖的妇女、儿童故意伤害、杀害的，则应以故意伤害罪、故意杀人罪与拐卖妇女、儿童罪实行数罪并罚。(8)将妇女、儿童卖往境外的，即犯罪分子为了牟取暴利，与境外的人贩子相勾结，将妇女、儿童卖往境外的行为。这里所说的“境外”，是指国境外和边境外，既包括中华人民共和国领土以外的其他国家，也包括边境外的我国香港、澳门和台湾地区。3. 情节特别严重的，处死刑，并处没收财产。这里所规定的“情节特别严重”，是指拐卖妇女、儿童，具有本款所规定的八种严重情形之一，而且情节特别严重的。

本条第二款是关于拐卖妇女、儿童罪的定义的规定。依照本款规定，拐卖妇女、儿童，是指以出卖为目的，有拐骗、绑架、收买、贩卖、接送、中转妇女、儿童的行为之一的行为。规定“以出卖为目的”，主要是为了区别于以收养或者其他非营利的目的拐骗不满十四周岁的儿童脱离家庭或者监护人的行为和以结婚、收养为目的收买被拐卖妇女、儿童的行为。后两种行为应当依照本法第二百六十二条关于拐骗儿童罪或第二百四十一条关于收买被拐卖的妇女、儿童罪的规定定罪处罚。也就是说，这里所规定的“拐骗、绑架、收买、贩卖、接送、中转妇女、儿童的行为”，都是为了将被害人出卖。根据《最高人民法院关于审理拐卖妇女案件适用法律有关问题的解释》，拐卖妇女罪中的“妇女”，既包括具有中国国籍的妇女，也包括具有外国国籍和无国籍的妇女。被拐卖的外国妇女没有身份证明的，不影响对犯罪分子的定罪处罚。对于外国人或者无国籍人拐卖外国妇女到我国境内被查获的，应当根据刑法第六条的规定，适用我国刑法定罪处罚。对于外国籍被告人身份无法查明或者其国籍国拒绝提供有关身份证明，人民检察院根据刑事诉讼法的规定起诉的案件，人民法院应当依法受理。当然，本罪规定的拐卖儿童罪中的“儿童”，既包括中国儿童，也包括外国儿童。本款所规定的“拐骗”，是指犯罪分子以欺骗、引诱的方法带走妇女、儿童的行为。“绑架”，是指犯罪分子以暴力、胁迫或者麻醉等方法绑架妇女、儿童的行为。“收买”，是指犯罪分子为了以更高的价格出卖而以一定的钱物收买被拐卖、绑架的妇女、儿童的行为。“贩卖”，是指收买妇女、儿童后转手出卖的行为。“接送”、“中转”，则主要是指在拐卖妇女、儿童的共同犯罪活动中，分工接送被害人或者将被害人转手交给其他人贩子的行为，也包括为人贩子找买主、为人贩子在拐卖途中窝藏被拐卖的妇女、儿童的行为。上述几种行为均是以出卖为目的，只要有上述行为之一，即构成拐卖妇女、儿童罪。

第二百四十一条*　收买被拐卖的妇女、儿童的，处三年以下有期徒刑、拘役或者管制。

收买被拐卖的妇女，强行与其发生性关系的，依照本法第二百三十六条的规定定罪处罚。

收买被拐卖的妇女、儿童，非法剥夺、限制其人身自由或者有伤害、侮辱等犯罪行为的，依照本法的有关规定定罪处罚。

收买被拐卖的妇女、儿童，并有第二款、第三款规定的犯罪行为的，依照数罪并罚的规定处罚。

收买被拐卖的妇女、儿童又出卖的，依照本法第二百四十条的规定定罪处罚。

收买被拐卖的妇女、儿童，对被买儿童没有虐待行为，不阻碍对其进行解救的，可以从轻处罚；按照被买妇女的意愿，不阻碍其返回原居住地的，可以从轻或者减轻处罚。

【释义】　本条是关于收买被拐卖的妇女、儿童罪及其处罚的规定。

近些年来，打击拐卖妇女、儿童犯罪的形势依然严峻，有关方面提出，收买妇女、儿童的买方市场存在，是这类犯罪屡禁不止的原因之一，强烈呼吁加大对收买妇女、儿童犯罪的惩治。立法机关经研究认为，买卖人口的行为是现代文明法治社会所不能容许的，目前解救妇女儿童的执法条件、执法环境也有很大改善，同时考虑到妇女和儿童的自我保护能力不同，应予区别对待，加重对儿童保护，因此《刑法修正案（九）》删去了“可以不追究刑事责任”的规定，对收买被

---

* 根据2015年8月29日第十二届全国人民代表大会常务委员会第十六次会议通过的《中华人民共和国刑法修正案（九）》修改。原条文是：“收买被拐卖的妇女、儿童的，处三年以下有期徒刑、拘役或者管制。

“收买被拐卖的妇女，强行与其发生性关系的，依照本法第二百三十六条的规定定罪处罚。

“收买被拐卖的妇女、儿童，非法剥夺、限制其人身自由或者有伤害、侮辱等犯罪行为的，依照本法的有关规定定罪处罚。

“收买被拐卖的妇女、儿童，并有第二款、第三款规定的犯罪行为的，依照数罪并罚的规定处罚。

“收买被拐卖的妇女、儿童又出卖的，依照本法第二百四十条的规定定罪处罚。

“收买被拐卖的妇女、儿童，按照被买妇女的意愿，不阻碍其返回原居住地的，对被买儿童没有虐待行为，不阻碍对其进行解救的，可以不追究刑事责任。”

拐卖妇女、儿童的行为一律定罪处刑，将第二百四十一条第六款修改为：“收买被拐卖的妇女、儿童，对被买儿童没有虐待行为，不阻碍对其进行解救的，可以从轻处罚；按照被买妇女的意愿，不阻碍其返回原居住地的，可以从轻或者减轻处罚。”

第一款是关于收买被拐卖的妇女、儿童犯罪及其处罚的规定。这里所说的“收买被拐卖的妇女、儿童”，是指不是以出卖为目的，而用金钱财物收买被拐卖的妇女、儿童的行为。本罪的侵害对象只限于被拐卖的妇女、儿童。这里的“妇女”，是指年满十四周岁的女性；“儿童”，是指不满十四周岁的男女儿童。妇女和儿童包括具有中国国籍的妇女、儿童，也包括具有外国国籍和无国籍的妇女、儿童。被拐卖妇女、儿童没有身份证明的，不影响对行为人的定罪处罚。行为人收买是为了达到“结婚”、“收养”等目的。依照本款的规定，收买被拐卖的妇女、儿童的，处三年以下有期徒刑、拘役或者管制。

第二款是对收买人强行与被买妇女发生性关系的，依照刑法关于强奸罪的规定处罚。强行发生性关系是指违背妇女意志，以暴力、胁迫或者其他手段与其发生性关系的行为。依照本款的规定，收买被拐卖的妇女，强行与其发生性关系的，定罪量刑均适用刑法第二百三十六条关于强奸罪的规定。

第三款是关于收买人对被买的妇女、儿童非法剥夺、限制其人身自由或者有故意伤害、侮辱等犯罪行为的，依照刑法有关规定定罪处罚的规定。这里所说的“非法剥夺、限制其人身自由”，是指收买人对被收买的妇女、儿童有本法第二百三十八条非法拘禁罪规定的行为。“伤害”，是指收买人对被买的妇女、儿童有本法第二百三十四条故意伤害罪规定的行为。“侮辱”，是指收买人对被买的妇女、儿童有本法第二百四十六条侮辱罪规定的行为。

第四款是关于收买被拐卖的妇女、儿童，并有本条第二款、第三款规定的犯罪行为的，实行数罪并罚的规定。依照本法总则第四章第四节的有关规定，数罪并罚是指对犯有两种以上罪行的人，就其所犯各罪分别定罪量刑后，按一定的原则合并执行刑罚。根据本款规定，如果收买人收买被拐卖的妇女、儿童后，强行与被买妇女发生性关系，非法剥夺、限制被收买妇女的人身自由，强制猥亵，强迫劳动，或者有伤害、侮辱等犯罪行为的，除按收买被拐卖的妇女、儿童罪定罪量刑外，还应根据其所犯其他各罪分别定罪量刑，实行数罪并罚。

第五款是收买被拐卖的妇女、儿童又出卖的，依照刑法第二百四十条关于拐卖妇女、儿童罪的规定定罪处罚的规定。这里所说的“收买被拐卖的妇女、儿童又出卖”，是指行为人同时具有收买和出卖两种行为，收买人收买被拐卖的妇女、儿童后，无论其收买时出于什么目的，只要又出卖被害妇女、儿童，即属于本款所规定的情况，依照本款规定，构成拐卖妇女、儿童罪，并依照刑法第二百四十条的规定定罪处罚。

第六款是关于对收买人在特定条件下予以从宽处罚的规定。本款是刑事政策性的规定,目的是促使收买人善待被拐卖的妇女、儿童,以更好地维护被害人的权益。本款对收买人所收买的是妇女还是儿童,在量刑适用上作出了区分。对于收买儿童犯罪分子,还需要具有“没有虐待行为”以及“不阻碍对其进行解救”的条件,才能按本款规定从轻处罚。这里所说的“没有虐待行为”,是指收买人对被买儿童没有进行打骂、冻饿、禁闭等在精神和肉体上对被害儿童进行摧残的行为。“不阻碍对其进行解救”,是指当国家机关工作人员、被害人家属对被买儿童进行解救时,收买人未采取任何方法阻止、妨碍国家机关工作人员、被害儿童家属的解救工作。本款规定对于收买被拐卖儿童,同时善待儿童,不阻碍解救的收买者,可以从轻处罚。对于收买妇女犯罪分子,需要具有“按照被买妇女的意愿,不阻碍其返回原居住地”的条件,才能按照本款规定从轻或减轻处罚。这里所说的“被买妇女的意愿”,是指被买妇女以各种方式向收买人提出的愿望或者要求。“不阻碍其返回原居住地”,是指收买人提供路费或者交通工具,也包括不提任何要求,而让被买妇女返回其原居住地。“原居住地”,一般是指被买妇女被拐卖前的居住地。这里需要特别注意的是,有的妇女是在外出时遭到拐卖的,即“拐出地”和原居住地不一致。在这种情况下,如果收买人按照被买妇女的意愿,将其送到被“拐出地”的,也应视为被买妇女返回原居住地。还有的妇女要求到自己的亲友家,这种情况也应视为被买妇女返回了原居住地。除此之外,如果被买妇女自愿留在当地,并经查证属实的,也应视为收买人不阻碍其返回原居住地。有关部门在解救工作中也应注意尊重被买妇女的意愿。根据最高人民法院、最高人民检察院、公安部、民政部、司法部、全国妇联会于 2000 年 3 月 20 日发布的《关于打击拐卖妇女、儿童犯罪有关问题的通知》规定,对于自愿留在现生活地生活的成年女性应尊重其本人意愿,愿在现住地结婚且符合法定结婚条件的应当依法办理结婚登记手续。依照本款规定,对于收买被拐卖的妇女,不阻碍其返回原居住地的,可以从轻或者减轻处罚。

第二百四十二条　以暴力、威胁方法阻碍国家机关工作人员解救被收买的妇女、儿童的,依照本法第二百七十七条的规定定罪处罚。

聚众阻碍国家机关工作人员解救被收买的妇女、儿童的首要分子,处五年以下有期徒刑或者拘役;其他参与者使用暴力、威胁方法的,依照前款的规定处罚。

【释义】　本条是关于阻碍国家机关工作人员解救被收买的妇女、儿童的犯罪及其处罚的规定。

第一款是以暴力、威胁方法阻碍国家机关工作人员解救被收买的妇女、儿童的犯罪及其处罚的规定。这里所规定的“暴力”，是指对解救被收买的妇女、儿童的国家机关工作人员的人身进行打击或者实行强制，如殴打、捆绑等。“威胁”，是指以杀害、伤害、毁坏财产、破坏名誉等手段进行要挟，迫使国家机关工作人员放弃执行解救被收买的妇女、儿童的职责。本款规定的犯罪必须具备以下两个条件：1. 犯罪人必须采用暴力、威胁方法实施了阻碍国家机关工作人员解救被收买的妇女、儿童的行为；2. 犯罪分子阻碍的对象必须是依法执行解救职责的国家机关工作人员。依照本款的规定，以暴力、威胁方法阻碍国家机关工作人员解救被收买的妇女、儿童的，依照本法第二百七十七条关于妨害公务罪的规定定罪处罚，即处三年以下有期徒刑、拘役、管制或者罚金。

第二款是关于聚众阻碍解救被收买的妇女、儿童罪及其处罚的规定。这里所说的“聚众”，是指聚集多人。“首要分子”，是指在聚众阻碍国家机关工作人员解救被收买的妇女、儿童的犯罪活动中起组织、策划、指挥、煽动等作用的犯罪分子，可能是一人，也可能是多人。“其他参与者”，是指首要分子以外的其他参与聚众阻碍国家机关工作人员解救被拐卖、绑架的妇女、儿童的人。需要注意的是，构成本款所规定的犯罪，对于首要分子，不论其是否使用暴力、威胁方法，都按本款规定定罪处罚；对于其他参与者，则只有使用暴力、威胁方法的，才构成本罪，未使用暴力、威胁方法的，不构成犯罪。依照本款规定，聚众阻碍国家机关工作人员解救被收买的妇女、儿童的首要分子，处五年以下有期徒刑或者拘役；其他参与者中使用暴力、威胁方法的，依照前款的规定处罚，即处三年以下有期徒刑、拘役、管制或者罚金。

第二百四十三条　捏造事实诬告陷害他人，意图使他人受刑事追究，情节严重的，处三年以下有期徒刑、拘役或者管制；造成严重后果的，处三年以上十年以下有期徒刑。

国家机关工作人员犯前款罪的，从重处罚。

不是有意诬陷，而是错告，或者检举失实的，不适用前两款的规定。

【释义】　本条是关于诬告陷害罪及其处罚的规定。

检举揭发违法犯罪行为，是每个公民的基本权利，但实践中有些人往往利用该项权利滥用检举揭发权，无中生有，诬告陷害他人，严重影响社会和谐发展，破坏社会风气，应当予以惩处。为此，我国 1979 年刑法第一百三十八条规定了诬告陷害罪，但在对这种犯罪的处罚上采用了“诬告反坐”的特殊规定，对诬告陷害罪并未规定具体的法定刑，而是参照所诬陷的罪行的性质、情节、后果和量刑标准给予刑事处分,这样规定在实际执行中掌握起来较为困难。1997 年修订刑法时,根据各方面意见,对诬告陷害罪单独规定了法定刑。

第一款是关于诬告陷害罪的处罚规定。依照本款规定,诬告陷害罪,是指捏造事实,作虚假告发,意图陷害他人,使他人受刑事追究,情节严重的行为。这里所说的“他人”,既包括一般的干部、群众,也包括正在服刑的罪犯和其他在押的被告人和犯罪嫌疑人。本罪侵犯的客体是复杂客体,既侵犯了他人的人身权利,也侵犯了司法机关的正常活动。根据本款的规定,构成本罪必须具备以下条件:1. 诬告陷害他人,必须以使他人受刑事追究为目的,如果不以使他人受刑事追究为目的而捏造事实诬告的,如以败坏他人名誉、阻止他人得到某种奖励或者提升等为目的而诬告他人有违法或不道德行为的,则不构成本罪;2. 捏造的事实必须是他人的犯罪事实,如果捏造的事实不足使他人受到刑事追究的,则不构成本罪;3. 不仅捏造了他人的犯罪事实,而且将捏造的犯罪事实向有关机关进行了告发;4. 诬告陷害的行为必须有明确的对象,如果行为人只是捏造了某种犯罪事实,向有关机关告发,并没有具体的告发对象,这种行为虽然也侵犯了司法机关的正常活动,但并未直接侵犯他人的人身权利,也不构成本罪;5. 诬告陷害情节严重的,这里所规定的“情节严重”,主要是指捏造的犯罪事实情节严重、诬陷手段恶劣、严重影响了司法机关的正常工作、社会影响恶劣等。只要诬告陷害的行为符合以上条件,本罪就成立。本款所规定的“造成严重后果”,主要是指被害人被错误地追究了刑事责任,或者使被诬陷人的人身权利、民主权利、财产权利等受到重大损害,或者使司法机关的正常工作遭受特别重大的损害。依照本款的规定,犯诬告陷害罪的,处三年以下有期徒刑、拘役或者管制;造成严重后果的,处三年以上十年以下有期徒刑。

第二款是关于国家机关工作人员犯诬告陷害罪从重处罚的规定。这里所规定的“国家机关工作人员”,根据本法第九十三条的规定,是指在国家权力机关、行政机关、人民法院、人民检察院、军事机关等国家机关中从事公务的人员。国家机关工作人员由于其所处的地位和掌握的权力,如果捏造事实诬告陷害他人,往往会对被害人的合法权益和国家机关的声誉造成更大的损害,同时考虑到对国家机关工作人员的要求应当更加严格,因此,本款规定,国家机关工作人员犯诬告陷害罪的,从重处罚。

第三款是关于错告或者检举失实,不适用前款规定的规定。这样规定是为了正确区分诬告陷害与错告、检举失实的界限,以有利于打击犯罪,保护公民与违法犯罪作斗争的积极性。

本条在实践中应当注意本罪与诽谤罪的区别:1. 诽谤罪的目的是为了损害他人的人格和名誉,而诬告陷害罪的目的是为了使被诬陷人受刑事追究;2. 诽谤罪捏造的事实不一定是他人犯罪的事实，而诬告陷害罪捏造的必须是他人犯罪的事实；3. 诽谤罪行为人的手段是散布其捏造的事实，诬告陷害罪行为人的手段是向有关机关告发其捏造的他人的犯罪事实；4. 诽谤罪属于亲告罪，即告诉的才处理，但是严重危害社会秩序和国家利益的除外，而诬告陷害罪不是亲告罪，属于国家公诉案件。

第二百四十四条*　以暴力、威胁或者限制人身自由的方法强迫他人劳动的，处三年以下有期徒刑或者拘役，并处罚金；情节严重的，处三年以上十年以下有期徒刑，并处罚金。

明知他人实施前款行为，为其招募、运送人员或者有其他协助强迫他人劳动行为的，依照前款的规定处罚。

单位犯前两款罪的，对单位判处罚金，并对其直接负责的主管人员和其他直接责任人员，依照第一款的规定处罚。

【释义】　本条是关于强迫劳动犯罪及其处罚的规定。

本条根据2011年2月25日第十一届全国人大常委会第十九次会议通过的《刑法修正案（八）》进行了修改。

1997年刑法第二百四十四条规定了强迫职工劳动罪，对用人单位违反劳动管理法规，以限制人身自由方法强迫职工劳动，情节严重的行为规定了刑事责任。近年来，在这方面社会上出现了一些新的情况。有的企业和业主，用诱骗等手段招募工人，雇用打手或者通过黑恶势力，以暴力、威胁手段剥夺工人的人身自由，强迫甚至奴役他们长时间从事高强度劳动。这类被媒体曝光为“黑砖窑”、“黑煤窑”的场所劳动环境恶劣，有的造成了工人伤残、死亡的严重后果，社会影响极其恶劣。一些不法分子明知他人实施上述强迫劳动的行为，为牟取利益，专门以“招工”等诱骗手段为其招募、运送劳动力或者以其他手段协助实施强迫劳动行为，形成了利益共同体。1997年刑法第二百四十四条的规定不能适应打击这类行为的需要。一是该条规定的犯罪主体是用人单位，而强迫劳动情形恶劣的“黑砖窑”等往往是未办理合法手续的，能否认定为“用人单位”实践中常引起争议。二是该条规定的犯罪行为是“违反劳动管理法规，以限制人身自由方法强迫职工劳动”，侧重维护劳动关系中劳动者的权益。“黑砖窑”一类组织与被其强迫劳动的工人，往往是赤裸裸的强迫乃至奴役的关系，而非劳动

---

* 根据2011年2月25日第十一届全国人民代表大会常务委员会第十九次会议通过的《中华人民共和国刑法修正案（八）》修改。原条文是：“用人单位违反劳动管理法规，以限制人身自由方法强迫职工劳动，情节严重的，对直接责任人员，处三年以下有期徒刑或者拘役，并处或者单处罚金。”

法律规定的劳资关系。非法雇主违反了有关公民人身自由和人格尊严的法律，以暴力、威胁等手段限制乃至剥夺工人的人身自由，而非违反劳动管理法规。三是对强迫劳动情节恶劣的人员，该条规定的“三年以下有期徒刑或者拘役，并处或者单处罚金”的刑罚不能做到罚当其罪。四是对于为强迫劳动的单位和个人招募、运送人员等协助强迫劳动的行为没有规定刑事责任。一些专家学者、人大代表多次呼吁在刑法中设立强迫劳动罪、奴役罪。

2009 年 12 月 26 日，第十一届全国人大常委会第十二次会议决定，我国加入《联合国打击跨国有组织犯罪公约关于预防、禁止和惩治贩运人口特别是妇女和儿童行为的补充议定书》，该议定书要求缔约国采取必要的立法和其他措施，将为强迫劳动、奴役等剥削目的而通过暴力、威胁或者其他形式的胁迫，招募、运送、转移、窝藏或接收人员的行为规定为刑事犯罪。

针对实践中出现的新情况，根据惩治犯罪，保护公民权利的需要和落实国际公约的要求，《刑法修正案（八）》对强迫职工劳动罪的规定进行了修改。将犯罪主体由用人单位扩大到包括个人和单位在内的一般主体，将犯罪对象由“职工”修改为“他人”，完善了犯罪行为的规定，加重了法定刑，将为强迫劳动的单位和个人招募、运送人员或者以其他手段协助强迫劳动的行为规定为犯罪。

第一款是关于强迫劳动犯罪行为及其处罚的规定。根据本款规定，强迫劳动犯罪，是指以暴力、威胁或者限制人身自由的方法强迫他人劳动的行为。“暴力”是指犯罪分子直接对被害人实施殴打、伤害等危及其人身安全的行为，使其不能反抗、逃跑。“威胁”是指犯罪分子对被害人施以恫吓，进行精神强制，使其不敢反抗、逃跑。“限制人身自由的方法”则是指以限制离厂、不让回家，甚至雇用打手看管等方法非法限制被害人的人身自由，强迫其参加劳动。“他人”既包括与用人单位订有劳动合同的职工，也包括犯罪分子非法招募的工人、智障人等。本罪是故意犯罪。根据本条规定，实施强迫劳动犯罪的，处三年以下有期徒刑或者拘役，并处罚金；情节严重的，处三年以上十年以下有期徒刑，并处罚金。与 1997 年刑法对强迫职工劳动罪的处刑相比，本款规定取消了第一档刑中单处罚金的规定，增加了第二档刑，体现了对强迫劳动犯罪严厉打击的精神。“情节严重”通常是指强迫多人劳动，长时间强迫他人劳动，以不人道手段对待被强迫劳动者等，具体标准可由司法机关根据实际情况通过司法解释确定。

第二款是关于协助强迫他人劳动行为处罚的规定。本款规定的协助强迫他人劳动行为，包括招募、运送人员和其他协助强迫他人劳动的行为。“招募”是指通过所谓“合法”或非法途径，面向特定或者不特定的群体募集人员的行为。实践中犯罪分子往往利用被害人求职心切，以合法就业岗位、优厚待遇等手段诱骗被害人。“运送”是指用各种交通工具运输人员。“其他协助强迫他人劳动行为”是指除招募、运送人员外，为强迫劳动的人转移、窝藏或接收人员等行为。上述协助强迫他人劳动的行为，助长了强迫劳动犯罪，严重侵犯公民的人身权利和社会秩序，应当予以刑事处罚。我国加入的国际公约也要求将这种行为规定为犯罪。根据本款规定，明知他人实施本条第一款规定的强迫劳动行为，为其招募、运送人员的或者有其他协助强迫他人劳动行为的，依照本条第一款的规定处罚，即处三年以下有期徒刑或者拘役，并处罚金；情节严重的，处三年以上十年以下有期徒刑，并处罚金。

第三款是关于单位犯强迫劳动罪的处罚规定。根据本款规定，单位犯本条第一、二款规定的以暴力、威胁或者限制人身自由的方法强迫他人劳动，或者明知他人实施强迫劳动行为，为其招募、运送人员或者有其他协助强迫他人劳动行为的犯罪的，对单位判处罚金，并对其直接负责的主管人员和其他直接责任人员，依照本条第一款的规定处罚，即处三年以下有期徒刑或者拘役，并处罚金；情节严重的，处三年以上十年以下有期徒刑，并处罚金。

实践中，对于犯罪分子在强迫劳动的过程中使用暴力，致使被害人伤残、死亡的，应当根据本法的有关规定，以强迫劳动、故意伤害或故意杀人罪数罪并罚。

第二百四十四条之一*　违反劳动管理法规，雇用未满十六周岁的未成年人从事超强度体力劳动的，或者从事高空、井下作业的，或者在爆炸性、易燃性、放射性、毒害性等危险环境下从事劳动，情节严重的，对直接责任人员，处三年以下有期徒刑或者拘役，并处罚金；情节特别严重的，处三年以上七年以下有期徒刑，并处罚金。

有前款行为，造成事故，又构成其他犯罪的，依照数罪并罚的规定处罚。

【释义】　本条是关于雇用童工从事危重劳动罪及其处罚的规定。

我国法律十分重视保护未成年人的身心健康。未成年人保护法、劳动法、义务教育法等法律以及国务院禁止使用童工的规定等行政法规都明确禁止非法使用童工，并规定了相应的法律责任。根据1997年刑法的规定，对于一些非法雇用童工的行为，如非法雇用童工造成重大事故的，或者强迫童工劳动的，可以分别按照刑法关于重大责任事故罪和重大劳动安全事故罪、强迫职工劳动罪等相关犯罪追究刑事责任。但是，有的地方非法雇用童工的情

---

* 根据2002年12月28日第九届全国人民代表大会常务委员会第三十一次会议通过的《中华人民共和国刑法修正案(四)》增加。

况较为突出，还造成了很严重的后果。为了进一步加强对未成年人的保护，加大对非法雇用童工行为的打击力度，有必要对非法雇用童工犯罪作出专门规定。为此，《刑法修正案（四）》在刑法第二百四十四条后面增加了本条的规定。

第一款是关于非法雇用童工罪的构成要件以及处罚的规定。根据本款规定，认定雇用童工从事危重劳动罪要注意以下几个问题：

第一，违反劳动管理法规，雇用未满十六周岁的未成年人从事劳动。这里所说的“劳动管理法规”，是指劳动法等法律和国务院颁布的与劳动保护有关的行政法规，以及其他法律、法规中关于劳动关系、劳动保护等的规定。根据劳动管理法规的规定，任何用人单位和个人，招用未满十六周岁的未成年人从事劳动的，属于使用童工的违法行为。但是，文艺、体育单位经未成年人的监护人同意，可以招用未满十六周岁的专业文艺工作者、运动员，学校、其他教育机构以及职业培训机构按照国家规定组织未满十六周岁的未成年人进行不影响其人身安全的身心健康的教育实践劳动、职业技能培训劳动的，不属于非法使用童工。一些单位和个人打着从事文艺、体育活动的招牌，非法雇用童工进行低俗、危险表演的，不属于招收文艺、体育工作者的情况，应当按照本条的规定定罪处罚。“雇用”一般是指在行为人和童工之间形成一定的劳动关系。雇用是通过支付工资使他人为自己提供劳动的行为。雇佣关系的形成并不要求双方有明确的时间约定，也不以签有书面合同为条件，只要雇用人与被雇用的童工之间形成事实上的劳动关系即可。但是父母让未成年子女到自己的工厂、作坊等从事劳动的，不宜认定为雇佣关系。

第二，雇用未满十六周岁的未成年人从事超强度体力劳动、高空、井下作业，或者在爆炸性、易燃性、放射性、毒害性等危险环境下从事劳动。违反劳动管理法规的规定，雇用未满十六周岁的未成年人从事劳动的，都属于违法行为，但并非都属于犯罪行为。构成非法雇用童工罪的行为，仅限于非法雇用童工从事刑法明确规定的对未成年人身心健康危害较大的特定劳动的行为。“超强度体力劳动”，是指劳动强度超过劳动者正常体能承受程度的体力劳动。关于劳动强度，国家劳动保护部门有专门的规定和测算依据。根据规定，体力劳动强度的测定是通过测量某劳动工种平均劳动时间率和能量代谢率，计算出其劳动强度指数，然后根据指数将体力劳动按照强度由低到高分为四级。其中第四级强度的体力劳动属于强度最大的劳动。根据计算，八小时工作日平均耗能值为11304.4千焦耳/人，劳动时间率为77%，劳动强度显然很大。根据国家保护未成年工（指十六周岁以上不满十八周岁）的规定，对于未成年工，不得要求其从事第四级劳动强度的作业。需要特别说明的是，这里的劳动强度是国家劳动保护部门为了进行科学的劳动保护管理，针对正常的生产劳动作业所做的区分，并与相应的劳动保护措施和福利待遇相联系。因此，在具体认定童工所从事的体力劳动是否属于超强度体力劳动时，可以参考上述劳动保护部门用于测算正常生产劳动作业的分级标准，对童工所具体从事的劳动强度进行测算，但不能简单地认定某级以上强度的劳动就属于超强度体力劳动。因为对于童工而言，并没有所谓适合其身体发育状况的体力劳动的分级。雇用未满十六周岁的未成年人，无论从事何种强度体力劳动，就属于非法使用童工。当然，虽然雇用童工从事体力劳动行为本身就属于非法行为，但是其违法的程度与童工具体从事的劳动的强度大小是密切联系的。例如，雇用童工从事的体力劳动在劳动时间率、平均耗能值等方面相当于一级体力劳动强度的，其危害性显然要小于雇用童工从事劳动强度相当于二级或三级体力劳动强度的劳动。超强度是指超过劳动者正常体能所能合理承受的强度，所以在认定是否构成雇用童工从事超强度体力劳动时，还应结合被雇用童工的年龄、身体发育状况等因素。例如，根据国家劳动管理法规，用人单位可以安排未成年工（已满十六周岁不满十八周岁）从事四级强度体力劳动以下的劳动，那么用人单位安排未满十六周岁的未成年人从事四级体力劳动强度的劳动的，应当属于超强度体力劳动。但是安排即将年满十六周岁的未成年人从事一级体力劳动强度劳动的，是否属于超强度体力劳动，就不能一概而论了。由于童工的年龄跨度很大，雇用童工从事劳动的情况也很复杂，因此法律无法具体规定雇用童工从事何种劳动就属于超强度体力劳动。具体认定需要由司法机关根据案件的具体情况，结合童工的年龄、身体发育状况、承受能力，童工所从事的劳动的性质等因素，综合考虑。除了超强度体力劳动外，本条还规定了高空作业和井下作业。高空作业具有一定的危险性，需要作业者具有专门的技术知识、自我保护意识和技能。井下作业不仅本身劳动强度较大，而且环境相对比较恶劣，在井下作业会严重损害未成年人的身体健康。而且，井下作业也需要一定的自我保护意识和技能。未成年人身心发育尚不成熟，自我保护意识和能力比较差。从事高空和井下作业，存在较大的危险性，因此刑法专门作了规定。对童工身心健康危害较大的几种危险劳动环境，本条也作了规定。这些危险环境主要包括爆炸性、易燃性、放射性、毒害性环境。这些环境本身对人身健康就具有危害性，未成年人身体发育尚不健全，更容易受到伤害。同时，这些环境由于具有高度危险，作业者必须具有专门的操作技能和安全知识，还需要作业者随时保持高度的警惕，由于未成年人的身心特点，在从事这些危险作业时，更容易发生危险，造成事故。需要特别说明的是，刑法虽然只是规定了爆炸性、易燃性、放射性、毒害性等危险环境，但是，除上述危险环境外，非法雇用童工在与上述具有相当危险性的环境下劳动的，也可以构成本罪。例如,雇用童工在严重的粉尘环境、极端低温或者高温环境下从事劳动。

第三,实施上述行为,情节严重。应当说雇用未满十六周岁的未成年人从事超强度体力劳动,或者从事高空、井下作业,或者在爆炸性、易燃性、放射性、毒害性等危险环境下从事劳动,其危害性比一般的非法雇用童工行为要严重。但是,根据刑法规定,并非实施上述行为就一律以犯罪追究。由于现实情况非常复杂,非法雇用童工从事上述劳动的,具体危害性可能存在很大的差异。这就需要司法机关根据案件的具体情节加以区别。具体情节是否严重,可以结合非法雇用童工的数量、童工所从事的劳动的种类和强度,童工的年龄及身体发育状况、劳动安全设施和劳动保护措施的状况,劳动环境危险性的高低等因素,综合衡量。

本条第一款规定了对非法雇用童工罪的处罚。根据该规定,非法雇用童工罪的刑罚幅度有两个:非法雇用童工情节严重的,对直接责任人员处三年以下有期徒刑或者拘役,并处罚金;情节特别严重的,处三年以上七年以下有期徒刑,并处罚金。这里的"直接责任人员",是指对非法雇用童工负有直接责任的人员,既包括企事业单位或者其他组织中直接负责的主管人员和其他负有直接责任的人员,也包括个体户、农户、城镇居民等。无论该企事业单位或者其他组织是否依法成立,也无论其具体经营活动是否合法,只要实施非法雇用童工的行为并构成犯罪的,都应当按照上述规定予以处罚。

第二款是犯非法雇用童工罪,造成事故,同时构成其他犯罪,予以数罪并罚的规定。从实践情况看,非法雇用童工行为主要发生在一些个体、私营企业。这些企业在安全生产和劳动保护方面往往投入不足,劳动保护设施较差,安全生产制度不健全,工人和生产指挥人员缺乏安全生产意识,事故隐患较多。因此,非法雇用童工,又发生事故的情况时有发生。针对这种情况,为了保证依法追究非法雇用童工并造成事故者的刑事责任,本条第二款明确规定了予以数罪并罚的处罚原则。这是因为,非法雇用童工,造成事故并构成其他犯罪的,行为人实际上存在数个行为,分别触犯了刑法的数个条文的规定,在性质上属于数罪。如果按照非法雇用童工罪或者重大安全事故罪等一罪追究的话,放纵了犯罪分子。

根据这一规定,对被告人实行数罪并罚的条件有三个:第一,有非法雇用童工的犯罪行为。数罪并罚的前提条件是行为人的数个行为都构成犯罪,因此行为人必须实施了本法第一款规定的非法雇用童工的行为,情节严重,构成犯罪。第二,造成了事故。造成事故是指过失造成被雇用的童工人身伤害、死亡等后果。因采用暴力手段强迫被雇用的童工劳动,体罚、虐待被雇用的童工,造成童工伤害或者死亡后果的，应当按照刑法有关规定处理，不属于这里所说的事故。需要说明的是，本条第二款是对非法雇用童工和造成事故这两种情况同时发生如何处理作出的规定，并不要求两者之间具有直接因果关系。事故的直接原因与非法雇用童工行为没有直接联系，但是发生重大责任事故或者重大安全事故，造成童工人身伤亡，符合本条第二款规定的，应当按照数罪进行并罚。第三，造成事故的行为构成了其他犯罪。这里的其他犯罪主要是指刑法第一百三十四条、第一百三十五条等有关安全生产事故的犯罪。

第二百四十五条　非法搜查他人身体、住宅，或者非法侵入他人住宅的，处三年以下有期徒刑或者拘役。

司法工作人员滥用职权，犯前款罪的，从重处罚。

【释义】　本条是关于非法搜查、非法侵入他人住宅罪及其处罚的规定。

根据本条规定，非法搜查罪，是指非法对他人的身体、住宅进行搜查的行为。我国刑事诉讼法及其他有关法律规定，搜查只能由人民检察院、公安机关、国家安全机关依照法律规定的程序进行。因此，这里的“非法搜查”有两层意思：一是指无权进行搜查的机关、团体、单位的工作人员或者个人，非法对他人人身、住宅进行搜查；二是指有搜查权的国家机关工作人员，滥用职权，非法对他人的人身、住宅进行搜查或者搜查的程序和手续不符合法律规定。具有其中之一的，即为非法搜查。本罪是故意犯罪，过失的不构成本罪。非法侵入住宅罪，是指未经住宅主人同意，非法强行闯入他人住宅，或者经住宅主人要求其退出仍拒不退出的行为。这里的“非法”，主要是指无权或者无理进入他人住宅而强行闯入或者拒不退出。如果是事先征得住宅主人的同意的，或者是司法工作人员为依法执行搜查、逮捕、拘留等任务而进入他人住宅的，都不是非法侵入他人住宅。非法侵入他人住宅行为是故意的，过失的不构成本罪。依照本条第一款的规定，非法搜查他人身体、住宅，或者非法侵入他人住宅的，处三年以下有期徒刑或者拘役。

第二款是关于司法工作人员滥用职权犯非法搜查、非法侵入住宅罪从重处罚的规定。这里所规定的“司法工作人员”，根据本法第九十四条的规定，是指有侦查、检察、审判、监管职责的工作人员。这里所说的“滥用职权”，是指司法工作人员超越职权或者违背职责行使职权，非法搜查他人身体、住宅，或者非法侵入他人住宅的行为。依照本款的规定，司法工作人员滥用职权犯非法搜查罪、非法侵入住宅罪的，依照前款规定从重处罚。

第二百四十六条* **以暴力或者其他方法公然侮辱他人或者捏造事实诽谤他人，情节严重的，处三年以下有期徒刑、拘役、管制或者剥夺政治权利。**

前款罪，告诉的才处理，但是严重危害社会秩序和国家利益的除外。

通过信息网络实施第一款规定的行为，被害人向人民法院告诉，但提供证据确有困难的，人民法院可以要求公安机关提供协助。

【释义】 本条是关于侮辱罪、诽谤罪及其处罚的规定。

公民的人格尊严受法律保护。1997年刑法对侮辱罪和诽谤罪作了规定。2015年8月，《刑法修正案（九）》增加了第三款，规定“通过信息网络实施第一款规定的行为，被害人向人民法院告诉，但提供证据确有困难的，人民法院可以要求公安机关提供协助。”这样修改，主要是针对在网络上侮辱、诽谤他人犯罪的新情况、新特点，适应惩治这类犯罪的实际需要。近年来，随着信息网络技术的普及和发展，通过信息网络实施侮辱、诽谤犯罪的行为增多，与传统的侮辱、诽谤犯罪有所不同，这种新形式的侮辱、诽谤传播快、涉众广、危害大，而且往往具有一定的隐蔽性，行为人通过网络化名、假名发布侮辱、诽谤信息，被害人由于难以确认犯罪嫌疑人的真实身份、固定相应的证据，其通过法律途径维护自己的权益，追究行为人的责任较为困难。为了维护被害人权益，维护正常的网络秩序，惩治通过信息网络实施的侮辱、诽谤行为，《刑法修正案（九）》增加了第三款的规定。

第一款是对侮辱罪、诽谤罪及其处罚的规定。依照本款的规定，侮辱罪，是指以暴力或者其他方法公然侮辱他人，情节严重的行为；诽谤罪，是指故意捏造事实，公然损害他人人格和名誉，情节严重的行为。侮辱罪、诽谤罪侵犯的客体是他人的人格尊严和名誉权，人格尊严和名誉权是公民基本的人身权利。人格尊严，是指公民基于自己所处的社会环境、地位、声望等客观条件而对自己或他人的人格价值和社会价值的认识和尊重。名誉，是指公民在社会生活中所获得的名望声誉，是一个人的品德、才干、信誉等在社会生活中所获得社会评价。名誉权，是指以名誉的维护和安全为内容的人格权。一般认为，侮辱罪、诽谤罪的犯罪对象只能是自然人，侮辱、诽谤法人以及其他团体、组织等单位，不构成侮辱罪和诽谤罪。需要注意的是，根据刑法第二百九十九条的规定，在公众场合故意以焚烧、毁损、涂划、玷污、践踏等方式侮辱中华人民共和国国旗、国徽的，

---

* 根据2015年8月29日第十二届全国人民代表大会常务委员会第十六次会议通过的《中华人民共和国刑法修正案（九）》修改。原条文是：“以暴力或者其他方法公然侮辱他人或者捏造事实诽谤他人，情节严重的，处三年以下有期徒刑、拘役、管制或者剥夺政治权利。

“前款罪，告诉的才处理，但是严重危害社会秩序和国家利益的除外。”

应以侮辱国旗、国徽罪依法追究刑事责任。

在客观表现方面,侮辱罪和诽谤罪有所不同。侮辱罪客观方面主要表现为以暴力或其他方法公然贬损他人人格、破坏他人声誉,情节严重的行为。这里所说的侮辱行为,可以是暴力,也可以是暴力以外的其他方法。“暴力”,是指以强制方法来损害他人人格和名誉,如强迫他人“戴高帽”游行、当众剥光他人衣服、强迫他人作出有辱人格的动作等。这里的暴力,其目的不是损害他人的身体健康,如果在实施暴力侮辱的过程中造成他人死亡或者伤害后果的,可能同时构成故意杀人罪或者故意伤害罪。“其他方法”,是指以语言、文字等暴力以外的方法侮辱他人,语言侮辱如当众用恶毒刻薄的语言对被害人进行嘲笑、辱骂,使其当众出丑,散布被害人的生活隐私、生理缺陷等,文字侮辱如贴传单、漫画、书刊或者其他公开的文字等方式诋毁他人人格、侮辱他人。值得注意的是,随着信息网络的普及和发展,利用互联网侮辱、诽谤他人的行为也不断增多,如通过网络对他人进行辱骂攻击,发布涉及他人隐私信息或图片,捏造损害他人人格、名誉的事实等,这类行为借助互联网传播快、范围广,往往给被害人造成更大伤害。侮辱他人的行为,必须是公然进行,如果不是公然,不构成本罪。“公然”侮辱他人,是指当众或者利用能够使多人听到或看到的方式,对他人进行侮辱,公然侮辱并不一定要求被害人在场。“他人”在这里是指特定的人,即侮辱他人的行为必须是明确地针对某特定的人实施,如果不是针对特定的人,而是一般的“骂街”、谩骂等,不构成侮辱罪。

诽谤罪在客观方面表现为行为人实施捏造并散布某种虚构的事实,足以贬损他人人格、名誉的行为。“诽谤”,是指故意捏造事实,并且进行散播。“捏造事实”就是无中生有,凭空制造虚假的事实,而且这些内容已经或足以给被害人的人格、名誉造成损害。诽谤除捏造事实外还要将该捏造的事实进行散播,散播包括使用口头方法和书面方法。捏造事实的行为与散播行为必须同时具备才构成本罪。如果只是捏造事实与个别亲友私下议论,没有散播的,或者散播的是客观事实而不是捏造的虚假事实的,即使有损于他人的人格、名誉,也不构成本罪。与侮辱罪类似,诽谤罪也必须是针对特定的人实施,这种行为不一定是公开地指明对方姓名,但是只要从内容上知道被害人是谁,就可以构成诽谤罪,如果行为人捏造并散布的内容不针对特定的对象,也不能构成本罪。

依照本款规定,构成侮辱罪、诽谤罪的行为,都必须是情节严重的行为,虽有侮辱、诽谤他人的行为,但情节不严重的,只属于一般的民事侵权行为。这里所说的“情节严重”,主要是指侮辱、诽谤他人手段恶劣、后果严重或者影响很坏等情况,如当众扯光被害人的衣服;当众向被害人身上泼粪便;捏造事实诽谤他人,致使被害人受到严重精神刺激而自伤、自残或者自杀;侮辱、诽谤执行公务的人员、外宾,造成恶劣影响等等。根据《最高人民法院、最高人民检察院关于办理组织和利用邪教组织犯罪案件具体应用法律若干问题的解释(二)》的规定,制作、传播邪教宣传品,公然侮辱他人或者捏造事实诽谤他人的,依照刑法第二百四十六条的规定,以侮辱罪或者诽谤罪定罪处罚。

侮辱罪、诽谤罪都是故意犯罪,并有侮辱、诽谤他人的目的,过失的行为不构成犯罪。侮辱罪、诽谤罪属于一般主体犯罪,任何年满十六周岁,且具有刑事责任能力的人,均可成为侮辱罪、诽谤罪的主体。关于侮辱罪、诽谤罪的刑罚,依照本款的规定,以暴力或者其他方法公然侮辱他人或者捏造事实诽谤他人,情节严重的,处三年以下有期徒刑、拘役、管制或者剥夺政治权利。

第二款是关于侮辱罪、诽谤罪属于告诉才处理的犯罪及例外情形的规定。依照本款的规定,对于侮辱罪、诽谤罪,只有被侮辱人、被诽谤人亲自向人民法院控告的,人民法院才能受理;对于被侮辱人、被诽谤人不控告的,司法机关不能主动追究侮辱、诽谤行为人的刑事责任。法律之所以将这类案件规定为告诉才处理的犯罪,主要是为了更好地保护当事人的隐私,维护其合法权益。同时,侮辱、诽谤罪作为告诉才处理的犯罪存在例外情形:一是根据本法第九十八条的规定,如果被害人受强制或者威吓而无法告诉的,人民检察院和被害人的近亲属也可以告诉;二是依照本款的规定,严重危害社会秩序和国家利益的,不适用告诉才处理的规定。需要指出的是,上述两种例外情形性质并不相同,对于被害人受强制或者威吓而无法告诉的,人民检察院和被害人近亲属的告诉,没有改变侮辱罪、诽谤罪告诉才处理的性质,只是由他人或机关代为告诉。但是对于严重危害社会秩序和国家利益的案件,根据本款规定不再适用告诉才处理的规定,而应作为公诉案件处理,由人民检察院提起公诉。这里所说的“严重危害社会秩序和国家利益”,主要是指侮辱、诽谤行为严重扰乱社会秩序的,侮辱、诽谤外交使节造成恶劣国际影响的,侮辱、诽谤行为给国家形象造成恶劣影响的,等等。

第三款是关于对通过信息网络实施侮辱、诽谤行为,人民法院可以要求公安机关提供协助的规定。随着网络的普及和发展,通过信息网络实施侮辱、诽谤犯罪的案件增多。由于法律将一般的侮辱、诽谤罪规定为告诉才处理的犯罪,根据刑事诉讼法第二百零四条、第二百零五条规定,告诉才处理的犯罪属于自诉案件,人民法院对于自诉案件进行审查后,按照下列情形分别处理:(1)犯罪事实清楚,有足够证据的案件,应当开庭审判;(2)缺乏罪证的自诉案件,如果自诉人提不出补充证据,应当说服自诉人撤回自诉,或者裁定驳回。实践中,由于网络本身的虚拟性,被害人遭受网络侮辱、诽谤行为后,很难确认行为人身份,往往无法达到自诉案件法院开庭审理的要求。为了惩治网络侮辱、诽谤行为,维护被害人权益,《刑法修正案(九)》根据实际需要和有关方面的建议,增加了本款规定。对于被害人向人民法院告诉的通过网络实施的侮辱、诽谤行为,被害人提供证据确有困难,受理被害人告诉的人民法院可以根据具体情况,要求公安机关提供协助。被害人提供证据确有困难,是指网络侮辱、诽谤事实清楚,但被害人通过正常的途径难以查明犯罪嫌疑人身份,难以收集、固定相应的犯罪证据。由于实践中的情况复杂,对此法律规定得较为原则,需要司法机关在处理具体案件过程中根据情况确定。这里的"提供协助",主要是指由公安机关查明犯罪嫌疑人的身份信息,向互联网企业调取有关犯罪证据,协助人民法院查明有关案情,等等。根据人民警察法的规定,公安机关负有预防、制止和侦查违法犯罪活动的职责,在人民法院要求公安机关提供协助的情况下,公安机关可以行使法律赋予的职权,开展相应调查工作。

实践中需要注意区分侮辱罪与强制猥亵、侮辱妇女犯罪。当行为人采用强扒妇女衣服、对女性身体进行某些猥亵、侮辱动作时,对行为人是定侮辱罪还是强制猥亵、侮辱妇女犯罪,容易发生混淆。二者的区别在于:行为人的主观目的和动机不同,侮辱罪中的侮辱妇女,行为人的目的在于败坏妇女的名誉,贬低其人格,动机多出于私愤报复、发泄不满等,与侮辱男性没有什么区别;而强制猥亵、侮辱妇女犯罪,行为人的目的在于寻求畸形的性刺激,满足其下流的心理需求。此外,侮辱罪的对象一般是针对特定的人,而强制猥亵、侮辱妇女犯罪的对象具有不特定性。

第二百四十七条　司法工作人员对犯罪嫌疑人、被告人实行刑讯逼供或者使用暴力逼取证人证言的,处三年以下有期徒刑或者拘役。致人伤残、死亡的,依照本法第二百三十四条、第二百三十二条的规定定罪从重处罚。

【释义】 本条是关于刑讯逼供罪、暴力取证罪及其处罚的规定。

刑讯逼供、暴力取证在长期的封建专制历史中大量存在。受到这种司法文化传统的影响,这种情况在个别司法人员身上也时有发生。考虑到这类行为的产生和存在与执法理念、历史文化、司法、伦理、职业道德等因素密切相关,也是造成许多冤、假、错案的重要原因。新中国成立后,我国旗帜鲜明地反对刑讯逼供、暴力取证等违反社会主义民主和法治的办案作风。但受封建残存思想以及不尊重犯罪嫌疑人、被告人的基本权利的落后意识的影响,刑讯逼供、暴力取证的行为屡禁不止。为了维护国家机关的形象,保护当事人的合法权益,1979 年刑法第一百三十六条规定了刑讯逼供罪、暴力取证罪。1997 年修订刑法时,进一步总结了司法实践对上述规定进行修改补充后纳入本法。

依照本条规定,刑讯逼供罪,是指司法工作人员对犯罪嫌疑人、被告人使用肉刑或者变相肉刑逼取口供的行为。暴力取证罪，是指司法工作人员对证人使用暴力，逼取证言的行为。刑讯逼供罪和暴力取证罪的犯罪主体都必须是司法工作人员。根据本法第九十四条的规定，司法工作人员是指有侦查、检察、审判、监管职责的工作人员。这两种犯罪都是故意犯罪，并且具有逼取犯罪嫌疑人、被告人口供或者逼取证人证言的目的。至于行为人的动机如何，逼取的口供、证人证言事后是否被证实符合事实，不影响本罪的构成。本条所规定的“犯罪嫌疑人、被告人”，根据我国刑事诉讼法的有关规定，是指在刑事诉讼中，被指控有犯罪行为而被司法机关依法追究刑事责任的人，公诉案件中在向人民法院提起公诉前称为犯罪嫌疑人，在向人民法院提起公诉后人民法院判决前称为被告人，自诉案件中，在人民法院判决前称为被告人。“使用暴力”，是指司法工作人员对证人施以肉刑、伤害、殴打等危害证人人身的行为。“证人”，是指在刑事诉讼中，知道案件情况而向司法机关作证的人。应当特别注意的是，对于不知道案件情况或者知道案件情况但拒绝作证的人，司法工作人员使用暴力逼迫提供证言的人，也属于本条规定的“证人”。“致人伤残、死亡”，是指司法工作人员在刑讯逼供和逼取证人证言过程中，故意使用肉刑、变相肉刑或者使用暴力致使犯罪嫌疑人、被告人、证人身体健康受到严重伤害、残疾或者死亡。刑讯逼供和使用暴力逼取证人证言，不仅严重侵犯了公民的人身权利，也妨害了司法机关的正常司法活动，必须依法予以严惩。依照本条的规定，司法工作人员对犯罪嫌疑人、被告人实行刑讯逼供或者使用暴力逼取证人证言的，处三年以下有期徒刑或者拘役。致人伤残、死亡的，依照本法第二百三十四条关于故意伤害罪、第二百三十二条关于故意杀人罪的规定定罪，并从重处罚。

实践中应当注意区分刑讯逼供罪、暴力取证罪与非法拘禁罪的区别：1. 二者的主体不同，刑讯逼供罪、暴力取证罪的犯罪主体必须是司法工作人员；非法拘禁罪的主体是一般主体，非司法工作人员也可成为犯罪主体。2. 刑讯逼供罪、暴力取证罪所侵害的对象只限于被指控有犯罪行为的犯罪嫌疑人、被告人和刑事诉讼中的证人；而非法拘禁罪侵害的对象则是依法享有人身自由权利的任何公民。3. 刑讯逼供罪、暴力取证罪在客观上表现为对犯罪嫌疑人、被告人使用肉刑、变相肉刑或者使用暴力逼取口供或者证人证言的行为；非法拘禁罪在客观上表现为以拘禁或者其他强制方法非法剥夺他人人身自由的行为。4. 刑讯逼供罪、暴力取证罪要求行为人具有逼取口供、证人证言的目的；而非法拘禁罪的构成则没有这一要求。

第二百四十八条　监狱、拘留所、看守所等监管机构的监管人员对被监管人进行殴打或者体罚虐待，情节严重的，处三年以下有期徒刑或者拘役；情节特

别严重的，处三年以上十年以下有期徒刑。致人伤残、死亡的，依照本法第二百三十四条、第二百三十二条的规定定罪从重处罚。

监管人员指使被监管人殴打或者体罚虐待其他被监管人的，依照前款的规定处罚。

【释义】 本条是关于虐待被监管人罪及其处罚的规定。

监狱、拘留所、看守所等监管机构是国家法律的执行机关，是国家强制力的具体体现。监管机构代表国家依法执行法定职责，如羁押人犯、改造罪犯等。同时，它们也有义务维护国家机关的形象和法律的严肃性。被监管人员，具有双重身份，既是被监管的对象，也享有公民权利，并受到法律的保护，任何非法侵犯其权利的行为都是违法的。因此，1979 年刑法第一百八十九条明确规定了虐待被监管人罪。1997 年修订刑法时，对上述规定进行了修改：一是进一步明确了监管人员的范围；二是对体罚虐待被监管人致其伤残、死亡的，明确规定按照故意伤害罪、故意杀人罪从重处罚；三是针对实践中监管人员为逃避法律责任，指使被监管人体罚虐待其他被监管人的现象，也规定按照虐待被监管人罪定罪处罚。

本条第一款是关于虐待被监管人罪及其处罚规定。根据本款的规定，虐待被监管人罪，是指监狱、拘留所、看守所等监管机构的监管人员对被监管人进行殴打或者体罚虐待，情节严重的行为。这里所规定的“监管人员”，是指在监狱、拘留所、看守所等监管机构中行使监管职责的工作人员。“体罚虐待”，是指监管人员违反监管法规规定，对被监管人实施任意殴打、捆绑、冻饿、强迫从事过度劳动、侮辱人格、滥施械具等行为。依照有关监管法规的规定，对被监管人采取某些严格的监管措施，如必要的禁闭、使用手铐或者其他械具或者强制劳动等，则不能认定为体罚虐待，不构成犯罪。“被监管人”，是指在监狱等刑罚执行场所服刑的罪犯、在看守所中被监管的犯罪嫌疑人和被告人、在拘留所中被执行行政拘留处罚的人以及其他依法被监管的人。如果体罚虐待的不是被监管的人，则不能构成本罪，对构成其他犯罪的，应依照刑法有关规定追究刑事责任。“情节严重”，主要是指经常殴打或者体罚虐待被监管人屡教不改，殴打或者体罚虐待被监管人手段恶劣，殴打或者体罚虐待被监管人造成恶劣影响，殴打或者体罚虐待被监管人造成严重后果等。“情节特别严重”，是指手段特别残忍、影响特别恶劣或者造成特别的严重后果等。“致人伤残、死亡”，是指监狱、拘留所、看守所等监管机构的监管人员殴打或者体罚虐待被监管人致使被监管人身体健康受到严重伤害、残疾或者死亡。根据《最高人民检察院关于渎职侵权犯罪案件立案标准的规定》，监狱、拘留所、看守所等监管机构的监管人员涉嫌下列情形之一的，应予立案：(1)以殴打、捆绑、违法使用械具等恶劣手段虐待被监管人的;(2)以较长时间冻、饿、晒、烤等手段虐待被监管人,严重损害其身体健康的;(3)虐待造成被监管人轻伤、重伤、死亡的;(4)虐待被监管人,情节严重,导致被监管人自杀、自残造成重伤、死亡,或者精神失常的;(5)殴打或者体罚虐待三人次以上的;(6)指使被监管人殴打、体罚虐待其他被监管人,具有上述情形之一的;(7)有其他虐待被监管人情节严重的情形。依照本款的规定,监狱、拘留所、看守所等监管机构的监管人员对被监管人进行殴打或者体罚虐待,情节严重的,处三年以下有期徒刑或者拘役;情节特别严重的,处三年以上十年以下有期徒刑;致人伤残、死亡的,依照本法第二百三十四条关于故意伤害罪、第二百三十二条关于故意杀人罪的规定定罪,并从重处罚。

本条第二款是关于监管人员指使被监管人殴打或者体罚虐待其他被监管人的犯罪的处罚规定。这里所说的"指使",是指监管人员指挥、唆使、命令被监管人殴打或者体罚虐待其他被监管人。这种情况时有发生,实际是监管人员殴打或者体罚虐待被监管人的一种规避法律的做法,不仅影响恶劣,而且会因此使一些经常殴打、体罚虐待他人的被监管人成为牢头狱霸,妨害正常的监管秩序。依照本款规定,监管人员指使被监管人殴打或者体罚虐待其他被监管人,情节严重的,处三年以下有期徒刑或者拘役;情节特别严重的,处三年以上十年以下有期徒刑;致人伤残、死亡的,依照本法第二百三十四条关于故意伤害罪、第二百三十二条关于故意杀人罪的规定定罪,并从重处罚。

第二百四十九条　煽动民族仇恨、民族歧视,情节严重的,处三年以下有期徒刑、拘役、管制或者剥夺政治权利;情节特别严重的,处三年以上十年以下有期徒刑。

【释义】 本条是关于煽动民族仇恨、民族歧视罪及其处罚的规定。

宪法第四条规定:"中华人民共和国各民族一律平等。国家保障各少数民族的合法的权利和利益,维护和发展各民族的平等、团结、互助关系。禁止对任何民族的歧视和压迫,禁止破坏民族团结和制造民族分裂的行为。"《公民权利和政治权利国际公约》第二十条规定:"任何鼓吹民族、种族或宗教仇恨的主张,构成煽动歧视、敌视或强暴者,应以法律加以禁止。"《消除一切形式种族歧视国际公约》第四条规定:"应宣告凡传播以种族优越或仇恨为根据的思想,煽动种族歧视,对任何种族或属于另一肤色或人种的人群实施强暴行为或煽动此种行为者……概为犯罪行为,依法惩处。"煽动民族仇恨,破坏民族团结严重影响到我国各民族平等、团结、互助的关系。为维护社会安定,促进民族团结,1997 年修订刑法时规定了煽动民族仇恨、民族歧视罪。对于利用民族问题,煽动分裂国家、破坏国家统一的,仍然适用危害国家安全罪的有关规定定罪处罚。

根据本条规定,煽动民族仇恨、民族歧视,情节严重的行为,构成犯罪。这里所说的“煽动”,是指以激起民族之间的仇恨、歧视为目的,公然以语言、文字等方式诱惑、鼓动群众的行为。“民族仇恨”,是指基于民族的来源、历史、风俗习惯等的不同,导致的民族间的相互敌对、仇视的状况。“民族歧视”,是指基于民族的来源、历史、风俗习惯等的不同,导致的民族间的相互排斥、限制、损害民族平等地位的状况。“情节严重的”,是指煽动手段恶劣的,如使用侮辱、造谣等手段,多次进行煽动,造成严重后果或者影响恶劣等。“情节特别严重的”,是指煽动手段特别恶劣,长期进行煽动,引起民族纠纷、冲突或者民族地区骚乱后果特别严重的或者影响特别恶劣等。关于煽动民族仇恨、民族歧视罪的刑罚,依照本条规定,情节严重的,处三年以下有期徒刑、拘役、管制或者剥夺政治权利;情节特别严重的,处三年以上十年以下有期徒刑。

第二百五十条　在出版物中刊载歧视、侮辱少数民族的内容,情节恶劣,造成严重后果的,对直接责任人员,处三年以下有期徒刑、拘役或者管制。

【释义】 本条是关于出版歧视、侮辱少数民族作品罪及其处罚的规定。

我国是多民族的国家,各族人民在长期的历史发展中形成了平等、团结、互助的民族关系。在出版物中刊载歧视、侮辱少数民族风俗习惯内容的情况,影响非常恶劣,损害了民族关系和民族感情。为了惩治这类犯罪行为,1997 年修订刑法时,增加规定了在出版物中刊载歧视、侮辱少数民族内容的犯罪行为。

根据本条规定,出版歧视、侮辱少数民族作品罪,是指在出版物中刊载歧视、侮辱少数民族的内容,情节恶劣,造成严重后果的行为。构成本罪必须具备以下几个条件:1. 必须是在出版物中刊载歧视、侮辱少数民族的内容。这里所说的“出版物”,包括报纸、期刊、图书、音像制品和电子出版物等。“刊载”,包括发表、制作、转载等。如果不是在出版物上刊载,而只是口头表达的,不构成本罪。2. 刊载的必须是歧视、侮辱少数民族的内容。这里所说的“歧视、侮辱少数民族的内容”,是指针对少数民族的来源、历史、风俗习惯等,对少数民族进行贬低、诬蔑、嘲讽、辱骂以及其他歧视、侮辱的行为。3. 必须是情节恶劣的行为。这里所说的“情节恶劣”,主要是指刊载的内容歪曲历史或者制造谣言,内容污秽恶毒以及多次刊载等。4. 必须是造成严重后果的。这里所说的“造成严重后果”,主要是造成恶劣的政治影响,引起民族骚乱、纠纷等。5. 本罪的犯罪主体是在出版物中刊载歧视、侮辱少数民族的内容的直接责任人员。这里所说的“直接责任人员”,主要包括作者、责任编辑以及其他对刊载上述内容负有直接责任的人员。需要注意的是,构成本罪的行为,一般出于民族偏见、取笑、猎奇等目的,如果是为激起民族仇恨、民族歧视的目的而进行煽动的,应当依照本法

第二百四十九条关于煽动民族仇恨、民族歧视罪的规定定罪处罚。根据本条规定，在出版物中刊载歧视、侮辱少数民族的内容，情节恶劣，造成严重后果的，对直接责任人员，处三年以下有期徒刑、拘役或者管制。

第二百五十一条　国家机关工作人员非法剥夺公民的宗教信仰自由和侵犯少数民族风俗习惯，情节严重的，处二年以下有期徒刑或者拘役。

【释义】 本条是关于非法剥夺公民宗教信仰自由罪、侵犯少数民族风俗习惯罪及其处罚的规定。

宗教信仰自由是我国公民一项重要的宪法权利，并涉及历史、民族、文化等社会问题。国家倡导宗教信仰自由，并由国家强制力保证这项权利的实施。我国是个多民族的国家，各民族都有自己独特的风俗习惯，国家尊重和保护这些风俗习惯的延续和发展。为惩治各类剥夺公民宗教信仰自由及侵犯少数民族风俗习惯的违法犯罪行为，我国1979年刑法第一百四十七条规定了非法剥夺公民宗教信仰自由罪、侵犯少数民族风俗习惯罪。1997年修订刑法时，作了一些文字修改纳入本法。

非法剥夺公民宗教信仰自由罪，是指国家机关工作人员非法剥夺公民的宗教信仰自由，情节严重的行为；侵犯少数民族风俗习惯罪，是指国家机关工作人员以强制手段非法干涉、破坏少数民族的风俗习惯，情节严重的行为。本条规定的非法剥夺公民宗教信仰自由罪和侵犯少数民族风俗习惯罪的犯罪主体都只能是国家机关工作人员。国家机关工作人员在执行国家宗教政策和少数民族政策中处于很重要的地位，有的则专门从事宗教、民族事务工作，一旦对宗教信仰自由或者少数民族风俗习惯进行干涉、破坏，危害后果往往非常严重，造成的影响也更坏，因此本条将犯罪主体限定为国家机关工作人员。非国家机关工作人员实施非法剥夺公民宗教信仰自由或者侵犯少数民族风俗习惯的行为的，不构成上述犯罪；如果其行为触犯了刑法其他条文的，可按刑法的有关规定定罪处罚。本条规定的“非法剥夺公民的宗教信仰自由”，是指采用强制等方法剥夺他人的宗教信仰自由，如非法干涉他人的合法宗教活动，强迫教徒退教或者改变信仰，强迫公民信教或者信某一教派，以及非法封闭或者捣毁合法宗教场所、设施等。关于“宗教信仰自由”，我国宪法第三十六条明确规定：“中华人民共和国公民有宗教信仰自由。任何国家机关、社会团体和个人不得强制公民信仰宗教或者不信仰宗教，不得歧视信仰宗教的公民和不信仰宗教的公民。国家保护正常的宗教活动。”应当注意的是，宗教信仰自由，必须在不违反国家的法律，不危害国家利益和各民族团结的前提下进行宗教信仰活动。利用宗教信仰从事违法犯罪活动的行为，不属于宗教信仰自由的范围。本条所规定的“少数民族风俗习惯”，是指我国各少数民族在长期的历史过程中形成的有本民族特色的风俗民情、伦理道德等。除了那些与社会主义公共道德相违背和与我国法律相抵触的陈规陋习要摒弃外，根据宪法等法律规定，各少数民族有保持或者改革自己的风俗习惯的自由。因此，对于少数民族的风俗习惯应当尊重，对于侵犯少数民族风俗习惯，情节严重的行为，应当依法予以惩处。根据本条的规定，构成非法剥夺公民宗教信仰自由罪、侵犯少数民族风俗习惯罪的都必须是情节严重的行为。这里所说的“情节严重”，主要是指非法剥夺公民宗教信仰自由和侵犯少数民族风俗习惯的行为手段恶劣，后果严重，或者政治影响很坏等。依照本条的规定，国家机关工作人员犯非法剥夺公民宗教信仰自由罪、侵犯少数民族风俗习惯罪的，处二年以下有期徒刑或者拘役。

第二百五十二条　隐匿、毁弃或者非法开拆他人信件，侵犯公民通信自由权利，情节严重的，处一年以下有期徒刑或者拘役。

【释义】 本条是关于侵犯通信自由罪及其处罚的规定。

通信自由是宪法保护的公民基本权利之一，除依照法律规定由专门机关享有通信检查权外，其他任何单位和个人都无权检查公民的通信。为保障公民的通信自由，1979 年刑法第一百四十九规定了侵犯通信自由罪。1997 年修订刑法时，将该规定纳入本法。

根据本条的规定，侵犯通信自由罪，是指隐匿、毁弃或者非法开拆他人信件，侵犯公民通信自由权利，情节严重的行为。这里所规定的“隐匿”他人信件，是指将他人投寄的信件秘密隐藏起来，使收件人无法查收的行为；“毁弃”他人信件，是指将他人投寄的信件予以撕毁、烧毁、扔弃等，致使他人无法查收的行为；“非法开拆”，是指违反国家有关规定，未经投寄人或者收件人同意，私自开拆他人信件的行为。这里所说的“公民通信自由权利”，是指我国宪法和法律所赋予公民的通信自由不受侵犯的权利。我国宪法第四十条明确规定：“中华人民共和国公民的通信自由和通信秘密受法律的保护。”因此，在我国，除公安机关、检察机关或者国家安全机关出于国家安全和追查犯罪分子的需要，严格按照法律规定的程序可以对公民的通信进行检查外，任何机关、团体、单位和个人都不得侵犯公民的通信自由和通信秘密。对于侵犯公民通信自由权利情节严重的行为，应当依法予以惩处。根据本条的规定，构成侵犯通信自由罪的行为必须是情节严重的行为。这里所说的“情节严重”，主要是指多次、经常隐匿、毁弃、非法开拆他人信件或者隐匿、毁弃、非法开拆他人信件数量较多或者造成严重后果等。本罪是故意犯罪，如因过失而遗失、损毁、误拆他人信件的，不构成犯罪。关于侵犯公民通信自由的犯罪的刑罚，依照本条的规定，隐匿、毁弃或者非法开拆他人信件,侵犯公民通信自由权利,情节严重的,处一年以下有期徒刑或者拘役。

第二百五十三条　邮政工作人员私自开拆或者隐匿、毁弃邮件、电报的,处二年以下有期徒刑或者拘役。

犯前款罪而窃取财物的,依照本法第二百六十四条的规定定罪从重处罚。

【释义】 本条是关于私自开拆、隐匿、毁弃邮件、电报罪及其处罚的规定。

第一款是关于私自开拆、隐匿、毁弃邮件、电报罪及其处罚的规定。依照本款规定,私自开拆、隐匿、毁弃邮件、电报罪,是指邮政工作人员利用职务上的便利,私自开拆或者隐匿、毁弃邮件、电报的行为。本条所规定的"邮政工作人员",是指邮政企业的营业员、分拣员、投递员、押运员以及其他从事邮政工作的人员。本罪的主体只能是邮政工作人员,而且私自开拆、隐匿、毁弃邮件、电报的行为必须是利用职务之便实施的。如果隐匿、毁弃或者非法开拆他人信件、电报的行为人不是邮政工作人员或者邮政工作人员不是利用职务之便而实施上述行为的,不构成本罪,情节严重的,构成本法第二百五十二条规定的侵犯通信自由罪。本条规定了三种妨害邮政通讯的行为:"私自开拆",是指违反国家规定,未经投寄人或者收件人同意,在邮途中非法开拆他人邮件、电报的行为。"隐匿",是指将他人投寄的邮件、电报予以截留藏匿而不递交给收件人的行为。"毁弃",是指将他人投寄的邮件、电报予以撕毁、烧毁、抛弃等,致使他人无法查收的行为。私自开拆、隐匿、毁弃邮件、电报是妨害邮政通讯的三种具体行为,只要邮政工作人员故意施行上述三种行为之一,就可构成本罪。邮政工作人员依法检查邮件的行为,属于正当的职务行为,不构成犯罪。这里所说的"邮件",是指通过邮政企业递寄的信件、印刷品、包裹、汇票、报刊等;"电报",包括明码、密码电报等。本款规定在执行中需要注意的是,私自开拆、隐匿、毁弃邮件、电报罪只能是故意犯罪,可能出于各种各样的动机,如报复、图财、逃避工作等。因过失而遗失、毁坏邮件、电报的,不构成本罪。依照本款规定,邮政工作人员犯私自开拆、隐匿、毁弃邮件、电报罪的,处二年以下有期徒刑或者拘役。

第二款是对邮政工作人员私自开拆或者隐匿、毁弃邮件、电报而窃取财物的依照本法关于盗窃罪的规定定罪从重处罚的规定。这里所规定的"窃取财物",是指邮政工作人员在私自开拆或者隐匿、毁弃邮件的同时,从邮件中窃取财物的行为。这种行为既妨害了邮政通讯,又侵犯了他人的合法财产。依照本款规定,邮政工作人员私自开拆或者隐匿、毁弃邮件、电报同时窃取财物的,构成盗窃罪,应依照本法第二百六十四条关于盗窃罪的规定从重处罚。

第二百五十三条之一*　违反国家有关规定，向他人出售或者提供公民个人信息，情节严重的，处三年以下有期徒刑或者拘役，并处或者单处罚金；情节特别严重的，处三年以上七年以下有期徒刑，并处罚金。

违反国家有关规定，将在履行职责或者提供服务过程中获得的公民个人信息，出售或者提供给他人的，依照前款的规定从重处罚。

窃取或者以其他方法非法获取公民个人信息的，依照第一款的规定处罚。

单位犯前三款罪的，对单位判处罚金，并对其直接负责的主管人员和其他直接责任人员，依照各该款的规定处罚。

【释义】　本条是关于违规出售、提供公民个人信息犯罪和窃取、以其他方法非法获取公民个人信息犯罪及其处罚的规定。

本条是2009年《刑法修正案（七）》增加的条款，2015年8月《刑法修正案（九）》对本条作了修改，主要是：1. 增加一款作为第一款，规定一般主体违规向他人出售、非法提供公民个人信息的犯罪。2. 将原第一款改作第二款，扩大犯罪主体的范围，将"违反国家规定"修改为"违反国家有关规定"，同时规定了从重处罚的原则。3. 将原第二款移作第三款。4. 将原第三款移作第四款。近年来，出售、非法提供和非法获取公民个人信息的犯罪出现了一些新情况。随着信息网络的进一步普及和发展，侵害公民个人信息的违法犯罪愈发突出，通过网络出售、非法提供和非法获取公民个人信息的行为增多。这类违法犯罪使公民权利遭受侵害，社会管理难度升级，同时容易引发其他严重的犯罪行为，加大对这些行为的惩处力度已经成为社会的一致要求与共识。有关方面提出，根据《刑法修正案（七）》的规定，只能打击金融、电信等单位工作人员出售、非法提供公民个人信息的犯罪行为，而对于一般主体违背公民个人意愿，出售、非法提供其个人信息的，难以依法惩治。还有意见提出，倒卖公民个人信息犯罪是网络犯罪的上游环节，现有规定无法打击倒卖行为。为了进一步加强对公民个人信息的保护，《刑法修正案（九）》根据实践需要和有关方面的意见对本条作了

---

* 本条经全国人民代表大会常务委员会增加，并修改一次。

根据2009年2月28日第十一届全国人民代表大会常务委员会第七次会议通过的《中华人民共和国刑法修正案（七）》增加。

根据2015年8月29日第十二届全国人民代表大会常务委员会第十六次会议通过的《中华人民共和国刑法修正案（九）》修改。原条文是："国家机关或者金融、电信、交通、教育、医疗等单位的工作人员，违反国家规定，将本单位在履行职责或者提供服务过程中获得的公民个人信息，出售或者非法提供给他人，情节严重的，处三年以下有期徒刑或者拘役，并处或者单处罚金。

"窃取或者以其他方法非法获取上述信息，情节严重的，依照前款的规定处罚。

"单位犯前两款罪的，对单位判处罚金，并对其直接负责的主管人员和其他直接责任人员，依照各该款的规定处罚。"

修改。

第一款是关于违规向他人出售或者非法提供公民个人信息的犯罪和处罚的规定。这是《刑法修正案(九)》新增加的规定,主要是为了惩治违背公民个人意愿,出售、非法提供其个人信息和倒卖公民个人信息行为。原刑法第二百五十三条第一款规定了国家机关、金融等单位的工作人员违规出售、提供公民个人信息犯罪,属于特殊主体的犯罪,本款将犯罪主体扩大至一般主体,即任何年满十六周岁的人,违反国家有关规定,向他人出售或者非法提供公民个人信息的行为,不论来源如何,只要符合本款规定的,都可以定罪处罚予以惩治。本款规定犯罪的客体是公民对个人信息享有的权利。这里规定的"公民个人信息",主要是指公民的姓名、住址、身份证号、电话号码、银行帐号、银行卡号和财产状况等能够识别公民个人身份情况的信息。本款规定犯罪的主观方面是故意,即违反国家有关规定,故意出售和非法提供公民个人信息。这里的"违反国家有关规定"是指违反了有关法律、行政法规、规章等国家层面涉及公民个人信息管理方面的规定,如反洗钱法第五条规定:"对依法履行反洗钱职责或者义务获得的客户身份资料和交易信息,应当予以保密;非依法律规定,不得向任何单位和个人提供。反洗钱行政主管部门和其他依法负有反洗钱监督管理职责的部门、机构履行反洗钱职责获得的客户身份资料和交易信息,只能用于反洗钱行政调查。司法机关依照本法获得的客户身份资料和交易信息,只能用于反洗钱刑事诉讼。"此外,商业银行法、居民身份证法、护照法、消费者权益保护法、旅游法、社会保险法、统计法等法律也都有关于公民个人信息保护的规定。本款规定犯罪的客观方面,表现为向他人出售和非法提供公民个人信息,情节严重的行为。这里的"出售",是指将自己掌握的公民信息卖给他人,自己从中牟利的行为。"非法提供",是指违反国家有关规定,将自己掌握的公民信息提供给他人的行为,如现实生活中公民安装网络宽带,需将个人的身份证号提供给电信部门,电信部门只能以安装网络宽带的目的使用公民个人身份号码,如果电信部门的工作人员违反国家有关规定,将公民的身份证号提供给他人的,则属于非法提供。这里的"他人",包括单位和个人。根据本款规定,向他人出售和非法提供公民个人信息达到情节严重的程度,是构成本罪的条件,尚未达到情节严重的,可依据法律、法规有关规定予以行政处罚。"情节严重",一般是指大量出售公民个人信息的,多次出售公民个人信息的,出售公民个人信息获利数额较大的,以及公民个人信息被他人使用后,给公民造成了经济上的重大损失或者严重影响到公民个人的正常生活等情况,具体情节的认定,应当由司法机关依法根据案件的具体情况认定。最高人民法院也可根据实际情况作出适用法律的解释。根据本款规定,对于情节严重构成犯罪的,处三年以下有期徒刑或者拘役,并处或者单处罚金;情节特别严重的,处三年以上七年以下有期徒刑,并处罚金。

第二款是关于对在履行职责或者提供服务过程中获得的公民个人信息,出售或者提供给他人,情节严重的从重处罚的规定。本款是原刑法第二百五十三条第一款的规定,《刑法修正案(九)》对本款作了修改:一是删去"国家机关或者金融、电信、交通、教育、医疗等单位的工作人员"和"将本单位在履行职责或者提供服务过程中获得的"中的"本单位",扩大了犯罪主体的范围,即所有在履行职责或者提供服务过程中可以收集、获得公民个人信息的单位和个人,如果违反规定出售或提供给他人,都可以适用本条规定追究刑事责任;二是将"违反国家规定"修改为"违反国家有关规定",扩大了构成犯罪的范围,与"国家规定"相比,"国家有关规定"的范围更宽,包括法律、行政法规、规章等国家层面的涉及公民个人信息保护的规定,有利于根据不同行业、领域的特点有针对性地保护公民个人信息;三是加重了对本款犯罪的处罚,由于本款犯罪"依照前款规定从重处罚",实施本款犯罪行为,情节严重的,处三年以下有期徒刑或者拘役,并处或者单处罚金,情节特别严重的,处三年以上七年以下有期徒刑,并处罚金。与刑法原条文规定的刑罚相比,法定刑由最高可以判处三年有期徒刑,提高至最高可以判处七年有期徒刑。

实践中,在政府行政管理以及金融、电信、交通、医疗、物业管理、宾馆住宿服务、快递等社会公共服务领域,收集和储存了大量的公民个人信息。这些信息为提高行政管理和各项公共服务的质量和效率提供了便利。同时,一些组织或个人,违反职业道德和保密义务,将公民个人的信息资料出售或泄露给他人,获取非法利益。这些侵害公民合法权益的现象时有发生,甚至个人信息被一些犯罪分子用于诈骗犯罪活动,对公民的人身、财产安全、个人隐私以及正常的工作、生活构成严重威胁。与普通的向他人出售或者提供公民个人信息犯罪行为相比,出售或提供履职、提供服务过程中获得的公民个人信息的行为容易引发大范围的信息泄露,具有更大的社会危害性,而且违反了职业操守,应当从严打击,从重惩处,因此,《刑法修正案(九)》规定对这种行为依照第一款的规定从重处罚。应当注意的是,本款中的信息必须是单位在履行职责或者提供服务过程中获得的信息,也就是说利用公权力或者在提供公共服务过程中依法获得的信息,如购买飞机票必须提供本人的身份证号码,在银行等金融机构办理金融业务时,必须提供个人的身份证号码等情况。

第三款是关于非法获取公民个人信息的犯罪和处罚的规定。本款是原刑法第二百五十三条第二款的规定,《刑法修正案(九)》将本款移作第三款,同时将“上述信息”修改为“公民个人信息”，明确范围，避免产生歧义。根据本款规定，窃取或者以其他方法非法获取上述信息，情节严重的，构成非法获取公民个人信息罪，应当依照第一款的规定，情节严重的，处三年以下有期徒刑或者拘役，并处或者单处罚金；情节特别严重的，处三年以上七年以下有期徒刑，并处罚金。这里的“窃取”，是指采用秘密的方法或不为人知的方法取得公民个人信息的行为，如在 ATM 机旁用望远镜偷看或用摄像机偷拍他人银行卡密码、卡号或身份证号，或通过网络技术手段获得他人的个人信息等情况。“以其他方法非法获取”，是指通过购买、欺骗等方式非法获取公民个人信息的行为。应当注意的是，本款规定的非法获取公民个人信息的行为，需达到情节严重的程度，才能构成非法获取公民个人信息的犯罪。这里的“情节严重”，一般是指非法获取公民个人信息的手段恶劣，获取了公民个人大量的信息，多次窃取或非法获取公民个人信息后又出售给他人牟利等情节。

第四款是关于单位犯罪的处罚规定。本款规定的犯罪主体，是公司、企业、事业单位、机关、团体等单位。根据本款规定，单位有出售或者非法提供公民个人信息和非法获取公民个人信息的行为，构成犯罪的，对单位判处罚金，并对单位直接负责的主管人员和其他直接责任人员，分别依照前三款的规定处罚。本款对单位犯罪规定了双重处罚原则，即对单位判处罚金，罚金的具体数额法律未作规定，可由司法机关根据犯罪情节决定。在对单位判处罚金的同时，对单位直接负责的主管人员和其他直接责任人员，分别按照前三款关于自然人的犯罪处罚。

实践中需要注意，除本条规定外，刑法和其他法律法规还有一些规定可能涉及侵犯公民个人信息的行为。如刑法第二百五十二条规定的隐匿、毁弃或者非法开拆他人信件，侵犯公民通信自由权利犯罪；刑法第二百五十三条规定的邮政工作人员私自开拆或者隐匿、毁弃邮件、电报犯罪；刑法第一百七十七条之一规定的窃取、收买或者非法提供他人信用卡信息资料的犯罪；刑法第二百八十四条规定的非法使用窃听、窃照专用器材的犯罪等。如果行为人为非法获取公民个人信息而采用了侵犯公民通信自由权利、通信秘密，非法使用窃听、窃照专用器材的手段或者是在实施上述犯罪的过程中同时窃取、获取了公民个人信息的，则可能同时构成本条规定的犯罪和其他罪名，应当根据案件的具体情况从一重罪处罚或者是数罪并罚。

第二百五十四条　国家机关工作人员滥用职权、假公济私，对控告人、申诉人、批评人、举报人实行报复陷害的，处二年以下有期徒刑或者拘役；情节严重的，处二年以上七年以下有期徒刑。

【释义】 本条是关于报复陷害罪及其处罚的规定。

依照本条规定,报复陷害罪,是指国家机关工作人员滥用职权、假公济私,对控告人、申诉人、批评人、举报人实行报复陷害的行为。本罪的犯罪主体是国家机关工作人员,非国家机关工作人员实施报复行为的,不构成本罪,应按其报复陷害的行为及后果等作其他处理。这里所规定的"滥用职权",是指国家机关工作人员违背职责而行使职权。"假公济私",是指国家机关工作人员以工作为名,为徇私情或者实现个人目的而利用职务上的便利。"报复陷害",主要是指利用手中的权力,以种种借口进行政治上或者经济上的迫害,如降职、降级、调离岗位、经济处罚、开除公职、捏造事实诬陷其经济、生活作风上有问题等。报复陷害的行为,必须采取滥用职权或者假公济私的方法。如果行为人进行报复陷害与滥用职权、假公济私没有联系,则不构成本罪。根据本条规定,报复陷害的对象只能是控告人、申诉人、批评人和举报人。这里所规定的"控告人",是指由于受到侵害而向司法机关或者其他机关、团体、单位告发他人违法犯罪或者违纪违章活动的人。"申诉人",是指对司法机关已经发生法律效力的判决、裁定或者决定不服,对国家行政机关处罚的决定不服或者对其他纪律处分的决定不服而提出申诉意见的人。"批评人",是指对他人包括国家机关的错误做法提出批评意见的人。"举报人",是指向司法机关检举、揭发犯罪嫌疑人的犯罪事实或者犯罪嫌疑人线索的人。构成本罪必须是报复陷害情节严重的行为。这里所说的"情节严重",主要是指多次或者对多人进行报复陷害的,报复陷害手段恶劣的,报复陷害造成严重后果的,等等。根据我国宪法和有关法律的规定,控告权、申诉权、批评建议权以及举报权是公民的重要民主权利。因此,对控告人、申诉人、批评人、举报人进行报复陷害,就是对公民民主权利的严重侵害,应当依法予以惩处。根据有关司法解释,国家机关工作人员滥用职权、假公济私,对控告人、举报人、申诉人、批评人、举报人实行报复陷害,有下列情形之一的,应当立案追究其刑事责任:(1)报复陷害,情形严重,导致控告人、申诉人、批评人、举报人或者其近亲属自杀、自残,造成重伤、死亡,或者精神失常的;(2)致使控告人、申诉人、批评人、举报人或者其近亲属的其他合法权利受到严重损害的;(3)其他报复陷害应予追究刑事责任的情形。依照本条的规定,国家机关工作人员滥用职权、假公济私,对控告人、申诉人、批评人、举报人实行报复陷害的,处二年以下有期徒刑或者拘役;情节严重的,处二年以上七年以下有期徒刑。

实践中应当注意的是,如果国家机关工作人员采取捏造犯罪事实的方法诬告陷害他人,意图使他人受刑事追究的,无论其是否滥用职权、假公济私,都应以诬告陷害罪论处,而不以本罪论处。

第二百五十五条　公司、企业、事业单位、机关、团体的领导人，对依法履行职责、抵制违反会计法、统计法行为的会计、统计人员实行打击报复，情节恶劣的，处三年以下有期徒刑或者拘役。

【释义】 本条是关于打击报复会计、统计人员罪及其处罚的规定。

打击报复会计、统计人员罪，是指公司、企业、事业单位、机关、团体的领导人，对依法履行职责、抵制违反会计法、统计法行为的会计、统计人员实行打击报复，情节恶劣的行为。本罪的犯罪主体是公司、企业、事业单位、机关、团体的领导人，上述人员以外的其他人对会计、统计人员实施报复行为的，不构成本罪，应按其报复的行为及后果等作其他处理。本罪的犯罪对象是依法履行职责、抵制违反会计法、统计法行为的会计、统计人员。根据我国会计法的有关规定，各单位根据会计业务的需要设置会计机构，或者在有关机构中设置会计人员并指定会计主管人员。会计机构、会计人员的主要职责是进行会计核算、会计监督等会计事务。这里所规定的“违反会计法”的行为，主要是指伪造、变造、隐匿、故意毁灭会计凭证、会计账簿、会计报表和其他会计资料的，利用虚假的会计凭证、会计账簿、会计报表和其他会计资料偷税或者损害国家利益、社会公众利益的，对不真实、不合法的原始凭证予以受理的，对违法的收支不提出书面意见或者不报告的等。根据我国统计法的有关规定，各级人民政府设立独立的统计机构或者统计员；各级人民政府的各部门、企业、事业组织根据统计任务的需要设立统计机构或者在有关机构中设置统计人员，并指定统计负责人。统计的基本职责是对国民经济和社会发展情况进行统计调查、统计分析，提供统计资料和统计咨询意见，实行统计监督。这里所规定的“违反统计法”的行为，主要是指虚报、瞒报统计资料，伪造、篡改统计资料，编造虚假数据等。这里所说的“打击报复”，主要是对依法履行职责、抵制违反会计法、统计法行为的会计、统计人员，通过调动其工作、撤换其职务、进行处罚以及其他方法进行打击报复的行为。根据本条规定，打击报复会计、统计人员的行为必须是情节恶劣的，才构成犯罪。这里所说的“情节恶劣”，主要是指多次或者对多人进行打击报复，打击报复手段恶劣，打击报复造成严重后果，打击报复影响恶劣，等等。根据本条规定，公司、企业、事业单位、机关、团体的领导人，对依法履行职责、抵制违反会计法、统计法行为的会计、统计人员实行打击报复，情节恶劣的，处三年以下有期徒刑或者拘役。

第二百五十六条　在选举各级人民代表大会代表和国家机关领导人员时，以暴力、威胁、欺骗、贿赂、伪造选举文件、虚报选举票数等手段破坏选举或者妨

害选民和代表自由行使选举权和被选举权，情节严重的，处三年以下有期徒刑、拘役或者剥夺政治权利。

【释义】 本条是关于破坏选举罪及其处罚的规定。

破坏选举罪，是指在选举各级人民代表大会代表和国家机关领导人员时，以暴力、威胁、欺骗、贿赂、伪造选举文件、虚报选举票数等手段破坏选举或者妨害选民和代表自由行使选举权和被选举权，情节严重的行为。依照本条规定，构成破坏选举罪必须具备以下几个条件：

1. 破坏的选举活动必须是选举各级人民代表大会代表和国家机关领导人员的选举活动。这里所说的“选举各级人民代表大会代表和国家机关领导人员”，是指依照全国人民代表大会和地方各级人民代表大会选举法、《关于县级以下人民代表大会代表直接选举的若干规定》、全国人民代表大会组织法、地方各级人民代表大会和地方各级人民政府组织法等有关法律，选举各级人民代表大会代表和国家机关领导人员的选举活动，包括选民登记、提出候选人、投票选举、补选、罢免等整个选举活动。

2. 破坏选举必须是以暴力、威胁、欺骗、贿赂、伪造选举文件、虚报选举票数等手段进行的。这里所说的“暴力”，是指对选民、各级人民代表大会代表、候选人、选举工作人员等进行人身打击或者实行强制，如殴打、捆绑等，也包括以暴力故意捣乱选举场所，使选举工作无法进行等情况。“威胁”，是指以杀害、伤害、毁坏财产、破坏名誉等手段进行要挟，迫使选民、各级人民代表大会代表、候选人、选举工作人员等不能自由行使选举权和被选举权或者在选举工作中不能正常履行组织和管理的职责。“欺骗”，是指捏造事实、颠倒是非，并加以散播、宣传，以虚假的事实扰乱正常的选举活动，影响选民、各级人民代表大会代表、候选人自由地行使选举权和被选举权。应当注意的是，这里所说的“欺骗”，必须是编造严重不符合事实的情况，或者捏造对选举有重大影响的情况等。对于在选举活动中介绍候选人或者候选人在介绍自己情况时对一些不是很重要的事实有所夸大或者隐瞒，不致影响正常选举的行为，不能认定为以欺骗手段破坏选举。“贿赂”，是指用金钱或者其他物质利益收买选民、各级人民代表大会代表、候选人、选举工作人员违反自己的真实意愿参加选举或者在选举工作中进行舞弊活动。“伪造选举文件”，是指采用伪造选民证、选票等选举文件的方法破坏选举。“虚报选举票数”，是指选举工作人员对于统计出来的选票数、赞成票数、反对票数等选举票数进行虚报、假报的行为，既包括多报，也包括少报。对于上述列举的破坏选举的手段，行为人具体采用哪种，不影响本罪的构成。只要行为人在选举各级人民代表大会代表和国家机关领导人员时，采用了上述手段之一，破坏了选举或者妨害了选民和代表自由行使选举权和被选举权，情节严重的,就构成了本条所规定的犯罪。

3. 构成破坏选举罪必须是足以造成破坏选举或者妨害选民和代表自由行使选举权和被选举权的后果的行为。这里所说的“破坏选举”,是指破坏选举工作的正常进行。妨害选民行使选举权和被选举权,是指非法阻止选民参加登记或者投票,或者迫使、诱骗选民违背自己的意志进行投票,以及使选民放弃自己的被选举权等。破坏选举的正常进行和妨害选民自由行使选举权和被选举权,是破坏选举罪的两个主要表现形式。造成其中一种后果的,就构成本罪。

4. 构成破坏选举罪必须是情节严重的行为。这里所说的“情节严重”,主要是指破坏选举手段恶劣、后果严重或者造成恶劣影响等。

依照本条的规定,在选举各级人民代表大会代表和国家机关领导人员时,以暴力、威胁、欺骗、贿赂、伪造选举文件、虚报选举票数等手段破坏选举或者妨害选民和代表自由行使选举权和被选举权,情节严重的,处三年以下有期徒刑、拘役或者剥夺政治权利。

第二百五十七条 以暴力干涉他人婚姻自由的,处二年以下有期徒刑或者拘役。

犯前款罪,致使被害人死亡的,处二年以上七年以下有期徒刑。

第一款罪,告诉的才处理。

【释义】 本条是关于暴力干涉婚姻自由罪及其处罚的规定。

婚姻自由,是我国公民享有的一项重要的权利,包括结婚自由和离婚自由。我国婚姻法明确规定,实行婚姻自由、一夫一妻、男女平等的婚姻制度。公民有权依照法律和自己的意愿决定结婚和离婚,任何人都不得横加干涉和强制。根据本条的规定,暴力干涉婚姻自由罪,是指以暴力手段干涉他人行使婚姻自由权利的行为。这里所规定的“暴力”,是指使用捆绑、吊打、禁闭、强抢等手段,使被干涉者不能行使婚姻自由的权利。“暴力干涉”是构成本罪的主要特征,没有使用暴力的,不构成本罪;如果行为人采取的暴力行为,不足以干涉被害人行使婚姻自由权利的,也不构成本罪。依照本条第一款的规定,以暴力干涉他人婚姻自由,未造成被害人死亡的,处二年以下有期徒刑或者拘役。

关于犯暴力干涉婚姻自由罪致使被害人死亡的应如何处罚,本条第二款作了规定。这里所说的“致使被害人死亡”,主要是指行为人使用暴力干涉他人婚姻自由的犯罪行为致使被害人自杀身亡等。对于以暴力干涉他人婚姻自由,致使被害人死亡的,依照本款规定,处二年以上七年以下有期徒刑。

本条第三款是关于暴力干涉他人婚姻自由未致使被害人死亡的,属于告诉才处理的犯罪的规定。依照本款的规定,对于犯暴力干涉婚姻自由罪,在没有致使被害人死亡的情况下，只有被害人向司法机关提出控告的才处理，对于被害人不控告的，司法机关不能主动受理，追究行为人的刑事责任。但如果被害人受强制或者威吓而无法告诉的，人民检察院和被害人的近亲属也可以告诉。

实践中应当注意以下问题：1. 本条第二款规定的致使被害人死亡的干涉婚姻自由的行为，行为人必须使用了暴力，如果干涉人未使用暴力，而是由于被害人自己心胸狭窄而轻生自杀或因为其他原因自杀的，不应追究行为人的刑事责任。2. 对行为人在暴力干涉婚姻自由过程中实施的故意伤害或杀害行为，应当按故意伤害罪或者故意杀人罪追究刑事责任。

第二百五十八条　有配偶而重婚的，或者明知他人有配偶而与之结婚的，处二年以下有期徒刑或者拘役。

【释义】　本条是关于重婚罪及其处罚的规定。

我国婚姻法明确规定，实行婚姻自由、一夫一妻、男女平等的婚姻制度。重婚罪是对一夫一妻婚姻制度的严重破坏。根据本条的规定，重婚罪是指有配偶而重婚，或者明知他人有配偶而与之结婚的行为。本条规定了两种重婚行为：一种是“有配偶而重婚”，是指已经结婚的人，在婚姻关系存续期间，又与他人结婚。另一种是“明知他人有配偶而与之结婚”，是指本人明知他人有配偶而仍然与之结婚。这里规定的“明知”是本罪的罪与非罪的重要界限，如果行为人是蒙受欺骗，不知道对方已有配偶而与之结婚的，则不构成本罪。本条所规定的“结婚”，既包括骗取合法手续登记结婚，又包括虽未登记结婚，但以夫妻名义共同生活。只要是有配偶而又结婚，或者是明知他人有配偶而与之结婚的，无论是骗取合法手续登记结婚，还是未登记结婚，但以夫妻名义共同生活的，都构成重婚罪。依照本条规定，对犯重婚罪的，处二年以下有期徒刑或者拘役。

第二百五十九条　明知是现役军人的配偶而与之同居或者结婚的，处三年以下有期徒刑或者拘役。

利用职权、从属关系，以胁迫手段奸淫现役军人的妻子的，依照本法第二百三十六条的规定定罪处罚。

【释义】　本条是关于破坏军婚罪及其处罚的规定。

根据本条的规定，破坏军婚罪，是指明知是现役军人的配偶而与之同居或者结婚的行为。本条所规定的“明知”，是指本罪是直接故意犯罪，行为人在确切知道对方是现役军人的配偶的情况下，仍然与之同居或者结婚，才构成犯罪。如果行为人不知道对方是现役军人的配偶甚至受欺骗而与现役军人的配偶同居或者结婚的，不构成犯罪。“现役军人”，是指中国人民解放军或者人民武装警察部队的现役军官、文职干部、士兵及具有军籍的学员。在军事部门或者人民武装警察部队中工作，但没有取得军籍的人员，以及复员退伍军人、转业军人、残废军人等，都不属于现役军人。“现役军人的配偶”，是指依法与现役军人存续婚姻关系的妻子或者丈夫。依据本条规定，破坏军人婚姻的行为有两种方式：一种是与现役军人的配偶同居，这里所说的“同居”，是指虽没有办理结婚登记手续，但以夫妻名义共同生活，或者在较长时间内共同生活。另一种是与现役军人的配偶结婚。这里所说的“结婚”，是指骗取合法手续登记结婚。对于破坏军人婚姻的犯罪，依照本条规定，明知是现役军人的配偶而与之同居或者结婚的，处三年以下有期徒刑或者拘役。

第二款是关于利用职权、从属关系，以胁迫手段奸淫现役军人的妻子的，依照本法关于强奸罪的规定定罪处罚的规定。构成本款规定的犯罪必须具备以下三个条件：1. 必须利用职权、从属关系，如司法工作人员利用其掌握的国家权力，企业领导利用其负责人事调动、工资分配的权力等。2. 必须使用胁迫手段。这里所说的“胁迫”，是指犯罪分子对现役军人的妻子施以威胁、恫吓，迫使现役军人的妻子就范，不敢抗拒的手段。例如，以辞退、开除、经济处罚相威胁，以揭发现役军人的妻子的隐私相威胁，利用现役军人的妻子孤立无援的环境相胁迫等，使其同意与自己发生性关系的行为。3. 奸淫的对象只能是现役军人的妻子。依照本款的规定，利用职权、从属关系，以胁迫手段奸淫现役军人的妻子的，构成强奸罪，依照本法第二百三十六条关于强奸罪的规定定罪处罚。

第二百六十条*　虐待家庭成员，情节恶劣的，处二年以下有期徒刑、拘役或者管制。

犯前款罪，致使被害人重伤、死亡的，处二年以上七年以下有期徒刑。

第一款罪，告诉的才处理，但被害人没有能力告诉，或者因受到强制、威吓无法告诉的除外。

【释义】　本条是关于虐待罪及其处罚的规定。

家庭是社会的细胞，平等、友爱、和睦的家庭关系是构建和谐社会的基础。家庭成员之间尊老爱幼，相互扶助是中华民族的传统美德，新中国成立以后，注意扫除封建残余思想，尤其是倡导人人平等的家庭关系。对此，我国宪法、婚姻法、继承法等一系列法律从公民权利、婚姻、财产权等方面在制度上加以规定和保障。但在实际生活中，也确实存在虐待家庭成员的行为，有的甚至手段恶劣，

---

* 第三款根据 2015 年 8 月 29 日第十二届全国人民代表大会常务委员会第十六次会议通过的《中华人民共和国刑法修正案（九）》修改。原第三款条文是：“第一款罪，告诉的才处理。”

造成严重后果,受害人也多为妇女、儿童、老人等弱势群体。为惩治这类行为,保护公民权利,维护家庭关系,1997年刑法规定了虐待罪,同时考虑到虐待行为发生在家庭内部,虐待行为的发生有其复杂的因素,刑法将一般的虐待行为规定为告诉才处理的犯罪,将启动刑事追诉的权利赋予受害家庭成员。这样有利于通过积极的调解予以解决,也有利于化解家庭矛盾,维系正常的家庭关系。在刑法修改完善过程中,针对实践中发生的重病老人、儿童等被虐待者没有能力告诉或因受到强制、威吓无法告诉的情况,经广泛征求意见达成共识,为加强对弱势群体的保护,《刑法修正案(九)》对本条第三款的规定进行了修改,规定被害人没有能力告诉,或者因受到强制、威吓无法告诉的也按照公诉案件处理,即由国家主动介入追究虐待者的刑事责任。

本条第一款是关于虐待罪及其处罚的规定。根据本款的规定,虐待罪是指虐待家庭成员,情节恶劣的行为。本条规定的"虐待",是指折磨、摧残家庭成员身心健康的行为。虐待具有经常性和连续性的特点,行为人对共同生活的家庭成员在相当长的时间里,进行持续或连续的肉体摧残、精神折磨,致使被害人的身心遭受严重创伤,通常表现为打骂、冻饿、捆绑、强迫超体力劳动、限制自由、凌辱人格等行为。偶尔发生的打骂、冻饿等行为,不构成虐待罪。这里所说的"家庭成员",是指在同一家庭中共同生活的成员,如夫妻、父母、子女、兄弟、姐妹等。非家庭成员间的虐待行为,不构成本罪。

虐待罪通常是在家庭中处于强势的一方虐待弱势的一方,如家长虐待未成年的子女、丈夫虐待妻子、成年子女虐待没有独立生活能力的老人等,被虐待的家庭成员是否有独立生活能力不影响本罪的成立。家长出于管教动机而偶有一些打骂或者体罚行为的,不属于虐待行为。虐待家庭成员必须是情节恶劣的才能构成犯罪,这里所说的"情节恶劣",具体是指虐待的动机卑鄙、手段凶残,虐待年老、年幼、病残的家庭成员,或者长期虐待家庭成员屡教不改等。依照本款的规定,虐待家庭成员,情节恶劣的,处二年以下有期徒刑、拘役或者管制。对于虐待家庭成员,尚未达到情节恶劣程度的,根据治安管理处罚法第四十五条规定,被虐待人要求处理的,处五日以下拘留或者警告。

本条第二款对犯虐待罪致使被害人重伤、死亡的应如何处罚作了规定。本款规定是关于虐待罪加重处罚的情形,这里所说的"致使被害人重伤、死亡",是指由于被害人经常受到虐待,身体和精神受到严重的损害而导致死亡,或者不堪忍受而自杀造成死亡或重伤等情形。依照本款规定,对于犯虐待罪,致使被害人重伤、死亡的,处二年以上七年以下有期徒刑。虐待致使被害人重伤、死亡的案件不属于告诉才处理案件的范围,对这类案件,即使被害人不提出控告,检察机关也应提起公诉。

本条第三款是关于虐待家庭成员未致使被害人重伤、死亡的，属于告诉才处理的犯罪及例外情形的规定，即一般情况下适用告诉才处理的规定，但在特殊情况下不适用。本款包含两层意思：第一，一般而言对于犯虐待罪，在没有致使被害人重伤、死亡的情况下，只有被害人向司法机关提出控告的才处理，对于被害人不控告的，司法机关不能主动受理，追究行为人的刑事责任。这样规定主要是因为本条规定的虐待行为发生在家庭成员之间，法律将是否告诉的选择权赋予被害人，这样有利于保护家庭关系，切实维护被害人权益。第二，如果被害人没有能力告诉，或者因受到强制、威吓无法告诉的，不适用告诉才处理的规定，而应作为公诉案件处理。被虐待人的亲属、朋友、邻居等任何人发现被害人被虐待，没有能力告诉或者因受到强制、威吓无法告诉的，都可以向公安机关报案。公安机关应当立案进行侦查，由检察机关依法向人民法院提起公诉。作为公诉案件处理的情形是《刑法修正案（九）》新增加的规定，在《刑法修正案（九）》的起草过程中，有关方面提出，对于没有能力告诉或者因受到强制、威吓不敢告诉的被害人而言，即使其有告诉的意愿，但因个人的困境而无法行使权利，为了保护这部分社会弱势群体的权益，建议将这些情形规定为公诉案件。经认真研究和征求各方面的意见，在达成共识的基础上，《刑法修正案（九）》对原条文作了修改。这里需要说明的是本款和刑法总则第九十八条规定的"告诉才处理"的关系。刑法第九十八条规定："本法所称告诉才处理，是指被害人告诉才处理。如果被害人因受强制、威吓无法告诉的，人民检察院和被害人的近亲属也可以告诉。"这是对告诉才处理犯罪规定的代为告诉的情形，与本款规定的告诉才处理的例外情形不同。根据本款规定，对于属于被害人没有能力告诉，或者因受到强制、威吓无法告诉的情形，应按照公诉案件处理，由人民检察院提起公诉，而不属于刑法第九十八条规定的代为告诉的情形。本款规定的"被害人没有能力告诉"，是指被害人因病重、年幼、智力缺陷、精神障碍等没有能力向人民法院告诉。

实践中需要注意虐待罪与故意伤害罪、故意杀人罪的区别。虐待罪与故意伤害罪、故意杀人罪行为方式有一定的相似性，所造成的结果也有可能相同。对此，要根据被告人的主观故意、所实施的暴力手段与方式、是否立即或者直接造成被害人伤亡后果等进行综合判断。虐待罪的被告人主观上不具有伤害或者杀害被害人的故意，而是出于追求被害人肉体和精神上的痛苦。实施虐待过失导致被害人重伤或者死亡的，或者因虐待致使被害人自残、自杀导致重伤或者死亡的，是虐待罪的结果加重犯，属于本条第二款规定的虐待"致使被害人重伤、死亡"的情形。但是，如果在虐待的过程中，行为超过了虐待的限度，明显具有伤害、杀人的恶意且实施了严重的暴力行为，直接将被害人殴打成重伤，甚至直接杀害被害人的，应该认定为故意伤害罪或者故意杀人罪。

第二百六十条之一*　对未成年人、老年人、患病的人、残疾人等负有监护、看护职责的人虐待被监护、看护的人，情节恶劣的，处三年以下有期徒刑或者拘役。

单位犯前款罪的，对单位判处罚金，并对其直接负责的主管人员和其他直接责任人员，依照前款的规定处罚。

有第一款行为，同时构成其他犯罪的，依照处罚较重的规定定罪处罚。

【释义】　本条是关于负有监护、看护职责的人虐待被监护、看护人的犯罪及其处罚的规定。

本条是2015年8月《刑法修正案(九)》新增加的条文。我国1997年刑法第二百六十条规定了家庭成员之间的虐待犯罪，此外还规定了虐待被监管人罪、虐待部属罪、虐待俘虏罪等特殊虐待情形的犯罪，对于其他虐待行为没有规定具体的罪名。司法实践中对于虐待家庭成员以外的人如何处理，做法与认识不一，对于造成被害人伤害、死亡等结果的，一般以故意伤害、故意杀人或者过失致人重伤、过失致人死亡等罪名处理；对于情节较轻的，有的以寻衅滋事、侮辱等罪名处理，有的则不作为犯罪处理。近年来，负有监护、看护职责的人虐待被监护、看护的幼儿、老人的案件多发，引起社会广泛关注，如媒体报道的养老院工作人员虐待老人事件、幼儿园老师虐待幼儿事件等。一些全国人大代表和有关方面多次强烈呼吁对这类行为运用刑法进行规制，以切实加强对弱势群体人身权利的保护。在广泛征求各方面意见的基础上，《刑法修正案(九)》增加了关于负有监护、看护职责的人虐待被监护、看护人的犯罪。

第一款是关于虐待被监护、看护人犯罪及其处罚的规定。根据本款规定，对未成年人、老年人、患病的人、残疾人等负有监护、看护职责的人虐待被监护、看护的人，如幼儿园、中小学校、养老机构、医院等机构的工作人员，对被监护、看护的人实施虐待行为，情节恶劣的，构成本罪。本罪的犯罪主体是负有监护、看护职责的人，如幼儿园的教师对在园幼儿、养老院的工作人员对在院老人、医生和护士对病人等负有监护、看护职责。这种监护、看护职责通常是基于合同、雇佣、服务等关系确定，也可以通过口头约定、志愿性的服务等形式确定，如邻居受托或自愿代人照顾老人、儿童。本罪的主观方面表现为故意，即行为人故意对被害人进行肉体或精神上的折磨和摧残，故意实施虐待行为，不论出于何

---

* 根据2015年8月29日第十二届全国人民代表大会常务委员会第十六次会议通过的《中华人民共和国刑法修正案(九)》增加。

种动机,均不影响本罪的成立。本罪侵犯的客体是被监护、看护的人的人身权利和监护、看护职责,未成年人、老年人、患病的人、残疾人等均是社会的弱势群体,行为人负有监护、看护职责,应尽职履责,做好照顾、服务工作,如果行为人对这些弱势群体实施虐待,会对他们的身心造成严重伤害。这里的"未成年人",根据未成年人保护法的规定,是指不满十八周岁的少年儿童和婴幼儿;根据老年人权益保障法第二条的规定,"老年人"是指六十周岁以上的公民;"患病的人"是指因病而处于被监护、看护状态的人;残疾人保障法第二条规定,"残疾人"是指在心理、生理、人体结构上,某种组织、功能丧失或者不正常,全部或者部分丧失以正常方式从事某种活动能力的人,包括视力残疾、听力残疾、言语残疾、肢体残疾、智力残疾、精神残疾、多重残疾和其他残疾的人。本罪的客观方面主要表现为"虐待",即折磨、摧残被监护、看护人身心健康的行为。与本法第二百六十条规定的虐待罪的客观表现相似,本条的虐待行为同样具有经常性和连续性的特点,行为人对被监护、看护的人在相当长的时间里,进行持续或连续的肉体摧残、精神折磨,致使被害人的身心遭受严重创伤,通常表现为打骂、冻饿、捆绑、强迫超体力劳动、限制自由、凌辱人格行为等。偶尔发生的打骂、冻饿等行为,不构成犯罪。

根据本款规定,"情节恶劣"是构成本罪的必要条件,也是区分罪与非罪的界限。这里所说的"情节恶劣",具体是指虐待的动机卑鄙、手段凶残,或者长期虐待被监护、看护人等等。行为人虽有虐待被监护、看护的人的行为,尚不够恶劣,对被监护、看护的人的身心健康也没有造成严重损害的,不构成本罪。依照本款的规定,虐待被监护、看护的人,情节恶劣的,处三年以下有期徒刑或者拘役。

第二款是关于单位犯罪的规定。对未成年人、老年人、患病的人、残疾人等负有监护、看护职责的单位虐待被监护、看护的人,也应当承担刑事责任。当前随着社会服务业的迅速发展,产生了众多的提供包括住宿、饮食在内的照顾、陪护业务的社会服务机构,如寄宿制幼儿园、养老院、社会福利机构等,实践中也存在单位虐待被监护、看护人的情况。与个人虐待被监护、看护的人的情况有所不同,单位实施虐待行为主要是出于经济利益,或者是疏于管理导致,如养老院盘剥在院老人的生活费用,降低伙食标准,致使老年人长期处于营养不良状态,或者是对员工疏于管理,放任员工对未成年人、老年人、患病的人、残疾人等实施虐待行为。根据本款规定,单位犯本罪的,对单位判处罚金,并对其直接负责的主管人员和其他直接责任人员,依照第一款的规定处罚。需要指出的是,单位犯罪也要求"情节恶劣"的条件,单位犯罪的"情节恶劣",是指虐待的动机卑鄙、手段凶残,遭受虐待的人数众多,或者长期虐待被监护、看护的人等,对此可以由司法机关根据案件具体情况掌握或者由司法解释进一步明确标准。

第三款是关于犯本罪，同时构成其他犯罪，从一重罪处罚的规定。行为人实施虐待行为，往往导致被害人重伤、死亡的后果，可能同时构成伤害、杀人等其他犯罪。在这种情形下，应当依照本款规定，按照处罚较重的罪名定罪处罚。这里需要指出的是，本款规定的“同时构成其他犯罪”中的其他犯罪，应是与虐待行为直接相关的罪名，如过失致人重伤罪、过失致人死亡罪等。如果行为人明显具有伤害、杀人的恶意且实施了严重的暴力行为，直接将被害人殴打成重伤，甚至直接将被害人杀害的，应当根据情况适用故意伤害罪、故意杀人罪定罪处罚或者与本罪实行数罪并罚。如果行为人在实施虐待行为的同时实施了盗窃、抢劫等其他与虐待行为性质不同的犯罪，应当与本罪数罪并罚。

第二百六十一条　对于年老、年幼、患病或者其他没有独立生活能力的人，负有扶养义务而拒绝扶养，情节恶劣的，处五年以下有期徒刑、拘役或者管制。

【释义】　本条是关于遗弃罪及其处罚的规定。

根据本条规定，遗弃罪是指对于年老、年幼、患病或者其他没有独立生活能力的人，负有扶养义务而拒绝扶养，情节恶劣的行为。遗弃罪的犯罪对象，是年老、年幼、患病或者其他没有独立生活能力的人。这里所说的“没有独立生活能力”，是指不具备或者丧失劳动能力，无生活来源而需要他人在经济上予以供给扶养，或者虽有经济收入，但生活不能自理而需要他人照顾等情况。遗弃罪的犯罪主体，是对上述对象负有扶养义务的人。这里所规定的“负有扶养义务”，是指行为人对于年老、年幼、患病或者其他没有独立生活能力的人，依法负有的对上述被扶养人在经济、生活等方面予以供给、照顾、帮助，以维护其正常的生活的义务。扶养关系主要包括以下几个方面：夫妻间有相互扶养的义务；父母对子女有抚养教育的义务；子女对父母有赡养扶助的义务；养父母与养子女、继父母与继子女之间有相互扶养的义务；有负担能力的祖父母、外祖父母对父母已经死亡的未成年的孙子女、外孙子女有抚养义务；有负担能力的孙子女、外孙子女，对于子女已经死亡的祖父母、外祖父母有赡养义务；有负担能力的兄姐对父母已经死亡或者父母无力扶养的未成年弟妹有抚养的义务，等等。遗弃罪的犯罪主体是具有扶养义务的人，如果对没有独立生活能力的人不负有扶养义务，就不存在拒绝扶养的问题，也就不能构成本罪。本罪在客观方面表现为具有扶养义务而拒绝扶养。由于行为人不履行自己的法定义务，致使被扶养人得不到经济上的保障或者生活上的必要照顾和帮助，生命和健康受到较为严重的威胁和损害。根据本条规定，遗弃行为必须情节恶劣才能构成犯罪。这是划清罪与非罪的重要界限之一。关于这里所规定的“情节恶劣”如何理解的问题，

《最高人民法院、最高人民检察院、公安部、司法部关于依法办理家庭暴力犯罪案件的意见》中列举了一些常见的情形:对被害人长期不予照顾、不提供生活来源;驱赶、逼迫被害人离家,致使被害人流离失所或者生存困难;遗弃患严重疾病或者生活不能自理的被害人;遗弃致使被害人身体严重损害或者造成其他严重后果等情形。依照本条规定,对犯遗弃罪的,处五年以下有期徒刑、拘役或者管制。

第二百六十二条 拐骗不满十四周岁的未成年人,脱离家庭或者监护人的,处五年以下有期徒刑或者拘役。

【释义】 本条是关于拐骗儿童罪及其处罚的规定。

根据本条的规定,拐骗儿童罪,是指拐骗不满十四周岁的未成年人,脱离家庭或者监护人的行为。这里所规定的"拐骗",是指用欺骗、利诱或者其他手段,将不满十四周岁的未成年人带走。"脱离家庭或者监护人",是指使不满十四周岁的未成年人脱离家庭或者离开父母或其他监护人,致使不满十四周岁的未成年人的父母或者监护人不能继续对该未成年人行使监护权。依据我国民法通则的有关规定,这里所规定的"监护人",是指未成年人的父母以及其他依法履行监护职责,保护被监护人的人身、财产以及其他合法权益的人。拐骗不满十四周岁的未成年人脱离家庭或者监护人的行为多种多样,既可以直接对不满十四周岁的未成年人本人进行,如利用物质好处进行引诱,骗得其好感后将其拐骗;也可以对其家长或者监护人进行,如假装为保姆,骗得家长信任后,寻机将不满十四周岁的未成年人带走。依照本条规定,拐骗不满十四周岁的未成年人,脱离家庭或者监护人的,处五年以下有期徒刑或者拘役。

本条在实际执行中应当注意区分与拐卖妇女、儿童罪、绑架罪的区别。拐骗不满十四周岁的未成年人脱离家庭或者监护人的行为的目的,往往是出于收养,也可以是出于奴役等目的,如果是以出卖或勒索财物为目的而拐骗未成年人或者偷盗婴幼儿的,应依照本法第二百四十条、第二百三十九条关于拐卖妇女、儿童罪或者绑架罪的规定定罪处罚。

第二百六十二条之一* 以暴力、胁迫手段组织残疾人或者不满十四周岁的未成年人乞讨的,处三年以下有期徒刑或者拘役,并处罚金;情节严重的,处三年以上七年以下有期徒刑,并处罚金。

---

* 根据2006年6月29日第十届全国人民代表大会常务委员会第二十二次会议通过的《中华人民共和国刑法修正案(六)》增加。

【释义】 本条是关于组织残疾人、儿童乞讨罪及其处罚的规定。

在实际生活中,有相当一部分乞讨者是残疾人和未成年人。残疾人由于生理缺陷或残障,谋生能力和自我保护能力较弱;未成年人由于尚不具备独立谋生的能力,心智发育尚不健全,认识社会事物和辨别善恶的能力有限,较容易成为犯罪分子侵害的对象,而且在被侵害时往往不敢反抗。在实际发生的案件中,一些道德败坏的不法分子,在牟利心理的驱使下,通过暴力、胁迫等手段组织残疾人和未成年人乞讨,强占他人乞讨所得。这些行为除侵犯被害人的人格尊严、人身自由及财产权,扰乱社会秩序外,还会给残疾人和未成年人造成更严重的伤害,如使残疾人的疾病拖延无法得到治疗,使未成年人丧失受教育的机会,使其在恶劣环境下成长,形成畸形世界观等。甚至有些犯罪人用残暴的手段强迫乞讨,造成被害人人身伤亡等严重后果。因此,有必要将以暴力、胁迫等手段组织残疾人、未成年人乞讨的行为规定为犯罪,加强对这类行为的惩处力度。2006 年 6 月 29 日第十届全国人民代表大会常务委员会第二十二次会议通过的《刑法修正案(六)》在刑法第二百六十二条之后增加了本条的规定。

根据本条规定认定组织残疾人、儿童乞讨罪时,应当注意以下几个方面的问题:

第一,本罪的犯罪主体是一般主体。凡达到刑法规定的刑事责任年龄的自然人均可以犯本罪。在司法实践中,对于父母、监护人或者近亲属因为生计所迫,带领残疾亲属或者未成年子女乞讨满足基本生活需要的,甚至为了筹集子女、亲属的医药费、学费等乞讨的,不应按照犯罪处理。但是,对于有的监护人,并非生活所迫而是因贪图钱财,不顾未成年人健康成长的利益,利用未成年人乞讨牟利的,应当根据未成年人保护法等的规定,考虑其是否适宜继续作为监护人,必要时,可依法撤销其监护人资格。对此问题,《最高人民法院、最高人民检察院、公安部、民政部关于依法处理监护人侵害未成年人权益行为若干问题的意见》中也有明确规定,父母或者其他监护人胁迫、诱骗、利用未成年人乞讨,经公安机关和未成年人救助保护机构等部门三次以上批评教育拒不改正,严重影响未成年人正常生活和学习的,人民法院可以判决撤销其监护资格。

第二,本罪客观上表现为以暴力、胁迫等手段组织残疾人或者不满十四周岁的未成年人乞讨的行为。“暴力”,是指可以给被害人直接带来生理上的痛苦、伤害或者行为限制的侵袭及其他强制力。例如,对被害人实施伤害、殴打、体罚等身体打击、折磨,使其产生生理上的痛苦、伤害而丧失反抗能力,或者因此造成心理恐惧不敢反抗,以身体强制等方法剥夺被害人行为自由使其不敢反抗、不能反抗的情形等。“胁迫”,是指行为人以当场实施暴力或其他有损身心健康的行为,以及其他对被害人心理造成强迫的行为相要挟,实施精神强制,使其产生恐惧，不敢反抗的情况。这种胁迫，既可以针对被强迫人自身的生理伤害，如不顺从就冻饿、体罚、殴打等，也可以是心理上的，如揭露隐私、公开侮辱使其丧失尊严等。胁迫的内容既可以针对被害人本人，也可以针对其亲属或者他人，只要足以对被害人造成心理上的强制，就可以构成胁迫。实践中，如果没有实施暴力、胁迫等强迫行为，不宜认定为组织残疾人、儿童乞讨罪。组织，是指纠集或者控制一定数量的残疾人或者不满十四周岁的未成年人，指令或者要求他们乞讨的行为。

根据本条的规定，以暴力、胁迫手段组织残疾人或者不满十四周岁的未成年人乞讨的，处三年以下有期徒刑或者拘役，并处罚金；情节严重的，处三年以上七年以下有期徒刑，并处罚金。这里所说的"情节严重"，是指以暴力或者胁迫手段组织残疾人、未成年人乞讨，严重扰乱社会秩序或者造成其他恶劣影响的情形。例如，长期强迫他人乞讨，获利较大的；强迫乞讨导致残疾人、未成年人身体衰弱，得不到治疗，健康状况严重恶化的；被害人无法忍受折磨自杀、自残的；强迫残疾人、未成年人制造生理痛苦博取他人同情进行乞讨的；强迫被害人采用死缠硬要等方式野蛮乞讨的；强迫被害人采用可能造成伤亡（如在马路上拦车乞讨等）或有伤风化的方式乞讨的；组织乞讨人数较多，造成恶劣社会影响的；其他严重扰乱社会秩序或者影响恶劣的情形等。

在适用本条的时候，应当注意掌握此罪与彼罪、一罪与数罪的界限，防止放纵或者量刑畸重的情况。例如，为了强迫而实施的暴力行为导致被害人伤亡的，应当根据刑法的规定，按照故意伤害罪或者故意杀人罪定罪处罚。为了达到长期强迫残疾人、未成年人乞讨的目的而限制被害人人身自由的，应当根据刑法的规定，在组织残疾人、儿童乞讨罪和非法拘禁罪中择一重罪处罚。对于那些为了组织他人乞讨而绑架、拐骗残疾人或者未成年人，或者收买被拐骗儿童的，为了博取人们同情达到乞取更多钱财目的而故意造成被害人伤残的，奸淫被强迫的残疾人、未成年人的，应当根据刑法的相关规定定罪，与组织残疾人、儿童乞讨罪数罪并罚。

第二百六十二条之二*　组织未成年人进行盗窃、诈骗、抢夺、敲诈勒索等违反治安管理活动的，处三年以下有期徒刑或者拘役，并处罚金；情节严重的，处三年以上七年以下有期徒刑，并处罚金。

【释义】　本条是关于组织未成年人进行违法活动的犯罪及其处罚的规定。

---

* 根据2009年2月28日第十一届全国人民代表大会常务委员会第七次会议通过的《中华人民共和国刑法修正案（七）》增加。

社会上一些不法分子利欲熏心，利用未成年人获取不法利益。他们往往是利用未成年人生理、心理的不成熟或因某种原因造成的精神上的空虚，物质上的缺乏等弱点，组织其从事一些牟利性的违法活动，如扒窃、诈骗、抢夺他人财物等违反治安管理的活动。这种组织他人进行违法活动的情况，在一些地方甚至学校比较突出，性质恶劣，影响很坏，严重危害社会治安秩序和学校的正常教学秩序。同时，对未成年人的身心健康造成极大的伤害，有的很可能因为一个小小的偷摸行为，慢慢发展成为犯罪行为，从而使一个健康向上的未成年人堕落为一个罪犯。不仅影响了个人的前途，而且对国家、对家庭都会造成不良的影响。为了打击这类行为，更好地维护社会治安秩序，保护公民的合法财产不受侵犯，保护未成年人，《刑法修正案（七）》对组织未成年人实施盗窃、诈骗、抢夺、敲诈勒索等违反治安管理的行为，增加规定为犯罪。

根据本条规定，构成本罪必须具备以下两个条件：1. 本罪的犯罪主体是一般主体。凡达到刑法规定的刑事责任年龄的自然人均可构成本罪的主体。组织未成年人进行违法活动的人，是本罪的主体。这里的“组织”，一般是指采取引诱、欺骗、威胁或者说服等办法，以包吃包住或发给一定的报酬等名义，纠集未成年人或将未成年人笼络、控制在自己手下，指令或要求未成年人实施盗窃、诈骗、抢夺、敲诈勒索等违法行为。根据未成年人保护法的规定，本条所说的“未成年人”，是指未满十八周岁的公民，既包括普通的未成年人，也包括身心残疾的未成年人。2. 组织者必须实施了组织未成年人实施盗窃、诈骗、抢夺、敲诈勒索等违反治安管理的行为。这里的“盗窃”，是指以非法占有为目的，秘密窃取公私财物的行为。“诈骗”，是指以非法占有为目的，用虚构事实或者隐瞒真相的方法，骗取公私财物的行为。“抢夺”，是指以非法占有为目的，公然夺取公私财物的行为。“敲诈勒索”，是指以非法占有为目的，对公私财物的所有人、保管人使用威胁或要挟的方法，索取公私财物的行为。上述所说的盗窃、诈骗、抢夺、敲诈勒索行为，是未成年人实施的，违反治安管理，不构成犯罪的行为。法律将组织未成年人实施上述四种违法行为，规定为行为犯，即实施了组织未成年人进行盗窃、诈骗、抢夺、敲诈勒索等违反治安管理活动的行为，就构成犯罪，不需要其他情节和要件。未成年人是否实施了盗窃、诈骗、抢夺、敲诈勒索等违反治安管理活动的行为，并不影响本罪的成立。

根据本条规定，组织未成年人实施盗窃、诈骗、抢夺、敲诈勒索等违反治安管理行为的，处三年以下有期徒刑或者拘役，并处罚金；情节严重的，处三年以上七年以下有期徒刑，并处罚金。“情节严重”，是指组织多人、残疾未成年人、多次组织未成年人进行违法活动、对未成年采取暴力、威胁、虐待等手段，或者通过未成年人的违法行为，获利数额较大等情节。如果未成年人在未实施盗窃、诈骗、抢夺、敲诈勒索等违反治安管理活动的行为前，其组织行为被告发，也构成本罪，属于犯罪的预备，对于预备犯，应当按照刑法第二十二条的规定，可以比照既遂犯从轻、减轻处罚或者免除处罚。

对于未成年人实施的盗窃、诈骗、抢夺、敲诈勒索等违反治安管理的行为，应根据治安管理处罚法第四十九条的规定予以处罚，即处五日以上十日以下拘留，可以并处五百元以下罚款；情节较重的，处十日以上十五日以下拘留，可以并处一千元以下罚款。但是，根据治安管理处罚法第十二条规定，已满十四周岁不满十八周岁的人违反治安管理的，应当从轻或者减轻处罚；不满十四周岁的人违反治安管理的，不予处罚，但是应当责令其监护人严加管教。治安管理处罚法第二十一条还规定，已满十四周岁不满十六周岁，或者已满十六周岁不满十八周岁初次违反治安管理的，依照治安管理处罚法的规定，应当给予拘留处罚的，不执行行政拘留处罚。上述这些规定，都是从爱护未成年人的角度，从宽处理，给予未成年人知错改错和悔过自新的机会。

实践中应当注意区分盗窃、诈骗、抢夺、敲诈勒索罪与违反治安管理的盗窃、诈骗、抢夺、敲诈勒索行为。对于未成年人实施的盗窃、诈骗、抢夺、敲诈勒索等行为，构成犯罪的，对已满十六周岁的未成年人，应当分别依照刑法关于盗窃、诈骗、抢夺、敲诈勒索罪的有关规定从轻或者减轻处罚；对组织者应当分别以盗窃、诈骗、抢夺、敲诈勒索罪的共犯追究其刑事责任。

第五章 侵犯财产罪

第二百六十三条 **以暴力、胁迫或者其他方法抢劫公私财物的，处三年以上十年以下有期徒刑，并处罚金；有下列情形之一的，处十年以上有期徒刑、无期徒刑或者死刑，并处罚金或者没收财产：**

（一）入户抢劫的；

（二）在公共交通工具上抢劫的；

（三）抢劫银行或者其他金融机构的；

（四）多次抢劫或者抢劫数额巨大的；

（五）抢劫致人重伤、死亡的；

（六）冒充军警人员抢劫的；

（七）持枪抢劫的；

（八）抢劫军用物资或者抢险、救灾、救济物资的。

【释义】 本条是关于抢劫罪及其处罚的规定。

抢劫罪，是指以非法占有为目的，当场使用暴力、胁迫或者其他方法强行劫取公私财物的行为。

根据本条规定，构成抢劫罪的显著特征是“以暴力、胁迫或者其他方法抢劫公私财物”。“暴力”，是指犯罪人对财物的所有者、管理人员实施暴力侵袭或者其他强制力，包括捆绑、殴打、伤害直至杀害等使他人处于不能或者不敢反抗状态当即抢走财物的方法。“胁迫”，是指当场使用暴力相威胁，对被害人实行精神强制，使其产生恐惧，不敢反抗，被迫当场交出财物或者不敢阻止而由行为人强行劫走财物。如果不是以暴力相威胁，而是对被害人以将要揭露隐私、毁坏财产等相威胁，则构成敲诈勒索罪，而不是抢劫罪。“其他方法”，是指对被害人采取暴力、胁迫以外的使被害人处于不知反抗或者不能反抗的状态的方法。例如，用酒灌醉、用药物麻醉等方法使被害人处于暂时丧失知觉而不能反抗的状态，将财物当场掠走。在这里，必须是由于犯罪分子故意造成被害人处于不能反抗的状态，如果犯罪分子利用被害人睡熟或者醉酒不醒，趁机秘密取走数额较大的财物，则不构成本罪。行为人实施抢劫后，为灭口而故意杀人的，以抢劫罪和故意杀人罪定罪，实行数罪并罚。

构成本罪,必须具备以下几个条件:1. 行为人具有非法占有公私财物的目的,并且实施了非法占有或者意图非法占有的行为。2. 行为人对被害人当场使用暴力、胁迫或者其他方法。

暴力、胁迫或者其他方法,必须是犯罪分子当场使用,才能构成抢劫罪。如果犯罪分子没有使用暴力或者胁迫的方法就取得了财物,除本法第二百六十七条规定的携带凶器抢夺的情形外,不能以抢劫罪论处。反之,如果犯罪分子事先只是准备盗窃或者抢夺,但在实施盗窃或者抢夺的过程中遭到反抗或者阻拦,于是当场使用暴力或者以暴力相威胁强取财物,其行为就由盗窃或者抢夺转化为抢劫了,应以抢劫罪定罪处罚。

为了有利于执法的统一、减少随意性、增加可操作性,本条具体列举了犯抢劫罪,应当判处十年以上有期徒刑、无期徒刑或者死刑的八种情形:(1)入户抢劫的。这里所说的"户",是指公民私人住宅。入户抢劫,不仅严重侵犯公民的财产所有权,更为严重的是危及公民的人身安全。"入户抢劫",是指为实施抢劫行为而进入他人生活的与外界相对隔离的住所,包括封闭的院落、牧民的帐篷、渔民作为家庭生活场所的渔船、为生活租用的房屋等进行抢劫的行为。对于入户盗窃,被发现而当场使用暴力或者以暴力相威胁的行为,应当认定为入户抢劫。(2)在公共交通工具上抢劫的。这既包括在从事旅客运输的各种公共汽车、大中型出租车、火车、船只、飞机等正在运营中的机动公共交通工具上对旅客、司售、乘务人员实施的抢劫,也包括对运行途中的机动公共交通工具加以拦截后,对公共交通工具上的人员实施的抢劫。(3)抢劫银行或者其他金融机构的,是指抢劫银行或者其他金融机构的经营资金、有价证券和客户的资金等。抢劫正在使用中的银行或者其他金融机构的运钞车的,视为"抢劫银行或者其他金融机构"。(4)多次抢劫或者抢劫数额巨大的。"多次抢劫",是指抢劫三次以上。对于抢劫数额巨大的认定标准,根据最高人民法院对此问题的解释,参照各地确定的盗窃罪数额巨大的认定标准执行。(5)抢劫致人重伤、死亡的。这里所说的"致人重伤、死亡",是指为抢劫公私财物实施暴力行为,而伤害或者杀害他人,造成被害人重伤或者死亡的后果。(6)冒充军警人员抢劫的。"军警",是指军人和警察。军人,是指中国人民解放军、中国人民武装警察部队的现役军官(警官)、文职干部、士兵及具有军籍的学员。警察,是指我国武装性质的国家治安行政力量,包括公安机关、国家安全机关、监狱、劳动教养管理机关的人民警察和人民法院、人民检察院的司法警察。(7)持枪抢劫的。"持枪抢劫",是指行为人使用枪支或者向被害人显示持有、佩带的枪支进行抢劫的行为。"枪支"的概念和范围,适用枪支管理法的规定。(8)抢劫军用物资或者抢险、救灾、救济物资的。

根据本条规定，犯抢劫罪的，处三年以上十年以下有期徒刑，并处罚金；入户抢劫的，在公共交通工具上抢劫的，抢劫银行或者其他金融机构的，多次抢劫或者抢劫数额巨大的，抢劫致人重伤、死亡的，冒充军警人员抢劫的，持枪抢劫的，抢劫军用物资或者抢险、救灾、救济物资的，处十年以上有期徒刑、无期徒刑或者死刑，并处罚金或者没收财产。

第二百六十四条*　盗窃公私财物，数额较大的，或者多次盗窃、入户盗窃、携带凶器盗窃、扒窃的，处三年以下有期徒刑、拘役或者管制，并处或者单处罚金；数额巨大或者有其他严重情节的，处三年以上十年以下有期徒刑，并处罚金；数额特别巨大或者有其他特别严重情节的，处十年以上有期徒刑或者无期徒刑，并处罚金或者没收财产。

【释义】　本条是关于盗窃罪及其处罚的规定。

本条根据2011年2月25日第十一届全国人大常委会第十九次会议通过的《刑法修正案（八）》进行了修改。

1997年刑法第二百六十四条规定，盗窃公私财物，数额较大或者多次盗窃的，构成盗窃罪。该条还根据盗窃罪的社会危害性，取消了此前有关单行刑法关于盗窃罪情节特别严重的可以判处死刑的规定，仅对盗窃金融机构，数额特别巨大的和盗窃珍贵文物，情节严重的两种行为保留了死刑。近年来，有关部门、一些全国人大代表和专家多次提出，盗窃罪属于非暴力的财产性犯罪，一般情况下不会造成人身或者其他方面的严重损害。1997年刑法保留死刑的两种情形，也不属于社会危害性最严重的犯罪，建议取消盗窃罪可以判处死刑的规定。同时，有关部门提出，实际中一些盗窃行为，虽然达不到“数额较大或者多次盗窃”的入罪门槛，但严重危害到广大人民群众的财产安全，并对群众人身安全形成威胁，具有严重的社会危害性，应当予以刑事处罚。立法机关经研究认为，完全取消盗窃罪的死刑，不会给社会稳定大局和治安形势带来负面影响。对于1997年刑法保留死刑的两种情形，依法判处无期徒刑或者其他刑罚是可以起到惩罚和震慑的作用的。《刑法修正案（八）》对本条进行了修改，删去了

---

* 根据2011年2月25日第十一届全国人民代表大会常务委员会第十九次会议通过的《中华人民共和国刑法修正案（八）》修改。原条文是：“盗窃公私财物，数额较大或者多次盗窃的，处三年以下有期徒刑、拘役或者管制，并处或者单处罚金；数额巨大或者有其他严重情节的，处三年以上十年以下有期徒刑，并处罚金；数额特别巨大或者有其他特别严重情节的，处十年以上有期徒刑或者无期徒刑，并处罚金或者没收财产；有下列情形之一的，处无期徒刑或者死刑，并处没收财产：

“（一）盗窃金融机构，数额特别巨大的；

“（二）盗窃珍贵文物，情节严重的。”

对盗窃罪可以判处死刑的规定。并根据有关部门的意见，增加了入户盗窃、携带凶器盗窃、扒窃三类行为直接构成盗窃罪的规定。这样修改，充分体现了宽严相济的刑事政策，实现了打击犯罪与保障人权的统一。

本条规定的“盗窃”，是指以非法占有为目的，秘密窃取公私财物的行为。本罪的主体是一般犯罪主体。构成盗窃罪必须具备以下条件：1. 行为人具有非法占有公私财物的目的。2. 行为人实施了秘密窃取公私财物的行为。秘密窃取，是指采用不易被财物所有人、保管人或者其他人发现的方法，将公私财物占为己有的行为，如溜门撬锁、挖洞跳墙、潜入他人室内、掏兜割包、利用网络技术窃取等。秘密窃取是盗窃罪的重要特征，也是区别其他侵犯财产罪的主要标志。3. 盗窃的公私财物数额较大的，或者多次盗窃、入户盗窃、携带凶器盗窃、扒窃的。数额较大，是盗窃行为构成犯罪的基本要件。如果盗窃的财物数额较小，一般应当依照治安管理处罚法的规定予以处罚，不需要动用刑罚。但对于一些特定的盗窃行为，只要实施了该盗窃行为，即使达不到数额较大的条件，因该行为本身的社会危害性，本条也规定其构成犯罪。这些行为包括：(1)多次盗窃。盗窃犯罪具有常习性，且犯罪分子又具有一定的反侦查能力，一经抓获，往往只能认定现场查获的数额，而对其以往数额的交代也难以查证。将多次盗窃规定为犯罪正是针对盗窃犯罪的这一特点。根据《最高人民法院、最高人民检察院关于办理盗窃刑事案件适用法律若干问题的解释》，对于二年内盗窃三次以上的，应当认定为“多次盗窃”，以盗窃罪定罪处罚。(2)入户盗窃。入户盗窃不仅侵犯了公民的财产，还侵犯了公民的住宅，并对公民的人身安全形成严重威胁，应当予以严厉打击。这里所说的“户”，是指公民日常生活的住所，包括用于生活的与外界相对隔离的封闭的院落、牧民的帐篷、渔民生活的渔船等，不包括办公场所。根据上述关于办理盗窃案件的解释，非法进入供他人家庭生活并与外界相对隔离的住所盗窃的，应当认定为“入户盗窃”。(3)携带凶器盗窃。行为人携带凶器盗窃，往往有恃无恐，一旦被发现或者被抓捕时，则使用凶器进行反抗。这种行为以暴力为后盾，不仅侵犯他人的财产，而且对他人的人身形成严重威胁，应当予以刑事处罚。“凶器”是指枪支、爆炸物、管制刀具等可用于实施暴力的器具。根据上述关于办理盗窃案件的解释，携带枪支、爆炸物、管制刀具等国家禁止个人携带的器械盗窃，或者为了实施违法犯罪携带其他足以危害他人人身安全的器械盗窃的，应当认定为“携带凶器盗窃”。需要明确的是，本条规定的构成盗窃罪的“携带凶器盗窃”，是指行为人携带凶器进行盗窃而未使用的情况，如果行为人在携带凶器盗窃时，为窝藏赃物、抗拒抓捕或者毁灭罪证而当场使用凶器施暴或者威胁的，根据本法第二百六十九条的规定，应当以抢劫罪定罪处罚。(4)扒窃。“扒窃”是指在公共场所或者公共交通工具上窃取他人随身携带的财物。扒窃行为往往采取掏兜、割包等手法，严重侵犯公民财产和人身安全，扰乱公共场所秩序，且技术性强，多为屡抓屡犯的惯犯，应当予以严厉打击。《刑法修正案（八）》将入户盗窃、携带凶器盗窃和扒窃增加规定为犯罪，体现了刑法对人民群众人身财产安全的切实关注和严格保护，为打击盗窃犯罪提供了更有力的法律武器。

本条对盗窃罪量刑档次的划分采取了数额加情节的标准。根据本条规定，对盗窃公私财物，数额较大的，或者多次盗窃、入户盗窃、携带凶器盗窃、扒窃的，处三年以下有期徒刑、拘役或者管制，并处或者单处罚金；数额巨大或者有其他严重情节的，处三年以上十年以下有期徒刑，并处罚金；数额特别巨大或者有其他特别严重情节的，处十年以上有期徒刑或者无期徒刑，并处罚金或者没收财产。关于盗窃数额的具体认定，《最高人民法院、最高人民检察院关于办理盗窃刑事案件适用法律若干问题的解释》规定，“盗窃公私财物价值一千元至三千元以上、三万元至十万元以上、三十万元至五十万元以上的，应当分别认定为刑法第二百六十四条规定的‘数额较大’、‘数额巨大’、‘数额特别巨大’”。上述司法解释同时规定：“各省、自治区、直辖市高级人民法院、人民检察院可以根据本地区经济发展状况，并考虑社会治安状况，在前款规定的数额幅度内，确定本地区执行的具体数额标准，报最高人民法院、最高人民检察院批准。”“在跨地区运行的公共交通工具上盗窃，盗窃地点无法查证的，盗窃数额是否达到‘数额较大’、‘数额巨大’、‘数额特别巨大’，应当根据受理案件所在地省、自治区、直辖市高级人民法院、人民检察院确定的有关数额标准认定。”“盗窃毒品等违禁品，应当按照盗窃罪处理的，根据情节轻重量刑。”

关于“其他严重情节”和“其他特别严重情节”的具体认定，《最高人民法院、最高人民检察院关于办理盗窃刑事案件适用法律若干问题的解释》规定，盗窃公私财物，具有下列情形之一，或者入户盗窃、携带凶器盗窃，数额达到“数额巨大”、“数额特别巨大”百分之五十的，可以分别认定为刑法第二百六十四条规定的“其他严重情节”或者“其他特别严重情节”：（1）组织、控制未成年人盗窃的；（2）自然灾害、事故灾害、社会安全事件等突发事件期间，在事件发生地盗窃的；（3）盗窃残疾人、孤寡老人、丧失劳动能力人的财物的；（4）在医院盗窃病人或者其亲友财物的；（5）盗窃救灾、抢险、防汛、优抚、扶贫、移民、救济款物的；（6）因盗窃造成严重后果的。

此外，《最高人民法院、最高人民检察院关于办理盗窃刑事案件适用法律若干问题的解释》还对一些情节轻微的情形作了规定。根据该规定，盗窃公私财物数额较大，行为人认罪、悔罪，退赃、退赔，且具有下列情形之一，情节轻微的，可以不起诉或者免予刑事处罚；必要时，由有关部门予以行政处罚：（1）具有法定从宽处罚情节的；(2)没有参与分赃或者获赃较少且不是主犯的；(3)被害人谅解的；(4)其他情节轻微、危害不大的。对于偷拿家庭成员或者近亲属的财物，获得谅解的，一般可以不认为是犯罪；追究刑事责任的，应当酌情从宽。

办理盗窃案件，应当注意区分盗窃罪与其他犯罪的界限：1. 偷开他人机动车的，按照下列规定处理：(1)偷开机动车，导致车辆丢失的，以盗窃罪定罪处罚；(2)为盗窃其他财物，偷开机动车作为犯罪工具使用后非法占有车辆，或者将车辆遗弃导致丢失的，被盗车辆的价值计入盗窃数额；(3)为实施其他犯罪，偷开机动车作为犯罪工具使用后非法占有车辆，或者将车辆遗弃导致丢失的，以盗窃罪和其他犯罪数罪并罚；将车辆送回未造成丢失的，按照其所实施的其他犯罪从重处罚。2. 盗窃公私财物并造成财物损毁的，按照下列规定处理：(1)采用破坏性手段盗窃公私财物，造成其他财物损毁的，以盗窃罪从重处罚；同时构成盗窃罪和其他犯罪的，择一重罪从重处罚；(2)实施盗窃犯罪后，为掩盖罪行或者报复等，故意毁坏其他财物构成犯罪的，以盗窃罪和构成的其他犯罪数罪并罚；(3)盗窃行为未构成犯罪，但损毁财物构成其他犯罪的，以其他犯罪定罪处罚。

第二百六十五条　以牟利为目的，盗接他人通信线路、复制他人电信码号或者明知是盗接、复制的电信设备、设施而使用的，依照本法第二百六十四条的规定定罪处罚。

【释义】　本条是关于盗用电信码号犯罪及其处罚的规定。

本条对盗用电信码号、非法并机的犯罪行为作了专门规定。这里所说的"盗接"，是指以牟利为目的，未经权利人的许可，采取秘密的方法连接他人的通信线路，无偿使用或者转给他人使用，从而给权利人造成较大损失的行为。"复制他人电信码号"，主要是指以牟利为目的，取得他人的电信码号后，非法加以复制，无偿使用或者非法出租、出借、转让的行为。这里所说的"电信码号"是广义的，包括电话磁卡、长途电话账号和移动通信码号，如移动电话的出厂号码、电话号码、用户密码。"电信设备、设施"主要是指交换机、电话机、通信线路等。

构成本罪，必须符合以下三个条件：1. 行为人主观上必须以牟利为目的，这种牟利是广义的，包括出租、出卖获取利润等行为，也包括无偿使用节省支出等牟取非法经济利益的行为。2. 行为人必须具有盗接他人通信线路、复制他人电信码号或者明知是盗接、盗窃复制的电信设备、设施而使用的行为之一，才可能构成本罪，如果行为人不知道自己使用的通信设备是盗接或者盗窃复制的，不构成犯罪。3. 盗用他人长途电话账号、移动电话码号造成的经济损失，必须达到数额较大，才能构成本罪。

根据本条规定，盗接他人通信线路、复制他人电信码号或者明知是盗接、复制的电信设备、设施而使用的，依照本法第二百六十四条关于盗窃罪的规定定罪处罚。

第二百六十六条　诈骗公私财物，数额较大的，处三年以下有期徒刑、拘役或者管制，并处或者单处罚金；数额巨大或者有其他严重情节的，处三年以上十年以下有期徒刑，并处罚金；数额特别巨大或者有其他特别严重情节的，处十年以上有期徒刑或者无期徒刑，并处罚金或者没收财产。本法另有规定的，依照规定。

【释义】　本条是关于诈骗罪及其处罚的规定。

“诈骗”，主要是指以非法占有为目的，用虚构事实或者隐瞒真相的方法，骗取公私财物的行为。

诈骗罪具有以下特征：1. 行为人主观上出于故意，并且具有非法占有公私财物的目的。2. 行为人实施了诈骗行为。至于诈骗财物归自己挥霍享用，还是转归第三人，都不影响本罪的成立。3. 诈骗公私财物数额较大才能构成犯罪，如果诈骗数额较小，则不构成犯罪。但是诈骗多少公私财物才构成“数额较大”，本条没有作出具体规定，可由司法机关依据各地具体情况作出具体规定。“严重情节”以及“特别严重情节”也是如此。

根据本条规定，诈骗公私财物，数额较大的，处三年以下有期徒刑、拘役或者管制，并处或者单处罚金；数额巨大或者有其他严重情节的，处三年以上十年以下有期徒刑，并处罚金；数额特别巨大或者有其他特别严重情节的，处十年以上有期徒刑或者无期徒刑，并处罚金或者没收财产。

本法另有规定的，依照规定。这里所说的“另有规定”，是指本法对某些特定的诈骗犯罪专门作了具体规定，如金融诈骗、合同诈骗等，对这些诈骗犯罪应当适用这些专门的规定，不适用本条。

实践中，要注意区分诈骗罪与债务纠纷的界限：二者的根本区别在于后者不具有非法占有的目的，只是由于客观原因，一时无法偿还；诈骗罪是以非法占有为目的，不是因为客观的原因不能归还，而是根本不打算偿还。

需要特别说明的是，全国人大常委会于 2014 年 4 月 24 日第十二届全国人民代表大会常务委员会通过的《关于〈中华人民共和国刑法〉第二百六十六条的解释》，对以欺诈、伪造证明材料或者其他手段骗取养老、医疗、工伤、失业、生育等社会保险金或者其他社会保障待遇的，明确适用本条规定。全国人大常委会做出这一法律解释的背景是：近年来，骗取养老、医疗、工伤、失业、生育等社会保险金或者其他社会保险待遇的情况时有发生，有的地方甚至出现有组织地骗取社会保险金或者其他社会保险待遇的行为。司法实践中对于这类违法犯罪行为如何适用法律认识不一致，有的按诈骗罪追究刑事责任，有的给予行政处分，有的在追回社会保险金或者待遇后不予处理。社会保险资金的安全，关系到全体人民福祉和社会的和谐稳定。社会保险法在法律责任一章中对以欺诈、伪造证明材料或者其他手段骗取社会保险金、社会保险待遇的行为规定了行政处罚的同时，还规定构成犯罪的，依法追究刑事责任。全国人大常委会经研究认为，上述行为，从性质上讲，与刑法规定的诈骗公私财物的行为是相同的，具有较大的社会危害性，对于构成犯罪的，应当依法追究刑事责任。为明确对骗取社会保险金、社会保险待遇行为的法律适用，全国人大常委会作出了关于本条的解释，即行为人以欺诈、伪造证明材料或者其他手段骗取养老、医疗、工伤、失业、生育等社会保险金、社会保险待遇的行为，属于第二百六十六条规定的诈骗公私财物的行为。

第二百六十七条[*]　**抢夺公私财物，数额较大的，或者多次抢夺的，处三年以下有期徒刑、拘役或者管制，并处或者单处罚金；数额巨大或者有其他严重情节的，处三年以上十年以下有期徒刑，并处罚金；数额特别巨大或者有其他特别严重情节的，处十年以上有期徒刑或者无期徒刑，并处罚金或者没收财产。**

携带凶器抢夺的，依照本法第二百六十三条的规定定罪处罚。

【释义】　本条是关于抢夺罪及其处罚和携带凶器抢夺如何定罪处罚的规定。

本条根据2015年8月29日第十二届全国人民代表大会常务委员会第十六次会议通过的《刑法修正案（九）》进行了修改，在第一款中增加规定“多次抢夺的”构成抢夺罪，处三年以下有期徒刑、拘役或者管制，并处或者单处罚金。之所以作此修改，主要基于以下考虑：第一，多次抢夺的，有的甚至光天化日之下公然抢夺的，严重破坏社会秩序，影响群众的安全感。第二，多次抢夺具有常习性，行为人主观恶性大，必须予以严厉打击。实践中往往有的案件能够查证行为人抢夺次数，但难以查证每次具体抢夺财物的数额，造成了执法上的困难。第三，多次抢夺的，往往伴随对被害人人身的侵犯，如抢夺他人佩戴的耳环、项

---

* 第一款根据2015年8月29日第十二届全国人民代表大会常务委员会第十六次会议通过的《中华人民共和国刑法修正案（九）》修改。原第一款条文是：“抢夺公私财物，数额较大的，处三年以下有期徒刑、拘役或者管制，并处或者单处罚金；数额巨大或者有其他严重情节的，处三年以上十年以下有期徒刑，并处罚金；数额特别巨大或者有其他特别严重情节的，处十年以上有期徒刑或者无期徒刑，并处罚金或者没收财产。”

链等物品致使被害人摔倒等，都有可能造成被害人伤亡的严重后果。鉴于多次抢夺行为社会危害性大，对于多次抢夺的，以往除了依据治安管理处罚法给予治安管理处罚外，符合条件的还可以予以劳动教养。2013 年 12 月 28 日，第十二届全国人民代表大会常务委员会第六次会议通过《全国人民代表大会常务委员会关于废止有关劳动教养法律规定的决定》，废止了劳动教养制度，对于多次抢夺没有达到数额较大或者情节严重的只能给予治安管理处罚，难以适应打击和震慑这类违法行为的需要。为了在劳动教养制度废止后，对有关危害社会治安的行为打击不弱化，有必要将这类行为纳入刑法予以惩治。根据公安部等部门的意见，《刑法修正案（九）》将“多次抢夺的”增加规定为犯罪，与修改前相比在一定程度上降低了抢夺犯罪的入罪门槛，充分体现了刑法对人民群众人身财产安全的切实关注和严格保护，为打击抢夺犯罪提供了更有力的法律武器。

第一款是关于抢夺罪的规定。抢夺，是指以非法占有为目的，公然夺取公私财物的行为。抢夺罪的主体是一般主体，具有以下特征：1. 行为人主观上具有非法占有公私财物的目的。2. 行为人客观上实施了夺取他人财物的行为，如趁本人不备夺取其财物等。抢夺罪以没有针对被害人人身使用暴力或者胁迫为前提，如果以针对人身使用暴力或者胁迫的方法夺取他人财物，应当以抢劫罪定罪处罚。3. 抢夺公私财物数额较大的，多次抢夺的，才构成犯罪，抢夺“数额巨大”、“数额特别巨大”或者有“其他严重情节”、“其他特别严重情节”的，要加重处罚。具体标准由有关司法解释进行了明确规定。关于“数额”，根据《最高人民法院、最高人民检察院关于办理抢夺刑事案件适用法律若干问题的解释》第一条规定，抢夺公私财物价值一千元至三千元以上、三万元至八万元以上、二十万元至四十万元以上的，应当分别认定为刑法第二百六十七条规定的“数额较大”、“数额巨大”、“数额特别巨大”。各省、自治区、直辖市高级人民法院、人民检察院可以根据本地区经济发展状况，并考虑社会治安状况，在前款规定的数额幅度内，确定本地区执行的具体数额标准，报最高人民法院、最高人民检察院批准。第二条规定，抢夺公私财物，具有下列情形之一的，“数额较大”的标准按照前条规定标准的百分之五十确定：（1）曾因抢劫、抢夺或者聚众哄抢受过刑事处罚的；（2）一年内曾因抢夺或者哄抢受过行政处罚的；（3）一年内抢夺三次以上的；（4）驾驶机动车、非机动车抢夺的；（5）组织、控制未成年人抢夺的；（6）抢夺老年人、未成年人、孕妇、携带婴幼儿的人、残疾人、丧失劳动能力人的财物的；（7）在医院抢夺病人或者其亲友财物的；（8）抢夺救灾、抢险、防汛、优抚、扶贫、移民、救济款物的；（9）自然灾害、事故灾害、社会安全事件等突发事件期间，在事件发生地抢夺的；（10）导致他人轻伤或者精神失常等严重后果的。关于“情节”，根据《最高人民法院、最高人民检察院关于办理抢夺刑事案件适用法律若干问题的解释》第三条规定，抢夺公私财物，具有下列情形之一的，应当认定为刑法第二百六十七条规定的“其他严重情节”：（1）导致他人重伤的；（2）导致他人自杀的；（3）具有该解释第二条第三项至第十项规定的情形之一，数额达到该解释第一条规定的“数额巨大”百分之五十的。第四条规定，抢夺公私财物，具有下列情形之一的，应当认定为刑法第二百六十七条规定的“其他特别严重情节”：（1）导致他人死亡的；（2）具有该解释第二条第三项至第十项规定的情形之一，数额达到该解释第一条规定的“数额特别巨大”百分之五十的。“多次抢夺”构成抢夺罪是《刑法修正案（九）》新增加的内容，具体如何认定可由司法机关根据案件具体情况掌握或者通过司法解释予以明确。本款对抢夺公私财物构成抢夺罪的规定了三档法定刑：第一档为数额较大的，或者多次抢夺的，处三年以下有期徒刑、拘役或者管制，并处或者单处罚金；第二档为数额巨大或者有其他严重情节的，处三年以上十年以下有期徒刑，并处罚金；第三档为数额特别巨大或者有其他特别严重情节的，处十年以上有期徒刑或者无期徒刑，并处罚金或者没收财产。其中“并处或者单处罚金”包括只判处罚金和既判处主刑又判处罚金两种情况，实践中由人民法院根据案件具体情况决定如何适用。

第二款是关于携带凶器进行抢夺按抢劫罪定罪处罚的规定。行为人携带凶器进行抢夺的，意图在于抢夺不成时加以使用，具有抢劫的心理准备。这种行为以暴力做后盾，不仅侵犯了他人的财产，而且对他人的人身也构成了严重威胁，危害程度较普通的抢夺行为大得多，具有抢劫罪的特征。为了更好地保护公民的人身权利、财产权利，本款规定，对携带凶器抢夺的，依照刑法第二百六十三条关于抢劫罪的规定定罪处罚。这里的“携带凶器抢夺”，在《最高人民法院关于审理抢劫、抢夺刑事案件适用法律若干问题的意见》中进行了具体界定：是指行为人随身携带枪支、爆炸物、管制刀具等国家禁止个人携带的器械进行抢夺或者为了实施犯罪而携带其他器械进行抢夺的行为。行为人随身携带国家禁止个人携带的器械以外的其他器械抢夺，但有证据证明该器械确实不是为了实施犯罪准备的，不以抢劫罪定罪。

在司法实践中，要注意划清抢夺罪与抢劫罪的界限，二者的区别在于行为人在夺取财物的过程中是否对被害人采取暴力、胁迫或者其他强制方法。需要注意的是，如果行为人随身携带凶器并在“抢夺”时将凶器有意加以显示，能为被害人察觉，会使被害人产生恐惧感或者精神强制，不敢进行反抗，实质上是一种胁迫行为，应当直接适用刑法关于抢劫罪的规定定罪处罚。此外，根据《最高人民法院、最高人民检察院关于办理抢夺刑事案件适用法律若干问题的解释》的规定，驾驶机动车、非机动车夺取他人财物，具有下列情形之一的，应当以抢劫罪定罪处罚：（1）夺取他人财物时因被害人不放手而强行夺取的；（2）驾驶车辆逼挤、撞击或者强行逼倒他人夺取财物的;(3)明知会致人伤亡仍然强行夺取并放任造成财物持有人轻伤以上后果的。

第二百六十八条　聚众哄抢公私财物,数额较大或者有其他严重情节的,对首要分子和积极参加的,处三年以下有期徒刑、拘役或者管制,并处罚金;数额巨大或者有其他特别严重情节的,处三年以上十年以下有期徒刑,并处罚金。

【释义】　本条是关于聚众哄抢罪及其处罚的规定。

"聚众哄抢",主要是指聚集多人,公然夺取数额较大的公私财物的行为。聚众哄抢的行为不仅侵犯了国家、集体、公民个人的财产所有权,而且侵犯了社会正常管理秩序。

构成此罪,必须符合以下几个条件:1. 犯罪主体是聚众哄抢的首要分子和其他积极参加的人。这里的"首要分子",是指在聚众哄抢中起组织、策划、指挥作用的人。"积极参加的",是指主动参与哄抢,在哄抢中起主要作用以及哄抢财物多的人。考虑到这类犯罪带有聚众性、盲目性,其中多数的参与者是在不明真相的情况下参加的,或者由于某种原因追随他人进行的,对这些参与者可以通过行政处罚手段和思想教育解决,一般不作为犯罪对待。因此本条规定,构成聚众哄抢罪的,必须是首要分子和积极参加的人。2. 在客观方面表现为纠集多人,采取哄闹、滋扰或者其他手段,公然夺取数额较大的公私财物。纠集多人是行为的主要特征。3. 行为人主观方面是出于故意,具有非法占有公私财物的目的。

根据本条规定,聚众哄抢公私财物,数额较大或者有其他严重情节的,对首要分子和积极参加的,处三年以下有期徒刑、拘役或者管制,并处罚金;数额特别巨大或者有其他特别严重情节的,处三年以上十年以下有期徒刑,并处罚金。本条没有对"数额较大"、"数额巨大"以及"严重情节"和"特别严重情节"作出具体规定,实践中,可以由司法机关依据各地的具体情况作出具体的规定。

第二百六十九条　犯盗窃、诈骗、抢夺罪,为窝藏赃物、抗拒抓捕或者毁灭罪证而当场使用暴力或者以暴力相威胁的,依照本法第二百六十三条的规定定罪处罚。

【释义】　本条是关于以抢劫罪论处的规定。

根据本条规定,犯盗窃、诈骗、抢夺罪后,因使用暴力或者以暴力相威胁转化为抢劫罪必须符合以下三个条件:

1. 转化为抢劫罪的前提条件是行为人犯"盗窃、诈骗、抢夺罪"。2005 年《最高人民法院关于审理抢劫、抢夺刑事案件适用法律若干问题的意见》对实践中转化抢劫的认定规定:行为人实施盗窃、诈骗、抢夺行为未达到“数额较大”,为窝藏赃物、抗拒抓捕或者毁灭罪证当场使用暴力或者以暴力相威胁,情节较轻、危害不大的,一般不以犯罪论处,但具有下列情节之一的,可以抢劫罪定罪处罚:(1)盗窃、诈骗、抢夺接近“数额较大”标准的;(2)入户或在公共交通工具上盗窃、诈骗、抢夺后在户外或交通工具外实施上述行为的;(3)使用暴力致人轻微伤以上后果的;(4)使用凶器或以凶器相威胁的;(5)具有其他严重情节的。

2. 必须具有“窝藏赃物、抗拒抓捕或者毁灭罪证”的目的。“窝藏赃物”,是指转移、隐匿盗窃、诈骗、抢夺所得到的公私财物的行为。“抗拒抓捕”,是指犯罪分子抗拒司法机关依法对其采取的拘留、逮捕等强制措施,以及在犯罪时或者犯罪后被及时发现,抗拒群众将其扭送到司法机关的行为。“毁灭罪证”,是指犯罪分子为逃避罪责,湮灭作案现场遗留的痕迹、物品以及销毁可以证明其罪行的各种证据。

3. 必须具有“当场使用暴力或者以暴力相威胁”的行为。这里的“当场”,一般是指实施盗窃、诈骗、抢夺犯罪行为的作案现场。如果犯罪分子在逃离现场时被人发现,在受到追捕或者围堵的情况下使用暴力的,也应视为当场使用暴力。如果犯罪分子作案时没有被及时发现,而是在其他时间、地点被发现,在抓捕过程中行凶拒捕或者在事后为掩盖罪行杀人灭口的,不适用本条规定,应依其行为所触犯的罪名定罪。“使用暴力或者以暴力相威胁”,是指犯罪分子对他人故意实施撞击、殴打、伤害等危及人体健康和生命安全的行为或者以立即实施这些行为相威胁。

根据本条规定,犯盗窃、诈骗、抢夺罪,为窝藏赃物、抗拒抓捕或者毁灭罪证而当场使用暴力或者以暴力相威胁的,应当依照第二百六十三条关于抢劫罪的规定定罪处罚。

第二百七十条　将代为保管的他人财物非法占为己有,数额较大,拒不退还的,处二年以下有期徒刑、拘役或者罚金;数额巨大或者有其他严重情节的,处二年以上五年以下有期徒刑,并处罚金。

将他人的遗忘物或者埋藏物非法占为己有,数额较大,拒不交出的,依照前款的规定处罚。

本条罪,告诉的才处理。

【释义】　本条是关于侵占罪及其处罚的规定。

第一款是关于将代为保管的他人财物非法占为己有的犯罪的规定。构成本罪必须符合三个条件:1. 行为人因代为保管他人财物而将他人财物非法占有。这里所说的“保管”,主要是指基于委托合同关系,或者根据事实上的管理,以及因习惯而成立的委托、信任关系所拥有的对他人财物的持有、管理的权利。这种保管必须是合法的，如果不是合法的保管，而是使用盗窃、抢夺、诈骗、敲诈勒索等手段占有他人财物，则构成别的犯罪。行为人基于委托合同关系，或者根据事实上的管理，以及因习惯而成立的委托、信任关系而拥有的对他人财物的持有和管理权，是构成本罪的前提条件。2. 行为人主观上以非法占为己有为目的。如果行为人不是意图非法占为己有，而是由于对某一合同或者事实认识上的错误，或者因为过失而将其保管的他人财物占为己有，不能构成本罪。3. 行为人实施了将他人财物非法占为己有，拒不退还的行为，且非法占有的财物数额达到较大以上。构成本罪必须同时具备以上三个条件。

第二款是将他人的遗忘物或者埋藏物非法占为己有的犯罪的规定。构成本罪也必须符合三个条件：1. 行为人主观上必须是故意，且以非法占有为目的。这里所说的非法占有的目的，是指行为人在没有法律根据的情况下，具有排除权利人的利益，自行侵吞、占有、使用、处分公私财产，以在经济上取得同财产所有人同等权利的主观心理态度。2. 行为人实施了将他人的遗忘物或者埋藏物非法占为己有，数额较大，且拒不交出的行为。这里所说的"遗忘物"，是指由于财产所有人、占有人的疏忽，遗忘在某处的物品。在实践中，遗忘物和遗失物是有区别的，遗忘物一般是指被害人明确知道自己遗忘在某处的物品，而遗失物则是失主丢失的物品，对于拾得遗失物未交还失主的不得按本罪处理。"埋藏物"，是指所有权不明的埋藏于地下的财物、物品。遗忘物的所有权属于遗忘该财物的公民个人或者单位；埋藏物的所有权，依法属于国家所有，行为人对埋藏物和他人的遗忘物的侵占就是对公私财物所有权的侵犯，其侵犯方式多种多样，如留作自用，擅自处理、隐瞒不报等。同时，在被人发现，经所有权人令其交出的情况下，仍拒绝交出。3. 行为人所侵占的埋藏物或者他人的遗忘物必须达到数额较大，否则不能构成犯罪。至于具体数额多少才是"数额较大"，可由司法机关根据情况作出司法解释。

第三款规定构成本罪，必须告诉才能处理。如果当事人没有告诉，不予以处理，即不告不理。

根据本条规定，犯侵占罪，处二年以下有期徒刑、拘役或者罚金；数额巨大或者有其他严重情节的，处二年以上五年以下有期徒刑，并处罚金。

第二百七十一条　公司、企业或者其他单位的人员，利用职务上的便利，将本单位财物非法占为己有，数额较大的，处五年以下有期徒刑或者拘役；数额巨大的，处五年以上有期徒刑，可以并处没收财产。

国有公司、企业或者其他国有单位中从事公务的人员和国有公司、企业或

者其他国有单位委派到非国有公司、企业以及其他单位从事公务的人员有前款行为的，依照本法第三百八十二条、第三百八十三条的规定定罪处罚。

【释义】 本条是关于职务侵占罪及其处罚的规定。

“侵占”，是指公司、企业或者其他单位的人员利用职务上的便利，侵吞、窃取、骗取或者以其他手段非法占有本单位的财物的行为。“公司”，是指依照公司法在中国境内设立的有限责任公司和股份有限公司。“企业”，是指进行企业登记从事经营活动的非以公司形式组成的经济实体，如厂矿、商店、宾馆饭店以及其他服务性企业。

构成本罪必须符合以下三个条件：1. 主体是公司、企业或者其他单位的人员。2. 行为人必须具有侵占本单位财物的行为，即公司、企业或者其他单位的人员利用职务上的便利，将本单位的财物非法占为己有，且数额较大的行为。例如，经理将应为本单位的财产收入转到个人账户或者私自送给他人，会计人员将公司收入不入账，据为己有等。利用职务上的便利，主要是指行为人利用其在本单位中所担任的职务形成的便利条件将本单位的财物非法占为己有。3. 行为人在主观方面是故意的，犯罪目的是非法占有本单位的财产。过失不能构成本罪。

根据本款规定，公司、企业或者其他单位的人员侵占本单位财物，数额较大的，处五年以下有期徒刑或者拘役；数额巨大的，处五年以上有期徒刑，可以并处没收财产。

第二款是国有公司、企业或者其他国有单位中从事公务的人员和国有公司、企业或者其他国有单位委派到非国有公司、企业以及其他单位从事公务的人员，利用职务上的便利，侵占本单位的财物，依照本法第三百八十二条、第三百八十三条的规定定罪处罚的规定，即本款所列人员有前款行为的依照本法关于贪污罪的规定定罪处罚。

关于审理贪污罪、职务侵占罪案件如何认定共同犯罪的问题，最高人民法院作了如下解释：(1)行为人与国家工作人员勾结，利用国家工作人员的职务便利，共同侵吞、窃取、骗取或者以其他手段非法占有公共财物的，以贪污罪共犯论处。(2)行为人与公司、企业或者其他单位的人员勾结，利用公司、企业或者其他单位人员的职务便利，共同将该单位财物非法占为己有，数额较大的，以职务侵占罪共犯论处。(3)公司、企业或者其他单位中，不具有国家工作人员身份的人与国家工作人员勾结，分别利用各自的职务便利，共同将本单位财物非法占为己有的，按照主犯的犯罪性质定罪。

第二百七十二条　公司、企业或者其他单位的工作人员，利用职务上的便

利，挪用本单位资金归个人使用或者借贷给他人，数额较大、超过三个月未还的，或者虽未超过三个月，但数额较大、进行营利活动的，或者进行非法活动的，处三年以下有期徒刑或者拘役；挪用本单位资金数额巨大的，或者数额较大不退还的，处三年以上十年以下有期徒刑。

国有公司、企业或者其他国有单位中从事公务的人员和国有公司、企业或者其他国有单位委派到非国有公司、企业以及其他单位从事公务的人员有前款行为的，依照本法第三百八十四条的规定定罪处罚。

【释义】 本条是关于挪用资金罪及其处罚的规定。

构成本罪，必须符合以下几个条件：

1. 行为人必须是公司、企业或者其他单位的工作人员。国有公司、企业或者其他国有单位中从事公务的人员和国有公司、企业或者其他国有单位委派到非国有公司、企业以及其他单位从事公务的人员不能构成本罪。

2. 行为人实施了挪用本单位资金的行为。“挪用本单位资金”，是指公司、企业或者其他单位的工作人员利用其经手、主管本单位资金的便利条件，私自将本单位的资金挪作自己使用或者借贷给他人使用的行为。

第一款对挪用本单位资金的行为规定了以下几种情况：（1）挪用本单位资金归个人使用或者借贷给他人，数额较大、超过三个月未还的。这里所说的“挪用本单位资金归个人使用或者借贷给他人”，最高人民法院作出了解释：公司、企业或者其他单位的非国家工作人员，利用职务上的便利，挪用本单位资金归本人或者其他自然人使用，或者挪用人以个人名义将所挪用的资金借给其他自然人和单位。“超过三个月未还”，是指挪用资金的时间已经超过三个月并且未归还。（2）挪用本单位资金归个人使用或者借贷给他人，数额较大、进行营利活动的。“进行营利活动”，是指用所挪用的资金进行经营或者其他获取利润的行为，至于其是否实际获得利益不影响本罪的成立。（3）挪用本单位资金归个人使用或者借贷给他人，进行非法活动的。这里的“非法活动”是广义的，既包括一般的违法行为，如赌博、嫖娼，也包括犯罪行为，如走私、贩毒等。（4）挪用本单位资金数额巨大，或者数额较大不退还的。这里所称“不退还”，是指案发后仍未退还或者无法退还。

3. 行为人主观上必须是故意。至于出于何种动机，不影响本罪的成立。

根据本款规定，公司、企业或者其他单位的工作人员，利用职务上的便利，挪用本单位资金归个人使用或者借贷给他人，数额较大、超过三个月未还的，或者虽未超过三个月，但数额较大、进行营利活动的，或者进行非法活动的，处三年以下有期徒刑或者拘役；挪用本单位资金数额巨大，或者数额较大不退还的，处三年以上十年以下有期徒刑。

第二款规定的是国有公司、企业或者其他国有单位中从事公务的人员和国有公司、企业或者其他国有单位委派到非国有公司、企业以及其他单位从事公务的人员挪用本单位资金的，依照本法第三百八十四条的规定处罚，即依照关于挪用公款罪的规定定罪处罚。

第二百七十三条　挪用用于救灾、抢险、防汛、优抚、扶贫、移民、救济款物，情节严重，致使国家和人民群众利益遭受重大损害的，对直接责任人员，处三年以下有期徒刑或者拘役；情节特别严重的，处三年以上七年以下有期徒刑。

【释义】　本条是关于挪用特定款物罪及其处罚的规定。

根据本条规定，构成本罪必须符合以下几个条件：1. 犯罪主体只能是对挪用行为负有责任的主管人员、直接实施挪用行为的人员，如会计人员、款物的发放人员、指使挪用的有关人员等。2. 客观表现为挪用救灾、抢险、防汛、优抚、扶贫、移民、救济款物，情节严重，致使国家和人民群众的利益遭受重大损害的行为。这里所说的"挪用"，是指不经合法批准，擅自将自己经手、管理的救灾、抢险、防汛、优抚、扶贫、移民、救济款物调拨、使用到其他方面，如将用于救灾、抢险、防汛、优抚、扶贫、移民、救济等事项的款物挪作修建楼堂馆所、从事商业经营、投资工业建设的行为。"情节严重"，主要是指挪用上述款物数额较大的；挪用行为给人民群众的生产和生活造成严重危害的；挪用特别重要紧急款物的；挪用手段特别恶劣，造成极坏的影响等。3. 行为人主观上必须是故意的，过失不构成本罪。4. 挪用款物的目的是用于单位的其他项目，如果挪用上述特定款物归个人使用，构成犯罪的，应按挪用公款罪处罚。

根据本条规定，犯挪用救灾、抢险、防汛、优抚、扶贫、移民、救济款物罪的，处三年以下有期徒刑或者拘役；情节特别严重的，处三年以上七年以下有期徒刑。

第二百七十四条*　敲诈勒索公私财物，数额较大或者多次敲诈勒索的，处三年以下有期徒刑、拘役或者管制，并处或者单处罚金；数额巨大或者有其他严重情节的，处三年以上十年以下有期徒刑，并处罚金；数额特别巨大或者有其他特别严重情节的，处十年以上有期徒刑，并处罚金。

【释义】　本条是关于敲诈勒索罪及其处罚的规定。

---

* 根据2011年2月25日第十一届全国人民代表大会常务委员会第十九次会议通过的《中华人民共和国刑法修正案（八）》修改。原条文是："敲诈勒索公私财物，数额较大的，处三年以下有期徒刑、拘役或者管制；数额巨大或者有其他严重情节的，处三年以上十年以下有期徒刑。"

近年来,敲诈勒索犯罪方面出现了一些新的情况。一些地方的黑社会性质组织和恶势力团伙,把敲诈勒索行为作为他们称霸一方,欺压、残害群众的经常性手段。有的犯罪分子频繁实施敲诈勒索行为,被害群众敢怒不敢言。他们敲诈勒索的具体方法也多是以明确的暴力相威胁。这些犯罪行为严重侵犯了人民群众的人身财产权益,破坏了社会稳定。《刑法修正案(八)》对本条的规定进行了修改,增加了多次敲诈勒索构成犯罪的规定,增设了第三个量刑档次,增加规定了财产刑。

本条规定的"敲诈勒索",是指以非法占有为目的,对公私财物的所有人、保管人使用威胁或者要挟的方法,勒索公私财物的行为。本罪的主体是一般犯罪主体。构成敲诈勒索罪必须具备以下条件:1. 行为人具有非法占有他人财物的目的。2. 行为人实施了以威胁或者要挟的方法勒索财物的行为,这是敲诈勒索罪最主要的特点。威胁和要挟,是指通过对被害人及其关系密切的人精神上的强制,对其在心理上造成恐惧,产生压力。威胁或者要挟的方法多种多样,如以将要实施暴力,揭发隐私、违法犯罪活动,毁坏名誉相威胁等。其形式可以是口头的,也可以是书面的,还可以通过第三者转达;可以是明示,也可以是暗示。在取得他人财物的时间上,既可以迫使对方当场交出,也可以限期交出。总之,是通过对公私财物的所有人、保管人实施精神上的强制,使其产生恐惧、畏惧心理,不得已而交出财物。3. 敲诈勒索的财物数额较大或者多次敲诈勒索的。数额较大,是敲诈勒索行为构成犯罪的基本要件。如果敲诈勒索的财物数额较小,一般应当依照治安管理处罚法的规定予以处罚,不需要动用刑罚。多次敲诈勒索,是《刑法修正案(八)》增加规定的构成犯罪的条件。有的犯罪分子,特别是黑社会性质组织和恶势力团伙成员,凭借其组织或团伙的非法控制或影响,频繁实施敲诈勒索行为,欺压群众,扰乱社会治安,具有严重的社会危害性。对多次敲诈勒索的行为,即使敲诈勒索的财物数额没有达到较大的标准,也应当依法定罪处罚。

本条对敲诈勒索罪量刑档次的划分采取了数额加情节的标准。根据本条规定,对敲诈勒索公私财物,数额较大或者多次敲诈勒索的,处三年以下有期徒刑、拘役或者管制,并处或者单处罚金;数额巨大或者有其他严重情节的,处三年以上十年以下有期徒刑,并处罚金;数额特别巨大或者有其他特别严重情节的,处十年以上有期徒刑,并处罚金。2013 年《最高人民法院、最高人民检察院关于办理敲诈勒索刑事案件适用法律问题的解释》对认定刑法第二百七十四条规定的"数额较大"、"数额巨大"、"数额特别巨大"的具体数额标准做了规定。该解释还规定,敲诈勒索的犯罪分子是否"有其他严重情节"、"有其他特别严重情节",应当结合犯罪分子是否累犯或者惯犯,是否对未成年人、老年人、残疾人等弱势群体实施犯罪，是否共同犯罪的首要分子或者黑社会性质组织、恶势力团伙的组织领导者，敲诈勒索手段是否恶劣，是否有冒充国家工作人员等特殊身份进行敲诈勒索等情节予以考量。

在实际执行中要注意：1. 区分敲诈勒索罪和抢劫罪的界限。由于以暴力相威胁是敲诈勒索的手段，也是胁迫性抢劫罪的手段，因此二者容易混淆。敲诈勒索罪的威胁行为仅使被害人产生畏惧心理，被害人尚有相当程度的意志自由，还有延缓的余地；而在抢劫罪中，被害人的人身安全受到现实的威胁，已没有延缓的余地。2. 区分敲诈勒索罪与绑架罪的界限。以扣押人质的方式勒索财物的，是绑架罪；声称绑架人质，实际上并未实施，勒索他人财物的，是敲诈勒索行为。

第二百七十五条　故意毁坏公私财物，数额较大或者有其他严重情节的，处三年以下有期徒刑、拘役或者罚金；数额巨大或者有其他特别严重情节的，处三年以上七年以下有期徒刑。

【释义】　本条是关于故意毁坏财物罪及其处罚的规定。

故意毁坏财物罪，是指故意毁灭或者损坏公私财物，数额较大或者有其他严重情节的行为。

这里所说的"故意毁坏公私财物"，是指出于某种个人动机和目的，非法毁灭或者损坏公共财物或者公民私人所有财物的行为。"毁坏"，是指毁灭和损坏。"毁灭"，是指使用各种方法故意使公私财物的价值和使用价值全部丧失。"损坏"，是指将某项公私财物部分毁坏，使其部分丧失价值和使用价值。

根据本条规定，构成故意毁坏财物罪，必须符合下列条件：

1. 故意毁坏财物罪主观上必须是故意，包括直接故意和间接故意，同时，犯罪目的只是毁坏公私财物，不具有非法占有的目的，这也是本罪与其他侵犯财产罪的本质区别。过失毁坏公私财物的，不构成本罪。

2. 行为人客观上实施了故意毁坏公私财物数额较大或者有其他严重情节的行为。所采用的方式主要是毁灭和损坏。如果用放火、爆炸等危险方法毁坏公私财物，而且足以危及公共安全的，则应以放火罪、爆炸罪等危害公共安全罪论处。同时，故意毁坏公私财物必须达到数额较大或者有其他严重情节的程度。如果情节轻微或者数额较小，不构成犯罪。"其他严重情节"，一般是指以下几种情况：毁灭重要财物或者物品，损失严重的；造成严重后果的；动机和手段特别恶劣的等。

3. 本罪侵犯的客体是公私财物所有权，侵犯对象是各种公私财物。但是破坏某些特定的公私财物，侵犯了其他客体，则不能以毁坏财物罪论处。例如，故意毁坏使用中的交通设备、交通工具、电力煤气易燃易爆设备,危害公共安全的,以危害公共安全罪中的有关犯罪论处;故意毁坏机器设备、残害耕畜,破坏生产经营的,以破坏生产经营罪论处。《最高人民法院关于审理破坏公用电信设施刑事案件具体应用法律若干问题的解释》规定,故意破坏正在使用中的公用电信设施尚未危害公共安全,或者故意毁坏尚未投入使用的公用电信设施,造成财产损失,构成犯罪的,以故意毁坏财物罪定罪处罚。

根据本条规定,犯故意毁坏财物罪的,处三年以下有期徒刑、拘役或者罚金;数额巨大或者有其他特别严重情节的,处三年以上七年以下有期徒刑。

在实际执行中,要注意区分故意毁坏财物罪与其他侵犯财产罪的界限:其他侵犯财产罪并不损害公私财物本身,而是通过非法手段将公私财物所有权非法转移;而故意毁坏财物罪则通过毁坏公私财物本身,侵犯公私财物所有权。

第二百七十六条　由于泄愤报复或者其他个人目的,毁坏机器设备、残害耕畜或者以其他方法破坏生产经营的,处三年以下有期徒刑、拘役或者管制;情节严重的,处三年以上七年以下有期徒刑。

【释义】 本条是关于破坏生产经营罪及其处罚的规定。

破坏生产经营罪,是指由于泄愤报复或者其他个人目的,毁坏机器设备、残害耕畜或者以其他方法破坏生产经营的行为。

根据本条规定,构成破坏生产经营罪,必须符合下列条件:

1. 行为人为一般主体,即达到刑事责任年龄具有刑事责任能力的自然人。

2. 行为人必须具有毁坏机器设备、残害耕畜或者以其他方法破坏生产经营的行为。这里所说的“其他方法”,是指除本条所列的方法以外的其他任何方法。例如,切断水源、颠倒生产程序等破坏生产经营的方法。

3. 行为人主观上是故意犯罪,并且具有泄愤报复或者其他个人目的。这里所说的“其他个人目的”,主要是指为了称霸一方、打击竞争对手或者牟取其他不正当的利益,意图通过破坏设备而达到怠工、停工不劳动的目的。

根据本条规定,对破坏生产经营的,处三年以下有期徒刑、拘役或者管制;情节严重的,处三年以上七年以下有期徒刑。这里所说的“情节严重”,是指手段特别恶劣,引起生产停顿,间接造成巨大经济损失的;直接造成较大的经济损失,后果严重的,等等。

第二百七十六条之一*　以转移财产、逃匿等方法逃避支付劳动者的劳动报酬或者有能力支付而不支付劳动者的劳动报酬，数额较大，经政府有关部门责令支付仍不支付的，处三年以下有期徒刑或者拘役，并处或者单处罚金；造成严重后果的，处三年以上七年以下有期徒刑，并处罚金。

单位犯前款罪的，对单位判处罚金，并对其直接负责的主管人员和其他直接责任人员，依照前款的规定处罚。

有前两款行为，尚未造成严重后果，在提起公诉前支付劳动者的劳动报酬，并依法承担相应赔偿责任的，可以减轻或者免除处罚。

【释义】　本条是关于逃避支付或者不支付劳动者的劳动报酬的犯罪及其处罚的规定。

2011年2月25日全国人大常委会第十九次会议通过的《刑法修正案（八）》对这一犯罪行为作了具体的规定。近些年来，一些地方用工单位恶意拖欠劳动者工资的现象比较突出，大量务工人员工资被拖欠，严重侵犯劳动者的合法权益，有的甚至引发群体性事件和诸多社会矛盾，成为影响社会稳定的重要隐患。鉴于上述情况，近年来一些全国人大代表多次提出议案、建议，要求对一些严重损害广大人民群众利益的行为，加大惩处力度。经征求社会各方面的意见，为加强民生保护，促进社会和谐，《刑法修正案（八）》将一些社会危害严重，人民群众反映强烈，原来由行政管理手段或者民事手段调整的违法行为，规定为犯罪，逃避支付或者不支付劳动报酬的犯罪就是其中之一。

第一款是关于以转移财产、逃匿等手段，逃避支付或不支付劳动者的劳动报酬的犯罪及其处罚的规定。

本款规定的逃避支付或者不支付劳动者报酬的犯罪是故意犯罪，主体是自然人。主观方面必须有逃避支付或者不支付劳动者的劳动报酬的故意。其侵犯的客体为双重客体，既侵犯了劳动者的获得劳动报酬的权利，又扰乱了市场经济秩序。客观方面，行为人实施了以转移财产或逃匿等手段，逃避支付劳动者的劳动报酬或者虽没有转移财产和逃匿等行为，但有能力支付而故意不支付劳动者的劳动报酬的行为。

本款所说的"转移财产"，是指行为人为逃避欠薪将所经营的收益转移到他处，以使行政机关、司法机关或被欠薪者无法查找到。"逃匿"，是指行为人为逃避支付劳动报酬或者为躲避行政机关或司法机关的追究而逃离当地或躲藏起来。"劳动报酬"，是指劳动者按照劳动法和劳动合同法的规定，通过自己的劳

---

* 根据2011年2月25日第十一届全国人民代表大会常务委员会第十九次会议通过的《中华人民共和国刑法修正案（八）》增加。

动而应得的报酬，其范围不仅限于工资。“有能力支付”，是指经调查有事实证明企业或单位确有可供支付劳动者报酬的资金或者财产。“经政府有关部门责令支付仍不支付的”，这里的“政府有关部门”，一般是指地方政府劳动行政部门。劳动法明确了劳动行政部门在劳动工作中的地位和职责，即国务院劳动行政部门主管全国的劳动工作，县级以上地方人民政府劳动行政部门主管本行政区域内的劳动工作。这里的“责令支付仍不支付”，是指经政府劳动行政部门责令支付（一次）仍没有支付的情况。根据劳动法第九十一条的规定，用人单位违反劳动法的规定，政府劳动行政部门有权责令其支付。即用人单位具有克扣或者无故拖欠劳动者工资；拒不支付劳动者延长工作时间工资报酬；低于当地最低工资标准支付劳动者工资；解除劳动合同后，未依照劳动法规定给予劳动者经济补偿的侵害劳动者合法权益情形之一的，由劳动行政部门责令支付劳动者的工资报酬、经济补偿，并可以责令支付赔偿金。根据本款规定，“数额较大，经政府有关部门责令支付仍不支付”是构成本罪的必备条件，缺一不可。也就是说，行为人采取转移财产、逃匿等方法逃避支付劳动者的劳动报酬，或者有能力支付而不支付劳动者的劳动报酬都必须达到数额较大且经政府有关部门责令支付仍不支付的，才能构成本罪；仅符合数额较大的条件或者经政府有关部门责令支付仍不支付的条件都不构成本罪。2013年《最高人民法院关于审理拒不支付劳动报酬刑事案件适用法律若干问题的解释》对本款规定的犯罪的定罪量刑规定了具体的数额标准和考量情节。

本款对逃避支付或不支付劳动者的劳动报酬的犯罪规定了两档刑：即对于逃避支付劳动者的劳动报酬，数额较大，并经政府有关部门责令支付仍不支付的，处三年以下有徒刑或者拘役，并处或者单处罚金；对造成严重后果的，规定处三年以上七年以下有徒刑，并处罚金。“造成严重后果”，一般是指对劳动者的人身、家庭安全、生活造成严重伤害或在社会上造成极为恶劣的影响，如由于不支付或没有及时支付劳动者报酬，以致影响到劳动者家庭的生活或生存，或导致劳动者自伤、精神失常或因生活无着迫使其实施犯罪严重危害社会秩序的，以及引发群体性事件等严重后果。

第二款是关于单位犯罪的处罚规定。本款所说的“单位”，是指劳动合同法中规定的用人单位，包括具备合法经营资格的用人单位和不具备合法经营资格的用人单位以及劳务派遣单位。对于个人承包经营者犯罪的，应当以个人犯罪追究其刑事责任。根据本款规定，单位犯逃避支付或不支付劳动者的劳动报酬罪的，对单位判处罚金，同时，对其直接负责的主管人员和其他直接责任人员，依照第一款规定的刑罚予以处罚。也就是说，单位犯罪的构成条件是依照第一款关于个人犯罪的规定，对单位直接负责的主管人员和其他直接责任人员的处罚,也是依照第一款所规定的两档刑分别予以处罚。

第三款是关于不支付劳动报酬尚未造成严重后果,在提起公诉前欠薪者支付了劳动者的劳动报酬,可以减轻或者免除处罚的规定。

本款中的“有前两款行为”,是指有第一款关于个人犯罪和第二款关于单位犯罪的规定。也就是说,本款规定的犯罪主体是个人或单位。“尚未造成严重后果”,一般是指:(1)虽然没有支付或没有及时支付劳动者报酬,但没有严重影响到劳动者家庭的生活或生存;(2)没有造成劳动者自伤、精神失常或者实施犯罪行为;(3)没有引发群体性事件等严重后果。“在提起公诉前支付劳动者的劳动报酬”,是指在人民检察院提起公诉前,欠薪的单位或个人全额支付了劳动者报酬的情况。“依法承担相应赔偿责任”,主要是指依据劳动合同法第八十五条规定的赔偿金和经济补偿责任。具体规定如下:用人单位有下列情形之一的,由劳动行政部门责令限期支付劳动报酬、加班费或者经济补偿;劳动报酬低于当地最低工资标准的,应当支付其差额部分;逾期不支付的,责令用人单位按应付金额百分之五十以上百分之一百以下的标准向劳动者加付赔偿金:(1)未按照劳动合同的约定或者国家规定及时足额支付劳动者劳动报酬的;(2)低于当地最低工资标准支付劳动者工资的;(3)安排加班不支付加班费的;(4)解除或者终止劳动合同,未依照本法规定向劳动者支付经济补偿的。关于经济补偿的标准,应当按照劳动合同法第四十七条的规定,即按劳动者在本单位工作的年限,每满一年支付一个月工资的标准向劳动者支付。六个月以上不满一年的,按一年计算;不满六个月的,向劳动者支付半个月工资的经济补偿。劳动者月工资高于用人单位所在的直辖市、设区的市级人民政府公布的本地区上年度职工月平均工资三倍的,向其支付经济补偿的标准按职工月平均工资三倍的数额支付,向其支付经济补偿的年限最高不超过十二年。这里的月工资是指劳动者在劳动合同解除或者终止前十二个月的平均工资。对于用人单位违反劳动合同法规定,解除或者终止劳动合同的,应当按照劳动合同法第四十七条规定的经济补偿标准的二倍向劳动者支付赔偿金。

根据本款规定,对逃避支付或不支付劳动者的劳动报酬的个人或单位,可以减轻或者免除处罚,必须同时具备以下三个条件,缺一不可:1. 在人民检察院提起公诉前全部支付了劳动者劳动报酬;2. 在人民检察院提起公诉前依法承担了相应的赔偿责任;3. 欠薪行为尚未造成严重后果。本款作这样的规定,其出发点一是保障劳动者依法取得劳动报酬的权利,保护民生;二是更好地调处劳动关系,促进社会和谐,从真正意义上保障劳动者合法权益的实现。如果只具备以上三个条件中的一个或两个,仍应分别以前两款的规定,追究个人或单位的刑事责任。但法院可以作为犯罪的从轻情节予以考虑。这里的“减轻或者免除处罚”，是指个人或单位逃避支付或不支付劳动者的劳动报酬构成犯罪，但同时又具备上述三个条件的，可以依法予以减轻或者免除处罚。

实践中在适用本条时应当注意以下几个方面：1. 正确区分刑事犯罪与民事纠纷的界限。既不能都以犯罪处理，造成打击面过宽，也不能都以民事纠纷处理，使犯罪分子得不到应有的惩罚。2. 严格把握以下三个界限：第一，正确区分本条规定的犯罪行为和一般欠薪行为。对于因用人单位在经营中遇到困难、资金周转不开或经营不善等原因而暂时无法支付劳动者劳动报酬，主观上并不具有故意或恶意的，不宜将其纳入刑法调整的范围。劳动者可以通过劳动法律规定的救济途径去维护其合法权益。第二，对有能力支付而不支付复杂情况的判定和把握。第三，对本条第三款规定的三个条件应严肃执法，当严则严，该宽则宽。3. 本条虽然将这类不支付劳动报酬的行为规定为犯罪，但并不影响劳动者按照劳动管理等法律，通过行政、民事等途径追讨劳动报酬，维护自己的合法权益。

第六章　妨害社会管理秩序罪

第一节　扰乱公共秩序罪

第二百七十七条[*]　**以暴力、威胁方法阻碍国家机关工作人员依法执行职务的，处三年以下有期徒刑、拘役、管制或者罚金。**

以暴力、威胁方法阻碍全国人民代表大会和地方各级人民代表大会代表依法执行代表职务的，依照前款的规定处罚。

在自然灾害和突发事件中，以暴力、威胁方法阻碍红十字会工作人员依法履行职责的，依照第一款的规定处罚。

故意阻碍国家安全机关、公安机关依法执行国家安全工作任务，未使用暴力、威胁方法，造成严重后果的，依照第一款的规定处罚。

暴力袭击正在依法执行职务的人民警察的，依照第一款的规定从重处罚。

【释义】　本条是关于妨害公务罪及其处罚的规定。

在《刑法修正案（九）》的制定过程中，一些全国人大代表、全国人大常委会委员以及公安部等有关部门提出，针对当前暴力袭警犯罪多发的实际情况，在刑法中单独规定袭警罪。是否单独规定袭警罪，是一个在刑法修改过程中多次提出并反复研究的问题，有意见认为应当慎重，主要理由是：1. 我国刑法规定了妨害公务罪，这一罪名的外延比袭警罪宽，涵盖了袭警行为。目前，在司法实践中对袭警行为是区别其行为的不同方式、后果、危害等，依照刑法等法律的规定从严惩处的。如对于从事犯罪活动，抗拒警察依法处置袭警的，依其所犯罪行

---

* 根据2015年8月29日第十二届全国人民代表大会常务委员会第十六次会议通过的《中华人民共和国刑法修正案（九）》修改。原条文是："以暴力、威胁方法阻碍国家机关工作人员依法执行职务的，处三年以下有期徒刑、拘役、管制或者罚金。

"以暴力、威胁方法阻碍全国人民代表大会和地方各级人民代表大会代表依法执行代表职务的，依照前款的规定处罚。

"在自然灾害和突发事件中，以暴力、威胁方法阻碍红十字会工作人员依法履行职责的，依照第一款的规定处罚。

"故意阻碍国家安全机关、公安机关依法执行国家安全工作任务，未使用暴力、威胁方法，造成严重后果的，依照第一款的规定处罚。"

与刑法第二百七十七条规定的妨害公务罪数罪并罚;对在警察正常执行职务时袭警造成警察伤亡的,以故意伤害罪、故意杀人罪从重处罚;未造成伤亡的,依照妨害公务罪定罪处罚;情节轻微不构成犯罪的,依照治安管理处罚法予以治安处罚。总的来看,现行法律规定基本可以适应保护人民警察依法执行职务的需要。2. 除人民警察外,还有一些执法人员如法官、检察官以及工商管理、税收征管、城管等工作人员由于其在履行职责时直接面对群众甚至违法犯罪人员,在执法过程中遭到暴力抗拒甚至被袭击的情况时有发生,比较而言,警察的自我防护手段、执法装备保障、对暴力抗法或袭警人的追究能力等相比其他执法主体更强。3. 当前突出的问题是遇到实际发生的袭警行为,有的警察果断处置能力不强,有的机关严格依法追究袭警人员法律责任的意识不足,对人民警察严格执法的支持力度不够,致使在个别案件中出现警察"流血又流泪"的情况。为此,需要进一步完善警察警械配置、使用的有关规定,明确赋予其果断处置的权力。同时,有关机关在对这类案件的追究上也要予以支持配合。4. 单独规定袭警罪的国家与其警察执法环境有关,这些国家往往对枪支、弹药、管制刀具等管控宽松,其警察在执法活动中面临着较大的人身危险,并且这些国家一般是将较轻的袭警行为单独规定为犯罪,对造成严重后果的袭警行为以其他重罪定罪处罚。5. 当前我国社会矛盾多发、凸显,在有的地方警察执法能力和文明执法、严格执法水平尚有待提高。经充分调查研究,听取各方面意见,《刑法修正案(九)》没有专门规定袭警罪,而是在妨害公务罪中将"暴力袭警"行为明确加以列举,作为从重处罚的情形,这样有利于对执法机关依法执行职务的行为给予一体保护;同时也针对当前社会矛盾多发、暴力袭警案件时有发生的情况,对暴力袭警行为明确作出规定,更好地震慑和预防这类犯罪,积极回应各方面关切。

第一款是关于以暴力、威胁方法阻碍国家机关工作人员依法执行职务的,构成妨害公务罪及其处罚的规定。这里的"暴力",是指对国家机关工作人员的身体实行打击或者强制,如捆绑、殴打、伤害;"威胁",是指以杀害、伤害、毁坏财产、损坏名誉等相威胁。构成本罪,行为人必须是采取暴力、威胁的方法,如果行为人没有实施暴力、威胁的阻碍行为,只是吵闹、谩骂、不服管理等;不构成犯罪,可以依法进行治安管理处罚。"阻碍国家机关工作人员依法执行职务",是指以暴力、威胁方法阻挠、妨碍国家机关工作人员依照法律规定执行自己的职务,致使依法执行职务的活动无法正常进行。其中"国家机关工作人员",是指中央及地方各级权力机关、党政机关、司法机关的工作人员;"依法执行职务",是指国家机关工作人员依照法律、法规规定所进行的职务活动。如果阻碍的不是国家机关工作人员的活动,或者不是职务活动,或者不是依法进行的职务活动,都不构成本罪。根据本款规定,犯本罪的,处三年以下有期徒刑、拘役、管制或者罚金。

第二款是关于以暴力、威胁方法阻碍全国人大和地方各级人大代表依法执行代表职务的,构成妨害公务罪及其处罚的规定。这里规定的“阻碍”,必须是以暴力、威胁方法进行。其中规定的“代表”,是指依照法律规定选举产生的全国人大和地方各级人大代表;“代表职务”,是指宪法和法律赋予人民代表行使国家权力的职责和任务;“依照前款的规定处罚”,是指犯本款规定之罪的,处三年以下有期徒刑、拘役、管制或者罚金。

第三款是关于在自然灾害和突发事件中,以暴力、威胁方法阻碍红十字会工作人员依法履行职责的,构成妨害公务罪及其处罚的规定。这里的阻碍方法,必须是暴力、威胁方法。其中规定的“红十字会”,根据红十字会法,是指中华人民共和国统一的红十字组织,是从事人道主义工作的社会救助团体;“依法履行职责”,根据红十字会法的规定,红十字会有七项职责,这里主要是指在自然灾害和突发事件中,履行对伤病人员和其他受害者进行救助的职责;“依照第一款的规定处罚”,是指犯本款之罪的,处三年以下有期徒刑、拘役、管制或者罚金。

第四款是关于故意阻碍国家安全机关、公安机关依法执行国家安全工作任务的,构成妨害公务罪及其处罚的规定。根据本款规定,构成本罪应当具备以下条件:1. 实施了故意阻碍行为。“故意阻碍”,是指明知国家安全机关、公安机关正在依法执行国家安全工作任务,而进行阻挠、妨害。2. 行为人阻碍的是国家安全机关、公安机关依法执行国家安全工作任务。如果阻碍的不是上述两个机关或者上述两个机关执行的不是国家安全工作任务,都不构成本款犯罪。3. 本罪不要求以使用暴力、威胁方法为条件。考虑到国家安全工作的重要性,对造成严重后果的,只要是实施故意阻碍行为,即使未使用暴力、威胁方法,也要追究刑事责任。4. 造成严重后果。“严重后果”,主要是指致使国家安全机关、公安机关执行国家安全工作任务受到严重妨害,如严重妨害对危害国家安全犯罪案件的侦破,或者造成严重的政治影响。犯本款之罪的,“依照第一款的规定处罚”,即处三年以下有期徒刑、拘役、管制或者罚金。需要指出的是,只要以暴力、威胁方法阻碍国家安全机关、公安机关依法执行国家安全工作任务的,即构成妨害公务罪;对于以非暴力、威胁方式故意阻碍国家安全机关、公安机关依法执行国家安全工作任务,必须是造成严重后果的,才能构成妨害公务罪。

第五款是关于暴力袭击正在依法执行职务的人民警察及其处罚的规定。构成本款犯罪应当具备以下条件:1. 必须是实施了暴力袭击行为,如果行为人实施的不是暴力袭击行为而是威胁、辱骂等其他行为,则不构成本款犯罪,对于构成一般妨害公务犯罪的,可依照第一款的规定处罚。2. 暴力袭击的对象必须是正在依法执行职务的人民警察，如果行为人袭击的对象不是人民警察而是其他国家机关工作人员，或者袭击的人民警察不是正在依法执行职务，都不构成本款犯罪，对于袭击其他依法执行职务的国家机关工作人员，构成妨害公务罪的，依照第一款规定处罚。犯本款之罪的，“依照第一款的规定从重处罚”，即在三年以下有期徒刑、拘役、管制或者罚金的范围内判处相对较重的刑罚。

需要注意的是，对于阻碍国家机关工作人员依法执行职务情节较轻，尚未构成犯罪的，也应当依法给予行政处罚。我国治安管理处罚法第五十条中规定：“有下列行为之一的，处警告或者二百元以下罚款；情节严重的，处五日以上十日以下拘留，可以并处五百元以下罚款：……（二）阻碍国家机关工作人员依法执行职务的；……阻碍人民警察依法执行职务的，从重处罚。”

第二百七十八条　煽动群众暴力抗拒国家法律、行政法规实施的，处三年以下有期徒刑、拘役、管制或者剥夺政治权利；造成严重后果的，处三年以上七年以下有期徒刑。

【释义】　本条是关于煽动暴力抗拒法律实施罪及其处罚的规定。

本条规定的“煽动”，是指故意以语言、文字等方式公然诱惑、鼓动群众的行为。煽动的方式多种多样，如标语、传单、发表演讲、发送书信等。“暴力抗拒国家法律、行政法规实施”，是指以伤害、杀害执法人员等暴力方式，抗拒国家法律、行政法规的执行。这里的“国家法律”，是指全国人民代表大会及其常务委员会通过的法律和法律性文件；“行政法规”，是指国务院的行政法规。本条规定的犯罪，煽动的内容必须是试图使群众使用暴力手段来抗拒国家法律的实施，如果不是鼓动群众使用暴力抗拒，不构成本罪。行为人只要实施了煽动的行为，就可能足以扰乱社会秩序，有很大的社会危害性，就可以构成本罪，至于群众是否听信，是否造成了实际危害后果，不影响本罪的成立。在处刑上，本条根据犯罪情节轻重，规定了两档刑罚：1. 构成犯罪的，处三年以下有期徒刑、拘役、管制或者剥夺政治权利。2. 造成严重后果的，处三年以上七年以下有期徒刑。“造成严重后果”，主要是指由于煽动行为，导致被煽动的群众错误听信，使用暴力抗拒国家法律实施；或者由于煽动行为，造成工作、生产、教学、科研活动不能正常进行；以及由于煽动行为造成了十分恶劣的社会影响，等等。

第二百七十九条　冒充国家机关工作人员招摇撞骗的，处三年以下有期徒刑、拘役、管制或者剥夺政治权利；情节严重的，处三年以上十年以下有期徒刑。

冒充人民警察招摇撞骗的，依照前款的规定从重处罚。

【释义】　本条是关于招摇撞骗罪及其处罚的规定。

第一款是关于冒充国家机关工作人员招摇撞骗的犯罪及其处罚的规定。根据本款规定，招摇撞骗罪，是指为牟取非法利益，假冒国家机关工作人员进行招摇撞骗活动，损害国家机关形象、威信和正常活动，扰乱社会公共秩序的行为。这里规定的“冒充国家机关工作人员”，是指非国家机关工作人员假冒国家机关工作人员的身份、职位，或者某一国家机关工作人员冒用其他国家机关工作人员的身份、职位的行为。本款规定的犯罪，行为人冒充的对象必须是国家机关工作人员，如果冒充的是非国家机关工作人员，不构成本罪。这里的“招摇撞骗”，是指行为人为牟取非法利益，以假冒的国家机关工作人员的身份到处炫耀，利用人们对国家机关工作人员的信任，骗取地位、荣誉、待遇以及玩弄女性等。根据情节轻重，本款对冒充国家机关工作人员招摇撞骗犯罪规定了两档处刑：1. 实施本款规定的行为的，处三年以下有期徒刑、拘役、管制或者剥夺政治权利。2. 情节严重的，处三年以上十年以下有期徒刑。“情节严重的”，主要是指多次冒充国家机关工作人员进行招摇撞骗的；造成恶劣影响，严重损害国家机关形象和威信的；造成被骗人精神失常、自杀等严重后果的，等等。

第二款是关于冒充人民警察招摇撞骗的，从重处罚的规定。“依照前款的规定从重处罚”，即对冒充人民警察招摇撞骗，情节一般的，在三年以下有期徒刑、拘役、管制或者剥夺政治权利的量刑幅度内，处以较重的刑罚；情节严重的，在三年以上十年以下有期徒刑的量刑幅度内，处以较重的刑罚。规定冒充人民警察招摇撞骗的，从重处罚，主要是考虑到人民警察肩负着维护国家安全，维护社会治安秩序，保护公民的人身和财产安全的职责，与社会治安和人民群众生活秩序有着特别密切的关系，有必要对人民警察的形象和威信给予特别维护。

实践中，应当注意区分招摇撞骗罪与诈骗罪的界限。诈骗罪骗取的对象只限于公私财物，并且要求财物达到一定的数额，侵害的是公私合法财产利益；招摇撞骗罪骗取的对象主要不是财产，而是财产以外的其他利益，如地位、待遇，侵害的主要是国家机关的威信和形象。如果行为人冒充国家机关工作人员是为了骗取财物，则应当以诈骗罪处罚。

第二百八十条*　伪造、变造、买卖或者盗窃、抢夺、毁灭国家机关的公文、

---

* 根据 2015 年 8 月 29 日第十二届全国人民代表大会常务委员会第十九次会议通过的《中华人民共和国刑法修正案（九）》修改。原条文是：“伪造、变造、买卖或者盗窃、抢夺、毁灭国家机关的公文、证件、印章的，处三年以下有期徒刑、拘役、管制或者剥夺政治权利；情节严重的，处三年以上十年以下有期徒刑。

“伪造公司、企业、事业单位、人民团体的印章的，处三年以下有期徒刑、拘役、管制或者剥夺政治权利。

“伪造、变造居民身份证的，处三年以下有期徒刑、拘役、管制或者剥夺政治权利；情节严重的，处三年以上七年以下有期徒刑。”

证件、印章的，处三年以下有期徒刑、拘役、管制或者剥夺政治权利，并处罚金；情节严重的，处三年以上十年以下有期徒刑，并处罚金。

伪造公司、企业、事业单位、人民团体的印章的，处三年以下有期徒刑、拘役、管制或者剥夺政治权利，并处罚金。

伪造、变造、买卖居民身份证、护照、社会保障卡、驾驶证等依法可以用于证明身份的证件的，处三年以下有期徒刑、拘役、管制或者剥夺政治权利，并处罚金；情节严重的，处三年以上七年以下有期徒刑，并处罚金。

【释义】 本条是关于妨害国家机关公文、证件、印章犯罪，伪造公司、企业、事业单位、人民团体印章犯罪，伪造、变造、买卖居民身份证、护照、社会保障卡、驾驶证等依法可以用于证明身份的证件犯罪及其处罚的规定。

居民身份证等身份证件，是用于证明、确定相关人员身份信息的重要凭证。身份证件造假活动，严重危害身份证件管理秩序，为不法分子实施违法犯罪活动，逃避法律追究提供便利。近年来，随着经济社会发展和改革开放的深入，除了居民身份证外，公民持有护照等身份证件的数量出现较大增长。社会保障卡、机动车驾驶证等证件，除了用于专门领域和用途外，在实际生活特别是在相关社会管理当中，其也越来越多地被用于证明身份。伪造、变造护照、社会保障卡、机动车驾驶证的行为，其社会危害性与伪造、变造居民身份证具有相当性，应当一并予以惩罚。买卖居民身份证的情况在一些地方也比较突出，大量遗失、被盗的居民身份证被非法交易，还有的直接收购他人的居民身份证用以出售。买卖居民身份证的行为，严重危害身份证管理秩序，为他人逃避实名监管，从事诈骗、洗钱、操纵证券市场、非法经营等违法犯罪活动提供便利，社会危害性大，有必要作为犯罪予以追究。2015 年 8 月 29 日全国人大常委会通过的《刑法修正案（九）》补充了妨害居民身份证等身份证明文件管理犯罪行为的种类。此外，考虑到实践中伪造、变造、买卖证件类的犯罪，多是逐利型的犯罪，有必要对行为人予以经济上的惩罚，以剥夺其犯罪收益和再犯罪的能力。《刑法修正案（九）》对本条规定的犯罪增加了罚金刑，以加大惩处力度。

第一款是关于妨害国家机关公文、证件、印章管理犯罪的规定。根据本款规定，妨害国家机关公文、证件、印章管理的犯罪，是指伪造、变造、买卖或者盗窃、抢夺、毁灭国家机关的公文、证件、印章，妨害国家机关对公文、证件、印章管理活动的行为。

构成本款规定的犯罪需具备以下条件：1. 行为人在主观上是出于故意，至于行为人出于何种动机不影响本罪成立。2. 行为人在客观上实施了伪造、变造、买卖或者盗窃、抢夺、毁灭国家机关公文、证件、印章的行为。本款规定的“国家机关”，是指各级国家权力机关、党政机关、司法机关、军事机关。本款规定的犯罪行为侵害的对象，是国家机关公文、证件、印章。这里的“公文”，是指国家机关在其职权范围内，以其名义制作的用以指示工作、处理问题或者联系事务的各种书面文件，如决定、命令、决议、指示、通知、报告、请示、信函、电文等；“证件”，是指国家机关制作颁发的用以证明身份、权利义务关系或者有关事实的凭证，主要包括证件、证书；“印章”，是指刻有国家机关组织名称的公章或者某种特殊用途的专用章。本款规定的“伪造”，是指没有制作权的人，冒用名义，非法制作国家机关的公文、证件、印章的行为；“变造”，是指用涂改、擦消、拼接等方法，对真实的公文、证件、印章进行改制，变更其原来真实内容的行为；“买卖”，是指非法购买或者出售国家机关公文、证件、印章的行为；“盗窃”，是指秘密窃取国家机关公文、证件、印章的行为；“抢夺”，是指趁保管或者经手人员不备，公然非法夺取国家机关公文、证件、印章的行为；“毁灭”，是指以烧毁、撕烂、砸碎或者其他方法，故意损毁国家机关公文、证件、印章，使其完全毁灭或者失去效用的行为。本款规定的以上几种妨害国家机关公文、证件、印章管理的犯罪行为，行为人可能只实施其中一种，也可能实施几种，行为人只要实施了上述行为之一就构成犯罪。

根据犯罪情节轻重，本款对妨害国家机关公文、证件、印章管理的犯罪规定了两档刑期：1. 对实施该款行为的，处三年以下有期徒刑、拘役、管制或者剥夺政治权利，并处罚金。2. 情节严重的，处三年以上十年以下有期徒刑，并处罚金。这里的“情节严重”，主要是指多次或者大量伪造、变造、买卖、盗窃、抢夺、毁灭国家机关公文、证件、印章的；妨害国家机关重要的公文、证件、印章的管理的；造成恶劣的政治影响、重大的经济损失等严重危害后果的；动机、目的恶劣的，如出于打击报复或者诬陷他人的目的的，等等。需要注意的是，1997 年刑法对本罪没有规定罚金刑，2015 年 8 月 29 日通过的《刑法修正案（九）》针对此类犯罪多为牟利性犯罪的实际情况，增加了罚金刑的规定。

需要补充说明的是，1998 年在打击骗购外汇犯罪活动中，发现了一些专门伪造、变造海关签发的报关单、进口证明、外汇管理部门核准件等凭证和单据的“专业公司”和“专业户”。他们制作假的海关、外汇管理部门出具的各种各样的单证和凭证，出售给骗购外汇、骗取出口退税或者进行走私的单位和个人，从中牟利。这些行为，在当时严重扰乱了外汇管理秩序，危害极大。但在实践中，对于买卖假的国家机关公文、证件、印章能否依照刑法第二百八十条的规定定罪处罚，执行中认识不一致。为了明确这一问题，1998 年 12 月 29 日全国人大常委会《关于惩治骗购外汇、逃汇和非法买卖外汇犯罪的决定》第二条规定：“买卖伪造、变造的海关签发的报关单、进口证明、外汇管理部门核准件等凭证和单据或者国家机关的其他公文、证件、印章的，依照刑法第二百八十条的规定定罪处罚。”也就是说，此类行为均以刑法第二百八十条买卖国家机关公文、证件、印章罪定罪量刑。应当指出的是，根据以上规定，不仅对买卖假的海关或者外汇管理部门出具的凭证或者单据的行为，而且对所有买卖伪造、变造的国家机关公文、证件、印章的行为，都应当依照刑法第二百八十条的规定定罪处罚。

第二款是关于伪造公司、企业、事业单位、人民团体印章犯罪的规定。根据本款规定，对犯伪造公司、企业、事业单位、人民团体印章罪的，处三年以下有期徒刑、拘役、管制或者剥夺政治权利，并处罚金。《刑法修正案（九）》对本款规定的犯罪增加了并处罚金的规定。

第三款是关于伪造、变造、买卖居民身份证、护照、社会保障卡、驾驶证等依法可以用于证明身份的证件犯罪的规定。构成本款规定的犯罪须具备以下条件：1. 行为人在主观上是出于故意，至于行为人出于何种动机不影响本罪成立。2. 行为人客观上实施了“伪造、变造、买卖”居民身份证、护照、社会保障卡、驾驶证等依法可以用于证明身份的证件的行为。其中，“伪造”是指制作虚假的居民身份证等依法可以用于证明身份的证件；“变造”是对真的证件进行改制，变更其原有真实内容的行为；“买卖”是指为了某种目的，非法购买或者销售这些证件的行为。

本款规定的犯罪行为侵害的对象，是居民身份证、护照、社会保障卡、驾驶证等依法可以用于证明身份的证件。其中，居民身份证是具有中华人民共和国国籍并定居在中国境内的居民的有效证件，由公安机关依照居民身份证法制作、发放，因其信息直接来源于全国人口基本信息库，信息真实可靠，携带方便，运用最为广泛，是专门供公民在参与各项社会事务和社会活动时用于证明身份的证件。居民身份证法第十三条规定，公民从事有关活动，需要证明身份的，有权使用居民身份证证明身份，有关单位及其工作人员不得拒绝。

护照是由公民国籍所在国发给公民的一种能在国外证明自己身份的证件，是公民出入本国国境口岸和到国外旅行、居留时的必备证件。这里的护照，既包括中国公民依法申领的由中国有关主管部门发放的护照，也包括外国人持有的相关国家主管部门发放的护照。我国护照法对护照作为身份证明文件有明确规定。护照法第二条规定，中华人民共和国护照是中华人民共和国公民出入国境和在国外证明国籍和身份的证件。护照法第十四条规定，定居国外的中国公民在中国境内办理金融、教育、医疗、交通、电信、社会保险、财产登记等事务需要提供身份证明的，可以凭本人的护照证明其身份。

社会保障卡是社会保障主管部门依照规定向社会保障对象发放的拥有多种功能的证件。根据我国居民身份证法第十四条的规定，除以居民身份证证明身份外，在特定情况下，可以使用符合国家规定的其他证明方式证明身份。社会保险法第五十八条规定，国家建立全国统一的个人社会保障号码，个人社会保障号码为公民身份号码。社会保障卡以公民身份号码为统一的信息标识，公民持卡可以进行医疗保险个人账户结算、领取社会保险金、享受其他社会保险待遇等。有关社会保障部门开展相关管理工作时，医院、养老金发放机构等组织为持卡公民办理结算、支付等业务时，都需要以社会保障卡作为对权利人进行身份识别的凭证；采用计算机技术管理的社会保障相关信息系统，往往也需要以社会保障卡作为身份识别的工具。如按照人力资源和社会保障部、卫生和计划生育委员会制定的《工伤职工劳动能力鉴定管理办法》第八条规定，申请劳动能力鉴定应当提交工伤职工的居民身份证或者社会保障卡等其他有效身份证明原件和复印件。因此，社会保障卡既是公民享受社会保障待遇的权利凭证，同时也具有社会保障权利人身份证明的属性。

驾驶证是指机动车驾驶证。我国机动车驾驶证是道路交通管理部门依照道路交通安全法发放的，用于证明持证人具有相应驾驶资格的凭证。驾驶证也是采用全国统一的公民身份号码作为身份识别标识。在社会生活中，驾驶证除了作为驾驶资格的证明外，在与交通管理有关的很多场合也被作为身份证明加以使用。例如一些地方以摇号方式发放机动车号牌的，规定申请人要同时登记驾驶证和居民身份证号。又如在有交通违章时，车辆驾驶人凭行驶证和驾驶证去交通管理部门接受处理，这时的驾驶证也起到证明车辆驾驶人身份的作用。因此，与社会保障卡类似，驾驶证也属于依法可以用于证明身份的证件。

在实际生活中，还有一些被单位或者个人在一定范围、领域内使用，实际起到证明身份作用的证件，如各种会员卡、会员证、上岗证等，这些证件能否认定为本款规定的“依法可以用于证明身份的证件”，对此需要慎重研究。本款明确规定的依法可以用于证明身份的证件包括居民身份证、护照、社会保障卡、驾驶证这四类证件，其中护照、社会保障卡、驾驶证是《刑法修正案(九)》增加的。关于证件的范围，在《刑法修正案(九)》研究、审议过程中，是经广泛听取意见，在各方面共识的基础上确定的。居民身份证、护照可以说是专门用于证明身份的证件，社会保障卡、驾驶证则属于兼具证明身份功能，在社会生活和相关管理活动中被广泛使用，且其证明效力也为法律所认可的证件。这四类证件之所以被社会广泛认可，是因为它们有一些共同的属性：一是具有权威性，由国家有关主管部门依法统一制作发放。二是具有统一性，采用全国统一标准，以具有唯一性的居民身份证号码作为识别信息，并附有照片等重要身份识别信息，可识别性强。三是持证人的广泛性，发放数量大，具有较好的应用基础。目前，居民身份证的实有持证人口已经超过10亿，社会保障卡的持有人数已经超过7亿，驾驶证的持有人数已经超过3亿。因此，对“依法可以用于证明身份的证件”的范围，实践中应当严格按照法律规定的范围掌握。如果在实践中，在上述权威性、统一性、广泛性等方面与法律明确列举的四类证件具有相当性，确属应当作为“依法可以用于证明身份的证件”，可通过法律解释等方式予以明确。需要强调的是，对证件的范围严格按照法律规定掌握，并非对伪造、变造、买卖这四类证件之外的其他证件的行为不能够依法处理。实际上其中多数行为可以根据本条第一款、第二款的规定，以伪造、变造、买卖国家机关证件、印章罪，伪造公司、企业、事业单位、人民团体印章罪追究。还有一些，可以根据治安管理处罚法的规定处理。

另外，需要补充说明的是，根据本款规定，买卖居民身份证、护照、社会保障卡、驾驶证，既包括买卖真证，也包括买卖伪造、变造的证件。实际上本条第一款关于买卖国家机关公文、证件、印章犯罪的规定也存在这一问题，为明确该问题，1998 年 12 月 29 日全国人大常委会《关于惩治骗购外汇、逃汇和非法买卖外汇犯罪的决定》第二条明确规定，买卖伪造、变造的海关签发的报关单、进口证明、外汇管理部门核准件等凭证和单据或者国家机关的其他公文、证件、印章的，依照刑法第二百八十条的规定定罪处罚。即无论买卖的是真证还是假证，都属于刑法规定的买卖国家机关公文、证件、印章犯罪。这一规定的精神也是同样适用于本条第三款的。

本条第三款根据犯罪情节轻重，对伪造、变造、买卖居民身份证、护照、社会保障卡、驾驶证等依法可以用于证明身份的证件的犯罪规定了两档刑期：1. 对实施该款行为的，处三年以下有期徒刑、拘役、管制或者剥夺政治权利，并处罚金。2. 情节严重的，处三年以上七年以下有期徒刑，并处罚金。这里的“情节严重”，司法实践中可以主要根据行为人伪造、变造、买卖的证件的数量、非法牟利的数额、给他人造成的经济损失等情节确定。

第二百八十条之一*　在依照国家规定应当提供身份证明的活动中，使用伪造、变造的或者盗用他人的居民身份证、护照、社会保障卡、驾驶证等依法可以用于证明身份的证件，情节严重的，处拘役或者管制，并处或者单处罚金。

有前款行为，同时构成其他犯罪的，依照处罚较重的规定定罪处罚。

【释义】　本条是关于使用伪造、变造的或者盗用他人的居民身份证、护照、社会保障卡、驾驶证等依法可以用于证明身份的证件的犯罪及其处罚的规定。

本条规定的犯罪是新增加的犯罪。2015 年 8 月 29 日全国人大常委会通过

* 根据 2015 年 8 月 29 日第十二届全国人民代表大会常务委员会第十九次会议通过的《中华人民共和国刑法修正案（九）》增加。

的《刑法修正案(九)》对这一犯罪行为作了具体规定。

随着经济社会发展,公民在越来越多的经济社会活动中需要以居民身份证等身份证明文件证明身份。同时,为了加强社会管理,保障公民人身财产安全,电信、网络、金融、寄递、铁路、航空运输、医疗、教育、住宿等多种行业都逐渐需要实行实名制管理。同时,随着身份证明应用越来越广泛,实践中身份证件作假的情况也日渐增多。一方面,伪造、变造、买卖居民身份证、护照、社会保障卡、驾驶证等依法可以用于证明身份的证件的行为,为不法分子使用伪造、变造的或者盗用他人的身份证件提供了便利。另一方面,使用伪造、变造的或者盗用他人身份证件的行为,也为不法分子伪造、变造、买卖相关身份证件的行为提供了市场需求和驱动力。造假者和用假者形成非法的利益链条,危害身份证件管理秩序,进而使得相关以实名制为基础的社会管理制度难以落实。实践中,使用伪造、变造的或者盗用他人的身份证件的行为,又往往与诈骗、洗钱、非法经营等其他犯罪相关联,大量从事诈骗、洗钱、非法经营等违法犯罪活动的不法分子,往往利用虚假身份,逃避法律追究。因此,除了对伪造、变造、买卖居民身份证等身份证件的行为应当依法予以刑事追究外,对于使用伪造、变造的居民身份证件以及盗用他人身份证件,情节严重的,也有必要作为犯罪追究。

良好的诚信体系是经济社会正常运转的前提和保障。加强社会诚信体系建设是提高社会治理能力的重要方面。针对当前社会诚信缺失,欺诈等背信行为多发,社会危害严重的实际情况,为回应社会关切,全国人大常委会于2015年8月29日通过的《刑法修正案(九)》中,从加强诚信建设,惩处严重背信失信行为入手,在刑法中增加了使用伪造、变造的或者盗用他人的居民身份证等依法可以用于证明身份的证件犯罪,以刑事手段惩治在相关身份证件的使用环节弄虚作假、情节严重的行为,以进一步维护相关身份证件的管理秩序,发挥刑法在维护社会诚信、惩治失信和背信行为方面的功能和对公民行为价值取向的引领推动作用。

第一款是关于使用伪造、变造的或者盗用他人的居民身份证、护照、社会保障卡、驾驶证等依法可以用于证明身份的证件的处罚规定。

构成本款规定的犯罪需具备以下条件:

1.行为人在主观上是故意,至于行为人出于何种动机不影响本罪成立。这包括两种情形:一种是行为人明知这些身份证件是伪造、变造的或者可能是变造、伪造的,仍然予以使用;另一种是行为人明知是他人的身份证件,仍然盗用他人名义予以使用。

2.行为人客观上在依照国家规定应当提供身份证明的活动中,实施了使用伪造、变造的或者盗用他人的居民身份证、护照、社会保障卡、驾驶证等依法可以用于证明身份的证件的行为。

这里“依照国家规定应当提供身份证明”中的“国家规定”，是指全国人民代表大会及其常务委员会制定的法律和决定，国务院制定的行政法规、规定的行政措施、发布的决定和命令。实际生活中需要出示身份证件以证明身份的情况很多，相应的在这些活动中使用假身份的情形也很多，刑法之所以规定在“依照国家规定应当提供身份证明”的活动中使用伪造、变造、盗用他人身份证件构成犯罪，主要是因为国家规定应当提供身份证明的活动都是比较重要的经济社会活动或者管理事项，在这些活动中使用虚假身份，会严重扰乱相关管理秩序，具有较为严重的社会危害性。如居民身份证法第十四条规定，公民在常住户口登记项目变更、兵役、婚姻、收养登记、申请办理出境手续等事项中，应当出示居民身份证证明身份。依法未得居民身份证的公民可以使用国家规定的其他证明方式证明身份。出境入境管理法第十一条规定，中国公民出境入境，应当向出入境边防检查机关交验本人的护照或者其他旅行证件等出境入境证件。反洗钱法第十六条规定，金融机构在与客户建立业务关系或者为客户提供规定金额以上的现金汇款、现钞兑换、票据兑付等一次性金融服务时，应当要求客户出示真实有效的身份证件或者其他身份证明文件。《危险化学品安全管理条例》第三十九条规定，申请取得剧毒化学品购买许可证，申请人应当提交经办人的身份证明。《易制毒化学品管理条例》第十八条规定，经营单位销售第一类易制毒化学品时，应当查验购买许可证和经办人的身份证明。在上述这些活动中，如果使用伪造、变造的或者盗用他人的身份证件，情节严重，构成犯罪的，就应当依照本条规定追究刑事责任。需要补充说明的是，在正常经济社会活动中需要证明自己身份时，使用虚假身份证件或者盗用他人名义以冒充他人身份的行为，都是违法行为。对这些行为，即使按照本款上述规定不属于“依照国家规定应当提供身份证明”的活动，因而不构成本款规定的犯罪，也并不意味着对这些行为不依法作相应处理。从实际情况看，其中很多行为属于违反治安管理处罚法和相关证件管理或者行政管理事项的法律法规的行为，对这些行为应当区别不同情况，依照治安管理处罚法和居民身份证法、护照法等相关法律法规规定予以治安管理处罚或者其他行政处罚。

这里的“伪造、变造”，在本书对刑法第二百八十条的释义中已作了说明，这里不再赘述。这里的“盗用”，是指盗用他人名义，使用他人的居民身份证、护照、社会保障卡、驾驶证等依法可以用于证明身份的证件的行为。盗用的一般是他人真实的身份证件，包括捡到他人的身份证件后冒用，购买他人的身份证件后冒用，也包括盗窃他人的身份证件后冒用，等等。实际生活中，还有一些是经过身份证件持有人本人同意或者与其串通，冒用证件所有人名义从事相关经济社会活动的情况。这种行为因为不存在盗用本人名义的情况，因而不属于本款规定的“盗用”，但对这些行为并非一律不作处理，具体要视冒用的情况而定。有的可以根据相关法律规定予以行政处罚，如居民身份证法第十七条规定，冒用他人居民身份证的，由公安机关罚款或者拘留，并没收违法所得。治安管理处罚法第五十一条规定冒充国家机关工作人员或者以其他虚假身份招摇撞骗的，处五日以上十日以下拘留，可以并处五百元以下罚款；情节较轻的，处五日以下拘留或者五百元以下罚款。此外，为实施违法犯罪行为而冒用他人名义的，还可能构成其他犯罪。这种情况下，对其冒用身份证件的行为虽然不能依照本款处理，但其所实施的具体犯罪行为应当依照刑法相关规定处理。如与上游犯罪行为人串通，冒用其名义实施洗钱行为的，应当依照本法第一百九十九条的规定追究其洗钱罪的刑事责任。

关于本款规定的犯罪行为的对象，即居民身份证、护照、社会保障卡、驾驶证等依法可以用于证明身份的证件，在本书对刑法第二百八十条的释义中已作说明，这里不再赘述。需要注意的是，关于依法可以用于证明身份的证件的范围，为防止出现打击面过大的情况，目前列明的是居民身份证、护照、社会保障卡、驾驶证这四类证件，实践中应当从严掌握。

3. 情节严重。这里给该罪名设定了入罪门槛，只有情节严重的才能构成本罪，情节一般，危害不大的，不作为犯罪。具体可视情况依照相关法律法规的规定处理。这里的“情节严重”，主要是指使用伪造、变造的或者盗用的次数多、数量大；非法牟利数额大；严重扰乱相关事项的管理秩序；严重损害第三人的人身或者财产权益等。

第二款是关于有使用伪造、变造的或者盗用他人的依法可以用于证明身份的证件的行为，同时又构成其他犯罪，如何适用法律的规定。

这里主要涉及本条规定的犯罪与诈骗、非法经营、洗钱等犯罪的竞合问题。从实践中的情况看，使用伪造、变造的或者盗用他人身份证件的行为，往往与诈骗、洗钱、非法经营等违法犯罪行为相联系，很多情况下，本款规定的行为往往是行为人实施相关犯罪的手段，行为人的行为同时符合本款规定的犯罪和相关犯罪。这种情况下，根据本款规定，对行为人应当依照处罚较重的规定定罪处罚。例如，根据 2014 年 4 月 24 日全国人民代表大会常务委员会关于刑法第二百六十六条的解释，行为人以欺诈、伪造证明材料或者其他手段骗取养老、医疗、工伤、失业、生育等社会保险金、社会保险待遇的行为，属于第二百六十六条规定的诈骗公私财物的行为。该解释中所明确列举的诈骗手段就包括使用伪造、变造的或者盗用他人的社会保障卡、居民身份证的行为。在这种情况下，如果行为人的行为构成本款规定的犯罪，又构成诈骗罪的，应当择一重罪定罪处罚。

第二百八十一条　非法生产、买卖人民警察制式服装、车辆号牌等专用标志、警械，情节严重的，处三年以下有期徒刑、拘役或者管制，并处或者单处罚金。

单位犯前款罪的，对单位判处罚金，并对其直接负责的主管人员和其他直接责任人员，依照前款的规定处罚。

【释义】　本条是关于非法生产、买卖警用装备罪及其处罚的规定。

第一款是关于非法生产、买卖人民警察制式服装、专用标志、警械的犯罪及其处罚的规定。根据本款规定，这一犯罪是指非法生产、买卖人民警察制式服装、车辆号牌等专用标志、警械，情节严重的行为。这里规定的“非法生产、买卖”，是指无生产、经营、使用权的单位或个人擅自生产、销售、购买人民警察制式服装、专用标志、警械；或者虽有生产、经营权，但违反有关规定擅自进行生产、销售的行为。根据人民警察法的有关规定，人民警察制式服装、专用标志、警械由国务院公安部门统一监制；最高人民法院、最高人民检察院、国家安全部、司法部各自负责本系统警服生产计划，报公安部备案，在公安部指定生产厂的范围内，进行办理；人民警察的警服和专用标志，包括警服纽扣、专用色布以及帽徽、符号、领带、领带卡等，由公安部颁发生产许可证定点生产；警服和专用标志一律不得在市场上买卖；定点生产的工厂要严格按照公安部下达的指标生产，不准计划外私自加工生产、销售。这里规定的“人民警察制式服装”，是指国家专门为人民警察制作的服装。人民警察制式服装是人民警察的重要标志，人民警察穿着警服是依法执行警务的需要，非人民警察一律不准穿着警服。人民警察的“专用标志”，是指为便于社会外界识别，而用来表明人民警察身份或用于表明警察机关的场所、车辆等的外形标记，主要包括车辆号牌、臂章、警徽、警衔标志等。“警械”，是指人民警察在从事执行逮捕、拘留、押解人犯以及值勤、巡逻、处理治安案件等警务时，依法使用的警用器具，主要包括警棍、警笛、手铐、警绳等。这里规定的“情节严重的”，主要是指多次非法生产、买卖人民警察制式服装、专用标志、警械或者非法生产、买卖的数量较大的；经有关部门责令停止生产、销售、购买，拒不听从的；影响恶劣的；造成其他严重后果的，等等。情节严重是构成本罪的条件，不具有严重情节的不构成本罪。根据本条规定，犯本条规定之罪的，处三年以下有期徒刑、拘役或者管制，并处或者单处罚金。

第二款是关于单位进行非法生产、买卖人民警察制式服装、专用标志、警械的犯罪及其处罚的规定。根据本款规定，单位犯本条罪的，对单位判处罚金，并对其直接负责的主管人员和其他直接责任人员，依照前款的规定处罚。“依照前款的规定处罚”，即处三年以下有期徒刑、拘役或者管制，并处或者单处罚金。

第二百八十二条　以窃取、刺探、收买方法，非法获取国家秘密的，处三年以下有期徒刑、拘役、管制或者剥夺政治权利；情节严重的，处三年以上七年以下有期徒刑。

非法持有属于国家绝密、机密的文件、资料或者其他物品，拒不说明来源与用途的，处三年以下有期徒刑、拘役或者管制。

【释义】　本条是关于非法获取国家秘密罪、非法持有国家绝密、机密文件、资料、物品罪及其处罚的规定。

第一款是关于非法获取国家秘密的犯罪及其处罚的规定。根据本款规定，非法获取国家秘密犯罪，是指以窃取、刺探、收买方法，非法获取国家秘密的行为。本款规定的“窃取”，是指行为人采取非法手段秘密取得国家秘密的行为；“刺探”，是指行为人通过各种途径和手段非法探知国家秘密的行为；“收买”，是指行为人以给予金钱或者其他物质利益的方法非法得到国家秘密的行为。这里的“国家秘密”，在保守国家秘密法中已有明确规定，是指关系国家的安全和利益，依照法定程序确定，在一定时间内只限一定范围的人知悉的事项。国家秘密分为三级：绝密、机密和秘密。根据本款规定，对非法获取国家秘密的犯罪，处三年以下有期徒刑、拘役、管制或者剥夺政治权利；情节严重的，处三年以上七年以下有期徒刑。

第二款是关于非法持有属于国家绝密、机密的文件、资料或者其他物品的犯罪及其处罚的规定。这里规定的“非法持有属于国家绝密、机密的文件、资料或者其他物品”，是指根据保密法以及国家其他有关规定，不该持有而持有属于国家绝密、机密的文件、资料或者其他物品，包括传递、携带、保存这些文件、资料和物品。“属于国家绝密、机密的文件、资料”，是指依照法定程序确定并且标明为绝密、机密两个密级的文件、资料，不包括秘密一级的文件、资料；属于国家绝密、机密的“其他物品”，是指依照有关法律被确定为国家绝密、机密的物品，如被确定为国家绝密或者机密的先进设备、高科技产品、军工产品。“拒不说明来源与用途”，是指在有关机关责令说明其非法持有的属于国家绝密、机密的文件、资料和其他物品的来源和用途时，行为人拒不回答或者作虚假回答。根据本款规定，对非法持有国家绝密、机密文件、资料或者其他物品拒不说明来源与用途的犯罪，处三年以下有期徒刑、拘役或者管制。

在实践中应当注意，有本条第一款规定的非法获取国家秘密的犯罪行为，如果行为人窃取、刺探、收买情报是为了提供给境外的机构、组织、人员的，应当以为境外机构、组织、人员窃取、刺探国家秘密罪定罪处罚；在认定本条第二款规定的非法持有属于国家绝密、机密的文件、资料或者其他物品犯罪时，应当首先查清行为人的行为是否构成非法获取国家秘密等犯罪。

第二百八十三条*　非法生产、销售专用间谍器材或者窃听、窃照专用器材的，处三年以下有期徒刑、拘役或者管制，并处或者单处罚金；情节严重的，处三年以上七年以下有期徒刑，并处罚金。

单位犯前款罪的，对单位判处罚金，并对其直接负责的主管人员和其他直接责任人员，依照前款的规定处罚。

【释义】　本条是关于非法生产、销售专用间谍器材或者窃听、窃照专用器材的犯罪及其处罚的规定。

近年来，随着电子信息技术的不断发展，不法分子利用窃听窃照专用器材从事违法犯罪活动的情况更为严重，窃听窃照专用器材的生产、销售、非法使用者之间甚至形成了违法犯罪利益链条。密拍密录、跟踪定位等窃听窃照专用器材功能越来越强、种类繁多、市场庞大，社会危害后果严重：有的窃听窃照专用器材隐蔽性很强，被伪装成日常生活中的各物品；有的窃听窃照器材可以全天候、不间断地远距离窃取他人信息；利用窃听窃照器材从事非法调查、非法讨债、敲诈勒索、绑架等违法犯罪活动的情况比较严重。非法使用窃听窃照专用器材的行为，严重侵害公民的隐私等人身权利，扰乱社会管理秩序，有的还危害公共安全和国家安全。为了从源头上遏制此类违法犯罪行为的发生，有必要进一步加大对非法生产销售窃听窃照专用器材活动的惩处和治理力度。从实际情况看，由于司法实践中对“窃听、窃照专用间谍器材”与“窃听、窃照专用器材”的界限如何划分存在不同认识，影响了对这类违法犯罪行为的打击。另外，在电子信息技术快速发展的背景下，一些新出现的窃听窃照器材，其性能、微型化程度等技术指标直逼昔日的间谍专用器材，其所能带来的社会危害，并不明显小于间谍专用器材。为此，全国人大常委会于 2015 年 8 月 29 日通过的《刑法修正案（九）》，对刑法第二百八十三条的规定作了修改、完善。主要修改之处，一是将原来规定的非法生产、销售“窃听、窃照等专用间谍器材”修改为生产、销售“专用间谍器材或者窃听、窃照专用器材”。二是增加了单位犯罪，以针对实践中非法生产、销售专用间谍器材或者窃听、窃照专用器材的行为多由单位实施的实际情况。三是完善了本罪的法定刑配置，提高了本罪的法定刑，将法定刑最高刑由三年有期徒刑提高到七年有期徒刑，以加大惩处力度；增加了罚金刑，以剥夺犯罪人或单位的犯罪收益，使其在经济上占不到便宜，并剥夺其再犯能力，防止重新犯罪。

---

* 根据 2015 年 8 月 29 日第十二届全国人民代表大会常务委员会第十九次会议通过的《中华人民共和国刑法修正案（九）》修改。原条文是：“非法生产、销售窃听、窃照等专用间谍器材的，处三年以下有期徒刑、拘役或者管制。”

第一款是关于个人非法生产、销售专用间谍器材或者窃听、窃照专用器材犯罪的处罚规定。

构成本款规定的犯罪需具备以下条件：1. 行为人在主观上是故意，至于行为人出于何种动机不影响本罪成立。2. 行为人实施了非法生产、销售专用间谍器材或者窃听、窃照专用器材的行为。这里的规定的“非法生产、销售”，是指未经有关主管部门批准、许可，擅自生产、销售专用间谍器材或者窃听、窃照专用器材，或者虽经有关主管部门批准、许可生产、销售，但在实际生产、销售过程中违反有关主管部门关于数量、规格、范围等的要求，非法生产、销售。

这里规定的“专用间谍器材”，是指专门用于实施间谍活动的工具。对于专用间谍器材的范围，原国家安全法（2014 年修改为反间谍法）的实施细则中有明确规定。虽然原国家安全法已经修改为反间谍法，但反间谍法关于“任何个人和组织都不得非法持有、使用间谍活动特殊需要的专用间谍器材”的规定，以及对非法持有、使用专用间谍器材的处理的规定，与原国家安全法的规定是一致的。因此，在新的修订后的实施细则出台前，司法实践中认定间谍专用器材的范围，应仍参照原国家安全法实施细则的相关规定。按照该实施细则的规定，专用间谍器材是指用于间谍活动特殊需要的下列器材：（1）暗藏式窃听、窃照器材；（2）突发式收发报机、一次性密码本、密写工具；（3）用于获取情报的电子监听、截收器材；（4）其他专用间谍器材。此外，关于专用间谍器材的认定，反间谍法也延续了原国家安全法的规定，即由国务院国家安全主管部门依照国家有关规定确认。实践中也应当继续按照此程序办理。

这里规定的“窃听、窃照专用器材”，是指具有窃听、窃照功能，并专门用于窃听、窃照的器材，如专用于窃听、窃照的窃听器、微型录音机、微型照相机等。“窃听”，是指使用专用器材、设备，在当事人未察觉、不知晓或无法防范的情况下，偷听其谈话或者通话以及其他活动的行为；“窃照”，是指使用专用器材、设备，对窃照对象的形象或者活动进行的秘密拍照摄录的活动。

根据犯罪情节轻重，本款对生产、销售专用间谍器材或者窃听、窃照专用器材犯罪规定了两档刑期：1. 对实施本款行为的，处三年以下有期徒刑、拘役、管制，并处或者单处罚金。2. 情节严重的，处三年以上七年以下有期徒刑，并处罚金。这里的“情节严重”，主要可从非法生产、销售的间谍专用器材以及窃听、窃照专用器材的数量，谋取的非法利益的数额，生产、销售的间谍专用器材以及窃听窃照专用器材流入社会的数量，因他人非法使用而对国家安全利益、社会公共利益、公民合法权益造成的实际损害等情节综合考量。

第二款是关于单位非法生产、销售专用间谍器材或者窃听、窃照专用器材的处罚规定。对单位犯本罪的，本条采取了双罚制原则，即对单位判处罚金，并对单位的直接负责的主管人员和其他直接责任人员，按照第一款对个人犯本罪的处刑规定处罚。对于单位判处罚金的数额，法律未作具体规定，司法实践中可由司法机关根据案件的具体情况，本着罪责刑相适应的原则依法确定。

第二百八十四条　非法使用窃听、窃照专用器材，造成严重后果的，处二年以下有期徒刑、拘役或者管制。

【释义】　本条是关于非法使用窃听、窃照专用器材罪及其处罚的规定。

根据本条的规定，非法使用窃听、窃照专用器材的犯罪，是指非法使用窃听、窃照专用器材，造成严重后果的行为。构成本罪，行为人必须实施了非法使用窃听、窃照专用器材的行为。“窃听”，是指使用专用器材、设备，对窃听对象的谈话或者通话进行偷听的活动；“窃照”，是指使用专用器材、设备，对窃照对象的形象或者活动进行的秘密摄录的活动。这里的“窃听、窃照专用器材”，是指具有窃听、窃照功能，并专门用于窃听、窃照的器材，如专用于窃听、窃照的窃听器、微型录音机、微型照相机等。本条规定的“非法使用”，是指违反国家规定使用窃听、窃照专用器材，包括无权使用的人使用以及有权使用的人违反规定使用。依照本条规定，非法使用窃听、窃照专用器材，造成严重后果的才构成犯罪。这里所说的“造成严重后果”，是指由于非法使用窃听、窃照专用器材，造成他人自杀、精神失常，引起杀人、伤害等犯罪发生或者造成重大经济损失等严重后果。根据本条规定，对非法使用窃听、窃照专用器材犯罪，处二年以下有期徒刑、拘役或者管制。

第二百八十四条之一*　在法律规定的国家考试中，组织作弊的，处三年以下有期徒刑或者拘役，并处或者单处罚金；情节严重的，处三年以上七年以下有期徒刑，并处罚金。

为他人实施前款犯罪提供作弊器材或者其他帮助的，依照前款的规定处罚。

为实施考试作弊行为，向他人非法出售或者提供第一款规定的考试的试题、答案的，依照第一款的规定处罚。

代替他人或者让他人代替自己参加第一款规定的考试的，处拘役或者管制，并处或者单处罚金。

【释义】　本条是关于组织考试作弊犯罪、为组织作弊提供作弊器材或者其

---

* 根据2015年8月29日第十二届全国人民代表大会常务委员会第十六次会议通过的《中华人民共和国刑法修正案（九）》增加。

他帮助犯罪，为考试作弊提供试题、答案犯罪以及代替他人或者让他人代替自己参加考试犯罪及其处罚的规定。

考试作弊行为破坏考试制度和人才选拔制度，妨碍公平竞争，破坏社会诚信，败坏社会风气，同时还会诱发其他违法犯罪行为，具有较为严重的社会危害性。从刑法的规定看，1997 年刑法没有专门针对破坏国家考试制度的犯罪规定，对于实践中破坏考试秩序的犯罪，一般是根据作弊行为的具体情况，分别依照刑法的有关规定处理的。从法律适用的具体情况看，常用的罪名主要是，伪造公文、证件、印章罪，非法使用窃听、窃照专用器材罪，泄露国家秘密罪等。近年来，破坏考试秩序犯罪的情况出现了一些变化，一是考试作弊活动越来越猖獗；二是考试作弊的组织化程度越来越高，涉及面也越来越大；三是随着电子信息技术的快速发展，考试作弊活动越来越多地使用各种科技手段，使得考试组织者难以防范；四是围绕考试作弊，形成了各种违法犯罪活动相互依赖、分工严密的利益链条，惩处难度越来越大。为了保证依法举行的国家考试的正常进行，维护社会诚信，依法惩治失信、背信行为，根据有关方面的建议，全国人大常委会于 2015 年 8 月 29 日通过的《刑法修正案（九）》在刑法中增加了本条，对在依照法律规定举办的考试中组织考试作弊等各种破坏考试秩序的行为作出专门规定。这一规定体现了刑法在维护社会主义核心价值观、规范社会生活方面的引领和推动作用，对于净化社会风气，维护社会诚信具有积极意义。

第一款是关于组织考试作弊犯罪的规定。组织考试作弊犯罪是本条规定的重点内容。本款规定有以下几个方面问题需要注意：

第一，关于“组织作弊”的行为。根据本款规定，构成组织作弊的犯罪要求行为人客观上实施了“组织作弊”的行为。这里所说的“组织”作弊，即组织、指挥、策划进行考试作弊的行为，既包括构成犯罪集团的情况，也包括比较松散的犯罪团伙，还可以是个人组织他人进行作弊的情况；组织者可以是一个人，也可以是多人；可以有比较严密的组织结构，也可以是为了进行一次考试作弊行为临时纠结在一起；既包括组织一个考场内的考生作弊的简单形态，也包括组织大范围的集体作弊的复杂情形。“作弊”是指在考试中弄虚作假的行为，具体作弊方式花样很多，需要结合考试的具体情况确定。对于考试作弊，在相关考试的规定中一般都有明确的认定规定，如《国家教育考试违规处理办法》规定，国家教育考试中作弊包括：（1）携带与考试内容相关的材料或者存储有与考试内容相关资料的电子设备参加考试的；（2）抄袭或者协助他人抄袭试题答案或者与考试内容相关的资料的；（3）抢夺、窃取他人试卷、答卷或者胁迫他人为自己抄袭提供方便的；（4）携带具有发送或者接收信息功能的设备的；（5）由他人冒名代替参加考试的；（6）故意销毁试卷、答卷或者考试材料的；（7）在答卷上填写与本人身份不符的姓名、考号等信息的；(8)传、接物品或者交换试卷、答卷、草稿纸的；(9)其他以不正当手段获得或者试图获得试题答案、考试成绩的行为。《公务员录用考试违纪违规行为处理办法(试行)》对公务员考试中的作弊及处理也有明确规定。

本款之所以对“组织作弊”作出明确规定，主要是体现对有组织的团伙作弊行为从严惩处。从司法实践中的情况看，一些案件中，考试作弊团伙化、产业化特征明显，“助考”团伙分工明确，有专门制售作弊器材的，有专门偷题的，有专门做题的，有专门负责广告的，有专门负责销售试题及答案的，涉及考试作弊的各个环节，形成制售作弊器材、考试前或考试中窃取试题内容、雇佣枪手做答、传播答案等“一条龙”产业链。在作弊的手段上，也日益高科技化，有的犯罪团伙使用秘拍设备窃取考题，使用远程通讯设备将答案传入考场，采用可以植入牙齿的耳机接收答案，等等。传统的有组织作弊主要是在考场内组织实施，而近年来高科技化的组织作弊，往往通过包括互联网、无线电技术手段在内的多种技术手段，将考场内外，考生、家长、枪手等各主体和试题、答案各要素紧密联系在一起，使得考试组织者防不胜防。此类行为严重扰乱考试活动的正常进行，社会危害严重，应当作为打击的重点予以从严惩处。

第二，关于考试的范围。根据本款规定，考试范围限定在“法律规定的国家考试”，即在法律中明确规定的国家考试。对这一考试范围的确定，在法律草案审议过程中曾做过专门研究。在刑法修正案(九)草案初次审议时，草案规定的范围是“国家规定的考试”。在就该方案征求意见过程中，有的建议对“国家规定的考试”作出明确界定，以便司法实践中准确掌握、严格适用法律。有的提出“国家规定的考试”的表述有歧义，可以理解为“国家规定”中的考试，也可以理解为国家“规定的考试”。对第一种理解，按照刑法第九十六条关于“国家规定”的解释，包括法律、行政法规规定的考试。据统计，这类考试的种类众多。如果按照第二种理解，即国家“规定的考试”，则范围还包括部门规章规定的考试，范围更宽。考虑到增加本罪主要是从维护社会诚信、惩治失信背信行为的角度出发，对组织考试作弊犯罪等专门作出规定，对考试的范围有相对明确的限定是必要的。同时，本条还规定了让他人替考、为他人替考的行为，也需要对考试的范围有一个明确限定。此外，国务院正在进行行政审批项目清理，据主管部门提供的情况，今后要取消没有法律法规依据的准入类职业资格；有法律法规依据的准入类资格，如果与国家安全、公共安全、人民生命财产安全关系并不密切，或者自身不宜采取职业资格方式进行管理的，将按程序提请修改法律法规后，予以取消。根据下一步的清理计划，国务院行业部门、全国性的行业协会、学会自行设置的水平评价类职业资格，原则上予以取消，确实需要保留的，经过批准后,纳入国家统一的职业资格制度管理。为此,为与行政审批制度改革相衔接,也需要对本条规定的考试的范围作合理限定。经综合考虑,本条对纳入组织考试作弊等犯罪予以刑事处罚的考试的范围作了限定,即仅限于依照法律规定举行的考试。

从现有规定看,近二十部法律对“法律规定的国家考试”作了规定。如公务员法第二十八条规定,公务员录用考试采取笔试和面试的方式进行,考试内容根据公务员应当具备的基本能力和不同职位类别分别设置。法官法第十二条规定,初任法官采用严格考核的办法,按照德才兼备的标准,从通过国家统一司法考试取得资格,并且具备法官条件的人员中择优提出人选。上述规定就是通常所说的公务员考试和司法考试,都属于本条规定的“法律规定的国家考试”。检察官法、律师法也分别对担任检察官、申请律师执业规定了要通过国家统一司法考试。此外,警察法、教师法、执业医师法、注册会计师法、道路交通安全法、海关法、动物防疫法、旅游法、证券投资基金法、统计法、公证法等也都对相应行业、部门的从业人员应当通过考试取得相应资格或入职条件作了规定。需要注意的是,对于教育类考试,目前社会上关注度高、影响大、涉及面广的高考、研究生入学考试等都是有相应法律依据的。教育法第二十条规定,国家实行国家教育考试制度。国家教育考试由国务院教育行政部门确定种类,并由国家批准的实施教育考试的机构承办。高等教育法第十九条规定,高级中等教育毕业或者具有同等学力的,经考试合格,由实施相应学历教育的高等学校录取,取得专科生或者本科生入学资格。本科毕业或者具有同等学力的,经考试合格,由实施相应学历教育的高等学校或者经批准承担研究生教育任务的科学研究机构录取,取得硕士研究生入学资格。硕士研究生毕业或者具有同等学力的,经考试合格,由实施相应学历教育的高等学校或者经批准承担研究生教育任务的科学研究机构录取,取得博士研究生入学资格。允许特定学科和专业的本科毕业生直接取得博士研究生入学资格,具体办法由国务院教育行政部门规定。第二十一条规定,国家实行高等教育自学考试制度,经考试合格的,发给相应的学历证书或者其他学业证书。

对于“法律规定的国家考试”还需要注意的是,这里的国家考试并不要求是“统一由国家一级组织的考试”。有些法律规定的考试,依照规定不是由国家一级统一组织,而是由地方根据法律规定组织实施,这些考试也属于“法律规定的国家考试”。如根据公务员法的规定,公务员录用考试属于国家考试,但关于公务员录用考试的具体组织,该法第二十二条中规定,中央机关及其直属机构公务员的录用,由中央公务员主管部门负责组织。地方各级机关公务员的录用,由省级公务员主管部门负责组织,必要时省级公务员主管部门可以授权设区的市级公务员主管部门组织。根据该规定，公务员录用考试，既包括国家统一组织的招录中央机关及其直属机构公务员的考试，也包括各省市等地方组织的录用地方各级机关公务员的考试。再如高考既有全国统一考试，也有各省依照法律规定组织的考试。

此外，需要特别说明的是，本款将组织考试作弊犯罪限于"法律规定的国家考试"，并非意味着对这些考试范围之外的其他考试中作弊的行为都不予追究。司法实践中，对其他作弊行为还需要根据案件的具体情况，依照相关法律规定处理。对其中有的行为，可以依照刑法第二百五十三条之一出售、提供公民个人信息犯罪，第二百八十条伪造、变造、买卖国家机关、公文、证件、印章罪，第二百八十二条非法获取国家秘密罪，第二百八十四条非法使用窃听、窃照专用器材罪，第二百八十八条扰乱无线电通讯管理秩序罪等规定追究刑事责任。对其中尚不构成犯罪的，可以依照治安管理处罚法的规定处理。

根据本款规定，对组织考试作弊的，处三年以下有期徒刑或者拘役，并处或者单处罚金；情节严重的，处三年以上七年以下有期徒刑，并处罚金。

第二款是关于为他人实施组织作弊提供作弊器材或者其他帮助的犯罪规定。根据该规定，为他人实施组织作弊提供作弊器材或者其他帮助的，依照第一款的规定处罚，即处三年以下有期徒刑或者拘役，并处或者单处罚金；情节严重的，处三年以上七年以下有期徒刑，并处罚金。通常情况下，本款规定的犯罪行为，实际上也是第一款规定的组织考试作弊犯罪的帮助行为。因此，对这些行为一般可以按照刑法总则关于共同犯罪的规定，以组织作弊罪的共犯处理，按其在共同犯罪中的地位、作用追究刑事责任。本款之所以对这种行为专门作出规定，主要是考虑到实践中提供作弊器材等帮助的行为，越来越具有独立性，已经成为有组织作弊中的重要环节，社会危害严重；同时，司法实践中组织作弊犯罪各环节分工越来越细、独立性越来越强，有的案件中已经查明行为人明知他人组织作弊而且其提供作弊器材，但要进一步证明双方为共同组织作弊而实施犯意联络存在一定困难。因此，对这种组织作弊犯罪活动中具有典型性的行为，在法律中作出明确规定、严密刑事法网，有利于准确适用法律。

本款规定的帮助行为主要分为两大类：一是提供作弊器材。互联网和无线考试作弊器材是高科技作弊的关键环节，通过互联网，试题和答案得以大面积传播；有了无线考试作弊器材，试题和答案才得以在考场内外顺利传递。从功能上看，作弊器材的作用就是将考场内的试题传出去或将答案发送给考生，相应的，相关器材包括密拍、发送和接收设备三大类。密拍设备日益小型化、伪装也更加先进，如纽扣式数码相机、眼镜式和手表式密拍设备，其发射天线通常采用背心、腰带、发卡等形式；发送设备包括各种大功率发射机，负责将答案传送到考场中,实践中有的发射距离可达数公里;接收设备包括语音和数据接收器,语音接收机包括米粒耳机、牙齿接收机、颅骨接收机等;数据接收机则出现了尺子、橡皮、眼镜、签字笔等多种伪装。这里规定的“提供”作弊器材包括为其生产,向其销售、出租、出借等多种方式。二是提供“其他帮助”,包括进行无线作弊器材使用培训,窃取、出售考生信息,以及作弊网站的设立与维护等。

第三款是关于为考试作弊提供试题、答案犯罪的规定。根据该规定,为实施考试作弊行为,向他人非法出售或者提供法律规定的国家考试的试题、答案的,依照第一款的规定处罚,即处三年以下有期徒刑或者拘役,并处或者单处罚金;情节严重的,处三年以上七年以下有期徒刑,并处罚金。本款规定需要注意的是,行为人提供试题、答案的对象不限于组织作弊的团伙或个人,也包括参加考试的人员及其亲友,这一点不同于第二款规定的为组织考试作弊提供器材的犯罪。

本条第四款是关于代替他人或者让他人代替自己参加考试犯罪的规定。根据本款规定,代替他人或者让他人代替自己参加法律规定的国家考试的,处拘役或者管制,并处或者单处罚金。在《刑法修正案(九)》研究、审议过程中,有意见认为,对替考的可以通过取消考试成绩、限考、禁考等方式处理。如《公务员录用考试违纪违规行为处理办法(试行)》第八条规定,由他人替考或者冒名顶替他人参加考试的,由公务员考试机构或者招录机关给予其取消本次考试资格的处理,并由省级以上公务员主管部门给予其终身不得报考公务员的处理。《国家教育考试违规处理办法》第九条规定,伪造、变造身份证、准考证及其他证明材料,由他人代替或者代替考生参加考试的,其所报名参加考试的各阶段、各科成绩无效;参加高等教育自学考试的,当次考试各科成绩无效。还可以视情节轻重,同时给予暂停参加该项考试一至三年的处理;情节特别严重的,可以同时给予暂停参加各种国家教育考试一至三年的处理。第十二条规定,在校学生、在职教师有代替考生或者由他人代替参加考试的情形的,教育考试机构应当通报其所在学校,由学校根据有关规定严肃处理,直至开除学籍或者予以解聘。根据上述规定,对替考的人员给予终身禁考、开除、解聘等处理,足以达到惩戒的效果,从刑法谦抑性的角度考虑,不作犯罪处理为妥。审议中经反复研究,考虑到替考行为是比较严重的考试舞弊行为,很多替考的人员本身就是组织考试作弊犯罪团伙指派的,考试的范围也已经严格限定为法律规定的国家考试,因此,从维护社会诚信,惩治失信、背信行为的角度,对代替他人或者让他人代替自己参加考试的,作为犯罪加以规定也是必要和可行的。对本款规定的情形,首先应当根据相关规定予以取消考试资格、禁考等处理。

第二百八十五条[*] **违反国家规定,侵入国家事务、国防建设、尖端科学技术领域的计算机信息系统的,处三年以下有期徒刑或者拘役。**

违反国家规定,侵入前款规定以外的计算机信息系统或者采用其他技术手段,获取该计算机信息系统中存储、处理或者传输的数据,或者对该计算机信息系统实施非法控制,情节严重的,处三年以下有期徒刑或者拘役,并处或者单处罚金;情节特别严重的,处三年以上七年以下有期徒刑,并处罚金。

提供专门用于侵入、非法控制计算机信息系统的程序、工具,或者明知他人实施侵入、非法控制计算机信息系统的违法犯罪行为而为其提供程序、工具,情节严重的,依照前款的规定处罚。

单位犯前三款罪的,对单位判处罚金,并对其直接负责的主管人员和其他直接责任人员,依照各该款的规定处罚。

【释义】 本条是关于非法侵入计算机信息系统罪,非法获取计算机信息系统数据、非法控制计算机信息系统罪,提供侵入、非法控制计算机信息系统程序、工具罪及其处罚的规定。

《刑法修正案(九)》之前,本条前三款规定的非法侵入计算机信息系统罪、非法获取计算机信息系统数据、非法控制计算机信息系统罪和提供侵入、非法控制计算机信息系统程序、工具罪只规定了自然人犯罪,没有规定单位犯罪。实践中,存在单位实施以上犯罪的情况,单位实施以上犯罪往往影响范围更广、危害更为严重,除追究有关责任人员的刑事责任,还应当对单位给予经济制裁。将前三款犯罪增加规定单位犯罪,采取"双罚制",对单位判处罚金,使其不能通过犯罪得到非法利益,并对单位直接负责的主管人员和其他直接责任人员判处相应的刑罚,能够全面准确地体现罪刑相适应原则,对单位犯罪起到足够的警戒作用,有利于更好地预防、打击和惩治单位实施上述犯罪。因此,2015 年 8 月

---

* 本条经过两次修改。

根据 2009 年 2 月 28 日第十一届全国人民代表大会常务委员会第七次会议通过的《中华人民共和国刑法修正案(七)》第一次修改。原条文是:"违反国家规定,侵入国家事务、国防建设、尖端科学技术领域的计算机信息系统的,处三年以下有期徒刑或者拘役。"

根据 2015 年 8 月 29 日第十二届全国人民代表大会常务委员会第十六次会议通过的《中华人民共和国刑法修正案(九)》第二次修改。第一次修改后的条文是:"违反国家规定,侵入国家事务、国防建设、尖端科学技术领域的计算机信息系统的,处三年以下有期徒刑或者拘役。

"违反国家规定,侵入前款规定以外的计算机信息系统或者采用其他技术手段,获取该计算机信息系统中存储、处理或者传输的数据,或者对该计算机信息系统实施非法控制,情节严重的,处三年以下有期徒刑或者拘役,并处或者单处罚金;情节特别严重的,处三年以上七年以下有期徒刑,并处罚金。

"提供专门用于侵入、非法控制计算机信息系统的程序、工具,或者明知他人实施侵入、非法控制计算机信息系统的违法犯罪行为而为其提供程序、工具,情节严重的,依照前款的规定处罚。"

29日通过的《刑法修正案（九）》增加一款规定："单位犯前三款罪的，对单位判处罚金，并对其直接负责的主管人员和其他直接责任人员，依照各该款的规定处罚。"

第一款即1997年刑法第二百八十五条对违反国家规定，侵入国家事务、国防建设、尖端科学技术领域的计算机信息系统的行为及其处罚所作的规定。"计算机信息系统"，是指具备自动处理数据功能的系统，包括计算机、网络设备、通信设备、自动化控制设备等。国家事务、国防建设、尖端科学技术领域的计算机信息系统，涉及国家秘密等事关国家安全等重要事项的信息的处理，应当予以特殊保护。《计算机信息系统安全保护条例》第四条规定："计算机信息系统的安全保护工作，重点维护国家事务、经济建设、国防建设、尖端科学技术等重要领域的计算机信息系统的安全。"因此，本条第一款规定，违反国家规定，侵入国家事务、国防建设、尖端科学技术领域的计算机信息系统的，不论其侵入的动机和目的如何，也不需要在侵入后又实施窃取信息、进行攻击等侵害行为，侵入行为本身即构成犯罪。本条第一款的规定，体现了对国家事务、国防建设、尖端科学技术领域的计算机信息系统安全的特殊保护。需要说明的一点是，从法定刑的设置看，有本条第一款行为的，最高处三年有期徒刑，有本条第二款行为的，即侵入国家事务、国防建设、尖端科学技术领域的计算机信息系统以外的其他普通计算机信息系统的，最高可以处七年有期徒刑，似乎侵入需要加以特殊保护的国家事务、国防建设、尖端科学技术领域的计算机信息系统，其法定刑还不如侵入这些重要信息系统之外的其他普通计算机信息系统的法定刑高。实际上本条第一款规定的犯罪与第二款规定的犯罪在构成犯罪的条件上具有较大差别。如上所述，侵入国家事务、国防建设、尖端科学技术领域的计算机信息系统犯罪，只要行为人实施了侵入行为，即可构成。而本条第二款规定的犯罪，不仅要有侵入行为，还要有侵入计算机信息系统后从事非法获取计算机信息系统中的信息，或者对计算机信息系统实施非法控制的行为，仅实施侵入行为不构成本罪。因此，从构成犯罪的条件看，侵入国家事务、国防建设、尖端科学技术领域的计算机信息系统犯罪的入罪门槛更低。另一方面，如果行为人侵入国家事务、国防建设、尖端科学技术领域的计算机信息系统后，从事非法获取这些计算机信息系统中存储、处理、传输的信息的，还可能构成窃取、刺探国家秘密罪、间谍罪等严重犯罪，应当依照处罚较重的相关犯罪追究刑事责任，而不再按照本条第一款的规定处罚，因此，其实际适用的刑罚远重于本条第二款规定的刑罚。

第二款对违反国家规定，侵入第一款规定的计算机信息系统之外的其他普通计算机信息系统或者采用其他技术手段，获取该计算机信息系统中的数据，

或者对该计算机信息系统实施非法控制的犯罪行为作了规定。根据本款的规定,行为人构成本罪需要同时具备以下条件:

1. 行为人实施了非法获取他人计算机信息系统中存储、处理或者传输的数据的行为,或者实施了对他人计算机信息系统进行非法控制的行为。

(1)关于非法获取他人计算机信息系统中存储、处理或者传输的数据的行为。"获取"包括从他人计算机信息系统中窃取,如直接侵入他人计算机信息系统,秘密复制他人存储的信息;也包括骗取,如设立假冒网站,在受骗用户登录时,要求用户输入账号、密码等信息。计算机信息系统中"存储"的数据,是指在用户计算机信息系统的硬盘或其他存储介质中保存的信息,如用户计算机中存储的文件。计算机信息系统中"处理"的数据,是指他人计算机信息系统正在运算中的信息。计算机信息系统中"传输"的数据,是指他人计算机信息系统各设备、设施之间,或者与其他计算机信息系统之间正在交换、输送中的信息,如敲击键盘、移动鼠标向主机发出操作指令,就会在键盘、鼠标与计算机主机之间产生数据的传输。"存储"、"处理"和"传输"这三种形态,涵括了计算机信息系统中所有的数据形态,不论行为人非法获取处于哪种形态的数据,均符合法律的规定。

(2)关于对他人计算机信息系统实施非法控制。"非法控制",是指通过各种技术手段,使得他人计算机信息系统处于其掌控之中,能够接受其发出的指令,完成相应的操作活动。例如,通过给他人计算机信息系统中植入"木马程序"对他人计算机信息系统加以控制,可以"指挥"被控制的计算机实施网络攻击等活动。"非法控制"包括对他人计算机实现完全控制,也包括只实现对他人计算机信息系统的部分控制,不论实际控制的程度如何,只要能够使他人计算机信息系统执行其发出的指令即可。非法控制他人计算机信息系统,只要求行为人采用侵入等技术手段对他人计算机进行了实际控制,行为人在对他人计算机信息系统加以控制的,即可构成犯罪,并不要求一定要实施进一步的侵害行为。这样规定是考虑到非法控制他人计算机信息系统,往往是为进一步实施其他违法犯罪行为做准备,具有很大的潜在危险性。有的案件中行为人非法控制数十万台甚至上百万台联网计算机,组建"僵尸网络"。如果行为人操纵这些被控制的计算机实施拒绝服务攻击等网络破坏活动,后果将非常严重。因此,对非法控制他人计算机信息系统的行为,情节严重的,有必要在其尚未实施进一步的侵害活动时,即予以打击。

需要说明的是,本款是针对非法控制计算机信息系统行为作出的规定,如果行为人实施非法控制后,进一步实施其他危害行为,可能构成刑法规定的其他犯罪。例如,非法获取他人网上银行账号、密码用于盗窃财物的,对电力、电信等计算机信息系统实施非法控制并从事危害公共安全的破坏活动的，这就需要司法机关根据案件的具体情况，选择适用相应的法律规定。

2. 行为人非法获取他人计算机信息系统中的数据或者对他人计算机信息系统加以非法控制，是基于“侵入或者其他技术手段”。“侵入”，是指未经授权或者他人同意，通过技术手段进入计算机信息系统。例如，通过技术手段突破他人计算机信息系统安全防护设置，进入他人计算机信息系统；入侵他人网站并植入“木马程序”，在用户访问该网站时，伺机侵入用户计算机信息系统；建立色情、免费软件下载等网站，吸引用户访问并在用户计算机信息系统中植入事先“挂”好的“木马”程序。不论行为人采用何种手法，其实质是违背他人意愿，进入他人计算机信息系统。违背他人意愿，包括行为人采用技术手段强行进入，如破坏他人计算机安全防护系统进入，也包括未征得他人同意或者授权擅自进入。“其他技术手段”是关于行为人可能采用的手段的兜底性规定，是针对实践中随着计算机技术的发展可能出现的各种手段作出的规定。刑法之所以将行为人非法获取他人计算机信息系统中的数据或者对他人计算机信息系统实施非法控制的手段限定在“侵入”或“其他技术手段”，是因为本罪是针对互联网上各种危害计算机网络安全的犯罪作出的规定。至于采用网络技术手段以外的其他手段，如进入他人办公室直接实施秘密复制行为的，不属于本款规定的行为。

根据本款规定，行为人的行为“情节严重”的，才构成犯罪。根据《最高人民法院、最高人民检察院关于办理危害计算机信息系统安全刑事案件应用法律若干问题的解释》第一条规定，非法获取计算机信息系统数据或者非法控制计算机信息系统，具有下列情形之一的，应当认定为刑法第二百八十五条第二款规定的“情节严重”：(1)获取支付结算、证券交易、期货交易等网络金融服务的身份认证信息十组以上的；(2)获取第(1)项以外的身份认证信息五百组以上的；(3)非法控制计算机信息系统二十台以上的；(4)违法所得五千元以上或者造成经济损失一万元以上的；(5)其他情节严重的情形。实施前款规定行为，具有下列情形之一的，应当认定为刑法第二百八十五条第二款规定的“情节特别严重”：(1)数量或者数额达到前款第(1)项至第(4)项规定标准五倍以上的；(2)其他情节特别严重的情形。明知是他人非法控制的计算机信息系统，而对该计算机信息系统的控制权加以利用的，依照前两款的规定定罪处罚。

第三款对非法提供实施侵入、非法控制计算机信息系统的专用程序、工具，或者明知他人实施侵入、非法控制计算机信息系统的违法犯罪行为而为其提供程序、工具的行为作了规定。“提供”包括出售等有偿提供，也包括提供免费下载等行为；包括直接提供给他人，也包括在网上供他人下载等。根据本款规定，为他人提供实施侵入、非法控制计算机信息系统的程序、工具的行为包括两种情形:一种情形是提供专用程序、工具。这是指行为人所提供的程序、工具只能用于实施非法侵入、非法控制计算机信息系统的用途。例如,为他人提供专门用于窃取网上银行账号的“网银木马”程序。由于所提供程序、工具的用途本身足以表明该程序、工具的违法性,进而表明行为人主观上对其所提供程序将被用于非法侵入、控制他人计算机信息系统的情况是明知的,因此法律规定提供实施侵入、非法控制计算机信息系统专用程序、工具的,即可构成犯罪。根据《最高人民法院、最高人民检察院关于办理危害计算机信息系统安全刑事案件应用法律若干问题的解释》第二条规定,具有下列情形之一的程序、工具,应当认定为刑法第二百八十五条第三款规定的“专门用于侵入、非法控制计算机信息系统的程序、工具”:(1)具有避开或者突破计算机信息系统安全保护措施,未经授权或者超越授权获取计算机信息系统数据的功能的;(2)具有避开或者突破计算机信息系统安全保护措施,未经授权或者超越授权对计算机信息系统实施控制的功能的;(3)其他专门设计用于侵入、非法控制计算机信息系统、非法获取计算机信息系统数据的程序、工具。另一种情形是行为人明知他人实施侵入、非法控制计算机信息系统的违法犯罪行为而为其提供程序、工具。这是指从行为人所提供的程序、工具本身的属性看,可以用于非法用途,也可以用于合法用途,即仅凭程序、工具本身的性质尚不能够完全确定行为人所实施行为的违法性。这种情况下,行为人是否构成犯罪,就需要考虑其主观方面对其行为的性质是否有明确的认识。明知而故犯的,应当依照本款的规定予以追究。对确实不知他人将其所提供的程序、工具用于实施非法侵入、非法控制计算机信息系统的违法犯罪行为的,不构成犯罪。根据本款规定,行为人的行为“情节严重”的,才构成犯罪。根据《最高人民法院、最高人民检察院关于办理危害计算机信息系统安全刑事案件应用法律若干问题的解释》第三条规定,提供侵入、非法控制计算机信息系统的程序、工具,具有下列情形之一的,应当认定为刑法第二百八十五条第三款规定的“情节严重”:(1)提供能够用于非法获取支付结算、证券交易、期货交易等网络金融服务身份认证信息的专门性程序、工具五人次以上的;(2)提供第(1)项以外的专门用于侵入、非法控制计算机信息系统的程序、工具二十人次以上的;(3)明知他人实施非法获取支付结算、证券交易、期货交易等网络金融服务身份认证信息的违法犯罪行为而为其提供程序、工具五人次以上的;(4)明知他人实施第(3)项以外的侵入、非法控制计算机信息系统的违法犯罪行为而为其提供程序、工具二十人次以上的;(5)违法所得五千元以上或者造成经济损失一万元以上的;(6)其他情节严重的情形。实施前款规定行为,具有下列情形之一的,应当认定为提供侵入、非法控制计算机信息系统的程序、工具“情节特别严重”：(1)数量或者数额达到前款第(1)项至第(5)项规定标准五倍以上的；(2)其他情节特别严重的情形。

第四款对单位犯前三款罪的作了规定。单位实施前三款规定的行为，根据本款规定构成相应的单位犯罪，采取“双罚制”，既要对单位判处罚金，又要追究单位直接负责的主管人员和其他直接责任人员的刑事责任。根据最高人民法院 2001 年印发供法院参照执行的《全国法院审理金融犯罪案件工作座谈会纪要》，“直接负责的主管人员”，是在单位实施的犯罪中起决定、批准、授意、纵容、指挥等作用的人员，一般是单位的主管负责人，包括法定代表人。“其他直接责任人员”，是在单位犯罪中具体实施犯罪并起较大作用的人员，既可以是单位的经营管理人员，也可以是单位的职工，包括聘任、雇用的人员。对单位犯罪中的直接负责的主管人员和其他直接责任人员，应根据其在单位犯罪中的地位、作用和犯罪情节，分别处以相应的刑罚，主管人员与直接责任人员，在个案中不是当然的主、从犯关系；有的案件，主管人员与直接责任人员实施犯罪行为的主从关系不明显的，可不分主、从犯。但具体案件可以分清主、从犯，且不分清主、从犯，在同一法定刑档次、幅度内量刑无法做到罪刑相适应的，应当分清主、从犯，依法处罚。

第二百八十六条*　违反国家规定，对计算机信息系统功能进行删除、修改、增加、干扰，造成计算机信息系统不能正常运行，后果严重的，处五年以下有期徒刑或者拘役；后果特别严重的，处五年以上有期徒刑。

违反国家规定，对计算机信息系统中存储、处理或者传输的数据和应用程序进行删除、修改、增加的操作，后果严重的，依照前款的规定处罚。

故意制作、传播计算机病毒等破坏性程序，影响计算机系统正常运行，后果严重的，依照第一款的规定处罚。

单位犯前三款罪的，对单位判处罚金，并对其直接负责的主管人员和其他直接责任人员，依照第一款的规定处罚。

【释义】　本条是关于破坏计算机信息系统罪及其处罚的规定。

《刑法修正案(九)》之前，本条前三款规定的破坏计算机信息系统罪只规定了自然人犯罪，没有规定单位犯罪。实践中，存在单位实施以上犯罪的情况，单位实施以上犯罪往往影响范围更广、危害更为严重，除追究有关责任人员的刑事责任，还应当对单位给予经济制裁。将前三款犯罪增加规定单位犯罪，采

---

* 第四款根据 2015 年 8 月 29 日第十二届全国人民代表大会常务委员会第十六次会议通过的《中华人民共和国刑法修正案(九)》增加。

取“双罚制”,对单位判处罚金,使其不能通过犯罪得到非法利益,并对单位直接负责的主管人员和其他直接责任人员判处相应的刑罚,能够全面准确地体现罪刑相适应原则,对单位犯罪起到足够的警戒作用,有利于更好地预防、打击和惩治单位实施上述犯罪。因此,2015 年 8 月 29 日通过的《刑法修正案(九)》增加一款规定:“单位犯前三款罪的,对单位判处罚金,并对其直接负责的主管人员和其他直接责任人员,依照第一款的规定处罚。”

第一款是关于破坏计算机信息系统功能的犯罪及其处罚的规定。根据本款规定,破坏计算机信息系统功能犯罪,是指违反国家规定,对计算机信息系统功能进行删除、修改、增加、干扰,造成计算机信息系统不能正常运行,后果严重的行为。这里的“违反国家规定”,是指违反国家关于保护计算机安全的有关规定,主要是指违反《计算机信息系统安全保护条例》的规定。“计算机信息系统功能”,是指在计算机中,按照一定的应用目标和规则对信息进行采集、加工、存储、传输、检索的功用和能力。“删除”,是指将原有的计算机信息系统功能除去,使之不能正常运转。“修改”,是指对原有的计算机信息功能进行改动,使之不能正常运转。“增加”,是指在计算机系统里增加某种功能,致使原有的功能受到影响或者破坏,无法正常运转。“干扰”,是指用删除、修改、增加以外的其他方法,破坏计算机信息系统功能,使其不能正常运行。“不能正常运行”,是指计算机信息系统失去功能,不能运行或者计算机信息系统功能不能按原来设计的要求运行。根据本款规定,“后果严重”是构成本罪的要件,没有造成严重后果的,不构成本罪。本款根据犯罪后果轻重,规定了两档处刑:一是“后果严重”的,处五年以下有期徒刑或者拘役;二是“后果特别严重”的,处五年以上有期徒刑。

第二款是关于故意破坏计算机信息系统的数据和应用程序的犯罪及其处罚的规定。根据本款规定,这一犯罪是指违反国家规定,对计算机信息系统中存储、处理或者传输的数据和应用程序进行删除、修改、增加的操作,后果严重的行为。这里的“违反国家规定”,是指违反国家对计算机管理的有关规定,主要是指违反《计算机信息系统安全保护条例》的规定。“计算机信息系统中存储、处理或者传输的数据”,是指在计算机信息系统中实际处理的一切文字、符号、声音、图像等内容的有意义的组合。“计算机程序”,是指为了得到某种结果而可以由计算机等具有信息处理能力的装置执行的代码化指令序列,或者可被自动转换成代码化指令序列的符号化指令序列或者符号化语句序列;“计算机应用程序”,是用户使用数据库的一种方式,是用户按数据库授予的子模式的逻辑结构,书写对数据进行操作和运算的程序。“删除”,是指将计算机信息系统中存储、处理或者传输的数据和应用程序的全部或者一部删去;“修改”,是指对上述数据和应用程序进行改动;“增加”,是指在计算机信息系统中增加新的数据和应用程序。根据本款规定,行为人的行为“后果严重”的才构成犯罪,没有造成严重后果的不构成本罪。“依照前款的规定处罚”,是指对本款规定的犯罪,处五年以下有期徒刑或者拘役;后果特别严重的,处五年以上有期徒刑。

根据《最高人民法院、最高人民检察院关于办理危害计算机信息系统安全刑事案件应用法律若干问题的解释》第四条规定,破坏计算机信息系统功能、数据或者应用程序,具有下列情形之一的,应当认定为刑法第二百八十六条第一款和第二款规定的“后果严重”:(1)造成十台以上计算机信息系统的主要软件或者硬件不能正常运行的;(2)对二十台以上计算机信息系统中存储、处理或者传输的数据进行删除、修改、增加操作的;(3)违法所得五千元以上或者造成经济损失一万元以上的;(4)造成为一百台以上计算机信息系统提供域名解析、身份认证、计费等基础服务或者为一万以上用户提供服务的计算机信息系统不能正常运行累计一小时以上的;(5)造成其他严重后果的。实施前款规定行为,具有下列情形之一的,应当认定为破坏计算机信息系统“后果特别严重”:(1)数量或者数额达到前款第(1)项至第(3)项规定标准五倍以上的;(2)造成为五百台以上计算机信息系统提供域名解析、身份认证、计费等基础服务或者为五万以上用户提供服务的计算机信息系统不能正常运行累计一小时以上的;(3)破坏国家机关或者金融、电信、交通、教育、医疗、能源等领域提供公共服务的计算机信息系统的功能、数据或者应用程序,致使生产、生活受到严重影响或者造成恶劣社会影响的;(4)造成其他特别严重后果的。

第三款是关于故意制作、传播破坏性程序的犯罪及其处罚的规定。根据本款规定,这一犯罪是指故意制作、传播计算机病毒等破坏性程序,影响计算机系统正常运行,后果严重的行为。“计算机系统”,是指具备自动处理数据功能的系统,包括计算机、网络设备、通信设备、自动化控制设备等。“故意制作”,是指通过计算机,编制、设计针对计算机信息系统的破坏性程序的行为;“故意传播”,是指通过计算机信息系统(含网络),直接输入、输出破坏性程序,或者将已输入破坏性程序的软件加以派送、散发、销售的行为。“计算机破坏性程序”,是指隐藏在可执行程序中或数据文件中,在计算机内部运行的一种干扰程序,破坏性程序的典型是计算机病毒。“计算机病毒”,是指在计算机中编制的或者在计算机程序中插入的破坏计算机功能或者毁坏数据,影响计算机使用,并能自我复制的一组计算机指令或者程序代码。计算机病毒具有可传播性、可激发性和潜伏性,对于大、中、小、微型计算机和计算机网络都具有巨大的危害和破坏性,是计算机犯罪者对计算机进行攻击的最严重的方法,可能夺走大量的资金、人力和计算机资源,破坏各种文件及数据,造成机器瘫痪,造成难以挽回的损失。计算机病毒同一般生物病毒一样,具有多样性和传染性,可以“繁殖”和传播,有些病毒传播很快,并且一旦侵入系统就马上摧毁系统;另一些病毒则有较长的潜伏期,在潜伏一段时间后才发作。根据《最高人民法院、最高人民检察院关于办理危害计算机信息系统安全刑事案件应用法律若干问题的解释》第五条规定,具有下列情形之一的程序,应当认定为刑法第二百八十六条第三款规定的“计算机病毒等破坏性程序”:(1)能够通过网络、存储介质、文件等媒介,将自身的部分、全部或者变种进行复制、传播,并破坏计算机系统功能、数据或者应用程序的;(2)能够在预先设定条件下自动触发,并破坏计算机系统功能、数据或者应用程序的;(3)其他专门设计用于破坏计算机系统功能、数据或者应用程序的程序。“影响计算机系统正常运行”,是指计算机病毒等破坏性程序发作后,导致原有的计算机信息系统和应用程序不能正常运行。“后果严重”是构成本罪的要件。根据《最高人民法院、最高人民检察院关于办理危害计算机信息系统安全刑事案件应用法律若干问题的解释》第六条规定,故意制作、传播计算机病毒等破坏性程序,影响计算机系统正常运行,具有下列情形之一的,应当认定为刑法第二百八十六条第三款规定的“后果严重”:(1)制作、提供、传输第五条第(1)项规定的程序,导致该程序通过网络、存储介质、文件等媒介传播的;(2)造成二十台以上计算机系统被植入第五条第(2)、(3)项规定的程序的;(3)提供计算机病毒等破坏性程序十人次以上的;(4)违法所得五千元以上或者造成经济损失一万元以上的;(5)造成其他严重后果的。实施前款规定行为,具有下列情形之一的,应当认定为破坏计算机信息系统“后果特别严重”:(1)制作、提供、传输第五条第(1)项规定的程序,导致该程序通过网络、存储介质、文件等媒介传播,致使生产、生活受到严重影响或者造成恶劣社会影响的;(2)数量或者数额达到前款第(2)项至第(4)项规定标准五倍以上的;(3)造成其他特别严重后果的。“依照第一款的规定处罚”,是指对本款规定的犯罪,处五年以下有期徒刑或者拘役;后果特别严重的,处五年以上有期徒刑。

第四款对单位犯前三款罪的作了规定。单位实施前三款规定的行为,根据本款规定构成单位犯罪,采取“双罚制”,既要对单位判处罚金,又要对单位直接负责的主管人员和其他直接责任人员追究刑事责任,即后果严重的,处五年以下有期徒刑或者拘役;后果特别严重的,处五年以上有期徒刑。

第二百八十六条之一*　网络服务提供者不履行法律、行政法规规定的信

* 根据2015年8月29日第十二届全国人民代表大会常务委员会第十六次会议通过的《中华人民共和国刑法修正案(九)》增加。

息网络安全管理义务，经监管部门责令采取改正措施而拒不改正，有下列情形之一的，处三年以下有期徒刑、拘役或者管制，并处或者单处罚金：

（一）致使违法信息大量传播的；

（二）致使用户信息泄露，造成严重后果的；

（三）致使刑事案件证据灭失，情节严重的；

（四）有其他严重情节的。

单位犯前款罪的，对单位判处罚金，并对其直接负责的主管人员和其他直接责任人员，依照前款的规定处罚。

有前两款行为，同时构成其他犯罪的，依照处罚较重的规定定罪处罚。

【释义】 本条是关于网络服务提供者不履行法律、行政法规规定的信息网络安全管理义务的犯罪及其处罚的规定。

随着信息技术的快速发展和在经济社会生活中的广泛应用，网络在给人们生活带来巨大便利的同时，网络安全问题也日益突出。为加强和规范网络安全技术防范工作，保障网络系统安全和网络信息安全，有关法律、行政法规对网络服务提供者规定了必要的网络安全管理义务。实践中，一些网络服务提供者不履行法律、行政法规规定的信息网络安全管理义务的情况比较常见，其中有的甚至造成了严重的危害后果。为此，《刑法修正案（九）》根据有关方面意见，增加了本条规定，以促使网络服务提供者切实履行安全管理义务，保障网络安全和网络服务业的健康、有序发展。

第一款是关于对网络服务提供者不履行法律、行政法规规定的安全管理义务如何定罪处罚的规定。根据本款规定，不履行网络安全管理义务犯罪具有以下特征：

（一）犯罪的主体是网络服务提供者，包括通过计算机互联网、广播电视网、固定通信网、移动通信网等信息网络，向公众提供网络服务的机构和个人。根据其提供的服务内容，可以分为互联网接入服务提供者和互联网内容服务提供者。其中，互联网接入服务提供者为终端用户提供专线、拨号上网或者其他接入互联网的服务，包括物理网络提供商和网络接口提供商；互联网内容服务提供者向用户提供新闻、信息、资料、音视频等内容服务，如新浪、搜狐、网易等国内知名互联网企业就是典型的互联网内容提供商。此外，按照服务对象和提供的信息的不同，还可以进一步分为网上媒体运营商、数据库运营商、信息咨询商和信息发布代理商等。

（二）犯罪客观方面，需要具备下列条件：一是行为人不履行法律、行政法规规定的信息网络安全管理义务；二是行为人经监管部门责令改正而拒不改正；三是行为人拒不改正的行为导致特定危害后果的发生。

1. 行为人不履行法律、行政法规规定的信息网络安全管理义务。根据本款规定，网络服务提供者不履行网络安全管理义务，是指不履行法律和行政法规规定的义务。司法实践中在认定行为人是否有不履行相关安全管理义务的行为时，需要结合相关法律、行政法规关于安全管理义务的具体规定和要求认定。这方面的法律、行政法规主要有全国人大常委会《关于加强网络信息保护的决定》，国务院《互联网信息服务管理办法》、《计算机信息网络国际联网安全保护管理办法》、《电信条例》等。根据这些法律、行政法规的规定，网络服务提供者的安全管理义务主要有：(1)落实信息网络安全管理制度和安全保护技术措施。互联网服务提供者应当建立相应的管理制度，包括网站安全保障制度、信息安全保密管理制度、用户信息安全管理制度等。如《关于加强网络信息保护的决定》要求网络服务提供者为用户办理网站接入服务，办理固定电话、移动电话等入网手续，或者为用户提供信息发布服务，应当在与用户签订协议或者确认提供服务时，要求用户提供真实身份信息；应当采取技术措施和其他必要措施，确保信息安全，防止在业务活动中收集的公民个人电子信息泄露、毁损、丢失；在发生或者可能发生信息泄露、毁损、丢失的情况时，应当立即采取补救措施。(2)及时发现、处置违法信息。根据《电信条例》、《互联网信息服务管理办法》等规定，互联网信息服务提供者应当向上网用户提供良好的服务，并保证所提供的信息内容合法。任何单位和个人不得利用互联网制作、复制、查阅和传播违法信息，网络服务提供者发现上述信息，应当立即停止传输该信息，采取删除网络中含有上述内容的地址、目录或者关闭服务器等处置措施，同时保留有关原始记录，并向主管部门报告。(3)网络服务提供者在提供服务过程中，应当对网上信息和网络日志信息记录进行备份和留存。如《互联网信息服务管理办法》要求从事新闻、出版以及电子公告等服务项目的互联网信息服务提供者，应当记录提供的信息内容及其发布时间、互联网地址或者域名；互联网接入服务提供者应当记录上网用户的上网时间、用户账号、互联网地址或者域名、主叫电话号码等信息。互联网信息服务提供者和互联网接入服务提供者的记录备份应当保存六十日，并在国家有关机关依法查询时，予以提供。

2. 经监管部门责令采取改正措施而拒不改正。这里的监管部门是指依据法律、行政法规的规定对网络服务提供者负有监督管理职责的各个部门。由于信息网络安全涉及面较广，相关监管部门也涉及各个领域。如《互联网信息管理办法》规定，国务院信息产业主管部门和省、自治区、直辖市电信管理机构，依法对互联网信息服务实施监督管理，新闻、出版、教育、卫生、药品监督管理、工商行政管理和公安、国家安全等有关主管部门，在各自职责范围内依法对互联网信息内容实施监督管理。《国务院关于授权国家互联网信息办公室负责互联网信息内容管理工作的通知》授权国家互联网信息办公室负责全国互联网信息内容管理工作，并负责监督管理执法。《计算机信息网络国际联网安全保护管理办法》规定，公安部计算机管理监察机构负责计算机信息网络国际联网的安全保护管理工作。这里的"责令采取改正措施"应当是上述负有监督管理职责的部门，根据相关网络服务提供者在安全管理方面存在的问题，依法提出的改正错误，堵塞漏洞，加强防范等要求。即责令的主体、责令的方式和程序，都要有法律行政法规的依据，符合依法行政的要求。至于监管部门"责令采取改正措施"的形式和内容，往往要视具体情况而定。有的是监管部门发现网络服务提供者安全防范措施不符合要求，要求其采取加强措施；有的是发现网络服务提供者没有严格执行相关安全管理制度，如对网上信息内容和网络日志信息记录备份不全或留存时间过短等；有的是在日常安全检查时发现网络上出现违法信息，要求网络服务提供者采取临时性补救措施，如监管部门发现传播违法信息的网址、目录或者服务器，通知网络服务提供者删除信息、关闭服务，防止信息进一步扩散；还有的是依法采取相关处罚措施，如责令停业整顿或者暂时关闭网站等。

3. 网络服务提供者被监管部门责令采取改正措施而拒不改正，并导致了特定危害后果的发生。"拒不改正"是指明知而故意加以拒绝，实践中，认定网络服务提供者是否"拒不改正"，应当考虑以下因素：(1)网络服务提供者是否收到监管部门提出的责令采取改正措施的要求；相关责令整改要求是否明确、具体。(2)网络服务提供者对监管部门提出的采取改正措施的要求，在主观上是否具有拖延或者拒绝执行的故意。(3)网络服务提供者是否具有依照监管部门提出的要求，采取相应改正措施的能力。对于确实因为资源、技术等条件限制，没有或者一时难以达到监管部门要求的，不能认定为是本款规定的"拒不改正"。

根据本款的规定，网络服务提供者拒不采取改正措施，导致了下列危害后果的发生的，才能追究其刑事责任：(1)致使违法信息大量传播。违法信息是指其内容违反相关法律法规规定的信息。如《电信条例》规定，"违法信息"是指含有反对宪法所确定的基本原则；危害国家安全，泄露国家秘密，颠覆国家政权，破坏国家统一；损害国家荣誉和利益；煽动民族仇恨、民族歧视，破坏民族团结；破坏国家宗教政策，宣扬邪教和封建迷信；散布谣言，扰乱社会秩序，破坏社会稳定；散布淫秽、色情、赌博、暴力、凶杀、恐怖或者教唆犯罪；侮辱或者诽谤他人，侵害他人合法权益；含有法律、行政法规禁止的其他内容等的信息。违法信息大量传播，会对公民的人身权利、财产权利以及国家安全、社会稳定等造成严重损害，因此，网络服务提供者拒不采取改正措施，致使发生违法信息大量传播的危害后果的,应当依照本款规定追究刑事责任。需要注意的是,造成违法信息大量传播本身就是其行为造成的危害后果,只要事实上造成了违法信息大量传播,即可构成本罪,而不是一定要发生具体的实害性的犯罪结果。认定违法信息大量传播,主要可根据违法信息的数量、被转载的次数、受众的人数以及传播的具体渠道等因素综合考量。(2)致使用户信息泄露,造成严重后果的。这里的"用户信息"主要包括三类:一是关于用户基本情况信息,如网络服务提供者在服务的过程中收集的个人用户的姓名、出生日期、身份证件号码、住址、电话号码等,以及企业用户商业信息等。这类信息通常涉及用户个人隐私,也是法律保护的重点。二是用户的行为类信息,如用户购买服务或者产品的记录;与企业的联络记录;用户的消费行为、偏好、生活方式等相关信息。例如,电子商务网站记录的用户购买的商品、交易的时间、频率等;移动通讯公司记录的用户的通话时间、时长、呼叫号码、状态、通话频率等。三是与用户行为相关的,反映和影响用户行为和心理的相关信息,包括用户的满意度、忠诚度、对产品或服务的偏好、竞争对手行为等等。上述用户信息有的涉及公民个人隐私,有的属于企业商业秘密,根据相关法律、行政法规的规定,网络服务提供者应当对其收集或者保存的用户信息采取保护措施,防止信息的泄露。"造成严重后果"包括:导致用户遭到人身伤害、名誉受到严重损害,受到较大经济损失,正常生活或者生产经营受到严重影响等。(3)致使刑事案件证据灭失,情节严重的。这主要是指网络服务提供者未按照要求保存用户信息或者采取其他安全防卫措施,导致相关刑事追诉活动因为重要证据灭失而遭受严重障碍。这里的"情节严重",主要可以根据所涉及的案件的重大程度,灭失的证据的重要性,证据灭失是否可补救,对刑事追诉活动的影响等因素综合考量。(4)有其他严重情节的。这一规定是为了应对实践中可能出现的各种复杂情况,所做的一项兜底规定。司法实践中在具体适用时,可以参考本款前三项规定的情形中造成的社会危害程度,结合行为人拒不采取改正措施给公民合法权益、社会公共利益以及国家利益造成的危害后果的具体情况认定。

对于本罪的刑罚,根据第一款的规定,网络服务提供者不履行安全管理义务,构成犯罪的,处三年以下有期徒刑、拘役或者管制,并处或者单处罚金。

第二款是关于单位不履行网络安全管理义务的处罚规定。实践中,网络服务提供者多数为互联网企业,现行法律、行政法规对互联网企业的安全管理义务都有明确具体的规定,只有互联网企业切实履行法律、行政法规赋予的安全管理义务,网络安全才能够真正落到实处,因此,本款对单位犯罪的处刑作了规定。根据本款规定,单位犯本罪的,实行双罚制,即对不履行网络安全管理义务的单位判处罚金,并对其直接负责的主管人员和其他直接责任人员,依照第一款的规定,处以三年以下有期徒刑、拘役或者管制,并处或者单处罚金。

第三款是关于有前两款行为,同时构成其他犯罪的,如何定罪处罚的规定。本条是对网络服务提供者拒不履行安全管理义务犯罪的专门规定,实践中网络服务提供者拒不履行安全管理义务的行为,根据其具体情况还可能构成刑法规定的其他犯罪,如刑法第一百二十条之三规定的宣扬恐怖主义、极端主义的犯罪,第三百六十四条规定的传播淫秽物品罪,第三百九十八条规定的故意或者过失泄露国家秘密罪,第三百零七条规定的帮助毁灭、伪造证据罪,第三百一十一条规定的拒绝提供间谍犯罪、恐怖主义、极端主义犯罪证据罪等。根据本款的规定,对网络服务提供者不履行网络安全管理义务,构成其他犯罪的,依照处罚较重的规定定罪处罚,即从一重罪定罪处罚。

第二百八十七条　利用计算机实施金融诈骗、盗窃、贪污、挪用公款、窃取国家秘密或者其他犯罪的,依照本法有关规定定罪处罚。

【释义】　本条是关于利用计算机实施犯罪应当如何处理的规定。

本条规定的“利用计算机实施金融诈骗、盗窃、贪污、挪用公款、窃取国家秘密或者其他犯罪”,是指犯罪分子以计算机为犯罪工具和手段,直接或者通过他人向计算机输入非法指令,进行金融诈骗、盗窃、贪污、挪用公款、窃取国家秘密等犯罪活动。这里规定的“其他犯罪”,是指利用计算机实施的金融诈骗、盗窃、贪污、挪用公款、窃取国家秘密犯罪以外的犯罪,常见的有侵占、挪用公司资金、间谍、侮辱、诽谤、窃取商业秘密、制作和传播淫秽物品等犯罪。“依照本法有关规定定罪处罚”,即对于利用计算机实施金融诈骗、盗窃、贪污、挪用公款、窃取国家秘密或者其他犯罪的,应当依照本法有关金融诈骗犯罪、盗窃犯罪、贪污犯罪、挪用公款犯罪、非法获取国家秘密犯罪的规定以及其他犯罪的规定处罚,具体实施什么犯罪行为,就以该罪定罪处刑,如行为人利用计算机进行盗窃犯罪的,应当依照本法第二百六十四条的规定,以盗窃罪定罪处罚。

第二百八十七条之一[*]　利用信息网络实施下列行为之一,情节严重的,处三年以下有期徒刑或者拘役,并处或者单处罚金:

(一)设立用于实施诈骗、传授犯罪方法、制作或者销售违禁物品、管制物品等违法犯罪活动的网站、通讯群组的;

(二)发布有关制作或者销售毒品、枪支、淫秽物品等违禁物品、管制物品或

---

* 根据2015年8月29日第十二届全国人民代表大会常务委员会第十六次会议通过的《中华人民共和国刑法修正案(九)》增加。

者其他违法犯罪信息的;

(三)为实施诈骗等违法犯罪活动发布信息的。

单位犯前款罪的,对单位判处罚金,并对其直接负责的主管人员和其他直接责任人员,依照第一款的规定处罚。

有前两款行为,同时构成其他犯罪的,依照处罚较重的规定定罪处罚。

【释义】 本条是关于为实施违法犯罪利用信息网络设立网站、通讯群组、发布信息的犯罪及其处罚的规定。

随着互联网应用的普及,一些传统犯罪出现了网络时代的新特点,实践中打击网络犯罪在证据提取、事实认定、法律适用等方面,也面临着新的问题和困难,需要有针对性地对刑法相关规定作出调整和完善,以适应这种新的情况和变化。如由于互联网犯罪的跨地域性,行为人很容易在短时间内组织不特定人共同实施违法犯罪,或者针对不特定人群实施违法犯罪行为。大量案件仅能查实行为人在网络上实施联络或者其他活动,对于分布在不同地点的人员,在网络下实际实施的各种危害行为,很难一一查实、查全;同时,网络犯罪的被害人往往也分布得比较分散,对被害人及其被害的具体情况,也难以一一查证属实。由于完全查清楚网络犯罪的全链条存在困难,司法实践中,有的案件被作行政处理,相关犯罪人没有得到应有的刑事追究。

为解决这一问题,在《最高人民法院、最高人民检察院关于办理诈骗刑事案件具体应用法律若干问题的解释》中规定,利用发送短信、拨打电话、互联网等电信技术手段对不特定多数人实施诈骗,诈骗数额难以查证,具有发送诈骗信息五千条以上、拨打诈骗电话五百人次以上,诈骗手段恶劣、危害严重等情形的,应当认定为刑法第二百六十六条规定的"其他严重情节",以诈骗罪(未遂)定罪处罚。上述规定部分解决了网络诈骗犯罪中带有预备性质的行为如何处罚的问题,从网络违法犯罪的实际情况看,还有一些其他犯罪也存在类似问题,需要将刑法规制的环节前移,以适应惩治犯罪的需要。为此,《刑法修正案(九)》根据有关方面建议,增设了第二百八十七条之一,对为实施犯罪设立网站、发布信息等行为作出专门规定。

第一款是关于在信息网络上设立用于实施违法犯罪活动的网站、通讯群组,以及发布违法犯罪信息,为实施违法犯罪而发布信息的犯罪规定。本款分为三项对本罪的行为方式作了规定。根据本款的规定,利用信息网络实施以下三类行为,且情节严重的,依法追究刑事责任:

1. 设立用于实施诈骗、传授犯罪方法、制作或者销售违禁物品、管制物品等违法犯罪活动的网站、通讯群组。"网站"是其设立者或者维护者制作的用于展示特定内容的相关网页的集合,便于使用者在其上发布信息或者获取信息;"通讯群组”是网上供具有相同需求的人群集合在一起进行交流的平台和工具，如QQ群、微信群等。网站和通讯群组为人们获取资讯、从事经济社会活动、相互通讯提供了极大便利，同时也成为一些违法犯罪人员纠集聚合、实施犯罪的工具和手段。实践中认定这类行为有以下几点需要注意：(1)行为人设立网站、通讯群组的目的是为了用于实施违法犯罪活动。如果行为人是出于发布合法信息，从事正常的社交或者网络经营行为等目的设立网站、通讯群组，事后被他人用于从事违法犯罪行为的，不属于本项规定的设立用于违法犯罪活动的网站、通讯群组。当然，如果行为人事后知道他人利用其设立的网站、通讯群组从事违法犯罪活动，而为其提供技术支持的，可以适用《刑法修正案(九)》增设的第二百八十七条之二关于帮助实施网络犯罪的规定追究刑事责任。此外，也不排除当事人设立网站或者通讯群组的初始目的是正当的，但在以后将这一网站或者通讯群组逐步演化为用以实施违法犯罪的信息平台的情况。这种情况也属于本条第一款第一项规定的设立用于实施违法犯罪活动的网站、通讯群组。(2)行为人设立违法犯罪网站、通讯群组，主要是从事诈骗、传授犯罪方法、制作或者销售违禁物品、管制物品，但并不限于法律明确列举的这几类违法犯罪活动。司法实践中如果行为人设立网站是为了实施其他违法犯罪行为的，也可以构成本罪，刑法列举的是比较常见多发的几类违法犯罪活动。为实施诈骗而设立网站和通讯群组，是实践中最为常见的一种犯罪情形。典型的如设立“钓鱼网站”，通过钓鱼网站窃取、记录用户网上银行账号、密码等数据，进而用于诈骗、窃取用户网银资金；假冒网上购物、在线支付网站，欺骗用户直接将钱打入专门账户；通过假冒产品和广告宣传获取用户信任，骗取用户财物；恶意团购网站或购物网站，假借“限时抢购”、“秒杀”、“团购”等噱头，骗取个人信息和银行账号等。设立传授犯罪方法的网站和通讯群组，如利用网站或者网络通讯工具传授杀人技巧、制造毒品技术等犯罪方法，有的甚至建立通讯群组专门买卖人体器官，交流奸淫、猥亵幼女的经验等。这些违法犯罪网站使得很多犯罪技巧可以在网上轻易学到，从而降低了犯罪门槛，增加了公安机关侦查办案的难度。设立用于制作或者销售违禁物品、管制物品的网站和通讯群组，也是网络违法犯罪的常见类型。近年来，各地司法机关陆续办理了多起通过互联网论坛、博客、公共通讯群组或者专门建立的网站发布制作贩卖枪支弹药、毒品、迷幻剂、假币、爆炸物、管制刀具、窃听窃照器材等违禁物品或者管制物品的案件。这些行为严重破坏了国家对相关物品的管制秩序，使相关物品流入社会，成为不法分子从事违法犯罪活动的工具，对公民的人身财产安全、公共安全以及国家安全造成了严重威胁。

2. 发布有关制作或者销售毒品、枪支、淫秽物品等违禁物品、管制物品或者其他违法犯罪信息。本款第一项对设立网站、通讯群组用于违法犯罪活动作了规定,本项则是对发布相关违法犯罪信息的行为作了规定。这里的违法犯罪信息主要是指制作、销售毒品、枪支、淫秽物品等违禁物品、管制物品的信息,但不限于这些信息,即还包括"其他违法犯罪信息"。实践中比较常见的发布"其他违法犯罪信息"的行为,有发布招嫖、销售假证、假发票、赌博、传销的信息等。此外,需要说明的是,与第一项不同,本项规定的发布违法犯罪信息,其发布途径更为广泛,即不仅包括在网站、通讯群组中发布违法犯罪信息,还包括通过广播、电视等其他信息网络发布信息。

3. 为实施诈骗等违法犯罪活动发布信息。从行为方式上看,本款第二项、第三项都是发布信息,不同之处在于,第二项中行为人发布的信息本身具有明显的违法犯罪性质,如制作、销售毒品、淫秽物品等信息,而本项中行为人发布的信息,从表面上看往往不具有违法性,但行为人发布信息的目的,是为了吸引他人关注,借以实施诈骗等违法犯罪活动,相关信息只是其从事犯罪的幌子。如通过发布低价机票、旅游产品、保健品等商品信息,吸引他人购买,进而实施诈骗、传销等违法犯罪行为。这样规定,主要是针对网络诈骗犯罪跨地域、受害者众多、取证难等问题,将诈骗等违法犯罪行为人为实施犯罪在网络上发布信息的行为单独作为犯罪加以明确规定,实际上是将刑法惩治犯罪的环节前移,便于司法机关有效打击网络诈骗等违法犯罪活动,及时切断犯罪链条,防止更为严重的危害后果发生。因此,司法实践中,办案部门在查办具体案件时,应当依据掌握的线索,尽力查明行为人线下实际实施的各种犯罪行为。对经过深入细致查证,有足够证据证明行为人实施了诈骗等犯罪的,应当依照刑法诈骗罪等规定定罪处罚。如果经过深入工作,因为证据等原因,确实难以按照诈骗等犯罪追究的,可以根据本条规定,针对其所实际实施的为实施诈骗等犯罪而发布信息的行为,依法追究刑事责任。这样,才能做到罪责刑相适应,避免行为人因本条的规定而逃避诈骗等犯罪的追究。

根据本款规定,实施以上行为"情节严重"的,构成犯罪。关于"情节严重"的具体认定,可以结合行为人所发布信息的具体内容、数量、扩散范围、获取非法利益的数额、受害人的多少、造成的社会影响等因素综合考量。

关于本罪的刑罚,根据本款的规定,行为人构成犯罪的,对其处三年以下有期徒刑或者拘役,并处或者单处罚金。

第二款是关于单位第一款规定的犯罪的规定。根据本款的规定,对单位犯第一款规定之罪的实行双罚制,对单位判处罚金,并对其直接负责的主管人员和其他直接责任人员,依照第一款的规定,处三年以下有期徒刑或者拘役,并处或者单处罚金。

第三款是关于实施本条规定的行为，同时又构成其他犯罪的，如何定罪处罚的规定。本条规定的犯罪，是针对行为人为实施违法犯罪活动而设立网站、发布信息行为等行为作的规定。只要行为人实施了本条规定的行为，达到情节严重的程度的，即构成犯罪，并不要求行为人实际上已实现了其具体的犯罪目的。如果行为人设立网站、发布信息，并且实际实施了相关的犯罪行为，则还可能构成相关犯罪，如设立销售毒品的网站，发布销售毒品的信息，并且实际销售了毒品，则还构成贩卖毒品罪。这种情况下，其设立销售毒品网站的行为成为其实施贩毒活动的途径或手段，对这种情况，根据本款规定，应当按照择一重罪论处的原则处理，即依照处罚较重的规定定罪处罚。

第二百八十七条之二*　明知他人利用信息网络实施犯罪，为其犯罪提供互联网接入、服务器托管、网络存储、通讯传输等技术支持，或者提供广告推广、支付结算等帮助，情节严重的，处三年以下有期徒刑或者拘役，并处或者单处罚金。

单位犯前款罪的，对单位判处罚金，并对其直接负责的主管人员和其他直接责任人员，依照第一款的规定处罚。

有前两款行为，同时构成其他犯罪的，依照处罚较重的规定定罪处罚。

【释义】　本条是关于为网络犯罪提供帮助的犯罪及其处罚的规定。

随着互联网技术的快速发展和在经济社会生活各领域的广泛应用，信息网络已经成为信息传递交流的主要方式和社会经济生活的重要平台。与信息网络快速发展相伴随，一些犯罪分子利用信息网络实施犯罪的情况也日益严重。由于网络自身的特性，网络犯罪与传统犯罪相比，也呈现出很多不同特点，这些不同特点对犯罪追诉模式也带来了一定挑战，为此，需要根据情况的变化及时研究调整刑法惩处网络犯罪的策略。如实践中网络犯罪往往带有跨地域、跨领域整合信息和资源，以用于犯罪的特点。一些犯罪以利益链为脉络，逐渐形成比较完整的产业链，犯罪的实行行为被分为若干个环节，由不同人员完成，分工细致，相互联系紧密，又带有相对的独立性，一定意义上不同于传统共犯的特征；从犯罪的组织结构看，网络犯罪的帮助行为相较于传统的帮助行为，其对于完成犯罪起着越来越大的决定性作用，社会危害性凸显，有的如果全案衡量，甚至超过实行行为。这种以互联网为纽带，分工配合实施犯罪的方式，大大降低了网络犯罪的门槛和成本。以“钓鱼网站”诈骗为例，从域名注册和服务器的租

---

* 根据2015年8月29日第十二届全国人民代表大会常务委员会第十六次会议通过的《中华人民共和国刑法修正案（九）》增加。

用、网站的制作与推广、盗取他人账户信息、销售盗取的信息、实施诈骗、冒名办理银行卡、赃款提取等，每个环节都是不同群体的人员实施，之间往往互不相识。这种情况，给依法打击犯罪带来很大困难。一方面，查处案件存在侦办难，取证难，打击成本高的问题。另一方面，法律适用方面也存在一些不同认识。如按照传统的认定诈骗罪的做法，需要对诈骗所得逐笔核对，且诈骗犯罪嫌疑人和被害人之间要一一对应，但网络诈骗往往不是传统的“一对一”，而是“一对多”、“多对多”，犯罪链条比较复杂，被害人也具有不特定性，有时很难全案各个环节都查清楚。另外，网络诈骗虽然往往是多人分工实施，但要按照刑法共同犯罪规定追究，也存在困难，如按照共犯处理，一般需要查明帮助者的共同犯罪故意，但网络犯罪不同环节人员之间往往互不相识，没有明确的犯意联络。如窃取公民个人信息者，倒卖公民个人信息者，并不确切了解从其手中购买信息的人具体要实施诈骗、盗窃等犯罪行为，还是要发放小广告，很难按照诈骗、盗窃的共犯处理。还有一些搜索引擎公司、支付结算平台、互联网接入服务商等，常常以不知道他人实施犯罪为由逃避法律追究。同时，从行为的社会危害性看，很多网络诈骗的帮助者，才是整个网络犯罪链条中获益最大的，有的案件中犯罪所得数额惊人。

针对实践中的突出问题，最高人民法院、最高人民检察院陆续出台了有关司法解释，部分解决了网络帮助行为的定罪量刑问题。如《关于办理网络赌博犯罪案件适用法律若干问题的意见》中规定，对明知是赌博网站，而为其提供互联网接入、服务器托管、网络存储空间、通讯传输通道、投放广告、发展会员、软件开发、技术支持等服务，或者资金支付结算、广告投放等帮助的，属于开设赌场罪的共同犯罪，依照刑法第三百零三条第二款的规定处罚。在办理网络传播淫秽物品、网络诈骗案件的司法解释中也有类似规定。这些解释虽解决了对这类行为的定性问题，但在具体犯罪情节的认定、主犯的认定等问题上仍存在一定困难。在刑法修正案（九）草案研究和修改过程中，有关方面建议在刑法中对各种网络犯罪帮助行为作出专门规定。经研究，在通过的《刑法修正案（九）》中增加了本条规定，以更准确、有效地打击各种网络犯罪帮助行为，保护公民人身权利、财产权利和社会公共利益，维护信息网络秩序，保障信息网络健康发展。

第一款是关于对为他人实施网络犯罪提供帮助如何定罪处罚的规定。根据第一款的规定，构成犯罪应当具备以下条件：

1. 行为人主观上明知他人利用网络实施犯罪。如果行为人对他人利用自己所提供的产品、服务进行犯罪不知情的，则不能依据本款的规定追究刑事责任。司法实践中，认定行为人主观上是否“明知”，可以结合其对他人所实际从事活动的认知情况，之间往来、联络的情况，收取费用的情况等证据，综合审查判断。如《最高人民法院、最高人民检察院、公安部关于办理网络赌博犯罪案件适用法律若干问题的意见》规定，行为人收到行政主管机关书面等方式的告知后，仍然实施帮助行为的；为赌博网站提供互联网接入、服务器托管、网络存储空间、通讯传输通道、投放广告、软件开发、技术支持、资金支付结算等服务，收取服务费明显异常的；在执法人员调查时，通过销毁、修改数据、账本等方式故意规避调查或者向犯罪嫌疑人通风报信的，以及有其他证据证明行为人明知的行为的，即可认定行为人符合"明知"的主观条件。

2. 行为人实施了帮助他人利用信息网络实施犯罪的行为。根据本款规定，帮助行为主要有以下几种具体形式：(1)为他人实施网络犯罪提供互联网接入、服务器托管、网络存储、通讯传输等技术支持。其中，"互联网接入"是指为他人提供访问互联网或者在互联网发布信息的通路。目前常用的互联网接入服务有电话线拨号接入、ADSL 接入、光纤宽带接入、无线网络等方式。用户只有通过这些特定的通信线路连接到互联网服务提供商，享受其提供的互联网入网连接和信息服务，才能连接使用互联网或者建立服务器发布消息。这一规定主要针对互联网接入服务提供商，如果其明知他人利用其接入服务实施犯罪，仍继续让对方使用，情节严重的，构成本款规定的犯罪。"服务器托管"是指将服务器及相关设备托管到具有专门数据中心的机房。托管的服务器一般由客户通过远程方式自行维护，由机房负责提供稳定的电源、带宽、温湿度等物理环境。"网络存储"通常是指通过网络存储、管理数据的载体空间，如常用的百度网盘、QQ 中转站等。"通讯传输"是指用户之间传输信息的通路。如电信诈骗犯罪中犯罪分子常用的 VOIP 电话，这种技术能将语音信号经技术处理后通过互联网传输出去。另一种常用的通讯传输通道是 VPN(虚拟专用网络)，该技术能在公用网络上建立专用网络，进行加密通讯。目前很多网络犯罪嫌疑人使用 VPN 技术隐藏其真实位置。此外，除上述明确列举的几种技术支持外，常见的为他人实施网络犯罪提供技术支持的行为方式还有销售赌博网站代码，为病毒、木马程序提供免杀服务，为网络盗窃、QQ 视频诈骗制作专用木马程序，为设立"钓鱼网站"等提供技术支持等行为。(2)为他人利用信息网络实施犯罪提供广告推广。这里的广告推广包括两种情况：一种情况是为利用网络实施犯罪的人做广告、拉客户。另一种情况是为他人设立的犯罪网站拉广告客户，帮助该犯罪网站获得广告收入，以支持犯罪网站的运营。打击此类行为，有利于切断犯罪网站收入来源。(3)为他人利用信息网络实施犯罪提供支付结算帮助。从实践的情况看，网络犯罪大多是为了直接或者间接获取经济利益。由于网络自身的特点，网络犯罪行为人要最终获得犯罪收益，往往需要借助第三方支付等各种网络支付结算服务提供者,以完成收款、转账、取现等活动。实践中甚至有一些人员,专门为网络诈骗集团提供收付款、转账、结算、现金提取服务等帮助。《刑法修正案(九)》增加的为他人利用信息网络实施犯罪提供"支付结算帮助",就是针对这种情况,这一规定有利于切断网络犯罪的资金流动。

根据第一款的规定,明知他人利用信息网络实施犯罪,而为其提供帮助,"情节严重"的,构成犯罪。对情节严重的认定,主要可结合行为人所帮助的具体网络犯罪的性质、危害后果,其帮助行为在相关网络犯罪中起到的实际作用,帮助行为非法获利的数额等情况综合考量。

第二款是关于单位犯罪的规定。从实践中的情况看,本罪很多是一些提供互联网服务的公司、企业,为了牟取非法利益而实施的,为此,本条对单位犯罪作了规定。根据本条第二款的规定,单位犯第一款规定之罪的,对单位判处罚金,并对其直接负责的主管人员和其他直接责任人员,依照第一款的规定处罚,即处以三年以下有期徒刑或者拘役,并处或者单处罚金。

第三款是关于实施本条规定的犯罪,同时构成其他犯罪的,如何定罪处罚的规定。根据刑法的相关规定,行为人为他人实施网络犯罪提供帮助的行为,可能构成相关犯罪的共犯;同时,技术支持、广告推广或者支付结算等帮助行为,还可能构成刑法第二百八十五条提供侵入、非法控制计算机信息系统程序、工具罪以及第一百九十一条洗钱罪等其他犯罪。为此,本条第三款对这种情况下如何适用法律作出规定。根据本条第三款的规定,有前两款行为,同时构成其他犯罪的,依照处罚较重的规定定罪处罚,即按照从一重罪论处的原则处罚。

第二百八十八条*　违反国家规定,擅自设置、使用无线电台(站),或者擅自使用无线电频率,干扰无线电通讯秩序,情节严重的,处三年以下有期徒刑、拘役或者管制,并处或者单处罚金;情节特别严重的,处三年以上七年以下有期徒刑,并处罚金。

单位犯前款罪的,对单位判处罚金,并对其直接负责的主管人员和其他直接责任人员,依照前款的规定处罚。

【释义】　本条是关于扰乱无线电通讯管理秩序的犯罪及其处罚的规定。

* 第一款根据2015年8月29日第十二届全国人民代表大会常务委员会第十六次会议通过的《中华人民共和国刑法修正案(九)》修改。原第一款条文是:"违反国家规定,擅自设置、使用无线电台(站),或者擅自占用频率,经责令停止使用后拒不停止使用,干扰无线电通讯正常进行,造成严重后果的,处三年以下有期徒刑、拘役或者管制,并处或者单处罚金。"

为了保证无线电通讯活动的正常进行,1997 年刑法规定了扰乱无线电通讯管理秩序的犯罪。近年来,无线电通讯快速发展,无线电应用深入经济社会生活的方方面面。仅就无线电台(站)来说,据有关方面统计,截至 2012 年年底,我国已办理电台执照的无线电台(站)将近 289 万。无线电通讯的广泛应用极大地便利了生产经营活动和人们的日常生活,但也使得无线电频率资源日益紧张,无线电电磁环境日益复杂。实际生活中,违反规定擅自设置、使用无线电台(站),干扰无线电通讯活动正常进行的行为也日益增多,有的甚至造成严重后果。有关方面提出,在无线电通讯技术快速发展和广泛应用的情况下,扰乱无线电通讯管理秩序行为出现了一些新的情况和特点,司法实践中追究此类犯罪时在法律适用上有一些困难,建议对刑法的相关规定作相应调整,以适应实践的需要。如 1997 年刑法对扰乱无线电通讯管理秩序罪的构成条件规定的比较严格,对行为人擅自设置、使用无线电台(站)或者擅自占用频率的,要经过主管部门责令停止使用后拒不停止使用,因而干扰无线电通讯正常进行,造成严重后果的,才追究刑事责任。这样规定,有利于做好行政管理与刑事处罚之间的衔接,是符合当时的实际情况的。近年来,这方面的违法犯罪行为的数量增长很快,监管部门很难做到实时监管,很多时候是已经造成严重后果,才被发现。有的利用无线电从事违法犯罪活动的人员,将无线电台(站)放置在隐蔽的地点,本人远程遥控无线电台(站)工作,监管机构工作人员能查找到无线电台(站),却无法对设置台(站)的行为人发出"责令停止使用"的通知。对这些行为,由于缺少"责令"环节,难以追究刑事责任,仅予以行政处罚,惩处力度不够,致使此类行为有蔓延之势。为此,全国人大常委会于 2015 年 8 月 29 日通过的《刑法修正案(九)》,根据有关方面意见对刑法第二百八十八条的规定作了修改,主要有:一是取消了原来"经责令停止使用后拒不停止使用"的规定,降低了构成犯罪的门槛;二是将原来规定的"造成严重后果"改为"情节严重";三是增加了一档刑罚,对"情节特别严重的",处以三年以上七年以下有期徒刑,并处罚金。

第一款是关于扰乱无线电通讯管理秩序的犯罪及其处罚的规定。这里的"违反国家规定",是指违反法律、行政法规等有关无线电管理的规定。如军事设施保护法、民用航空法等法律中都有关于无线电管理的规定;有关无线电管理的行政法规比较多,如《电信条例》、《无线电管理条例》、《无线电管制规定》、《民用机场管理条例》等都有关于无线电管理的规定。"擅自设置、使用无线电台(站)",是指行为人违反国家有关无线电站设置方面的管理规定,未经申请、未办理设置无线电台(站)的审批手续或者未领取电台执照而设置、使用无线电台(站)的行为。"擅自使用无线电频率",主要是指违反国家有关无线电使用的管理规定，未经批准获得使用权而使用无线电频率的行为。根据《无线电管理条例》的规定，国家无线电管理机构对无线电频率实行统一划分和分配。行为人擅自使用无线电频率，包括行为人无线电台（站）本身属于未经批准而设置的；也包括行为人无线电台（站）虽经依法批准设立，但在使用过程中，违反国家有关无线电使用的管理规定，擅自改变主管部门为其指配的频率而非法使用其他频率的等情形。

根据本款规定，行为人擅自设置、使用无线电台（站）或者擅自使用无线电频率，干扰无线电通讯，情节严重的，构成犯罪，处三年以下有期徒刑、拘役或者管制，并处或者单处罚金；情节特别严重的，处三年以上七年以下有期徒刑，并处罚金。这里的"情节严重"，可主要根据行为人擅自设置、使用无线电台（站）、擅自使用无线电频率的行为，对无线电通讯秩序造成干扰的程度、范围、时间，被其干扰的无线电通讯活动的性质、领域、重要程度等因素综合判断。

第二款是关于对单位犯罪的处罚规定。根据本款规定，单位犯扰乱无线电通讯管理秩序犯罪的，对单位判处罚金，并对其直接负责的主管人员和其他直接责任人员，依照前款的规定处罚，即对单位直接负责的主管人员和其他直接责任人员，情节严重的，处三年以下有期徒刑、拘役或者管制，并处或者单处罚金；情节特别严重的，处三年以上七年以下有期徒刑，并处罚金。

第二百八十九条　聚众"打砸抢"，致人伤残、死亡的，依照本法第二百三十四条、第二百三十二条的规定定罪处罚。毁坏或者抢走公私财物的，除判令退赔外，对首要分子，依照本法第二百六十三条的规定定罪处罚。

【释义】 本条是关于聚众"打砸抢"的犯罪及其处罚的规定。

"聚众'打砸抢'"，是指聚集多人肆意打人、毁坏或者抢劫公私财物，严重危害社会秩序的行为。这里的"聚众"，是指聚集多人进行"打砸抢"的行为。"致人伤残、死亡的，依照本法第二百三十四条、第二百三十二条的规定定罪处罚"，是指聚众"打砸抢"造成他人轻伤、重伤的，依照本法第二百三十四条关于故意伤害罪的规定定罪处罚；造成他人死亡的，依照本法第二百三十二条关于故意杀人罪的规定定罪处罚。"毁坏或者抢走公私财物的，除判令退赔外，对首要分子依照本法第二百六十三条的规定定罪处罚"，是指毁坏或者抢走公私财物，应当判令退还原物或者按价赔偿，对首要分子依照本法第二百六十三条关于抢劫罪的规定定罪处罚。

实践中，聚众"打砸抢"的情况一般比较复杂，要具体分析其引起的原因、危害后果及其他情节，对首要分子要予以严厉打击；对其他参加者，罪行严重的，也应依法追究刑事责任；对于虽然参与"打砸抢"，但情节较轻的，可以进行批评教育,必要时给予治安处罚;对于聚众"打砸抢",毁坏、抢走公私财物的,只对首要分子依照刑法抢劫罪的规定追究刑事责任。

第二百九十条*　聚众扰乱社会秩序,情节严重,致使工作、生产、营业和教学、科研、医疗无法进行,造成严重损失的,对首要分子,处三年以上七年以下有期徒刑;对其他积极参加的,处三年以下有期徒刑、拘役、管制或者剥夺政治权利。

聚众冲击国家机关,致使国家机关工作无法进行,造成严重损失的,对首要分子,处五年以上十年以下有期徒刑;对其他积极参加的,处五年以下有期徒刑、拘役、管制或者剥夺政治权利。

多次扰乱国家机关工作秩序,经行政处罚后仍不改正,造成严重后果的,处三年以下有期徒刑、拘役或者管制。

多次组织、资助他人非法聚集,扰乱社会秩序,情节严重的,依照前款的规定处罚。

【释义】　本条是关于聚众扰乱社会秩序罪、聚众冲击国家机关罪、扰乱国家机关工作秩序的犯罪以及组织、资助他人非法聚集的犯罪及其处罚的规定。

本条在刑法原规定的聚众扰乱社会秩序、聚众冲击国家机关犯罪的基础上作了进一步修改完善。主要修改之处有:一是在第一款聚众扰乱社会秩序保护范围的规定中增加了"医疗",将致使"工作、生产、营业和教学、科研"无法进行,修改为致使"工作、生产、营业和教学、科研、医疗"无法进行。这是针对当前扰乱医疗单位案件多发的实际情况,增加的一个明确法律适用的规定。二是增加了多次扰乱国家机关工作秩序,经行政处罚后仍不改正,造成严重后果的,追究刑事责任。这是针对当前扰乱国家机关工作秩序方面出现的新的情况和特点,作出的专门规定。三是增加了多次组织、资助他人非法聚集,扰乱社会秩序,情节严重的,追究刑事责任的规定。这主要是针对当前扰乱社会管理秩序方面出现的新的情况和特点,作出的有针对性的专门规定。

第一款是关于聚众扰乱社会秩序的犯罪及其处罚的规定。根据本款规定,聚众扰乱社会秩序犯罪,是指聚众扰乱社会秩序,情节严重,致使工作、生产、营业和教学、科研、医疗无法进行,造成严重损失的行为。这里的"聚众扰乱社会

---

*　根据2015年8月29日第十二届全国人民代表大会常务委员会第十六次会议通过的《中华人民共和国刑法修正案(九)》修改。原条文是:"聚众扰乱社会秩序,情节严重,致使工作、生产、营业和教学、科研无法进行,造成严重损失的,对首要分子,处三年以上七年以下有期徒刑;对其他积极参加的,处三年以下有期徒刑、拘役、管制或者剥夺政治权利。

"聚众冲击国家机关,致使国家机关工作无法进行,造成严重损失的,对首要分子,处五年以上十年以下有期徒刑;对其他积极参加的,处五年以下有期徒刑、拘役、管制或者剥夺政治权利。"

秩序”，是指纠集多人扰乱机关、企事业单位、人民团体及社会团体的工作、生产、营业、教学、科研、医疗秩序，如聚众侵入、占领机关、单位、团体的工作场所以及封闭其出入通道，进行纠缠、哄闹、辱骂等。全国人大常委会于 2015 年 8 月 29 日通过的《刑法修正案（九）》对本款作了修改，增加了有关扰乱医疗场所秩序，致使医疗无法进行的规定。这一规定是根据草案审议中的意见增加的规定，主要是针对实践中频繁发生扰乱医疗场所秩序的情况。需要特别说明的是，《刑法修正案（九）》对本条的修改并不是增加新的犯罪情形，只是对刑法原有规定作进一步明确。这样规定，有利于增强法律的针对性，提高对扰乱医疗秩序犯罪的震慑力。单纯从法律适用来说，实践中所谓“医闹”等案件，是一种比较典型的聚众扰乱社会秩序的案件，对其中情节严重的，应当严格按照刑法的规定追究首要分子和积极参加者的刑事责任。对这一问题，司法机关和社会各方面的认识也是一致的，有关司法解释对具体法律适用问题也有明确规定，司法实践中也是这样处理的。如 2014 年 4 月 22 日最高人民法院、最高人民检察院、公安部、司法部、国家卫生和计划生育委员会联合发布的《关于依法惩处涉医违法犯罪维护正常医疗秩序的意见》中有明确、细化的规定，即对聚众实施的在医疗机构私设灵堂、摆放花圈、焚烧纸钱、悬挂横幅、堵塞大门或者以其他方式扰乱医疗秩序行为，造成严重损失或者扰乱其他公共秩序情节严重，以及在医疗机构的病房、抢救室、重症监护室等场所及医疗机构的公共开放区域违规停放尸体，情节严重，构成犯罪的，可以根据聚众扰乱社会秩序罪、聚众扰乱公共场所秩序、交通秩序罪、寻衅滋事罪等追究刑事责任。

本款规定的“情节严重”，一般表现为扰乱的时间长、次数多、纠集的人数多，扰乱重要的工作、生产、营业和教学、科研、医疗活动，造成的影响比较恶劣，等等。“造成严重损失”，主要是指使经济建设、教学、科研、医疗等受到严重的破坏和损失。在这里，情节严重，致使机关、单位、团体的工作、生产、营业和教学、科研、医疗无法进行，造成严重损失，都是构成本罪的要件，缺一不可。对于一般违法行为，情节较轻，没有造成严重损失，危害不大的，不构成本罪，可以依照治安管理处罚法的规定处理。

根据本款规定，犯本款规定之罪的，对首要分子处三年以上七年以下有期徒刑；对其他积极参加的，处三年以下有期徒刑、拘役、管制或者剥夺政治权利。这里的“首要分子”，主要是指在聚众犯罪中起组织、策划、指挥作用的犯罪分子；“其他积极参加的”，是指在共同犯罪中积极、主动参加的，或者在共同犯罪中起重要作用的犯罪分子。

第二款是关于聚众冲击国家机关的犯罪及其处罚的规定。根据本款规定，聚众冲击国家机关的犯罪，是指聚众冲击国家机关，致使国家机关工作无法进行,造成严重损失的行为。这里规定的“国家机关”,是指管理国家某一方面事务的具体工作部门,包括各级国家权力机关、党政机关、司法机关和军事机关。“聚众冲击国家机关”,主要是指聚集多人强行包围、堵塞、冲入各级国家机关的行为。“致使国家机关工作无法进行”,是指国家机关及其工作人员行使管理职权、执行职务的活动,因受到聚众冲击而被迫中断或者停止。“造成严重损失”,是指造成的社会影响很恶劣,严重损害国家机关权威的;致使国家机关长时间无法行使管理职能,严重影响到工作秩序的;给国家、集体和个人造成严重经济损失的,等等。根据本款规定,犯本款规定之罪的,对首要分子处五年以上十年以下有期徒刑;对其他积极参加的,处五年以下有期徒刑、拘役、管制或者剥夺政治权利。

第三款是关于多次扰乱国家机关工作秩序,经行政处罚后仍不改正,造成严重后果的犯罪及其处刑的规定。《刑法修正案(九)》增加本款规定,主要是针对实践中时有发生的,行为人没有采取聚集众人的方式,而是个人以各种极端方式冲击、扰乱国家机关工作秩序的情况作出的规定。在草案审议过程中,有的意见提出,从实践中发生的一些个案的情况看,个人采取极端方式制造事端,扰乱国家机关工作秩序,造成严重后果的,仅予以治安管理处罚,惩戒、震慑效果有限,有的人被多次处罚仍继续实施扰乱国家机关秩序的行为,建议在刑法中增加相应规定。需要注意的是,构成本罪需要同时具备多次扰乱国家机关工作秩序,经行政处罚后仍不改正,造成严重后果三个方面的要件。根据本款规定,构成本罪的,处三年以下有期徒刑、拘役或者管制。

第四款是关于多次组织、资助他人非法聚集,扰乱社会秩序的规定,本款也是《刑法修正案(九)》新增的规定。这里的“组织”,是指组织、策划、指挥、协调非法聚集活动的行为。“资助”,是指筹集、提供活动经费、物资以及其他物质便利的行为。“非法聚集”,是指未经批准在公共场所集会、集结的行为。本款规定的扰乱社会秩序,是指造成社会秩序混乱,致使工作、生产、营业和教学、科研、医疗等活动受到严重干扰,甚至无法进行的情况。如致使机场、车站、码头、商场、影剧院、运动场馆等人员密集场所秩序混乱,影响航空器、列车、船舶等大型客运交通工具正常运行的,致使国家机关、学校、医院、厂矿企业等单位的工作、生产、经营、教学、科研、医疗等活动中断等。根据本款规定,对多次组织、资助他人非法聚集,扰乱社会秩序,情节严重的,处三年以下有期徒刑、拘役或者管制。

第二百九十一条　聚众扰乱车站、码头、民用航空站、商场、公园、影剧院、展览会、运动场或者其他公共场所秩序,聚众堵塞交通或者破坏交通秩序,抗

拒、阻碍国家治安管理工作人员依法执行职务，情节严重的，对首要分子，处五年以下有期徒刑、拘役或者管制。

【释义】 本条是关于聚众扰乱公共场所秩序、交通秩序的犯罪及其处罚的规定。

根据本条规定，聚众扰乱公共秩序、交通秩序罪，是指聚众扰乱车站、码头、民用航空站、商场、公园、影剧院、展览会、运动场或者其他公共场所秩序，聚众堵塞交通或者破坏交通秩序，抗拒、阻碍国家治安管理工作人员依法执行职务，情节严重的行为。这里规定的“聚众扰乱”公共场所秩序，是指纠集多人以各种方法对公共场所秩序进行干扰和捣乱，主要是故意在公共场所聚众起哄闹事。“公共场所”，是指具有公共性的特点，对公众开放，供不特定的多数人随时出入、停留、使用的场所，主要有车站、码头、民用航空站、商场、公园、影剧院、展览会、运动场等；“其他公共场所”，主要是指礼堂、公共食堂、游泳池、浴池、农村集市等；“公共场所秩序”，是指保证公众顺利地出入、使用公共场所以及在公共场所停留而规定的公共行为规则。“聚众堵塞交通或者破坏交通秩序”，是指纠集多人堵塞交通使车辆、行人不能通过，或者故意违反交通规则，破坏正常的交通秩序，影响顺利通行和通行安全的行为。其中“交通秩序”，是指交通工具与行人依照交通规则在交通线路上安全顺利通行的正常状态。本条规定的“抗拒、阻碍国家治安管理工作人员依法执行职务”，是指抗拒、阻碍治安民警、交通民警以及其他依法执行治安管理职务的工作人员依法维护公共场所秩序或者交通秩序的行为。这里规定的“情节严重”，主要是指聚众扰乱公共场所秩序或者聚众破坏交通秩序，人数多或者时间长的；造成人员伤亡、建筑物损坏、公私财物受到重大损失等严重后果的；影响或者行为手段恶劣的，等等。情节严重是构成本罪的要件，情节较轻的，不构成犯罪，可以给予治安处罚。根据本条规定，犯本条规定之罪的，对首要分子处五年以下有期徒刑、拘役或者管制。对其他参加的，主要是进行批评教育，必要时给予治安处罚。

第二百九十一条之一*　投放虚假的爆炸性、毒害性、放射性、传染病病原

---

* 本条经全国人民代表大会常务委员会增加，并修改一次。

根据2001年12月29日第九届全国人民代表大会常务委员会第二十五次会议通过的《中华人民共和国刑法修正案(三)》增加。

根据2015年8月29日第十二届全国人民代表大会常务委员会第十六次会议通过的《中华人民共和国刑法修正案(九)》修改。原条文是：“投放虚假的爆炸性、毒害性、放射性、传染病病原体等物质，或者编造爆炸威胁、生化威胁、放射威胁等恐怖信息，或者明知是编造的恐怖信息而故意传播，严重扰乱社会秩序的，处五年以下有期徒刑、拘役或者管制；造成严重后果的，处五年以上有期徒刑。”

体等物质，或者编造爆炸威胁、生化威胁、放射威胁等恐怖信息，或者明知是编造的恐怖信息而故意传播，严重扰乱社会秩序的，处五年以下有期徒刑、拘役或者管制；造成严重后果的，处五年以上有期徒刑。

编造虚假的险情、疫情、灾情、警情，在信息网络或者其他媒体上传播，或者明知是上述虚假信息，故意在信息网络或者其他媒体上传播，严重扰乱社会秩序的，处三年以下有期徒刑、拘役或者管制；造成严重后果的，处三年以上七年以下有期徒刑。

【释义】 本条是关于投放虚假危险物质罪，编造、故意传播虚假恐怖信息罪，传播虚假的险情、疫情、灾情、警情的犯罪及其处罚的规定。

本条是全国人大常委会于2001年12月29日通过的《刑法修正案（三）》增加的规定（即本条第一款）。2015年8月29日，全国人大常委会通过的《刑法修正案（九）》又在本条中增加了第二款关于传播虚假的险情、疫情、灾情、警情的规定。

“9·11”事件后，在美国出现了投放炭疽菌病毒的恐怖活动，继而出现以假的炭疽菌病毒制造恐慌的事件。这种投放假炭疽菌病毒的行为虽然不能造成炭疽病的传播，但会造成一定范围内的恐慌，严重扰乱社会秩序，特别是在恐怖分子投放真的炭疽菌的情况下，这种投放假炭疽菌的行为，会使人们难辨真假，危害更大，应当予以刑事处罚。由于这种行为不可能实际造成传染病的传播，不构成危害公共安全方面投放危险物质的犯罪，难以适用刑法相应的规定追究刑事责任，因此，《刑法修正案（三）》在刑法中增加了对这种犯罪的规定。

近年来，随着信息技术的快速发展，尤其是微博、微信等自媒体的兴起，极大地改变了原来的信息传播渠道和方式。网络传播信息速度快、范围广、影响大，利用信息网络散布虚假信息，其危害也会成倍放大，轻则损害他人人格和名誉，重则造成人民群众生命财产损失、引发公众恐慌和社会秩序混乱甚至影响社会稳定，为此，《刑法修正案（九）》增加了相应规定。

第一款是关于投放虚假危险物质罪，编造、故意传播虚假恐怖信息罪的规定。根据本款规定，构成本罪应当同时具备以下两个方面的条件：

1. 行为人实施了投放虚假的爆炸性、毒害性、放射性、传染病病原体等物质，或者编造爆炸威胁、生化威胁、放射威胁等恐怖信息，或者明知是编造的恐怖信息而故意传播的行为。本款列举了三种犯罪行为，只要实施其中一种即可。其中投放虚假的爆炸性、毒害性、放射性、传染病病原体等物质，是指以邮寄、放置、丢弃等方式将假的类似于爆炸性、毒害性、放射性、传染病病原体等物质的物品置于他人或者公众面前或者周围；编造爆炸威胁、生化威胁、放射威胁等恐怖信息，是指行为人编造假的要发生爆炸、生物化学物品泄漏、放射性物品泄漏以及使用生化、放射性武器等信息；明知是编造的恐怖信息而故意传播的行为，是指明知该恐怖信息出于他人编造，是假的信息，而故意向他人传播的行为。关于恐怖信息的范围，2013年《最高人民法院关于审理编造、故意传播虚假恐怖信息刑事案件适用法律若干问题的解释》作了进一步的细化。根据该解释，虚假恐怖信息包括以发生爆炸威胁、生化威胁、放射威胁、劫持航空器威胁、重大灾情、重大疫情等严重威胁公共安全的事件为内容，可能引起社会恐慌或者公共安全危机的不真实信息。

2. 行为人的行为严重扰乱了社会秩序。“严重扰乱社会秩序”，主要是指该行为造成社会恐慌，严重影响生产、工作和社会生活的正常进行。关于严重扰乱社会秩序的具体认定，2013年《最高人民法院关于审理编造、故意传播虚假恐怖信息刑事案件适用法律若干问题的解释》中作了明确列举：(1)致使机场、车站、码头、商场、影剧院、运动场馆等人员密集场所秩序混乱，或者采取紧急疏散措施的；(2)影响航空器、列车、船舶等大型客运交通工具正常运行的；(3)致使国家机关、学校、医院、厂矿企业等单位的工作、生产、经营、教学、科研等活动中断的；(4)造成行政村或者社区居民生活秩序严重混乱的；(5)致使公安、武警、消防、卫生检疫等职能部门采取紧急应对措施的；(6)其他严重扰乱社会秩序的。

本款规定的犯罪为故意犯罪，行为人只要故意实施本款规定的行为，且严重扰乱社会秩序的，即构成本罪。在实践中，行为人实施本款规定行为的动机和目的是多方面的，有的是为了报复某个人，有的是对社会不满，有的甚至是搞恶作剧，无论动机如何，都不影响本罪的成立。

根据情节的轻重，本款规定了两档刑罚：构成犯罪的，判处五年以下有期徒刑、拘役或者管制；造成严重后果的，处五年以上有期徒刑。其中“造成严重后果”，主要是指该行为给公民、集体、国家造成重大经济损失、造成重大社会影响或由于恐慌而造成人员伤亡等情况。

第二款是关于编造虚假的险情、疫情、灾情、警情，在信息网络或者其他媒体上传播，或者明知是上述虚假信息，故意在信息网络或者其他媒体上传播的犯罪的规定。本款是《刑法修正案(九)》增加的规定。对散布谣言，谎报险情、疫情、警情或者以其他方法故意扰乱公共秩序的，治安管理处罚法有相应规定，可处五日以上十日以下拘留，可以并处五百元以下罚款；情节较轻的，处五日以下拘留或者五百元以下罚款。由于信息网络以及广播、报纸等媒体传播信息速度快、范围广、影响大，用以散布虚假信息，其危害也会成倍放大。近年来，此类案件时有发生，危害严重，如某地化工厂爆炸谣言引发群众大逃亡，致四人遇难；某地地震谣言使得数百万人街头“避难”。对这些案件如仅予以治安管理处罚，处罚力度过轻，不足以起到惩戒作用。对本款规定需要注意如下几个方面的内容：1. 虚假信息的范围包括险情、疫情、灾情、警情。“险情”包括突发可能造成重大人员伤亡或者财产损失的情况以及其他危险情况；“疫情”包括疫病尤其是传染病的发生、发展等情况；“灾情”包括火灾、水灾、地质灾害等灾害情况；“警情”包括有违法犯罪行为发生需要出警等情况。2. 行为方式上包括编造虚假信息后传播和明知是虚假信息故意传播两种情况。“编造”，是指出于各种目的故意虚构并不存在的险情、疫情、灾情、警情的情况。“传播”虚假信息，是对编造的虚假信息在信息网络上发布、转发、转帖，在其他媒体上登载、刊发等情况。3. 传播方式为在信息网络或者其他媒体发布或者传播。关于信息网络，《最高人民法院、最高人民检察院关于办理利用信息网络实施诽谤等刑事案件适用法律若干问题的解释》中有具体界定，包括以计算机、电视机、固定电话机、移动电话机等电子设备为终端的计算机互联网、广播电视网、固定通信网、移动通信网等信息网络，以及向公众开放的局域网络。其他媒体，是指除了信息网络之外的报纸等传统媒体。4. 本款的规定为故意犯罪。对行为人确实无法辨别信息真伪，主观上认为是真实的信息而误传播的，不是本罪的适用范围。实践中，有的是出于吸引他人关注的动机而编造虚假信息，有的是为了恶意中伤、诽谤他人或者单位，还有的是出于经济目的而编造虚假信息。何种动机通常并不影响本罪的定性。5. 构成本罪需要达到“严重扰乱社会秩序”的程度。严重扰乱社会秩序，是指造成社会秩序严重混乱，致使工作、生产、营业和教学、科研、医疗等活动受到严重干扰甚至无法进行的情况，如致使车站、码头等人员密集场所秩序严重混乱或采取紧急疏散措施，影响航空器、列车、船舶等大型客运交通工具正常运行，致使厂矿企业等单位的生产、经营活动中断，造成人民群众生活秩序严重混乱等。

实践中，对本款规定的传播虚假的险情、疫情、灾情、警情的犯罪，应注意区分明知是虚构或者编造的信息而传播和因为误听、误信而传播的界限。有的情况下，信息真伪确实难以辨别，行为人主观上认为是真实的信息而传播；有的时候还存在被传播的信息开始被辟谣，事后被证实为真的情况。根据本款规定，只有故意编造并且将自己编造的相关信息在网络或其他媒体上传播的行为，以及明知道是他人编造的信息而故意在网络或其他媒体上传播的，才构成犯罪。确实不知相关信息为谣言而误传播的，不构成犯罪。

第二百九十二条　聚众斗殴的，对首要分子和其他积极参加的，处三年以下有期徒刑、拘役或者管制；有下列情形之一的，对首要分子和其他积极参加的，处三年以上十年以下有期徒刑：

（一）多次聚众斗殴的；

（二）聚众斗殴人数多，规模大，社会影响恶劣的；

（三）在公共场所或者交通要道聚众斗殴，造成社会秩序严重混乱的；

（四）持械聚众斗殴的。

聚众斗殴，致人重伤、死亡的，依照本法第二百三十四条、第二百三十二条的规定定罪处罚。

【释义】 本条是关于聚众斗殴犯罪及其处罚的规定。

本条第一款是关于聚众斗殴犯罪及其处罚的规定。“聚众斗殴”，是指出于私仇、争霸或者其他不正当目的而纠集多人成帮结伙地打架斗殴。这种斗殴通常是不法团伙之间大规模地打群架，往往有一定的准备，带有匕首、棍棒等凶器，极易造成一方或者双方人身伤亡，甚至造成周围无辜群众的伤亡或者财产损失。本款根据犯罪情节轻重，规定了两档处刑：1. 一般性的聚众斗殴犯罪，对首要分子和其他积极参加的，处三年以下有期徒刑、拘役或者管制。2. 有本款规定的四种情形之一的，对首要分子和其他积极参加的，处三年以上十年以下有期徒刑。其中“多次聚众斗殴的”，一般是指聚众斗殴三次或者三次以上的；“聚众斗殴人数多，规模大，社会影响恶劣的”，主要是指流氓团伙大规模打群架，在群众中造成很坏影响的；“在公共场所或者交通要道聚众斗殴，造成社会秩序严重混乱的”，是指在人群聚集的场所中或者车辆、行人频繁通行的道路上聚众斗殴，造成公共场所秩序和交通秩序严重混乱的；“持械聚众斗殴的”，主要是指参加聚众斗殴的人员使用棍棒、刀具以及各种枪支武器进行斗殴的。

本条第二款是关于聚众斗殴致人重伤、死亡应当如何处罚的规定。这里规定的“致人重伤、死亡”，是指聚众斗殴，将参加聚众斗殴的人员或者周围群众打成重伤或者打死。“依照本法第二百三十四条、第二百三十二条的规定定罪处罚”，是指聚众斗殴致人重伤的，依照本法第二百三十四条关于故意伤害罪的规定定罪处刑；致人死亡的，依照本法第二百三十二条关于故意杀人罪的规定定罪处刑。

第二百九十三条* **有下列寻衅滋事行为之一，破坏社会秩序的，处五年以**

---

* 根据2011年2月25日第十一届全国人民代表大会常务委员会第十九次会议通过的《中华人民共和国刑法修正案（八）》修改。原条文是：“有下列寻衅滋事行为之一，破坏社会秩序的，处五年以下有期徒刑、拘役或者管制：

“（一）随意殴打他人，情节恶劣的；

“（二）追逐、拦截、辱骂他人，情节恶劣的；

“（三）强拿硬要或者任意损毁、占用公私财物，情节严重的；

“（四）在公共场所起哄闹事，造成公共场所秩序严重混乱的。”

下有期徒刑、拘役或者管制：

（一）随意殴打他人，情节恶劣的；

（二）追逐、拦截、辱骂、恐吓他人，情节恶劣的；

（三）强拿硬要或者任意损毁、占用公私财物，情节严重的；

（四）在公共场所起哄闹事，造成公共场所秩序严重混乱的。

纠集他人多次实施前款行为，严重破坏社会秩序的，处五年以上十年以下有期徒刑，可以并处罚金。

【释义】　本条是关于寻衅滋事犯罪及其处罚的规定。

寻衅滋事是近年来黑恶势力常见的一种犯罪，具有头目指挥幕后化，打手市场化等特点，1997 年刑法规定的寻衅滋事罪，没有将“恐吓”行为具体列举，最高刑只有五年有期徒刑，对寻衅滋事犯罪案件，有的判刑较轻，有的判缓刑或以治安案件处理，使黑恶势力的这类犯罪没有得到应有的惩罚。2011 年 2 月 25 日，第十一届全国人大常委员第十九次会议通过的《刑法修正案（八）》对本条作了修改。主要作了以下两处修改：一是在原第二项“追逐、拦截、辱骂”后增加了“恐吓”他人的行为；二是增加了一款纠集他人多次实施寻衅滋事严重破坏社会秩序的行为。

第一款是关于寻衅滋事的犯罪及其处罚的规定。

本款规定的“寻衅滋事”，是指在公共场所无事生非，起哄捣乱，无理取闹，殴打伤害无辜，肆意挑衅，横行霸道，破坏公共秩序的行为。根据本款规定，寻衅滋事犯罪，是指有下列寻衅滋事情形之一，破坏社会秩序的行为：随意殴打他人，情节恶劣的；追逐、拦截、辱骂、恐吓他人，情节恶劣的；强拿硬要或者任意损毁、占用公私财物，情节严重的；在公共场所起哄闹事，造成公共场所秩序严重混乱的。“随意殴打他人”，是指出于耍威风、取乐等目的，无故、无理殴打相识或者素不相识的人。这里的“情节恶劣的”，是指随意殴打他人手段残忍的，多次随意殴打他人的，等等。“追逐、拦截、辱骂、恐吓他人”，是指出于取乐、耍威风寻求精神刺激等目的，无故、无理追赶、拦挡、侮辱、谩骂他人。“恐吓”是指以威胁的语言、行为吓唬他人，如使用统一标记、身着统一服装、摆阵势等方式威震他人，使他人恐慌或屈从。这里的“情节恶劣的”，主要是指经常追逐、拦截、辱骂、恐吓他人的，造成恶劣影响或者激起民愤的，造成其他后果的，等等。“强拿硬要或者任意损毁、占用公私财物”，是指以蛮不讲理的手段，强行拿走、强行索要市场、商店的商品以及他人的财物，或者随心所欲损坏、毁灭、占用公私财物。这里的“情节严重的”，是指强拿硬要或者任意损毁、占用的公私财物数量大的，造成恶劣影响的，多次强拿硬要或者任意损毁、占用公私财物的，公私财物受到严重损失的，等等。“在公共场所起哄闹事”，是指出于取乐、寻求精神刺激等目的，在公共场所无事生非，制造事端，扰乱公共场所秩序的。“造成场所秩序严重混乱的”，是指公共场所正常的秩序受到破坏，引起群众惊慌、逃离等混乱局面的。根据本款规定，对寻衅滋事犯罪，处五年以下有期徒刑、拘役或者管制。

第二款是关于纠集他人多次实施寻衅滋事的犯罪及其处罚的规定。

本款规定主要是打击以团伙或集团形式犯寻衅滋事罪的首要分子或主犯。这里的“纠集”，是指共同犯罪中的首要分子或主犯，有目的地将他人联合、召集在一起。“多次”一般是指三次以上。“严重破坏社会秩序”，是指造成公共场所秩序的混乱，和所在地区的治安秩序紧张，搞得鸡犬不宁，人心惶惶，影响到人民群众的正常生活和工作秩序。为严厉打击以团伙或集团形式进行寻衅滋事犯罪，本款规定了严厉的刑罚，即纠集他人多次实施前款所列寻衅滋事行为，严重破坏社会秩序的，对集团犯罪的首要分子处五年以上十年以下有期徒刑，可以并处罚金。

第二百九十四条*　组织、领导黑社会性质的组织的，处七年以上有期徒刑，并处没收财产；积极参加的，处三年以上七年以下有期徒刑，可以并处罚金或者没收财产；其他参加的，处三年以下有期徒刑、拘役、管制或者剥夺政治权利，可以并处罚金。

境外的黑社会组织的人员到中华人民共和国境内发展组织成员的，处三年以上十年以下有期徒刑。

国家机关工作人员包庇黑社会性质的组织，或者纵容黑社会性质的组织进行违法犯罪活动的，处五年以下有期徒刑；情节严重的，处五年以上有期徒刑。

犯前三款罪又有其他犯罪行为的，依照数罪并罚的规定处罚。

黑社会性质的组织应当同时具备以下特征：

（一）形成较稳定的犯罪组织，人数较多，有明确的组织者、领导者，骨干成

---

* 根据2011年2月25日第十一届全国人民代表大会常务委员会第十九次会议通过的《中华人民共和国刑法修正案（八）》修改。原条文是：“组织、领导和积极参加以暴力、威胁或者其他手段，有组织地进行违法犯罪活动，称霸一方，为非作恶，欺压、残害群众，严重破坏经济、社会生活秩序的黑社会性质的组织的，处三年以上十年以下有期徒刑；其他参加的，处三年以下有期徒刑、拘役、管制或者剥夺政治权利。

“境外的黑社会组织的人员到中华人民共和国境内发展组织成员的，处三年以上十年以下有期徒刑。

“犯前两款罪又有其他犯罪行为的，依照数罪并罚的规定处罚。

“国家机关工作人员包庇黑社会性质的组织，或者纵容黑社会性质的组织进行违法犯罪活动的，处三年以下有期徒刑、拘役或者剥夺政治权利；情节严重的，处三年以上十年以下有期徒刑。”

员基本固定；

（二）有组织地通过违法犯罪活动或者其他手段获取经济利益，具有一定的经济实力，以支持该组织的活动；

（三）以暴力、威胁或者其他手段，有组织地多次进行违法犯罪活动，为非作恶，欺压、残害群众；

（四）通过实施违法犯罪活动，或者利用国家工作人员的包庇或者纵容，称霸一方，在一定区域或者行业内，形成非法控制或者重大影响，严重破坏经济、社会生活秩序。

【释义】　本条是关于组织、领导和参加黑社会性质的组织的犯罪、境外的黑社会组织的人员到我国境内发展组织成员的犯罪、国家机关工作人员包庇或者纵容黑社会性质的组织的犯罪及其处罚的规定。

本条是1997年刑法的规定，2002年4月28日第九届全国人大常委会第二十七次会议通过了全国人民代表大会常务委员会对本条"黑社会性质的组织"进行的解释。2011年2月25日第十一届全国人民代表大会常务委员会第十九次会议通过的《刑法修正案（八）》对本条进行了修改，根据黑社会性质的组织成员在组织中的不同地位、作用，规定了不同的刑罚，更好地体现了罪刑相适应的原则，将组织者、领导者的刑罚，由原来的三年以上十年以下有期徒刑提高为七年以上有期徒刑，最高刑到十五年；增加规定了财产刑，以铲除黑社会性质组织再犯罪的经济基础；提高了国家机关工作人员包庇或者纵容黑社会性质的组织犯罪的刑罚，第一档刑由原来的三年有期徒刑提高到五年，最高刑由原来的十年有期徒刑提高到十五年；将有关"黑社会性质的组织"的立法解释的内容纳入了本条。

第一款是关于组织、领导黑社会性质的组织的犯罪、积极参加黑社会性质的组织的犯罪和参加黑社会性质的组织的犯罪及其处罚的规定。根据本款规定，组织、领导和参加黑社会性质的组织的犯罪，只要有组织、领导或者参加黑社会性质的组织的行为，就可以构成犯罪，不要求本人有其他犯罪行为。"组织"黑社会性质的组织，是指倡导、发起、策划、建立黑社会性质的组织的行为。"领导"黑社会性质的组织，是指在黑社会性质的组织中处于领导地位，对该组织的活动进行策划、决策、指挥、协调的行为。"积极参加"黑社会性质的组织，是指积极、主动加入黑社会性质的组织的行为。"其他参加的"，即指一般参加者，是指在黑社会性质的组织中，除组织、领导和积极参加者外，其他参加该组织的成员。本款根据组织者、领导者、积极参加者和一般参加者在黑社会性质组织中所处的地位、所起的作用，分别规定了刑罚：对组织、领导黑社会性质的组织的犯罪，处七年以上有期徒刑，同时增加规定，并处没收财产。对"积极参加的”,处三年以上七年以下有期徒刑,同时增加规定,可以并处罚金或者没收财产。对“其他参加的”,处三年以下有期徒刑、拘役、管制或者剥夺政治权利,同时增加规定,可以并处罚金。

第二款是关于境外的黑社会组织的人员到我国境内发展组织成员的犯罪及其处罚的规定。这里的“境外的黑社会组织”,是指被境外国家和地区确定为黑社会的组织,既包括外国的黑社会组织,也包括我国台湾、香港、澳门地区的黑社会组织。“到中华人民共和国境内发展组织成员”,是指境外黑社会组织通过引诱、拉拢、腐蚀、强迫、威胁、暴力、贿赂等手段,在我国境内将境内或者境外人员吸收为该黑社会组织成员的行为。根据本款规定,犯本款规定之罪的,处三年以上十年以下有期徒刑。

第三款是关于国家机关工作人员包庇黑社会性质的组织或者纵容黑社会性质的组织进行违法犯罪活动的犯罪及其处罚的规定。这里规定的“国家机关工作人员”,是指在国家各级党政机关、权力机关、司法机关和军事机关中执行一定职权的工作人员。“包庇”,是指国家机关工作人员为使黑社会性质组织及其成员逃避查禁,而通风报信,隐匿、毁灭、伪造证据,阻止他人作证、检举揭发,指使他人作伪证,帮助逃匿,或者阻挠其他国家机关工作人员依法查禁等行为。“纵容”,是指国家机关工作人员不依法履行职责,对黑社会性质的组织的违法犯罪活动不依法制止,反而予以放纵的行为。本款根据情节轻重规定了两档处刑:有包庇、纵容行为的,处五年以下有期徒刑;情节严重的,处五年以上有期徒刑。根据《最高人民法院关于审理黑社会性质组织犯罪的案件具体应用法律若干问题的解释》的规定,这里的“情节严重”,是指有下列情形之一的行为:(1)包庇、纵容黑社会性质的组织跨境实施违法犯罪活动;(2)包庇、纵容境外黑社会组织在境内实施违法犯罪活动;(3)多次实施包庇、纵容行为;(4)致使某一区域或者行业的经济、社会生活秩序遭受黑社会性质的组织特别严重破坏的;(5)致使黑社会性质的组织的组织者、领导者逃匿,或者致使对黑社会性质的组织的查禁工作严重受阻的;(6)具有其他严重情节的。

第四款是关于对有组织、领导和积极参加黑社会性质的组织行为或者境外的黑社会组织的人员到我国境内发展组织成员行为,又有其他犯罪行为的,应当如何处罚的规定。根据本款的规定,犯前三款罪又有其他犯罪行为的,依照数罪并罚的规定处罚。实践中,黑社会性质的组织往往实施多种违法犯罪行为,常进行寻衅滋事、敲诈勒索、强迫交易、故意毁坏公私财物、故意杀人、故意伤害等犯罪。目前司法实践中争议最大的问题之一就是黑社会性质组织的组织领导者是否应对其本人未参与而由其组织成员所实施的犯罪承担刑事责任。由于在黑社会性质的组织所实施的多种犯罪中,涉及可以判处死刑的罪名只有故意杀人罪、故意伤害罪等少数几种，而在实施上述犯罪时黑社会性质组织的领导者大多并不在场或并不出面，司法机关常在认定其是否应对黑社会性质组织成员所犯故意杀人罪、故意伤害罪承担刑事责任时出现了分歧，甚至出现了对于首要分子判处无期徒刑以下刑罚，对其他实施故意杀人罪的骨干成员判处死刑的现象。在执行本款时应当特别注意，关于其他犯罪行为，对黑社会性质的组织的组织者、领导者，应当按其所组织、领导的黑社会性质的组织所犯的全部罪行处罚；对于黑社会性质的组织的参加者，应当按照其所参与的犯罪处罚。凡是黑社会性质组织成员是为了实现该组织称霸一方、威慑公众的目的，为了组织利益而实施的犯罪，即使首要分子对具体的犯罪行为事先并不明知，也要对其组织成员的全部罪行承担全部罪责。

第五款是关于黑社会性质组织的特征的规定。黑社会性质组织实施违法犯罪活动一般是有计划、有安排、有分工，并通过一定的组织方式策划的，因为它的社会危害性远远大于一般的犯罪集团，在打击这类犯罪过程中，最关键的是要严格按照法律规定，准确把握黑社会性质组织特征，正确适用法律认定这种犯罪。因此，本款规定了黑社会性质的组织必须同时具备以下特征：(1)形成较稳定的犯罪组织，人数较多，有明确的组织者、领导者，骨干成员基本固定；(2)有组织地通过违法犯罪活动或者其他手段获取经济利益，具有一定的经济实力，以支持该组织的活动；(3)以暴力、威胁或者其他手段，有组织地多次进行违法犯罪活动，为非作恶，欺压、残害群众；(4)通过实施违法犯罪活动，或者利用国家工作人员的包庇或者纵容，称霸一方，在一定区域或者行业内，形成非法控制或者重大影响，严重破坏经济、社会生活秩序。实践中，执行本款规定应注意几个问题：第一，目前，黑社会性质的犯罪组织出现了一个明显的变化，即组织者、领导者、骨干成员可能并不多，但他们控制着一批社会上的闲散人员，这些人员形成了一个市场，需要实施违法犯罪时，即通过这个市场雇用打手，形成“一呼即来，一哄而散”的活动方式。对以这种方式存在的组织，只要其基本的组织者、领导者、骨干成员较为固定，就应认定其形成了“较稳定的犯罪组织”。第二，实践中，有些黑社会性质组织的头目，在其具备了一定的实力后，往往通过各种手段将财产洗白，合法地进行一些经营活动，以此支撑该组织的活动，这部分资产也应当算作该组织的“经济实力”。第三，应正确把握“在一定区域或者行业内，形成非法控制或者重大影响”，无论是合法行业还是非法行业，只要对其实行垄断或控制，严重影响了当地该行业的正常经营，扰乱了当地百姓的正常生活秩序就应当予以认定。

第二百九十五条*　传授犯罪方法的，处五年以下有期徒刑、拘役或者管制；情节严重的，处五年以上十年以下有期徒刑；情节特别严重的，处十年以上有期徒刑或者无期徒刑。

【释义】 本条是关于传授犯罪方法犯罪及其处罚的规定。

1997年修改刑法时，将传授犯罪方法罪规定为行为犯，对其予以严厉打击，最高刑为死刑。在司法实践中，这类行为多与组织犯罪和教唆犯罪交织在一起，此罪名适用得不多，根据司法体制和工作机制改革减少死刑的要求和司法机关的建议，《刑法修正案（八）》规定，删去刑法第二百九十五条规定的死刑，且对有期徒刑作了适当的调整，如将“五年以上有期徒刑”修改为“五年以上十年以下有期徒刑”，在情节特别严重一档，增加了“处十年以上有期徒刑”的规定，保留原来规定的无期徒刑为最高刑期，这样既解决了原来规定量刑幅度太大不好适用的情况，也更能体现罪刑相适应的原则，以达到打击和惩罚犯罪的目的。

本条所说的“犯罪方法”，主要是指犯罪的经验与技能，包括手段、步骤、反侦查方法等。本条规定的“传授犯罪方法”，是指以语言、文字、动作、图像或者其他方法，故意将实施某种犯罪的具体方法、技能、经验传授给他人的行为。实践中，行为人传授犯罪方法的形式是多种多样的，既有口头传授的，也有书面传授的；既有公开传授的，也有秘密传授的；既有当面直接传授的，也有间接转达传授的；既有用语言、动作传授的，也有通过实际实施犯罪而传授的，等等。不论采取何种方式传授，均不影响本罪的成立。传授犯罪方法罪在客观上只要求行为人实施了传授犯罪方法的行为，只要行为人故意向他人传授犯罪方法，即可构成本罪。无论行为人是否教唆被传授人实施犯罪，也无论被传授人是否实施了传授人所传授的犯罪方法，以及是否已经造成实际的危害结果，都不影响本罪的成立。鉴于传授犯罪方法罪的情况比较复杂，可能造成的社会危害也不一样，本条规定了三个不同的处刑档次。第一档根据本条规定，传授犯罪方法罪是行为犯，只要实施了传授犯罪方法的行为，就构成犯罪。依照本条规定，应处五年以下有期徒刑、拘役或者管制。根据刑法总则第三十七条“对于犯罪情节轻微不需要判处刑罚的”除外。第二档“情节严重”的，一般是指传授的内容是一些较为严重犯罪的方法的；可能对国家和公共安全、社会治安、公共财产和公民合法财产的安全，以及他人的人身权利、民主权利和其他合法权利等造成严重威胁的；传授的对象人数较多的；向未成年人传授犯罪方法的；被传授人实

* 根据2011年2月25日第十一届全国人民代表大会常务委员会第十九次会议通过的《中华人民共和国刑法修正案（八）》修改。原条文是：“传授犯罪方法的，处五年以下有期徒刑、拘役或者管制；情节严重的，处五年以上有期徒刑；情节特别严重的，处无期徒刑或者死刑。”

施了其所传授的犯罪方法,对社会造成危害的;以及其他严重情节。依照本条规定,情节严重的,处五年以上十年以下有期徒刑。第三档“情节特别严重”的,主要是指所传授的方法已实际造成严重后果,传授的对象人数众多,向未成年人传授且人数较多,以及其他特别严重情节。依照本条规定,情节特别严重的,处十年以上有期徒刑或者无期徒刑。

实践中应当注意传授犯罪方法罪和教唆犯罪的区别。传授犯罪方法罪是一个独立的罪名,且单独规定了较重的刑罚。而教唆犯不是一个独立的罪名,是以被教唆人具体实施的犯罪行为来确定,其刑罚也是根据教唆犯在共同犯罪中所起的作用来决定。最主要的区别在于,传授犯罪方法是教给他人犯罪时应采取的具体方法、技术或传授经验,如教授他人用什么方法、什么工具、在什么时间、什么地点实施盗窃他人财物等具体行为;而教唆他人犯罪则是用语言、示意或旁敲侧击等方法,促使他人产生犯意。

第二百九十六条　举行集会、游行、示威,未依照法律规定申请或者申请未获许可,或者未按照主管机关许可的起止时间、地点、路线进行,又拒不服从解散命令,严重破坏社会秩序的,对集会、游行、示威的负责人和直接责任人员,处五年以下有期徒刑、拘役、管制或者剥夺政治权利。

【释义】　本条是关于非法举行集会、游行、示威的犯罪及其处罚的规定。

根据本条规定,“非法举行集会、游行、示威的犯罪”,是指举行集会、游行、示威,未依照法律规定申请或者申请未获许可,或者未按照主管机关许可的起止时间、地点、路线进行,又拒不服从解散命令,严重破坏社会秩序的行为。这里规定的“集会”,是指聚众于公共场所,发表意见、表达意愿的活动;“游行”,是指在公共道路、露天公共场所列队行进、表达共同意愿的活动;“示威”,是指在公共场所或者公共道路上以集会、游行、静坐等方式,表达共同意愿的活动。“未依照法律规定申请或者申请未获许可,或者未按照主管机关许可的起止时间、地点、路线进行”,是指未依照集会游行示威法的规定进行申请或者申请没有得到许可,或者没有按照主管机关许可的起止时间、地点、路线进行。集会游行示威法第七条规定,举行集会、游行、示威,必须依照本法规定向主管机关提出申请并获得许可;第八条、第二十五条明确规定了集会、游行、示威必须严格按照主管机关许可的起止时间、地点、路线进行,不得违反。这里规定的“主管机关”,根据集会游行示威法的规定,是指集会、游行、示威举行地的市、县公安局、城市公安分局;游行、示威路线经过两个以上区、县的,主管机关为所经过区、县的公安机关的共同上一级公安机关。“拒不服从解散命令”,是指违反以上规定进行集会、游行、示威,在主管机关依法发出解散命令后,拒不服从命令;

"严重破坏社会秩序",是指扰乱社会秩序,造成社会秩序混乱,使生产、工作、生活和教学、科研无法正常进行,如致使国家机关、单位和团体的工作无法正常进行的,致使工厂、企业生产停工的,致使教学和科研停顿的,造成交通瘫痪的,等等。根据本条规定,对非法举行集会、游行、示威犯罪,对集会、游行、示威的负责人和直接责任人员,处五年以下有期徒刑、拘役、管制或者剥夺政治权利。这里的"负责人",根据集会游行示威法,是指组织、领导非法集会、游行、示威并明确代表全体参加人利益的人。"直接责任人员",是指在非法的集会、游行、示威过程中具体实施了严重破坏社会秩序的行为的人。

应当注意的是,对一般参加非法举行的集会、游行、示威的人员,不宜追究刑事责任,可以进行批评教育或者给予必要的行政处分。

第二百九十七条　违反法律规定,携带武器、管制刀具或者爆炸物参加集会、游行、示威的,处三年以下有期徒刑、拘役、管制或者剥夺政治权利。

【释义】　本条是关于非法携带武器、管制刀具或者爆炸物参加集会、游行、示威的犯罪及其处罚的规定。

根据本条规定,非法携带武器、管制刀具或者爆炸物参加集会、游行、示威犯罪,是指违反法律规定,携带武器、管制刀具或者爆炸物参加集会、游行、示威的行为。这里所说的"违反法律规定",主要是指违反集会游行示威法的有关规定。"武器",是指直接可用于杀伤人体的发火器械及弹药,主要是各种枪支、弹药等;"管制刀具",是指国家法律、法规规定限定特定人员配置,用于特定范围和特定用途,禁止民间私自生产、运输、贩卖、购买、持有的刀具。根据公安部门的有关规定,管制刀具主要包括匕首、三棱刀、带有自锁装置的弹簧刀以及其他相类似的单刃、双刃刀和三棱尖刀等;"爆炸物",是指具有爆发力和破坏性,可以瞬间造成人畜伤亡、物品毁坏的危险物品。这里的"携带",既包括随身藏带,也包括利用他人身体、容器、运输工具夹带武器、管制刀具或者爆炸物。只要违反法律规定,带着这些禁止携带的武器、管制刀具或者爆炸物品参加集会、游行、示威的,无论行为人对这些物品是非法持有还是合法持有,均构成本罪。根据本条规定,对非法携带武器、管制刀具或者爆炸物品参加集会、游行、示威的犯罪,处三年以下有期徒刑、拘役、管制或者剥夺政治权利。

执行中,应当注意区分非法携带武器参加集会、游行、示威罪与非法持有、私藏枪支弹药罪的界限。非法持有、私藏枪支弹药罪在客观上表现为没有合法依据,持有、私自藏匿枪支弹药的行为;非法携带武器参加集会、游行、示威罪仅限于在集会、游行、示威活动中携带。对非法持有、私藏枪支弹药同时又携带参加集会、游行、示威的,应当依照本法关于数罪并罚的规定处罚。

第二百九十八条 扰乱、冲击或者以其他方法破坏依法举行的集会、游行、示威，造成公共秩序混乱的，处五年以下有期徒刑、拘役、管制或者剥夺政治权利。

【释义】 本条是关于破坏依法举行的集会、游行、示威的犯罪及其处罚的规定。

根据本条规定，破坏依法举行的集会、游行、示威犯罪，是指扰乱、冲击或者以其他方法破坏依法举行的集会、游行、示威，造成公共秩序混乱的行为。这里规定的“扰乱”，主要是指针对集会、游行、示威队伍起哄、闹事，破坏其正常秩序的行为；“冲击”，主要是指冲散、冲入依法举行的集会、游行、示威队伍，使集会、游行、示威不能正常进行的行为；“其他方法”，是指扰乱、冲击方法以外的破坏依法举行的集会、游行、示威的方法，如堵塞集会、游行、示威队伍行进、停留的通道、场所等。“破坏”，是指采用扰乱、冲击或者其他方法进行捣乱，致使依法举行的集会、游行、示威不能正常进行；“依法举行的集会、游行、示威”，是指依照集会游行示威法规定提出申请并获得许可、按照主管机关许可的起止时间、地点、路线进行的集会、游行、示威。本罪破坏的必须是依法举行的集会、游行、示威，如果针对的不是依法举行的集会、游行、示威，不构成本罪。这里规定的“造成公共秩序混乱的”，主要是指造成集会、游行、示威行经地或举行地的场所秩序或交通秩序混乱。造成公共秩序混乱是构成本罪的要件，没有造成这一后果的，不构成本罪。根据本条规定，对破坏依法举行的集会、游行、示威犯罪，处五年以下有期徒刑、拘役、管制或者剥夺政治权利。

第二百九十九条* 在公众场合故意以焚烧、毁损、涂划、玷污、践踏等方式侮辱中华人民共和国国旗、国徽的，处三年以下有期徒刑、拘役、管制或者剥夺政治权利。

【释义】 本条是关于侮辱国旗、国徽的犯罪及其处罚的规定。

根据本条规定，侮辱国旗、国徽罪，是指在公众场合故意以焚烧、毁损、涂划、玷污、践踏等方式侮辱中华人民共和国国旗、国徽的行为。这里所说的“公众场合”，一是指悬挂国旗、国徽的公共场所或者中央机关所在地，如北京天安门广场、新华门以及全国人大常委会、国务院等机关所在地；二是指人群聚集的

---

* 根据2017年11月4日第十二届全国人民代表大会常务委员会第三十次会议通过的《中华人民共和国刑法修正案（十）》，在本条中增加一款作为第二款，将该条修改为：

“在公共场合，故意以焚烧、毁损、涂划、玷污、践踏等方式侮辱中华人民共和国国旗、国徽的，处三年以下有期徒刑、拘役、管制或者剥夺政治权利。

“在公共场合，故意篡改中华人民共和国国歌歌词、曲谱，以歪曲、贬损方式奏唱国歌，或者以其他方式侮辱国歌，情节严重的，依照前款的规定处罚。”

公共场所。本罪的犯罪行为必须发生在公众场合，如果发生在非公众场合，不构成本罪。“故意”，是指犯罪行为人在主观上必须有侮辱国旗、国徽的故意，如果行为人由于过失，造成国旗、国徽被焚烧等结果的，不构成犯罪。“焚烧”，是指放火燃烧国旗、国徽的行为；“毁损”，是指撕毁、砸毁或者以其他破坏方法使国旗、国徽遭到毁坏、损坏的行为；“涂划”，是指用笔墨、颜料等在国旗、国徽上涂划的行为；“玷污”，是指用唾沫、粪便等玷污国旗、国徽的行为；“践踏”，是指将国旗、国徽放在脚下、车轮下等处进行踩踏、碾压的行为。侮辱国旗、国徽的具体行为不止上述五种，所以本条还规定了“等方式”，以包括复杂的实际情况。只要实施了任何一种侮辱行为即可构成本罪。根据本条规定，对侮辱国旗、国徽的犯罪，处三年以下有期徒刑、拘役、管制或者剥夺政治权利。

第三百条*　组织、利用会道门、邪教组织或者利用迷信破坏国家法律、行政法规实施的，处三年以上七年以下有期徒刑，并处罚金；情节特别严重的，处七年以上有期徒刑或者无期徒刑，并处罚金或者没收财产；情节较轻的，处三年以下有期徒刑、拘役、管制或者剥夺政治权利，并处或者单处罚金。

组织、利用会道门、邪教组织或者利用迷信蒙骗他人，致人重伤、死亡的，依照前款的规定处罚。

犯第一款罪又有奸淫妇女、诈骗财物等犯罪行为的，依照数罪并罚的规定处罚。

【释义】　本条是关于组织、利用会道门、邪教组织、利用迷信破坏法律实施罪，组织、利用会道门、邪教组织、利用迷信致人重伤、死亡罪及其处罚的规定，以及组织、利用会道门、邪教组织、利用迷信破坏法律实施又有奸淫妇女、诈骗财物等予以数罪并罚的规定。

近年来，在打击处理组织、利用会道门、邪教组织或者利用迷信破坏国家法律、行政法规实施犯罪中，出现了一些新的情况：一是实践中出现了一些情节特别严重，造成了特别严重后果的案件，针对这种情况，需要进一步提高该罪的法定最高刑。二是实践中也有一些案件，情节相对较轻，需要在该罪法定最低刑三年有期徒刑之下，再增设一档较轻的刑罚，以适应处理不同案件的需要，体现

---

* 根据2015年8月29日第十二届全国人民代表大会常务委员会第十六次会议通过的《中华人民共和国刑法修正案（九）》修改。原条文是：“组织和利用会道门、邪教组织或者利用迷信破坏国家法律、行政法规实施的，处三年以上七年以下有期徒刑；情节特别严重的，处七年以上有期徒刑。

“组织和利用会道门、邪教组织或者利用迷信蒙骗他人，致人死亡的，依照前款的规定处罚。

“组织和利用会道门、邪教组织或者利用迷信奸淫妇女、诈骗财物的，分别依照本法第二百三十六条、第二百六十六条的规定定罪处罚。”

罪责刑相适应原则。此外，实践中还有一些法律适用问题需要进一步明确。为此，有关方面提出了修改刑法第三百条的建议。2015 年 8 月 29 日通过的《刑法修正案（九）》对刑法第三百条有关会道门、邪教组织犯罪的规定作了以下修改补充：一是增加了一档情节较轻的，处三年以下有期徒刑、拘役、管制或者剥夺政治权利，并处或者单处罚金的规定。二是将法定最高刑由十五年有期徒刑提高到无期徒刑，并增加了罚金刑和没收财产刑。三是明确了组织、利用会道门、邪教组织或者利用迷信蒙骗他人，致人重伤的，依照该罪处罚。四是明确了组织、利用会道门、邪教组织或者利用迷信破坏法律实施，又有奸淫妇女、诈骗财物等犯罪行为的，依法实行数罪并罚。

第一款是关于组织、利用会道门、邪教组织或者利用迷信破坏国家法律、行政法规实施的犯罪及其处罚的规定。"组织、利用会道门、邪教组织"，是指建立或者借助会道门、邪教组织进行违法犯罪活动的行为。其中"会道门"，是封建迷信活动组织的总称，如我国历史上曾经出现的一贯道、九宫道、哥老会、先天道、后天道等组织。这些带有封建迷信色彩或者反社会性质的会道门组织，新中国成立后曾经被彻底取缔，但近些年来在有些地方又死灰复燃，秘密进行一些破坏社会秩序的活动。"邪教组织"，是指冒用宗教的名义而建立的、利用迷信等手段迷惑、蒙骗他人，实施危害社会行为的非法组织。与正常宗教组织相比较，因其无固定活动场所、经典和信仰，往往只是以一些异端邪说作为发展控制组织成员的工具、手段，实则进行破坏法律、违反道德的行为，故称为邪教组织。近几年来，邪教组织对社会的破坏和影响在一些国家中已成为一个不容忽视的问题。在我国也不例外，一些人打着宗教或练气功的"幌子"，大肆传播封建迷信思想、煽动反社会情绪，蛊惑人心，蒙骗群众，严重扰乱了社会秩序，并给人民群众的生命财产造成严重损害。1999 年 10 月，全国人大常委会通过了《关于取缔邪教组织、防范和惩治邪教活动的决定》（以下简称《决定》），对于冒用宗教、气功等名义严重扰乱社会秩序的邪教组织和邪教活动，规定"必须依法取缔，坚决惩治"，"对组织和利用邪教组织破坏国家法律、行政法规的实施，聚众闹事，扰乱社会秩序，以迷信邪说蒙骗他人，致人死亡，或者奸淫妇女、诈骗财物等犯罪活动，依法予以严惩"。同时，考虑到邪教组织的蒙骗性较大，为了争取教育广大群众，集中打击一小撮犯罪分子，该《决定》规定："坚持教育与惩罚相结合，团结、教育绝大多数被蒙骗的群众，依法严惩极少数犯罪分子。在依法处理邪教组织的工作中，要把不明真相参与邪教活动的人同组织和利用邪教组织进行非法活动、蓄意破坏社会稳定的犯罪分子区别开来。对受蒙骗的群众不予追究。对构成犯罪的组织者、策划者、指挥者和骨干分子，坚决依法追究刑事责任；对于自首或者有立功表现的，可以依法从轻、减轻或者免除处罚。""迷信"，是在生产力低下、文化落后、群众缺乏知识的情况下,作为科学的对立物出现的一种信奉鬼神的唯心主义的宿命论,其信仰、崇拜和活动形式带有浓厚的封建色彩。这里应注意的是,组织、利用会道门、邪教组织的活动,往往也带有迷信色彩的内容,但其更主要的特征是建立会道门或邪教组织或利用会道门和邪教组织进行活动。而本条规定的"利用迷信"是指通过会道门、邪教组织以外的其他利用迷信的活动。需要注意的是,《刑法修正案(九)》将本款原来规定的"组织和利用",修改为"组织、利用",在表述上更为严谨。

这里的"破坏国家法律、行政法规实施"的行为有两种方式:一种是组织、利用会道门、邪教组织,蛊惑、煽动、欺骗群众破坏国家法律、行政法规的实施。根据这类犯罪的特点及司法实践,组织、利用邪教组织破坏国家法律、行政法规实施的犯罪行为,主要有以下几种情况:(1)聚众围攻、冲击国家机关、企事业单位,扰乱国家机关、企事业单位的工作、生产、经营、教学和科研秩序的;(2)非法举行集会、游行、示威,煽动、欺骗、组织其成员或者其他人聚众围攻、冲击、强占、哄闹公共场所及宗教活动场所,扰乱社会秩序的;(3)抗拒有关部门取缔或者已经被有关部门取缔,又恢复或者另行建立邪教组织,或者继续进行邪教活动的;(4)煽动、欺骗、组织其成员或者其他人不履行法定义务,情节严重的;(5)出版、印刷、复制、发行宣扬邪教内容出版物,以及印制邪教组织标识等。另一种是利用迷信破坏国家法律、行政法规实施,主要是利用占卜、算命、看星象等形式,散布迷信谣言,制造混乱,煽动群众抗拒、破坏国家法律、行政法规的实施。

本款根据情节轻重,规定了三档处刑:犯本款规定之罪的,处三年以上七年以下有期徒刑,并处罚金;情节特别严重的,处七年以上有期徒刑或者无期徒刑,并处罚金或者没收财产;情节较轻的,处三年以下有期徒刑、拘役、管制或者剥夺政治权利,并处或者单处罚金。根据 1999 年《最高人民法院、最高人民检察院关于办理组织和利用邪教组织犯罪案件具体应用法律若干问题的解释》的规定,这里的"情节特别严重"包括:(1)跨省、自治区、直辖市建立组织机构或者发展成员的;(2)勾结境外机构、组织、人员进行邪教活动的;(3)出版、印刷、复制、发行宣扬邪教内容出版物以及印制邪教组织标识,数量或者数额巨大的;(4)煽动、欺骗、组织其成员或者其他人破坏国家法律、行政法规实施,造成严重后果的。此外,2001 年《最高人民法院、最高人民检察院关于办理组织和利用邪教组织犯罪案件具体应用法律若干问题的解释(二)》对定罪量刑的具体标准也作了规定,该解释第一条规定,制作、传播邪教宣传品,宣扬邪教,破坏法律、行政法规实施,具有下列情形之一的,依照本条第一款的规定,以组织和利用邪教组织破坏法律实施罪定罪处罚:(1)制作、传播邪教传单、图片、标语、报纸三百份以上,书刊一百册以上,光盘一百张以上,录音、录像带一百盒以上的;(2)制作、传播宣扬邪教的 DVD、VCD、

CD 母盘的;(3)利用互联网制作、传播邪教组织信息的;(4)在公共场所悬挂横幅、条幅,或者以书写、喷涂标语等方式宣扬邪教,造成严重社会影响的;(5)因制作、传播邪教宣传品受过刑事处罚或者行政处罚又制作、传播的;(6)其他制作、传播邪教宣传品,情节严重的。制作、传播邪教宣传品数量达到第(1)项规定的标准五倍以上,或者虽未达到五倍,但造成特别严重社会危害的,属于本条第一款规定的"情节特别严重"。如果是组织和利用邪教组织,组织、策划、实施、煽动分裂国家、破坏国家统一或者颠覆国家政权、推翻社会主义制度的,则应当分别按照刑法第一百零三条、第一百零五条、第一百一十三条的规定定罪处罚。

本条第二款是关于组织、利用会道门、邪教组织或者利用迷信蒙骗他人,致人重伤、死亡的犯罪及其处罚的规定。根据本款规定,对组织、利用会道门、邪教组织或者利用迷信蒙骗他人,致人重伤、死亡的,应当依照前款即本条第一款的规定处罚。这里所说的"组织、利用会道门、邪教组织或者利用迷信蒙骗他人",是指组织、利用会道门、邪教组织或者利用迷信,愚弄、欺骗他人,如散布"世界末日来临"、"死后可以升天"等。"致人重伤、死亡",这里主要是指他人因受到会道门、邪教组织或者迷信的蒙骗,进行拒绝接受医疗救治、绝食、自杀、自焚等行为,造成重伤、死亡后果的。"依照前款的规定处罚",是指对组织、利用会道门、邪教组织或者利用迷信蒙骗他人,致人重伤、死亡的犯罪,根据案件的具体情况,适用本条第一款的刑罚幅度处罚。本条第一款规定的刑罚幅度有三档,即构成犯罪的,处三年以上七年以下有期徒刑,并处罚金;情节特别严重的,处七年以上有期徒刑或者无期徒刑,并处罚金或者没收财产;情节较轻的,处三年以下有期徒刑、拘役、管制或者剥夺政治权利,并处或者单处罚金。司法实践中具体适用哪一档刑罚,需要根据案件的情况确定。关于"情节特别严重"的具体认定,1999 年《最高人民法院、最高人民检察院关于办理组织和利用邪教组织犯罪案件具体应用法律若干问题的解释》中明确规定,即主要是指具有下列情形之一的行为:(1)造成三人以上死亡的;(2)造成死亡人数不满三人,但造成多人重伤的;(3)曾因邪教活动受过刑事或行政处罚,又组织和利用邪教组织蒙骗他人,致人死亡的;(4)造成其他特别严重后果的。

需要特别说明的是,实践中,有些人利用某些邪教组织成员对邪教的深信不疑,直接组织、策划、煽动、教唆、帮助邪教组织人员自杀、自残的,其性质就与前述有些人因愚昧无知、受蒙骗而自己进行绝食等自杀行为不同。对此应当依照刑法第二百三十二条、第二百三十四条规定的故意杀人罪、故意伤害罪定罪处罚。

本条第三款是关于犯组织、利用会道门、邪教组织或者利用迷信破坏国家法律实施罪,又有奸淫妇女、诈骗财物等犯罪行为的,如何适用法律的规定。从实践中的情况看,组织、利用会道门、邪教组织或者利用迷信破坏国家法律实施犯罪中,往往又伴随各种骗财、骗色、强制猥亵他人、非法拘禁、聚众扰乱社会秩序等违法犯罪活动。根据本款规定,犯第一款罪又有奸淫妇女、诈骗财物等犯罪行为的,依照数罪并罚的规定处罚,即按照组织、利用会道门、邪教组织、利用迷信破坏法律实施罪和刑法第二百三十六条强奸罪、第二百六十六条诈骗罪以及其他相关犯罪的规定数罪并罚。

第三百零一条　聚众进行淫乱活动的,对首要分子或者多次参加的,处五年以下有期徒刑、拘役或者管制。

引诱未成年人参加聚众淫乱活动的,依照前款的规定从重处罚。

【释义】　本条是关于聚众淫乱犯罪、引诱未成年人聚众淫乱罪及其处罚的规定。

第一款是关于聚众淫乱犯罪及其处罚的规定。根据本款规定,聚众淫乱犯罪,在客观方面表现为聚众进行淫乱活动的行为。这里所说的"聚众",是指在首要分子的组织、纠集下,多人聚集在一起进行淫乱活动。在男女性别上,既可以是男性多人,也可以是女性多人,还可以是男女混杂多人。"淫乱活动",主要是指性交行为,即群奸群宿。根据本款规定,聚众淫乱犯罪,对首要分子或者多次参加的,处五年以下有期徒刑或者拘役。这里的"首要分子",是指在聚众淫乱犯罪中起策划、组织、指挥、纠集作用的为首分子;"多次参加的",一般是指三次或者三次以上参加聚众淫乱的。对偶尔参加者,应当进行批评教育或者给予必要的治安处罚,不宜定罪处刑。

第二款是关于引诱未成年人参加聚众淫乱活动的犯罪及其处罚的规定。这里所说的"引诱",是指通过语言、观看录像、表演及作示范等手段,诱惑未成年的男女参加淫乱活动的行为。实践中,往往是通过传播淫秽物品、宣讲性体验、性感受甚至直接进行性表演等方法进行拉拢、腐蚀,引诱未成年男女参与淫乱活动。根据本款规定,引诱未成年人参加聚众淫乱活动,无须具备"多次"的条件。"未成年人",是指不满十八周岁的未成年男女。根据本款规定,对引诱未成年人参加聚众淫乱活动的犯罪,依照前款的规定从重处罚,即在五年以下有期徒刑、拘役或者管制的量刑幅度内,判处较重的刑种或刑期。

第三百零二条*　盗窃、侮辱、故意毁坏尸体、尸骨、骨灰的,处三年以下有期徒刑、拘役或者管制。

---

* 根据2015年8月29日第十二届全国人民代表大会常务委员会第十六次会议通过的《中华人民共和国刑法修正案(九)》修改。原条文是:"盗窃、侮辱尸体的,处三年以下有期徒刑、拘役或者管制。"

【释义】 本条是关于盗窃、侮辱、故意毁坏尸体、尸骨、骨灰的犯罪及其处罚的规定。

尸体是人死后留下的躯体，虽然死者已经逝去，但尸体也蕴涵着人们的情感，保护尸体，不仅在于保护尸体的本身，也在于保护死者的尊严，对尸体的侵害，不仅是对死者的人格尊严的亵渎，也会给死者的亲属带来极大的痛苦和伤害，损害整个社会的公序良俗，影响生者的正常生活，破坏社会善良的民俗习惯和民族传统，扰乱社会的公共秩序，还可能引发人们的纷争，激化民族矛盾，诱发其他犯罪，严重破坏社会和谐，具有较大的社会危害性。为此，1997 年修订刑法时，规定了盗窃、侮辱尸体的犯罪。

近年来，一些违法犯罪分子采取不法手段，盗取他人尸骨、骨灰，利用人们对已故亲人怀念、敬仰之情和崇宗敬祖先的观念，或威胁利诱，敲诈钱财，牟取非法利益，或毁损侮辱，泄愤报复，在社会上造成了极坏的影响，诱发了新的不安定因素。对此，能否适用刑法规定的盗窃、侮辱尸体罪，存在较大的争议。尸骨、骨灰在人们心目中分量同尸体一样重要，是人们祭奠亡灵、寄托哀思的重要对象，理应受到法律的保护。如果处理不好，极易引发社会冲突和社会矛盾，导致社会的不稳定。同时，实践中还存在对故意毁坏尸体是否属于"侮辱"尸体的不同认识，针对上述问题，2015 年 8 月 29 日第十二届全国人大常委会第十六次会议通过的《刑法修正案（九）》对本条作了两处修改：一是在犯罪对象中增加了尸骨、骨灰；二是增加了故意毁坏的行为。

本条规定的内容包含以下几层意思：

1. 犯罪对象是尸体、尸骨、骨灰。"尸体"是指人死亡后遗留的躯体，尚未死亡的被害人的身体，不是尸体。"尸骨"是指人死后留下的遗骨。"骨灰"是指人的尸体焚烧后骨骼化成的灰。由于受传统观念的影响，各种传统的丧葬习俗依然延续至今，人们对死者的遗留物，特别是对人死后的尸体、尸骨、骨灰最大限度地予以保护。人死后的尸体、尸骨、骨灰虽然只是人们保存能够代表死者人体遗留物方式的不同选择，这其中也蕴含着对死者的尊重及死者的亲属作为寄托哀思和祭拜的对象，因此，无论是完整的尸身、还是尸骨或者尸身的局部，亦或是骨灰，这三者在人们心中的地位是一样的，需要予以同等保护。

2. 行为人实施了盗窃、侮辱、故意毁坏尸体、尸骨、骨灰的行为。这里的"盗窃"，是指行为人秘密窃取尸体、尸骨、骨灰的行为，也就是采取他人所不知晓的方法将尸体、尸骨、骨灰置于行为人自己实际控制支配之下，如从墓地、停尸房或其他场所秘密窃取尸体、尸骨、骨灰等。"侮辱"，主要是指对直接对死者尸体、尸骨、骨灰进行奸淫、猥亵、鞭打、遗弃等凌辱行为。这里的侮辱行为应当是直接针对尸体、尸骨、骨灰实施的，如果只是以书面、文字或言辞等侮辱贬损死者名誉的，不应适用本罪。“故意毁坏”，主要是指对尸体、尸骨、骨灰予以物理上或者化学性的损伤或破坏，既包括对整个尸体、尸骨、骨灰的毁损或破坏，也包括对尸体、尸骨、骨灰一部分的损坏，如肢解、割裂或非法解剖尸体，毁损死者的面容，抛撒骨灰等。

3. 行为人主观上应当是故意的。即行为人不仅认识到其行为侵害的对象是到尸体、尸骨、骨灰，而且具有窃取、侮辱、毁坏之故意，如果行为人由于过失而损坏或玷污尸体、尸骨、骨灰则不构成本罪。盗窃、侮辱、故意毁坏尸体、尸骨、骨灰的行为，其社会危害性的实质在于行为人的行为损害了社会风气和道德良俗，贬损了死者的形象，侵害了死者亲属的情感，扰乱了社会公共秩序。实践中，行为人实施上述行为，动机可能是多种多样的，有的是出于泄愤报复，有的则是为盗窃财物或者出卖尸体，有的盗走尸骨制成标本，有的出于变态心理以泄淫欲等，但这只是量刑的酌定情节，不影响本罪的构成。判断是否侮辱、故意毁坏尸体的犯罪，主要是看行为人主观上是否有侮辱、故意毁坏尸体的故意，如医务人员、司法工作人员因履行职责依法对尸体进行解剖，殡仪馆工作人员按照规定火化尸体等，主观上没有侮辱、故意毁坏尸体的故意，不能认为是侮辱、故意毁坏尸体。

根据本条规定，犯本罪的，处三年以下有期徒刑、拘役或者管制。

第三百零三条[*]　以营利为目的，聚众赌博或者以赌博为业的，处三年以下有期徒刑、拘役或者管制，并处罚金。

开设赌场的，处三年以下有期徒刑、拘役或者管制，并处罚金；情节严重的，处三年以上十年以下有期徒刑，并处罚金。

【释义】　本条是关于赌博罪、开设赌场罪及其处罚的规定。

1997 年刑法第三百零三条规定：“以营利为目的，聚众赌博、开设赌场或者以赌博为业的，处三年以下有期徒刑、拘役或者管制，并处罚金。”但这一规定对一般的赌博行为和开设赌场的行为的刑罚没有区别。开设赌场行为的社会危害程度，明显要大于一般的赌博行为，有必要加重惩处。《刑法修正案（六）》对刑法第三百零三条作了修改，将开设赌场的行为与一般的赌博行为加以区别，单列一款加以规定，并提高了对开设赌场的犯罪的法定刑。

第一款是关于以营利为目的，聚众赌博或者以赌博为业的犯罪及其处罚的

---

* 根据 2006 年 6 月 29 日第十届全国人民代表大会常务委员会第二十二次会议通过的《中华人民共和国刑法修正案（六）》修改。原条文是：“以营利为目的，聚众赌博、开设赌场或者以赌博为业的，处三年以下有期徒刑、拘役或者管制，并处罚金。”

规定。本条规定的赌博行为是指以一定的赌资为本钱,意图通过赌博取得更多金钱或财物的行为。本款规定的赌博犯罪共列举了两种行为。第一种行为是以营利为目的而聚众赌博的行为。其中"以营利为目的",是指参与赌博的人是以获取金钱或者财物为目的。"聚众赌博",是指较多的人纠集在一起进行赌博的行为。为了在实践中准确把握"聚众赌博"的具体含义,2005 年 5 月 11 日发布的《最高人民法院、最高人民检察院关于办理赌博刑事案件具体应用法律若干问题的解释》第一条规定,以营利为目的,有下列情形之一的,属于刑法第三百零三条规定的"聚众赌博":(1)组织三人以上赌博,抽头渔利数额累计达到五千元以上的;(2)组织三人以上赌博,赌资数额累计达到五万元以上的;(3)组织三人以上赌博,参赌人数累计达到二十人以上的;(4)组织中华人民共和国公民十人以上赴境外赌博,从中收取回扣、介绍费的。应当注意的是,本款规定的构成聚众赌博的犯罪在主观上必须以营利为目的。关于这一点,《最高人民法院、最高人民检察院关于办理赌博刑事案件具体应用法律若干问题的解释》第九条还明确规定,不以营利为目的,进行带有少量财物输赢的娱乐活动,以及提供棋牌室等娱乐场所只收取正常的场所和服务费用的经营行为等,不以赌博论处。第二种行为是"以赌博为业的",是指以赌博为常业,即以赌博所得为其生活或者挥霍的主要来源的行为。"以赌博为生活或者挥霍的主要经济来源者"既包括没有正式职业和其他正当收入而以赌博为生的人,也包括那些虽然有职业或其他收入而其经济收入的主要部分来自于赌博活动的人。应当注意的是,构成以赌博为业的犯罪的主观方面也必须是以营利为目的。对于本款规定的以营利为目的,聚众赌博或者以赌博为业的,处三年以下有期徒刑、拘役或者管制,并处罚金。

第二款是关于开设赌场的犯罪及处罚的规定。"开设赌场",是指开设专门用于进行赌博的场所。实践中,常见的多是不法分子利用一些偏僻的场院、宾馆或地下室等不易被发现的地方,雇用一些看家护院的打手,配有专门用于进行赌博的设备。应当注意的是,随着科技的发展,赌博的形式在发生变化。近年来,在网上进行网络赌博的情况也不断增加。《最高人民法院、最高人民检察院于关于办理赌博刑事案件具体应用法律若干问题的解释》第二条明确规定,以营利为目的,在计算机网络上建立赌博网站,或者为赌博网站担任代理,接受投注的,属于刑法第三百零三条规定的"开设赌场"。2010 年 8 月,《最高人民法院、最高人民检察院、公安部关于办理网络赌博犯罪案件适用法律若干问题的意见》第一条对关于网上开设赌场犯罪的定罪量刑标准作了明确规定,根据该条规定,利用互联网、移动通讯终端等传输赌博视频、数据,组织赌博活动,具有下列情形之一的,属于刑法第三百零三条第二款规定的"开设赌场"行为:(1)建立赌博网站并接受投注的;(2)建立赌博网站并提供给他人组织赌博的;

(3)为赌博网站担任代理并接受投注的;(4)参与赌博网站利润分成的。本款规定的"情节严重的,处三年以上十年以下有期徒刑,并处罚金",是《刑法修正案(六)》对1997年刑法第三百零三条作出的修改。如前所述,经过这次修改,把开设赌场的犯罪从一般的赌博犯罪中单列出来并规定更为严厉的处罚,也是出于突出重点打击赌博犯罪的目的。"情节严重",一般是指曾多次开设赌场或者开设的赌场规模较大、影响恶劣等情况。

第三百零四条　邮政工作人员严重不负责任,故意延误投递邮件,致使公共财产、国家和人民利益遭受重大损失的,处二年以下有期徒刑或者拘役。

【释义】 本条是关于故意延误投递邮件罪及其处罚的规定。

根据本条规定,故意延误投递邮件罪,是指邮政工作人员严重不负责任,故意延误投递邮件,致使公共财产、国家和人民利益遭受重大损失的行为。这里所说的"邮政工作人员",是指邮政企业及其分支机构的营业员、投递员、押运员以及其他从事邮政工作的人员。本罪的主体是邮政工作人员,其他人员,如一般单位收发室人员故意延误邮件收发的,不构成本罪。"严重不负责任",是指邮政工作人员违背国家法律赋予的职责和任务,情节严重的行为。根据邮政法的有关规定,邮政企业应当为用户提供迅速、准确、安全、方便的邮政服务,邮政企业及其分支机构应当按照国务院邮政主管部门规定的时限投交邮件。这里规定的"故意",包括直接故意和间接故意,如果是过失或者不可抗力原因造成邮件延误投递的,不构成本罪;"延误投递",是指邮政工作人员故意拖延、耽误邮件的分发、递送,没有按照国务院邮政主管部门规定的时限投交邮件;"邮件",是指通过邮政企业及其分支机构寄送、递交的信件、电报、传真、印刷品、邮包、汇款通知、报纸杂志等;"公共财产",是指本法第九十一条规定的各项财产;"国家和人民利益",是指关系到国家的政治、经济、国防、外交、社会发展等方面的各项事业的利益,以及关系到人民的生命、健康、财产、名誉等的各项权利和利益。本罪是结果犯,致使公共财产、国家和人民利益遭受重大损失的,才构成犯罪。根据本条规定,对故意延误投递邮件的犯罪,处二年以下有期徒刑或者拘役。

第二节　妨害司法罪

第三百零五条　在刑事诉讼中,证人、鉴定人、记录人、翻译人对与案件有重要关系的情节,故意作虚假证明、鉴定、记录、翻译,意图陷害他人或者隐匿罪证的,处三年以下有期徒刑或者拘役;情节严重的,处三年以上七年以下有期徒刑。

【释义】 本条是关于伪证罪及其处罚的规定。

“在刑事诉讼中”，是指刑事案件从侦查到审判的全过程，主要包括侦查、审查起诉、一审、二审活动。本罪的主体为特定主体，包括四种人：证人、鉴定人、记录人、翻译人。“证人”，是指知道案件全部或者部分真实情况，以自己的证言作为证据的人。“鉴定人”，是指在刑事诉讼中应有关部门、人员的指派或聘请对案件中的专门性问题进行科学鉴定和判断的具有专门知识的人员。“记录人”，是指在侦查、审查起诉、审判过程中，对案犯的供述、证人证言以及各个环节的诉讼活动进行记录的人。这种记录主要由侦查员、书记员担任。“翻译人”，是指受公安机关、检察机关或者人民法院的委托聘请，在刑事侦查、审查起诉、审判活动中担任外国语言文字、本国民族语言文字或者哑语等翻译工作的人。这四种人在刑事诉讼中负有特定的义务，是否能够如实提供证言、鉴定、记录、翻译，对案件处理的正确与否具有重要的关系。“与案件有重要关系的情节”，是指对犯罪嫌疑人、被告人是否有罪、罪轻还是罪重具有重要证明作用的事实。“故意作虚假证明、鉴定、记录、翻译”的规定具有两层含义：一是明确指明本罪是故意犯罪，也就是说，证人、鉴定人、记录人、翻译人所提供的与案件事实不符的情况是故意所为，由于过失行为，如未看清楚，判断错误而提供了不实的证言，因笔误造成记录错误等不构成犯罪。二是所提供的证言、鉴定意见、笔录、翻译与案件事实不符。如将张三的行为说成李四的行为，将不是精神病人的人鉴定为精神病人，在记录、翻译时将被告人、证人所讲的事实改变为虚假的等。“意图陷害他人或者隐匿罪证”，是指行为人的主观动机，也就是行为人故意作虚假证明、鉴定、记录、翻译的目的是为了陷害他人，从而使无罪的人受到刑事追究，使罪行较轻的人受到较重的处罚，或者将真实的罪证隐匿起来，以使犯罪人逃脱刑事追究。需要指出的是，对于证人故意提供假证言包庇罪犯的，应按照本法关于包庇罪的规定处罚。

本条对伪证罪规定了两档处罚，对犯本罪的，处三年以下有期徒刑或者拘役；对于情节严重的，处三年以上七年以下有期徒刑。“情节严重的”，主要是指犯罪手段极为恶劣或者造成严重后果，如致使罪行重大的案犯逃脱法律制裁，使无辜的人受到刑事追究等。

第三百零六条 在刑事诉讼中，辩护人、诉讼代理人毁灭、伪造证据，帮助当事人毁灭、伪造证据，威胁、引诱证人违背事实改变证言或者作伪证的，处三年以下有期徒刑或者拘役；情节严重的，处三年以上七年以下有期徒刑。

辩护人、诉讼代理人提供、出示、引用的证人证言或者其他证据失实，不是有意伪造的，不属于伪造证据。

【释义】 本条是关于辩护人、诉讼代理人毁灭证据、伪造证据、妨害作证罪及其处罚的规定。

第一款是关于辩护人、诉讼代理人毁灭、伪造证据,帮助当事人毁灭、伪造证据,威胁、引诱证人违背事实改变证言或者作伪证的犯罪及其刑罚的规定。本条所规定的犯罪主体为特殊主体,只限于刑事案件的辩护人和诉讼代理人。“辩护人”,是指在刑事诉讼中,包括在侦查、审查起诉、审判阶段,犯罪嫌疑人、被告人委托的或者由公安机关、人民检察院、人民法院指定的为犯罪嫌疑人、被告人提供法律帮助的人。辩护人由以下三种人担任:律师;犯罪嫌疑人、被告人的监护人、亲友;人民团体或者犯罪嫌疑人、被告人所在单位推荐的人。“诉讼代理人”,是指公诉案件的被害人及其法定代理人或者近亲属、自诉案件的自诉人及其法定代理人委托代为参加诉讼的人,以及附带民事诉讼的当事人及其法定代理人委托代为参加诉讼的人。担任诉讼代理人的人员范围与辩护人的范围相同。本条规定了犯罪的三方面行为:(1)毁灭、伪造证据;(2)帮助当事人毁灭、伪造证据;(3)威胁、引诱证人违背事实改变证言或者作伪证。辩护人、诉讼代理人在刑事诉讼中只要有上述三种行为之一即可构成本罪。“毁灭、伪造证据”,是指辩护人、诉讼代理人自己将能够证明案件真实情况的书证、物证以及其他证据予以毁灭,使其不能再起到证明案件真实情况的作用;辩护人、诉讼代理人自己制造假的书证、物证等,以隐瞒案件的真实情况,使犯罪人免予刑事追究或者使无罪的人受到刑事追究。“帮助当事人毁灭、伪造证据”,是指辩护人、诉讼代理人策划、指使当事人毁灭、伪造证据,或者与当事人共谋毁灭、伪造证据,以及为当事人毁灭、伪造证据提供帮助等。“当事人”,是指被害人、自诉人、犯罪嫌疑人、被告人、附带民事诉讼的原告人和被告人。“威胁、引诱证人违背事实改变证言或者作伪证”包括两种行为:一是以暴力、恐吓等手段威胁证人或者以金钱、物质利益等好处诱使证人改变过去按照事实提供的证言;二是以威胁、引诱手段指使他人为案件作虚假证明,充当伪证的证人。

根据犯罪的不同情节,本款规定了两档刑罚:犯本罪的,处三年以下有期徒刑或者拘役;情节严重的,处三年以上七年以下有期徒刑。“情节严重”,主要是指犯罪手段极其恶劣,严重妨害了刑事诉讼的正常进行,以及造成犯罪人逃避法律制裁或者使无罪的人受到刑事追究等严重后果。

第二款是关于辩护人、诉讼代理人在刑事诉讼中,由于失误而提供、出示、引用了虚假证明,但不属于伪造证据的情况的规定。规定本款主要是为了划清罪与非罪的界限,保护辩护人、诉讼代理人的合法权利,保证辩护人、诉讼代理人依法履行职责,从而保证刑事诉讼的正常进行。根据本款规定,辩护人、诉讼代理人向法庭提供、出示、引用的证人证言或者其他证据失实,不是有意伪造的，不属于伪造证据，即不构成本条规定的犯罪。其中“不是有意伪造”，是指辩护人、诉讼代理人对证据不真实的情况并不知情，未参与伪造证据的，证据虚假的原因是证人或者提供证据的人造成的或者是由于辩护人、诉讼代理人工作上的失误造成的。

第三百零七条　以暴力、威胁、贿买等方法阻止证人作证或者指使他人作伪证的，处三年以下有期徒刑或者拘役；情节严重的，处三年以上七年以下有期徒刑。

帮助当事人毁灭、伪造证据，情节严重的，处三年以下有期徒刑或者拘役。

司法工作人员犯前两款罪的，从重处罚。

【释义】　本条是关于妨害作证罪、帮助毁灭、伪造证据罪及其处罚的规定。

第一款是关于阻止证人作证、指使他人作伪证的犯罪和处罚的规定。“以暴力、威胁、贿买等方法阻止证人作证”，是指采用暴力伤害，以暴力或者其他手段相威胁，用金钱、物质利益行贿以及其他方法不让证人为案件提供证明。“指使他人作伪证”，是指以暴力、威胁、贿买或者其他方法让他人为案件提供与事实不符的虚假证明。本条的规定未限于刑事诉讼，也就是说，本条的规定适用于刑事、民事、行政等一切诉讼当中。犯妨害作证罪的，处三年以下有期徒刑或者拘役；情节严重的，处三年以上七年以下有期徒刑。

第二款是帮助当事人毁灭、伪造证据的犯罪和处罚的规定。“帮助当事人毁灭、伪造证据”，是指与当事人共谋，或者受当事人指使为当事人毁灭、伪造证据提供帮助的行为，如为贪污犯罪的嫌疑人销毁单据等。犯帮助毁灭、伪造证据罪的，处三年以下有期徒刑或者拘役。

本条第三款是关于司法工作人员犯本条规定之罪从重处罚的规定。“司法工作人员”，是指具有侦查、检察、审判、监管职责的人员。司法工作人员必须公正廉明，如果他们弄虚作假则危害更大，而且造成极其恶劣的影响，所以必须从重处罚。

第三百零七条之一*　以捏造的事实提起民事诉讼，妨害司法秩序或者严重侵害他人合法权益的，处三年以下有期徒刑、拘役或者管制，并处或者单处罚金；情节严重的，处三年以上七年以下有期徒刑，并处罚金。

单位犯前款罪的，对单位判处罚金，并对其直接负责的主管人员和其他直

---

* 根据2015年8月29日第十二届全国人民代表大会常务委员会第十六次会议通过的《中华人民共和国刑法修正案（九）》增加。

接责任人员，依照前款的规定处罚。

有第一款行为，非法占有他人财产或者逃避合法债务，又构成其他犯罪的，依照处罚较重的规定定罪从重处罚。

司法工作人员利用职权，与他人共同实施前三款行为的，从重处罚；同时构成其他犯罪的，依照处罚较重的规定定罪从重处罚。

【释义】 本条是关于虚假诉讼犯罪及其处罚的规定。

公民、法人、其他组织之间发生民事纠纷时，向人民法院提起民事诉讼，是解决争议、维护自身合法权益的重要途径。近年来，随着市场经济的发展和人民群众法律意识的提高，人民法院受理的民事诉讼案件数量大幅增加。与此同时，司法实践中也出现了虚假诉讼的情况。一些个人和单位捏造虚假的事实，向人民法院提起借贷、房屋买卖、离婚析产、继承、商标侵权、破产等诉讼，骗取人民法院裁判文书以实现各种非法目的。

从具体目的来看，这种虚假诉讼行为可分为两类：一类是骗财类虚假诉讼，企图通过诉讼侵占他人财产或者逃避合法债务。如通过伪造借款协议，骗取人民法院裁判要求他人“还款”；通过订立虚假的抵押合同以取得优先受偿的权利，侵害其他合法债权人的受偿权利等。另一类是出于谋财以外的其他目的的虚假诉讼。如为了使商标被认定为驰名商标，虚构商标权被侵犯的事实，让他人冒充侵权人并承认侵权事实，通过人民法院的判决，间接达到涉案商标被认定为驰名商标的目的；虚构借贷关系，通过诉讼以汽车抵债的方式规避一些城市的机动车限购政策等。

从虚假诉讼的当事人之间的关系看，也可分为两类：一类是一方当事人提起虚假诉讼，企图侵犯另一方当事人合法权益的案件，双方当事人之间存在实质的利益对抗关系。另一类是双方当事人恶意串通进行虚假诉讼，企图侵犯案外第三人合法权益，损害国家、公共利益，或者企图逃避履行法定义务，规避相关管理规定等，双方当事人之间不存在实质对抗关系，而是互相串通共同捏造事实、伪造证据，骗取人民法院的裁判。有的虚假诉讼案件还有司法工作人员参与其中。

虚假诉讼行为具有严重的社会危害性。第一，虚假诉讼妨害了正常的司法秩序。行为人捏造事实、伪造证据材料，欺骗国家司法机关，获取法院的裁判文书，使国家公权力成为实现非法目的的工具，严重损害了司法公信力和法律权威。有的被执行人为逃避执行，与他人恶意串通，通过虚假诉讼骗取新的裁判文书，逃避履行原裁判文书确定的义务，使司法公信力受到两次伤害。这些虚假的诉讼还浪费了国家司法资源，加剧了一些基层司法机关案多人少的矛盾。第二，虚假诉讼侵犯他人合法权益。虚假诉讼不仅骗取国家司法机关裁判文书，扰乱了司法秩序，而且行为人还利用错误的裁判文书和强制执行程序，侵占、剥夺受害人的财产或者其他权利，严重损害他人的合法权益。

从法律规定看，1997 年刑法对于虚假诉讼行为没有专门的规定，实践中对于虚假诉讼一般是根据案件的具体情况，适用刑法的相关规定作相应处理的。如刑法第三百零七条规定了以暴力、威胁、贿买等方法阻止证人作证，指使他人作伪证，以及帮助当事人毁灭、伪造证据的犯罪；刑法第二百八十条第二款规定了伪造公司、企业、事业单位、人民团体印章的犯罪。此外，对有的尚不构成犯罪的，根据民事诉讼法关于妨害诉讼活动的规定，由人民法院予以罚款、拘留。2012 年修改民事诉讼法时，根据司法实践中出现的虚假诉讼的情况，对这种行为作了专门规定，即在第一百一十二条、第一百一十三条增加规定，对于当事人之间恶意串通，企图通过诉讼、调解等方式侵害他人合法权益的，以及被执行人与他人恶意串通，通过诉讼、调解等方式逃避履行法律文书确定的义务的，人民法院应当根据情节轻重予以罚款、拘留；构成犯罪的，依法追究刑事责任。

在刑法修正案（九）草案研究、审议过程中，有关司法机关、人大代表和专家学者多次建议在现行法律规定的基础上，在刑法中增加有关虚假诉讼犯罪的专门规定，更有针对性地打击利用虚假诉讼妨害司法秩序、侵害他人合法权益的行为。在研究过程中，对于虚假诉讼行为的定性和有关法律规定的修改完善，主要有两种观点：一种观点认为，虚假诉讼行为符合诈骗罪的犯罪构成，应当认定为诈骗罪，建议在刑法中新增指引性的规定或者作出法律解释，明确对于虚假诉讼行为认定为诈骗罪。主要理由是，虚假诉讼的行为人通过伪造书证、指使他人作伪证等方式虚构事实、隐瞒真相，欺骗对有关财产有裁判权的司法机关，使司法机关产生错误认识，作出错误的裁判文书，本质上是诈骗犯罪。国外也有将诉讼诈骗行为依照诈骗罪的规定定罪处罚的案例。另一种观点认为，虚假诉讼行为与传统的诈骗罪的行为特征不同，建议新增关于虚假诉讼犯罪的专门规定。主要理由是，诈骗罪欺骗的对象是受害人，受害人是基于受欺骗而“自愿”将财产交给他人；虚假诉讼欺骗的是人民法院，被害人是明知权利被侵害而被强迫交出财产。另外，虚假诉讼侵犯的是复杂客体，虽然在实践中多为骗取财物，但也不限于骗取财物。从国外立法例看，有的国家法律规定了专门的诉讼欺诈犯罪。

考虑到虚假诉讼既妨害了国家司法秩序，又侵害了他人财产权和其他合法权益，为维护司法权威和社会诚信，惩治利用国家司法机关的审判活动达到非法目的的行为，在刑法中增加虚假诉讼犯罪的专门规定是必要的。为此，《刑法修正案（九）》在刑法第三百零七条后增加一条，对虚假诉讼犯罪的犯罪构成和量刑，单位犯罪的处罚，犯本罪同时构成其他犯罪时的处理，以及司法工作人员利用职权犯本罪的处理作了规定。

第一款是关于虚假诉讼犯罪构成和处罚的规定。本罪的主体是一般主体，包括个人和单位。本罪侵犯的客体是国家司法秩序和他人的财产权等合法权益。本罪的主观方面是故意犯罪，行为人具有提起虚假的民事诉讼，欺骗国家司法机关，通过获得司法机关的裁判文书实现其非法目的的主观故意。刑法修正案（九）草案一审稿在本条中曾规定了“为谋取不正当利益”的主观条件。在草案审议和征求意见过程中，有的常委会组成人员和有关方面提出，增加规定虚假诉讼犯罪的目的是为了维护司法秩序，不论行为人的具体动机与目的如何，以捏造的事实提起虚假的民事诉讼的行为，就是严重妨害司法秩序的行为。如果再增加规定“为谋取不正当利益”的主观条件，不利于追诉和惩治虚假诉讼犯罪。根据上述意见，草案二审稿删除了“为谋取不正当利益”的规定。根据本款规定，构成虚假诉讼犯罪在客观方面必须具备以下条件：第一，以捏造的事实提起民事诉讼。提起民事诉讼，是指依照民事诉讼法的规定向法院提起诉讼。在刑事自诉、行政诉讼等领域也可能存在行为人以捏造的事实向法院提起虚假诉讼的情况，对此，可以依照诬告陷害罪等规定处罚，或者作为妨害诉讼活动处理，不适用本条规定。“捏造的事实”，是指凭空编造的不存在的事实。如根本不存在的债权债务关系，从未发生过的商标侵权行为等。如果民事纠纷客观存在，行为人对具体数额、期限等事实作夸大、隐瞒或虚假陈述的，不属于这里的“捏造”。以捏造的事实提起民事诉讼，是指通过伪造书证、物证、恶意串通、指使证人作假证言等手段，以凭空捏造的根本不存在的事实为基础，向法院提出诉讼请求，要求法院作出裁判。

第二，妨害司法秩序或者严重侵害他人合法权益。这是构成本罪的结果条件。妨害司法秩序是指对国家司法机关进行审判活动、履行法定职责的正常秩序造成妨害，包括导致司法机关作出错误判决造成司法权威和司法公信力的损害，也包括提起虚假诉讼占用了司法资源，影响了司法机关的正常司法活动等。严重侵害他人合法权益，是指虚假诉讼活动给被害人的财产权等合法权益造成严重损害。如司法机关执行错误判决或者因行为人提起诉讼采取保全措施造成被害人财产的严重损失，被害人一定数额的合法债权得不到及时清偿等。从这一规定看，只要虚假诉讼行为妨害司法秩序或者严重侵害他人合法权益，就可以构成本条规定的犯罪，并不一定要求诉讼程序已经完结，司法机关已经实际完成了裁判文书制作、送达，裁判文书完全符合行为人的意愿等。

本款对虚假诉讼犯罪规定了两档法定刑。第一档法定刑是三年以下有期徒刑、拘役或者管制，并处或者单处罚金。第二档法定刑是对情节严重的，处三年以上七年以下有期徒刑，并处罚金。本款规定的“情节严重”，是指虚假诉讼对司法秩序造成严重妨害，或者对他人合法权益造成特别重大损害，如虚假诉讼标的数额巨大，多次提起虚假诉讼，伪造证据的情节恶劣，损害善意当事人合法权益造成严重后果等，具体标准可由司法机关根据实际情况作出司法解释确定。

第二款是关于单位犯虚假诉讼犯罪的处罚规定。本款对犯虚假诉讼犯罪的单位采取双罚制。既对单位判处罚金，又对其直接负责的主管人员和其他直接责任人员，依照第一款的规定处罚，即处三年以下有期徒刑、拘役或者管制，并处或者单处罚金；情节严重的，处三年以上七年以下有期徒刑，并处罚金。

第三款是关于犯虚假诉讼犯罪同时构成其他犯罪时如何处理的规定。从实践中的情况看，以骗取财物为目的的虚假诉讼行为，在构成本条规定的犯罪的同时，往往还构成刑法规定的其他侵财类犯罪。针对这种同一行为构成刑法多个条文规定的犯罪的情况，有必要明确如何适用法律。本款对这一问题作了明确规定，即从一重罪从重处罚。本款的规定也有一个修改完善的过程。刑法修正案（九）草案曾经规定，有虚假诉讼行为，侵占他人财产或者逃避合法债务的，依照刑法第二百六十六条的规定从重处罚，即认定为诈骗罪并从重处罚。在草案审议中，有的意见提出，这种情况通常会同时构成诈骗罪，但也有可能构成其他犯罪。如国家工作人员利用职务便利，与他人串通通过虚假诉讼侵占公共财产的，可能构成贪污罪；公司、企业或者其他单位的工作人员利用职务便利，与他人串通通过虚假诉讼侵占单位财产的，可能构成职务侵占罪。一律规定按诈骗罪处理的不尽合理。为此，草案二审稿对有关规定作了修改，形成了本款规定。本款规定的适用范围是"有第一款行为，非法占有他人财产或者逃避合法债务，又构成其他犯罪的"，如果虚假诉讼的目的不是非法占有他人财产或者逃避合法债务，则不适用本款规定。对于本款规定的同一行为构成数个犯罪的情形，本款规定"依照处罚较重的规定定罪从重处罚"。首先，要比较本条规定的刑罚和刑法其他条文规定的刑罚，适用处刑较重的条文。本条和刑法有关诈骗罪、贪污罪、职务侵占罪等犯罪的条文，规定了多个量刑幅度，对此，在适用时要根据案件事实和各条的规定，确定适用于某一犯罪的具体量刑幅度，再进行比较选择处罚较重的规定定罪。同时，还要根据确定适用的规定和量刑幅度从重处罚。这样规定体现了对虚假诉讼行为从严惩处的立法精神。

第四款是关于司法工作人员利用职权实施虚假诉讼行为如何处理的规定。从实践中的情况看，在有的虚假诉讼案件中，一些司法工作人员与当事人勾结，通过其职务行为或者影响力，为虚假诉讼目的的达成创造条件，有的甚至直接参与作出裁判。这类行为不仅损害他人的合法权益，而且严重损害了国家司法机关的公信力和司法权威，应当从严惩处。本款规定有两层意思：一是司法工作人员利用职权，与他人共同实施前三款规定的虚假诉讼行为的，从重处罚。二是司法工作人员利用职权，与他人共同实施前三款规定的虚假诉讼行为，同时构成其他犯罪的，依照处罚较重的规定定罪从重处罚。司法工作人员利用职权，与他人共同实施虚假诉讼行为，在构成本条规定的犯罪的同时，可能还构成民事枉法裁判、滥用职权等犯罪。依照本款规定，这种情况下应当依照处罚较重的规定定罪从重处罚。这样规定，同样体现了对司法工作人员执法犯法，参与虚假诉讼行为严厉惩处的精神。

在执行本条规定的过程中要注意把握好罪与非罪的界限。本条规定的是以凭空捏造的事实提起民事诉讼，妨害司法秩序或者严重侵害他人合法权益的犯罪。对于提起诉讼的基本事实是真实的，但在一些证据材料上弄虚作假，企图欺骗司法机关，获取有利于自己的裁判的行为，不适用本条规定。对这类行为，可以按照民事诉讼法的有关规定予以罚款、拘留。构成妨害作证、帮助毁灭、伪造证据等其他犯罪的，应当按照刑法有关规定追究刑事责任。

第三百零八条　对证人进行打击报复的，处三年以下有期徒刑或者拘役；情节严重的，处三年以上七年以下有期徒刑。

【释义】 本条是关于打击报复证人罪及其处罚的规定。

本罪的客观方面表现为“对证人进行打击报复”，“证人”不仅包括刑事诉讼中的证人，也包括民事、行政诉讼中的证人。“打击报复”包括多种方式，主要有对证人进行暴力伤害，利用职权降薪、降职、辞退，当众侮辱或捏造事实诽谤等。根据犯罪情节的不同，本条规定了两档刑罚：犯本罪的，处三年以下有期徒刑或者拘役；情节严重的，处三年以上七年以下有期徒刑。“情节严重”，主要是指行为人犯罪手段极其恶劣；多次打击报复证人或者打击报复证人多人的；造成被害人精神失常、自杀等严重后果的。需要指出的是，对证人进行打击报复的行为人如果故意伤害、杀害证人或者有其他犯罪行为的，其行为则构成故意伤害罪、故意杀人罪等，应根据从一重罪处罚的原则，按照该行为触犯的刑罚较重的犯罪规定处刑。

第三百零八条之一*　司法工作人员、辩护人、诉讼代理人或者其他诉讼参与人，泄露依法不公开审理的案件中不应当公开的信息，造成信息公开传播或者其他严重后果的，处三年以下有期徒刑、拘役或者管制，并处或者单处罚金。

---

* 根据2015年8月29日第十二届全国人民代表大会常务委员会第十六次会议通过的《中华人民共和国刑法修正案（九）》增加。

有前款行为，泄露国家秘密的，依照本法第三百九十八条的规定定罪处罚。

公开披露、报道第一款规定的案件信息，情节严重的，依照第一款的规定处罚。

单位犯前款罪的，对单位判处罚金，并对其直接负责的主管人员和其他直接责任人员，依照第一款的规定处罚。

【释义】 本条是关于泄露不公开审理的案件信息犯罪及其处罚的规定。

我国宪法第一百二十五条规定，人民法院审理案件，除法律规定的特别情况外，一律公开进行。这一规定确立了公开审判这一诉讼的基本原则。实行公开审判，是为了便于人民群众了解和监督司法活动，保障诉讼参与人的诉讼权利，促进司法机关严格按照法定程序公正审理案件，并通过公开的审理活动，彰显司法权威和司法公信，对人民群众进行法制宣传和教育。公开审判既包括对群众公开，允许群众到法庭旁听审理，也包括对新闻媒体公开，允许新闻媒体公开披露和报道案件审理的情况。可以说，公开审判作为现代诉讼活动基本原则，是由司法活动规律和审判活动的性质、特点决定的。同时，在坚持公开审判为原则的前提下，也有一些案件因为特殊情况，如果公开审理，可能会对国家利益、公共利益或者当事人的合法权益造成不利影响时，对这些案件，实行不公开审理更有利于维护各方面权益，更符合法治的要求。但是，不公开审理是公开审判原则的例外，应当由法律作出明确规定。我国刑事诉讼法、民事诉讼法、行政诉讼法都在明确规定公开审判原则的同时，作了一些例外规定。刑事诉讼法第一百八十三条规定，人民法院审判第一审案件应当公开进行。但是有关国家秘密或者个人隐私的案件，不公开审理；涉及商业秘密的案件，当事人申请不公开审理的，可以不公开审理。第二百七十四条规定，审判的时候被告人不满十八周岁的案件，不公开审理。但是，经未成年被告人及其法定代理人同意，未成年被告人所在学校和未成年人保护组织可以派代表到场。民事诉讼法第一百三十四条规定，人民法院审理民事案件，除涉及国家秘密、个人隐私或者法律另有规定的以外，应当公开进行。离婚案件，涉及商业秘密的案件，当事人申请不公开审理的，可以不公开审理。行政诉讼法第五十四条规定，人民法院公开审理行政案件，但涉及国家秘密、个人隐私和法律另有规定的除外。涉及商业秘密的案件，当事人申请不公开审理的，可以不公开审理。此外，未成年人保护法第五十八条还对未成年人犯罪案件作出了专门的规定，要求新闻报道、影视节目、公开出版物、网络等不得披露该未成年人的姓名、住所、照片、图像以及可能推断出该未成年人的资料。这些规定中不公开审理的案件主要有以下几类：一是涉及国家秘密的案件，国家秘密是关系国家的安全和利益，依照法定程序确定，在一定时间内只限一定范围人员知悉的事项。涉及国家秘密的案件不公开审理,是为了维护国家的安全和利益。二是涉及个人隐私的案件。这类案件不公开审理,是为了保护个人的隐私权,不使其人格尊严、名誉和个人生活安宁因为案件的公开审理受到不利影响。三是未成年人犯罪的案件。未成年人身心还不成熟,为有利于未成年被告人成长,体现教育、感化、挽救的方针,对这类案件不公开审理。四是涉及商业秘密的案件。为防止商业秘密泄露给当事人造成损失,这类案件经当事人申请,也可以不公开审理。

不公开审理包括两方面的含义:一是审理不公开进行,开庭审判时未经法庭允许的人员不得旁听。二是诉讼参与人不得公开传播诉讼中知悉的不应当公开的信息,否则审理的不公开也就失去了意义。

近年来,法律关于公开审判及其例外的规定执行的情况总体上是好的。最高人民法院制定了《关于严格执行公开审判制度的若干规定》,对落实公开审判原则作出了具体规定。对于依法应当不公开审理的案件,特别是未成年人犯罪案件、性侵犯未成年人的案件等,也都作出专门的司法解释或者规定,要求诉讼参与人对案件中不应当公开的信息予以保密。但实践中也出现了一些依法不公开审理的案件的诉讼参与人,泄露或者借助媒体、自媒体公开传播案件中不应当公开的信息的情况。有的司法工作人员违反保密纪律,向他人或者媒体泄露正在不公开审理的案件信息。有的当事人、辩护人、诉讼代理人或者当事人的亲属,为向司法机关和对方当事人施加压力,公开传播涉及当事人隐私和犯罪细节的信息,制造舆论,企图影响司法机关裁判结果。有的新闻媒体为追求轰动效应,对依法不公开审理的案件内容公开报道、深挖所谓内幕、细节信息,有时甚至形成舆论关注的热点。

这类泄露和公开传播依法不公开审理的案件中不应当公开的信息的行为具有严重的社会危害性。第一,泄露不公开审理的案件信息的行为对人民法院依法独立公正行使审判权造成不利影响。不公开审理的案件信息一旦泄露并公开传播,往往形成舆论热点,使办理案件的司法机关成为舆论的焦点,对其依法独立公正审判造成干扰。特别是有的当事人一方有选择性地泄露部分案件信息,制造有利于自己的舆论。有时一方当事人制造了舆论,对方当事人为应对也不得不公开发声回应,不可避免进一步泄露了案件信息,甚至形成舆论对垒,给审判机关带来更大压力。这种通过泄露案件信息炒作,把打官司变成打"舆论战"的做法,对于维护司法公信力和司法权威,推进严格执法、公正司法、全民守法的法治国家和法治社会建设也是不利的。第二,泄露不公开审理的案件信息的行为损害当事人的合法权益。法律规定有关案件实行不公开审理,就是为了保护有关当事人的个人隐私、商业秘密、人格尊严和身心健康等合法权益。案件信息被泄露甚至公开传播势必损害当事人的合法权益。有的性侵犯未成年人案件的犯罪细节被公开披露并在媒体上传播，给未成年被害人带来严重的二次伤害。有的媒体对犯罪的未成年人指名道姓报道，使刑法、刑事诉讼法有关未成年人犯罪免除前科报告义务、犯罪记录封存的规定落空。如果泄露的案件信息属于国家秘密，更是会给国家的安全和利益带来损害。

从法律的规定看，刑法对这类泄露案件信息的行为没有作专门规定，有的可以根据具体情况，适用刑法关于泄露国家秘密、侵犯商业秘密等犯罪规定处理。对于法官、检察官泄露审判、检察工作秘密的，还可以依据法官法、检察官法的规定给予处分。刑法修正案（九）草案研究、起草过程中，各方面普遍认为，应当根据全面推进依法治国的要求，完善惩戒妨碍司法机关依法行使职权的违法犯罪行为的法律规定，以有利于维护司法权威。有关方面建议在刑法中增加泄露不公开审理的案件信息的犯罪。为保障人民法院依法独立公正行使审判权，维护有关当事人的合法权益，《刑法修正案（九）》在刑法第三百零八条后增加一条，对泄露不公开审理的案件信息犯罪的犯罪构成和量刑，犯该罪同时泄露国家秘密的处理，公开披露、报道不公开审理的案件信息的犯罪和量刑，以及单位犯罪的处罚作了规定。

第一款是关于泄露不公开审理的案件信息犯罪构成和处罚的规定。本罪的主体是司法工作人员、辩护人、诉讼代理人或者其他诉讼参与人，即参与不公开审理的案件诉讼活动，知悉不应当公开的案件信息的人。“司法工作人员”，在刑事诉讼中，包括侦查人员、检察人员、审判人员和有监管职责的人员，在民事诉讼、行政诉讼中主要是审判人员。“辩护人”，是指在刑事诉讼中接受犯罪嫌疑人、被告人的委托或者法律援助机构的指派，为犯罪嫌疑人、被告人提供法律帮助的人，包括律师、人民团体或者犯罪嫌疑人、被告人所在单位推荐的人和犯罪嫌疑人、被告人的监护人、亲友。“诉讼代理人”，是指接受刑事公诉案件被害人及其法定代理人或者近亲属、自诉案件自诉人及其法定代理人、刑事附带民事诉讼案件当事人及其法定代理人、民事诉讼案件当事人及其法定代理人、行政诉讼案件当事人及其法定代理人的委托，代为参加诉讼和提供法律帮助的人，包括律师、基层法律服务工作者、当事人的近亲属或者工作人员、当事人所在社区、单位以及有关社会团体推荐的公民等。“其他诉讼参与人”，是指除司法工作人员、辩护人、诉讼代理人之外其他参加诉讼的人员，包括证人、鉴定人、出庭的有专门知识的人、记录人、翻译人等。本罪的主观方面包括故意和过失，即故意泄露和过失泄露案件信息都可能构成本罪。

根据本条规定，构成泄露不公开审理的案件信息犯罪在客观方面必须具备以下条件：一是泄露依法不公开审理的案件中不应当公开的信息。依法不公开审理的案件，是指依照刑事诉讼法、民事诉讼法、行政诉讼法、未成年人保护法等法律规定,应当不公开审理或者经当事人提出申请,人民法院决定不公开审理的案件。不应当公开的信息,是指公开以后可能对国家安全和利益、当事人受法律保护的隐私权、商业秘密造成损害,以及对涉案未成年人的身心健康造成不利影响的信息。包括案件涉及的国家秘密、个人隐私、商业秘密本身,也包括其他与案件有关不宜为诉讼参与人以外人员知悉的信息,如案件事实的细节,诉讼参与人在参加庭审时发表言论的具体内容,被性侵犯的被害人的个人信息等。对于未成年人犯罪案件,未成年犯罪嫌疑人、被告人的姓名、住所、照片、图像以及可能推断出该未成年人的资料,都属于不应当公开的信息。由于行为人的故意或者过失,造成不应当知悉有关案件信息的人员知悉有关案件信息的,即属于泄露该信息的行为。二是造成信息公开传播或者其他严重后果。这是构成本罪的结果条件。信息公开传播是指信息在一定数量的公众中广泛传播。如果泄露的案件信息只是为个别人私下知悉,没有公开传播的,不构成本罪。信息的公开传播使对不公开审理制度所保护的法益的损害扩大,是严重的危害后果。“其他严重后果”,是指信息公开传播以外的其他严重的危害后果,如造成被害人不堪受辱而自杀,造成审判活动被干扰导致无法顺利进行等。

本款对泄露不公开审理的案件信息犯罪规定了一档法定刑,即处三年以下有期徒刑、拘役或者管制,并处或者单处罚金。

第二款是关于有泄露不公开审理的案件信息的行为,同时泄露国家秘密的如何处理的规定。根据刑事诉讼法、民事诉讼法和行政诉讼法的规定,涉及国家秘密的案件实行不公开审理,这类案件中的国家秘密属于不应当公开的案件信息。刑法第三百九十八条规定了故意或者过失泄露国家秘密犯罪。行为人泄露不公开审理案件中的国家秘密的,同时构成本条和第三百九十八条的犯罪,需要明确如何处理。考虑到第三百九十八条是针对泄露国家秘密犯罪的专门规定,其规定的法定刑也较本条第一款规定更重,对泄露不公开审理的案件中的国家秘密的行为依照第三百九十八条定罪处罚,更能够体现对泄露国家秘密犯罪从严惩处的精神。本款规定,有本条第一款规定的泄露不公开审理的案件信息的行为,泄露国家秘密的,依照刑法第三百九十八条的规定定罪处罚。

第三款是关于公开披露、报道不公开审理的案件信息的犯罪和处罚的规定。有的个人和媒体、网站等单位,虽然不是泄露不公开审理的案件信息的行为人,但通过各种渠道获得不公开审理的案件信息后,公开披露、报道,甚至大肆炒作,有的造成严重后果,对司法秩序和有关当事人的合法权益造成严重损害。这种行为与泄露不公开审理的案件信息具有同样的社会危害性,应当追究刑事责任,本款对此作了规定。“公开披露”是指通过各种途径向他人和公众发布有关案件信息。“报道”主要是指报刊、广播、电视、网站等媒体向公众公开传播有关案件信息。在网络自媒体发达的今天，公开披露和媒体报道有关信息，都会使得相关信息被广泛传播，从而损害当事人合法权益。本款规定的“情节严重”，是公开披露、报道第一款规定的案件信息行为构成犯罪的条件，其具体含义可以参照第一款的规定，主要是造成信息大量公开传播、为公众所知悉给司法秩序和当事人合法权益造成严重损害，以及其他与此类似的严重后果。根据本款规定，公开披露、报道第一款规定的案件信息，情节严重的，依照第一款的规定处罚，即处三年以下有期徒刑、拘役或者管制，并处或者单处罚金。

第四款是关于单位犯公开披露、报道不公开审理的案件信息犯罪的规定。本款对犯公开披露、报道不公开审理的案件信息犯罪的单位采取双罚制。既对单位判处罚金，又对其直接负责的主管人员和其他直接责任人员，依照第一款的规定处罚，即处三年以下有期徒刑、拘役或者管制，并处或者单处罚金。

在刑法修正案（九）草案审议和征求意见过程中，有的意见提出，本条规定可能会对辩护、代理律师正常的执业活动，以及新闻媒体对案件进行正常报道和舆论监督造成负面影响，建议对是否增加本条规定慎重考虑。经对这方面意见认真研究，考虑到本条规定是为了保障人民法院依法独立公正行使审判权，保护当事人的合法权益，本罪的主体是包括司法工作人员在内的所有诉讼参与人，不是专门针对某个特定群体的。律师对于在执业活动中知悉的不公开审理的案件中不应当公开的信息，负有保密义务，对此律师法第三十八条已有明确规定，本条是在律师法规定的行政责任基础上进一步规定了刑事责任，严格了有关保密义务。良好的司法环境对于辩护、代理律师发挥执业才能，维护当事人的合法权益也是有利的。律师的正常执业活动不会因本条规定受到不利影响。同时，法律对于不公开审理的案件范围规定是明确的，新闻媒体对于涉及这类案件的新闻线索，应当谨慎处理，避免触及法律红线。新闻媒体对案件的正常报道和舆论监督活动，也不会因为本条规定受到负面影响。

第三百零九条*　有下列扰乱法庭秩序情形之一的，处三年以下有期徒刑、拘役、管制或者罚金：

（一）聚众哄闹、冲击法庭的；

（二）殴打司法工作人员或者诉讼参与人的；

（三）侮辱、诽谤、威胁司法工作人员或者诉讼参与人，不听法庭制止，严重

---

* 根据2015年8月29日第十二届全国人民代表大会常务委员会第十六次会议通过的《中华人民共和国刑法修正案（九）》修改。原条文是：“聚众哄闹、冲击法庭，或者殴打司法工作人员，严重扰乱法庭秩序的，处三年以下有期徒刑、拘役、管制或者罚金。”

扰乱法庭秩序的；

（四）有毁坏法庭设施，抢夺、损毁诉讼文书、证据等扰乱法庭秩序行为，情节严重的。

【释义】 本条是关于扰乱法庭秩序罪及其处罚的规定。

法庭是人民法院代表国家行使审判权，审理诉讼案件、进行诉讼活动的场所，是极其庄严的地方。良好的法庭秩序，体现了法律的权威和尊严，是审判人员依法公正履行审判职责和其他诉讼参与人充分行使诉讼权利的保障。最高人民法院制定的《人民法院法庭规则》对出庭的诉讼参与人和旁听法庭审判的人员应当遵守的行为规范作了规定，出庭的诉讼参与人和旁听人员应当严格遵守法庭规则，共同维护良好的法庭秩序。为惩治严重扰乱法庭秩序的行为，1997年刑法第三百零九条规定了扰乱法庭秩序罪。该条规定，聚众哄闹、冲击法庭，或者殴打司法工作人员，严重扰乱法庭秩序的，处三年以下有期徒刑、拘役、管制或者罚金。根据这一规定，对于有聚众哄闹法庭、聚众冲击法庭、殴打司法工作人员三种行为，严重扰乱法庭秩序的行为，应当依法追究刑事责任。刑事诉讼法、民事诉讼法也对严重扰乱法庭秩序的行为规定了处罚措施。刑事诉讼法第一百九十四条第二款规定，对聚众哄闹、冲击法庭或者侮辱、诽谤、威胁、殴打司法工作人员或者诉讼参与人，严重扰乱法庭秩序，构成犯罪的，依法追究刑事责任。民事诉讼法第一百一十条第三款规定，人民法院对哄闹、冲击法庭，侮辱、诽谤、威胁、殴打审判人员，严重扰乱法庭秩序的人，依法追究刑事责任；情节较轻的，予以罚款、拘留。这些规定对于依法惩治严重扰乱法庭秩序的行为，保障审判活动的顺利进行，发挥了积极的作用。

近年来，人民法院开庭审理的案件数量大幅增长，扰乱法庭秩序的行为也出现了新的情况和特点：一是形式多样，除1997年刑法第三百零九条规定的三种行为外，还有殴打司法工作人员以外的其他诉讼参与人，对司法工作人员或者其他诉讼参与人进行侮辱、诽谤、威胁，毁坏法庭的设施，抢夺、损毁诉讼文书、证据等。二是有些行为程度比较激烈，有的当庭殴打对方当事人及律师，有的诉讼参与人和旁听人员串谋，一起在法庭上起哄闹事、打砸法庭设施。从动机上看，有的行为人是因为与诉讼对方矛盾激化，或者因为亲人被害情绪难以控制，在法庭上作出严重扰乱法庭秩序的行为。也有的人是蓄意通过在法庭上制造事端，形成轰动效应，向审判机关施加压力，企图获得有利于己方的裁判结果，甚至以此显示自己的“能力”，作为承揽案件、获取经济利益的资本。这些严重扰乱法庭秩序的行为时有发生，成为妨害司法秩序，损害司法权威的突出问题。为此，有必要完善惩戒妨碍司法机关依法行使职权、藐视法庭权威的违法犯罪行为的法律规定。刑法修正案（九）草案研究起草过程中，有关司法机关和人大代表也多次建议对刑法有关规定进行修改完善,以适应新形势下惩治严重扰乱法庭秩序犯罪的要求。考虑到刑法关于扰乱法庭秩序罪的规定与刑事诉讼法、民事诉讼法有关维护法庭秩序的规定精神是一致的,为惩治藐视法庭权威、严重扰乱法庭秩序的行为,保障司法机关依法独立公正行使审判权,对刑法有关扰乱法庭秩序罪的规定进行修改完善是必要的。为此,《刑法修正案(九)》对1997年刑法第三百零九条进行了修改,增加规定了多种扰乱法庭秩序的犯罪行为,并对原条文的表述进行了完善:一是增加了殴打诉讼参与人的行为;二是增加了侮辱、诽谤、威胁司法工作人员或者诉讼参与人的行为;三是增加了毁坏法庭设施,抢夺诉讼文书、证据等行为。

本罪的主体主要是参加法庭审判活动的人员,包括当事人、辩护人、诉讼代理人、鉴定人等,也包括法庭上的旁听人员和非法进入法庭的人员。本罪的主观方面是故意犯罪。根据本条规定,本罪行为的本质特征是扰乱法庭秩序,即破坏了作为审判活动场所的法庭的正常秩序,对审判活动的正常进行造成妨害。本条分四项规定了四种扰乱法庭秩序的行为。

第一项是聚众哄闹、冲击法庭的行为。"聚众"一般是指纠集三人以上共同实施。聚众哄闹法庭,是指纠集众人在法庭上以喧哗、叫嚷、吹口哨等方式起哄捣乱,干扰诉讼活动正常进行的行为。聚众冲击法庭,是指纠集众人,在未得到法庭许可的情况进入法庭,甚至冲上审判台,致使法庭秩序混乱的行为。本条未规定对聚众哄闹、冲击法庭的只对首要分子进行处罚,但在司法实践中,应当主要对首要分子和在犯罪中起主要作用的人员进行处罚,对于被裹挟参与了哄闹、冲击法庭行为,情节显著轻微的人员,可以不作为犯罪处理。

第二项是殴打司法工作人员或者诉讼参与人的。本项在1997年刑法"殴打司法工作人员"规定的基础上,增加了殴打诉讼参与人的规定。对审判人员、公诉人、法警等司法工作人员,以及其他当事人、辩护或者代理律师等诉讼参与人实施殴打行为的,都构成本条规定的犯罪。这一规定,在进一步强化对法庭秩序的维护的同时,也加强了对诉讼参与人人身权利的保护。

第三项是侮辱、诽谤、威胁司法工作人员或者诉讼参与人,不听法庭制止,严重扰乱法庭秩序的。本项是《刑法修正案(九)》增加的规定,也是与刑事诉讼法第一百九十四条、民事诉讼法第一百一十条衔接的规定。"侮辱"是指公然诋毁他人人格,破坏他人名誉的行为。"诽谤"是指故意捏造事实,损害他人人格和名誉的行为。"威胁"是指以作出对他人人身、名誉或者社会公共利益不利的行为进行胁迫的行为。根据本项的规定,实施侮辱、诽谤、威胁司法工作人员或者诉讼参与人的行为,且不听法庭制止,严重扰乱法庭秩序的,才构成本条规定的犯罪。如果在法庭上因为一时控制不住情绪言辞激烈,经过法庭制止及时停止的，或者没有严重扰乱法庭秩序的，都不构成本条规定的犯罪。“严重扰乱法庭秩序”是指对法庭审判活动的正常进行造成严重妨害，致使审判活动难以进行或者无法进行，如造成司法工作人员难以或者无法继续履行职责，使庭审陷入双方当事人“骂战”无法正常进行等。

第四项是有毁坏法庭设施，抢夺、损毁诉讼文书、证据等扰乱法庭秩序行为，情节严重的。本项也是《刑法修正案（九）》增加的规定。法庭设施是公共财产，也是人民法院审判活动的重要物质保障，诉讼文书、证据则是诉讼活动中重要的文件材料。故意打砸、损坏法庭设施以发泄不满，抢夺、损毁诉讼文书、证据等行为，都是实践中常见的损害司法权威，妨害诉讼活动正常进行的扰乱法庭秩序的行为。为此，本项将有上述行为且情节严重的规定为犯罪。这里规定的“情节严重”，也是指对法庭秩序造成严重破坏，如毁坏法庭重要设施造成严重损失，损毁重要诉讼文书造成诉讼活动严重困难等。

本条对扰乱法庭秩序的犯罪规定了一档法定刑，即处三年以下有期徒刑、拘役、管制或者罚金。

本条规定有一个修改完善的过程。刑法修正案（九）草案提请审议和公开征求意见过程中，有意见提出第三项“侮辱、诽谤、威胁司法工作人员或者诉讼参与人”的规定，第四项“有其他严重扰乱法庭秩序行为”的规定，罪与非罪的界限不清楚，在执行中容易导致扩大化而滥用，有的担心该规定可能成为对律师进行打击报复的工具，造成律师执业环境恶化，不利于维护当事人的合法权益和司法公正，建议不作规定。经研究认为，第三项的规定与刑事诉讼法、民事诉讼法的有关规定是一致的，属于衔接性规定。从实践中的情况看，辩护、代理律师被殴打和侮辱、诽谤、威胁的情况也屡见不鲜，第三项的规定有利于维护法庭秩序，是对包括辩护、代理律师在内所有诉讼参与人的保护，所有诉讼参与人也都应当严格遵守该规定。第四项规定的“其他严重扰乱法庭秩序行为”，也是维护法庭秩序和司法权威的必要规范，同时，为进一步明确罪与非罪的界限，防止适用扩大化，将第四项修改为“有毁坏法庭设施，抢夺、损毁诉讼文书、证据等扰乱法庭秩序行为，情节严重的”，形成了最终的修正案文本。

还有两个需要说明的问题：

1. 关于本罪的追诉程序。根据刑事诉讼法关于案件管辖等规定，刑法第三百零九条规定的扰乱法庭秩序罪，由公安机关负责侦查，检察机关向人民法院提起公诉。在刑法修正案（九）研究、起草的过程中，有意见提出，扰乱法庭秩序的犯罪是“法官眼前的犯罪”，应当参照有些国家追究藐视法庭罪的程序，由人民法院直接审理作出判决，不要和其他普通刑事犯罪案件一样，经过公安机关侦查、检察机关审查起诉的程序。经过认真研究，考虑到人民法院、人民检察院和公安机关办理刑事案件,分工负责,互相配合,互相制约,是宪法和刑事诉讼法规定的基本原则。扰乱法庭秩序的犯罪虽然发生在“法官眼前”,但如果由人民法院直接审理、径行判决,在程序上制约不充分,不利于提高司法公信力。因此,对本罪的追诉程序未作修改,即扰乱法庭秩序的犯罪仍然由公安机关立案侦查,检察机关提起公诉,这有利于从诉讼程序上防止本条规定被滥用。

2. 关于本条规定适用的场所。本条规定的是扰乱法庭秩序的犯罪,这类犯罪发生的地点应该是在进行审判活动的法庭之内。刑法修正案(九)研究、起草和审议修改过程中,也有的意见提出将本罪修改为“扰乱审判秩序罪”,将扰乱人民法院除开庭审理案件以外的审判工作秩序的行为纳入本条规定的犯罪。经研究认为,法庭是国家进行审判活动的庄严场所,刑法对法庭秩序给予特别严格的保护,对于保障司法机关依法独立公正行使审判权具有重要意义。本条规定还是应当集中惩治在庭审过程中扰乱司法秩序的行为。对于在庭审以外的人民法院履行职责的活动中扰乱秩序的行为,如聚众冲击人民法院,在参加庭审以外的诉讼活动时殴打、侮辱、诽谤、威胁司法工作人员或者诉讼参与人等,可以根据刑法、治安管理处罚法关于聚众冲击国家机关、妨害公务等规定予以处罚。

第三百一十条　明知是犯罪的人而为其提供隐藏处所、财物,帮助其逃匿或者作假证明包庇的,处三年以下有期徒刑、拘役或者管制;情节严重的,处三年以上十年以下有期徒刑。

犯前款罪,事前通谋的,以共同犯罪论处。

【释义】　本条是关于窝藏、包庇罪及其处罚的规定。

第一款是关于窝藏、包庇的犯罪和处罚的规定。本条规定的犯罪是故意犯罪。“明知是犯罪的人”是本罪构成的主观要件。“明知是犯罪的人”,是指行为人已知道被包庇的人犯有罪行。在实践中,这种明知往往是犯罪的人告知行为人自己犯有罪行,但也有犯罪人并未明讲自己干了什么,可是从其言谈话语和向行为人提出的要求,行为人已可明确断定其犯罪。所以,这里的“明知”包括“应当知道”的含义。在办案中,认定行为人是否明知被窝藏、包庇的是犯罪的人,不能只凭犯罪嫌疑人、被告人的口供,而应根据行为人的行为和案件的情况,结合其口供综合予以认定。对于行为人确实不知对方为犯罪嫌疑人而为其提供财物的,不能认定为犯罪。如犯罪的人谎称丢了钱,借钱买车票等,不能认定行为人有帮助犯罪人隐匿的主观故意。本条规定了帮助犯罪人逃避法律追究的两种行为:1. 为犯罪人提供隐藏处所、财物,帮助其逃匿。这是指将自己的住处、管理的房屋提供给犯罪人或者给予犯罪人钱、物,包括食品、衣被等,帮助犯罪人隐藏或者逃跑，逃避法律追究。2. 作假证明包庇犯罪的人。这是指向司法机关提供假的证明来帮助犯罪分子逃避法律追究，如作假证明表示犯罪人不在犯罪现场等。上述两种犯罪行为，只要实施了行为之一，就构成本条规定的犯罪，根据本条规定，处三年以下有期徒刑、拘役或者管制；情节严重的，处三年以上十年以下有期徒刑。“情节严重”，是指帮助重大案犯逃匿或为其作假证明，使其逃避法律追究，帮助犯罪团伙、集团逃匿或者因其包庇行为造成严重后果等。

第二款是关于事先与犯罪分子通谋，帮助犯罪分子逃匿或者包庇犯罪分子的处刑规定。“事先通谋”，是指行为人与犯罪的人在其犯罪前已共同策划好，实施犯罪后由其帮助逃匿或作假证明帮助其逃避法律追究。根据本款规定，对于事先通谋犯本条规定之罪的，以共犯论处。如某人与他人合谋盗窃，事先商定如案发由其提供隐藏处所，而在犯罪后实施窝藏行为的，应以盗窃罪的共犯处理。

第三百一十一条*　明知他人有间谍犯罪或者恐怖主义、极端主义犯罪行为，在司法机关向其调查有关情况、收集有关证据时，拒绝提供，情节严重的，处三年以下有期徒刑、拘役或者管制。

【释义】　本条是关于拒绝向司法机关提供有关间谍犯罪、恐怖主义和极端主义犯罪的情况、证据的犯罪及其刑罚的规定。

间谍犯罪行为是一种严重危害国家安全的行为，且这种犯罪隐蔽性强，侦破难度较大。依法防范、制止和打击间谍行为，虽然是国家安全机关的职责，但维护国家安全，人人有责，同间谍犯罪的斗争，需要广大人民群众和社会组织的支持与配合，为保证对间谍犯罪行为的有效惩处，1993 年制定国家安全法时明确规定：“明知他人有间谍犯罪行为，在国家安全机关向其调查有关情况、收集有关证据时，拒绝提供的，由其所在单位或者上级主管部门予以行政处分，或者由国家安全机关处十五日以下拘留；情节严重的，比照刑法第一百六十二条的规定处罚。”即适用刑法规定的窝藏、包庇罪。1997 年修订刑法时，根据惩处间谍犯罪的特殊需要，明确规定了拒绝提供间谍犯罪证据罪。近年来，恐怖主义、极端主义已成为影响世界和平与发展的重要因素，在这一背景下，针对我国的暴力恐怖活动和宗教极端事件呈多发频发态势，对国家安全、政治稳定、经济社会发展、民族团结和人民生命安全构成了严重威胁。为打击恐怖主义、极端主

* 根据 2015 年 8 月 29 日第十二届全国人民代表大会常务委员会第十六次会议通过的《中华人民共和国刑法修正案（九）》修改。原条文是：“明知他人有间谍犯罪行为，在国家安全机关向其调查有关情况、收集有关证据时，拒绝提供，情节严重的，处三年以下有期徒刑、拘役或者管制。”

义犯罪,2015年8月29日第十二届全国人大常委会第十六次会议通过的《刑法修正案(九)》对本条作了两处修改:一是扩大了本条的适用范围,增加了明知他人有恐怖主义、极端主义犯罪行为而拒绝提供证据的犯罪;二是相应将"国家安全机关"改为"司法机关"。这样修改,主要考虑到恐怖主义、极端主义犯罪严重危害国家安全和人民群众生命财产安全,且具有较强的隐蔽性,为有效打击恐怖主义、极端主义犯罪行为,需要了解情况的人和有关组织在司法机关向其调查取证时提供所知悉的情况和证据,不得以各种借口拒绝,对于拒绝提供情况和证据的,增加规定了刑事责任。

根据本条规定,构成本罪需要符合以下条件:

1. 行为人必须明知他人有间谍犯罪或者恐怖主义、极端主义犯罪行为。"明知他人有间谍犯罪或者恐怖主义、极端主义犯罪行为"是构成本罪的主观要件。这里的"明知",是指行为人主观上知道或者应当知道,既包括知道他人实施间谍犯罪或者恐怖主义、极端主义犯罪行为的全部情况,也包括知道部分情况。行为人的主观动机可能是多种多样的,有的是怕影响自己的名声,有的是怕将来遭到打击报复,有的是怕麻烦等,无论动机是什么,都不影响本罪的成立。这里的"他人",是指实施间谍犯罪或者恐怖主义、极端主义犯罪行为的人。

"间谍犯罪行为",主要是指反间谍法第三十八条规定的构成犯罪的间谍行为,包括:(1)间谍组织及其代理人实施或者指使、资助他人实施,或者境内外机构、组织、个人与其相勾结实施的危害中华人民共和国国家安全的活动;(2)参加间谍组织或者接受间谍组织及其代理人的任务的;(3)间谍组织及其代理人以外的其他境外机构、组织、个人实施或者指使、资助他人实施,或者境内机构、组织、个人与其相勾结实施的窃取、刺探、收买或者非法提供国家秘密或者情报,或者策动、引诱、收买国家工作人员叛变的活动;(4)为敌人指示攻击目标的;(5)进行其他间谍活动的。"恐怖主义犯罪行为",主要是指通过暴力、破坏、恐吓等手段,制造社会恐慌、危害公共安全、侵犯人身财产等犯罪行为,包括组织、策划、实施放火、爆炸、杀人、绑架等造成或者意图造成人员伤亡、重大财产损失、公共设施损坏、社会秩序混乱等严重社会危害的活动的;组织、领导、参加恐怖活动组织的;为恐怖活动组织或者人员提供信息、资金、物资设备或者技术、场所等支持、协助、便利的;宣扬恐怖主义或者煽动实施恐怖活动的等。"极端主义犯罪行为",主要是指以歪曲宗教教义或者其他方法煽动仇恨、煽动歧视、崇尚暴力等极端主义,构成犯罪的行为,包括宣扬极端主义或者利用极端主义煽动、胁迫群众破坏国家法律确立的婚姻、司法、教育、社会管理等制度实施等犯罪行为。

2. 行为人实施了在司法机关向其调查有关情况、收集有关证据时,拒绝提供的行为。根据反间谍法规定,国家安全机关是反间谍的主管机关。刑事诉讼法规定,对刑事案件的侦查、拘留、执行逮捕、预审,由公安机关负责,检察、批准逮捕、提起公诉,由人民检察院负责,审判由人民法院负责。根据上述规定,这里的"司法机关",主要是指负有侦查、检察、审判职责的机关,即国家安全机关、公安机关、人民检察院、人民法院。

"调查有关情况",主要是指司法机关调查了解间谍犯罪或者恐怖主义、极端主义犯罪及其有关情况,不仅包括间谍犯罪或者恐怖主义、极端主义犯罪行为本身的情况,还包括参加犯罪活动的人、线索以及方法、手段、时间、地点等情况。这种调查既包括立案前的一般调查,也包括立案后的调查询问。"收集有关证据",主要是指侦查人员根据刑事诉讼法所规定的侦查程序收集有关间谍犯罪或者恐怖主义、极端主义犯罪的证据材料,既包括能够证明间谍犯罪或者恐怖主义、极端主义犯罪真实情况的证人证言,也包括有关书证、物证,如犯罪活动的工具、密写信、活动方案、组织名单等,以及视听资料、电子数据等。"拒绝提供",包括拒绝向司法机关讲述其了解的相关情况,拒绝向司法机关提交有关证据。

3. 构成本罪必须达到"情节严重"的程度,即拒绝提供间谍犯罪或者恐怖主义、极端主义犯罪有关情况、证据的行为,必须是情节严重的才能构成本罪。"情节严重",包括行为人在司法机关要求提供证据时进行暴力抗拒的;或者行为人拒不提供证据手段恶劣的;或者由于行为人的不配合而延误对间谍犯罪、恐怖主义、极端主义犯罪案件的侦破,致使犯罪分子逃避法律追究或致使国家安全、利益遭受损害的;或者妨害了司法机关执行维护国家安全任务等情形。如果行为人虽然实施了拒绝提供证据的行为,但没有影响到司法机关的正常活动,没有造成危害国家安全或恐怖活动,没有使犯罪分子逃避法律制裁等严重后果的,则不构成本罪。

根据本条规定,犯本罪的,处三年以下有期徒刑、拘役或者管制。

第三百一十二条*　明知是犯罪所得及其产生的收益而予以窝藏、转移、收

---

* 本条经过两次修改。

根据 2006 年 6 月 29 日第十届全国人民代表大会常务委员会第二十二次会议通过的《中华人民共和国刑法修正案(六)》第一次修改。原条文是:"明知是犯罪所得的赃物而予以窝藏、转移、收购或者代为销售的,处三年以下有期徒刑、拘役或者管制,并处或者单处罚金。"

根据 2009 年 2 月 28 日第十一届全国人民代表大会常务委员会第七次会议通过的《中华人民共和国刑法修正案(七)》第二次修改。第一次修改后的条文是:"明知是犯罪所得及其产生的收益而予以窝藏、转移、收购、代为销售或者以其他方法掩饰、隐瞒的,处三年以下有期徒刑、拘役或者管制,并处或者单处罚金;情节严重的,处三年以上七年以下有期徒刑,并处罚金。"

购、代为销售或者以其他方法掩饰、隐瞒的,处三年以下有期徒刑、拘役或者管制,并处或者单处罚金;情节严重的,处三年以上七年以下有期徒刑,并处罚金。

单位犯前款罪的,对单位判处罚金,并对其直接负责的主管人员和其他直接责任人员,依照前款的规定处罚。

【释义】 本条是关于掩饰、隐瞒犯罪所得、犯罪所得收益罪及其处罚的规定。

赃物往往是犯罪分子进行犯罪活动所追求的最终目标和价值,也是刑事诉讼中的重要物证,追查、获取赃物,对于掌握犯罪证据、阻止犯罪分子获得经济利益,具有重要意义。随着经济社会的发展,一些图利性的犯罪规模也在不断扩大,一些犯罪分子通过犯罪活动获得了巨额的财产,并以犯罪所得进行投资经营,又产生新的收益,为进一步扩大犯罪规模提供了更有利的条件。1997 年修改刑法时,为了适应形势的需要,进一步打击洗钱犯罪行为,专门规定了洗钱罪。考虑到洗钱犯罪的上游犯罪限于有限的几类犯罪,对于将其他犯罪的违法所得及其收益进行窝藏或者隐瞒和掩饰的行为以及单位的这类行为,也需要依法进行打击,故《刑法修正案(六)》和《刑法修正案(七)》对 1997 年刑法第三百一十二条作了修改补充,主要有四处:一是将本条规定的犯罪对象由"犯罪所得的赃物"扩大为所有"犯罪所得及其产生的收益"。二是将刑法原条文规定的犯罪行为由"窝藏、转移、收购或者代为销售"扩大为所有"掩饰、隐瞒"。三是加重了对这种犯罪的刑罚,增加了一档刑,即"情节严重的,处三年以上七年以下有期徒刑,并处罚金"。四是增加了单位犯罪的规定。上述修改补充、严密了打击掩饰、隐瞒犯罪所得及其收益的犯罪的法网,对于掩饰、隐瞒毒品犯罪等七种严重犯罪的所得及其收益的行为,以洗钱罪打击;对于掩饰、隐瞒其他犯罪所得及其收益的行为,以本条规定的犯罪追究刑事责任。

第一款是关于对犯罪所得及其产生的收益予以掩饰、隐瞒的犯罪及其处罚的规定。构成本款规定的犯罪需要具备以下条件:1. 行为人是故意犯罪。即明知是犯罪所得及其产生的收益而故意予以掩饰、隐瞒的,本条规定的"犯罪所得及其产生的收益"与本法第一百九十一条规定的范围和含义是相同的。2. 行为人实施了窝藏、转移、收购、代为销售或者以其他方法掩饰、隐瞒犯罪所得及其收益的行为。这里规定的"窝藏"是广义的,是指使用各种方法将犯罪所得及其收益隐藏起来,不让他人发现或者替犯罪分子保存而使司法机关无法获取以及违法的持有、使用等。"转移",是指将犯罪所得及其收益转移到他处,使侦查机关不能查获。"收购",是指以出卖为目的收买犯罪所得及其收益。"代为销售",是指代替犯罪分子将犯罪所得及其收益卖出的行为。"其他方法掩饰、隐瞒",是指以窝藏、转移、收购、代为销售以外的各种方法掩饰、隐瞒犯罪所得及其收益，如银行转账、投资经营、汇往境外等。根据《最高人民法院关于审理掩饰、隐瞒犯罪所得、犯罪所得收益刑事案件适用法律若干问题的解释》，明知是犯罪所得及其产生的收益而予以窝藏、转移、收购、代为销售或者以其他方法掩饰、隐瞒，具有下列情形之一的，应当依照本条的规定，以掩饰、隐瞒犯罪所得、犯罪所得收益罪定罪处罚：(1)掩饰、隐瞒犯罪所得及其产生的收益价值三千元至一万元以上的；(2)一年内曾因掩饰、隐瞒犯罪所得及其产生的收益行为受过行政处罚，又实施掩饰、隐瞒犯罪所得及其产生的收益行为的；(3)掩饰、隐瞒的犯罪所得系电力设备、交通设施、广播电视设施、公用电信设施、军事设施或者救灾、抢险、防汛、优抚、扶贫、移民、救济款物的；(4)掩饰、隐瞒行为致使上游犯罪无法及时查处，并造成公私财物损失无法挽回的；(5)实施其他掩饰、隐瞒犯罪所得及其产生的收益行为，妨害司法机关对上游犯罪进行追究的。

本款规定了两档刑罚：明知是犯罪所得及其产生的收益而予以窝藏、转移、收购、代为销售或者以其他方法掩饰、隐瞒的，处三年以下有期徒刑、拘役或者管制，并处或者单处罚金；情节严重的，处三年以上七年以下有期徒刑，并处罚金。《最高人民法院关于审理掩饰、隐瞒犯罪所得、犯罪所得收益刑事案件适用法律若干问题的解释》也对“情节严重”的具体标准作了规定。

第二款是关于单位犯罪的规定。本款规定，单位犯前款罪的，对单位判处罚金，并对其直接负责的主管人员和其他直接责任人员，依照前款的规定处罚。

实践中需要注意以下四点：1. 犯罪团伙、集团在犯罪中分工负责掩饰、隐瞒犯罪所得及其收益的，应以该犯罪的共犯论处。2. 犯罪行为人本人掩饰、隐瞒犯罪所得及其收益的，只按其所犯罪行处罚，而不再以本条规定数罪并罚。3. 行为人与犯罪分子事前通谋，事后对犯罪所得予以掩饰、隐瞒的，应按犯罪的共犯追究刑事责任。4. 认定掩饰、隐瞒犯罪所得、犯罪所得收益罪，以上游犯罪事实成立为前提。上游犯罪尚未依法裁判，但查证属实的，不影响掩饰、隐瞒犯罪所得、犯罪所得收益罪的认定。上游犯罪事实经查证属实，但因行为人未达到刑事责任年龄等原因依法不予追究刑事责任的，也不影响掩饰、隐瞒犯罪所得、犯罪所得收益罪的认定。

2014 年 4 月 24 日第十二届全国人大常委会第八次会议通过了《关于〈中华人民共和国刑法〉第三百四十一条、第三百一十二条的解释》，根据这一法律解释，知道或者应当知道是刑法第三百四十一条第二款规定的非法狩猎的野生动物而购买的，属于刑法第三百一十二条第一款规定的明知是犯罪所得而收购的行为，应当根据本条的规定定罪处以刑罚。根据《最高人民法院关于审理掩饰、隐瞒犯罪所得、犯罪所得收益刑事案件适用法律若干问题的解释》，明知是非法狩猎的野生动物而收购，数量达到五十只以上的，以掩饰、隐瞒犯罪所得罪定罪处罚。

第三百一十三条[*]　**对人民法院的判决、裁定有能力执行而拒不执行，情节严重的，处三年以下有期徒刑、拘役或者罚金；情节特别严重的，处三年以上七年以下有期徒刑，并处罚金。**

单位犯前款罪的，对单位判处罚金，并对其直接负责的主管人员和其他直接责任人员，依照前款的规定处罚。

【释义】　本条是关于拒不执行判决、裁定罪及其处罚的规定。

为了维护人民法院的正常工作秩序和国家司法权的权威和严肃性，保证人民法院判决、裁定的执行，本条规定了拒不执行判决、裁定罪。目前经济生活中欠债不还的现象较为突出，有些债务人有能力还债而赖账不还，甚至经人民法院判决、裁定，仍采取转移财产等方式拒不履行法院判决、裁定所确定的义务，严重妨害司法秩序，损害债权人的合法权益，扰乱社会主义市场经济健康发展。由于在司法实践中，一些部门对本条的认识存在不一致，对有些国家机关工作人员搞部门和地方保护主义，利用职权严重干扰人民法院的执行工作，致使人民法院的判决、裁定不能执行的行为，需要作出进一步明确规定。2002 年 8 月 29 日第九届全国人民代表大会常务委员会第二十九次会议对本条作出立法解释，明确了本条规定的"人民法院的判决、裁定"和"有能力执行而拒不执行，情节严重"的含义，并对国家机关工作人员利用职权妨害执行，致使判决、裁定无法执行的情形如何追究刑事责任作了具体规定。

在刑法修正案(九)的研究过程中，有关部门、一些全国人大代表和专家学者提出，刑法第三百一十三条关于拒不执行人民法院判决、裁定犯罪的规定在实践中执行的效果不够理想，"执行难"的问题尚未根本解决，不仅不利于对债权人合法权益的保护，而且不利于司法权威的树立和维护。建议加大对拒不执行判决、裁定罪的处罚力度，增强刑法的威慑力。同时，根据实践中出现的对单位犯本罪在刑法上无处罚依据的问题，建议在本条中增加单位犯罪的相关规定。立法机关经反复研究，在《刑法修正案(九)》中对本条作了两处修改：一是增加了一档法定刑，规定"情节特别严重的，处三年以上七年以下有期徒刑，并处罚金"。二是增加了一款，作为第二款，对单位犯罪及其处罚作了明确，规定"单位犯前款罪的，对单位判处罚金，并对其直接负责的主管人员和其他直接责任人员，依照前款的规定处罚"。

第一款是关于拒不执行判决、裁定罪及其处罚的规定。根据本款规定，拒

---

* 根据 2015 年 8 月 29 日第十二届全国人民代表大会常务委员会第十六次会议通过的《中华人民共和国刑法修正案(九)》修改。原条文是："对人民法院的判决、裁定有能力执行而拒不执行，情节严重的，处三年以下有期徒刑、拘役或者罚金。"

不执行判决、裁定罪,是指对人民法院的判决、裁定有能力执行而拒不执行,情节严重的行为。实践中认定本罪,要注意从以下几个方面掌握:

1.本罪拒不执行的对象是人民法院的判决、裁定。根据全国人大常委会立法解释的规定,本条规定的"人民法院的判决、裁定",是指人民法院依法作出的具有执行内容并已经发生法律效力的判决、裁定。人民法院为依法执行支付令、生效的调解书、仲裁裁决、公证债权文书所作的裁定属于本条规定的裁定。人民法院的判决是人民法院经过审理就案件的实体问题作出的决定;裁定是人民法院在诉讼或者判决执行过程中,对诉讼程序和部分实体问题所作的决定。对于人民法院的生效判决、裁定确定的执行内容,有关当事人应当按照要求及时履行。生效判决、裁定,包括已经超过法定上诉、抗诉期限而没有上诉、抗诉的判决、裁定以及人民法院终审的判决、裁定等。没有发生法律效力的判决、裁定,因为不具备依法执行的条件,自然不会出现拒不执行的问题。需要注意的是,虽然实践中作为本罪拒不执行对象的判决和裁定,主要是人民法院审理民事案件所作的判决和裁定。但从法律规定上讲,刑事案件、行政案件的判决和裁定也属于本条规定的"判决、裁定"。《刑法修正案(九)》还在本法第三十七条之一中专门明确,违反人民法院作出的禁止从事相关职业的决定,情节严重的,依照本法第三百一十三条的规定定罪处罚。

2.要有能力执行。有能力执行,是指根据人民法院查实的证据证明负有执行人民法院判决、裁定义务的人有可供执行的财产或者具有履行特定行为义务的能力。倘若没有能力执行,如执行义务人没有可供执行的财产而无法履行判决、裁定确定的义务的,不能构成本罪。对于实践中经常发生的,行为人为逃避义务,采取隐瞒、转移、变卖、赠送、毁损自己财产等方式而造成无法执行的,仍属于有能力执行,构成犯罪的,应以本罪处罚。

3.要有拒不执行的行为。拒不执行,是指对人民法院生效判决、裁定所确定的义务采取各种手段拒绝执行。既可以采取积极的作为,如转移、变卖、损毁执行标的等,也可以是消极的不作为,如对人民法院的判决、裁定置之不理;既可以是公开拒绝执行,也可以是暗地里拒绝执行。不论其方式如何,只要有能力执行而拒不执行,情节严重的,即可构成本罪。

4.必须达到情节严重的程度。情节尚不严重的,不能以犯罪处罚。根据全国人大常委会立法解释的规定,下列情形属于本条规定的"有能力执行而拒不执行,情节严重"的情形:(1)被执行人隐藏、转移、故意毁损财产或者无偿转让财产、以明显不合理的低价转让财产,致使判决、裁定无法执行的;(2)担保人或者被执行人隐藏、转移、故意毁损或者转让已向人民法院提供担保的财产,致使判决、裁定无法执行的;(3)协助执行义务人接到人民法院协助执行通知书后,拒不协助执行，致使判决、裁定无法执行的；(4)被执行人、担保人、协助执行义务人与国家机关工作人员通谋，利用国家机关工作人员的职权妨害执行，致使判决、裁定无法执行的；(5)其他有能力执行而拒不执行，情节严重的情形。2015年7月20日，最高人民法院发布《最高人民法院关于审理拒不执行判决、裁定刑事案件适用法律若干问题的解释》，对上述立法解释中“其他有能力执行而拒不执行，情节严重的情形”进一步作了明确，规定负有执行义务的人有能力执行而实施下列行为之一的，应当认定为全国人民代表大会常务委员会关于刑法第三百一十三条的解释中规定的“其他有能力执行而拒不执行，情节严重的情形”：(1)具有拒绝报告或者虚假报告财产情况、违反人民法院限制高消费及有关消费令等拒不执行行为，经采取罚款或者拘留等强制措施后仍拒不执行的；(2)伪造、毁灭有关被执行人履行能力的重要证据，以暴力、威胁、贿买方法阻止他人作证或者指使、贿买、胁迫他人作伪证，妨碍人民法院查明被执行人财产情况，致使判决、裁定无法执行的；(3)拒不交付法律文书指定交付的财物、票证或者拒不迁出房屋、退出土地，致使判决、裁定无法执行的；(4)与他人串通，通过虚假诉讼、虚假仲裁、虚假和解等方式妨害执行，致使判决、裁定无法执行的；(5)以暴力、威胁方法阻碍执行人员进入执行现场或者聚众哄闹、冲击执行现场，致使执行工作无法进行的；(6)对执行人员进行侮辱、围攻、扣押、殴打，致使执行工作无法进行的；(7)毁损、抢夺执行案件材料、执行公务车辆和其他执行器械、执行人员服装以及执行公务证件，致使执行工作无法进行的；(8)拒不执行法院判决、裁定，致使债权人遭受重大损失的。

5. 本罪是特殊主体，主要是指有义务执行人民法院判决、裁定的当事人。根据民事诉讼法的有关规定，对判决、裁定负有协助执行义务的个人和单位，也可以成为本罪的主体。

关于国家机关工作人员利用职权妨害执行，致使判决、裁定无法执行的情形，根据全国人大常委会立法解释的规定，国家机关工作人员有利用职权妨害执行，致使判决、裁定无法执行的行为的，以拒不执行判决、裁定罪的共犯追究刑事责任。国家机关工作人员收受贿赂或者滥用职权，有上述行为的，同时又构成刑法第三百八十五条、第三百九十七条规定之罪的，依照处罚较重的规定定罪处罚。

本款对拒不执行判决、裁定罪规定了两档刑罚，即情节严重的，处三年以下有期徒刑、拘役或者罚金；情节特别严重的，处三年以上七年以下有期徒刑，并处罚金。

第二款是关于单位犯罪的规定。这里规定的“单位”，包括公司、企业、事业单位、机关、团体。根据本款规定，单位对人民法院的判决、裁定有能力执行而拒不执行,情节严重,构成犯罪的,对单位判处罚金,并对单位直接负责的主管人员和其他直接责任人员,依照第一款的规定处罚。

第三百一十四条　隐藏、转移、变卖、故意毁损已被司法机关查封、扣押、冻结的财产,情节严重的,处三年以下有期徒刑、拘役或者罚金。

【释义】　本条是关于非法处置查封、扣押、冻结的财产罪及其处罚的规定。

本条规定的犯罪对象是已被司法机关查封、扣押、冻结的财产。“查封”,是指被司法机关签封,这种签封应载明查封日期、查封单位并盖章。物品一经司法机关查封,未经查封机关批准不得私自开封、使用,更不得变卖、转移。“扣押”,是指司法机关因办案需要将与案件有关的物品暂时扣留。这种扣押,一般是将物品扣在司法机关,但一些大宗物品也可扣押在仓库等地。“冻结”,主要是指冻结与案件相关的资金账户,一旦冻结,不经依法解冻,该项资金不得私自使用,更不得转移。本条共规定了四种行为:1. 隐藏被司法机关查封、扣押的物品。2. 转移已被查封、扣押、冻结的财产。主要是指将已被查封、扣押的物品转移到他处,脱离司法机关的掌握,或者将已被冻结的资金私自取出或转移到其他账户。3. 变卖已被司法机关查封、扣押的物品,即将已被查封、扣押的物品以各种形式卖给他人。4. 故意毁损已被司法机关查封、扣押的物品。这种“毁损”是指使用破坏性手段使物品失去原貌,失去原来具有的使用价值和价值。上述四种行为,不论发生在刑事诉讼或民事、行政诉讼中,只要具有其中之一,情节严重的就可构成本罪。“情节严重”,主要是指隐藏、转移、变卖、故意毁损已被司法机关查封、扣押、冻结的财产,严重妨害了诉讼活动的正常进行或者使国家、集体、人民的利益遭受了重大损失。犯本罪的,处三年以下有期徒刑、拘役或者罚金。

需要指出的是,本条规定的隐藏、转移、变卖、故意毁损已被司法机关查封、扣押、冻结的财产的行为不仅限于刑事诉讼,也包括在民事、行政诉讼中的行为。

第三百一十五条　依法被关押的罪犯,有下列破坏监管秩序行为之一,情节严重的,处三年以下有期徒刑:

(一)殴打监管人员的;

(二)组织其他被监管人破坏监管秩序的;

(三)聚众闹事,扰乱正常监管秩序的;

(四)殴打、体罚或者指使他人殴打、体罚其他被监管人的。

【释义】　本条是关于破坏监管秩序罪及其处罚的规定。

根据本条规定，破坏监管秩序犯罪，是指依法被关押的罪犯，有下列破坏监管秩序行为之一，情节严重的行为：殴打监管人员的；组织其他被监管人破坏监管秩序的；聚众闹事，扰乱正常监管秩序的；殴打、体罚或者指使他人殴打、体罚其他被监管人的。"依法被关押的罪犯"，是指依照法定程序，经人民法院判决有罪并被判处剥夺人身自由的刑罚，送到监狱或者其他执行场所执行刑罚的罪犯。"破坏监管秩序"，是指以各种方式破坏对罪犯进行监管的工作正常进行。"殴打监管人员"，是指用拳脚、棍棒等对刑罚执行场所的人民警察及其他管理人员实施暴力打击、伤害的行为。"组织其他被监管人破坏监管秩序"，是指公开或者暗中授意、策动、指使其他被依法关押的罪犯违反监狱的纪律和管理秩序。"聚众闹事，扰乱正常监管秩序"，是指策动、纠集多名被监管人闹事，扰乱监狱的生产、生活等方面的正常秩序。"殴打、体罚或者指使他人殴打、体罚其他被监管人"，是指对其他被监管人进行殴打及身体上的折磨，或者指使被监管人对其他被监管人进行殴打及身体上的折磨。实施以上破坏监管秩序的行为，可以在监狱等执行场所，也可以在外出劳动作业的场所或者在押解途中。以上破坏监管秩序的行为，情节严重的才构成犯罪。"情节严重"，是指多次实施上述破坏监管秩序行为的，实施上述破坏监管秩序行为造成严重影响的，造成严重后果的，等等。根据本条规定，对破坏监管秩序犯罪，处三年以下有期徒刑。

第三百一十六条　依法被关押的罪犯、被告人、犯罪嫌疑人脱逃的，处五年以下有期徒刑或者拘役。

劫夺押解途中的罪犯、被告人、犯罪嫌疑人的，处三年以上七年以下有期徒刑；情节严重的，处七年以上有期徒刑。

【释义】　本条是关于脱逃罪、劫夺被押解人员罪及其处罚的规定。

第一款是关于脱逃犯罪及处罚的规定。根据本条规定，脱逃犯罪，是指依法被关押的罪犯、被告人、犯罪嫌疑人脱逃的行为。这里所说的依法被关押的罪犯，是指经过法定程序，被人民法院定罪处刑并被关押的人；依法被关押的被告人，是指依照法定程序，被司法机关逮捕关押，正在接受人民法院审判的人；依法被关押的犯罪嫌疑人，是指依照法定程序，被司法机关拘留、逮捕，正在接受侦查、审查起诉的人。本条将依法被关押的被告人、犯罪嫌疑人也规定为本罪的主体，主要是为了维护看守所的秩序以及司法机关依法办案的权威和严肃性。被非法关押的人脱逃的，不构成本罪。"脱逃"，是指行为人逃离司法机关的监管场所的行为，主要是指从监狱、看守所等监管场所逃跑，也包括在押解途中逃跑。根据本款规定，犯脱逃罪的，处五年以下有期徒刑或者拘役。

第二款是关于劫夺押解途中的罪犯、被告人、犯罪嫌疑人的犯罪及处罚的规定。本罪在客观方面表现为行为人实施了劫夺押解途中的罪犯、被告人、犯罪嫌疑人的行为。这里的“劫夺”,是指以暴力、威胁等手段,将罪犯、被告人、犯罪嫌疑人从司法机关工作人员的押解控制中夺走的行为。劫夺行为,有的针对押解人员实施,有的针对押解的车辆、船只等实施。本罪的犯罪对象是正在押解途中的罪犯、被告人、犯罪嫌疑人,劫夺的对象不是正在押解途中的,不构成本罪。根据本款规定,犯劫夺被押解人员罪的,处三年以上七年以下有期徒刑;情节严重的,处七年以上有期徒刑。“情节严重”,主要是指劫夺重刑犯或者重大案件的被告人、犯罪嫌疑人;多人进行劫夺或者劫夺多人的;持械劫夺的;社会影响恶劣的;造成严重后果的等。

第三百一十七条　组织越狱的首要分子和积极参加的,处五年以上有期徒刑;其他参加的,处五年以下有期徒刑或者拘役。

暴动越狱或者聚众持械劫狱的首要分子和积极参加的,处十年以上有期徒刑或者无期徒刑;情节特别严重的,处死刑;其他参加的,处三年以上十年以下有期徒刑。

【释义】　本条是关于组织越狱罪、暴动越狱罪、聚众持械劫狱罪及其处罚的规定。

第一款是关于组织越狱犯罪及处罚的规定。本罪在客观方面表现为有组织、有计划地从狱中逃跑的行为。“组织越狱”,是指在首要分子的组织、策划、指挥下,在押人员进行周密准备,选择一定的方法、手段和时机,实施集体从监狱、看守所逃跑,逃避依法继续关押或者执行刑罚的行为。有组织越狱的犯罪行为,是聚众实施的犯罪。行为人单独实施越狱犯罪的,依照本法第三百一十六条第一款脱逃罪的规定定罪处刑。本条的“首要分子”,是指组织越狱犯罪的组织、策划、指挥者;“积极参加的”,是指主动、积极参加有组织的越狱犯罪或者在犯罪中起重要作用的人;“其他参加的”,是指在有组织的越狱犯罪中,除了首要分子和积极参加者以外的其他参加犯罪的人员。本款对有组织越狱犯罪,区分行为人在犯罪中的地位和作用大小,规定了不同的处刑:对首要分子和积极参加的,处五年以上有期徒刑;对其他参加的,处五年以下有期徒刑或者拘役。

第二款是关于暴动越狱犯罪、聚众持械劫狱犯罪的处罚规定。“暴动越狱”,是指监狱、看守所中的被关押人,使用暴力手段,聚众逃跑的行为。这里的暴力手段主要有殴打、杀害监管人员或警卫人员,用暴力捣毁、破坏监狱设施,抢劫、抢夺枪支弹药,暴力冲闯监门等。这种暴动越狱一般都是有组织、有计划的行为,其行为方式除施加暴力外,其他与组织越狱相同,是从组织越狱罪中分离出来的一种更为严重的犯罪。“聚众持械劫狱”,是指在首要分子的组织、策划、指挥下，使用棍棒、刀具、武器等，实施暴力抢走狱中、刑场上的罪犯、被告人、犯罪嫌疑人的行为。本条对暴动越狱犯罪、聚众持械劫狱犯罪的，区分行为人在实施犯罪中的地位、作用以及情节轻重，规定了不同的处刑：对首要分子和积极参加的，处十年以上有期徒刑或者无期徒刑；对情节特别严重的，处死刑；对其他参加的，处三年以上十年以下有期徒刑。"情节特别严重"，是指暴动越狱或者聚众劫狱造成特别严重后果的；行为手段特别残忍的；政治和社会影响特别恶劣的等。

第三节　妨害国(边)境管理罪

第三百一十八条　组织他人偷越国(边)境的，处二年以上七年以下有期徒刑，并处罚金；有下列情形之一的，处七年以上有期徒刑或者无期徒刑，并处罚金或者没收财产：

(一)组织他人偷越国(边)境集团的首要分子；

(二)多次组织他人偷越国(边)境或者组织他人偷越国(边)境人数众多的；

(三)造成被组织人重伤、死亡的；

(四)剥夺或者限制被组织人人身自由的；

(五)以暴力、威胁方法抗拒检查的；

(六)违法所得数额巨大的；

(七)有其他特别严重情节的。

犯前款罪，对被组织人有杀害、伤害、强奸、拐卖等犯罪行为，或者对检查人员有杀害、伤害等犯罪行为的，依照数罪并罚的规定处罚。

【释义】　本条是关于组织他人偷越国(边)境罪及其处罚的规定。

第一款是关于组织他人偷越国(边)境的犯罪及处罚的规定。"组织他人偷越国(边)境"，是指未经办理有关出入国(边)境证件和手续，领导、策划、指挥他人偷越国(边)境或者在首要分子指挥下，实施拉拢、引诱、介绍他人偷越国(边)境等行为。"国境"，是指我国与外国的国界；"边境"，是指我国大陆与港、澳、台地区的交界。本罪是故意犯罪，一般具有营利目的。本款规定的"组织他人偷越国(边)境集团的首要分子"，是指策划、领导、指挥、组织他人偷越国(边)境集团的犯罪分子。"多次组织他人偷越国(边)境或者组织他人偷越国(边)境人数众多的"，一般是指组织他人偷越国(边)境三次以上的；或者组织众多的人偷越国(边)境的，这里的"人数众多"，一般是指组织他人偷越国(边)境人数在十人以上。"造成被组织人重伤、死亡的"，是指在组织偷越国(边)境过程中,由于运输工具出现故障等原因导致伤亡事故或者导致被组织人自杀等,造成被组织人重伤、死亡后果的。“剥夺或者限制被组织人人身自由的”,是指采取强制方法对被组织人人身自由进行剥夺和限制的。“以暴力、威胁方法抗拒检查的”,是指在组织他人偷越国(边)境犯罪活动过程中,行为人对边防、海关等依法执行检查任务的人员实施殴打、阻挠干涉或者以杀害、伤害、损害名誉等相要挟,阻止执法人员依法进行检查的行为。“违法所得数额巨大的”,是指以牟利为目的组织他人偷越国(边)境,获取巨大数额的利益的。“有其他特别严重情节的”,是指除以上六种情节以外,具有其他后果特别严重、手段特别残忍、影响特别恶劣等特别严重的情节。本款根据不同情节,规定了两档处刑:一是对一般的组织他人偷越国(边)境犯罪,处二年以上七年以下有期徒刑,并处罚金;二是具有本款规定的七种严重情形之一的,处七年以上有期徒刑或者无期徒刑,并处罚金或者没收财产。

第二款是关于犯组织他人偷越国(边)境罪同时又有其他犯罪行为应当如何处罚的规定。根据本条规定,犯前款罪,对被组织人有杀害、伤害、强奸、拐卖等犯罪行为,或者对检查人员有杀害、伤害等犯罪行为的,按照组织他人偷越国(边)境罪、故意杀人罪、故意伤害罪、强奸罪、拐卖妇女、儿童罪等分别定罪量刑,然后再依照本法第六十九条的规定实行数罪并罚。

第三百一十九条　以劳务输出、经贸往来或者其他名义,弄虚作假,骗取护照、签证等出境证件,为组织他人偷越国(边)境使用的,处三年以下有期徒刑,并处罚金;情节严重的,处三年以上十年以下有期徒刑,并处罚金。

单位犯前款罪的,对单位判处罚金,并对其直接负责的主管人员和其他直接责任人员,依照前款的规定处罚。

【释义】　本条是关于骗取出境证件罪及其处罚的规定。

第一款是关于骗取出境证件犯罪及处罚的规定。根据本款规定,骗取出境证件罪,是指以劳务输出、经贸往来或者其他名义,弄虚作假,骗取护照、签证等出境证件,为组织他人偷越国(边)境使用的行为。这里规定的“以劳务输出、经贸往来或者其他名义,弄虚作假,骗取护照、签证等出境证件”,是指本罪的犯罪对象是护照、签证等出境证件。本罪的行为方式是弄虚作假地以劳务输出、经贸往来或者其他名义向签发、管理机关骗取出境证件。“护照”,是指一个主权国家发给本国公民出入国境、在国外居留、旅行的合法身份证明和国籍证明;“签证”,是指一个主权国家同意外国人进入或经过该国国境而签署的一种许可证明。根据2012年《最高人民法院、最高人民检察院关于办理妨害国(边)境管理刑事案件应用法律若干问题的解释》的相关规定,这里的“出境证件”除护照、签证外，还包括代替护照使用的国际旅行证件，中华人民共和国海员证，中华人民共和国出入境通行证，中华人民共和国旅行证，中国公民来往香港、澳门、台湾地区证件，边境地区出入境通行证，签注，出国（境）证明、名单，以及其他出境时需要查验的资料。“为组织他人偷越国（边）境使用”，是指骗取护照、签证等出境证件的目的，必须是准备自己进行或者提供给别人进行组织他人偷越国（边）境犯罪使用。如果骗取护照、签证等出境证件，是为了本人或者他人出国，不是为组织他人偷越国（边）境使用的，不构成本罪。根据本款规定，犯骗取出境证件罪，处三年以下有期徒刑，并处罚金；情节严重的，处三年以上十年以下有期徒刑，并处罚金。所谓“情节严重”，根据上述司法解释的相关规定，主要是指为组织他人偷越国（边）境使用、骗取出境证件五份以上；非法收取办证费三十万元以上；明知是国家规定的不准入境的人员而为其骗取出境证件等情形。

第二款是关于单位犯骗取出境证件罪的处罚规定。根据本款规定，单位犯本罪的，对单位判处罚金，并对直接负责的主管人员和其他直接责任人员，依照前款的规定处罚。“依照前款的规定处罚”，是指单位犯骗取出境证件罪，对其直接负责的主管人员和其他直接责任人员，处三年以下有期徒刑，并处罚金；情节严重的，处三年以上十年以下有期徒刑，并处罚金。

第三百二十条　为他人提供伪造、变造的护照、签证等出入境证件，或者出售护照、签证等出入境证件的，处五年以下有期徒刑，并处罚金；情节严重的，处五年以上有期徒刑，并处罚金。

【释义】　本条是关于提供伪造、变造的出入境证件罪、出售出入境证件罪及其处罚的规定。

根据本条规定，为他人提供伪造、变造的出入境证件犯罪在客观上表现为实施为他人提供伪造、变造的出入境证件的行为。本条规定的“提供”，包括有偿提供和无偿提供，实践中一般是出于牟利为目的的有偿提供。本罪的行为特征是提供假的出入境证件，只要行为人实施了为他人提供伪造、变造的护照、签证等出入境证件的行为，不论该证件的来源和造成的后果如何，均不影响本罪的成立。如果行为人只有伪造、变造护照等出入境证件行为，没有向他人提供的，应当以本法第二百八十条规定的伪造、变造国家机关证件罪定罪处罚。“伪造”，是指非法制造虚假的出入境证件。“变造”，是指在真实的出入境证件上采用涂改、擦消、揭换、拼接等方法予以加工、改造。“出入境证件”，是指我国国（边）境的出境、入境证件，主要是护照、签证，还有回乡证等。

本条规定的“出售”，即出卖，是指以牟利为目的，向他人有偿提供出入境证件。实践中，出售出入境证件的行为主要表现为一些犯罪分子收集、购买后再转卖护照等各种出入境证件,一些人将自己的护照、签证、回乡证等出入境证件非法出卖等。本罪行为人出售的出入境证件必须是国家有权机关制发的真实的出入境证件。至于出售的出入境证件是否在有效期内,不影响本罪的成立。

根据本条规定,对为他人提供伪造、变造出入境证件犯罪和出售出入境证件犯罪,处五年以下有期徒刑,并处罚金;情节严重的,处五年以上有期徒刑,并处罚金。“情节严重”,根据《最高人民法院、最高人民检察院关于办理妨害国(边)境管理刑事案件应用法律若干问题的解释》规定,主要是指为他人提供伪造、变造的护照、签证等出入境证件五份以上或者出售护照、签证等出入境证件五份以上的;或者非法收取费用三十万元以上的;明知是国家规定的不准出入境的人员而为其提供伪造、变造的出入境证件或者向其出售出入境证件的;或者有其他严重情节的。

第三百二十一条　运送他人偷越国(边)境的,处五年以下有期徒刑、拘役或者管制,并处罚金;有下列情形之一的,处五年以上十年以下有期徒刑,并处罚金:

(一)多次实施运送行为或者运送人数众多的;

(二)所使用的船只、车辆等交通工具不具备必要的安全条件,足以造成严重后果的;

(三)违法所得数额巨大的;

(四)有其他特别严重情节的。

在运送他人偷越国(边)境中造成被运送人重伤、死亡,或者以暴力、威胁方法抗拒检查的,处七年以上有期徒刑,并处罚金。

犯前两款罪,对被运送人有杀害、伤害、强奸、拐卖等犯罪行为,或者对检查人员有杀害、伤害等犯罪行为的,依照数罪并罚的规定处罚。

【释义】　本条是关于运送他人偷越国(边)境罪及其处罚的规定。

第一款是关于运送他人偷越国(边)境的犯罪及其处罚的规定。本款规定的“运送”,主要是指用车辆、船只等交通工具将偷越国(边)境的人非法运送出、入我国国(边)境的行为。行为人没有利用交通工具,如亲自带领他人通过隐蔽的路线偷越国(边)境的,也应当认定是运送他人偷越国(边)境的行为。本罪是故意犯罪,行为人多具有营利的目的,但是否具有营利目的,不是构成本罪的必要要件。对运送他人偷越国(边)境犯罪,本款根据情节轻重规定了两档处刑:对运送他人偷越国(边)境犯罪,处五年以下有期徒刑、拘役或者管制,并处罚金;对有本款规定的四种严重情形之一的,处五年以上十年以下有期徒刑,并处罚金。“多次实施运送行为”,一般是指三次或者三次以上实施运送行为;

"人数众多"一般是指运送十人以上偷越国(边)境的。"所使用的船只、车辆等交通工具不具备必要的安全条件,足以造成严重后果的",主要是指所使用的船只、车辆等交通工具不符合基本的安全条件,足以造成船只沉没、车辆倾覆等事故的。"违法所得数额巨大的",是指运送他人偷越国(边)境非法取得的财物数额巨大的。"有其他特别严重情节的",是指造成的国际影响十分恶劣等特别严重情节的。

第二款是关于在运送他人偷越国(边)境中造成被运送人重伤、死亡,或者以暴力、威胁方法抗拒检查的犯罪及处罚的规定。这里规定的"造成被运送人重伤、死亡",是指在运送他人偷越国(边)境中,因交通工具不具备必要的安全条件等各种原因,发生重伤、死亡事故,或者导致被运送人自伤、自杀等重伤、死亡后果的。"以暴力、威胁方法抗拒检查",是指在运送他人偷越国(边)境犯罪活动过程中,行为人对边防、海关等依法执行检查任务的人员实施殴打、阻挠干涉或者以杀害、伤害、损害名誉等相要挟,阻止执法人员依法进行检查的行为。根据本款规定,有本款犯罪行为的,处七年以上有期徒刑,并处罚金。

第三款是关于犯运送他人偷越国(边)境罪又有其他相关犯罪行为应当如何处罚的规定。根据本款规定,对被运送人有杀害、伤害、强奸、拐卖等犯罪行为,或者对检查人员有杀害、伤害等犯罪行为的,按照运送他人偷越国(边)境罪、故意杀人罪、故意伤害罪、强奸罪、拐卖妇女、儿童罪等分别定罪量刑,然后再依照本法第六十九条的规定实行数罪并罚。

执行中,要注意区分本条运送他人偷越国(边)境犯罪与组织他人偷越国(边)境犯罪的界限。主要区别在于行为人是否实施了组织行为。对于组织他人偷越国(边)境的行为人在实施组织行为的过程中又实施了运送行为的,应当根据从一重罪处罚的原则,以处刑较重的犯罪定罪处罚。

第三百二十二条*　违反国(边)境管理法规,偷越国(边)境,情节严重的,处一年以下有期徒刑、拘役或者管制,并处罚金;为参加恐怖活动组织、接受恐怖活动培训或者实施恐怖活动,偷越国(边)境的,处一年以上三年以下有期徒刑,并处罚金。

【释义】　本条是关于偷越国(边)境的犯罪及其处罚的规定。

2015年8月29日第十二届全国人民代表大会常务委员会第十六次会议通

*　根据2015年8月29日第十二届全国人民代表大会常务委员会第十六次会议通过的《中华人民共和国刑法修正案(九)》修改。原条文为:"违反国(边)境管理法规,偷越国(边)境,情节严重的,处一年以下有期徒刑、拘役或者管制,并处罚金。"

过的《刑法修正案(九)》对本条作了修改,对为参加恐怖活动组织、接受恐怖活动培训或者实施恐怖活动,偷越国(边)境的,提高了法定刑。

1997 年刑法第三百二十二条规定,违反国(边)境管理法规,偷越国(边)境,情节严重的,处一年以下有期徒刑、拘役或者管制,并处罚金。这一规定,对于打击一般的偷越国(边)境行为,维护国家安全和边境管理秩序,发挥了重要作用。从实践情况看,对于惩治传统的为外出定居、非法务工等原因而偷越国(边)境的犯罪活动,其刑罚的设置也是适当的。但近年来,随着恐怖主义、分裂主义和极端主义的日益猖獗,偷越国(边)境犯罪与恐怖活动犯罪的联系也越来越突出,对国(边)境管理带来一些新的情况和问题。司法实践表明,在我国一些地区,出境参加恐怖活动组织、接受恐怖活动培训、实施恐怖活动的人数不断增多,甚至出现国外或者境外恐怖活动组织向我国境内招募恐怖活动人员、进行恐怖主义宣传煽动、进行培训等情形。很多人在无法合法出入境的情况下,就采用偷越国(边)境的方式,给国界和边境管控造成很大的压力。这些人员偷越国(边)境的目的与一般的偷越国(边)境有很大的不同,他们偷渡出去的目的不是为了定居或者务工,而是为实施参加恐怖活动组织或者进行恐怖活动等严重的犯罪行为,其中有的人是为了通过参加"圣战"、接受培训等提高自己实施恐怖活动的技术和能力,以便回国实施恐怖活动犯罪,造成更大的社会影响和危害后果。从某种意义上来说,这些行为已经带有恐怖活动的性质,比一般的偷越国(边)境行为具有更大的社会危害性。对这些人,依照 1997 年刑法的规定进行打击处理,实践中遇到一些新的问题:一是刑法对偷越国(边)境的行为,规定情节严重的才追究刑事责任。如果按照一般偷越国(边)境犯罪的标准进行认定,对于只进行过一次偷越国(边)境且未遂的行为,一般不能认定为犯罪,而只能予以行政处罚。二是这些人主观恶性很大,从罪责刑相适应的原则出发,刑法所规定的最高刑为一年有期徒刑的刑罚,难以有效地起到惩罚、威慑和预防的作用。很多人在接受处罚,缴纳罚款或者短暂拘留后,就会接着再次实施偷越国(边)境的行为。在偷越国(边)境一再受阻的情况下,甚至会就地"圣战",实施爆炸、杀人等暴力恐怖活动,给社会治安和社会稳定造成很大的压力。对于这些行为,刑法所规定的刑罚也难以起到阻止其继续犯罪,防止发生社会危害的作用。考虑到当前恐怖活动犯罪出现的上述新情况,《刑法修正案(九)》有针对性地作出规定,对为参加恐怖活动组织、接受恐怖活动培训或者实施恐怖活动而偷越国(边)境的,将法定最高刑提高到三年。

根据本条规定,偷越国(边)境罪,是指违反国(边)境管理法律法规,偷越国(边)境,情节严重的行为。构成本罪的主要条件是:

1. 构成本罪的犯罪主体,既可以是中国公民,也可以是外国人。

2. 本罪在主观方面表现为故意，即行为人明知自己违反国（边）境管理法规，仍然偷越国（边）境的。这里所说的“违反国（边）境管理法规”，是指违反我国关于出入境管理的法律、法规规定。为了加强边境和出入境管理，我国制定了出境入境管理法、《中国公民因私事往来香港地区或者澳门地区的暂行管理办法》、《出境入境边防检查条例》等一系列法律、法规。同时，根据出境入境管理法第九十条的规定，同毗邻国家接壤的省、自治区，在经国务院批准后，可以根据中国与有关国家签订的边界管理协定制定地方性法规，对两国边境接壤地区的居民往来作出规定。没有按照这些法律法规规定的条件、程序出入境，就会违反我国出入境管理的法律、法规。实施本罪的动机多种多样，不同的动机可能会影响其行为是否构成“情节严重”，同时也是确定刑罚轻重的一个因素。如果行为人不知道是我国国（边）境，没有偷越国（边）境的意图，而误出或者误入国（边）境的，不构成本罪。

3. 本罪的客观方面表现为“偷越国（边）境”，即行为人违反国（边）境管理法律、法规，非法出入我国国（边）境的行为。在实践中，偷越国（边）境的手段和方法是多种多样的，有的是没有出入境证件在边防检查站蒙混过关的，有的是在陆上、海上没有设立边防检查站的地方靠车马、步行或者用船非法穿越国（边）境线的，有的是藏在进出国（边）境的飞机、船只、汽车或者集装箱、行李箱中穿越国（边）境的，有的是使用伪造、变造、涂改的出入境证件或者冒用他人的出入境证件的，有的是以虚假的出入境事由、隐瞒真实身份、冒用他人身份证件等方式骗取出入境证件或者用其他蒙骗方法和手段蒙混过关的。这里所说的“国（边）境”，不能仅从地理意义上进行理解，国（边）境不仅限于两国接壤的区域，还包括内地能够出入境的机场、港口等。

4. 情节严重的行为。这里的“情节严重”是构成本罪的必要条件。对于偷越国（边）境的行为是否属于情节严重，应当根据行为人的主观意图、客观手段、危害后果等综合判断。2012 年 12 月 12 日《最高人民法院、最高人民检察院关于办理妨害国（边）境管理刑事案件应用法律若干问题的解释》第五条规定，偷越国（边）境，具有下列情形之一的，应当认定为刑法第三百二十二条规定的“情节严重”：(1)在境外实施损害国家利益行为的；(2)偷越国（边）境三次以上或者三人以上结伙偷越国（边）境的；(3)拉拢、引诱他人一起偷越国（边）境的；(4)勾结境外组织、人员偷越国（边）境的；(5)因偷越国（边）境被行政处罚后一年内又偷越国（边）境的；(6)其他情节严重的情形。其他情节严重的情形，可以根据犯罪的具体情况确定，如伪造证件的，在出入境过程中行凶殴打或者威胁边防执勤人员的等。如果偷越国（边）境情节不严重的，不按照犯罪处理，应当依照出境入境管理法及其他相关的法律、法规予以相应的处罚。

根据本条规定，违反国（边）境管理法规，偷越国（边）境，情节严重的，处一年以下有期徒刑、拘役或者管制，并处罚金；为参加恐怖活动组织、接受恐怖活动培训或者实施恐怖活动，偷越国（边）境的，处一年以上三年以下有期徒刑，并处罚金。这里所说的“接受恐怖活动培训”，是指到境外学习恐怖主义思想、主张，接受心理、体能、实战训练或者培训制造工具、武器、炸弹等方面的犯罪技能和方法等。根据本条规定，为参加恐怖活动组织、接受恐怖活动培训或者实施恐怖活动，偷越国（边）境的，本身就是“情节严重”的行为，且应当判处更为严厉的第二档刑。

第三百二十三条　故意破坏国家边境的界碑、界桩或者永久性测量标志的，处三年以下有期徒刑或者拘役。

【释义】　本条是关于破坏界碑、界桩罪，破坏永久性测量标志罪及其处罚的规定。

根据本条规定，破坏国家边境界碑、界桩犯罪和破坏永久性测量标志犯罪都是故意犯罪。如果行为人不知道是界碑、界桩或者永久性测量标志而将其破坏的，不能构成以上两种犯罪。“破坏”，是指将界碑、界桩或者永久性测量标志砸毁、拆除、挖掉、盗走、移动或者改变其原样等，从而使其失去原有的意义和作用的行为。“国家边境的界碑、界桩”，是指我国政府与邻国按照条约规定或者历史上实际形成的管辖范围，在陆地接壤地区埋设的指示边境分界及走向的标志物。界碑和界桩没有实质的区别，只是形状不同。界碑、界桩涉及两国的领土范围问题，非经双方国家的一致同意，任何人不得擅自移动和破坏。“永久性测量标志”，是指国家测绘单位在全国各地进行测绘工作所建设的地上、地下或者水上的各种测量标志物，包括各等级的三角点、基线点、导线点、军用控制点、重力点、天文点、水准点的木质觇标、钢质觇标和标石标志，全球卫星定位控制点以及用于地形测量、工程测量和形变测量的各种固定标志和海底大地点设施，等等。永久性测量标志属于国家所有，是国家经济建设、国防建设和科学研究的基础设施。根据本条规定，对故意破坏界桩、界碑犯罪和故意破坏永久性测量标志犯罪，处三年以下有期徒刑或者拘役。

应当指出的是，破坏界碑、界桩罪，无论行为人破坏的界碑、界桩是永久性的，还是临时性的，是钢筋水泥浇铸的，还是一般的木桩，均不影响本罪的成立；而破坏永久性测量标志罪，行为人破坏的必须是永久性的测量标志，如果破坏的是非永久性测量标志，如开挖河道、修建道路、铺设地下管道、建设房屋等临时设置的测量标志，则不能构成本罪。

第四节　妨害文物管理罪

第三百二十四条　故意损毁国家保护的珍贵文物或者被确定为全国重点文物保护单位、省级文物保护单位的文物的，处三年以下有期徒刑或者拘役，并处或者单处罚金；情节严重的，处三年以上十年以下有期徒刑，并处罚金。

故意损毁国家保护的名胜古迹，情节严重的，处五年以下有期徒刑或者拘役，并处或者单处罚金。

过失损毁国家保护的珍贵文物或者被确定为全国重点文物保护单位、省级文物保护单位的文物，造成严重后果的，处三年以下有期徒刑或者拘役。

【释义】　本条是关于故意损毁文物罪、故意损毁名胜古迹罪、过失损毁文物罪及其处罚的规定。

第一款是关于故意损毁文物的犯罪及其刑事处罚的规定。本条中的“珍贵文物”主要是指可移动文物。根据文物保护法和《文物藏品定级标准》的规定，凡属一、二级的文物均属珍贵文物，部分三级文物也属珍贵文物。三级文物中需要定为珍贵文物的，应经国家文物鉴定委员会确认。珍贵文物主要包括：历史上各时代珍贵的艺术品；工艺美术品；重要的革命文献资料以及具有历史、艺术、科学价值的手稿；古旧图书资料；反映历史上各时代、各民族社会制度、社会生产、社会生活的代表性实物。如货币、舆服、器具、名画等。根据2005年12月29日全国人大常委会《关于〈中华人民共和国刑法〉有关文物的规定适用于具有科学价值的古脊椎动物化石、古人类化石的解释》的规定，刑法有关文物的规定，适用于具有科学价值的古脊椎动物化石、古人类化石。“文物保护单位”，是指人民政府按照法定程序确定的，具有历史、艺术、科学价值的革命遗址、纪念建筑物、古文化遗址、古墓葬、古建筑、石窟寺、石刻等不可移动的文物。文物保护单位分为全国重点文物保护单位、省级文物保护单位、县（市）级文物保护单位，根据其级别分别由国务院、省级人民政府和县（市）级人民政府核定公布。“故意损毁”，指故意将国家保护的珍贵文物毁坏，将全国重点文物保护单位、省级文物保护单位的文物破坏的行为。其中“损毁”包括打碎、涂抹、拆散、烧毁等使文物失去文物价值的破坏行为。

本款规定对故意损毁国家保护的珍贵文物或被确定为全国重点文物保护单位、省级文物保护单位的文物的，处三年以下有期徒刑或者拘役，并处或者单处罚金；情节严重的，处三年以上十年以下有期徒刑，并处罚金。“情节严重的”，主要是指损毁特别珍贵的文物或者是有特别重要价值的文物保护单位的文物；损毁多件或者多次损毁国家保护的珍贵文物，使之无法补救、修复；多次损毁或者损毁多处全国重点文物保护单位、省级文物保护单位的文物,使之难以恢复原状,给国家文物财产造成不可弥补的损失的情形等。

第二款是关于故意损毁国家保护的名胜古迹的犯罪及其刑事处罚的规定。本款中的“名胜古迹”,是指可供人游览的著名的风景区以及虽未被人民政府核定公布为文物保护单位但也具有一定历史意义的古建筑、雕塑、石刻等历史陈迹。“情节严重的”,一般是指多次损毁名胜古迹;损毁多处名胜古迹;损毁重要名胜古迹;损毁名胜古迹造成严重不良社会影响;不听劝阻或者警告,率众损毁名胜古迹;损毁结果严重,致使名胜古迹遭到毁灭性破坏等。对故意损毁国家保护的名胜古迹,情节严重的,处五年以下有期徒刑或者拘役,并处或者单处罚金。

第三款是关于过失损毁文物的犯罪及其刑事处罚的规定。“过失损毁国家保护的珍贵文物或者被确定为全国重点文物保护单位、省级文物保护单位的文物”,主要是指因疏忽大意或者轻信能够避免,而致使珍贵文物或者全国重点文物保护单位、省级文物保护单位的文物遭到损毁。过失损毁全国重点文物保护单位和省级文物保护单位或者国家保护的珍贵文物的,只有造成严重后果的才追究刑事责任。“造成严重后果”,主要是指被损毁的珍贵文物数量较大;损毁非常重要的文物保护单位的文物,使其无法恢复原状,给国家文物财产造成无法弥补的严重损失。本款规定对这种过失损毁文物的行为,造成严重后果的,处三年以下有期徒刑或者拘役。

第三百二十五条　违反文物保护法规,将收藏的国家禁止出口的珍贵文物私自出售或者私自赠送给外国人的,处五年以下有期徒刑或者拘役,可以并处罚金。

单位犯前款罪的,对单位判处罚金,并对其直接负责的主管人员和其他直接责任人员,依照前款的规定处罚。

【释义】 本条是关于将收藏的国家禁止出口的珍贵文物私自出售或者私自赠送给外国人的犯罪及其处罚的规定。

第一款是关于非法向外国人出售、赠送珍贵文物的犯罪及其刑事处罚的规定。本条“禁止出口的珍贵文物”,是指国家有关主管部门规定禁止出口的珍贵文物。为了严格禁止具有重要价值的珍贵文物出口,文物保护法规定,文物出境,应当经国务院文物行政部门指定的文物进出境审核机构审核。经审核允许出境的文物,由国务院文物行政部门发给文物出境许可证,从国务院文物行政部门指定的口岸出境。2007 年 7 月 4 日国家文物局颁布的《文物进出境审核管理办法》规定,下列文物出境,应当经过审核:(1)1949 年(含)以前的各类艺术品、工艺美术品;(2)1949 年(含)以前的手稿、文献资料和图书资料;(3)1949 年(含)以前的与各民族社会制度、社会生产、社会生活有关的实物;(4)1949 年以后的与重大事件或著名人物有关的代表性实物;(5)1949 年以后的反映各民族生产活动、生活习俗、文化艺术和宗教信仰的代表性实物;(6)国家文物局公布限制出境的已故现代著名书画家、工艺美术家作品;(7)古猿化石、古人类化石,以及与人类活动有关的第四纪古脊椎动物化石。文物出境审核标准,由国家文物局定期修订并公布。将上述文物中的珍贵文物私自出售、赠送外国人的,即可构成本罪。

"私自出售或者私自赠送给外国人",是指文物收藏者违反国家文物保护的有关规定,将收藏的禁止出口的珍贵文物卖给或者赠送给具有外国国籍和无国籍的人。因为一旦将收藏的国家禁止出口的珍贵文物卖给或赠送给外国人,在很大程度上就会使该种珍贵文物流失到我国境外,这对我国来讲是一项文化财产的重大损失。因此,本条对将收藏的国家禁止出口的珍贵文物私自出售或者私自赠送给外国人的行为,规定了处五年以下有期徒刑或者拘役,可以并处罚金。

第二款是关于单位将收藏的国家禁止出口的珍贵文物私自出售或者私自赠送给外国人的刑事处罚的规定。"单位犯前款罪",是指国有的和非国有的博物馆、图书馆、纪念馆等单位,将收藏的国家禁止出口的珍贵文物,违反国家规定擅自卖给或赠送给外国人的行为。单位犯非法向外国人出售、赠送珍贵文物罪的,对单位判处罚金,并对其直接负责的主管人员和其他直接责任人员,依照第一款的规定处罚,即处五年以下有期徒刑或者拘役,可以并处罚金。

这里需要加以说明的是,本法之所以禁止单位和公民将收藏的珍贵文物私自出售或者私自赠送给外国人,是因为国家从根本上禁止这类珍贵文物出口。现在日益多起来的非国有、个人的博物馆、纪念馆对所收藏的珍贵文物拥有所有权,按照一般财产所有权的理论,这些非国有单位或者个人对自己拥有的珍贵文物是有出售和赠与他人的权利的。但是,珍贵文物不是一般性的财产,而是一个民族、一个国家的文化遗产,国家要予以特殊保护。同时,根据联合国教育、科学及文化组织在巴黎通过的《关于禁止和防止非法进出口文化财产和非法转让其所有权的方法的公约》规定(我国已于 1989 年加入该公约),珍贵文物属于文化财产。缔约国"应发放适当证件,出口国将在证件中说明有关文化财产的出口已经过批准;除非附有上述出口证件,禁止文化财产从本国领土出口"。该公约对采取一切手段禁止和防止非法进出口文化财产和非法转让其所有权作了规定,对我国具有约束力。

第三百二十六条　以牟利为目的,倒卖国家禁止经营的文物,情节严重的,处五年以下有期徒刑或者拘役,并处罚金;情节特别严重的,处五年以上十年以下有期徒刑,并处罚金。

单位犯前款罪的,对单位判处罚金,并对其直接负责的主管人员和其他直接责任人员,依照前款的规定处罚。

【释义】 本条是关于非法倒卖国家禁止经营的文物的犯罪及处罚的规定。

第一款是关于倒卖文物的犯罪及其刑事处罚的规定。"倒卖国家禁止经营的文物",是指经营国家不允许自由买卖或者拍卖的文物,从中牟取利益的行为,既包括无权从事文物商业经营的单位或者个人倒卖国家禁止经营的文物,也包括具有从事文物商业经营权的文物商店或者拍卖企业,倒卖国家禁止经营的文物。文物保护法允许文物收藏单位以外的公民、法人和其他组织依法收藏,收藏的文物可以依法流通,但是第五十一条规定,公民、法人和其他组织不得买卖下列文物:(1)国有文物,但是国家允许的除外;(2)非国有馆藏珍贵文物;(3)国有不可移动文物中的壁画、雕塑、建筑构件等,但是依法拆除的国有不可移动文物中的壁画、雕塑、建筑构件等不属于文物保护法第二十条第四款规定的应由文物收藏单位收藏的除外;(4)来源不符合文物保护法第五十条规定的文物。

根据文物保护法第五条规定,国有文物,即国家所有的文物,包括:1. 中华人民共和国境内地下、内水和领海中遗存的一切文物。2. 古文化遗址、古墓葬、石窟寺。3. 国家指定保护的纪念建筑物、古建筑、石刻、壁画、近代现代代表性建筑等不可移动文物,除国家另有规定的以外。4. 下列可移动文物:(1)中国境内出土的文物,国家另有规定的除外;(2)国有文物收藏单位以及其他国家机关、部队和国有企业、事业组织等收藏、保管的文物;(3)国家征集、购买的文物;(4)公民、法人和其他组织捐赠给国家的文物;(5)法律规定属于国家所有的其他文物。国有不可移动文物的所有权不因其所依附的土地所有权或者使用权的改变而改变,国家所有的可移动文物的所有权不因其保管、收藏单位的终止或者变更而改变。本款对倒卖文物罪规定了两档刑,即情节严重的,处五年以下有期徒刑或者拘役,并处罚金;情节特别严重的,处五年以上十年以下有期徒刑,并处罚金。"情节严重的",是指以牟利为目的,倒卖国家禁止经营的文物,数量大,造成珍贵文物流失或者获取非法利益数额较大等情形。"情节特别严重的",是指以牟利为目的,倒卖国家禁止经营的文物,造成国家特别珍贵的文物流失,造成大量珍贵文物流失或者获取非法利益数额巨大等情形。

第二款是关于单位以牟利为目的,倒卖国家禁止经营的文物,予以刑事处罚的规定。根据本款规定,单位犯该罪的,对单位判处罚金,同时对单位直接负责的主管人员和其他直接责任人员，依照第一款的规定处罚，即情节严重的，处五年以下有期徒刑或者拘役，并处罚金；情节特别严重的，处五年以上十年以下有期徒刑，并处罚金。

第三百二十七条 违反文物保护法规，国有博物馆、图书馆等单位将国家保护的文物藏品出售或者私自送给非国有单位或者个人的，对单位判处罚金，并对其直接负责的主管人员和其他直接责任人员，处三年以下有期徒刑或者拘役。

【释义】 本条是关于国有单位非法将国家保护的文物藏品出售或者私自送给非国有单位或者个人的犯罪和刑罚的规定。

本条规定的主体是“国有博物馆、图书馆等单位”，个人不是本罪的主体。“国有博物馆、图书馆等单位”，是指国家所有的博物馆、图书馆、纪念馆和文物考古事业机构等单位。本条所指“违反文物保护法规”，是指违反文物保护法以及与文物保护有关的行政法规等。“文物藏品”，包括珍贵文物和一般文物。“非国有单位”，指集体所有制的单位、私营企业、中外合资企业、外资企业以及非国有的社会团体、事业组织。对于违反文物保护法规定，将国有博物馆、图书馆等单位收藏的国家保护的文物藏品出售或者私自送给非国有单位或者个人的行为，对该国有博物馆、图书馆等单位判处罚金，并对该出售或私自馈赠行为负有直接责任的主管人员以及其他直接责任人员，处三年以下有期徒刑或者拘役。

第三百二十八条* 盗掘具有历史、艺术、科学价值的古文化遗址、古墓葬的，处三年以上十年以下有期徒刑，并处罚金；情节较轻的，处三年以下有期徒刑、拘役或者管制，并处罚金；有下列情形之一的，处十年以上有期徒刑或者无期徒刑，并处罚金或者没收财产：

---

* 根据2011年2月25日第十一届全国人民代表大会常务委员会第十九次会议通过的《中华人民共和国刑法修正案（八）》修改。原条文是：“盗掘具有历史、艺术、科学价值的古文化遗址、古墓葬的，处三年以上十年以下有期徒刑，并处罚金；情节较轻的，处三年以下有期徒刑、拘役或者管制，并处罚金；有下列情形之一的，处十年以上有期徒刑或者无期徒刑或者死刑，并处罚金或者没收财产：

“（一）盗掘确定为全国重点文物保护单位和省级文物保护单位的古文化遗址、古墓葬的：

“（二）盗掘古文化遗址、古墓葬集团的首要分子；

“（三）多次盗掘古文化遗址、古墓葬的；

“（四）盗掘古文化遗址、古墓葬，并盗窃珍贵文物或者造成珍贵文物严重破坏的。

“盗掘国家保护的具有科学价值的古人类化石和古脊椎动物化石的，依照前款的规定处罚。”

（一）盗掘确定为全国重点文物保护单位和省级文物保护单位的古文化遗址、古墓葬的；

（二）盗掘古文化遗址、古墓葬集团的首要分子；

（三）多次盗掘古文化遗址、古墓葬的；

（四）盗掘古文化遗址、古墓葬，并盗窃珍贵文物或者造成珍贵文物严重破坏的。

盗掘国家保护的具有科学价值的古人类化石和古脊椎动物化石的，依照前款的规定处罚。

【释义】 本条是关于盗掘古文化遗址、古墓葬罪和盗掘古人类化石、古脊椎动物化石罪及其处罚的规定。

《刑法修正案（八）》对本条的修改主要是取消了盗掘古文化遗址、古墓葬罪和盗掘古人类化石、古脊椎动物化石罪死刑的规定。完善死刑法律规定，适当减少死刑罪名，调整死刑与无期徒刑、有期徒刑之间的结构关系是深化司法体制和工作机制改革提出的要求，也是《刑法修正案（八）》的重点。经过慎重研究，《刑法修正案（八）》取消了包括盗掘古文化遗址、古墓葬罪和盗掘古人类化石、古脊椎动物化石罪在内的十三个经济性非暴力犯罪的死刑。取消本罪的死刑，主要是考虑到死刑应该着重覆盖国家法益中最重要的国家安全，个体法益中最重要的生命权，社会法益中最重要的公共安全，盗掘古文化遗址、古墓葬罪和盗掘古人类化石、古脊椎动物化石罪属于妨害国家文物管理秩序的犯罪，是非暴力的犯罪，取消这一犯罪的死刑，但仍然保留了无期徒刑，对我国的文物保护形势不会产生大的影响。以 1997 年刑法将盗窃罪可以判处死刑的情形限定为“盗窃金融机构，数额特别巨大的；盗窃珍贵文物，情节严重的”为例，实践中，盗窃罪判处死刑的案件极少，盗窃案件的总量并没有因此而上升。因此，这次刑法修改取消了本罪的死刑。

古文化遗址、古墓葬，作为人类活动的实物遗存，从不同的侧面和领域揭示了一定的历史现象，体现了我国祖先的思想道德和科学文化水平，它的价值和作用是永恒的，是连接过去、现在和未来的历史文化纽带。这些前人给我们留下的珍贵宝藏，不可再生，无法复制，一旦受损则无法挽回，盗掘古文化遗址、古墓葬的违法犯罪活动会使大量未出土的文物脱离特定的环境而失去珍贵的科学价值，同时据调查表明，在非法文物市场出卖的文物中，出土文物占了 80% 以上。可以这样讲，盗掘古文化遗址、古墓葬犯罪活动，为非法倒卖文物提供了文物源。坚决打击盗掘古文化遗址、古墓葬犯罪活动，是保护文物、制止倒卖文物犯罪活动的有效手段。

第一款是关于盗掘古文化遗址、古墓葬的犯罪及其刑事处罚的规定。本条中的“盗掘”，是指以出卖或者非法占有为目的，私自秘密发掘古文化遗址和古墓葬的行为。“古文化遗址”，是指在人类历史发展中由古代人类创造并留下的表明其文化发展水平的地区，如周口店。“古墓葬”，是指古代（一般指清代以前，包括清代）人类将逝者及其生前遗物按一定方式放置于特定场所并建造的固定设施。辛亥革命以后，与著名历史事件有关的名人墓葬、遗址和纪念地，也视同古墓葬、古遗址，受国家保护。

本条对盗掘古文化遗址、古墓葬的犯罪行为规定了三档刑罚。其中，对实施了盗掘具有历史、艺术、科学价值的古文化遗址、古墓葬行为的，处三年以上十年以下有期徒刑，并处罚金。对于情节较轻的，处三年以下有期徒刑、拘役或者管制，并处罚金。根据近年来打击盗掘古文化遗址、古墓葬犯罪的实际情况，本条具体规定了适用十年以上有期徒刑或者无期徒刑，并处罚金或者没收财产刑罚的四种情形：(1)盗掘确定为全国重点文物保护单位和省级文物保护单位的古文化遗址、古墓葬的。这里的“全国重点文物保护单位”有两种：一种是国家文物行政部门在各级文物保护单位中，直接指定并报国务院核定公布的单位；另一种是国家文物行政部门在各级文物保护单位中，选择出来的具有重大历史、艺术、科学价值并报国务院核定公布的单位。“省级文物保护单位”，是指由省、自治区、直辖市人民政府核定并报国务院备案的文物保护单位。被确定为全国重点文物保护单位和省级文物保护单位的古文化遗址、古墓葬，在科学、历史、艺术等方面的价值是极高的。我国文物保护法规定，一切考古发掘工作，必须履行报批手续；从事考古发掘的单位，应当经国务院文物行政部门批准。地下埋藏的文物，任何单位或者个人都不得私自发掘。从事考古发掘的单位为了科学研究进行考古发掘，应当提出发掘计划，报国务院文物行政部门批准；对全国重点文物保护单位的考古发掘计划，应当经国务院文物行政部门审核后报国务院批准。国务院文物行政部门在批准或者审核前，应当征求社会科学研究机构及其他科研机构和有关专家的意见。上述古文化遗址、古墓葬一旦被盗掘，对国家文化财产造成的损失根本无法弥补，不处以重刑不具有威慑力。(2)盗掘古文化遗址、古墓葬集团的首要分子。“首要分子”是指在盗掘古文化遗址、古墓葬的集团犯罪活动中起组织、策划、指挥作用的犯罪分子。近年来，盗掘古文化遗址、古墓葬犯罪活动越来越集团化、职业化、高智能和高技术化，而且，往往是盗掘与倒卖联合在一起，形成网络和系列。因此，严厉打击盗掘古文化遗址、古墓葬犯罪的首要分子很有必要。(3)多次盗掘古文化遗址、古墓葬的。“多次”一般是指三次以上。该项规定主要针对的是盗掘古文化遗址、古墓葬的惯犯。(4)盗掘古文化遗址、古墓葬，并盗窃珍贵文物或者造成珍贵文物严重破坏的。“盗窃珍贵文物”，是指在盗掘中将珍贵文物据为己有的行为，这里将盗窃的文物限于"珍贵文物"。盗窃一般文物的不属于本项情节。盗掘行为与珍贵文物破坏的情况关系紧密,而且盗掘古文化遗址、古墓葬的目的,往往就是为了盗窃珍贵文物。所以,本款将上述行为规定为盗掘古文化遗址、古墓葬罪处重刑的情节。

第二款是关于盗掘国家保护的具有科学价值的古人类化石和古脊椎动物化石的犯罪及其刑事处罚的规定。化石是过去生物的遗骸或遗留下来的印迹,是指保存在各地质时期岩层中生物的遗骸和遗迹。"古脊椎动物化石",是指石化的古脊椎动物的遗骸或遗迹(主要指一万年以前埋藏地下的古爬行动物,哺乳动物和鱼类化石等)。"古人类化石",是指石化的古人类的遗骸或遗迹(主要指距今一万年前的直立人,早期、晚期智人的遗骸,如牙齿、头盖骨、骨骼)。这些古人类化石和古脊椎动物化石对研究人类发展史和自然科学具有重要意义。文物保护法规定对其保护适用文物保护的规定。"依照前款的规定处罚",是指盗掘国家保护的具有科学价值的古人类化石和古脊椎动物化石的,依照本条第一款规定的三档刑罚进行处罚。

第三百二十九条　抢夺、窃取国家所有的档案的,处五年以下有期徒刑或者拘役。

违反档案法的规定,擅自出卖、转让国家所有的档案,情节严重的,处三年以下有期徒刑或者拘役。

有前两款行为,同时又构成本法规定的其他犯罪的,依照处罚较重的规定定罪处罚。

【释义】　本条是关于抢夺、窃取国家档案以及擅自出卖、转让国家所有档案的犯罪和刑罚的规定。

第一款是关于抢夺、窃取国家所有的档案的犯罪及其刑事处罚的规定。"档案",是指过去和现在的国家机构、社会组织以及个人从事政治、军事、经济、科学、技术、文化、宗教等活动直接形成的对国家和社会有保存价值的多种文字、图表、声像等不同形式的历史记录。"国家所有的档案",是指具有重要保存价值,由国家具有所有权及处置权的档案。"抢夺"国家所有的档案,是指以非法占有为目的,公然夺取国家所有的档案,当然也应包含抢劫档案的行为。"窃取"国家所有的档案,是指以非法占有为目的,秘密取得国家所有的档案。本款规定对抢夺、窃取国家所有的档案的犯罪行为,处五年以下有期徒刑或者拘役。

第二款是关于违反档案法的规定,擅自出卖、转让国家所有的档案的犯罪的刑事处罚的规定。我国档案法规定,禁止出卖属于国家所有的档案。档案复制件的交换、转让和出卖,按照国家规定办理。"擅自出卖、转让国家所有的档案"实际上是改变了档案的所有权,并且也意味着国家所有的档案随时有可能被公布。国家所有的档案,是涉及国家和社会有重要保存价值的历史记录,不适当地公布会造成不良的后果。本款规定,对擅自出卖、转让国家所有的档案,情节严重的,处三年以下有期徒刑或者拘役。

第三款是关于抢夺、窃取国家所有的档案,或者违反档案法的规定,擅自出卖、转让国家所有的档案的同时,又犯本法规定其他罪行如何处罚的规定。这主要是指抢夺、盗窃的档案属于文物或者国家秘密,行为人同时触犯数个罪名,在这种情况下,应当从一重罪处罚。

需要指出的是,刑法虽然将关于档案的犯罪放在妨害文物管理罪一节,这并不是说档案都属于文物,档案中只有一部分属于文物。

第五节 危害公共卫生罪

第三百三十条 违反传染病防治法的规定,有下列情形之一,引起甲类传染病传播或者有传播严重危险的,处三年以下有期徒刑或者拘役;后果特别严重的,处三年以上七年以下有期徒刑:

(一)供水单位供应的饮用水不符合国家规定的卫生标准的;

(二)拒绝按照卫生防疫机构提出的卫生要求,对传染病病原体污染的污水、污物、粪便进行消毒处理的;

(三)准许或者纵容传染病病人、病原携带者和疑似传染病病人从事国务院卫生行政部门规定禁止从事的易使该传染病扩散的工作的;

(四)拒绝执行卫生防疫机构依照传染病防治法提出的预防、控制措施的。

单位犯前款罪的,对单位判处罚金,并对其直接负责的主管人员和其他直接责任人员,依照前款的规定处罚。

甲类传染病的范围,依照《中华人民共和国传染病防治法》和国务院有关规定确定。

【释义】 本条是关于违反传染病防治法的规定,引起甲类传染病传播或者有传播严重危险的犯罪和刑罚的规定。

第一款是关于妨害传染病防治罪及其刑事处罚的规定。本条中的"传染病",是指由于致病性微生物,如细菌、病毒、立克次体、寄生虫等侵入人体,发生使人体健康受到某种损害以致危及生命的疾病。传染病种类很多,可通过不同方式或直接或间接地传播,造成人群中传染病的扩散、发生或流行。"甲类传染病"依据传染病防治法的规定,是指鼠疫、霍乱。依据《国际卫生条例》的统一规定,世界卫生组织将鼠疫、霍乱和黄热病三种烈性传染病列为国际检疫传染病,一经发现,必须及时向世界卫生组织通报。我国境内没有黄热病,因此只将鼠疫、霍乱列为甲类传染病。

本条共规定了引起甲类传染病传播或有传播严重危险的四种行为:

1. 供水单位供应的饮用水不符合国家规定的卫生标准的。其中“供水单位”主要指城乡自来水厂和厂矿、企业、学校、部队等有自备水源的集中式供水单位。目前我国城乡的主要饮用水源是集中式。“国家规定的卫生标准”主要指《传染病防治法实施办法》(以下简称《实施办法》)和《生活饮用水卫生标准(GB5749－2006)》中规定的卫生标准。《实施办法》对集中式供水的卫生标准规定“集中式供水必须符合国家《生活饮用水卫生标准(GB5749－2006)》”。该标准对饮用水的细菌学、化学、毒理学指标和感官性状指标等都作了具体规定,是必须执行的强制性卫生标准。为了防止污染城乡自来水厂的集中式供水,《实施办法》还规定“各单位自备水源,未经城市建设部门和卫生行政部门批准,一般不得与城镇集中式供水系统连接”。

2. 拒绝按照卫生防疫机构提出的卫生要求,对传染病病原体污染的污水、污物、粪便进行消毒处理的。其中“卫生防疫机构”,是指卫生防疫站、结核病防治研究所(院)、寄生虫病防治研究所(站)、血吸虫病防治研究所(站)、皮肤病性病防治研究所(站)、地方病防治研究所(站)、鼠疫防治站(所)、乡镇预防保健站(所)及与上述机构专业相同的单位。“消毒处理”,指对传染病病人的排污所污染的以及因其他原因被传染病病原体所污染的环境、物品、空气、水源和可能被污染的物品、场所等都要同时、全面、彻底地进行消毒,即用化学、物理、生物的方法杀灭或者消除环境中的致病性微生物,达到无害化。如对鼠疫疫区进行的雨淋喷雾消毒、灭蚤和杀鼠。甲类传染病中鼠疫耶尔森氏菌侵入人体的途径是多样的,被感染的病人,由于病变的部位不同、病菌向外界排出的途径也不同,其对外界环境的污染范围是广泛而严重的。因此,为消除鼠疫、霍乱病人的排泄物对外界环境的污染,病人家属、单位必须无条件地接受卫生防疫机构提出的卫生要求。这样做有利于保护病人及周围人群的健康,任何个人和单位不得拒绝。

3. 准许或者纵容传染病人、病原携带者和疑似传染病病人从事国务院卫生行政部门规定禁止从事的易使该传染病扩散的工作的。“准许”,指传染病病人、病原携带者和疑似传染病病人的所在单位领导人员或主管人员明知某人为传染病病人、病原携带者和疑似传染病病人,仍批准其从事易使该传染病扩散的工作;或者明知上述传染病病人、病原携带者和疑似传染病病人违反规定从事易使传染病扩散的工作,而未采取调离其工作等措施,默许其继续从事易使传染病扩散的工作。但是,对于不知道该人为患病者或病原携带者和疑似传染病病人而同意其从事易使传染病扩散的工作的,不能视为本条规定的“准许”。“纵容”,指传染病病人、病原携带者和疑似传染病病人所在单位的领导人员和主管人员,明知其违反规定从事易使传染病扩散的工作,不仅不采取措施,而且为其提供方便条件,或听之任之放纵其继续从事这一工作。“传染病病人、疑似传染病病人”,是指根据国务院卫生行政部门发布的《〈中华人民共和国传染病防治法〉规定管理的传染病诊断标准(试行)》中规定的,符合传染病病人和疑似传染病病人诊断标准的人,如乙型肝炎患者。“病原携带者”,是指感染原体无临床症状但能排出病原体的人。传染病病人、病原携带者和疑似传染病病人都能随时随地通过多种途径向外界环境排出和扩散该病的致病性微生物,而有可能感染接触过他们的健康人造成该种传染病的传播。因此,必须根据不同病种限制他们的活动,规定他们患病或携带病原期间,不得从事某些易使该种传染病扩散的工作。根据国务院卫生行政部门的有关规定,上述传染病病人、病原携带者不得从事易使传染病扩散的工作,主要有以下几类:(1)饮用水的生产、管理、供应等工作;(2)饮食服务行业的经营、服务等工作;(3)托幼机构的保育、教育等工作;(4)食品行业的生产、加工、销售、运输及保管等工作;(5)美容、整容等工作;(6)其他与人群接触密切的工作。

4. 拒绝执行卫生防疫机构依照传染病防治法提出的预防、控制措施的。“预防、控制措施”,是指卫生防疫机构根据预防传染的需要而采取的措施。主要包括:(1)对甲类传染病病人和病原携带者,予以隔离治疗或对严重发病区采取隔离措施;(2)对疑似甲类传染病病人,在明确诊断前,在指定场所进行医学观察;(3)对传染病人禁止从事与人群接触密切的工作;(4)对易感染人畜共患传染病的野生动物,未经当地或者接收地的政府畜牧兽医部门检疫,禁止出售或者运输;(5)对从事传染病预防、医疗、科研、教学的人员预先接种有关接触的传染病疫苗;(6)执行职务时穿防护服装;(7)对传染病病人、病原携带者、疑似传染病人污染的场所、物品和密切接触的人员,实施必要的卫生处理和预防措施等。

依照本条规定,违反传染病防治法的规定,实施本条第一款规定的四项行为之一,同时引起甲类传染病传播或者有传播严重危险的,处三年以下有期徒刑或者拘役;后果特别严重的,处三年以上七年以下有期徒刑。“后果特别严重的”主要指造成众多的人感染甲类传染病以及多人死亡等特别严重后果的。

第二款是对单位违反传染病防治法的规定引起甲类传染病传播或者有传播严重危险的犯罪及其刑事处罚的规定。“单位犯前款罪的”,是指单位违反传染病防治法的有关规定,有本条第一款所列的四项行为之一,引起甲类传染病的传播或者有传播严重危险的犯罪行为。单位犯前款罪的,对单位判处罚金,并对单位直接负责的主管人员和其他直接责任人员,依照第一款规定处刑,即处三年以下有期徒刑或者拘役;后果特别严重的,处三年以上七年以下有期徒刑。

第三款是关于甲类传染病的范围如何确定的规定。依照本款规定,甲类传染病的范围,依照传染病防治法和国务院有关规定确定。

第三百三十一条　从事实验、保藏、携带、运输传染病菌种、毒种的人员,违反国务院卫生行政部门的有关规定,造成传染病菌种、毒种扩散,后果严重的,处三年以下有期徒刑或者拘役;后果特别严重的,处三年以上七年以下有期徒刑。

【释义】 本条是关于有关人员违反规定,造成传染病菌种、毒种扩散的犯罪和刑罚的规定。

本条规定的犯罪主体是“从事实验、保藏、携带、运输传染病菌种、毒种的人员”,这是指因工作需要而接触传染病菌种、毒种,从而负有特定义务的人员。其中,“传染病菌种、毒种”主要包括三类:一类包括鼠疫耶尔森氏菌、霍乱弧菌、天花病毒、艾滋病病毒。二类包括布氏菌、炭疽菌、麻风杆菌;肝炎病毒、狂犬病毒、出血热病毒、登革热病毒;斑疹伤寒立克次体。三类包括脑膜炎双球菌、链球菌、淋病双球菌、结核杆菌、百日咳嗜血杆菌、白喉棒状杆菌、沙门氏菌、志贺氏菌、破伤风梭状杆菌;钩端螺旋体、梅毒螺旋体;乙型脑炎病毒、脊髓灰质炎病毒、流感病毒、流行性腮腺炎病毒、麻疹病毒、风疹病毒。“违反国务院卫生行政部门的有关规定”,主要是违反国务院卫生行政部门关于传染病菌种、毒种的保藏、携带、运输的具体规定。国务院卫生行政部门有关规定主要包括以下四方面的内容:(1)菌种、毒种的保藏由国务院卫生行政部门指定的单位负责。(2)一、二类菌种、毒种由国务院卫生行政部门指定的保藏管理单位供应。三类菌种、毒种由设有专业实验室的单位或者国务院卫生行政部门指定的保藏管理单位供应。(3)使用一类菌种、毒种的单位,必须经国务院卫生行政部门批准;使用二类菌种、毒种的单位,必须经省级政府卫生行政部门批准;使用三类菌种、毒种的单位,应当经县级政府卫生行政部门批准。(4)一、二类菌种、毒种,应派专人向供应单位领取,不得邮寄;三类菌种、毒种的邮寄必须持有邮寄单位的证明,并按菌种、毒种邮寄与包装的有关规定办理。此外,对菌种、毒种的引进、使用、供应和审批,必须严格按照国务院卫生行政部门的规定进行。“造成传染病菌种、毒种扩散”,是指行为人由于违反国务院卫生行政部门的有关规定,致使传染病菌种、毒种传播,使他人受到传染。“后果严重”,主要是指传染病菌种、毒种传播面积较大,使多人受到传染,或者造成被传染病人因病死亡等。根据本条规定，从事实验、保藏、携带、运输传染病菌种、毒种的人员，违反有关规定，只有在造成传染病菌种、毒种扩散，后果严重的情况下予以刑事处罚，即处三年以下有期徒刑或者拘役。对于后果特别严重的，本条规定了较重的刑罚，即处三年以上七年以下有期徒刑。“后果特别严重”，是指引起传染病大面积传播或者长时间传播的；造成人员死亡或多人残疾的；引起民众极度恐慌造成社会秩序严重混乱的；致使国家对于传染病防治的正常活动受到特别严重干扰的等。

第三百三十二条　违反国境卫生检疫规定，引起检疫传染病传播或者有传播严重危险的，处三年以下有期徒刑或者拘役，并处或者单处罚金。

单位犯前款罪的，对单位判处罚金，并对其直接负责的主管人员和其他直接责任人员，依照前款的规定处罚。

【释义】　本条是关于违反国境卫生检疫规定，引起检疫传染病传播或者有传播严重危险的犯罪和刑罚的规定。

第一款是关于妨害国境卫生检疫罪及其刑事处罚的规定。本条所指“国境卫生检疫规定”，是指国境卫生检疫法中关于检疫的规定，主要包括以下几方面：(1)对入境的交通工具和人员，必须在最先到达的国境口岸指定地点接受检疫。出境的交通工具和人员，必须在最后离开的国境口岸接受检疫。(2)对来自疫区的、被检疫传染病污染的或者可能成为检疫传染病传播媒介的行李、货物、邮包等物品，应当进行卫生检查，实施消毒、除鼠、除虫或者其他卫生处理。(3)对入出境的尸体、骸骨，其托运人或者代理人必须向卫生检疫机关申报，经卫生检疫合格后，发给入出境许可证，方准运进或者运出。“检疫传染病”，是指鼠疫、霍乱、黄热病以及国务院确定和公布的其他传染病。上述传染病一旦在国际间传播开来，不但给人民群众带来深重的灾难，还将给社会经济发展造成极大的损失。例如，中断运输、贸易，封锁疫区、隔离和治疗患者都将消耗大量的社会资金并延缓经济发展。因此，对于违反国境卫生检疫规定，引起检疫传染病传播，或者有引起检疫传染病传播严重危险的，本款规定，处三年以下有期徒刑或者拘役，并处或者单处罚金。

第二款是关于单位犯罪的规定。这里的单位，是指入出境应当接受检疫的单位。“单位犯前款罪的”，是指入出境单位，违反国境卫生检疫规定，逃避检疫，引起检疫传染病传播或者有传播严重危险的行为。本款对单位犯妨害国境卫生检疫罪的，对单位判处罚金，并对单位直接负责的主管人员和其他直接责任人员，处三年以下有期徒刑或者拘役，并处或者单处罚金。

第三百三十三条　非法组织他人出卖血液的，处五年以下有期徒刑，并处罚金；以暴力、威胁方法强迫他人出卖血液的，处五年以上十年以下有期徒刑，并处罚金。

有前款行为，对他人造成伤害的，依照本法第二百三十四条的规定定罪处罚。

【释义】　本条是关于非法组织他人出卖血液的犯罪和刑罚的规定。

第一款规定了非法组织他人或者以暴力、威胁方法强迫他人出卖血液的犯罪及其刑事处罚。“非法组织他人出卖血液”，指的是“血头”、“血霸”为牟取非法利益，未经卫生行政主管部门批准或者委托，擅自组织他人向血站、红十字会或者其他采集血液的医疗机构提供血液。本款规定对从事非法组织他人出卖血液的“血头”、“血霸”，处五年以下有期徒刑，并处罚金。“以暴力、威胁方法强迫他人出卖血液”，是指“血头”、“血霸”以牟取非法利益为目的，用限制人身自由、殴打等暴力方法，强行、迫使不愿提供血液的人，向血站、红十字会或其他采集血液的医疗机构提供血液。由于该种行为除了扰乱国家采供血秩序外，还侵害了他人人身权利，因此在处刑上，比非法组织他人出卖血液的行为要重，即处五年以上十年以下有期徒刑，并处罚金。

第二款是关于非法组织他人或者以暴力、威胁方法强迫他人出卖血液，给他人造成伤害如何处罚的规定。“有前款行为，对他人造成伤害的”，是指非法组织他人或者以暴力、威胁方法强迫他人出卖血液，对供血者造成伤害，主要包括三种情况：第一，组织患有疾病或者有其他原因不宜输血的人输血，造成被采血人健康受到严重损害；第二，由于长期过度供血，使供血者身体健康受到严重损害；第三，为了抽取他人血液，使用暴力手段致人身体伤害。有上述情况之一的，本款规定，依照本法第二百三十四条关于故意伤害罪的规定定罪处罚。

第三百三十四条　非法采集、供应血液或者制作、供应血液制品，不符合国家规定的标准，足以危害人体健康的，处五年以下有期徒刑或者拘役，并处罚金；对人体健康造成严重危害的，处五年以上十年以下有期徒刑，并处罚金；造成特别严重后果的，处十年以上有期徒刑或者无期徒刑，并处罚金或者没收财产。

经国家主管部门批准采集、供应血液或者制作、供应血液制品的部门，不依照规定进行检测或者违背其他操作规定，造成危害他人身体健康后果的，对单位判处罚金，并对其直接负责的主管人员和其他直接责任人员，处五年以下有期徒刑或者拘役。

【释义】　本条是关于非法采集、供应血液或者制作、供应血液制品不符合国家规定标准，造成危害人体健康后果的，以及合法采集、供应或者制作、供应血液制品的单位不依照规定进行检测或者违背操作规定，造成危害人体健康后果的犯罪和刑罚的规定。

第一款是关于非法采集、供应血液或者制作、供应血液制品，不符合国家规定的标准，足以危害人体健康的犯罪及其刑事处罚的规定。“非法采集、供应血液”，是指未经国家主管部门批准而采集、供应血液的。为了保证血液纯净，保证安全使用，国家卫生部门规定，只有经卫生部门特别批准的血站等单位才有采血权、供血权，未经批准的均属非法。一些不法分子为牟取利益，擅自采血、供血，其卫生条件不合格，测验手段不完备，往往造成血液不洁，传染病交叉感染，本款就是针对这种行为而作出的专门规定。“血液制品”，是指人血(胎盘)球蛋白、白蛋白、丙种球蛋白、浓缩Ⅷ因子、纤维蛋白原等各种人血浆蛋白制品。“不符合国家规定的标准”，包括两种情形：一是指非法采集、供应的血液不符合《供血者体格检查标准》，如供血者的血液化验结果艾滋病病毒(HIV 抗体)为阳性等；二是指非法制作、供应的血液制品，不符合卫生部《中国生物制品规程》的各项要求。犯非法采集、供应血液、制作、供应血液制品罪，足以危害人体健康的，处五年以下有期徒刑或者拘役，并处罚金；对人体健康造成严重危害的，处五年以上十年以下有期徒刑，并处罚金；造成特别严重后果的，处十年以上有期徒刑或者无期徒刑，并处罚金或者没收财产。“足以危害人体健康”，是指血液和血液制品，一旦被使用，就可能让使用者感染疾病。“对人体健康造成严重危害”，是指不符合国家规定的卫生标准的血液、血液制品，在医疗应用中让使用者感染严重疾病的情形，如因为输血而感染乙型肝炎病毒或感染艾滋病病毒等。“造成特别严重后果”，是指造成他人死亡；致使多人感染严重的血源性传染病；或者由于血源流动大，没有记录等原因，无法查清感染人数和感染区域，但是却存在传播血源性传染病的重大危险等。

第二款是关于经国家主管部门批准采集、供应血液或者制作、供应血液制品的单位，不依照规定进行检测，或者违背其他操作规定，造成危害他人身体健康后果的行为及其刑事处罚的规定。经国家主管部门批准采集、供应血液或者制作、供应血液制品的单位，也要严格按照规定对血液制品进行血源检测，如果不依照规定进行检测，造成危害他人身体健康后果的，要追究刑事责任。这里需要加以说明的是，本款规定的采集、供应血液或者制作、供应血液制品的单位，不依照规定进行检测或者违背其他操作规定的犯罪，其主体是单位，因此，本款是单位犯罪的规定，对造成危害他人身体健康后果的，对单位要判处罚金，并对直接负责的主管人员和其他直接责任人员，处五年以下有期徒刑或者拘役。

第三百三十五条　医务人员由于严重不负责任，造成就诊人死亡或者严重损害就诊人身体健康的，处三年以下有期徒刑或者拘役。

【释义】 本条是关于医务人员严重不负责任造成就诊人死亡或者严重损害就诊人身体健康的犯罪和刑罚的规定。

根据本条规定，构成本罪应当符合以下条件：

1. 本罪的主体是特殊主体，只能是医务人员。这里的“医务人员”，主要是指在医疗机构从事对病人救治、护理工作的医生和护士。

2. 行为人严重不负责任。“严重不负责任”，是指医务人员在对就诊人进行医疗护理或身体健康检查过程中，在履行职责的范围内，对于应当可以防止出现的危害结果由于其严重疏于职守，如对就诊人的生命和健康采取漠不关心的态度，不及时就治；严重违反明确的操作规程等。根据《最高人民检察院、公安部关于公安机关管辖的刑事案件立案追诉标准的规定（一）》的规定，具有下列情形之一的，属于本条规定的“严重不负责任”：（1）擅离职守的；（2）无正当理由拒绝对危急就诊人实行必要的医疗救治的；（3）未经批准擅自开展试验性医疗的；（4）严重违反查对、复核制度的；（5）使用未经批准使用的药品、消毒药剂、医疗器械的；（6）严重违反国家法律法规及有明确规定的诊疗技术规范、常规的；（7）其他严重不负责任的情形。“严重不负责任”是构成本罪的必要条件之一，这一必要条件，将本罪限定于责任事故的范畴。对不是由于严重不负责任，而是由于其他原因造成医疗事故的不构成本罪。

3. 造成就诊人死亡或者严重损害就诊人身体健康的后果。这里的“就诊人”，是指到医疗机构治疗疾患、进行身体健康检查或者为计划生育而进行医疗的人。“严重损害就诊人身体健康”，主要是指造成就诊人严重残疾、重伤、感染艾滋病、病毒性肝炎等难以治愈的疾病或者其他严重损害就诊人身体健康的后果。构成本罪，必须要有就诊人的死亡或者严重损害就诊人身体健康的后果，这是罪与非罪的界限。如果行为人严重不负责任，但没有导致就诊人的死亡或者严重损害就诊人身体健康的后果，则不构成本罪。本条规定对医务人员由于严重不负责任，造成就诊人死亡或者严重损害就诊人身体健康的行为，处三年以下有期徒刑或者拘役。

第三百三十六条　未取得医生执业资格的人非法行医，情节严重的，处三年以下有期徒刑、拘役或者管制，并处或者单处罚金；严重损害就诊人身体健康的，处三年以上十年以下有期徒刑，并处罚金；造成就诊人死亡的，处十年以上有期徒刑，并处罚金。

未取得医生执业资格的人擅自为他人进行节育复通手术、假节育手术、终

止妊娠手术或者摘取宫内节育器，情节严重的，处三年以下有期徒刑、拘役或者管制，并处或者单处罚金；严重损害就诊人身体健康的，处三年以上十年以下有期徒刑，并处罚金；造成就诊人死亡的，处十年以上有期徒刑，并处罚金。

【释义】 本条是关于未取得医生执业资格的人非法行医或者擅自为他人进行节育复通手术、假节育手术、终止妊娠手术或者摘取宫内节育器的犯罪和刑罚的规定。

第一款是关于未取得医生执业资格的人非法行医的犯罪及其刑事处罚的规定。根据我国执业医师法的规定，未经医师注册取得执业证书，不得从事医师执业活动。“未取得医生执业资格的人非法行医”，是指未取得医师从业资格的人从事医疗工作，包括未取得或者以非法手段取得医师资格从事医疗活动，被依法吊销医师执业证书后仍然从事医疗活动等。根据《最高人民法院关于审理非法行医刑事案件具体应用法律若干问题的解释》规定，“情节严重”包括：(1)造成就诊人轻度残疾、器官组织损伤导致一般功能障碍的；(2)造成甲类传染病传播、流行或者有传播、流行危险的；(3)使用假药、劣药或不符合国家规定标准的卫生材料、医疗器械，足以严重危害人体健康的；(4)非法行医被卫生行政部门行政处罚两次以后，再次非法行医的；(5)其他情节严重的情形。本款规定处三年以下有期徒刑、拘役或者管制，并处或者单处罚金；对严重损害就诊人身体健康的，处三年以上十年以下有期徒刑，并处罚金；对造成就诊人死亡的，处十年以上有期徒刑，并处罚金。

第二款是关于未取得医生执业资格的人擅自为他人进行节育复通手术、假节育手术、终止妊娠手术或者摘取宫内节育器的犯罪及其刑事处罚的规定。“擅自为他人进行节育复通手术”，是指没有医师资格的人，为他人进行输卵(精)管复通手术的行为。“假节育手术”或者“摘取宫内节育器”，是指为他人进行假节扎输卵(精)管手术或者替育龄妇女摘取为计划生育放置的避孕环等宫内节育器的行为。“终止妊娠手术”，是指私自为孕妇进行手术，使母体内正发育的胚胎停止发育的行为，如进行流产或引产手术。“情节严重的”，主要是指没有医师资格的人，多次私自为他人做节育复通手术、假节育手术、终止妊娠手术或者摘取宫内节育器，破坏计划生育或者损害就诊人身体健康等。“严重损害就诊人身体健康的”，是指没有医师资格的人，进行上述手术时，给就诊人造成身体器官的损害或者严重损害身体健康的其他情况，如使就诊人丧失生育能力、大出血、子宫破裂等。本款对于没有医师资格的人私自为他人进行上述手术的犯罪行为，规定了三档刑罚：情节严重的，处三年以下有期徒刑、拘役或者管制，并处或者单处罚金；严重损害就诊人身体健康的，处三年以上十年以下有期徒刑，并处罚金；造成就诊人死亡的，处十年以上有期徒刑，并处罚金。

第三百三十七条*　违反有关动植物防疫、检疫的国家规定，引起重大动植物疫情的，或者有引起重大动植物疫情危险，情节严重的，处三年以下有期徒刑或者拘役，并处或者单处罚金。

单位犯前款罪的，对单位判处罚金，并对其直接负责的主管人员和其他直接责任人员，依照前款的规定处罚。

【释义】　本条是关于违反有关动植物防疫、检疫的国家规定，引起重大动植物疫情的，或者有引起重大动植物疫情危险的犯罪和刑罚的规定。

2009年2月28日第十一届全国人大常委会第七次会议通过的《刑法修正案（七）》对本条作了以下修改：一是将"违反进出境动植物检疫法的规定"改为"违反有关动植物防疫、检疫的国家规定"。二是将"逃避动植物检疫，引起重大动植物疫情的"改为"引起重大动植物疫情的，或者有引起重大动植物疫情危险"。三是增加"情节严重"作为构成本罪的条件。

第一款是关于违反有关动植物防疫、检疫的国家规定，引起重大动植物疫情或者有引起重大动植物疫情危险的犯罪及其刑事处罚的规定。本条中的"违反有关动植物防疫、检疫的国家规定"，是指违反动物防疫法、进出境动植物检疫法、《植物检疫条例》、《进出境动植物检疫法实施条例》等规定。在行为方式上包括违反动物防疫、植物检疫的有关规定的情形，比逃避动植物防疫、检疫的行为的范围要宽。违反动物防疫有关国家规定的行为可分为两类：一类是违反有关动物疫情管理规定的行为，如违反规定处置染疫动物、产品、排泄物、污染物；未按照规定采集、保存、使用、运输动物病微生物，导致动物病微生物遗失、扩散等。另一类是违反有关动物检疫管理规定的行为，如违反规定逃避检疫；违反规定藏匿、转移、盗掘被依法隔离、封存、处理的染疫动物及其产品等。违反植物检疫有关国家规定的行为包括违反规定调运、隔离试种、生产应实施检疫的植物、植物产品的，或者擅自改变植物、植物产品的规定用途等情形。原条文中规定的逃避进出境动植物检疫的行为被吸收在本条规定中，其主要是指不按照进出境动植物检疫法的有关规定进行检疫，如采取隐瞒、欺骗等方法逃避动植物的检疫或者避开检疫口岸进出境的情形。"重大动植物疫情"，指动物传染病在某一地区暴发、流行，在短期内突发众多患同一传染病的动物，造成某一种类动物大量死亡；或者植物病、虫、有害物种的迅速蔓延，使粮食、瓜果、蔬菜严重减产，或者有害植物大面积入侵，使当地植物种群退化、消失，造成生态环

---

* 第一款根据2009年2月28日第十一届全国人民代表大会常务委员会第七次会议通过《中华人民共和国刑法修正案（七）》修改。原第一款条文是："违反进出境动植物检疫法的规定，逃避动植物检疫，引起重大动植物疫情的，处三年以下有期徒刑或者拘役，并处或者单处罚金。"

境恶化，进而造成巨大经济损失或者环境资源的破坏。如英国的疯牛病，使政府不得不大量捕杀病牛，经济损失惨重。另外，如松材线虫病，作为一种毁灭性病害，此病在我国以及日本、韩国、美国、加拿大等均有发生。病原线虫侵入树体后会导致树木蒸腾作用降低，失水、木质变轻，树脂分泌急速减少和停止，最终导致病树整株枯死。松材线虫病具有致死速度快，防治难的特点，其传播主要通过媒介昆虫和人为携带患病木材及其制品完成。松树一旦染病，很难治愈，最终会导致林木的大面积毁坏、对森林资源和生态环境造成严重破坏。本条规定中的"引起重大动植物疫情危险"，是指虽然尚未引起重大动植物疫情的发生，但存在引起此类疫情的紧迫的或者现实的危险的情形，这种情形需要司法机关在办案过程加以具体判断，不能将违反有关规定的情况一律认定为具有引起重大动植物疫情的危险。根据本款规定，犯本罪的，处三年以下有期徒刑或者拘役，并处或者单处罚金。

第二款是关于单位犯本条之罪的如何处罚的规定。根据本款规定，除对单位判处罚金外，还要对该单位直接负责的主管人员和其他直接责任人员，处三年以下有期徒刑或者拘役，并处或者单处罚金。

第六节　破坏环境资源保护罪

第三百三十八条*　**违反国家规定，排放、倾倒或者处置有放射性的废物、含传染病病原体的废物、有毒物质或者其他有害物质，严重污染环境的，处三年以下有期徒刑或者拘役，并处或者单处罚金；后果特别严重的，处三年以上七年以下有期徒刑，并处罚金。**

【释义】　本条是关于污染环境的犯罪及其处罚的规定。

2011年2月25日全国人大常委会第十九次会议通过的《刑法修正案（八）》对本条作了以下修改：一是删去了"向土地、水体、大气"排放、倾倒或者处置，使条文更简练。二是扩大了污染行为所排放、倾倒或者处置的物质，将原来规定的"其他危险废物"修改为"其他有害物质"。三是降低了犯罪的门槛，将原来规定的"造成重大环境污染事故，致使公私财产遭受重大损失或者人身

---

* 根据2011年2月25日第十一届全国人民代表大会常务委员会第十九次会议通过的《中华人民共和国刑法修正案（八）》修改。原条文是："违反国家规定，向土地、水体、大气排放、倾倒或者处置有放射性的废物、含传染病病原体的废物、有毒物质或者其他危险物质，造成重大环境污染事故，致使公私财产遭受重大损失或者人身伤亡的严重后果的，处三年以下有期徒刑或者拘役，并处或者单处罚金；后果特别严重的，处三年以上七年以下有期徒刑，并处罚金。"

伤亡的严重后果”修改为“严重污染环境”。

污染环境的犯罪主要有以下构成要件：

1. 行为人实施了违反国家规定，排放、倾倒或者处置有放射性的废物、含传染病病原体的废物、有毒物质或者其他有害物质的行为。本条中“违反国家规定”，是指违反国家关于环境保护的法律和法规的规定。“排放”，是指将本条所说的危险废物向水体、土地、大气等排入行为，包括泵出、溢出、泄出、喷出和倒出等行为。“倾倒”，是指通过船舶、航空器、平台或者其他运载工具，向水体、土地、滩涂、森林、草原以及大气等处置放射性废物、含传染病病原体的废物、有毒物质或者其他有害物质的行为。“处置”，主要是指以焚烧、填埋等方式处理废物的活动。这里需要说明一点，《刑法修正案（八）》虽然删去了原来条文中规定的排放、倾倒、处置行为的对象，即“土地、水体、大气”，实际上，排放、倾倒、处置行为的对象，通常情况下仍然是土地、水体、大气。土地包括耕地、林地、草地、荒地、山岭、滩涂、河滩地及其他陆地。水体是指中华人民共和国领域的江河、湖泊、运河、渠道、水库等地表水体以及地下水体，还包括内海、领海以及中华人民共和国管辖的一切其他海域。大气是指包围地球的空气层总体。特别需要指出的是，本条所指的排放、倾倒、处置行为本身都是法律允许的行为。因为水体、土地、大气是全人类的财富，是人类赖以生存的物质基础，每一个人都有合理利用的权利。为了保证人类对环境的永续利用，必须对人类的行为有所限制，即向环境中排放、倾倒、处置有害物质要符合国家规定的标准。但如果超过国家规定的标准向环境中排放、倾倒、处置有害物质，就有可能污染环境，进而造成环境污染事故。所以本条用“违反国家规定”限定了排放、倾倒、处置行为。

本条中放射性废物、含传染病病原体的废物、有毒物质，都可以称为有害物质。有害物质包括了以废气、废渣、废水、污水等多种形态存在的危险废物。“放射性的废物”，是指放射性核素含量超过国家规定限值的固体、液体和气体废弃物。“含传染病病原体的废物”，是指含有传染病病菌的污水、粪便等废弃物。“有毒物质”主要是指对人体有毒害，可能对人体健康和环境造成严重危害的固体、泥状及液体废物。“其他有害物质”包括其他列入国家危险废物名录或者根据国家规定的危险废物鉴别标准和鉴别方法认定的具有危险特性的废物。

2. 排放的废物、有毒、有害物质，严重污染了环境。“严重污染环境”既包括发生了造成财产损失或者人身伤亡的环境事故，也包括虽然还未造成环境污染事故，但是已使环境受到严重污染或者破坏的情形。根据本条规定，有本条所列行为之一，严重污染环境的即构成犯罪，处三年以下有期徒刑或者拘役，并处或者单处罚金；后果特别严重的，处三年以上七年以下有期徒刑，并处罚金。这是本条最为重要的修改,为保障人民群众的生命健康安全,严惩严重污染环境的行为,维护经济的可持续发展,本条对重大环境污染事故罪的犯罪构成作了修改,降低了犯罪构成的门槛,将虽未造成重大环境污染事故,但长期违反国家规定,超标准排放、倾倒、处置有害物质,严重污染环境的行为规定为犯罪。《最高人民法院、最高人民检察院关于办理环境污染刑事案件适用法律若干问题的解释》对于什么是"严重污染环境"、"后果特别严重"作了具体的规定。

第三百三十九条*　违反国家规定,将境外的固体废物进境倾倒、堆放、处置的,处五年以下有期徒刑或者拘役,并处罚金;造成重大环境污染事故,致使公私财产遭受重大损失或者严重危害人体健康的,处五年以上十年以下有期徒刑,并处罚金;后果特别严重的,处十年以上有期徒刑,并处罚金。

未经国务院有关主管部门许可,擅自进口固体废物用作原料,造成重大环境污染事故,致使公私财产遭受重大损失或者严重危害人体健康的,处五年以下有期徒刑或者拘役,并处罚金;后果特别严重的,处五年以上十年以下有期徒刑,并处罚金。

以原料利用为名,进口不能用作原料的固体废物、液态废物和气态废物的,依照本法第一百五十二条第二款、第三款的规定定罪处罚。

【释义】　本条是关于非法处置进口的固体废物、擅自进口固体废物的犯罪及其处罚的规定。

2002 年 12 月 28 日第九届全国人大常委会第三十一次会议通过的《刑法修正案(四)》在刑法第一百五十二条中增加一款,作为第二款:"逃避海关监管将境外固体废物、液态废物和气态废物运输进境,情节严重的,处五年以下有期徒刑,并处或者单处罚金;情节特别严重的,处五年以上有期徒刑,并处罚金。"相应删去刑法第一百五十五条第三项。同时将本条第三款规定修改为:"以原料利用为名,进口不能用作原料的固体废物、液态废物和气态废物的,依照本法第一百五十二条第二款、第三款的规定定罪处罚。"

第一款是关于违反国家规定,将中国境外的固体废物进境倾倒、堆放、处置行为及其刑事处罚的规定。"固体废物",是指在生产建设、日常生活和其他活动中产生的污染环境的固态、半固态废弃物质。这类废物的治理,往往需要较高的技术并耗费大量的资金。在欧洲,处理一吨有毒有害废物约需花费一千美

* 第三款根据 2002 年 12 月 28 日第九届全国人民代表大会常务委员会第三十一次会议通过的《中华人民共和国刑法修正案(四)》修改。原第三款条文是:"以原料利用为名,进口不能用作原料的固体废物的,依照本法第一百五十五条的规定定罪处罚。"

元,若到非洲国家去处理,每吨仅需费用十美元,因此,一些发达国家千方百计将本国的有毒有害废物和垃圾转移到国外处置。为了保护人类健康,限制发达国家转移污染和保护发展中国家免受污染转移之害,1989 年《控制危险废物越境转移及其处置巴塞尔公约》全体代表在瑞士巴塞尔通过了该公约。我国政府于 1990 年签署了该公约。按照公约的规定,任何国家皆享有禁止公约所指危险废物自外国进入其领土或者在其领土内处置的主权权利。我国固体废物污染环境防治法明确规定,禁止中国境外的固体废物进境倾倒、堆放、处置,表达了我国政府在这个问题上的明确态度。

本款中的"倾倒",是指通过船舶、航空器、平台或者其他运载工具,向水体处置废弃物或者其他有害物质的行为。"堆放",是指向土地直接弃置固体废物的行为。"处置",是指以焚烧、填埋等方式处理固体废物的活动。《最高人民法院、最高人民检察院关于办理环境污染刑事案件适用法律若干问题的解释》对于何种情形应当被认定为本条所说的"致使公私财产遭受重大损失或者严重危害人体健康"或者"致使公私财产遭受重大损失或者造成人身伤亡的严重后果"作了具体规定,包括:致使乡镇以上集中式饮用水水源取水中断十二小时以上的;致使基本农田、防护林地、特种用途林地五亩以上,其他农用地十亩以上,其他土地二十亩以上基本功能丧失或者遭受永久性破坏的;致使森林或者其他林木死亡五十立方米以上,或者幼树死亡二千五百株以上的;致使公私财产损失三十万元以上的;致使疏散、转移群众五千人以上的;致使三十人以上中毒的;致使三人以上轻伤、轻度残疾或者器官组织损伤导致一般功能障碍的;致使一人以上重伤、中度残疾或者器官组织损伤导致严重功能障碍的。根据该司法解释,有下列情形之一的,应当被认定为"后果特别严重":(1)致使县级以上城区集中式饮用水水源取水中断十二个小时以上的;(2)致使基本农田、防护林地、特种用途林地十五亩以上,其他农用地三十亩以上,其他土地六十亩以上基本功能丧失或者遭受永久性破坏的;(3)致使森林或者其他林木死亡一百五十立方米以上,或者幼树死亡七千五百株以上的;(4)致使公私财产损失一百万元以上的;(5)致使疏散、转移群众一万五千人以上的;(6)致使一百人以上中毒的;(7)致使十人以上轻伤、轻度残疾或者器官组织损伤导致一般功能障碍的;(8)致使三人以上重伤、中度残疾或者器官组织损伤导致严重功能障碍的;(9)致使一人以上重伤、中度残疾或者器官组织损伤导致严重功能障碍,并致使五人以上轻伤、轻度残疾或者器官组织损伤导致一般功能障碍的;(10)致使一人以上死亡或者重度残疾的。该解释所称"公私财产损失",包括污染环境行为直接造成的财产损毁、减少的实际价值,为防止污染扩大以及消除污染而采取的必要的、合理的措施而发生的费用。本款对违反国家规定,将中国境外的固体废物进境倾倒、堆放、处置的犯罪行为，规定了三档刑罚。对实施了将中国境外的固体废物进境倾倒、堆放、处置行为的，判处五年以下有期徒刑或者拘役，并处罚金；对造成重大环境污染事故，致使公私财产遭受重大损失或者严重危害人体健康的，处五年以上十年以下有期徒刑，并处罚金；对后果特别严重的，处十年以上有期徒刑，并处罚金。

第二款是关于未经国务院有关主管部门许可，擅自进口固体废物用作原料的犯罪行为及其刑事处罚的规定。“未经国务院有关主管部门许可，擅自进口固体废物用作原料”，是指没有经过国务院环境保护行政主管部门和国务院对外经济贸易主管部门审查许可，私自进口《国家限制进口的可用作原料的废物目录》上列入的固体废物用作原料。我国固体废物污染环境防治法规定，国家禁止进口不能用作原料的固体废物；可以用作原料的固体废物，确有必要进口《国家限制进口的可用作原料的废物目录》中的固体废物用作原料的，必须经国务院环境保护行政主管部门和国务院对外经济贸易主管部门审查许可，方可进口。本款规定对未经有关主管部门许可，擅自进口固体废物用作原料的犯罪行为，规定了两档刑罚：造成重大环境污染事故，致使公私财产遭受重大损失或者严重危害人体健康的犯罪行为，处五年以下有期徒刑或者拘役，并处罚金；后果特别严重的，处五年以上十年以下有期徒刑，并处罚金。

第三款是关于以原料利用为名，进口不能用作原料的固体废物、液态废物和气态废物的犯罪行为及其刑事处罚的规定。“以原料利用为名，进口不能用作原料的固体废物、液态废物和气态废物”，是指进口《国家限制进口的可用作原料的废物目录》上没有列入的固体废物、液态废物和气态废物的。犯本款规定之罪的，依照本法第一百五十二条第二款、第三款的规定定罪处罚，即情节严重的，处五年以下有期徒刑，并处罚金或者单处罚金；情节特别严重的，处五年以上有期徒刑，并处罚金。

第三百四十条　违反保护水产资源法规，在禁渔区、禁渔期或者使用禁用的工具、方法捕捞水产品，情节严重的，处三年以下有期徒刑、拘役、管制或者罚金。

【释义】　本条是关于非法捕捞水产品的犯罪及其处罚的规定。

本条“违反保护水产资源法规”，是指违反渔业法以及其他保护水产资源的法律、法规。“禁渔区”，是指对某些重要鱼、虾、贝类产卵场、越冬场，幼体索饵场、洄游通道及生长繁殖场所等，划定禁止全部作业或者限制作业的一定区域。“禁渔期”，是指对某些鱼类幼苗出现的不同盛期，规定禁止作业或者限制作业的一定期限。“禁用的工具”，是指禁止使用的捕捞工具，即超过国家按照不同的捕捞对象所分别规定的最小网眼尺寸的网具和其他禁止使用的渔具。最小网眼尺寸就是容许捕捞各种鱼、虾类所使用的渔具网眼的最低限制，有利于释放未成熟的鱼、虾的幼体。“禁用的方法”，是指禁止使用的捕捞方法，也就是严重损害水产资源正常繁殖和生长的方法，如炸鱼、毒鱼、电鱼、使用鱼鹰等。“情节严重”，主要指非法捕捞水产品数量较大的；非法捕捞水产品，屡教不改的；使用禁用的工具、方法捕捞水产品，造成水产资源重大损失的等。对犯非法捕捞水产品罪的，处三年以下有期徒刑、拘役、管制或者罚金。

第三百四十一条　非法猎捕、杀害国家重点保护的珍贵、濒危野生动物的，或者非法收购、运输、出售国家重点保护的珍贵、濒危野生动物及其制品的，处五年以下有期徒刑或者拘役，并处罚金；情节严重的，处五年以上十年以下有期徒刑，并处罚金；情节特别严重的，处十年以上有期徒刑，并处罚金或者没收财产。

违反狩猎法规，在禁猎区、禁猎期或者使用禁用的工具、方法进行狩猎，破坏野生动物资源，情节严重的，处三年以下有期徒刑、拘役、管制或者罚金。

【释义】　本条是关于非法猎捕、杀害珍贵、濒危野生动物，非法收购、运输、出售珍贵、濒危野生动物、野生动物制品以及非法狩猎的犯罪及其处罚的规定。

在野生动物资源保护方面比较突出的问题有：一是在一些地方食用珍贵、濒危野生动物等问题突出，形成了非法猎捕、杀害珍贵、濒危野生动物的“买方市场”。对于为食用或者其他非法用途而购买珍贵、濒危野生动物及其制品的，是否属于犯罪行为，是否追究刑事责任，还存在模糊认识，需要予以明确。二是一些不法分子明知是非法狩猎的野生动物而坐地收赃，形成非法狩猎活动的背后推手。对这种行为是否追究刑事责任，如何追究刑事责任不明确。2014 年 4 月 24 日第十二届全国人大常委会第八次会议通过《关于〈中华人民共和国刑法〉第三百四十一条、第三百一十二条的解释》，对本条作出以下解释：一是明确以食用或者其他目的而非法购买珍贵、濒危野生动物及其制品的行为，属于非法收购国家重点保护的珍贵、濒危野生动物及其制品的犯罪。二是明确明知是非法狩猎的野生动物而购买的，属于明知是犯罪所得而收购的行为。

第一款是关于非法猎捕、杀害国家重点保护的珍贵、濒危野生动物，或者非法收购、运输、出售国家重点保护的珍贵、濒危野生动物及其制品的犯罪及其刑事处罚的规定。本款中“珍贵、濒危野生动物”，包括列入国家重点保护野生动物名录的国家一、二级保护野生动物、列入《濒危野生动植物物种国际贸易公约》附录一、附录二的野生动物以及驯养繁殖的上述物种。“珍贵”野生动物，是指具有较高的科学研究、经济利用或观赏价值的野生动物，如隼、秃鹫、猕猴、黄羊、马鹿等。“濒危”野生动物，是指除珍贵和稀有之外，种群数量处于急剧下降的趋势，面临灭绝的危险的野生动物。另外，凡属于中国特产动物的，都可列为珍贵、濒危野生动物，如大熊猫，既是珍贵的，又是濒危的，又属于中国特产动物。珍贵、濒危的野生动物，都是被列为国家重点保护的野生动物。珍贵、濒危野生动物“制品”，是指珍贵、濒危野生动物的肉、皮、毛、骨制成品。“非法猎捕、杀害”，是指除因科学研究、驯养繁殖、展览或者其他特殊情况的需要，经过依法批准猎捕以外，对野生动物捕捉或者杀死的行为。“非法收购、运输、出售国家重点保护的珍贵、濒危野生动物及其制品”，是指违反法律规定，对珍贵、濒危野生动物进行收购、运输、出售的行为。同时，《关于〈中华人民共和国刑法〉第三百四十一条、第三百一十二条的解释》还明确规定，知道或者应当知道是国家重点保护的珍贵、濒危野生动物及其制品，为食用或者其他目的而非法购买的，属于刑法第三百四十一条第一款规定的非法收购国家重点保护的珍贵、濒危野生动物及其制品的行为。非法“运输”国家重点保护的珍贵、濒危野生动物及其制品，是指违反野生动物保护法的有关规定，未经有关部门批准，利用飞机、火车、汽车、轮船等交通工具，邮寄、利用他人或者随身携带等方式，将国家重点保护的珍贵、濒危野生动物及其制品，从这一地点运往另一地点的行为。本条规定，犯非法猎捕、杀害珍贵、濒危野生动物罪，处五年以下有期徒刑或者拘役，并处罚金；情节严重的，处五年以上十年以下有期徒刑，并处罚金；情节特别严重的，处十年以上有期徒刑，并处罚金或者没收财产。根据《最高人民法院关于审理破坏野生动物资源刑事案件具体应用法律若干问题的解释》的规定，“情节严重”是指非法猎捕、杀害、收购、运输、出售珍贵、濒危野生动物达到一定的数量标准，或者非法收购、运输、出售珍贵、濒危野生动物制品价值在十万元以上或非法获利五万元以上等情况。“情节特别严重”是指非法猎捕、杀害、收购、运输、出售珍贵、濒危野生动物数量特别大的；犯罪集团的首要分子；严重影响对野生动物的科研、养殖等工作顺利进行的；以武装掩护方法实施犯罪的；使用特种车、军用车等交通工具实施犯罪的；造成其他重大损失的；或者非法收购、运输、出售珍贵、濒危野生动物制品价值在二十万元以上的；非法获利十万元以上的；或者具有其他特别严重情节的。

第二款是关于违反狩猎法规，在禁猎区、禁猎期或者使用禁用的工具、方法进行狩猎，破坏野生动物资源的犯罪及其刑事处罚的规定。本款中，“违反狩猎法规”，是指违反国家有关狩猎规范的法律、法规。“禁猎区”，是指国家划定一定的范围，禁止在其中进行狩猎活动的地区。这一般是属于某些珍贵动物的主要栖息、繁殖的地区。此外，城镇、工矿区、革命圣地、名胜古迹地区、风景区，也是禁猎区。“禁猎期”，是指国家规定禁止狩猎的期限，主要是为了保护野生动物资源，根据野生动物的繁殖的季节，规定禁止猎捕的期限。“禁用的工具、方法”，是指会破坏野生动物资源，危害人畜安全的工具、方法，如地弓、地枪，以及用毒药、炸药、火攻、烟熏等方法。本款并不是绝对禁止猎捕野生动物，而是将猎捕野生动物的行为，限定在一定范围内。有本款行为，破坏野生动物资源，情节严重的，处三年以下有期徒刑、拘役、管制或者罚金。根据上述司法解释，“情节严重”主要是指非法狩猎野生动物二十只以上的；违反狩猎法规，在禁猎区或者禁猎期使用禁用的工具、方法狩猎的；或者具有其他严重情节的。同时，为打击非法狩猎行为，《关于〈中华人民共和国刑法〉第三百四十一条、第三百一十二条的解释》还明确规定，知道或者应当知道是刑法第三百四十一条第二款规定的非法狩猎的野生动物而购买的，属于刑法第三百一十二条第一款规定的明知是犯罪所得而收购的行为。

第三百四十二条*　违反土地管理法规，非法占用耕地、林地等农用地，改变被占用土地用途，数量较大，造成耕地、林地等农用地大量毁坏的，处五年以下有期徒刑或者拘役，并处或者单处罚金。

【释义】　本条是关于非法占用农用地的犯罪及其处罚的规定。

实践中，一些地方、单位和个人以各种名义毁林开垦、非法占用林地改作他用，有的行为人为毁林开垦，往往一把火把林木烧掉或者使用机械毁坏，然后从事种植、养殖、建设等活动，对森林资源和林地造成了极大的破坏。林地是我国重要的自然资源，又是保护自然环境、发展多种经营的基础和条件，为惩治破坏森林资源的犯罪，保护生态环境，2001 年 8 月 31 日第九届全国人大常委会第二十三次会议通过的《刑法修正案（二）》对本条进行了修改，增加了对非法占用林地等农用地行为追究刑事责任的规定。同时，全国人大常委会还通过《关于〈中华人民共和国刑法〉第二百二十八条、第三百四十二条、第四百一十条的解释》，进一步明确“违反土地管理法规”的含义。

构成本罪必须具备以下几个条件：

1. 行为人必须违反土地管理法规。根据《关于〈中华人民共和国刑法〉第二百二十八条、第三百四十二条、第四百一十条的解释》的规定，“违反土地管理法规”是指违反土地管理法、森林法、草原法等法律以及有关行政法规中关于土地管理的规定。

---

* 根据 2001 年 8 月 31 日第九届全国人民代表大会常务委员会第二十三次会议通过的《中华人民共和国刑法修正案（二）》修改。原条文是：“违反土地管理法规，非法占用耕地改作他用，数量较大，造成耕地大量毁坏的，处五年以下有期徒刑或者拘役，并处或者单处罚金。”

2. 行为人实施了非法占用耕地、林地等农用地,改变被占用土地用途的行为。根据土地管理法的规定,土地按用途分为农用地、建设用地和未利用地。“农用地”,是指直接用于农业生产的土地,包括耕地、林地、草地、农田水利地、养殖水面等。“耕地”,是指种植农作物的土地,也包括菜地、园地。其中园地包括苗圃、花圃、茶园、果园、桑园和其他种植经济林木的土地。“林地”,主要包括郁闭度0.2以上的乔木林地以及竹林地、灌木林地、疏林地、采伐迹地、火烧迹地、未成林造林地、苗圃地和县级以上人民政府规划的宜林地。“非法占用耕地、林地等农用地”,是指违反土地利用总体规划或计划,未经批准擅自将耕地改为建设用地或者作其他用途,或者擅自占用林地进行建设或者开垦林地进行种植、养殖以及实施采石、采砂等活动。“改变被占用土地用途”,是指未经依法办理农用地转用批准手续、土地征收、征用、占用审批手续,非法占用耕地、林地、草地等农用地,在被占用的农用地上从事建设、采矿、养殖等活动,改变土地利用总体规划规定的农用地的原用途,如占用耕地建设度假村,开垦林地、草地种植庄稼,占用林地挖塘养虾等。

3. 必须达到数量较大,并且造成耕地、林地等农用地大量毁坏的后果。根据《最高人民法院关于审理破坏土地资源刑事案件具体应用法律若干问题的解释》的规定,非法占用耕地“数量较大”,是指非法占用基本农田五亩以上或者非法占用基本农田以外的耕地十亩以上。非法占用耕地“造成耕地大量毁坏”,是指行为人非法占用耕地建窑、建坟、建房、挖沙、采石、采矿、取土、堆放固体废弃物或者进行其他非农业建设,造成毁坏或者严重污染。另外,根据《最高人民法院关于审理破坏林地资源刑事案件具体应用法律若干问题的解释》的规定,“数量较大,造成林地大量毁坏”,是指下列情形:(1)非法占用并毁坏防护林地、特种用途林地数量分别或者合计达到五亩以上;(2)非法占用并毁坏其他林地数量达到十亩以上;(3)非法占用并毁坏本条第(1)项、第(2)项规定的林地,数量分别达到相应规定的数量标准的百分之五十以上;(4)非法占用并毁坏本条第(1)项、第(2)项规定的林地,其中一项数量达到相应规定的数量标准的百分之五十以上,且两项数量合计达到该项规定的数量标准。

根据本条规定,违反土地管理法规,非法占用耕地、林地等农用地,改变被占用土地用途,数量较大,造成耕地、林地等农用地大量毁坏的,处五年以下有期徒刑或者拘役,并处或者单处罚金。

第三百四十三条*　违反矿产资源法的规定，未取得采矿许可证擅自采矿，擅自进入国家规划矿区、对国民经济具有重要价值的矿区和他人矿区范围采矿，或者擅自开采国家规定实行保护性开采的特定矿种，情节严重的，处三年以下有期徒刑、拘役或者管制，并处或者单处罚金；情节特别严重的，处三年以上七年以下有期徒刑，并处罚金。

违反矿产资源法的规定，采取破坏性的开采方法开采矿产资源，造成矿产资源严重破坏的，处五年以下有期徒刑或者拘役，并处罚金。

【释义】　本条是关于非法采矿和破坏性采矿的犯罪及其处罚的规定。

在《刑法修正案(八)》施行前，构成非法采矿罪必须同时具备未取得采矿许可证擅自采矿等非法采矿行为、经责令停止开采后拒不停止开采和造成矿产资源破坏三个条件。一些地方非法采矿活动猖獗，严重破坏矿产资源和生态环境，群众意见很大。但从实践情况看，由于受到地方保护以及个别地方有关监督管理部门及其工作人员监管不力、玩忽职守等因素的影响，在司法实践中，对这类案件追究刑事责任的不多。同时，刑法的这一规定本身在执行中面临一些新的情况和问题，主要是：无证开采行为流动性大，发现案件难、“责令”难；行为人通过改换姓名、转包等方式逃避制裁，“拒不停止开采”证明难；“造成矿产资源破坏”需要省级以上地质矿产主管部门出具鉴定结论，技术性强，费用高，实际操作难等，需要进一步提高刑法规定的可操作性。为了进一步完善刑法相关规定，加大对非法采矿犯罪活动的打击力度，2011 年 2 月 25 日第十一届全国人大常委会第十九次会议通过的《刑法修正案(八)》对非法采矿罪的犯罪构成条件作了修改，将“经责令停止开采后拒不停止开采，造成矿产资源破坏”修改为“情节严重”。

第一款是关于非法采矿的犯罪及其刑事处罚的规定。“未取得采矿许可证擅自采矿”，是指未取得国务院、省、自治区、直辖市人民政府、国务院授权的有关主管部门颁发的采矿许可证而开采矿产资源的行为。采矿许可证是法律规定由国家行政机关颁发的一种特许许可证，没有采矿许可证无权开采矿产资源。“国家规划矿区”，是指在一定时期内，根据国民经济建设长期的需要和资源分布情况，经国务院或者国务院有关主管部门依法定程序审查、批准，确定列

---

* 第一款根据 2011 年 2 月 25 日第十一届全国人民代表大会常务委员会第十九次会议通过的《中华人民共和国刑法修正案(八)》修改。原第一款条文是：“违反矿产资源法的规定，未取得采矿许可证擅自采矿的，擅自进入国家规划矿区、对国民经济具有重要价值的矿区和他人矿区范围采矿的，擅自开采国家规定实行保护性开采的特定矿种，经责令停止开采后拒不停止开采，造成矿产资源破坏的，处三年以下有期徒刑、拘役或者管制，并处或者单处罚金；造成矿产资源严重破坏的，处三年以上七年以下有期徒刑，并处罚金。”

入国家矿产资源开发长期或中期规划的矿区以及作为老矿区后备资源基地的矿区。“对国民经济具有重要价值的矿区”,是指经济价值重大或者经济效益很高,对国家经济建设的全局性、战略性有重要影响的矿区。“国家规定实行保护性开采的特定矿种”,是指黄金、钨、锡、锑、离子型稀土矿产。其中,钨、锡、锑、离子型稀土是我国的优质矿产,在世界上有举足轻重的地位。但是,近年来对这些矿产资源乱采滥挖现象很严重,因此,根据矿产资源法的规定,国务院决定将钨、锡、锑、离子型稀土矿列为国家实行保护性开采的特定矿种,以加强保护。

本款对违反矿产资源法,构成非法采矿罪的行为规定了五种情况:1. 未取得采矿许可证擅自采矿的;2. 擅自进入国家规划矿区采矿的;3. 擅自对国民经济具有重要价值的矿区采矿的;4. 擅自在他人矿区范围采矿的;5. 擅自开采国家规定实行保护性开采的特定矿种的。根据《最高人民法院关于审理非法采矿、破坏性采矿刑事案件具体应用法律若干问题的解释》的规定,其中“未取得采矿许可证擅自采矿”包括下列情形:(1)无采矿许可证开采矿产资源的;(2)采矿许可证被注销、吊销后继续开采矿产资源的;(3)超越采矿许可证规定的矿区范围开采矿产资源的;(4)未按采矿许可证规定的矿种开采矿产资源的(共生、伴生矿种除外);(5)其他未取得采矿许可证开采矿产资源的情形。根据《刑法修正案(八)》的修改,构成本罪,不再要求有“经责令停止开采后拒不停止开采”的情形,有上述任何一种行为,情节严重的,即构成本条规定的非法采矿罪。依照本款规定,有非法采矿行为,情节严重的,处三年以下有期徒刑、拘役或者管制,并处或者单处罚金;情节特别严重的,处三年以上七年以下有期徒刑,并处罚金。

第二款是关于采取破坏性的开采方法开采矿产资源的犯罪及其刑事处罚的规定。“采取破坏性的开采方法开采矿产资源”,是指在开采矿产资源过程中,违反矿产资源法及有关规定,采易弃难,采富弃贫,严重违反开采回采率、采矿贫化率和选矿回收率的指标进行采矿的行为。矿产资源是不可再生的资源,一旦被破坏,几乎是难以补救的。有些矿种在世界范围内都是稀有矿种,如铌、钽、铍,一旦被破坏对人类的财富会造成重大损失;还有些矿种虽然不是稀有的矿种,如煤、石油,但过度的破坏性的开采也会造成矿产资源的破坏和损耗。根据前述司法解释的规定,“采取破坏性的开采方法开采矿产资源”,是指行为人违反地质矿产主管部门审查批准的矿产资源开发利用方案开采矿产资源,并造成矿产资源严重破坏的行为。根据本款规定,采取破坏性的开采方法开采矿产资源,造成矿产资源严重破坏的,处五年以下有期徒刑或者拘役,并处罚金。“造成矿产资源严重破坏”,是指破坏性采矿造成矿产资源破坏的价值,数额在三十万元以上的情形。

第三百四十四条*　违反国家规定，非法采伐、毁坏珍贵树木或者国家重点保护的其他植物的，或者非法收购、运输、加工、出售珍贵树木或者国家重点保护的其他植物及其制品的，处三年以下有期徒刑、拘役或者管制，并处罚金；情节严重的，处三年以上七年以下有期徒刑，并处罚金。

【释义】　本条是关于非法采伐、毁坏国家重点保护植物，非法收购、运输、加工、出售国家重点保护植物、国家重点保护植物制品的犯罪及其处罚的规定。

近些年来，有些部门提出，为保护物种的多样性，维护自然界可持续发展，对珍贵林木以外的其他具有重要科研、生态价值的植物也应加大保护力度，非法收购、运输、加工、出售珍贵树木或者国家重点保护的其他植物及其制品的行为，为非法采伐珍贵树木或者国家重点保护的其他植物及其制品的犯罪提供了进入市场的渠道，进一步刺激非法采伐的犯罪行为，所以对这类行为也必须规定为犯罪予以严厉惩处。2002 年 12 月 28 日第九届全国人大常委会第三十一次会议通过的《刑法修正案（四）》对本条作了如下修改：一是把该条惩治的犯罪行为从“非法采伐、毁坏”增加到“非法收购、运输、加工、出售”；二是保护的范围从“珍贵林木”扩大到国家重点保护的所有植物及其制品。

本条有两层含义：

第一，明确了犯罪行为所侵害的对象是珍贵树木和国家重点保护的其他植物及其制品。本条中的“珍贵树木”是指由省级以上林业主管部门或者其他部门确定的具有重大历史纪念意义、科学研究价值或者年代久远的古树名木，国家禁止、限制出口的珍贵树木以及列入国家重点保护野生植物名录的树种，也就是具有较高的科学研究、经济利用和观赏价值的树木。根据《国家珍贵树种名录》和《国家重点保护野生植物名录》的规定，国家一级珍贵树木，主要有银杉、巨柏、银杏、水松、南方红豆杉、天目铁木、水杉、香果树等。国家二级珍贵树木，主要有岷江柏木、秦岭冷杉、大别山五针松、红松、黄杉、红豆树、山槐、厚朴、水青树、香木莲等。“国家重点保护的其他植物”，是指除珍贵树木以外的其他国家重点保护的植物，主要是国务院颁布的《国家重点保护野生植物名录》中所规定的植物。根据名录规定，国家一级保护的其他植物，包括光叶蕨、玉龙蕨、长喙毛茛泽泻、膝柄木、瑶山苣苔、单座苣苔、华山新麦

---

* 根据 2002 年 12 月 28 日第九届全国人民代表大会常务委员会第三十一次会议通过的《中华人民共和国刑法修正案（四）》修改。原条文是：“违反森林法的规定，非法采伐、毁坏珍贵树木的，处三年以下有期徒刑、拘役或者管制，并处罚金；情节严重的，处三年以上七年以下有期徒刑，并处罚金。”

草、莼菜、独叶草、异形玉叶金花等。国家二级保护的其他植物,包括冬虫夏草、松茸、发菜、云南肉豆蔻、沙椤、七指蕨、沙芦草、四川狼尾草、驼峰藤、雪白睡莲等。

第二,明确了犯罪的行为特征,即行为人具有非法采伐、毁坏珍贵树木或者国家重点保护的其他植物的,或者非法收购、运输、加工、出售珍贵树木或者国家重点保护的其他植物及其制品的犯罪行为。我国森林法第二条规定,在中华人民共和国领域内从事森林、林木的培育种植、采伐利用和森林、林木、林地的经营管理活动,都必须遵守本法。第二十四条规定,国务院林业主管部门和省、自治区、直辖市人民政府,应当在不同自然地带的典型森林生态地区、珍贵动物和植物生长繁殖的林区、天然热带雨林区和具有特殊保护价值的其他天然林区,划定自然保护区,加强保护管理。对自然保护区以外的珍贵树木和林区内具有特殊价值的植物资源,应当认真保护;未经省、自治区、直辖市林业主管部门批准,不得采伐和采集。本条所说的“非法采伐珍贵树木或者国家重点保护的其他植物”,是指违反森林法及有关法规的规定,未经有关主管部门批准而采伐珍贵树木或者国家重点保护的其他植物的行为。“毁坏珍贵树木或者国家重点保护的其他植物”,是指采用剥皮、砍枝、取脂等方式使珍贵树木或者国家重点保护的其他植物死亡或者影响其正常生长,致使珍贵树木的价值或者使用价值部分丧失或者全部丧失的行为。“非法收购、运输、加工、出售珍贵树木或者国家重点保护的其他植物及其制品”,是指违反森林法及其有关法规的规定,对珍贵树木或者国家重点保护的其他植物及其制品进行收购、运输、加工、出售的行为。

本条规定了两档刑罚,只要实施了非法采伐、毁坏珍贵树木或者国家重点保护的其他植物,或者非法收购、运输、加工、出售珍贵树木以及国家重点保护的其他植物及其制品的行为,即处三年以下有期徒刑、拘役或者管制,并处罚金;情节严重的,处三年以上七年以下有期徒刑,并处罚金。根据《最高人民法院关于审理破坏森林资源刑事案件具体应用法律若干问题的解释》的规定,“情节严重”,主要包括以下几种情形:(1)非法采伐珍贵树木二株以上或者毁坏珍贵树木致使珍贵树木死亡三株以上的;(2)非法采伐珍贵树木二立方米以上的;(3)为首组织、策划、指挥非法采伐或者毁坏珍贵树木或者国家重点保护的其他植物的;(4)其他情节严重的情形。

第三百四十五条*　盗伐森林或者其他林木，数量较大的，处三年以下有期徒刑、拘役或者管制，并处或者单处罚金；数量巨大的，处三年以上七年以下有期徒刑，并处罚金；数量特别巨大的，处七年以上有期徒刑，并处罚金。

违反森林法的规定，滥伐森林或者其他林木，数量较大的，处三年以下有期徒刑、拘役或者管制，并处或者单处罚金；数量巨大的，处三年以上七年以下有期徒刑，并处罚金。

非法收购、运输明知是盗伐、滥伐的林木，情节严重的，处三年以下有期徒刑、拘役或者管制，并处或者单处罚金；情节特别严重的，处三年以上七年以下有期徒刑，并处罚金。

盗伐、滥伐国家级自然保护区内的森林或者其他林木的，从重处罚。

【释义】　本条是关于盗伐、滥伐林木，非法收购、运输盗伐、滥伐的林木的犯罪及其处罚的规定。

2002年12月28日第九届全国人大常委会第三十一次会议通过的《刑法修正案（四）》对本条作了以下修改：一是删去了“以牟利为目的”和“在林区”的条件限制，只要行为人实施了非法收购明知是盗伐、滥伐的林木的行为，情节严重的，无论其是否以牟利为目的，无论行为是否发生在林区，都构成本款规定的犯罪。根据国家有关规定，严禁任何单位和个人收购无证采伐的木材。非法收购明知是盗伐、滥伐的林木，实际上是为盗伐、滥伐林木的罪犯销赃的行为。因此，加强对木材收购的管理是预防盗伐、滥伐林木犯罪的有效方法之一。二是增加规定了“非法运输明知是盗伐、滥伐的林木，情节严重的”为犯罪行为。我国森林法规定，从林区运出木材，必须持有林业主管部门发给的运输证件，国家统一调拨的木材除外。依法取得采伐许可证后，按照许可证的规定采伐的木材，从林区运出时，林业主管部门应当发给运输证件。实践中，有的非法收购盗伐、滥伐的林木的人员，采取让他人非法将大量的林木运出林区的方法逃避法律制裁。由于在林区查获的是进行非法运输的人员而不是非法收购的人员，如

---

* 根据2002年12月28日第九届全国人民代表大会常务委员会第三十一次会议通过的《中华人民共和国刑法修正案（四）》修改。原条文是：“盗伐森林或者其他林木，数量较大的，处三年以下有期徒刑、拘役或者管制，并处或者单处罚金；数量巨大的，处三年以上七年以下有期徒刑，并处罚金；数量特别巨大的，处七年以上有期徒刑，并处罚金。

“违反森林法的规定，滥伐森林或者其他林木，数量较大的，处三年以下有期徒刑、拘役或者管制，并处或者单处罚金；数量巨大的，处三年以上七年以下有期徒刑，并处罚金。

“以牟利为目的，在林区非法收购明知是盗伐、滥伐的林木，情节严重的，处三年以下有期徒刑、拘役或者管制，并处或者单处罚金；情节特别严重的，处三年以上七年以下有期徒刑，并处罚金。

“盗伐、滥伐国家级自然保护区内的森林或者其他林木的，从重处罚。”

果不将非法运输环节堵住,盗伐、滥伐以及非法收购等行为很难禁止。

第一款是关于盗伐森林或者其他林木的犯罪及其刑事处罚的规定。“盗伐森林或者其他林木”,是指以非法占有为目的,具有下列情形之一的行为:(1)擅自砍伐国家、集体、他人所有或者他人承包经营管理的森林或者其他林木的;(2)擅自砍伐本单位或者本人承包经营管理的森林或者其他林木的;(3)在林木采伐许可证规定的地点以外采伐国家、集体、他人所有或者他人承包经营管理的森林或者其他林木的。“森林”,是指具有一定面积的林木的总体,包括树林和竹林,具体可分为五类:防护林、用材林、经济林、薪炭林、特种用途林。“其他林木”,是指其他的树木和竹子。本款对盗伐森林或者其他林木的犯罪,规定了三档刑罚:对数量较大的,处三年以下有期徒刑、拘役或者管制,并处或者单处罚金;数量巨大的,处三年以上七年以下有期徒刑,并处罚金;数量特别巨大的,处七年以上有期徒刑,并处罚金。根据《最高人民法院关于审理破坏森林资源刑事案件具体应用法律若干问题的解释》,“数量较大”,以二至五立方米或者幼树一百至二百株为起点;“数量巨大”,以二十至五十立方米或者幼树一千至二千株为起点;“数量特别巨大”,以一百至二百立方米或者幼树五千至一万株为起点。

第二款是关于滥伐森林或者其他林木的犯罪及其刑事处罚的规定。森林采伐方式和采伐量是否得当,直接关系到合理利用森林资源和森林再生产问题。要确保森林资源永续利用,必须有计划地采伐利用,以保证森林的消耗量不超过生长量。因此,为了防止滥伐林木的情况,森林法规定了限额采伐的原则和核发采伐许可证制度。“滥伐森林或者其他林木”,是指违反森林法及其他保护森林的法规规定,具有下列情形之一的行为:(1)未经林业行政主管部门及法律规定的其他主管部门批准并核发林木采伐许可证,或者虽持有林木采伐许可证,但违反林木采伐许可证规定的时间、数量、树种或者方式,任意采伐本单位所有或者本人所有的森林或者其他林木的;(2)超过林木采伐许可证规定的数量采伐他人所有的森林或者其他林木的;(3)林木权属争议一方在林木权属确权之前,擅自砍伐森林或者其他林木。本款对滥伐森林或者其他林木的犯罪,规定了两档刑罚:对数量较大的,处三年以下有期徒刑、拘役或者管制,并处或单处罚金;数量巨大的,处三年以上七年以下有期徒刑,并处罚金。按照前述司法解释,“数量较大”,以十至二十立方米或者幼树五百至一千株为起点;“数量巨大”,以五十至一百立方米或者幼树二千五百至五千株为起点。

第三款是关于非法收购、运输明知是盗伐、滥伐的林木的犯罪及其刑事处罚的规定。本款中的“非法收购、运输明知是盗伐、滥伐的林木”,是指根据有关规定,无证收购、无证运输明知是盗伐、滥伐的林木的行为。其中“明知”是指道或者应当知道。具有下列情形之一的,可以视为应当知道,但是有证据证明确属被蒙骗的除外:(1)在非法的木材交易场所或者销售单位收购木材的;(2)收购以明显低于市场价格出售的木材的;(3)收购违反规定出售的木材的;(4)在林区内运输木材等。对上述犯罪行为,本款规定了两档刑罚:对情节严重的,处三年以下有期徒刑、拘役或者管制,并处或者单处罚金;情节特别严重的,处三年以上七年以下有期徒刑,并处罚金。按前述司法解释,非法收购盗伐、滥伐的林木"情节严重",主要包括以下几种情形:(1)非法收购盗伐、滥伐的林木二十立方米以上或者幼树一千株以上的;(2)非法收购盗伐、滥伐的珍贵树木二立方米以上或者五株以上的;(3)其他情节严重的情形。非法收购盗伐、滥伐的林木"情节特别严重",主要包括以下几种情形:(1)非法收购盗伐、滥伐的林木一百立方米以上或者幼树五千株以上的;(2)非法收购盗伐、滥伐的珍贵树木五立方米以上或者十株以上的;(3)其他情节特别严重的情形。

第四款是关于盗伐、滥伐国家级自然保护区内的森林或者其他林木的犯罪及其刑事处罚的规定。"国家级自然保护区",是指在国内外有典型意义,在科学上有重大国际影响或者有特殊科学研究价值的,由国家主管机关确认的自然保护区。按照本款的规定,盗伐国家级自然保护区内的森林或者其他林木的,依照本条第一款的规定从重处罚;滥伐国家级自然保护区内的森林或者其他林木的,依照本条第二款的规定从重处罚。

第三百四十六条　单位犯本节第三百三十八条至第三百四十五条规定之罪的,对单位判处罚金,并对其直接负责的主管人员和其他直接责任人员,依照本节各该条的规定处罚。

【释义】　本条是关于单位犯本节规定之罪的进行刑事处罚的规定。

"单位犯本节第三百三十八条至第三百四十五条规定之罪",是指单位犯本法分则第六章第六节破坏环境资源保护罪中规定的任何一罪的情形。依照本条规定,对犯罪的单位判处罚金,同时对单位犯罪直接负责的主管人员和其他对犯罪负有直接责任的人员,依照上述各该罪规定的处刑标准处罚。

第七节　走私、贩卖、运输、制造毒品罪

第三百四十七条　走私、贩卖、运输、制造毒品,无论数量多少,都应当追究刑事责任,予以刑事处罚。

走私、贩卖、运输、制造毒品,有下列情形之一的,处十五年有期徒刑、无期徒刑或者死刑,并处没收财产:

（一）走私、贩卖、运输、制造鸦片一千克以上、海洛因或者甲基苯丙胺五十克以上或者其他毒品数量大的；

（二）走私、贩卖、运输、制造毒品集团的首要分子；

（三）武装掩护走私、贩卖、运输、制造毒品的；

（四）以暴力抗拒检查、拘留、逮捕，情节严重的；

（五）参与有组织的国际贩毒活动的。

走私、贩卖、运输、制造鸦片二百克以上不满一千克、海洛因或者甲基苯丙胺十克以上不满五十克或者其他毒品数量较大的，处七年以上有期徒刑，并处罚金。

走私、贩卖、运输、制造鸦片不满二百克、海洛因或者甲基苯丙胺不满十克或者其他少量毒品的，处三年以下有期徒刑、拘役或者管制，并处罚金；情节严重的，处三年以上七年以下有期徒刑，并处罚金。

单位犯第二款、第三款、第四款罪的，对单位判处罚金，并对其直接负责的主管人员和其他直接责任人员，依照各该款的规定处罚。

利用、教唆未成年人走私、贩卖、运输、制造毒品，或者向未成年人出售毒品的，从重处罚。

对多次走私、贩卖、运输、制造毒品，未经处理的，毒品数量累计计算。

【释义】 本条是关于走私、贩卖、运输、制造毒品的犯罪及其处罚的规定。

第一款是关于走私、贩卖、运输、制造毒品，不论数量多少，都应予以刑事处罚的规定。只要有走私、贩卖、运输、制造毒品行为的，不论走私、贩卖、运输、制造毒品数量多少，一律构成犯罪，予以刑事处罚。该款的规定，体现了我国从严打击毒品犯罪的决心和力度。

第二款是对走私、贩卖、运输、制造毒品情节严重的如何处罚的规定。其中，“走私”毒品，是指携带、运输、邮寄毒品非法进出国（边）境的行为。“贩卖”毒品，是指非法销售毒品，包括批发和零售；以贩卖为目的收买毒品的，也属于贩卖毒品。“运输”毒品，是指利用飞机、火车、汽车、轮船等交通工具或者采用随身携带的方法，将毒品从这一地点运往另一地点的行为。贩毒者运输毒品的，应按照贩卖毒品定罪；贩毒集团或者共同犯罪中分工负责运输毒品的，应按照集团犯罪、共同犯罪的罪名定罪。“制造”毒品，是指非法从毒品原植物中提炼毒品或者利用化学分解、合成等方法制成毒品的行为。为医疗、科研、教学需要，依照国家法律、法规生产、制造、运输、销售麻醉药品、精神药品，不能适用本条规定。

根据近年来我国打击毒品犯罪的实际情况，并参照国际公约的规定，本款具体规定了适用十五年有期徒刑、无期徒刑、死刑的五种情节：

1. 第一项规定“走私、贩卖、运输、制造鸦片一千克以上、海洛因或者甲基苯丙胺五十克以上或者其他毒品数量大的”。毒品数量的多少,是毒品犯罪中的主要情节之一。关于鸦片和海洛因的不同数量标准,是根据鸦片可制成海洛因的实际比例规定。鸦片与海洛因的比例,从理论上讲,十克鸦片可以制成一克海洛因,但由于制造毒品者技术、设备等条件的限制,实际上是约二十克鸦片才能提取一克海洛因。本条根据这种实际情况,按照二十比一的原则确定了鸦片和海洛因的不同数量。甲基苯丙胺是一种精神药品,属兴奋剂类,因其固体形状为结晶体,酷似冰糖,被俗称为“冰毒”。1997 年修订刑法时,在东南亚一带贩卖“冰毒”较为严重,在我国也已出现走私、贩卖“冰毒”的犯罪,为防止这种犯罪蔓延,根据“冰毒”的危害,本条按照海洛因规定了其处刑的数量标准。这样规定,并不是说两者的毒性相等,海洛因是麻醉药品,甲基苯丙胺是精神药品,两者很难简单类比,本条是从其对社会综合危害程度考虑作出的规定,表示了我国对“冰毒”犯罪严厉打击的态度。“其他毒品”,是指鸦片、海洛因、甲基苯丙胺以外的毒品,如吗啡、黄皮等。因情况很复杂,本条只作了“数量大的”规定。

根据《最高人民法院、最高人民检察院、公安部关于办理毒品犯罪案件适用法律若干问题的意见》的规定,以下情形应认定为本款第一项所指“其他毒品数量大”:(1)二亚甲基双氧安非他明(MDMA)等苯丙胺类毒品(甲基苯丙胺除外)一百克以上;(2)氯胺酮、美沙酮一千克以上;(3)三唑仑、安眠酮五十千克以上;(4)氯氮卓、艾司唑仑、地西泮、溴西泮五百千克以上;(5)上述毒品以外的其他毒品数量大的。

2. 第二项至第五项规定了四种即使毒品数量虽未达到第一项所规定的标准,也应处十五年有期徒刑、无期徒刑或者死刑的情形。其中,“走私、贩卖、运输、制造毒品集团的首要分子”,是指在集团性毒品犯罪中起组织、策划、指挥作用的犯罪分子。“武装掩护走私、贩卖、运输、制造毒品的”,是指罪犯在走私、贩卖、运输、制造毒品过程中,自己携带枪支弹药或者雇佣武装人员进行押送、掩护、警戒等,随时准备与国家执法机关和执法人员进行武力对抗的行为。“以暴力抗拒检查、拘留、逮捕,情节严重的”,是指在执法部门查缉毒品犯罪时,毒品犯罪分子实施暴力抗拒对其身体、物品、住所等进行检查,或者抗拒对其依法予以拘留、逮捕,情节严重的。其中“情节严重”是指对执法人员造成伤害,或者有预谋、有组织地进行暴力抗拒等。“参与有组织的国际贩毒活动的”,主要是指参与国际贩毒集团的犯罪活动。“有组织的国际贩毒活动”是指有计划、有分工、有指挥地进行跨国贩毒的活动,其走私、贩毒活动涉及多个国家或者境外地区。

第三款是对走私、贩卖、运输、制造毒品数量较大的刑事处罚的规定。“鸦片二百克以上”、“海洛因或者甲基苯丙胺十克以上”都包括本数在内;鸦片“不满一千克”、海洛因或者甲基苯丙胺“不满五十克”都不包括本数在内。对于达到鸦片一千克、海洛因或者甲基苯丙胺五十克的,应依照本条第二款的规定处罚。根据本款规定,凡是走私、贩卖、运输、制造鸦片二百克以上不满一千克、海洛因或者甲基苯丙胺十克以上不满五十克或者其他毒品数量较大的,如果没有法定减轻处罚情节,就应判处七年以上有期徒刑,并处罚金。根据《最高人民法院、最高人民检察院、公安部关于办理毒品犯罪案件适用法律若干问题的意见》的规定,以下情形应当认定为本款中“其他毒品数量较大”:(1)二亚甲基双氧安非他明(MDMA)等苯丙胺类毒品(甲基苯丙胺除外)二十克以上不满一百克的;(2)氯胺酮、美沙酮二百克以上不满一千克的;(3)三唑仑、安眠酮十千克以上不满五十千克的;(4)氯氮卓、艾司唑仑、地西泮、溴西泮一百千克以上不满五百千克的;(5)上述毒品以外的其他毒品数量较大的。

第四款是对走私、贩卖、运输、制造少量毒品予以刑事处罚的规定。鸦片“不满二百克”,海洛因或者甲基苯丙胺“不满十克”都不包括本数在内。对于达到上述毒品数量的,处三年以下有期徒刑、拘役或者管制,并处罚金;情节严重的,处三年以上七年以下有期徒刑,并处罚金。根据《最高人民法院、最高人民检察院、公安部关于办理毒品犯罪案件适用法律若干问题的意见》的规定,以下情形应当认定为本款规定的“其他少量毒品”:(1)二亚甲基双氧安非他明(MDMA)等苯丙胺类毒品(甲基苯丙胺除外)不满二十克的;(2)氯胺酮、美沙酮不满二百克的;(3)三唑仑、安眠酮不满十千克的;(4)氯氮卓、艾司唑仑、地西泮、溴西泮不满一百千克的;(5)上述毒品以外的其他少量毒品的。根据《最高人民法院关于审理毒品案件定罪量刑标准有关问题的解释》的规定,“情节严重”主要包括:(1)走私、贩卖、运输、制造鸦片一百四十克以上不满二百克、海洛因或者甲基苯丙胺七克以上不满十克或者其他数量相当毒品的;(2)国家工作人员走私、制造、运输、贩卖毒品;(3)在戒毒监管场所贩卖毒品的;(4)向多人贩毒或者多次贩毒的;(5)其他情节严重的行为。

第五款是关于单位犯第二款、第三款、第四款罪如何处罚的规定。单位犯本条第二款、第三款、第四款规定之罪的,对单位判处罚金,对单位直接负责的主管人员和其他直接责任人员,依照本条第二款、第三款、第四款的规定处罚。

第六款是关于利用、教唆未成年人走私、贩卖、运输、制造毒品或者向未成年人出售毒品的,从重处罚的规定。“利用”,是指毒品犯罪分子采取雇佣、收买、胁迫,或者其他方法致使未成年人参与进行走私、贩卖、运输、制造毒品犯罪活动的行为。如让儿童携带毒品进出国(边)境,或者把毒品从一地运往另一地,而犯罪分子在幕后操纵、指挥、策划等。“教唆”,是指毒品犯罪分子指使、引诱未成年人进行毒品犯罪的行为。“未成年人”,是指未满十八周岁的人。对于教唆未成年人犯罪的,如果是教唆走私毒品,就是走私毒品罪;如果是教唆贩卖毒品的,就是贩卖毒品罪,即使教唆分子本人没有亲自参加被教唆人所进行的走私、贩毒活动,也应依照本条的规定处罚。

第七款是关于多次走私、贩卖、运输、制造毒品,未经处理的,毒品数量累计计算的规定。“多次走私、贩卖、运输、制造毒品,未经处理的”,其中“多次”是指两次以上,包括本数在内。“累计计算”是指将犯罪分子每次未经处理的走私、贩卖、运输、制造毒品的数量相加。毒品犯罪中毒品数量的大小,直接关系到刑罚的轻重。犯罪分子为了逃避惩罚,往往采取多种对策。小额多次走私、贩卖、运输毒品是他们经常采用的手段之一。这样规定,可以防止犯罪分子钻法律空子,有利于更加严厉地打击毒品惯犯。需要特别注意的是,本款是基于本法总则关于追诉犯罪的原则规定的,对于已过追诉时效的犯罪,毒品数量不应再累计计算。另外,对已经处理过的毒品犯罪,应视为已经结案,不应再将已经处理案件中的毒品数量与未经处理案件中的毒品数量累计相加。

第三百四十八条　非法持有鸦片一千克以上、海洛因或者甲基苯丙胺五十克以上或者其他毒品数量大的,处七年以上有期徒刑或者无期徒刑,并处罚金;非法持有鸦片二百克以上不满一千克、海洛因或者甲基苯丙胺十克以上不满五十克或者其他毒品数量较大的,处三年以下有期徒刑、拘役或者管制,并处罚金;情节严重的,处三年以上七年以下有期徒刑,并处罚金。

【释义】 本条是关于非法持有毒品的犯罪及其处罚的规定。

非法持有毒品,是指除依照国家有关规定生产、管理、运输、使用麻醉药品、精神药品的以外而持有毒品。本条规定与第三百四十七条的规定是有所区别的。考虑到一些非法持有毒品者,虽然具有走私、贩卖、运输、制造毒品的可能性,但并未掌握这种证据,同时还存在为他人窝藏毒品等其他的可能性。因此,本条没有规定死刑,处刑的毒品数量标准也相对高一些。本条对非法持有毒品罪,规定了三档刑罚:非法持有鸦片一千克以上、海洛因或者甲基苯丙胺五十克以上或者其他毒品数量大的,处七年以上有期徒刑或者无期徒刑,并处罚金;非法持有鸦片二百克以上不满一千克、海洛因或者甲基苯丙胺十克以上不满五十克或者其他毒品数量较大的,处三年以下有期徒刑、拘役或者管制,并处罚金;情节严重的,处三年以上七年以下有期徒刑,并处罚金。根据《最高人民法院、最高人民检察院、公安部关于办理毒品犯罪案件适用法律若干问题的意见》的规定，其中“其他毒品数量大”、“其他毒品数量较大”的认定情形与第三百四十七条相同，详见第三百四十七条的条文释义，此处不再赘述。“情节严重的”一般是指多次被查获持有毒品等。

需要注意的是，对于被查获的非法持有毒品者，首先应当尽力调查犯罪事实，如果经查证是以走私、贩卖毒品为目的而非法持有毒品的，应当以走私、贩卖毒品罪定罪量刑。根据《最高人民法院、最高人民检察院、公安部关于办理毒品犯罪案件适用法律若干问题的意见》的规定，走私、贩卖、运输、非法持有毒品主观故意中的“明知”，是指行为人知道或者应当知道所实施的行为是走私、贩卖、运输、非法持有毒品行为。具有下列情形之一，并且犯罪嫌疑人、被告人不能作出合理解释的，可以认定其“应当知道”，但有证据证明确属被蒙骗的除外：(1)执法人员在口岸、机场、车站、港口和其他检查站检查时，要求行为人申报为他人携带的物品和其他疑似毒品物，并告知其法律责任，而行为人未如实申报，在其所携带的物品内查获毒品的；(2)以伪报、藏匿、伪装等蒙蔽手段逃避海关、边防等检查，在其携带、运输、邮寄的物品中查获毒品的；(3)执法人员检查时，有逃跑、丢弃携带物品或逃避、抗拒检查等行为，在其携带或丢弃的物品中查获毒品的；(4)体内藏匿毒品的；(5)为获取不同寻常的高额或不等值的报酬而携带、运输毒品的；(6)采用高度隐蔽的方式携带、运输毒品的；(7)采用高度隐蔽的方式交接毒品，明显违背合法物品惯常交接方式的；(8)其他有证据足以证明行为人应当知道的。只有在确实难以查实犯罪分子走私、贩卖毒品证据的情况下，才能适用本条规定对犯罪分子进行处罚。

第三百四十九条　包庇走私、贩卖、运输、制造毒品的犯罪分子的，为犯罪分子窝藏、转移、隐瞒毒品或者犯罪所得的财物的，处三年以下有期徒刑、拘役或者管制；情节严重的，处三年以上十年以下有期徒刑。

缉毒人员或者其他国家机关工作人员掩护、包庇走私、贩卖、运输、制造毒品的犯罪分子的，依照前款的规定从重处罚。

犯前两款罪，事先通谋的，以走私、贩卖、运输、制造毒品罪的共犯论处。

【释义】　本条是关于包庇毒品犯罪分子，窝藏、转移、隐瞒毒品、毒赃的犯罪及其处罚的规定。

第一款是关于包庇走私、贩卖、运输、制造毒品的犯罪分子的，为犯罪分子窝藏、转移、隐瞒毒品或者犯罪所得的财物的犯罪及其刑事处罚的规定。“包庇走私、贩卖、运输、制造毒品的犯罪分子”，是指采取窝藏犯罪分子或者作假证明等方法，帮助犯罪分子逃避法律追究的行为。为犯罪分子“窝藏”毒品或者犯罪所得的财物，是指将犯罪分子的毒品或者进行毒品犯罪得到的财物隐藏在自己的住所或者其他隐蔽的场所，以逃避司法机关追查的行为。为犯罪分子“转移”毒品或者犯罪所得的财物，是指将犯罪分子的毒品或者进行毒品犯罪所得的财物从一地转移到另一地，以抗拒司法机关对毒品或者进行毒品犯罪所得财物追缴的行为。“隐瞒毒品或者犯罪所得的财物”，是指当司法机关追查毒品和赃物，向其询问时，故意不讲毒品、犯罪所得财物隐藏处的行为。本款对包庇毒品犯罪分子的犯罪，规定了两档刑：只要实施了包庇毒品犯罪分子的行为，即处三年以下有期徒刑、拘役或者管制；对于情节严重的，处三年以上十年以下有期徒刑。

第二款是关于缉毒人员或者其他国家机关工作人员掩护、包庇走私、贩卖、运输、制造毒品的犯罪分子的刑事处罚的规定。“缉毒人员”，指因公负责查处毒品犯罪的国家工作人员。“掩护”走私、贩卖、运输、制造毒品逃避法律追究，是指缉毒人员或者其他国家机关工作人员采取警戒、牵制、压制等手段，帮助进行走私、贩卖、运输、制造毒品的犯罪分子的犯罪活动。缉毒人员或者国家机关工作人员，由于他们特殊的身份，进行掩护、包庇走私、贩卖、运输、制造毒品的犯罪分子从事犯罪活动，对社会造成的危害性更大，因此，本款规定缉毒人员或者其他国家机关工作人员掩护、包庇走私、贩卖、运输、制造毒品的犯罪分子，依照对包庇进行走私、贩卖、运输、制造毒品的犯罪分子的处罚规定从重处罚。

第三款是对犯本条前两款罪，事先与犯罪分子通谋的，以走私、贩卖、运输、制造毒品罪的共犯论处的规定。其中，“事先通谋”是指在犯罪分子进行毒品犯罪活动之前，与犯罪分子共同策划、商议并事后包庇犯罪分子或为其窝藏、转移、隐瞒毒品及犯罪所得的财物的行为。“事先通谋”表明行为人与犯罪分子有共同的犯罪故意，属于刑法中的共犯，应当以走私、贩卖、运输、制造毒品罪的共同犯罪论处，依照本法第三百四十七条的规定处罚。

第三百五十条*　违反国家规定，非法生产、买卖、运输醋酸酐、乙醚、三氯甲烷或者其他用于制造毒品的原料、配剂，或者携带上述物品进出境，情节较重

---

* 根据2015年8月29日第十二届全国人民代表大会常务委员会第十六次会议通过的《中华人民共和国刑法修正案（九）》修改。原条文是：“违反国家规定，非法运输、携带醋酸酐、乙醚、三氯甲烷或者其他用于制造毒品的原料或者配剂进出境的，或者违反国家规定，在境内非法买卖上述物品的，处三年以下有期徒刑、拘役或者管制，并处罚金；数量大的，处三年以上十年以下有期徒刑，并处罚金。

“明知他人制造毒品而为其提供前款规定的物品的，以制造毒品罪的共犯论处。

“单位犯前两款罪的，对单位判处罚金，并对其直接负责的主管人员和其他直接责任人员，依照前两款的规定处罚。”

的，处三年以下有期徒刑、拘役或者管制，并处罚金；情节严重的，处三年以上七年以下有期徒刑，并处罚金；情节特别严重的，处七年以上有期徒刑，并处罚金或者没收财产。

明知他人制造毒品而为其生产、买卖、运输前款规定的物品的，以制造毒品罪的共犯论处。

单位犯前两款罪的，对单位判处罚金，并对其直接负责的主管人员和其他直接责任人员，依照前两款的规定处罚。

【释义】 本条是关于非法生产、买卖、运输制毒物品以及携带制毒物品进出境犯罪及其刑事责任的规定。

2015年8月29日第十二届全国人民代表大会常务委员会第十六次会议通过的《刑法修正案（九）》对本条作了修改，主要包括：一是增加规定了非法生产、运输制毒物品的犯罪。近年来，毒品形势发生了很大的变化，采用化学合成方法非法生产和运输麻黄碱、羟亚胺、邻酮等制毒物品的违法犯罪案件大量发生，社会危害严重，有关方面建议对此明确规定犯罪。考虑到上述情况，针对当前毒品犯罪形势严峻的实际情况和惩治犯罪的需要，落实中央关于加强禁毒工作的意见要求，《刑法修正案（九）》增加了非法生产、运输制毒物品的犯罪，加大了对这类犯罪的惩治力度。二是修改了本条的刑罚规定，将最高刑由十年有期徒刑提高至十五年有期徒刑，并增加了并处没收财产的规定。本条修改前对走私、非法买卖制毒物品罪规定了三年以下有期徒刑和三年以上十年以下有期徒刑两档刑罚。有关方面提出，目前我国禁毒形势严峻，非法生产、买卖、运输制毒物品的犯罪社会危害性严重，随着工艺技术的发展，现在有些制毒物品与毒品在成分上接近，转化率很高，如麻黄碱、羟亚胺等，同时，非法生产、买卖、运输制毒物品犯罪获利大，为有效遏制和预防犯罪，应当加大财产处罚力度，建议适当提高非法生产、买卖、运输制毒物品以及携带制毒物品进出境犯罪的刑期，并增加规定没收财产刑。没有制毒物品就没有毒品，严厉打击非法生产、买卖、运输制毒物品犯罪，有利于更有效地打击毒品犯罪。考虑到上述情况，为严厉惩治涉毒犯罪，加大处罚力度，《刑法修正案（九）》提高了本条规定的法定刑，并增加了没收财产的规定。三是将第二款关于共犯论处的情形作了更为明确具体的规定。根据第一款的修改，相应将“明知他人制造毒品而为其提供前款规定的物品”修改为“明知他人制造毒品而为其生产、买卖、运输前款规定的物品”。

第一款是关于违反国家规定，非法生产、买卖、运输醋酸酐、乙醚、三氯甲烷或者其他用于制造毒品的原料、配剂，或者携带上述物品进出境的犯罪及其刑事处罚的规定。“用于制造毒品的原料、配剂”，是指提炼、分解毒品使用的原材料及辅助性配料。本条列举了醋酸酐、乙醚、三氯甲烷等制毒物品。醋酸酐是乙酰化试剂,是制造海洛因的关键化学品,乙醚、三氯甲烷是溶剂,广泛使用于海洛因、冰毒、氯胺酮等各种毒品制造过程中,这几种物品,既是医药和工农业生产原料,又是制造毒品必不可少的配剂。《联合国禁止非法贩运麻醉药品和精神药物公约》中列举了几种可用于制造药品的化学物品,醋酸酐、乙醚都被明确规定在这几种物品之列。公约还规定,明知用于制造毒品而为其生产、销售上述物品的行为是犯罪行为。1988 年,我国卫生部、经贸部、公安部、海关总署已发布了《关于对三种特殊化学品实行出口准许证管理的通知》,规定对醋酸酐、乙醚、三氯甲烷三种物品实行出口准许证制度。当前在司法实践中,制毒物品犯罪涉及的主要是麻黄素(冰毒前体)、羟亚胺(氯胺酮前体)、邻酮(羟亚胺前体)等,这三种物质属于制造毒品的原料。需要指出的是,还有些原料本身就是毒品,如提炼海洛因的鸦片、黄皮、吗啡,如果非法生产、买卖、运输、携带进出境的是这些本身属于毒品的原料,则应以走私、贩卖、运输、制造毒品罪定罪处罚。根据有关司法解释,制毒物品的具体品种范围按照国家关于易制毒化学品管理的规定确定。2005 年国务院颁布了《易制毒化学品管理条例》,根据该条例的规定,易制毒化学品分为三类:第一类是可以用于制毒的主要原料,包括 1 - 苯基 - 2 - 丙酮等;第二类是可以用于制毒的化学配剂,包括苯乙酸等;第三类也是可以用于制毒的化学配剂,包括甲苯等。易制毒化学品的分类和品种需要调整的,由国务院公安部门会同国务院食品药品监督管理部门、安全生产监督管理部门、商务主管部门、卫生主管部门和海关总署提出方案,报国务院批准。

“违反国家规定,非法生产、买卖、运输错酸酐、乙醚、三氯甲烷或者其他用于制造毒品的原料、配剂,或者携带上述物品进出境”,是指除了依照国家规定,经过法定审批手续的以外,非法生产、买卖、运输以及携带这些物品进出境的行为。国家对易制毒化学品的生产、经营、购买、运输和进口、出口实行分类管理和许可制度。禁毒法第二十一条规定,国家对易制毒化学品的生产、经营、购买、运输实行许可制度。禁止非法生产、买卖、运输、储存、提供、持有、使用易制毒化学品。第二十二条规定,国家对易制毒化学品的进口、出口实行许可制度。国务院有关部门应当按照规定的职责,对进口、出口易制毒化学品依法进行管理。禁止走私易制毒化学品。根据禁毒法和国务院有关规定,生产、买卖、运输、进出口易制毒化学品的,应当履行相关手续。这里所规定的“生产”,包括制造、加工、提炼等不同环节。需要注意的是,有些易制毒化学品一般同时具有正常的生产、生活、医药等用途,对于为生产、生活需要,但在生产、运输等过程中违反有关规定的,如具有生产药用麻黄素资质的合法企业,未按照要求履行批准手续，或者超过批准数量、品种要求而生产的，个人未办理许可证明或者备案证明而购买高锰酸钾等易制毒化学品的等，在追究刑事责任的过程中，需要划清罪与非罪的界限。《最高人民法院、最高人民检察院、公安部关于办理制毒物品犯罪案件适用法律若干问题的意见》中规定，易制毒化学品生产、经营、使用单位或者个人未办理许可证明或者备案证明，购买、销售易制毒化学品，如果有证据证明确实用于合法生产、生活需要，依法能够办理只是未及时办理许可证明或者备案证明，且未造成严重社会危害的，可不以非法买卖制毒物品罪论处。《刑法修正案（九）》在对本条作出修改时，在入罪条件中增加了“情节较重”的规定，目的是为了划清罪与非罪的界限。

本款对违反国家规定，非法生产、买卖、运输醋酸酐、乙醚、三氯甲烷或者其他用于制造毒品的原料、配剂，或者携带上述物品进出境的犯罪规定了三档刑罚：情节较重的，处三年以下有期徒刑、拘役或者管制，并处罚金；情节严重的，处三年以上七年以下有期徒刑，并处罚金；情节特别严重的，处七年以上有期徒刑，并处罚金或者没收财产。本条在七年以上有期徒刑的量刑档次中规定可以并处没收财产，是为了严厉惩治涉毒犯罪，对于犯罪分子反侦查意识强，难以将其实质上非法获得的财产认定为违法所得的，可以适用没收财产刑，让其得不到好处，摧毁其再次犯罪的物质基础，有效惩治和预防这类犯罪。

第二款是对明知他人制造毒品而为其生产、买卖、运输制造毒品所需原料或者配剂的，以制造毒品罪的共犯论处的规定。本款是关于构成制造毒品罪共犯的提示性规定，对于有证据证明行为人明知他人实施制造毒品犯罪，而为其生产、运输、买卖制毒物品的，其行为是整个制造毒品犯罪过程中的一个环节，应当依照本法总则有关共同犯罪的规定，适用本法第三百四十七条的规定定罪处罚，而不能以违反国家规定，非法生产、买卖、运输制毒物品的犯罪定罪处罚，避免重罪轻罚。这里的“明知”，是指行为人知道他人所需要的原料及配剂是用于制造毒品，但仍然为其生产、买卖、运输这种物品的。明知他人制造毒品而为其走私制毒物品的，也应当以制造毒品罪的共犯处理。

第三款是对单位犯罪刑事责任的规定。“单位犯前两款罪的”，是指单位违反国家规定，非法生产、买卖、运输、携带制毒物品进出境，或者明知他人制造毒品而为其生产、买卖、运输制毒物品的行为。单位犯两款罪的，对单位判处罚金。“直接负责的主管人员和其他直接责任人员”，是指对违反国家规定，非法生产、买卖、运输、携带制毒物品进出境，或者明知他人制造毒品而为其生产、买卖、运输制毒物品的犯罪行为负有直接责任的领导人员和具体执行者。“依照前两款的规定处罚”，是指单位实施前两款行为，构成犯罪的，对其直接负责的主管人员和其他直接责任人员，依照前两款关于违反国家规定，非法生产、买卖、运输、携带制毒物品进出境犯罪和关于制造毒品罪的规定定罪处罚。

第三百五十一条　非法种植罂粟、大麻等毒品原植物的，一律强制铲除。有下列情形之一的，处五年以下有期徒刑、拘役或者管制，并处罚金：

（一）种植罂粟五百株以上不满三千株或者其他毒品原植物数量较大的；

（二）经公安机关处理后又种植的；

（三）抗拒铲除的。

非法种植罂粟三千株以上或者其他毒品原植物数量大的，处五年以上有期徒刑，并处罚金或者没收财产。

非法种植罂粟或者其他毒品原植物，在收获前自动铲除的，可以免除处罚。

【释义】　本条是关于非法种植毒品原植物的犯罪及其处罚的规定。

第一款是对构成非法种植毒品原植物罪的具体情节和处罚的规定。本款所规定的这些情节是非法种植毒品原植物罪与非罪的界限。

根据本款规定有下列情节之一的，即构成非法种植毒品罪：1. 种植罂粟五百株以上不满三千株或者其他毒品原植物数量较大的。根据这一规定，该罪的起刑数量标准是种植罂粟五百株。值得注意的是，这里只规定了种植罂粟的量刑数量标准，而对于其他毒品原植物量刑标准只规定了“数量较大”。这样规定是由于在我国境内出现的非法种植的毒品原植物的情况中，主要是罂粟；另外，由于其他毒品原植物的情况各不相同，相当复杂，也难以在法律中都规定具体数量。2. 经公安机关处理后又种植的。这是指过去曾因为种植罂粟等毒品原植物被公安机关给予治安管理处罚或者强制铲除，也包括被依法追究过刑事责任，又再次种植毒品原植物的。在这种情况下，只要再次种植的，无论种植毒品原植物多少，都构成犯罪。3. 抗拒铲除的。这是指非法种植毒品原植物的行为人，在公安机关或者政府有关部门依法强制铲除这些毒品原植物时，使用暴力、威胁、设置障碍等方法拒不铲除的。根据本款规定，犯本罪的，处五年以下有期徒刑、拘役或者管制，并处罚金。

第二款是对非法种植毒品原植物数量大的处罚规定。根据《最高人民法院关于审理毒品案件定罪量刑标准有关问题的解释》，非法种植大麻三万株以上，应当认定为本款规定的非法种植大麻“数量大”。根据本款规定，非法种植罂粟三千株以上或者其他毒品原植物数量大的，处五年以上有期徒刑，最高刑期为十五年有期徒刑，并处罚金或者没收财产。

第三款是对在收获前自动铲除非法种植毒品原植物的可以免除处罚的规定。“收获”，是指收获毒品，例如对罂粟进行割浆等。“自动铲除”，是指非法种植毒品原植物的人主动进行铲除，而不是在执法人员的强制下铲除。“可以免除处罚”，是指对自动铲除非法种植的毒品原植物的人，一般可免除处罚；对于非法种植毒品原植物情节很严重，确需处罚的，也可酌情给予适当的处罚。需要特别强调的是，如果行为人在铲除后利用被铲除的毒品原植物制造毒品的，则不能适用本款的规定。

第三百五十二条　非法买卖、运输、携带、持有未经灭活的罂粟等毒品原植物种子或者幼苗，数量较大的，处三年以下有期徒刑、拘役或者管制，并处或者单处罚金。

【释义】 本条是关于非法买卖、运输、携带、持有毒品原植物种子、幼苗罪及其处罚的规定。

本条中，“非法买卖”，是指非法购买或者出售未经灭活的毒品原植物种子或者幼苗的行为。非法“运输”，是指非法运输未经灭活的罂粟等毒品原植物种子或者幼苗的行为，包括国内运输和在国境、边境非法输入输出。非法“携带、持有”，是指违反国家规定，随身携带、私藏未经灭活的罂粟等毒品原植物种子或者幼苗的行为。“未经灭活的罂粟等毒品原植物种子”，是指没有经过烘烤、放射线照射等处理手段，还能继续繁殖、发芽的罂粟等毒品原植物种子。根据本条规定，只要具有本条规定的非法买卖、运输、携带、持有未经灭活的罂粟等毒品原植物种子或者幼苗，数量较大的行为，无论其目的为何，即构成犯罪，这一规定与联合国公约中对毒品原植物种子进行严格管制的精神是完全一致的。

第三百五十三条　引诱、教唆、欺骗他人吸食、注射毒品的，处三年以下有期徒刑、拘役或者管制，并处罚金；情节严重的，处三年以上七年以下有期徒刑，并处罚金。

强迫他人吸食、注射毒品的，处三年以上十年以下有期徒刑，并处罚金。

引诱、教唆、欺骗或者强迫未成年人吸食、注射毒品的，从重处罚。

【释义】 本条是关于引诱、教唆、欺骗他人吸毒、强迫他人吸毒的犯罪及其处罚的规定。

第一款是对引诱、教唆、欺骗他人吸食、注射毒品的行为定罪处罚的规定。引诱、教唆他人吸食、注射毒品的，是指通过向他人宣传吸毒后的体验，示范吸毒方法，或者对他人进行蛊惑，从而促使他人吸食、注射毒品的行为。欺骗他人吸食、注射毒品的，是指在他人不知情的情况下，给他人吸食、注射毒品的行为。如暗中在香烟中掺入毒品，或者在药品中掺入毒品，供他人吸食或者使用，使其不知不觉地染上毒瘾，从而达到欺骗者的某些个人目的。被引诱、教唆、欺骗者是否因此形成毒瘾，不是构成犯罪的必要条件，但应该作为处刑的情节来考虑。根据本款规定，犯本罪的，处三年以下有期徒刑、拘役或者管制，并处罚金；情节严重的，处三年以上七年以下有期徒刑，并处罚金。“情节严重”，主要是指引诱、教唆、欺骗多人吸食、注射毒品以及致使他人吸毒成瘾，造成严重后果的。

第二款是对强迫他人吸食、注射毒品的行为定罪处罚的规定。“强迫”他人吸食、注射毒品，是指违背他人的意愿，以暴力、胁迫或者其他手段，迫使他人吸食、注射毒品的行为。根据本款规定，强迫他人吸食、注射毒品的，处三年以上十年以下有期徒刑，并处罚金。

第三款是对引诱、教唆、欺骗或者强迫未成年人吸食、注射毒品的行为从重处罚的规定。这里的“未成年人”是指不满十八周岁的人。未成年人正处在长身体时期，吸食、注射毒品对他们的身心健康将带来极大的危害。因此，本款规定，引诱、教唆、欺骗或者强迫未成年人吸食、注射毒品的，从重处罚。

第三百五十四条　容留他人吸食、注射毒品的，处三年以下有期徒刑、拘役或者管制，并处罚金。

【释义】　本条是关于容留他人吸毒的犯罪及其处罚的规定。

本条中规定的“容留他人吸食、注射毒品”，是指提供场所，供他人吸食、注射毒品的行为。这里的“场所”，可以是自己的住所，也可以是其经管的场所，如酒吧等。其重点打击的应是以牟利为目的，为他人吸毒提供处所和集中为多人提供吸毒场所的情形。执行中，应注意掌握好罪与非罪的界限，对于不知某人是吸毒人，而为其提供旅馆等场所住宿，吸毒人在其场所吸毒的，不应按犯罪处理。根据本条规定，对于容留他人吸食、注射毒品，构成犯罪的，处三年以下有期徒刑、拘役或者管制，并处罚金。

第三百五十五条　依法从事生产、运输、管理、使用国家管制的麻醉药品、精神药品的人员，违反国家规定，向吸食、注射毒品的人提供国家规定管制的能够使人形成瘾癖的麻醉药品、精神药品的，处三年以下有期徒刑或者拘役，并处罚金；情节严重的，处三年以上七年以下有期徒刑，并处罚金。向走私、贩卖毒品的犯罪分子或者以牟利为目的，向吸食、注射毒品的人提供国家规定管制的能够使人形成瘾癖的麻醉药品、精神药品的，依照本法第三百四十七条的规定定罪处罚。

单位犯前款罪的，对单位判处罚金，并对其直接负责的主管人员和其他直接责任人员，依照前款的规定处罚。

【释义】　本条是关于非法提供麻醉药品、精神药品的犯罪及其处罚的规定。

第一款是关于依法从事生产、运输、管理、使用国家管制的麻醉药品、精神药品的人员,违反国家规定,向吸毒、走私、贩卖毒品的人提供国家管制的麻醉药品、精神药品的行为如何追究刑事责任的规定。"依法从事生产、运输、管理、使用国家管制的麻醉药品、精神药品的人员",是指对国家管制的麻醉药品和精神药品有合法生产、运输、管理、使用权的人员。本款规定的犯罪主体是个人。其中,"生产",是指依照国家卫生行政主管部门的指定,种植用于加工提炼麻醉药品的原植物,制造或者试制麻醉药品、精神药品的成品、半成品和制剂;"运输",是指将国家管制的麻醉药品和精神药品通过陆路、水路或者空中,由一地运往另一地,包括进出口;"管理",是指对国家管制的麻醉药品和精神药品存放的保管以及批发、调拨、供应等;"使用",是指有关人员依照国家有关规定将国家管制的麻醉药品和精神药品用于医疗、教学、科研的行为,如医生为癌症病人开具吗啡、杜冷丁用药处方等。"违反国家规定,向吸食、注射毒品的人提供国家规定管制的能够使人形成瘾癖的麻醉药品、精神药品",是指上述人员明知某种药品属于麻醉药品或精神药品而违反国家有关规定,将该药品提供给吸食、注射毒品者的行为。"向走私、贩卖毒品的犯罪分子或者以牟利为目的,向吸食、注射毒品的人提供国家规定管制的能够使人形成瘾癖的麻醉药品、精神药品的",是指行为人明知某药品属于国家管制的麻醉药品、精神药品而向走私、贩卖毒品的人提供该药品的行为和以获取金钱财物为目的,向吸毒者提供该药品的行为。这种行为与贩毒行为的主观故意和危害后果完全一致。因此,本款规定对这种行为依照本法第三百四十七条的规定处罚。需要特别注意的是,对于以牟利为目的,违反国家规定,虽向他人提供国家管制的麻醉药品和精神药品,但用于医疗、教学、科研的,不能适用本款规定,而应依照其他有关法律追究责任。根据本款规定,对前述相应行为,处三年以下有期徒刑或者拘役,并处罚金;对情节严重的,处三年以上七年以下有期徒刑,并处罚金。

第二款是对单位违反国家规定,非法向他人提供国家规定管制的麻醉药品、精神药品的行为进行处罚的规定。"单位犯前款罪的",是指依法从事生产、运输、管理、使用国家管制的麻醉药品和精神药品的单位,违反国家规定,犯本条第一款规定之罪的。"直接负责的主管人员",是指对本单位非法提供国家管制的麻醉药品和精神药品负有直接责任的单位领导人员。"其他直接责任人员",是指其他直接参与单位非法提供国家管制的麻醉药品和精神药品犯罪活动的人员,可能是一人,也可能是多人。

第三百五十六条　因走私、贩卖、运输、制造、非法持有毒品罪被判过刑，又犯本节规定之罪的，从重处罚。

【释义】　本条是关于因走私、贩卖、运输、制造、非法持有毒品罪被判过刑，又犯本节规定之罪的如何处罚的规定。

“因走私、贩卖、运输、制造、非法持有毒品罪被判过刑”，是指因犯本节规定的走私、贩卖、运输、制造、非法持有毒品罪中的任何一种罪，被判处任何一种刑罚的情况。“又犯本节规定之罪的”，是指再犯本节规定的任何一种罪。“从重处罚”，是指在法定量刑幅度内处以较重的刑罚，较长的刑期。在执行中需要特别注意以下两点：第一，本条将先犯的罪限定为走私、贩卖、运输、制造、非法持有毒品五种犯罪，而对再犯的罪则取消了上述限制，只要再犯本节规定的任何一种罪，都应从重处罚；第二，行为人再犯的罪名不一定与其被判过刑的罪名一样，但只要符合本条规定的犯罪种类，就应从重处罚。

第三百五十七条　本法所称的毒品，是指鸦片、海洛因、甲基苯丙胺（冰毒）、吗啡、大麻、可卡因以及国家规定管制的其他能够使人形成瘾癖的麻醉药品和精神药品。

毒品的数量以查证属实的走私、贩卖、运输、制造、非法持有毒品的数量计算，不以纯度折算。

【释义】　本条是关于本法中毒品定义和毒品数量不以纯度折算的规定。

第一款是关于毒品定义的规定。鸦片、海洛因、吗啡同属罂粟类毒品。罂粟是一种草本植物，结有蒴果，用刀子划破后，有白色的汁流出，这就是人们通常所说的生鸦片。生鸦片经过第一次处理后可生产出可吸鸦片。海洛因和吗啡是鸦片的精制品。吗啡是一种极易溶于水的粉末，是一种抑制呼吸的药物，剂量过大会造成呼吸停止以致死亡。海洛因是通过回流加热吗啡提取出来的半生物碱混合物，是一种既轻又细的粉末，用量过度，会引起昏迷、体温降低、心跳缓慢，并导致呼吸困难而死亡。大麻又叫印度大麻，是一种无花瓣双子叶植物，是当今世界使用最多、范围最广的麻醉品。它的主要成分是四氢大麻酚。经常或者过量吸食大麻，会对人体的许多器官造成危害，破坏其功能。可卡因是从古柯属的小灌木树的叶（古柯叶）中提取出来的，又称古柯碱，是一种粉末状的白色晶体，具有强烈的麻醉作用。大剂量的可卡因会导致人的中枢神经的传感源受阻，严重的会造成极度痉挛和心力衰竭，从而导致死亡。甲基苯丙胺，又称去氧麻黄碱、去氧麻黄素，因其固体形状为结晶体，酷似冰糖，故又被俗称为“冰”，甲基苯丙胺是一种精神药品，是苯丙胺类即安非他命类兴奋剂中药性非常强的一种兴奋剂，具有兴奋神经中枢的作用，会使吸食、注射者变得兴奋、易激动和焦躁不安，会出现暴力倾向，长期服用会严重损害健康，甚至造成死亡。“国家规定管制的其他能够使人形成瘾癖的麻醉药品和精神药品”，是指除前面列举的几种毒品外，其他由国务院规定管制的麻醉药品和精神药品。这些麻醉药品、精神药品的种类、范围是由国务院或者国务院主管部门予以规定的，必须依照国家规定生产、管理、运输、使用，并只限于医疗、科研、教学。“麻醉药品”，是指连续使用后易产生生理依赖性、易形成瘾癖的药品，如鸦片、海洛因、吗啡、可卡因、杜冷丁等。“精神药品”，是指直接作用于中枢神经系统，使之兴奋或抑制，连续使用能使人体产生依赖性的药品，如甲基苯丙胺（去氧麻黄碱）、安纳咖、安眠酮等。

实践中，对一些案件所涉及的精神药品，是否属于本条规定的“毒品”的范畴，存在不同的认识，如贩卖、走私、运输或非法持有大量的国家管制的精神药品，又如安定注射液、盐酸二氢埃托啡、咪哒唑仑、艾司唑仑等。这些药品虽然属于国家规定管制的精神药品，但有些专家认为，经过临床试验，这类药品虽列入国家规定管制的精神药品的二类药品条目，但就其对人体产生的依赖性程度上，较之一类药品条目所列药品低得多。对这一问题应当这样认识，本条规定的毒品的含义，包括两个方面：一是如前所列的鸦片、海洛因、吗啡、冰毒、可卡因等。这类毒品在实践中比较好认定，适用上也基本不存在问题。因为这类毒品对人体的毒害作用和社会危害性是显而易见的，也是法律制裁的重中之重。二是本条第一款后面规定的“以及国家规定管制的其他能够使人形成瘾癖的麻醉药品和精神药品”。这类适用起来比较有争议。国家卫生部门对这类药品按其使人形成依赖性的瘾癖程度划分为一类和二类。应当说，这两类药品条目所列的麻醉药品和精神药品都是本条规定的“毒品”的范畴。实践中，这类药品被犯罪分子所利用而进行各种犯罪活动也不少。如果只注意打击走私、贩卖、运输、非法持有鸦片、海洛因、吗啡、冰毒、可卡因等的犯罪，而对这类药品却不严格管理，就会顾此失彼，也不符合我国加入的精神药品管理的有关国际公约的要求。

第二款是关于毒品数量以实际数量计算，不以提纯计算的规定。“毒品的数量以查证属实的走私、贩卖、运输、制造、非法持有毒品的数量计算”，是指被查获的走私、贩卖、运输、制造、非法持有的毒品数量，以被查获的毒品的实际数量计算。“不以纯度折算”，是指对查获的掺入非毒品成分的毒品不作提纯计算，以被查获的毒品的实际数量计算。这样规定体现从严打击毒品犯罪的一贯宗旨。

第八节 组织、强迫、引诱、容留、介绍卖淫罪

第三百五十八条* **组织、强迫他人卖淫的，处五年以上十年以下有期徒刑，并处罚金；情节严重的，处十年以上有期徒刑或者无期徒刑，并处罚金或者没收财产。**

组织、强迫未成年人卖淫的，依照前款的规定从重处罚。

犯前两款罪，并有杀害、伤害、强奸、绑架等犯罪行为的，依照数罪并罚的规定处罚。

为组织卖淫的人招募、运送人员或者有其他协助组织他人卖淫行为的，处五年以下有期徒刑，并处罚金；情节严重的，处五年以上十年以下有期徒刑，并处罚金。

【释义】 本条是关于组织卖淫罪、强迫卖淫罪和协助组织卖淫罪及其处罚的规定。

---

* 本条经过两次修改。

根据2011年2月25日第十一届全国人民代表大会常务委员会第十九次会议通过的《中华人民共和国刑法修正案（八）》第一次修改。原条文是："组织他人卖淫或者强迫他人卖淫的，处五年以上十年以下有期徒刑，并处罚金；有下列情形之一的，处十年以上有期徒刑或者无期徒刑，并处罚金或者没收财产：

"（一）组织他人卖淫，情节严重的；

"（二）强迫不满十四周岁的幼女卖淫的；

"（三）强迫多人卖淫或者多次强迫他人卖淫的；

"（四）强奸后迫使卖淫的；

"（五）造成被强迫卖淫的人重伤、死亡或者其他严重后果的。

"有前款所列情形之一，情节特别严重的，处无期徒刑或者死刑，并处没收财产。

"协助组织他人卖淫的，处五年以下有期徒刑，并处罚金；情节严重的，处五年以上十年以下有期徒刑，并处罚金。"

根据2015年8月29日第十二届全国人民代表大会常务委员会第十六次会议通过的《中华人民共和国刑法修正案（九）》第二次修改。第一次修改后的条文是："组织他人卖淫或者强迫他人卖淫的，处五年以上十年以下有期徒刑，并处罚金；有下列情形之一的，处十年以上有期徒刑或者无期徒刑，并处罚金或者没收财产：

"（一）组织他人卖淫，情节严重的；

"（二）强迫不满十四周岁的幼女卖淫的；

"（三）强迫多人卖淫或者多次强迫他人卖淫的；

"（四）强奸后迫使卖淫的；

"（五）造成被强迫卖淫的人重伤、死亡或者其他严重后果的。

"有前款所列情形之一，情节特别严重的，处无期徒刑或者死刑，并处没收财产。

"为组织卖淫的人招募、运送人员或者有其他协助组织他人卖淫行为的，处五年以下有期徒刑，并处罚金；情节严重的，处五年以上十年以下有期徒刑，并处罚金。"

卖淫嫖娼是一种社会丑恶现象，新中国成立后，国家开展禁娼运动，卖淫嫖娼活动基本绝迹。随着我国经济建设和社会的开放、发展，卖淫嫖娼现象死灰复燃。一些不法分子利用暴力、胁迫等手段强迫妇女卖淫的情况也很严重。强迫妇女卖淫的行为不仅严重侵犯公民的人身自由权利和性自由权利，而且往往还造成被害人身体的伤害和精神上巨大的创伤，具有极大的社会危害性。为打击这一犯罪行为，1979 年制定刑法时规定了强迫妇女卖淫罪，1991 年 9 月 4 日全国人大常委会通过的关于严禁卖淫嫖娼的决定增加规定了组织他人卖淫和协助组织他人卖淫的犯罪，1997 年修订刑法时，将上述规定经修改后纳入刑法典。实践中，由于刑法关于协助组织卖淫罪的规定比较原则，对为组织卖淫的人招募、运送人员等行为是否属于协助组织卖淫的犯罪存在不同认识。同时，我国加入的《联合国打击跨国有组织犯罪公约关于预防、禁止和惩治贩运人口特别是妇女和儿童行为的补充议定书》要求将为组织卖淫的人招募、运送人员等行为列为刑事犯罪。为完善刑法有关规定，与补充议定书的规定相衔接，2011 年 2 月 25 日，第十一届全国人大常委会第十九次会议审议通过的《刑法修正案（八）》对本条第三款协助组织他人卖淫的犯罪的规定作了修改，进一步明确列出为组织卖淫的人招募、运送人员这两种协助组织他人卖淫行为。2015 年 8 月 29 日，第十二届全国人大常委会第十六次会议通过的《刑法修正案（九）》对本条又作了以下几处修改：一是取消了组织卖淫罪、强迫卖淫罪的死刑。根据完善死刑法律规定，逐步减少适用死刑的罪名的要求，在总结我国一贯坚持的既保留死刑，又严格控制和慎重适用死刑的做法，取消这两个罪的死刑。二是将判处十年以上刑罚的具体列举的五项情形修改为“情节严重的”。这一修改，扩大了组织、强迫他人卖淫可能判处十年以上刑罚的适用范围。三是增加组织、强迫未成年人卖淫的，从重处罚的规定，进一步加强了对未成年人的保护，加大了对组织、强迫未成年人卖淫的打击力度。四是增加规定，对组织、强迫他人卖淫的，并有杀害、伤害、强奸、绑架等犯罪行为的，依照数罪并罚的规定处罚。主要是考虑到组织、强迫他人卖淫的行为，往往伴随着杀害、伤害、强奸、绑架等犯罪行为，实践中也是按照数罪并罚的规定处理的，为进一步明确法律适用，严厉惩处这类犯罪行为，在本条中增加了这一规定。

第一款是关于组织、强迫他人卖淫的犯罪及刑事处罚的规定。组织他人卖淫，主要是指通过纠集、控制一些卖淫的人员进行卖淫，或者以雇佣、招募、容留等手段，组织、诱骗他人卖淫，从中牟利的行为。组织他人卖淫的犯罪分子，实际上类似于旧社会开妓院的“老鸨”。组织他人卖淫罪，主要具有以下几个特征：1. 本罪的犯罪主体必须是卖淫活动的组织者。也就是那些开设卖淫场所的“老鸨”或者以其他方式组织他人卖淫的人，可以是几个人，也可以是一个人，关键要看其在卖淫活动中是否起组织者的作用。这里所说的组织者,有的是犯罪集团的首要分子,有的是临时纠合在一起进行组织卖淫活动的不法分子,有的是纠集、控制几个卖淫人员从事卖淫活动的个人。2. 行为人必须实施了组织卖淫的行为,至于其本人是否参与卖淫、嫖娼,并不影响本罪的构成。这里所说的“组织”,通常表现为以下两种形式:一是行为人设置卖淫场所,或者以发廊、旅店、饭店、按摩房、出租屋等为名设置变相卖淫场所,招募一些卖淫人员在此进行卖淫活动。二是行为人自己没有开设固定的场所,但组织、操纵他所控制的卖淫人员有组织地进行卖淫活动。例如,一些按摩院、发廊、酒店的老板,公然唆使服务人员同顾客到店外进行卖淫、嫖娼活动,从中收取钱财;或者以提供服务为名,向顾客提供各种名义的陪伴女郎,实际上是提供卖淫妇女进行卖淫活动。无论以上哪种形式,行为人均构成组织他人卖淫罪。3. 组织他人卖淫罪是故意犯罪,行为人组织他人卖淫的行为必须是出于故意。4. 组织的对象必须是多人,而不是一个人,如果是一个人则不能构成组织他人卖淫罪。本条中所规定的“他人”,既包括妇女,也包括男性。

“强迫他人卖淫”,主要是指行为人采取暴力、威胁或者其他手段,违背他人意志,迫使他人卖淫的行为。这里所说的“强迫”,既包括直接使用暴力手段或者以暴力相威胁,也包括使用其他非暴力的逼迫手段,如以揭发他人隐私或者以可能使他人某种利害关系遭受损失相威胁,或者通过使用某种手段和方法,形成精神上的强制,在别无出路的情况下,违背自己的意愿从事卖淫活动。无论行为人采取哪一种强迫手段,都构成强迫他人卖淫罪。这里所规定的“他人”,既包括妇女,也包括男性。强迫的对象,既可以是没有卖淫习性的人,也可以是由于某种原因不愿卖淫的有卖淫恶习的人。

根据本款规定,组织、强迫他人卖淫的,处五年以上十年以下有期徒刑,并处罚金;情节严重的,处十年以上有期徒刑或者无期徒刑,并处罚金或者没收财产。这里的“情节严重的”,主要是指长期组织他人卖淫,或卖淫集团的首要分子,或组织较多人员卖淫等;强迫未成年人卖淫,情节恶劣的;强迫多人卖淫或者多次强迫他人卖淫的;造成被强迫卖淫的人自残、自杀或其他严重后果的等情形。

第二款是关于组织、强迫未成年人卖淫从重处罚的规定。“未成年人”,是指不满十八周岁的人。未成年人正处在成长发育时期,强迫她们从事卖淫活动,对其生理发育和身心健康无疑是极大的摧残,而且未成年人也缺少必要的自我保护意识和自我控制能力,特别容易受到侵害。因此,法律上必须给予特殊保护。根据本款规定,组织、强迫未成年人卖淫的,从重处罚。

第三款是关于犯组织卖淫罪、强迫卖淫罪及其他相关犯罪行为应当如何处罚的规定。根据本条规定,犯前两款罪,并有杀害、伤害、强奸、绑架等犯罪行为的,依照数罪并罚的规定处罚。也就是说,如果组织、强迫他人卖淫的犯罪分子,同时又对被组织、强迫卖淫的人员实施了杀害、伤害、强奸、绑架等犯罪行为,应当分别按照组织卖淫罪、强迫卖淫罪、故意杀人罪、故意伤害罪、强奸罪、绑架罪等分别定罪判刑,然后再依照刑法总则第六十九条的规定实行数罪并罚。

第四款是关于协助组织他人卖淫的犯罪及其处罚的规定。“协助组织他人卖淫”,是指为组织卖淫的人招募、运送人员或者有其他协助行为的。这里所规定的“招募”,是指协助组织卖淫者招雇、征召、招聘、募集人员,但本身并不参与组织卖淫活动的行为;“运送”,是指为组织卖淫者通过提供交通工具接送、输送所招募的人员的行为。为组织卖淫者招募、运送人员,在有的情况下,招募、运送者可能只拿到几百元、上千元的所谓“人头费”、“介绍费”,但正是这些招募、运送行为,为卖淫场所输送了大量的卖淫人员,使这种非法活动得以发展延续。“其他协助组织他人卖淫行为”,是指在组织他人卖淫的活动中,起协助、帮助作用的其他行为,如为“老鸨”充当保镖、打手,为组织卖淫活动看门望哨或者管帐等。协助组织他人卖淫和活动,也是组织他人卖淫活动的一个环节,但其行为的性质、所起的作用与组织卖淫者具有很大的不同,不宜笼统地以组织卖淫罪的共犯处理。

本条对为组织卖淫的人招募、运送人员或者有其他协助组织他人卖淫行为的犯罪行为单独规定了刑罚,即处五年以下有期徒刑,并处罚金;情节严重的,处五年以上十年以下有期徒刑,并处罚金。

第三百五十九条　引诱、容留、介绍他人卖淫的,处五年以下有期徒刑、拘役或者管制,并处罚金;情节严重的,处五年以上有期徒刑,并处罚金。

引诱不满十四周岁的幼女卖淫的,处五年以上有期徒刑,并处罚金。

【释义】　本条是关于引诱、容留、介绍卖淫罪以及引诱幼女卖淫的犯罪及其处罚的规定。

本条第一款是关于引诱、容留、介绍他人卖淫的犯罪及其刑事处罚的规定。“引诱”他人卖淫,是指行为人为了达到某种目的,以金钱诱惑或通过宣扬腐朽生活方式等手段,诱使没有卖淫习性的人从事卖淫活动的行为。“容留”他人卖淫,是指行为人故意为他人从事卖淫、嫖娼活动提供场所的行为。这里规定的“容留”既包括在自己所有的、管理的、使用的、经营的固定或者临时租借的场所容留卖淫、嫖娼人员从事卖淫、嫖娼活动,也包括在流动场所,如运输工具中容留他人卖淫、嫖娼。“介绍”他人卖淫,是指为卖淫人员与嫖客寻找对象,并在他们中间牵线搭桥的行为,即人们通常所说的“拉皮条”。另外,应当注意的是,本条规定的引诱、容留、介绍他人卖淫的犯罪规定,是一个选择性规定,这三种行为只要实施了其中一种行为,即可构成犯罪。但如果兼有这三种行为的,一般不实行数罪并罚。根据本款规定,犯本罪的,处五年以下有期徒刑、拘役或者管制,并处罚金;情节严重的,处五年以上有期徒刑,并处罚金。

本条第二款是对引诱不满十四周岁的幼女卖淫的处罚规定。不满十四周岁的幼女,正处在心理和生理上的发育时期,且缺少必要的自我保护意识和自我控制的能力,特别容易受到侵害,是法律重点保护的对象。根据本款规定,犯本罪的,处五年以上有期徒刑,并处罚金。

另外,实践中还发现,有的容留妇女卖淫的犯罪分子未直接引诱幼女卖淫,也未与引诱幼女卖淫的犯罪分子事前通谋,而是引诱幼女卖淫的犯罪分子将幼女带到容留妇女卖淫的窝点,交给容留妇女卖淫的犯罪分子,由容留妇女卖淫的犯罪分子将幼女接收下来容留其卖淫。对此,《最高人民法院研究室关于容留不满十四周岁的幼女卖淫应如何定罪处罚问题的电话答复》中指出,对于这种情况应当以容留他人卖淫罪定罪处罚。

第三百六十条*　明知自己患有梅毒、淋病等严重性病卖淫、嫖娼的,处五年以下有期徒刑、拘役或者管制,并处罚金。

【释义】　本条是关于传播性病的犯罪及其处罚的规定。

性病主要是通过性接触传染,通过性行为传播的疾病。性病的传播危害极大,不仅严重摧残人体健康,而且危及子孙后代,关系到国家民族的兴衰。一些不法分子明知自己患有性病,仍置他人健康于不顾肆无忌惮地进行卖淫、嫖娼活动,引起性病的大量传播,对社会公众健康造成了严重威胁,社会危害严重。为了制止和打击这种严重危害社会的行为,有力查禁卖淫、嫖娼活动,减少和防止性病的传播,1997 年修订刑法时将“明知自己患有梅毒、淋病等严重性病卖淫、嫖娼”的行为规定为犯罪,同时还规定了嫖宿幼女罪。

本条的规定包含三层意思:

1. 行为人必须是患有梅毒、淋病等严重性病的。这里所称的“性病”,亦称为“性传染疾病”,过去被称为“花柳病”,主要通过性接触、性行为传播的疾病,包括艾滋病、梅毒、淋病、软下疳、性病性淋巴肉芽肿、生殖道沙眼衣原体感染、

---

* 第二款根据 2015 年 8 月 29 日第十二届全国人民代表大会常务委员会第十六次会议通过的《中华人民共和国刑法修正案(九)》删去。原第二款条文是:“嫖宿不满十四周岁的幼女的,处五年以上有期徒刑,并处罚金。”

尖锐湿疣、生殖器疱疹、腹股沟肉芽肿、生殖器念珠菌病、阴道毛滴虫病、细菌性阴道病、阴虱病等。“严重性病”，主要是指对人体健康危害较重或者传染性较强，发病率较高的性病。本条列举了梅毒、淋病两种严重性病，至于其他严重性病，未作明确规定。在司法实践中，司法机关应在传染病防治法中规定的性病和卫生部规定实行性病监测的性病范围内从严掌握，不能将普通性病都作为严重性病，防止扩大打击面。也就是说，该性病必须是与梅毒、淋病的危害特点相当的性病。

2. 行为人主观上必须是“明知”，即行为人清楚地知道自己患有严重性病，从事卖淫、嫖娼活动会造成性病被传播的后果，而放任或希望这种危害后果的发生。因此，这种犯罪是故意犯罪。如果行为人不明知自己患有严重性病，即便实施了卖淫、嫖娼行为，也不构成犯罪。“明知”在这里是划分罪与非罪的主要界限。根据有关司法解释规定，下列情形可以认定为“明知”：一是有证据证明行为人曾到医院就医就诊断为患有严重发病的；二是根据本人的知识和经验，能够知道自己患有严重性病的；三是通过其他方式能够证明行为人是“明知”的，如行为人的朋友曾告诉过行为人其病症极有可能是严重性病而其本人也真的怀疑过自己是患上性病的，或行为人曾告诉过别人自己患有严重性病的，等等。

3. 行为人实施了卖淫、嫖娼的行为。这里的“卖淫”，是指以获取金钱、财物为目的而自己的肉体提供给他人以淫乱的行为。“嫖娼”，是指以支付报酬为代价与卖淫者发生性交的行为。这里的卖淫、嫖娼行为不仅限于性交方式，还包括手淫、口淫或者其他与性接触有关的行为。

根据本条规定，犯本罪的，处五年以下有期徒刑、拘役或者管制，并处罚金。

应当说明的是，本条原有第二款规定了嫖宿幼女罪，即“嫖宿不满十四周岁的幼女的，处五年以上有期徒刑，并处罚金”。2015 年 8 月 29 日，第十二届全国人民代表大会常务委员会第十六次会议通过的《刑法修正案(九)》取消了嫖宿幼女罪。近年来，嫖宿幼女罪的存废问题引发了社会的广泛关注和讨论，立法工作机构在研究这一问题时，调取分析了全国法院最近几年的判决数据，赴有关省市实地调研，调阅了大量有关判决书，进行逐案剖析，并多次听取有关部门和专家的意见，对设立嫖宿幼女罪的立法背景、实施情况以及如何完善等问题，进行了深入研究。卖淫嫖娼是一种社丑恶会现象。新中国成立初期，经过运用综合手段，严惩老鸨，教育改造妓女，卖淫嫖娼行为基本消灭。八十年代初期，卖淫嫖娼现象在一些地方又死灰复燃，组织、强迫、引诱幼女卖淫和嫖宿幼女的行为也随之发生。为了铲除这一社会丑恶现象，维护社会文明和社会秩序，保护妇女以及幼女的权利，1991 年全国人大常委会专门通过了关于严禁卖淫嫖娼的决定，对于组织卖淫、强迫卖淫、引诱容留介绍卖淫以及嫖宿幼女等行为规定了严厉的刑罚，其中明确规定，嫖宿不满十四岁的幼女的，依照刑法关于强奸罪的规定处罚。1997 年修订刑法时，对于上述规定，根据司法实践经验进一步研究完善后纳入刑法典中。其中，专门将“强迫不满十四周岁的幼女卖淫”作为强迫卖淫罪刑罚的加重情节，规定了严厉的刑罚；将“引诱不满十四周岁的幼女卖淫”的行为单独规定了严厉的刑罚。同时，为解决实际执行中，有些地方将嫖宿幼女的行为仅作为一般嫖娼处理，未追究刑事责任的问题，结合刑法罪刑法定原则关于对犯罪行为的规定应当尽可能具体、明确的要求，将嫖宿幼女行为从奸淫幼女罪中分离出来，规定为独立罪名，并规定了比一般奸淫幼女犯罪更为严厉的刑罚，即“嫖宿不满十四周岁的幼女的，处五年以上有期徒刑，并处罚金”。上述规定对于惩治和铲除利用幼女卖淫这一社会丑恶现象构成了综合、多方位打击的法律规范，不仅有利于社会秩序的维护，也是对幼女的切实保护。但司法实践中，存在嫖宿幼女罪普遍适用较轻刑罚的情况，还有一些案件在法定刑以下判处。这次修改刑法，社会上对这一问题进行了广泛的讨论，考虑到近年来这方面的违法犯罪出现了一些新的情况，执法环节也存在一些问题，因此，取消本条第二款规定的嫖宿幼女罪，对这类行为可以适用刑法第二百三十六条关于奸淫幼女的以强奸论、从重处罚的规定，不再作出专门规定。

第三百六十一条　旅馆业、饮食服务业、文化娱乐业、出租汽车业等单位的人员，利用本单位的条件，组织、强迫、引诱、容留、介绍他人卖淫的，依照本法第三百五十八条、第三百五十九条的规定定罪处罚。

前款所列单位的主要负责人，犯前款罪的，从重处罚。

【释义】　本条是关于公共服务娱乐业从业人员组织、强迫、引诱、容留、介绍他人卖淫的犯罪及其处罚的规定。

第一款是关于旅馆业、饮食服务业、文化娱乐业、出租汽车业等单位的人员，利用本单位的条件，组织、强迫、引诱、容留、介绍他人卖淫的处刑规定。本款所说的“旅馆业”，是指接待旅客住宿的旅馆、饭店、宾馆、酒店、招待所、路边店、客货栈、车马店、浴池等。根据《旅馆业治安管理办法》的规定，旅馆业包括国营、集体、个体经营的，合伙经营的，中外合资、中外合作经营的和外国独资经营的；既包括专营的，也包括兼营的；既包括常年经营的，也包括季节性临时经营的。“饮食服务业”包括“饮食业”和“服务业”两个行业。“饮食业”，包括餐厅、饭馆、酒吧、咖啡厅等。“服务业”，是指利用一定的设备、工具，提供劳动或物品，为社会生活服务的行业，包括发廊、按摩院、美容院、浴池等。“文化娱乐业”，是指提供场所、设备、服务，以供群众娱乐的行业。如歌厅、舞厅、音乐茶座、康乐宫、夜总会、影剧院等。“出租汽车业”，是指出租汽车服务的行业。“旅馆业、饮食服务业、文化娱乐业、出租汽车业等单位的人员”，是指这些单位的所有职工。“利用本单位的条件”，是指利用本单位的一切设备、设施，如汽车等交通工具，房屋等建筑设施，房内各项设施以及电话等通信设施。对这些单位的人员，利用本单位的条件，从事组织、强迫、引诱、容留、介绍他人卖淫的，本条规定，分别依照本法关于组织他人卖淫、强迫他人卖淫罪或者引诱、容留、介绍他人卖淫罪的规定定罪处刑。

第二款是关于第一款规定的单位的主要负责人，利用本单位的条件，组织、强迫、引诱、容留、介绍他人卖淫的从重处罚规定。本款所说的“主要负责人”，是指经理、副经理等单位的主要领导人员。作为单位的主要负责人，有义务自觉遵守国家法律规定，应当合法经营。如果对发生在本单位的卖淫、嫖娼活动，不但不采取措施制止，协助有关部门查禁，反而利用本单位的条件，实施组织卖淫等犯罪活动，这种行为不仅直接破坏了社会管理秩序，妨害社会治安，而且还严重影响单位的声誉，破坏了单位的正常经营管理活动，甚至使自己主管的单位成为藏污纳垢的色情场所，影响十分恶劣，必须严厉打击。为此，本款将这些单位的主要负责人，利用本单位的条件，组织、强迫、引诱、容留、介绍他人卖淫的，作为法定从重情节处罚。

第三百六十二条　旅馆业、饮食服务业、文化娱乐业、出租汽车业等单位的人员，在公安机关查处卖淫、嫖娼活动时，为违法犯罪分子通风报信，情节严重的，依照本法第三百一十条的规定定罪处罚。

【释义】　本条是关于公共服务娱乐业从业人员为违法犯罪分子通风报信的犯罪及其处罚的规定。

本条规定的旅馆业、饮食服务业、文化娱乐业、出租汽车业等单位的人员，指的是这些单位的全体工作人员，包括这些单位的负责人和职工。“为违法犯罪分子通风报信”，是指在公安机关依法查处卖淫、嫖娼活动时，将行动地点、时间、对象等情况以及其他有关的消息告知组织、强迫、引诱、容留、介绍他人卖淫以及卖淫、嫖娼的违法犯罪分子。这里所说的“在公安机关依法查处卖淫、嫖娼活动时”，是指在公安机关依法查处的全过程中的任何阶段，既包括查处卖淫、嫖娼活动的部署阶段，也包括实施阶段。无论在哪个阶段向违法犯罪分子通风报信，以使他们及时隐藏、逃避查处的行为都应按本条的规定处罚。而不能仅仅理解为具体实施查处行动的时刻。另外，“通风报信”包括各种传递消息的方法和手段，如打电话、发送短信息、传呼信号和事先规定的各种联系暗号等。根据本条规定，对在公安机关查处卖淫、嫖娼活动时，为违法犯罪分子通风报信，情节严重的,依照本法第三百一十条的规定定罪处罚,即依照窝藏、包庇罪的规定定罪处罚。"情节严重"是划分罪与非罪的一个重要界限,主要是指严重干扰对卖淫嫖娼活动打击或者其他情节恶劣的。本条与第三百一十条规定相比较,有以下两点不同:1.第三百一十条规定的是窝藏犯罪分子和作假证明行为,本条规定的是为违法犯罪分子通风报信的行为;2.第三百一十条的对象仅限于犯罪分子,本条补充了违法人员,这里的"违法人员"主要指不构成犯罪的卖淫、嫖娼人员。

第九节　制作、贩卖、传播淫秽物品罪

第三百六十三条　以牟利为目的,制作、复制、出版、贩卖、传播淫秽物品的,处三年以下有期徒刑、拘役或者管制,并处罚金;情节严重的,处三年以上十年以下有期徒刑,并处罚金;情节特别严重的,处十年以上有期徒刑或者无期徒刑,并处罚金或者没收财产。

为他人提供书号,出版淫秽书刊的,处三年以下有期徒刑、拘役或者管制,并处或者单处罚金;明知他人用于出版淫秽书刊而提供书号的,依照前款的规定处罚。

【释义】　本条是关于制作、复制、出版、贩卖、传播淫秽物品牟利罪,为他人提供书号出版淫秽书刊的犯罪及其处罚的规定。

第一款是关于以牟利为目的,制作、复制、出版、贩卖、传播淫秽物品的犯罪和处罚的规定。"以牟利为目的",是指行为人实施制作、复制、出版、贩卖、传播淫秽物品的犯罪行为,主观上具有牟取非法利益的目的。"制作",是指生产、录制、编写、译著、绘画、印刷、刻印、摄制、洗印等行为。"复制",是指通过翻印、翻拍、复印、复写、复录等方式对已有的淫秽物品进行重复制作的行为。"出版",是指编辑、印刷出版发行淫秽书刊。"贩卖",是指销售淫秽物品的行为,包括发行、批发、零售、倒卖等。"传播",是指通过播放、出租、出借、承运、邮寄等方式致使淫秽物品流传的行为。行为人只要以牟利为目的,实施了"制作、复制、出版、贩卖、传播"这五种行为之一的,即构成本罪。

随着互联网应用的普及,利用互联网从事有关淫秽物品违法犯罪活动的情况变得比较突出。对此,也应当按照刑法和有关法律的规定予以打击。2000年12月28日《全国人民代表大会常务委员会关于维护互联网安全的决定》第三条第(五)项规定,在互联网上建立淫秽网站、网页,提供淫秽站点链接服务,或者传播淫秽书刊、影片、音像、图片,构成犯罪的,依照刑法有关规定追究刑事责任。为此,《最高人民法院、最高人民检察院、公安部关于依法开展打击淫秽色

情网站专项行动有关工作的通知》进一步明确，要严格按照刑法、《全国人民代表大会常务委员会关于维护互联网安全的决定》和有关司法解释的规定，对于利用互联网从事有关淫秽物品的犯罪活动的，应当根据其具体实施的行为，分别以制作、复制、出版、贩卖、传播淫秽物品牟利罪、传播淫秽物品罪、组织播放淫秽音像制品罪及刑法规定的其他有关罪名，依法追究刑事责任。

本款根据制作、复制、出版、贩卖、传播淫秽物品的不同情节规定了三个不同档次的刑罚：犯本罪的，处三年以下有期徒刑、拘役或者管制，并处罚金；情节严重的，处三年以上十年以下有期徒刑，并处罚金；情节特别严重的，处十年以上有期徒刑或者无期徒刑，并处罚金或者没收财产。区别一般情节、"情节严重"、"情节特别严重"主要应当根据行为人制作、复制、出版、贩卖、传播淫秽物品的数量、次数、造成的影响以及行为人在犯罪中所起的作用而定。1998 年《最高人民法院关于审理非法出版物刑事案件具体应用法律若干问题的解释》，对构成制作、复制、出版、贩卖、传播淫秽物品牟利罪和为他人提供书号、刊号出版淫秽书刊罪的"情节严重"、"情节特别严重"的情况，作了具体的解释。

第二款是关于为他人提供书号出版淫秽书刊的犯罪和处罚的规定。"为他人提供书号"，是指违反国家关于书号管理的各种规定，向单位和个人提供书号的行为。"书号"是国家为了对图书出版进行管理而设置的，从某种意义上讲，相当于图书出版的许可证，没有书号，就不能出版图书。依照国家的有关规定，书号只能由出版机构自己使用，只有在协作出版的情况下，才允许出版机构将书号提供给协作的有关单位。根据实践中存在的实际情况，本款规定了以下两种犯罪行为：1. 为他人提供书号，出版淫秽书刊的。这里所说的"出版淫秽书刊"，是指违反国家规定，非法向他人提供书号，造成了淫秽书刊出版的后果。本罪主要有以下特征：(1)本罪的犯罪主体，可以是个人，也可以是单位。(2)行为人必须是违反国家关于出版方面的规定，实施了向他人(包括个人和单位)提供书号的行为。(3)这一行为，必须造成淫秽书刊出版的后果。(4)行为人在提供书号时，并不明知该书号将被用于出版淫秽书刊，即主观上对造成淫秽书刊出版的后果不具有直接故意。鉴于这种行为与直接制作、出版淫秽书刊不同，在处罚上，也应与故意出版淫秽书刊有所区别。2. 明知他人用于出版淫秽书刊而提供书号的。这里所说的"明知"，是指行为人明知他所提供的书号将被用于出版淫秽书刊，而仍然违反规定向他人提供的行为。也就是说，行为人同淫秽书刊出版人对出版淫秽书刊具有共同的故意。根据刑法关于共犯的规定，这种行为实际上就是出版淫秽书刊的故意行为。因此，本款规定，明知他人用于出版淫秽书刊而提供书号的，依照前款出版淫秽书刊罪的规定处罚，而不能按为他人提供书号出版淫秽书刊罪处罚。

需要注意的是，根据本条的规定，制作、复制、出版、贩卖、传播淫秽物品罪要求行为人主观上有牟利的目的，对不是以牟利为目的的，如制作、复制淫秽音像制品供自己观看的，可以予以批评教育或者治安处罚，不作为犯罪处理。但是，如果有传播淫秽物品的行为，则要视情节而定，对情节严重的，应当依照刑法第三百六十四条的规定，以传播淫秽物品罪定罪处罚。

第三百六十四条　传播淫秽的书刊、影片、音像、图片或者其他淫秽物品，情节严重的，处二年以下有期徒刑、拘役或者管制。

组织播放淫秽的电影、录像等音像制品的，处三年以下有期徒刑、拘役或者管制，并处罚金；情节严重的，处三年以上十年以下有期徒刑，并处罚金。

制作、复制淫秽的电影、录像等音像制品组织播放的，依照第二款的规定从重处罚。

向不满十八周岁的未成年人传播淫秽物品的，从重处罚。

【释义】　本条是关于传播淫秽物品，组织播放淫秽音像制品的犯罪及其处罚的规定。

第一款是关于传播淫秽物品罪的规定，本款规定的“传播”是指在公共场所或者公众之中进行传播。主要是指通过传阅、出借、展示、赠送、讲解等方式散布、流传淫秽的图书、报纸、刊物、画册、图片、影片、录像带、录音带，载有淫秽内容的文化娱乐品以及其他淫秽物品的。这种传播行为可以是在公共场合公开进行，也可以是在公众中私下进行，其传播不是以牟利为目的，如以牟利为目的传播应依照本法第三百六十三条的规定定罪处罚。“情节严重”，主要是指多次、经常性地在社会上传播淫秽物品；所传播的淫秽物品数量较大；或者虽然传播淫秽物品数量不大、次数不多，但被传播对象人数众多；造成的后果严重等。“情节严重”是区分罪与非罪的界限。据本款规定，传播淫秽的书刊、影片、音像、图片或者其他淫秽物品，情节严重的，处二年以下有期徒刑、拘役或者管制。

第二款是关于组织播放淫秽音像制品罪的规定。“组织播放”，是指召集多人播放淫秽电影、录像等音像制品的行为。播放淫秽音像制品，实质上也是一种传播淫秽物品的方式，鉴于这种行为在传播淫秽物品的各项活动中比较突出，且危害也比较严重，为了明确这种行为的法律责任，以利于打击这种犯罪活动，本款将这种行为规定为一个独立的罪名。为区分罪与非罪的界限，本款的规定，主要是惩治“组织播放”者，而对只向个别人播放或者是仅仅参与观看等行为，不能按本款规定处罚。这里所说的“音像制品”，除了淫秽的电影、录像外，还包括淫秽的幻灯片、录音带、激光唱片等。本款根据组织播放行为的不同情节，分别规定了两个处罚档次：犯本罪的，处三年以下有期徒刑、拘役或者管制,并处罚金;对情节严重的,处三年以上十年以下有期徒刑,并处罚金。

第三款是关于对制作、复制淫秽的音像制品,又组织播放的从重处罚的规定。"从重",是指根据行为人所犯的罪行的具体情节,在本条第二款所规定的相应的量刑幅度内判处较重的刑罚。

第四款是关于向不满十八周岁的未成年人传播淫秽物品从重处罚的规定。未成年人是需要在法律上特殊保护的群体,对引诱、教唆以及对未成年人实施的犯罪行为,予以严厉打击,是立法和司法实践中一贯坚持的。向未成年人传播淫秽物品的社会危害性更大,对这种行为从重处罚十分必要。

第三百六十五条　组织进行淫秽表演的,处三年以下有期徒刑、拘役或者管制,并处罚金;情节严重的,处三年以上十年以下有期徒刑,并处罚金。

【释义】 本条是关于组织淫秽表演的犯罪及其处罚的规定。

根据本条规定,构成组织淫秽表演罪,必须具备以下两方面条件:1. 犯罪主体是淫秽表演的组织者,有些可能是专门从事淫秽表演的组织者,类似"穴头";有些就是酒吧的老板,为招揽生意而组织淫秽表演。表演者不构成本罪,对表演者应采用教育和行政措施使其认识错误,从事正当劳动。对于既是组织者又是表演者的,应按照组织者处理。对于明知他人组织淫秽表演,仍为其提供场所或者其他便利条件的,按照组织淫秽表演罪的共犯处理,应根据其在犯罪中的作用处罚。对于为组织淫秽表演活动卖票或者进行其他服务性活动的,应根据实际情况,区别对待,对于犯罪团伙、集团的成员应当按共犯处理;对于犯罪分子雇用的服务员,一般可不按照犯罪处理。2. 行为人实施了组织淫秽表演的行为。行为人所雇用的演员的多少以及观众的多少,一般并不影响本罪的构成,而应作为犯罪的情节考虑。实践中,这些淫秽表演大多以牟利为目的,但也有个别情况下,不是以牟利为目的。不论是否以牟利为目的,均不影响本罪的构成。

"组织进行淫秽表演",是指组织他人当众进行淫秽性的表演。其中,"组织",是指策划表演过程,纠集、招募、雇用表演者,寻找、租用表演场地,招揽观众等组织演出的行为。"淫秽表演",是指关于性行为或者露骨宣扬色情的诲淫性的表演,如进行性交表演、手淫口淫表演、脱衣舞表演等。根据本条规定,组织进行淫秽表演的,处三年以下有期徒刑、拘役或者管制,并处罚金;情节严重的,处三年以上十年以下有期徒刑,并处罚金。"情节严重",是指多次组织淫秽表演、造成非常恶劣影响,以暴力、胁迫的方式迫使他人进行淫秽表演以及犯罪集团首要分子等严重的情节。

实践中应注意的是，在聚众进行淫乱活动中，也经常出现由数人作性交表演，其他人观看的情况，这种表演属于聚众进行淫乱的一部分，对于这种行为，应按照本法关于聚众淫乱罪的规定来处理。

第三百六十六条　单位犯本节第三百六十三条、第三百六十四条、第三百六十五条规定之罪的，对单位判处罚金，并对其直接负责的主管人员和其他直接责任人员，依照各该条的规定处罚。

【释义】　本条是关于单位实施有关淫秽物品犯罪如何处罚的规定。

根据本条规定，单位有本法第三百六十三条、第三百六十四条、第三百六十五条所规定的犯罪行为的，依照本条规定，除对单位判处罚金外，对其直接负责的主管人员和其他直接责任人员，还应分别依照各该条的有关规定予以刑事处罚。这里所说的“直接负责的主管人员”，是指单位对犯罪活动负直接责任的主要领导人。“直接责任人员”，是指具体实施犯罪活动的行为人，即直接参与本单位制作、复制、出版、贩卖、传播淫秽物品，为他人出版书刊提供书号，传播淫秽的图片、书刊或者其他淫秽物品，组织播放淫秽的电影、录像或者其他音像制品等行为的人员。

对单位犯罪进行追究，在认定直接责任人员或者直接负责的主管人员时，应当把握两点：一是行为人在主观上必须对单位所从事的犯罪活动是明知的，具体表现为有批准、默许、纵容本单位实施或者直接参与实施本条规定的违法犯罪活动的行为；二是单位从事本条规定的违法犯罪行为所获得的具体利益归于单位。上述两个条件同时具备才能构成本条规定的单位犯罪。

第三百六十七条　本法所称淫秽物品，是指具体描绘性行为或者露骨宣扬色情的诲淫性的书刊、影片、录像带、录音带、图片及其他淫秽物品。

有关人体生理、医学知识的科学著作不是淫秽物品。

包含有色情内容的有艺术价值的文学、艺术作品不视为淫秽物品。

【释义】　本条是关于淫秽物品定义的规定。

第一款是关于淫秽物品概念的规定。这里所说的“具体描绘性行为”，是指较详尽、具体地描写性行为的过程及其心理感受；具体描写通奸、淫乱、卖淫、乱伦、强奸的过程细节；描写未成年人的性行为、同性恋的性行为或者其他性变态行为及与性变态有关的暴力、虐待、侮辱行为和令普通人不能容忍的对性行为等的淫亵描写。“露骨宣扬色情”，是指公然地、不加掩饰地宣扬色情淫荡形象；着力表现人体生殖器官；挑动人们的性欲；足以导致普通人的腐化堕落的具有刺激、挑逗性的文字和画面。根据《最高人民法院、最高人民检察院关于办理利用互联网、移动通讯终端、声讯台制作、复制、出版、贩卖、传播淫秽电子信息刑事案件具体应用法律若干问题的解释》的规定，"其他淫秽物品"，包括具体描绘性行为或者露骨宣扬色情的诲淫性的视频文件、音频文件、电子刊物、图片、文章、短信息等互联网、移动通讯终端电子信息和声讯台语音信息。

第二款是关于有关人体生理、医学知识和科学著作不是淫秽物品的规定。"有关人体生理、医学知识的科学著作"，是指有关人体的解剖生理知识、生育知识、疾病防治和其他有关性知识、性道德、性社会等自然科学和社会科学作品。依本款规定，这类作品不是淫秽物品。

第三款是关于有色情内容的有艺术价值的文学、艺术作品不视为淫秽物品的规定。"包含有艺术价值"，是指在现实生活中以及文化艺术发展的历史长河中具有较高文学、艺术价值，同时也包含有对性行为、色情等内容的描绘的文学、艺术作品。例如，中国古典小说《金瓶梅》不仅在文学史上有一定的地位，而且在今天看来仍有较高的文学、艺术价值，是人类文化的遗产。但应当注意的是，对这类作品本身虽不视为淫秽物品，然而对这类作品的复制、贩卖、传播仍应加以必要的管理和限制，不能任其随意传播。

第七章　危害国防利益罪

第三百六十八条　以暴力、威胁方法阻碍军人依法执行职务的，处三年以下有期徒刑、拘役、管制或者罚金。

故意阻碍武装部队军事行动，造成严重后果的，处五年以下有期徒刑或者拘役。

【释义】　本条是关于阻碍军人执行职务、阻碍军事行动的犯罪及其处罚的规定。

第一款是关于阻碍军人执行职务罪的规定。构成本罪须具备以下条件：1. 行为人主观上是故意犯罪，即故意阻碍军人依法执行职务。2. 行为人在客观上实施了阻碍的行为，且这种阻碍是以暴力、威胁的方法实施的。“暴力”，是指对依法执行职务的军人施以捆绑、伤害、殴打等行为。“威胁”，是指以杀害、伤害、毁坏名誉、毁坏财物等方式对依法执行职务的军人进行要挟、恐吓的行为。根据本条的规定，采取暴力、威胁方法是构成本罪的必要条件。3. 阻碍的对象必须是军人。4. 受到阻碍的必须是军人依法执行职务的行为，这里需强调两点：一是如果对违反法律规定，滥用、擅用、超越职权及其他违法行为进行抵制的，不是本条所说的阻碍。二是阻碍的必须是军人执行职务的行为。

对以暴力、威胁方法阻碍军人依法执行职务的，根据本款的规定，处三年以下有期徒刑、拘役、管制或者罚金。

第二款是关于阻碍军事行动罪的规定。构成本款规定的犯罪，须具备以下几个条件：1. 行为人在主观上有犯罪的故意。如果是出于过失，尽管在客观上也阻碍了武装部队的军事行动，也不构成本罪。2. 行为人在客观上实施了阻碍的行为。这里并未规定阻碍所必需的手段，也就是无论行为人是以暴力、威胁手段阻碍还是采取种种非暴力的手段设置各种障碍，制造各种困难等方式均构成这里规定的“阻碍”。3. 阻碍的对象必须是对武装部队的整体，而不是武装部队中的某个人。4. 受到阻碍的必须是武装部队的军事行动，如不是军事行动，则不构成本罪。5. 阻碍武装部队军事行动的行为必须造成严重后果，才构成本罪。

根据本款规定，对故意阻碍武装部队军事行动，造成严重后果的，处五年以下有期徒刑或者拘役。

第三百六十九条*　破坏武器装备、军事设施、军事通信的，处三年以下有期徒刑、拘役或者管制；破坏重要武器装备、军事设施、军事通信的，处三年以上十年以下有期徒刑；情节特别严重的，处十年以上有期徒刑、无期徒刑或者死刑。

过失犯前款罪，造成严重后果的，处三年以下有期徒刑或者拘役；造成特别严重后果的，处三年以上七年以下有期徒刑。

战时犯前两款罪的，从重处罚。

【释义】　本条是关于破坏武器装备、军事设施、军事通信和过失损坏武器装备、军事设施、军事通信的犯罪及其处罚的规定。

2005 年 2 月 28 日第十届全国人大常委会第十四次会议通过的《刑法修正案（五）》对本条作了修改补充。主要是近几年来一些地方在生产建设过程中野蛮施工、违章作业，致使军事通信光缆等通信设施遭到破坏的情况比较突出，严重危及国家的军事设施和军事通信的安全。针对这种情况，一些全国人大代表提出议案，建议在刑法中增加过失破坏军事通信罪的规定，以打击此类犯罪，维护国防利益。《刑法修正案（五）》将第三百六十九条原来的一款修改为三款，主要增加了两项内容：(1)增加了第二款对过失损坏武器装备、军事设施、军事通信行为定罪处罚的规定。(2)在第三款中增加了战时过失损坏武器装备、军事设施、军事通信的，从重处罚的规定。

第一款是关于故意破坏武器装备、军事设施、军事通信罪及其处罚的规定。构成本款规定的犯罪必须具备以下几个条件：

1. 实施破坏武器装备、军事设施、军事通信的犯罪行为人，在主观上必须是出于故意。也就是说，实施破坏行为的动机和目的是明确的。

2. 行为人客观上已经实施了破坏武器装备、军事设施、军事通信的行为。武器装备、军事设施是否完好无损，军事通信是否畅通无阻，直接关系到国家的国防安全和利益。因此，对采取任何手段破坏武器装备、军事设施、军事通信的行为都应追究刑事责任。这里的“破坏”，包括以各种手段和方法对武器装备、军事设施、军事通信设备设施本身进行的破坏，也包括对其正常功能和作用的

---

* 根据 2005 年 2 月 28 日第十届全国人民代表大会常务委员会第十四次会议通过的《中华人民共和国刑法修正案（五）》修改。原条文是：“破坏武器装备、军事设施、军事通信的，处三年以下有期徒刑、拘役或者管制；破坏重要武器装备、军事设施、军事通信的，处三年以上十年以下有期徒刑；情节特别严重的，处十年以上有期徒刑、无期徒刑或者死刑。战时从重处罚。”

损坏。

3. 破坏的对象必须是武器装备、军事设施、军事通信。“武器装备”，是指部队用于实施和保障作战行动的武器、武器系统和军事技术器材的统称。备用的武器装备重要零件、部件，应视为武器装备。“军事设施”，是指国家直接用于军事目的的下列建筑、场地和设备：指挥机关、地面和地下的指挥工程、作战工程；军用机场、港口、码头；营区、训练场、试验场；军用洞库、仓库；军用通信、侦察、导航、观测台站和测量、导航等标志；军用公路、铁路专用线、军用通信、输电线路，军用输油、输水管道；国务院和中央军事委员会规定的其他军事设施。“军事通信”，是指军事通信设备、通信枢纽等。

4. 只要实施了破坏武器装备、军事设施、军事通信的行为，就构成本款规定的犯罪，并不要求破坏行为造成一定的后果。

本款对破坏武器装备、军事设施、军事通信的犯罪行为规定了三个处罚档次：对一般的破坏行为，处三年以下有期徒刑、拘役或者管制；对损坏重要武器装备、军事设施、军事通信的犯罪行为，处三年以上十年以下有期徒刑。这里所说的“重要武器装备”，是指战略导弹及其他导弹武器系统、飞机、直升机、作战舰艇、登陆舰和一吨位以上辅助船、坦克、装甲车辆、较大毫米以上口径的地面火炮、岸炮、雷达、声呐、指挥仪、较大功率的电台和电子对抗设备、舟桥、较大功率的工程机械、汽车、陆军船舶等。根据《最高人民法院关于审理危害军事通信刑事案件具体应用法律若干问题的解释》的规定，实施破坏军事通信行为，具有下列情形之一的，属于刑法第三百六十九条第一款规定的“情节特别严重”，以破坏军事通信罪定罪，处十年以上有期徒刑、无期徒刑或者死刑：(1)造成重要军事通信中断或者严重障碍，严重影响部队完成作战任务或者致使部队在作战中遭受损失的；(2)造成部队执行抢险救灾、军事演习或者处置突发性事件等任务的通信中断或者严重障碍，并因此贻误部队行动，致使死亡三人以上、重伤十人以上或者财产损失一百万元以上的；(3)破坏重要军事通信三次以上的；(4)其他情节特别严重的情形。实践中，建设、施工单位直接负责的主管人员、施工管理人员，明知是军事通信线路、设备而指使、强令、纵容他人予以损毁的，或者不听管护人员劝阻，指使、强令、纵容他人违章作业，造成军事通信线路、设备损毁的，以破坏军事通信罪定罪处罚。“重要军事通信”，是指军事首脑机关及重要指挥中心的通信，部队作战中的通信，等级战备通信，飞行航行训练、抢险救灾、军事演习或者处置突发性事件中的通信，以及执行试飞试航、武器装备科研试验或者远洋航行等重要军事任务中的通信。

第二款是关于过失损坏武器装备、军事设施、军事通信罪及其处罚的规定。

这里规定的“过失”犯罪，既包括过失损坏武器装备、军事设施、军事通信的犯罪行为，也包括过失损坏重要的武器装备、军事设施、军事通信的犯罪行为。对于过失犯罪，必须造成严重后果的，才构成犯罪。这里的“严重后果”，是指由于过失行为致使大量武器装备、军事设施遭到损坏或重要军事通信遭到损坏。根据《最高人民法院关于审理危害军事通信刑事案件具体应用法律若干问题的解释》的规定，过失损坏军事通信，具有下列情形之一的，属于刑法第三百六十九条第二款规定的“造成特别严重后果”，以过失损坏军事通信罪定罪，处三年以上七年以下有期徒刑：(1)造成重要军事通信中断或者严重障碍，严重影响部队完成作战任务或者致使部队在作战中遭受损失的；(2)造成部队执行抢险救灾、军事演习或者处置突发性事件等任务的通信中断或者严重障碍，并因此贻误部队行动，致使死亡三人以上、重伤十人以上或者财产损失一百万元以上的；(3)其他后果特别严重的情形。实践中，建设、施工单位直接负责的主管人员、施工管理人员，忽视军事通信线路、设备保护标志，指使、纵容他人违章作业，致使军事通信线路、设备损毁，构成犯罪的，以过失损坏军事通信罪定罪处罚。

根据本款规定，过失损坏武器装备、军事设施、军事通信和过失损坏重要武器装备、军事设施、军事通信，造成严重后果的，处三年以下有期徒刑或者拘役；造成特别严重后果的，处三年以上七年以下有期徒刑。

第三款是关于战时破坏武器装备、军事设施、军事通信和过失损坏武器装备、军事设施、军事通信的犯罪从重处罚的规定。这里的“战时”，是指国家宣布进入战争状态、部分领受作战任务或者遭敌突然袭击时。这里的从重处罚，是指根据不同的犯罪情节，分别在第一、二款规定的不同的处罚档次内判处较重处罚。

第三百七十条　明知是不合格的武器装备、军事设施而提供给武装部队的，处五年以下有期徒刑或者拘役；情节严重的，处五年以上十年以下有期徒刑；情节特别严重的，处十年以上有期徒刑、无期徒刑或者死刑。

过失犯前款罪，造成严重后果的，处三年以下有期徒刑或者拘役；造成特别严重后果的，处三年以上七年以下有期徒刑。

单位犯第一款罪的，对单位判处罚金，并对其直接负责的主管人员和其他直接责任人员，依照第一款的规定处罚。

【释义】　本条是关于故意提供不合格武器装备、军事设施和过失提供不合格武器装备、军事设施的犯罪及其处罚的规定。

第一款是关于故意提供不合格武器装备、军事设施罪的规定。一般情况下，武器装备、军事设施均为国家指定的单位生产。这里所说的个人犯罪，多指在这些军工企业中负责产品检验、质量验收的人员。如果他们由于徇私舞弊或谋取私利,失于职责,将明知是不合格的武器装备、军事设施放任过关,导致最终提供给武装部队的,就应当依照本条的规定承担相应的刑事责任。

构成本款规定的犯罪,须具备以下几个条件:1. 行为人主观上必须是故意,即明知武器装备、军事设施是不合格的产品,仍向武装部队提供。这是区分罪与非罪的界限。2. 提供的必须是武器装备、军事设施,而不是一般的生活用品。如果提供给部队的一般军用物品出现质量问题,构成什么罪,按什么罪处罚,不适用本条。"提供"仅指交付部队使用。3. 提供给部队的武器装备、军事设施是不合格的。"不合格的武器装备、军事设施",是指不符合规定的质量标准的武器、武器系统、军事技术器材和直接用于军事目的的建筑、场地和设备等。

本款对明知是不合格的武器装备、军事设施而提供给部队的犯罪规定了三个处罚档次:处五年以下有期徒刑或者拘役;情节严重的,处五年以上十年以下有期徒刑;情节特别严重的,处十年以上有期徒刑、无期徒刑或者死刑。"情节严重",是指造成人员重伤、死亡,造成较大经济损失,严重影响部队完成任务等。"情节特别严重",是指造成多人重伤、死亡,严重影响部队完成重要任务,造成重大经济损失或者其他特别严重后果等。

第二款是关于过失提供不合格的武器装备、军事设施罪的规定。构成本款规定的犯罪,须具备以下条件:1. 行为人主观上是出于过失。2. 行为人客观上必须有前款规定的犯罪行为,即将不合格的武器装备、军事设施提供给武装部队。3. 行为人的行为必须是造成严重后果的,才构成犯罪,这是区分罪与非罪的重要界限。

本款对过失犯前款罪,规定了两个处罚档次:对造成严重后果的,处三年以下有期徒刑或者拘役;造成特别严重后果的,处三年以上七年以下有期徒刑。这里规定的"严重后果",包括人员伤亡的后果、经济受到损失的后果以及影响部队任务完成的后果等。

第三款是关于单位故意提供不合格武器装备、军事设施的犯罪。这里应注意的是,单位只有在明知武器装备、军事设施是不合格的,仍向武装部队提供的情况下,才构成犯罪,不存在过失的情况。对单位犯罪采取双罚制的原则,即除对单位判处罚金外,对其直接负责的主管人员和其他直接责任人员依照第一款的规定处罚。

第三百七十一条　聚众冲击军事禁区,严重扰乱军事禁区秩序的,对首要分子,处五年以上十年以下有期徒刑;对其他积极参加的,处五年以下有期徒刑、拘役、管制或者剥夺政治权利。

聚众扰乱军事管理区秩序，情节严重，致使军事管理区工作无法进行，造成严重损失的，对首要分子，处三年以上七年以下有期徒刑；对其他积极参加的，处三年以下有期徒刑、拘役、管制或者剥夺政治权利。

【释义】 本条是关于聚众冲击军事禁区和聚众扰乱军事管理区秩序的犯罪及其处罚的规定。

军事禁区、军事管理区，是国家有关部门根据国防需要，依法划定的实行特殊管理的区域。实践中扰乱军事禁区、军事管理区秩序的行为时有发生，不仅对军队的正常军事活动产生影响，而且直接对国防安全造成威胁。1979年刑法未规定有关扰乱军事禁区、军事管理区秩序的犯罪。对聚众冲击军事机关，聚众扰乱军事机关管理秩序的，可以依照扰乱社会秩序罪处理。1990年全国人大常委会通过的军事设施保护法第三十三条规定，“扰乱军事禁区、军事管理区秩序，情节严重的，对首要分子和直接责任人员比照刑法第一百五十八条的规定追究刑事责任”。1997年修订刑法增加了本条规定。

第一款是关于聚众冲击军事禁区罪及处罚的规定。“聚众冲击”，是指纠集多人强行进入军事禁区，占据办公地点、毁坏财物等暴力性的干扰活动。根据军事设施保护法的规定，国家根据军事设施的性质、作用、安全保密的需要和使用效能的要求，划定军事禁区、军事管理区。军事禁区和军事管理区，由国务院和中央军事委员会确定，或者由军区根据国务院和中央军事委员会的规定确定。陆地和水域的军事禁区、军事管理区的范围，由军区和省、自治区、直辖市人民政府共同划定，或者由军区和省、自治区、直辖市人民政府、国务院有关部门共同划定。空中军事禁区和特别重要的陆地、水域军事禁区的范围，由国务院和中央军事委员会划定。构成本款规定的犯罪，行为人的行为必须是严重扰乱了军事禁区的秩序。“军事禁区的秩序”，包括作战、演习、训练、生产、教学、生活、科研等各方面的活动和秩序。“严重扰乱”，是指行为人的行为，致使军事禁区的各项工作无法正常进行。构成本款规定的犯罪，对首要分子，处五年以上十年以下有期徒刑；对其他积极参加的，处五年以下有期徒刑、拘役、管制或者剥夺政治权利。

第二款是关于聚众扰乱军事管理区秩序罪及其处罚的规定。这里的“扰乱”，包括各种对军事管理区秩序进行暴力和非暴力的干扰、破坏活动，如纠集多人在军事管理区进行故意喧闹、辱骂、纠缠，冲砸军事管理区的各种设施。这些行为，如果情节严重，致使军事管理区工作无法进行，并且造成严重损失的，即构成犯罪。这三个条件必须同时具备，也是划分罪与非罪的界限。“情节严重”，主要是指行为人多次实施扰乱的行为，经军事管理区工作人员制止仍不停止其扰乱活动，或者采取暴力扰乱军事管理区秩序等情况。“造成严重损失”不仅包括给财产造成损失，也包括造成人员伤亡的损失。构成本款规定的犯罪，对首要分子，处三年以上七年以下有期徒刑；对其他积极参加的，处三年以下有期徒刑、拘役、管制或者剥夺政治权利。

第三百七十二条　冒充军人招摇撞骗的，处三年以下有期徒刑、拘役、管制或者剥夺政治权利；情节严重的，处三年以上十年以下有期徒刑。

【释义】　本条是关于冒充军人招摇撞骗的犯罪及其处罚的规定。

构成本条规定的犯罪，须具备以下条件：

1. 行为人冒充的对象是军人。犯罪分子冒充军人身份是构成本罪的重要条件，也是与本法规定的冒充国家机关工作人员招摇撞骗罪的唯一区别。这里规定的“军人”，仅指具有中国人民解放军军籍的现役军人及中国人民武装警察部队的现役武警。

2. 行为人在客观上实施了招摇撞骗的行为。“招摇撞骗”，是指假借军人名义到处炫耀，利用人民群众对子弟兵的信任、爱戴进行欺骗活动，以谋取非法利益的行为。例如，冒充军队干部以招兵为名，到处向希望参军的青年或其亲属骗取财物；冒充军人骗取他人“爱情”；冒充军人骗取得到军人待遇。如果行为人只是由于军人在人民群众中的形象好、威信高而冒充军人以满足自己的虚荣心，并没有假借军人身份进行招摇撞骗的活动，不构成本罪，可以对其进行批评教育或给予纪律处分等。根据《最高人民法院关于审理非法生产、买卖武装部队车辆号牌等刑事案件具体应用法律若干问题的解释》的规定，实施使用伪造、变造、盗窃的武装部队车辆号牌的行为，构成刑法第三百七十五条规定的伪造、变造、买卖武装部队公文、证件、印章罪，同时又构成逃税、诈骗、冒充军人招摇撞骗等犯罪的，依照处罚较重的规定定罪处罚。

根据本条规定，对冒充军人招摇撞骗的，处三年以下有期徒刑、拘役、管制或者剥夺政治权利；情节严重的，处三年以上十年以下有期徒刑。

第三百七十三条　煽动军人逃离部队或者明知是逃离部队的军人而雇用，情节严重的，处三年以下有期徒刑、拘役或者管制。

【释义】　本条是关于煽动军人逃离部队、雇用逃离部队军人的犯罪及其处罚的规定。本条规定了两种犯罪行为：

1. 煽动军人逃离部队罪。构成本罪须具备以下条件：(1)行为人主观上是出于故意，即有明确的要使军人脱离所在部队，不履行服兵役义务的目的。(2)行为人客观上实施了煽动军人逃离部队的行为。“煽动”，是指宣传、鼓动的行为。煽动的方法多种多样，如发表演说、进行广播或者邮寄宣传材料、散发标语传单。

这里应注意将煽动行为与军人家属、亲友因确有困难,写信让服役的军人早日转业回家等情况区别开来,后者不能按犯罪处理。(3)行为人的行为必须是情节严重的,才构成犯罪,这是罪与非罪的界限。"情节严重",是指多次实施煽动行为、煽动多名军人或者军队的高级人员离开部队等情况。

2. 雇用逃离部队军人罪。构成本罪须具备以下条件:(1)行为人在主观上必须是明知,即明知其所雇用的是逃离部队的军人。(2)行为人在客观上实施了明知是逃离部队的军人而雇用的行为。(3)行为人的行为必须是情节严重的,才构成犯罪,这是罪与非罪的界限。"情节严重",是指雇用多名或多次雇用部队的军人等情况。

根据本条规定,对煽动军人逃离部队或者明知是逃离部队的军人而雇用,情节严重的,处三年以下有期徒刑、拘役或者管制。

第三百七十四条　在征兵工作中徇私舞弊,接送不合格兵员,情节严重的,处三年以下有期徒刑或者拘役;造成特别严重后果的,处三年以上七年以下有期徒刑。

【释义】 本条是关于接送不合格兵员的犯罪及其处罚的规定。

构成本条规定的犯罪,须具备以下条件:

1. 犯罪主体是特殊主体,即负责接送新兵的工作人员。包括军队中负责征兵工作的人员,也包括地方负责征召、审查和向部队输送兵员工作的人员。

2. 行为人主观上是故意犯罪,即故意将不合格的兵员接送到部队。

3. 行为人客观上具有在征兵工作中,徇私舞弊,接送不合格兵员的行为。这里的"征兵",是指征集中国人民解放军和武装警察部队现役的兵员。"徇私舞弊",主要是指徇私情,如看在是老同学、老同事、老部下、老上级或亲属朋友的面子,或是接受了礼物走后门等。兵役法、《征兵工作条例》等法律、法规中,对兵员的身体、政治素质等各方面规定了明确的要求,行为人正是违反了法律、法规的规定,由于徇私情,将不符合要求的人员送进部队。应说明的是,如果行为人收受贿赂,构成犯罪的,应按受贿罪的规定定罪处罚,不适用本条。

4. 行为人的行为,情节严重的,才构成犯罪,这是罪与非罪的重要界限。"情节严重",主要是指被送到部队的不合格的人员,到部队后,不接受部队教育,又进行其他犯罪活动,造成恶劣影响等情况。

根据本条规定,对在征兵工作中徇私舞弊,接送不合格兵员,情节严重的,处三年以下有期徒刑或者拘役;造成特别严重后果的,处三年以上七年以下有期徒刑。"造成特别严重后果",主要是指被送到部队的不合格兵员,不接受部队教育,进行违法犯罪造成严重后果;多次接送不合格兵员;或接送不合格兵员多人等情况。

第三百七十五条[*] **伪造、变造、买卖或者盗窃、抢夺武装部队公文、证件、印章的，处三年以下有期徒刑、拘役、管制或者剥夺政治权利；情节严重的，处三年以上十年以下有期徒刑。**

非法生产、买卖武装部队制式服装，情节严重的，处三年以下有期徒刑、拘役或者管制，并处或者单处罚金。

伪造、盗窃、买卖或者非法提供、使用武装部队车辆号牌等专用标志，情节严重的，处三年以下有期徒刑、拘役或者管制，并处或者单处罚金；情节特别严重的，处三年以上七年以下有期徒刑，并处罚金。

单位犯第二款、第三款罪的，对单位判处罚金，并对其直接负责的主管人员和其他直接责任人员，依照各该款的规定处罚。

【释义】 本条是关于伪造、变造、买卖或者盗窃、抢夺武装部队公文、证件、印章罪，非法生产、买卖武装部队制式服装罪，以及伪造、盗窃、买卖或者非法提供、使用武装部队专用标志的犯罪及其处罚的规定。

近年来，涉及军车号牌的违法犯罪活动出现了新的情况，一些不法分子为了逃避各种规费以及牟取非法利益，大肆盗窃、非法提供（包括出租）、非法使用军车号牌，在个别地区，伪造、盗窃、买卖、非法提供和使用军车号牌的非法活动甚至呈现出“产业化”和“集团化”的趋势。据有关部门统计，“2004 式”军车号牌换发以来，全军和武警部队被盗车辆号牌达数千副，假冒军车每年偷逃各种规费近十亿元。这些违法犯罪活动，破坏了军队正常管理和军车运行秩序，干扰部队战备训练和军事斗争准备，败坏了军队的形象，影响了军民军政关系，必须予以必要的惩治。由于刑法仅对非法生产和买卖军车号牌的犯罪作了定罪处罚的规定，对于盗窃、非法提供和非法使用军车号牌的行为没有明确规定，使一些不法分子规避法律，逃避法律的制裁。针对这种情况，2009 年 2 月 28 日第十一届全国人大常委会第七次会议通过的《刑法修正案（七）》对 1997 年刑法第三百七十五条作了修改补充。一是对本条第二款作了修改，将非法生产、买卖

---

* 根据 2009 年 2 月 28 日第十一届全国人民代表大会常务委员会第七次会议通过的《中华人民共和国刑法修正案（七）》修改。原条文是：“伪造、变造、买卖或者盗窃、抢夺武装部队公文、证件、印章的，处三年以下有期徒刑、拘役、管制或者剥夺政治权利；情节严重的，处三年以上十年以下有期徒刑。

“非法生产、买卖武装部队制式服装、车辆号牌等专用标志，情节严重的，处三年以下有期徒刑、拘役或者管制，并处或者单处罚金。

“单位犯第二款罪的，对单位判处罚金，并对其直接负责的主管人员和其他直接责任人员，依照该款的规定处罚。”

武装部队制式服装的犯罪及处罚单独作为一款规定；二是增加一款作为第三款，对伪造、盗窃、买卖或者非法提供、使用武装部队车辆号牌等专用标志的犯罪作了专门的规定；三是将原第三款作为第四款并作了相应的修改。

第一款是关于伪造、变造、买卖、盗窃、抢夺武装部队公文、证件、印章的犯罪及其处罚的规定。构成本款规定的犯罪须具备以下条件：1. 行为人在主观上是出于故意，至于行为人出于何种动机不影响本罪成立。2. 行为人客观上实施了伪造、变造、买卖、盗窃、抢夺的行为，这些行为前面都有解释，这里不再赘述。3. 犯罪对象是武装部队的公文、证件、印章，而不是一般国家机关的公文、证件、印章。“武装部队”，是指中国人民解放军现役部队和武装警察部队。中国人民解放军的预备役部队和民兵组织不在此范围内。“公文”，是指在执行公务活动当中或履行日常工作职责的活动中所形成或发布的文件、公函、通告、命令等公务文件。“证件”，是指武装部队成员的身份证件、通行证件以及一些特别证件。“印章”，是指武装部队用于各种公务性文件、公函、命令、通告等文件中能够代表部队的印章。

《最高人民法院、最高人民检察院关于办理妨害武装部队制式服装、车辆号牌管理秩序等刑事案件具体应用法律若干问题的解释》对构成本款规定的犯罪的定罪量刑标准作了规定。根据解释的相关规定，伪造、变造、买卖或者盗窃、抢夺武装部队公文、证件、印章，具有下列情形之一的，应当依照刑法第三百七十五条第一款的规定，以伪造、变造、买卖武装部队公文、证件、印章罪或者盗窃、抢夺武装部队公文、证件、印章罪定罪处罚：(1)伪造、变造、买卖或者盗窃、抢夺武装部队公文一件以上的；(2)伪造、变造、买卖或者盗窃、抢夺武装部队军官证、士兵证、车辆行驶证、车辆驾驶证或者其他证件两本以上的；(3)伪造、变造、买卖或者盗窃、抢夺武装部队机关印章、车辆牌证印章或者其他印章一枚以上的。数量达到上述规定标准五倍以上或者造成严重后果的，应当认定为刑法第三百七十五条第一款规定的“情节严重”。

行为人只要实施了上述行为之一就构成犯罪。实践中，这一犯罪往往与其他犯罪相联系，成为犯罪分子进行其他犯罪的一种手段，在这种情况下，应按从一重罪处罚的原则定罪处刑。根据第一款的规定，对伪造、变造、买卖或者盗窃、抢夺武装部队公文、证件、印章的，处三年以下有期徒刑、拘役、管制或者剥夺政治权利；情节严重的，处三年以上十年以下有期徒刑。

第二款是关于非法生产、买卖武装部队制式服装的犯罪及其处罚的规定。武装部队制式服装是用以证明武装部队人员身份的专用服装，任何非法生产、买卖的行为都会危害国防安全和利益，必须予以惩处。构成本款规定的犯罪，须同时具备以下条件：1. 行为人主观上出于故意。2. 行为人客观上实施了非法生产、买卖武装部队制式服装的行为。武装部队制式服装由国家指定的厂家生产,任何厂家、个人非经指定不得从事生产、制造活动。武装部队制式服装不是一般商品,不得自由买卖。“非法生产”包括无权制造的单位私自制造,也包括有权制造的单位不按规定,擅自超量制造。3. 犯罪对象必须是武装部队的制式服装。这里武装部队的含义与前面相同。“制式服装”,是指中国人民解放军现役部队和武装警察部队的军装。4. 行为人实施上述行为,必须达到情节严重的程度,才构成犯罪。

根据《最高人民法院、最高人民检察院关于办理妨害武装部队制式服装、车辆号牌管理秩序等刑事案件具体应用法律若干问题的解释》的相关规定,非法生产、买卖武装部队现行装备的制式服装,具有下列情形之一的,应当认定为刑法第三百七十五条第二款规定的“情节严重”,以非法生产、买卖武装部队制式服装罪定罪处罚:(1)非法生产、买卖成套制式服装三十套以上,或者非成套制式服装一百件以上的;(2)非法生产、买卖帽徽、领花、臂章等标志服饰合计一百件(副)以上的;(3)非法经营数额二万元以上的;(4)违法所得数额五千元以上的;(5)具有其他严重情节的。

第三款是关于伪造、盗窃、买卖或者非法提供、使用武装部队车辆号牌等专用标志的犯罪及处罚的规定。武装部队车辆号牌等专用标志是为便于社会外界识别,表明武装部队身份,用于执行部队公务的场所、车辆等的外形标记,包括军车号牌、军衔标志、军徽、臂章以及特种部队或者某些部队执行特别任务时专用的特别标志等。伪造、盗窃、买卖或者非法提供、使用武装部队车辆号牌等专用标志的行为,破坏了军队的正常管理秩序,干扰了部队正常的军事训练,败坏军队的形象,危害国防利益,必须严惩。

构成本款犯罪应具备以下条件:1. 行为人出于主观的故意。2. 行为人在客观上实施了伪造、盗窃、买卖或者非法提供、使用武装部队车辆号牌等专用标志的行为。应当明确的是,这里所说的“买卖或者非法提供、使用”武装部队车辆号牌等专用标志,既包括真的专用标志,也包括伪造、变造等假的专用标志。3. 行为人的行为必须达到情节严重的程度。根据《最高人民法院、最高人民检察院关于办理妨害武装部队制式服装、车辆号牌管理秩序等刑事案件具体应用法律若干问题的解释》的相关规定,伪造、盗窃、买卖或者非法提供、使用武装部队车辆号牌等专用标志,具有下列情形之一的,应当认定为刑法第三百七十五条第三款规定的“情节严重”,以伪造、盗窃、买卖、非法提供、非法使用武装部队专用标志罪定罪处罚:(1)伪造、盗窃、买卖或者非法提供、使用武装部队军以上领导机关车辆号牌一副以上或者其他车辆号牌三副以上的;(2)非法提供、使用军以上领导机关车辆号牌之外的其他车辆号牌累计六个月以上的;(3)伪造、盗窃、买卖或者非法提供、使用军徽、军旗、军种符号或者其他军用标志合计一百件(副)以上的;(4)造成严重后果或者恶劣影响的。具有下列情形之一的,应当认定为刑法第三百七十五条第三款规定的"情节特别严重":(1)数量达到上述规定标准五倍以上的;(2)非法提供、使用军以上领导机关车辆号牌累计六个月以上或者其他车辆号牌累计一年以上的;(3)造成特别严重后果或者特别恶劣影响的。

第四款是关于单位犯罪的规定。根据本款规定,单位可以成为第二款规定的非法生产、买卖武装部队制式服装的犯罪的主体,也可以成为第三款规定的伪造、盗窃、买卖或者非法提供、使用武装部队车辆号牌等专用标志的犯罪的主体。单位构成本条第二款、第三款犯罪的,依照各该款的规定处罚,即除对单位判处罚金外,对其直接负责的主管人员和其他直接责任人员,依照各该款的规定处罚。

第三百七十六条　预备役人员战时拒绝、逃避征召或者军事训练,情节严重的,处三年以下有期徒刑或者拘役。

公民战时拒绝、逃避服役,情节严重的,处二年以下有期徒刑或者拘役。

【释义】　本条是关于战时拒绝、逃避征召、军事训练和战时拒绝、逃避服役的犯罪及其处罚的规定。

第一款是关于战时拒绝、逃避征召、军事训练罪及其处罚的规定。构成本款规定的犯罪,须具备以下条件:1. 预备役人员拒绝、逃避征召、军事训练的行为,战时才能构成犯罪,这是构成本罪的前提条件。2. 犯罪主体是预备役人员。根据兵役法的规定,兵役分为现役和预备役,编入民兵组织或者经过登记服预备役的人员称预备役人员。3. 预备役人员实施了拒绝、逃避征召或者军事训练的行为。"拒绝"是指不接受。"逃避"是指有意躲避。"征召",是指兵役机关依法向预备役人员发出通知,要其按规定的时间地点报到,准备转服现役。根据兵役法的规定,预备役人员必须按规定参加军事训练,随时准备参军参战,保卫祖国,在国家遭受敌人突然袭击或为抵抗侵略而发布战时动员令后,应当随时准备应召服役。在接到应召通知后,必须准时到指定地点报到。4. 行为人的行为必须是情节严重的,才构成犯罪。"情节严重",主要是指无故拒绝、逃避,经多次教育仍不改正的或其他严重情节。适用本条应注意,对于有些预备役人员因生病或家中确有实际困难不能或者不能及时应召或参加军事训练的,不能定罪处刑。根据本款规定,对预备役人员战时拒绝、逃避征召或者军事训练,情节严重的,处三年以下有期徒刑或者拘役。

第二款是关于公民战时拒绝、逃避服役罪及其处罚的规定。构成本罪须同时具备以下条件:1. 公民拒绝、逃避服役的行为,战时才能构成犯罪,这是构成本罪的前提条件。2. 犯罪主体是一般公民。兵役法中规定,中华人民共和国公民,不分民族、种族、职业、家庭出身、宗教信仰和教育程度,都有义务依法服兵役。年满十八岁的公民,按照兵役机关的安排,进行兵役登记。3. 行为人实施了拒绝、逃避服役的行为。4. 行为人的行为必须情节严重的,才构成犯罪。根据本款规定,对公民战时拒绝、逃避服役,情节严重的,处二年以下有期徒刑或者拘役。

第三百七十七条　战时故意向武装部队提供虚假敌情,造成严重后果的,处三年以上十年以下有期徒刑;造成特别严重后果的,处十年以上有期徒刑或者无期徒刑。

【释义】　本条是关于战时故意提供虚假敌情的犯罪及其处罚的规定。

构成本罪须具备以下条件:1. 本条规定的犯罪必须是发生在战时,这是构成本罪的前提条件。2. 行为人主观上是故意犯罪,即故意谎报敌情,使我方据此作出错误的判断和决定。3. 行为人实施了向武装部队提供虚假敌情的行为。“虚假”,包括无中生有,凭空编造根本不存在的情况,也包括歪曲、颠倒已存在的事实情况。“敌情”,主要是敌方的有关情报。对于有些老百姓对敌情不太知道,或是听旁人道来的,或是由于心理紧张害怕而夸大敌情的情况,不能认为是向武装部队提供虚假敌情。4. 行为人的行为造成严重后果的,才构成犯罪,这是区分罪与非罪的界限。“造成严重后果”,主要是指贻误了战机;使我方作出错误的军事行动决定;造成重大损失等情况。

根据本条规定,对战时故意向武装部队提供虚假敌情,造成严重后果的,处三年以上十年以下有期徒刑;造成特别严重后果的,处十年以上有期徒刑或者无期徒刑。“造成特别严重后果”,主要是指致使战斗、战役遭受重大损失等后果。

第三百七十八条　战时造谣惑众,扰乱军心的,处三年以下有期徒刑、拘役或者管制;情节严重的,处三年以上十年以下有期徒刑。

【释义】　本条是关于战时造谣扰乱军心的犯罪及其处罚的规定。

构成本罪须具备以下条件:1. 犯罪主体是非军人,即除军人以外的其他任何人。这是与本法军人违反职责罪一章中规定的造谣惑众、动摇军心犯罪的主要区别。2. 本条规定的行为,战时才构成犯罪。3. 行为人实施了造谣惑众的行为。“造谣惑众”,是指行为人制造谣言,或以虚构的情况在部队中进行传播,迷惑众人的行为,既包括行为人捏造事实,在部队中传播,也包括行为人将听说的谣言在部队中传播。4. 行为人制造散布的谣言足以扰乱军心或造成了扰乱军心的后果。“扰乱军心”，是指行为人通过传播虚假事实或谣言，在部队中散布怯战、厌战或恐怖情绪，造成军心不稳，斗志涣散，削弱战斗力。例如，夸大敌方某种武器的杀伤力，制造恐怖气氛；编造我军军需物资供应困难等。5. 犯罪对象必须是多数人。如果行为人只是向个别人散布谣言，没有引起众惑的后果，就不构成犯罪。

根据本条规定，对战时造谣惑众，扰乱军心的，处三年以下有期徒刑、拘役或者管制；情节严重的，处三年以上十年以下有期徒刑。

第三百七十九条　战时明知是逃离部队的军人而为其提供隐蔽处所、财物，情节严重的，处三年以下有期徒刑或者拘役。

【释义】　本条是关于战时窝藏逃离部队军人的犯罪及其处罚的规定。

构成本罪须具备以下条件：1. 本条规定的行为，战时才构成犯罪，这是构成本罪的前提条件。2. 行为人在主观上必须是明知，即明知是逃离部队的军人而故意为其提供有关便利条件。如果行为人不知道是逃离部队的军人，不能构成本罪。3. 行为人实施了为逃离部队的军人提供隐蔽处所、财物的行为。“提供隐蔽处所”，是指将逃离部队的军人隐藏起来，以逃避我方部队或有关部门查找。为其提供“财物”，是指为逃离部队的军人提供物质帮助，以使其进一步逃跑或隐藏。4. 行为人的行为，情节严重的，才构成犯罪，这是区分罪与非罪的界限。“情节严重的”，主要是指行为人在我方部队或有关部门、组织进行查找时，故意编造虚假情况进行隐瞒，或者多次提供财物帮助多名逃离军人潜逃等。

根据本条规定，对战时明知是逃离部队的军人而为其提供隐蔽处所、财物，情节严重的，处三年以下有期徒刑或者拘役。

第三百八十条　战时拒绝或者故意延误军事订货，情节严重的，对单位判处罚金，并对其直接负责的主管人员和其他直接责任人员，处五年以下有期徒刑或者拘役；造成严重后果的，处五年以上有期徒刑。

【释义】　本条是关于战时拒绝、故意延误军事订货的犯罪及其处罚的规定。

构成本条规定的犯罪，应具备以下条件：1. 本条规定的行为，战时才构成犯罪，这是构成本罪的前提条件。2. 犯罪主体是与军事单位签订军事订货合同的当事人，且当事人是单位。3. 行为人在主观上必须是出于故意。如果不是出于故意，而是客观上由于不可抗力的原因或一些特殊的实际困难，没有完成军事订货或延误军事订货，不应构成犯罪。4. 行为人实施了拒绝、延误军事订货的行为。“拒绝”，是指拒不履行规定的供货义务。“延误”，是指在规定的时间以后供货。“军事订货”包括武器装备和其他军用物资。5. 行为人的行为必须是情节严重的，才构成犯罪。“情节严重”，主要是指拒绝手段恶劣的；或者由于急需的武器装备、后勤给养供应不及时，使我方陷入不利境地，严重影响战斗任务的顺利完成等。

根据本条规定，对战时拒绝或者故意延误军事订货，情节严重的，对单位判处罚金，并对其直接负责的主管人员和其他直接责任人员处五年以下有期徒刑或者拘役；造成严重后果的，处五年以上有期徒刑。“造成严重后果”，主要是指使战斗、战役遭受重大损失，造成不必要的人员伤亡等严重后果。

第三百八十一条*　战时拒绝军事征收、征用，情节严重的，处三年以下有期徒刑或者拘役。

【释义】　本条是关于战时拒绝军事征收、征用的犯罪及其处罚的规定。

根据国防法的规定，国家在依照宪法规定宣布战争状态时，采取各种措施集中一切人力、物力、财力，以抵抗侵略，保卫祖国。在国家发布动员令后，一切国家机关、武装力量、各政党、各社会团体、各企业事业单位和公民，都必须完成规定的动员任务，这是每一个公民和组织应尽的义务。对于拒绝履行这一义务，情节严重的，根据本条规定，应追究其刑事责任。

构成本条规定的犯罪，须具备以下条件：1. 本条规定的行为，战时才构成犯罪。这是构成本罪的前提条件。2. 行为人在主观上出于故意。3. 行为人在客观上实施了拒绝军事征收、征用的行为。“拒绝军事征收、征用”，是指行为人故意不将被征收、征用的物品交付部队使用的行为。4. 行为人的行为必须是情节严重的，才构成犯罪。“情节严重”，主要是指造成严重后果，影响了部队完成任务，经反复教育、动员仍不交付等情况。根据本条规定，对战时拒绝军事征收、征用，情节严重的，处三年以下有期徒刑或者拘役。

---

* 根据 2009 年 8 月 27 日第十一届全国人民代表大会常务委员会第十次会议通过的《全国人民代表大会常务委员会关于修改部分法律的决定》修改。原条文是：“战时拒绝军事征用，情节严重的，处三年以下有期徒刑或者拘役。”

第八章　贪污贿赂罪

第三百八十二条　国家工作人员利用职务上的便利，侵吞、窃取、骗取或者以其他手段非法占有公共财物的，是贪污罪。

受国家机关、国有公司、企业、事业单位、人民团体委托管理、经营国有财产的人员，利用职务上的便利，侵吞、窃取、骗取或者以其他手段非法占有国有财物的，以贪污论。

与前两款所列人员勾结，伙同贪污的，以共犯论处。

【释义】　本条是关于什么是贪污罪的规定。

第一款是关于贪污罪概念的规定。根据这一规定，构成贪污罪，必须具备以下条件：

1. 贪污罪的主体是国家工作人员，即本法第九十三条规定的“国家机关中从事公务的人员”，“国有公司、企业、事业单位、人民团体中从事公务的人员和国家机关、国有公司、企业、事业单位委派到非国有公司、企业、事业单位、社会团体从事公务的人员，以及其他依照法律从事公务的人员，以国家工作人员论”。2000年4月29日第九届全国人民代表大会常务委员会第十五次会议通过的《关于〈中华人民共和国刑法〉第九十三条第二款的解释》中，规定了村民委员会等村基层组织人员协助人民政府从事下列行政管理工作，属于刑法第九十三条第二款规定的“其他依照法律从事公务的人员”：(1)救灾、抢救、防汛、优抚、扶贫、移民、救济款物的管理；(2)社会捐助公益事业款物的管理；(3)国有土地的经营和管理；(4)土地征收、征用补偿费用的管理；(5)代征、代缴税款；(6)有关计划生育、户籍、征兵工作；(7)协助人民政府从事的其他行政管理工作。并同时规定：“村民委员会等村基层组织人员从事前款规定的公务，利用职务上的便利，非法占有公共财物、挪用公款、索取他人财物或者非法收受他人财物，构成犯罪的，适用刑法第三百八十二条和第三百八十三条贪污罪、第三百八十四条挪用公款罪、第三百八十五条和第三百八十六条受贿罪的规定。”也就是说，村委会等村基层组织人员从事协助人民政府进行有关管理工作，属于刑法第九十三条第二款规定的“其他依照法律从事公务的人员”，可以成为贪污罪和受贿罪的犯罪主体。

2. 贪污罪侵犯的对象是公共财物。刑法第九十一条对公共财产的范围作了规定。主要包括:(1)国有财产;(2)劳动群众集体所有的财产;(3)用于扶贫和其他公益事业的社会捐助或者专项基金的财产。在国家机关、国有公司、企业集体企业和人民团体管理、使用或者运输中的私人财产,以公共财产论。

3. 贪污罪在行为上主要表现为利用职务上的便利,侵吞、窃取、骗取或者以其他手段非法占有公共财物的行为。这里所说的"利用职务上的便利",是指利用自己职务范围内的权力和地位所形成的主管、管理、经手公共财物的便利条件。"侵吞",是指利用职务上的便利,将自己主管、管理、经手的公共财物非法占为己有的行为。"窃取",是指利用职务上的便利,用秘密获取的方法,将自己主管、管理、经手的公共财物占为己有的行为,即通常所说的"监守自盗"。"骗取",是指行为人利用职务上的便利,使用欺骗的方法,非法占有公共财物的行为,如伪造、涂改单据,虚报冒领。"其他手段",是指侵吞、窃取、骗取以外的利用职务上的便利非法占有公共财物的手段。

第二款是关于受国家机关、国有公司、企业、事业单位、人民团体委托管理、经营国有财产的人员,利用职务上的便利,侵吞、窃取、骗取或者以其他手段非法占有国有财物的以贪污论的规定。这里规定的"国有财产",与第一款规定的"公共财物"是有区别的,前者只限定于国家所有(或全民所有)的财产;后者还包括集体所有的财产、用于社会公益事业的财产等。

第三款是对与前两款所列人员勾结、伙同贪污,以共犯论处的规定。这里所说的"伙同贪污",是指伙同国家工作人员进行贪污,其犯罪性质是贪污罪,对伙同者,应以贪污罪的共犯论处。

第三百八十三条*　对犯贪污罪的,根据情节轻重,分别依照下列规定

* 根据2015年8月29日第十二届全国人民代表大会常务委员会第十六次会议通过的《中华人民共和国刑法修正案(九)》修改。原条文是:"对犯贪污罪的,根据情节轻重,分别依照下列规定处罚:

"(一)个人贪污数额在十万元以上的,处十年以上有期徒刑或者无期徒刑,可以并处没收财产;情节特别严重的,处死刑,并处没收财产。

"(二)个人贪污数额在五万元以上不满十万元的,处五年以上有期徒刑,可以并处没收财产;情节特别严重的,处无期徒刑,并处没收财产。

"(三)个人贪污数额在五千元以上不满五万元的,处一年以上七年以下有期徒刑;情节严重的,处七年以上十年以下有期徒刑。个人贪污数额在五千元以上不满一万元,犯罪后有悔改表现、积极退赃的,可以减轻处罚或者免予刑事处罚,由其所在单位或者上级主管机关给予行政处分。

"(四)个人贪污数额不满五千元,情节较重的,处二年以下有期徒刑或者拘役;情节较轻的,由其所在单位或者上级主管机关酌情给予行政处分。

"对多次贪污未经处理的,按照累计贪污数额处罚。"

处罚：

（一）贪污数额较大或者有其他较重情节的，处三年以下有期徒刑或者拘役，并处罚金。

（二）贪污数额巨大或者有其他严重情节的，处三年以上十年以下有期徒刑，并处罚金或者没收财产。

（三）贪污数额特别巨大或者有其他特别严重情节的，处十年以上有期徒刑或者无期徒刑，并处罚金或者没收财产；数额特别巨大，并使国家和人民利益遭受特别重大损失的，处无期徒刑或者死刑，并处没收财产。

对多次贪污未经处理的，按照累计贪污数额处罚。

犯第一款罪，在提起公诉前如实供述自己罪行、真诚悔罪、积极退赃，避免、减少损害结果的发生，有第一项规定情形的，可以从轻、减轻或者免除处罚；有第二项、第三项规定情形的，可以从轻处罚。

犯第一款罪，有第三项规定情形被判处死刑缓期执行的，人民法院根据犯罪情节等情况可以同时决定在其死刑缓期执行二年期满依法减为无期徒刑后，终身监禁，不得减刑、假释。

【释义】 本条是关于对贪污罪如何进行处罚的规定。

2015 年 8 月 29 日第十二届全国人民代表大会常务委员会第十六次会议通过的《刑法修正案（九）》对本条作了修改：一是修改了贪污受贿犯罪的定罪量刑标准，取消了刑法第三百八十三条对贪污受贿犯罪定罪量刑的具体数额标准，采用数额加情节的标准，同时增加了罚金刑。二是进一步明确、严格了对贪污受贿犯罪从轻、减轻、免除处罚的条件。三是增加一款规定，对犯贪污、受贿罪，被判处死刑缓期执行的，人民法院根据犯罪情节等情况可以同时决定在其死刑缓期执行二年期满依法减为无期徒刑后，终身监禁，不得减刑、假释。

关于贪污受贿犯罪的定罪量刑标准。1979 年刑法没有规定具体的定罪量刑数额标准，在执行中，司法机关反映不够具体，各地在实践中不好掌握，标准不一。1988 年全国人大常委会通过了《关于惩治贪污罪贿赂罪的补充规定》，根据当时惩治贪污贿赂犯罪的实际需要和司法机关的要求，总结司法实践经验结合当时社会经济发展水平，对贪污罪根据不同数额，规定了四个处罚档次：（1）个人贪污数额在五万元以上的，处十年以上有期徒刑或者无期徒刑，可以并处没收财产；情节特别严重的，处死刑，并处没收财产。（2）个人贪污数额在一万元以上不满五万元的，处五年以上有期徒刑，可以并处没收财产；情节特别严重的，处无期徒刑，并处没收财产。（3）个人贪污数额在二千元以上不满一万元的，处一年以上七年以下有期徒刑；情节严重的，处七年以上十年以下有期徒刑。个人贪污数额在二千元以上不满五千元，犯罪后自首、立功或者有悔改表现、积极退赃的,可以减轻处罚,或者免予刑事处罚,由其所在单位或者上级主管机关给予行政处分。(4)个人贪污数额不满二千元,情节较重的,处二年以下有期徒刑或者拘役;情节较轻的,由其所在单位或者上级主管机关酌情给予行政处分。1997年修改刑法时,根据当时的社会经济发展状况以及司法实践情况,为了维护法律的严肃性和可执行性,对上述数额标准作了调整,规定了“不满五千元”、“五千元以上不满五万元”、“五万元以上不满十万元”和“十万元以上”四个档次的数额标准及相应处罚。这一规定为打击贪污受贿犯罪提供了具体明确的数额标准,解决了司法机关执法的实际需要,有利于法制的统一,避免了法律适用上的随意性。但是,这种明确规定数额标准的法定刑设定方式在具体适用上也暴露了一些问题。从司法实践的情况看,规定具体数额标准虽然明确,便于执行,对防止司法擅断具有积极意义,但这类犯罪情况复杂,情节差别很大,单纯考虑数额,难以全面反映具体个罪的社会危害性。贪污、受贿犯罪的社会危害性不仅仅体现在数额的大小,还表现在国家工作人员滥用权力的情况或者给国家利益造成重大损失等情节,在有些案件中,行为人个人虽然贪污受贿数额可能不大,但给国家和人民利益造成的损害、恶劣的社会影响等其他情节的危害远远大于其贪污受贿数额的危害。同时,数额规定过死,有时难以根据案件的不同情况做到罪刑相适应,在一定程度上影响了惩治和预防贪污受贿犯罪的成效。司法实践中较为突出的体现在贪污受贿数额在十万元以上的犯罪,由于刑法第三百八十三条明确规定个人贪污数额在十万元以上的即处十年以上有期徒刑或无期徒刑,对于犯罪数额为一二十万元的案件和一二百万元甚至更多的案件,往往只能判处刑期相近的十年以上有期徒刑,造成量刑不平衡,甚至失衡,无法做到罪责刑相适应。很容易在社会上造成贪污受贿数额大的犯罪分子占便宜的印象,违反了刑法罪刑相适应的原则,严重影响了惩治贪污贿赂犯罪的法律效果和社会效果。1997年修改刑法至今,我国的经济社会生活发生了巨大变化,近年来,一些人大代表、政协委员、专家学者不断建议对贪污受贿犯罪的法定刑设置作出调整,取消贪污受贿犯罪定罪量刑的具体数额标准,社会各方面更是广泛关注。为解决司法实践中存在的上述问题,《刑法修正案(九)》将贪污受贿犯罪单一依据具体数额进行定罪量刑,修改为数额加情节进行定罪量刑,即原则规定数额较大或者情节较重、数额巨大或者情节严重、数额特别巨大或者情节特别严重三种情况,相应规定了三档刑罚,并对数额特别巨大,并使国家和人民利益遭受特别重大损失的,保留适用死刑。至于具体数额、情节标准,司法机关可以根据案件的具体情况掌握,可以由最高人民法院、最高人民检察院通过制定司法解释予以确定,指导实践。

关于进一步明确、严格对贪污受贿犯罪从轻、减轻、免除处罚的条件。1997

年刑法第三百八十三条第一款第(三)项规定,个人贪污数额在五千元以上不满一万元,犯罪后有悔改表现、积极退赃的,可以减轻处罚或者免予刑事处罚,由其所在单位或者上级主管机关给予行政处分。在刑法修正案(九)草案起草和审议过程中,有意见认为,给予行政处分的内容不是刑法调整的范围,将行政处分写入刑法,不利于对贪污受贿犯罪的打击,建议删除。同时,也有意见建议将对贪污受贿犯罪从宽处罚的条件作更为严格的限定,并单独作出规定,以体现从严惩处的精神。考虑到本次修正案对贪污受贿犯罪定罪量刑标准作了调整,根据反腐斗争的实际需要,《刑法修正案(九)》对贪污受贿犯罪从宽处罚的条件作了更为严格的限制,并单独规定一款,对犯贪污受贿罪,如实供述自己罪行、真诚悔罪、积极退赃,避免、减少损害结果发生的,可以从宽处罚。这一规定体现了宽严相济的刑事政策,有利于教育、改造贪污受贿犯罪分子,集中惩处罪行严重的贪污受贿犯罪。

关于终身监禁。《刑法修正案(九)》在本条中增加规定,对犯贪污、受贿罪,被判处死刑缓期执行的,人民法院根据犯罪情节等情况可以同时决定在其死刑缓期执行二年期满依法减为无期徒刑后,终身监禁,不得减刑、假释。这一规定,是按照党的十八届三中全会对加强反腐败工作,完善惩治腐败法律规定的要求,加大惩处腐败犯罪力度的精神作出的。随着反腐斗争的深入,特别是一些大案要案的出现,需要对刑法的相关规定作进一步完善,为严厉惩治提供法律支持。为体现我国对罪犯实行惩治与改造相结合,给罪犯改造出路的刑罚执行政策,刑法规定了对判处无期徒刑、死刑缓期执行的罪犯,满足一定条件的,可以予以减刑、假释。是否减刑、假释需要根据罪犯接受教育改造、悔罪表现等情况确定。司法实践中对判处无期徒刑、死缓的罪犯,绝大部分都适用了减刑,个别的还适用了假释,很少有终身关押的情况。但是,在执行中也出现一些问题,如一些司法机关对减刑条件把握过宽,减刑频率过快、次数过多,假释条件掌握过于宽松,致使一些因严重犯罪被判处死缓或者无期徒刑的罪犯实际执行刑期过短,存在被判处无期徒刑、死缓的犯罪分子实际执行期较短,与被判处死刑立即执行的犯罪分子相比,法律后果相差太大的情况。特别是贪污受贿这类犯罪,有的犯罪分子利用过去拥有的权力、影响、金钱和社会关系网,通过减刑、保外就医等途径,实际在狱内服刑期较短,严重妨碍了司法公正,社会反映强烈,在一定程度上影响了惩治这类犯罪的法律效果和社会效果。针对上述司法实践中出现的问题,2011年《刑法修正案(八)》对无期徒刑、死刑缓期执行的执行刑期作了调整。一是将死缓减为有期徒刑的刑期提高为“二十五年”。二是规定对死缓的限制减刑制度。对一些因严重犯罪、累犯被判处死刑缓期执行的犯罪分子,人民法院可以决定对其限制减刑,对死缓期满后依法减为无期徒刑的，实际服刑最低不能少于二十五年；依法减为二十五年有期徒刑的，实际服刑最低不能少于二十年。三是将无期徒刑罪犯减刑、假释后实际执行的最低刑期由十年提高到十三年。2012 年《最高人民法院关于办理减刑、假释案件具体应用法律若干问题的规定》和 2014 年《最高人民法院关于减刑、假释案件审理程序的规定》，对减刑、假释案件的适用条件、减刑幅度、减刑间隔以及审理程序等方面进一步作了严格规范。《刑法修正案（九）》在此基础上，对贪污受贿数额特别巨大、情节特别严重被判处死刑缓期执行的犯罪分子作了进一步严格规定，对贪污受贿数额特别巨大、情节特别严重的犯罪分子，特别是其中本应当判处死刑的，根据慎用死刑的刑事政策，结合案件的具体情况，对其判处死刑缓期二年执行依法减为无期徒刑后，采取终身监禁的措施，不得减刑、假释。在立法上保留死刑的同时，司法实践中严格控制和慎重适用死刑的情况下，这一规定，有利于体现罪刑相适应的刑法原则，维护司法公正，符合宽严相济的刑事政策。

事实上，我国刑法规定的无期徒刑的本意即有终身监禁的含义，与国外规定的终身监禁大体相当。考虑反腐斗争的实际需要，和解决司法实践中存在的问题，加大惩治腐败的力度，《刑法修正案（九）》对一些重特大贪污受贿犯罪分子，罪行特别严重，又没有判处死刑立即执行的，在判处死缓执行二年期满依法减为无期徒刑后，明确予以终身监禁，不得减刑、假释。

第一款规定了贪污罪的具体量刑标准，将数额和情节综合作为定罪量刑标准，其中规定了三个量刑档次，即贪污数额较大或者有其他较重情节，贪污数额巨大或者有其他严重情节，贪污数额特别巨大或者有其他特别严重情节。根据本款规定，行为人贪污数额较大应定贪污罪，追究其相应的刑事责任，行为人贪污数额虽没有达到较大的标准，但有其他较重情节也应定罪判刑。本款规定的数额和情节，需要司法机关根据处理贪污受贿犯罪的实际情况，在总结司法实践的基础上作出具体规定。可以从贪污款项的性质、贪污受贿数额的大小、贪污受贿犯罪行为的次数、贪污受贿犯罪使国家和人民利益遭受损失的大小、犯罪行为所采用的手段以及犯罪后的表现等方面进行综合考虑，作出具体规定，指导司法实践。考虑到贪污受贿犯罪是一种以非法占有为目的的财产性职务犯罪，行为人利于职务上的便利实施犯罪，侵犯了职务廉洁性，同时，与盗窃、诈骗等侵犯财产罪一样，具有贪利性，为不使行为人在经济上得利，本款对贪污受贿犯罪量刑相对较轻的档次中增加规定了罚金刑，使贪污贿赂罪犯在依法被判处自由刑的同时，还要同时被判处财产刑。

第二款是对多次贪污未经处理的如何计算贪污数额的规定。多次贪污未经处理，是指两次以上的贪污行为，以前既没有受过刑事处罚，也没有受过行政处理,追究其刑事责任时,应当累计计算贪污数额。

第三款是关于对贪污犯罪可以从宽处理的规定。对贪污犯罪从宽处理必须同时符合以下条件:第一,在提起公诉前。“提起公诉”,是人民检察院对公安机关移送起诉或者人民检察院自行侦查终结认为应当起诉的案件,经全面审查,对事实清楚,证据确实充分,依法应当判处刑罚的,提交人民法院审判的诉讼活动。第二,行为人必须如实供述自己罪行、真诚悔罪、积极退赃。如实供述自己罪行,是指犯罪分子对于自己所犯的罪行,无论司法机关是否掌握,都要如实地、全部地、无保留地向司法机关供述。需要指出的是,“如实供述自己罪行、真诚悔罪、积极退赃”是并列条件,要求全部具备。实践中,有些犯罪分子虽然如实供述了自己的罪行,但没有积极退赃的表现,有的甚至将所贪污受贿的财产转移,企图出狱后自己和家人仍继续享受这些财产,这种行为表明其不具有真诚悔罪的表现,不符合从宽处理的条件。第三,避免、减少损害结果的发生。犯罪分子真诚悔罪、积极退赃的表现,必须要达到避免或者减少损害结果发生的实际效果。在同时具备以上前提的条件下,本款根据贪污受贿的不同情形,规定可以从宽处罚。根据本款的规定,对贪污数额较大或者有其他较重情节的,可以从轻、减轻或者免除处罚;对贪污数额巨大或者有其他严重情节以及对贪污数额特别巨大或者有其他特别严重情节的,可以从轻处罚。这是针对贪污受贿犯罪所作的特别规定,与刑法总则关于自首从宽处理的规定基本一致。

第四款是关于终身监禁,不得减刑、假释的规定。特别需要明确的是,这里规定的“终身监禁”不是独立的刑种,它是对罪当判处死刑的贪污受贿犯罪分子的一种不执行死刑的刑罚执行措施。从这个意义上讲,也可以说是对死刑的一种替代性措施。因此,与无期徒刑不同,无期徒刑是刑法总则规定的一个独立刑种。同时,在执行中,对被判处无期徒刑的罪犯,根据该罪犯接受教育改造、悔罪表现等情况,满足一定条件的可以减刑、假释。根据本款规定,“终身监禁”只适用于贪污数额特别巨大,并使国家和人民利益遭受特别重大损失,被判处死刑缓期执行的犯罪分子,特别是其中本应当判处死刑的,根据慎用死刑的刑事政策,结合案件的具体情况,对其判处死刑缓期二年执行的犯罪分子。需要指出的是,本款规定只是明确了可以适用“终身监禁”的人员的范围,并不是所有贪污受贿犯罪被判处死刑缓期执行的都要“终身监禁”,是否“终身监禁”,应由人民法院根据其所实施犯罪的具体情节等情况综合考虑。这里规定的“同时”,是指被判处死刑缓期执行的同时,不是在死刑缓期执行二年期满以后减刑的“同时”。根据刑事诉讼法第二百五十四条的规定,可以暂予监外执行的对象是被判处有期徒刑和拘役的罪犯,因此,终身监禁的罪犯,不得减刑、假释,也不得暂予监外执行。

第三百八十四条　国家工作人员利用职务上的便利，挪用公款归个人使用，进行非法活动的，或者挪用公款数额较大、进行营利活动的，或者挪用公款数额较大、超过三个月未还的，是挪用公款罪，处五年以下有期徒刑或者拘役；情节严重的，处五年以上有期徒刑。挪用公款数额巨大不退还的，处十年以上有期徒刑或者无期徒刑。

挪用用于救灾、抢险、防汛、优抚、扶贫、移民、救济款物归个人使用的，从重处罚。

【释义】　本条是关于挪用公款的犯罪及其处罚的规定。

第一款是关于挪用公款罪的概念及其处罚的规定。根据本款规定，构成挪用公款罪必须具备以下几个条件：

1. 犯罪主体只能是国家工作人员。根据2000年4月29日第九届全国人民代表大会常务委员会第十五次会议通过的《关于〈中华人民共和国刑法〉第九十三条第二款的解释》，村民委员会等村基层组织人员在协助人民政府从事行政管理工作中，利用职务上的便利，挪用公款构成犯罪的，适用刑法第三百八十四条挪用公款罪的规定，也可以成为挪用公款罪的主体。

2. 在客观方面是利用职务上的便利，实施以下三种行为之一：(1)挪用公款归个人使用，进行非法活动。这里所说的“挪用公款归个人使用”，包括挪用者本人使用或者给其他人使用。挪用公款后，为私利以个人名义将挪用的公款给其他单位使用的，应视为挪用公款归个人使用。“进行非法活动”，是指进行违法犯罪活动，如赌博、走私。对挪用公款归个人使用进行非法活动的，不要求数额较大，也不论挪用时间长短，原则上都可构成本罪。(2)挪用公款归个人使用数额较大，进行营利活动。这里所说的“进行营利活动”，是指进行经商办企业、投资股市、放贷等经营性活动。“数额较大”的具体标准，法律没有规定，应由司法机关根据实际情况作出司法解释。对这种情况，无论挪用时间长短，原则上都可以定罪。(3)挪用公款数额较大，归个人使用，超过三个月未还。这种挪用主要指用于个人生活，如挪用公款盖私房、买车或者进行挥霍。这里所说的“未还”，是指案发前(被司法机关、主管部门或者有关单位发现前)未还。如果挪用公款数额较大，超过三个月后在案发前已全部归还本息的，不作为犯罪处理。

3. 挪用公款罪在主观方面具有挪用的故意，即准备以后归还，不打算永久占有。这是挪用公款罪与贪污罪的根本区别。另外，2002年4月28日第九届全国人民代表大会常务委员会第二十七次会议通过的《关于〈中华人民共和国刑法〉第三百八十四条第一款的解释》中，对于挪用公款“归个人使用”的问题作了专门解释：有下列情形之一的，属于挪用公款“归个人使用”：(1)将公款供本人、亲友或者其他自然人使用的；(2)以个人名义将公款供其他单位使用的；

(3)个人决定以单位名义将公款供其他单位使用,谋取个人利益。根据本款规定,对挪用公款罪,处五年以下有期徒刑或者拘役;情节严重的,处五年以上有期徒刑。挪用公款数额巨大不退还的,处十年以上有期徒刑、无期徒刑。这里所说的"不退还",是指主观上想还而还不了的。如果在主观上就想非法占有挪用款,即构成贪污罪,应当按照贪污罪定罪处罚。

第二款是对挪用救灾、抢险、防汛、优抚、扶贫、移民、救济款物归个人使用的从重处罚的规定。本款所规定的"从重处罚",是指根据挪用特定款物行为的情节,分别适用第一款规定的量刑幅度,在各量刑幅度内处较重刑罚。

第三百八十五条　国家工作人员利用职务上的便利,索取他人财物的,或者非法收受他人财物,为他人谋取利益的,是受贿罪。

国家工作人员在经济往来中,违反国家规定,收受各种名义的回扣、手续费,归个人所有的,以受贿论处。

【释义】 本条是关于什么是受贿罪的规定。

第一款规定了受贿罪的概念。根据这一规定,构成受贿罪必须具备以下几个条件:

1. 受贿罪的主体是国家工作人员。根据2000年4月29日第九届全国人民代表大会常务委员会第十五次会议通过的《关于〈中华人民共和国刑法〉第九十三条第二款的解释》,村民委员会等基层组织人员在协助人民政府从事行政管理工作时,属于刑法第九十三条第二款规定的"其他依照法律从事公务的人员"。也就是说,如果利用职务上的便利,索取他人财物或者非法收受他人财物,构成犯罪的,适用刑法第三百八十五条和第三百八十六条受贿罪的规定,也可以成为受贿罪的主体。

2. 受贿罪在客观方面表现为利用职务上的便利,索取他人财物,或者非法收受他人财物,为他人谋取利益。这里所说的"利用职务上的便利",是指利用本人职务范围内的权力,即自己职务上主管、负责或者承办某种公共事务的职权所造成的便利条件。"索取他人财物",是指行为人在职务活动中主动向他人索要财物。索贿是严重的受贿行为,比一般受贿具有更大的主观恶性和社会危害性,因此对索取他人财物的,法律没有规定要以"为他人谋取利益"为条件,不论是否为他人谋取利益,均可构成受贿罪。"非法收受他人财物",是指行贿人向受贿人主动给予财物时,受贿人非法收受他人财物的行为。"为他人谋取利益",是指受贿人利用职权为行贿人办事,即进行"权钱交易"。至于为他人谋取的利益是否正当,为他人谋取的利益是否实现,不影响受贿罪的成立。

第二款是对国家工作人员在经济往来中,违反国家规定收受各种名义的回扣、手续费，归个人所有，以受贿论处的规定。这里所说的“违反国家规定”，是指违反全国人大及其常委会制定的法律，国务院制定的行政法规和行政措施、发布的决定和命令。例如，反不正当竞争法规定，严禁在帐外暗中给对方或者收受对方的回扣。帐外暗中，是指未在依法设立的财务帐目上按照财务会计制度如实记载。在帐外暗中给予对方回扣的，以行贿论；在帐外暗中收受回扣的，以受贿论。“手续费”，是指在经济活动中，除回扣以外，违反国家规定支付给对方的各种名义的钱或物，如佣金、信息费、顾问费、劳务费、辛苦费、好处费。根据本款规定，收受回扣或者各种名义的手续费归个人所有的，就应以受贿罪论处。

第三百八十六条　对犯受贿罪的，根据受贿所得数额及情节，依照本法第三百八十三条的规定处罚。索贿的从重处罚。

【释义】　本条是关于对受贿罪如何进行处罚的规定。

本条是关于受贿罪的具体量刑幅度的规定。根据本款规定，对犯受贿罪的，根据本法第三百八十三条规定的贪污罪的量刑标准处罚，即对个人受贿的处罚也分为三个量刑档次，根据受贿数额及其情节分别按照有关档次进行处罚。根据本条规定，对索贿的，应当从重处罚。

第三百八十七条　国家机关、国有公司、企业、事业单位、人民团体，索取、非法收受他人财物，为他人谋取利益，情节严重的，对单位判处罚金，并对其直接负责的主管人员和其他直接责任人员，处五年以下有期徒刑或者拘役。

前款所列单位，在经济往来中，在帐外暗中收受各种名义的回扣、手续费的，以受贿论，依照前款的规定处罚。

【释义】　本条是关于单位受贿的犯罪及其处罚的规定。

第一款是关于单位受贿罪及其处罚的规定。根据本款规定，单位受贿罪的犯罪主体是国家机关、国有公司、企业、事业单位、人民团体。除此以外，其他单位包括集体经济组织、中外合资企业、中外合作企业、外商独资企业和私营企业，都不能成为单位受贿罪的主体。本罪在行为上主要表现为上述单位索取、非法收受他人财物，为他人谋取利益，情节严重的行为，如国有商业银行利用发放贷款的职务便利，向申请贷款的单位或个人索要好处费。这里所说的“为他人谋取利益”，既包括谋取非法利益，也包括正当利益。至于是否为他人谋取到利益，不影响本罪的构成。根据本条规定，单位犯受贿罪的，对单位判处罚金，并对其直接负责的主管人员和其他直接责任人员，处五年以下有期徒刑或者拘役。应当注意的是，本罪的重要特征是将索取、非法收受的他人财物归单位所有。如果单位直接负责的主管人员和其他直接责任人员借单位名义索取、收受他人财物后私分、中饱私囊的，则不适用本条规定，而应根据对个人犯受贿罪的处刑规定追究刑事责任。

第二款是关于国家机关、国有公司、企业、事业单位、人民团体在经济往来中，在帐外暗中收受各种名义的回扣、手续费，以受贿论处的规定。这里所说的在经济往来中"在帐外暗中"收受回扣、手续费的行为，在第三百八十五条释义中已有详述。

第三百八十八条　国家工作人员利用本人职权或者地位形成的便利条件，通过其他国家工作人员职务上的行为，为请托人谋取不正当利益，索取请托人财物或者收受请托人财物的，以受贿论处。

【释义】　本条是关于斡旋受贿犯罪的规定。

斡旋受贿罪行为人不是直接利用本人职务上的行为，而是利用其职权、地位形成的便利条件，通过其他国家工作人员的职务行为，为他人谋取利益，索取或者收受他人财物。这是改革开放过程中受贿犯罪出现的一种新的情况，这种行为与受贿一样，也是一种权钱交易，同样违反了国家工作人员职务行为廉洁性的要求，应当予以同样惩处。我国已经加入和批准的《联合国反腐败公约》也要求将斡旋受贿行为规定为犯罪。1997 年修订刑法时，根据实践中受贿犯罪的发展变化情况和各方面的意见，对此作了规定。

根据本条规定，斡旋受贿行为，是指国家工作人员利用本人职权或者地位形成的便利条件，通过其他国家工作人员职务上的行为，为请托人谋取不正当利益，索取请托人财物或者收受请托人财物的行为。例如，利用上下级之间的隶属关系，利用部门、单位之间的工作关系，让其他国家工作人员为请托人办事。这里所说的"谋取不正当利益"，是指根据法律及有关政策规定不应得到的利益。根据本条规定，如果为请托人谋取的是正当的利益，不构成本条规定的犯罪。根据本条规定，对斡旋受贿行为以受贿论处，即依照本法第三百八十六条的规定进行处罚。

第三百八十八条之一*　国家工作人员的近亲属或者其他与该国家工作人员关系密切的人，通过该国家工作人员职务上的行为，或者利用该国家工作人员职权或者地位形成的便利条件，通过其他国家工作人员职务上的行为，为请托人谋取不正当利益，索取请托人财物或者收受请托人财物，数额较大或者有

---

* 根据 2009 年 2 月 28 日第十一届全国人民代表大会常务委员会第七次会议通过的《中华人民共和国刑法修正案（七）》增加。

其他较重情节的，处三年以下有期徒刑或者拘役，并处罚金；数额巨大或者有其他严重情节的，处三年以上七年以下有期徒刑，并处罚金；数额特别巨大或者有其他特别严重情节的，处七年以上有期徒刑，并处罚金或者没收财产。

离职的国家工作人员或者其近亲属以及其他与其关系密切的人，利用该离职的国家工作人员原职权或者地位形成的便利条件实施前款行为的，依照前款的规定定罪处罚。

【释义】 本条是关于利用影响力受贿的犯罪及其处罚的规定。

刑法第三百八十八条对国家工作人员利用本人职权或地位形成的便利条件，通过其他国家工作人员的职务行为为请托人谋取不正当利益，索取或收受请托人财物的犯罪作了规定。近些年来，有些全国人大代表和有关部门提出，某些国家工作人员的配偶、子女等近亲属，以及其他与该国家工作人员关系密切的人，通过该国家工作人员职务上的行为，或者利用该国家工作人员职权或者地位形成的便利条件，通过其他国家工作人员职务上的行为，为请托人谋取不正当利益，自己从中索取或者收受财物的情况较为严重。同时，一些已离职的国家工作人员，虽已不具有国家工作人员的身份，但利用其在职时形成的影响力，通过其他国家工作人员的职务行为为请托人谋取不正当利益，自己从中索取或者收受财物。上述行为败坏了党风、政风和社会风气，社会影响十分恶劣，为加强党风廉政建设，严惩腐败行为，有必要纳入刑法。同时考虑到我国已经加入和批准的《联合国反腐败公约》也要求将影响力交易行为规定为犯罪。十一届全国人大常委会第七次会议审议通过的《刑法修正案（七）》将国家工作人员的近亲属或者其他与该国家工作人员关系密切的人，利用国家工作人员职务上的影响力索贿受贿的行为，以及离职的国家工作人员或者其近亲属以及其他与其关系密切的人的上述行为单独规定为犯罪。

第一款是关于国家工作人员的近亲属或者其他与该国家工作人员关系密切的人，利用影响力进行受贿犯罪及处罚的规定。根据第一款的规定，本罪的犯罪主体包括：与国家工作人员有着某种特定关系的非国家工作人员，包括国家工作人员的近亲属或者其他与该国家工作人员关系密切的人。之所以将这两种人的斡旋受贿行为规定为犯罪，主要是考虑到他们与国家工作人员有着血缘、亲属关系，有的虽不存在亲属关系，但彼此是同学、战友、老部下、老上级或是有着某种共同的利益关系，或是过从甚密，具有足够的影响力，他们斡旋受贿的行为影响了国家工作人员职务的廉洁性，应当受到刑罚处罚。至于关系密切的人具体指哪些人，应当由司法机关根据案件的具体情况确定，也可以由司法机关依法作出司法解释。这里规定的近亲属，主要是指夫、妻、父、母、子、女、同胞兄弟姐妹、祖父母、外祖父母、孙子女、外孙子女。这里所说的“谋取不正当利益”,是指根据法律及有关政策规定不应得到的利益。根据本款的规定,数额较大或者有其他较重情节的,处三年以下有期徒刑或者拘役,并处罚金;数额巨大或者有其他严重情节的,处三年以上七年以下有期徒刑,并处罚金;数额特别巨大或者有其他特别严重情节的,处七年以上有期徒刑,并处罚金或者没收财产。具体的数额和情节规定,要由司法机关根据实践作出司法解释。应当说明的是,受贿罪与贪污罪不同,受贿的数额可能不大,但给国家和人民的利益造成的损失可能是巨大的,因此,对受贿罪的量刑,除了要考虑数额,还要考虑其他情节。

第二款是关于离职的国家工作人员或其近亲属以及其他与其关系密切的人,利用影响力进行受贿犯罪及处罚的规定。“离职”,是指曾经是国家工作人员,但目前的状态是已离开了国家工作人员岗位,包括离休、退休、辞职、辞退等。构成本款规定的犯罪,应依照第一款的规定定罪处罚,即数额较大或者有其他较重情节的,处三年以下有期徒刑或者拘役,并处罚金;数额巨大或者有其他严重情节的,处三年以上七年以下有期徒刑,并处罚金;数额特别巨大或者有其他特别严重情节的,处七年以上有期徒刑,并处罚金或者没收财产。

第三百八十九条　为谋取不正当利益,给予国家工作人员以财物的,是行贿罪。

在经济往来中,违反国家规定,给予国家工作人员以财物,数额较大的,或者违反国家规定,给予国家工作人员以各种名义的回扣、手续费的,以行贿论处。

因被勒索给予国家工作人员以财物,没有获得不正当利益的,不是行贿。

【释义】 本条是关于什么是行贿罪的规定。

第一款规定了行贿罪的概念。这里所规定的“谋取不正当利益”,既包括谋取的利益是违反法律、法规及政策规定的,也包括违反有关规章制度的情况。如果行为人谋取的利益是正当的,迫于某种压力或屈于惯例不得已而为之的,则不构成本款所说的行贿罪。

第二款是关于在经济往来中违反国家规定,给予国家工作人员以财物或者回扣、手续费,以行贿论处的规定。这里所规定的“违反国家规定”,是指违反全国人大及其常委会制定的法律和决定,国务院制定的行政法规和行政措施、发布的决定和命令。“给予国家工作人员以各种名义的回扣、手续费的”,是指违反国家规定,在帐外暗中给予回扣、手续费的行为。根据本款规定,对上述行为应以行贿论处,即应当按照行贿罪追究行为人的刑事责任。

第三款是关于因被勒索给予国家工作人员以财物,但并没有获得不正当利益的，不构成行贿的规定。这里所规定的“被勒索”，是指被索要或者被敲诈勒索。“没有获得不正当利益”，是指行为人虽有给予国家工作人员以财物的行为，但最后没有获得该不正当利益，包括其获取的是合法利益，也包括根本未获得任何利益。

第三百九十条*　对犯行贿罪的，处五年以下有期徒刑或者拘役，并处罚金；因行贿谋取不正当利益，情节严重的，或者使国家利益遭受重大损失的，处五年以上十年以下有期徒刑，并处罚金；情节特别严重的，或者使国家利益遭受特别重大损失的，处十年以上有期徒刑或者无期徒刑，并处罚金或者没收财产。

行贿人在被追诉前主动交待行贿行为的，可以从轻或者减轻处罚。其中，犯罪较轻的，对侦破重大案件起关键作用的，或者有重大立功表现的，可以减轻或者免除处罚。

【释义】　本条是关于对行贿罪如何进行处罚的规定。

2015年8月29日第十二届全国人民代表大会常务委员会第十六次会议通过的《刑法修正案（九）》对本条作了修改：一是对行贿罪增加规定罚金刑；二是进一步严格对行贿罪从宽处罚的条件，将刑法第三百九十条规定的“可以减轻或者免除”修改为：行贿人在被追诉前主动交待行贿行为的，可以从轻或者减轻处罚。其中，犯罪较轻的，对侦破重大案件起关键作用的，或者有重大立功表现的，可以减轻或者免除处罚。

随着反腐斗争的深入，社会上，特别是专家学者和司法实践部门对行贿犯罪危害的认识不断加深，认为以受贿犯罪作为惩治贿赂犯罪重点是必要的，但从防止滋生、助长腐败的角度考虑，也不能忽视对行贿犯罪的惩治。司法实践中一些地方存在对行贿犯罪处罚偏轻的情况，不利于惩治腐败犯罪，要求适度加大对行贿犯罪惩治力度的呼声也越来越高。党的十八大以来，党中央进一步加大反腐败力度，并对严惩行贿犯罪作出明确部署和要求，从源头上遏制和预防贿赂犯罪。行贿犯罪败坏社会风气，侵蚀干部队伍，严重破坏市场经济秩序，妨碍公平竞争，加大对行贿犯罪的惩治力度，是加大惩治和预防腐败犯罪，维护广大人民群众切身利益的需要。

---

* 根据2015年8月29日第十二届全国人民代表大会常务委员会第十六次会议通过的《中华人民共和国刑法修正案（九）》修改。原条文是：“对犯行贿罪的，处五年以下有期徒刑或者拘役；因行贿谋取不正当利益，情节严重的，或者使国家利益遭受重大损失的，处五年以上十年以下有期徒刑；情节特别严重的，处十年以上有期徒刑或者无期徒刑，可以并处没收财产。

“行贿人在被追诉前主动交待行贿行为的，可以减轻处罚或者免除处罚。”

1997年刑法第三百九十条规定了对行贿犯罪的处罚,但在司法实践中遇到一些问题:一是对行贿案件追究刑事责任的偏少。贿赂犯罪属对合犯,即有受贿犯罪必有行贿行为。但与受贿案件相比,行贿案件的刑事追诉数量较少。二是对行贿犯罪人员适用免予刑事处罚和缓刑的比例较高。三是对行贿犯罪人员适用重刑的比例很小。各方面认为,产生这些问题的主要原因是:第一,对行贿违法犯罪的危害性缺乏深刻认识。受不正之风的影响,行贿现象大量存在,已成为一些单位、个人办理业务,或争取权益时的"潜规则"、"润滑剂"。社会公众对这种现象普遍反感,但往往只痛恨官员受贿,忽视行贿的危害,甚至认为行贿者本人也是受害者。实践中,一些办案机关也是把工作重点放在惩治受贿犯罪上,相对忽视了对行贿案件的追究,以致刑法规定的惩治行贿犯罪的手段没有用足,影响了对行贿犯罪的惩治力度。第二,为重点惩治受贿,对行贿犯罪从宽处理。实践中,办案机关为了获取受贿案件的证据,往往重点从行贿者方面获取证词,为了突破案件,通常依据刑法第三百九十条第二款关于"行贿人在被追诉前主动交代行贿行为的,可以减轻处罚或者免除处罚"的规定作出从轻处理的承诺,解除行贿人的后顾之忧,以得到受贿人犯罪的证据。很多行贿人因为主动揭发受贿犯罪,被免予刑事处罚或适用缓刑。这也在一定程度上影响了对行贿行为的惩处。第三,行贿案件调查取证较为困难。贿赂犯罪通常是"一对一"进行,较为隐蔽,物证书证少,实践中,办案机关往往倚重口供等言辞证据。由于言词证据具有易变、不稳定的特点,如果当事人的口供发生变化,又没有其他证据予以证明的情况下,就很难再追究其刑事责任。而行贿人流动性大,难以查找和控制,也加大了行贿案件调查取证难度。第四,刑法规定行贿罪以"谋取不正当利益"为构成要件,实践中如何认定,存在不同认识,影响对行贿犯罪的惩处,需要统一认识。有的认为,刑法第三百八十九条规定,"为谋取不正当利益,给予国家工作人员以财物的,是行贿罪"。这样规定,充分考虑了实际情况,有利于缩小打击面,也有利于分化瓦解贿赂犯罪分子,重点惩治受贿犯罪活动。但是,对于"不正当利益"的含义、范围一直存在争议。实践中不断出现新的行贿方式,如没有明确请托事项的送礼、长期的"感情投资"等,因无法查证行贿人是否"为谋取不正当利益"而无法定罪处罚,影响了对行贿罪的定性和追究。第五,刑法对行贿罪规定的财产刑需要进一步完善。刑法第三百九十条只对犯行贿罪,"情节特别严重的"规定可以并处没收财产,对其他行贿犯罪,没有规定财产刑。针对司法实践中存在的上述问题,《刑法修正案(九)》对刑法第三百九十条作出修改。考虑到实践中,行贿人行贿多是为了谋取经济上的好处,但刑法对行贿罪的处罚中缺乏经济方面的制裁,《刑法修正案(九)》完善了行贿犯罪财产刑的规定,对行贿罪增加规定罚金刑,形成对行贿犯罪惩处的综合手段，不使行贿犯罪分子在经济上得到好处，从而剥夺其再犯罪的经济能力；从严掌握对行贿罪的从宽处罚条件，将刑法第三百九十条第二款关于行贿人在被追诉前主动交代行贿行为的，可以减轻处罚或者免除处罚，修改为“行贿人在被追诉前主动交待行贿行为的，可以从轻或者减轻处罚。其中，犯罪较轻的，对侦破重大案件起关键作用的，或者有重大立功表现的，可以减轻或者免除处罚”，以纠正实践中出现的对行贿犯罪免予刑事处罚和缓刑比例过高等问题，切实加强对行贿犯罪的惩治力度。

第一款规定了行贿罪的具体量刑标准，分三个量刑档次：(1)对犯一般行贿罪的，处五年以下有期徒刑或者拘役，并处罚金；(2)因行贿谋取不正当利益，情节严重的，或者使国家利益遭受重大损失的，处五年以上十年以下有期徒刑，并处罚金；(3)情节特别严重的，或者使国家利益遭受特别重大损失的，处十年以上有期徒刑或者无期徒刑，并处罚金或者没收财产。关于“谋取不正当利益”，2012 年《最高人民法院、最高人民检察院关于办理行贿刑事案件具体应用法律若干问题的解释》规定，“谋取不正当利益”，是指行贿人谋取的利益违反法律、法规、规章、政策规定，或者要求国家工作人员违反法律、法规、规章、政策、行业规范的规定，为自己提供帮助或者方便条件。同时规定，违背公平、公正原则，在经济、组织人事管理等活动中，谋取竞争优势的，应当认定为“谋取不正当利益”。关于“情节严重”、“情节特别严重”的标准，以及对“使国家利益遭受重大损失”、“使国家利益遭受特别重大损失”的认定，《最高人民法院、最高人民检察院关于办理行贿刑事案件具体应用法律若干问题的解释》对此作了规定。其第一条规定，为谋取不正当利益，向国家工作人员行贿，数额在一万元以上的，应当依照第三百九十条的规定追究刑事责任。第二条规定，因行贿谋取不正当利益，具有下列情形之一的，应当认定为刑法第三百九十条第一款规定的“情节严重”：1. 行贿数额在二十万元以上不满一百万元的。2. 行贿数额在十万元以上不满二十万元，并具有下列情形之一的：(1)向三人以上行贿的；(2)将违法所得用于行贿的；(3)为实施违法犯罪活动，向负有食品、药品、安全生产、环境保护等监督管理职责的国家工作人员行贿，严重危害民生、侵犯公众生命财产安全的；(4)向行政执法机关、司法机关的国家工作人员行贿，影响行政执法和司法公正的。3. 其他情节严重的情形。第三条规定，因行贿谋取不正当利益，造成直接经济损失数额在一百万元以上的，应当认定为刑法第三百九十条第一款规定的“使国家利益遭受重大损失”。第四条规定，因行贿谋取不正当利益，具有下列情形之一的，应当认定为刑法第三百九十条第一款规定的“情节特别严重”。1. 行贿数额在一百万元以上的。2. 行贿数额在五十万元以上不满一百万元，并具有下列情形之一的：(1)向三人以上行贿的；(2)将违法所得用于行贿的；

(3)为实施违法犯罪活动,向负有食品、药品、安全生产、环境保护等监督管理职责的国家工作人员行贿,严重危害民生、侵犯公众生命财产安全的;(4)向行政执法机关、司法机关的国家工作人员行贿,影响行政执法和司法公正的。3.造成直接经济损失数额在五百万元以上的。4.其他情节特别严重的情形。

第二款是对行贿人主动交待行贿行为从宽处理的特别规定。为了分化瓦解贿赂犯罪分子,严厉惩治受贿犯罪,本款对行贿人主动交待行贿行为从宽处理的条件作了特别规定。由于贿赂犯罪隐蔽性很强,取证难度较大,行贿人主动交待行贿行为,实际上是对受贿人的揭发检举,属于立功表现。根据本款规定,只要行贿人在被追诉前主动交待行贿行为的,就可以从轻或者减轻处罚。这一规定与刑法第六十八条关于犯罪分子有揭发他人犯罪行为,查证属实的,或者提供重要线索,从而得以侦破其他案件等立功表现的,可以从轻或者减轻处罚的规定基本一致。这里所说的"被追诉前",是指检察机关对行贿人的行贿行为刑事立案前。根据本款规定,可以对行贿人减轻或者免除处罚的首要条件是行贿人在被追诉前主动交待行贿行为,在此前提下,符合以下三个条件之一的,即可以对行贿人减轻或者免除处罚:一是犯罪情节较轻的,如犯罪数额较少,行贿行为没有造成严重后果、偶犯、初犯等。二是对侦破重大案件起关键作用的。实践中,揭发检举他人的犯罪行为或者提供重要线索,使得其他案件得以破获的才算立功。但行贿犯罪有自己的特点,行贿人主动交待行贿,实际与立功的作用相近,所以,这里明确,只要是行贿人主动交待行贿行为,并且对侦破重大案件起关键作用的,就可以对行贿人减轻或者免除处罚。但执行中什么是关键作用、哪些属于重大案件司法机关应严格掌握,可以在总结实践经验的基础上,通过司法解释明确,防止放纵行贿人,造成新的对行贿犯罪惩治不力的情况。三是有重大立功表现的。这里所说的"重大立功表现",是指刑法第七十八条所列的重大立功表现之一,即阻止他人重大犯罪活动的;检举监狱内外重大犯罪活动,经查证属实的;有发明创造或者重大技术革新的;在日常生产、生活中舍己救人的;在抗御自然灾害或者排除重大事故中,有突出表现的;对国家和社会有其他重大贡献的。

在刑法修正案(九)草案的起草和征求意见过程中,也有意见担心,本条对刑法第三百九十条第二款规定的修改,会增加对受贿等职务犯罪的侦办难度,甚至会促使行贿人与受贿人达成攻守同盟,不利于惩治腐败犯罪。考虑到为减少和遏制行贿犯罪,推进惩治和预防腐败体系建设,有必要加大对行贿犯罪的惩处力度,解决司法实践中出现的对行贿犯罪失之于宽的情况;且本条第二款对行贿人从宽处理的规定与刑法总则关于自首、立功的规定相比,适用的条件宽,可以起到分化瓦解贿赂犯罪分子的作用。同时,实践中,办案机关应逐步提高侦破能力，以改变目前侦破受贿犯罪主要依靠行贿人揭发的侦破模式。根据刑事诉讼法第一百四十八条第二款的规定，检察机关对重大的贪污贿赂案件，可以根据侦查案件的实际需要，经过严格的批准手续，采取技术侦查措施，刑事诉讼法的这一规定，可在一定程度上改善侦破重大贿赂案件手段不足的问题。

第三百九十条之一*　为谋取不正当利益，向国家工作人员的近亲属或者其他与该国家工作人员关系密切的人，或者向离职的国家工作人员或者其近亲属以及其他与其关系密切的人行贿的，处三年以下有期徒刑或者拘役，并处罚金；情节严重的，或者使国家利益遭受重大损失的，处三年以上七年以下有期徒刑，并处罚金；情节特别严重的，或者使国家利益遭受特别重大损失的，处七年以上十年以下有期徒刑，并处罚金。

单位犯前款罪的，对单位判处罚金，并对其直接负责的主管人员和其他直接责任人员，处三年以下有期徒刑或者拘役，并处罚金。

【释义】　本条是关于向国家工作人员的近亲属、离职的国家工作人员及其关系密切的人行贿犯罪及其处罚的规定。

2009 年《刑法修正案（七）》根据全国人大代表和有关部门的意见，针对我国的司法实践中出现的新情况及《联合国反腐败公约》的要求，为加强党风廉政建议，严惩腐败行为，将影响力受贿行为增加规定为犯罪。在刑法第三百八十八条后增加了一条即第三百八十八条之一，将利用影响力受贿的行为规定为犯罪，而没有规定与其相对应的行贿罪。当时考虑到利用影响力受贿行为是一种新的犯罪，无论是司法机关还是社会公众，对这一犯罪需要有一个认识过程，实践中，司法机关对于利用影响力受贿罪所对应的行贿行为，是否要追究刑事责任以及如何追究也有不同的认识，故当时未对这种犯罪所对应的行贿行为作出明确规定。

行贿犯罪既是一种腐败现象，也是违法犯罪行为，是产生受贿犯罪的直接根源，腐蚀性、危害性极大。打击行贿犯罪是国家法律赋予司法机关的重要职责，也是惩治腐败，维护社会主义市场经济秩序和国家机关正常活动、维护我国社会政治稳定的需要。党和政府一贯非常重视对国家工作人员的监督和对职务犯罪的打击和处罚。特别是十八大以来，以习近平为总书记的党中央，以刮骨疗毒、壮士断腕的勇气，不断加大反腐败力度，建设廉洁政治，巩固党的执政地位。按照党中央的指示精神，司法机关在严肃查处贪污贿赂犯罪的同时，也

* 根据 2015 年 8 月 29 日第十二届全国人民代表大会常务委员会第十六次会议通过的《中华人民共和国刑法修正案（九）》增加。

没有放松对行贿行为的查处和打击，查办了一批大肆拉拢、严重腐蚀国家工作人员的行贿犯罪案件，取得了良好的社会效果。但是，当前行贿犯罪现象在一些地方仍然比较严重，各地司法机关打击行贿犯罪的工作开展的也不平衡，有的行贿人没有受到应有的追究和惩处，有些地方对行贿犯罪的危害认识不足，存在有案不立、久侦不结、起诉率较低等问题，还有的以党纪政纪处理代替对行贿犯罪的刑事处罚，在一定程度上存在对行贿犯罪打击不力或者说重打击受贿轻打击行贿的现象。

近几年来，有的部门、人大代表和学者多次提出，有些个人和单位为谋取不正当利益，想方设法拉拢腐蚀在职或者离职的国家工作人员的近亲属或者与国家工作人员关系密切的人，通过国家工作人员的影响力达到自己的非法目的的情况较为严重，这种行为同样败坏党风、政风和社会风气，社会影响比较恶劣。由于刑法中对此行为没有规定为犯罪，所以实践中难以追究。建议将其规定为犯罪。

为全面落实党中央反腐败工作部署，严密惩治行贿犯罪的法网，从源头上遏制和预防贿赂犯罪，依法严肃惩处行贿犯罪，进一步加大对行贿犯罪分子的惩处力度，《刑法修正案（九）》增加了本条，即规定为利用国家工作人员的影响力谋取不正当利益，向在职或者离职的国家工作人员的近亲属及其关系密切的人行贿的犯罪和单位向上述人员行贿的犯罪。其主要理由有以下几点：第一，根据党的十八届三中全会加强反腐败工作，完善惩治腐败法律规定的要求。第二，与《联合国反腐败公约》相衔接。我国已加入和批准的《联合国反腐败公约》规定，各缔约国均应当考虑采取必要的立法和其他措施，将下列故意实施的行为规定为犯罪：直接或间接向公职人员或者其他任何人员许诺给予、提议给予或者实际给予任何不正当好处，以使其滥用本人的实际影响力或者被认为具有的影响力，为该行为的造意人或者其他任何人从缔约国的行政部门或者公共机关获得不正当好处。第三，行贿和受贿是对合犯罪的交易双方，由于刑法第三百八十八条之一规定了利用影响力受贿罪，所以本条相应增加了向特定关系人行贿犯罪。将利用影响力受贿的对应行贿行为规定为犯罪，符合我国的实际情况，对严厉惩处行贿行为，遏制贿赂行为的发生，具有重要意义。

第一款是关于向国家工作人员的近亲属及其关系密切的人行贿罪及其处罚的规定。本款规定的行贿犯罪主体是一般主体，行贿的对象有五类：第一类是国家工作人员的近亲属；第二类是与该国家工作人员关系密切的人；第三类是离职的国家工作人员；第四类是离职的国家工作人员的近亲属；第五类是其他与离职的国家工作人员关系密切的人。将向这五类人员行贿增加规定为犯罪，主要考虑到他们与国家工作人员有着血缘关系、亲属关系，虽然有的不是亲属关系，但彼此是同学、战友、老部下、老上级或是有着某种共同的利益关系，或是过从甚密，具有足够的影响力。所以，向上述人员行贿的行为应当受到刑事处罚。这里所说的“近亲属”，主要是指夫、妻、父、母、子、女、同胞兄弟姐妹、祖父母、外祖父母、孙子女、外孙子女。这里所说的“谋取不正当利益”，是指根据法律及有关政策规定不应得到的利益。这里所说的“离职的国家工作人员”，是指曾经是国家工作人员，但目前的状态是已离开国家工作人员的岗位，包括离休、退休、辞职、辞退等情况。至于“关系密切的人”具体指哪些人，可由司法机关根据案件的具体情况确定，也可由司法机关依法作出司法解释。本款规定的犯罪是行为犯，根据本款规定，为谋取不正当利益，向上述人员行贿的，处三年以下有期徒刑或者拘役，并处罚金。对于情节严重的或者使国家利益遭受重大损失的，处三年以上七年以下有期徒刑，并处罚金。对于情节特别严重或者使国家利益遭受特别重大损失的，处七年以上十年以下有期徒刑，并处罚金。对于本款规定的“情节严重的或者使国家利益遭受重大损失的”和“情节特别严重的或者使国家利益遭受特别重大损失的”，是两个条件具备其中之一即可分别构成第二档和第三档刑罚。

第二款是关于单位向第一款所规定的人员行贿的犯罪及其处罚的规定。

本款规定的“单位”包括任何形式的单位。根据本款规定，单位犯前款罪的，对单位判处罚金，并对其直接负责的主管人员和其他直接责任人员，处三年以下有期徒刑或者拘役，并处罚金。

需要注意的是，《刑法修正案（九）》已对刑法第三百九十条规定的行贿犯罪作了修改。在对行贿犯罪给予严厉惩处的同时，对行贿人在被追诉前主动交代行贿行为的，规定可以从轻或者减轻处罚。其中，犯罪较轻的，对侦破重大案件起关键作用的，或者有重大立功表现的，可以减轻或者免除处罚。这一规定是对一般行贿犯罪的规定，本条也应考虑适用刑法第三百九十条第二款的从宽处罚的规定精神，以体现我国宽严相济的刑事政策。

第三百九十一条*　为谋取不正当利益，给予国家机关、国有公司、企业、事业单位、人民团体以财物的，或者在经济往来中，违反国家规定，给予各种名义的回扣、手续费的，处三年以下有期徒刑或者拘役，并处罚金。

单位犯前款罪的，对单位判处罚金，并对其直接负责的主管人员和其他直

---

* 第一款根据2015年8月29日第十二届全国人民代表大会常务委员会第十六次会议通过的《中华人民共和国刑法修正案（九）》修改。原第一款条文是：“为谋取不正当利益，给予国家机关、国有公司、企业、事业单位、人民团体以财物的，或者在经济往来中，违反国家规定，给予各种名义的回扣、手续费的，处三年以下有期徒刑或者拘役。”

接责任人员，依照前款的规定处罚。

【释义】 本条是关于对单位行贿罪及其处罚的规定。

《刑法修正案（九）》对本条第一款作了修改，即增加了“并处罚金”的规定。本条是1997年修改刑法时增加的规定，当时没有对本罪规定罚金刑。近几年，一些人大代表、部门和学者提出，贿赂犯罪既是职务性犯罪，也是一种图利性犯罪，在对这类犯罪分子给予惩处的同时，也要给予经济处罚，建议完善财产刑的规定。本条既对个人向单位行贿规定为犯罪，也对单位向单位行贿规定为犯罪，并且都规定了罚金刑，体现了个人犯罪和单位犯罪并重的原则。

第一款是关于个人向单位行贿或给予回扣、手续费及其处罚的规定。

根据本款规定，行贿的对象仅限于国家机关、国有公司、企业、事业单位、人民团体。本款规定是行为犯，只要行为人实施了向单位行贿或给予回扣、手续费的行为，就构成本罪，处三年以下有期徒刑或者拘役，并处罚金。本款原来没有罚金的规定，此次修改刑法增加了这一规定，是在原来处罚的基础上，并处罚金，比原来的处罚更严厉了。为了更准确地适用法律，2000年最高人民检察院对关于对单位行贿犯罪的立案标准作了规定。《最高人民检察院关于行贿罪立案标准的规定》（刑法第三百九十一条对单位行贿案）中规定，涉嫌下列情形之一的，应予立案：1. 个人行贿数额在十万元以上、单位行贿数额在二十万元以上的。2. 个人行贿数额不满十万元、单位行贿数额在十万元以上不满二十万元，但具有下列情形之一的：（1）为谋取非法利益而行贿的；（2）向三个以上单位行贿的；（3）向党政机关、司法机关、行政执法机关行贿的；（4）致使国家或者社会利益遭受重大损失的。

第二款是关于单位行贿罪及其处罚的规定。这里规定的单位包括任何所有制形式的单位。依照本款的规定，单位向国家机关、国有公司、企业、事业单位、人民团体行贿的，对单位判处罚金，并对其直接负责的主管人员和其他直接责任人员，依照前款的规定处三年以下有期徒刑或者拘役，并处罚金。本款虽然在《刑法修正案（九）》中未明确修改，但修改了第一款增加了“并处罚金”的规定，按照第二款“依照前款的规定处罚”的表述，就意味着第二款也作了修改。也就是说，对单位犯罪的个人除判处自由刑外，还要并处罚金，同样，比原来规定的处罚更严厉。

第三百九十二条*　向国家工作人员介绍贿赂，情节严重的，处三年以下有

* 第一款根据2015年8月29日第十二届全国人民代表大会常务委员会第十六次会议通过的《中华人民共和国刑法修正案（九）》修改。原第一款条文是：“向国家工作人员介绍贿赂，情节严重的，处三年以下有期徒刑或者拘役。”

期徒刑或者拘役，并处罚金。

介绍贿赂人在被追诉前主动交代介绍贿赂行为的，可以减轻处罚或者免除处罚。

【释义】 本条是关于介绍贿赂罪及其处罚的规定。

《刑法修正案(九)》对本条第一款的修改是增加了“并处罚金”的规定。由于受贿、行贿和介绍贿赂是一个贿赂犯罪链条，行贿犯罪此次都增加了并处罚金的规定，介绍贿赂同样需要增加并处罚金。1979年刑法第一百八十五条将受贿、行贿和介绍贿赂在一条中作了规定，为了有利于法律的执行和对犯罪行为的惩处，1997年修改刑法时将受贿、行贿和介绍贿赂分别各条作了规定。当时考虑介绍贿赂也是形成受贿罪的一个环节，犯罪人在追诉前能够主动交代其他犯罪行为，有处于查处受贿犯罪，所以，增加了一款介绍贿赂人在被追诉前主动交代介绍贿赂行为的，可以减轻处罚或者免除处罚的规定。这样规定，既可以及时惩处受贿犯罪，也给介绍贿赂人改过自新给予出路，是我国宽严相济刑事政策的一种体现。

第一款是关于介绍贿赂罪及其刑罚的规定。介绍贿赂罪是指在行贿人和受贿人之间进行联系、沟通、促使贿赂得以实现的犯罪行为。首先，行贿人主观上应当具有向国家工作人员介绍贿赂的故意。如果行为人主观上没有介绍贿赂的故意，即不知道请托人有给付国家工作人员财物的意图，而从中帮忙联系的，即使请托人事实上暗中给予了国家工作人员财物的，该介绍人也不构成介绍贿赂罪。其次，行为人在客观上具有介绍行贿人与受贿人沟通关系，促使行贿实现的行为。构成介绍贿赂罪，必须达到“情节严重”的条件，根据本条规定，构成犯罪的，处三年以下有期徒刑或者拘役，并处罚金。为了更准确地适用法律，1999年最高人民检察院对介绍贿赂犯罪的立案标准作了规定。《最高人民检察院关于人民检察院直接受理立案侦查案件立案标准的规定(试行)》(第三百九十二条介绍贿赂案)中规定，“介绍贿赂”是指在行贿人与受贿人之间沟通关系、撮合条件，使贿赂行为得以实现的行为。涉嫌下列情形之一的，应予立案：1. 介绍个人向国家工作人员行贿，数额在二万元以上的；介绍单位向国家工作人员行贿，数额在二十万元以上的。2. 介绍贿赂数额不满上述标准，但具有下列情形之一的：(1)为使行贿人获取非法利益而介绍贿赂的；(2)三次以上或者为三人以上介绍贿赂的；(3)向党政领导、司法工作人员、行政执法人员介绍贿赂的；(4)致使国家或者社会利益遭受重大损失的。

第二款是对介绍贿赂人在被追诉前主动交代介绍贿赂行为，可以减轻或者免除处罚的规定。介绍贿赂人在被追诉前主动交代介绍贿赂犯罪行为，实际上是检举、揭发了行贿、受贿双方的犯罪行为，对于司法机关收集证据，查明贿赂犯罪事实，惩处贿赂犯罪将起到很重要的作用，因此本款规定，介绍贿赂人在被追诉前主动交代介绍贿赂行为的，可以减轻处罚或者免除处罚。本款对介绍贿赂犯罪的从宽处罚规定比刑法[第三百九十条第二款即《刑法修正案（九）》第四十五条第二款]关于行贿犯罪的从宽处罚规定还要宽，也就是说，介绍贿赂人在被追诉前主动交代介绍贿赂行为的，就可以依法减轻或者免除处罚，不需要受犯罪较轻等情节的限制。由于介绍贿赂是介于受贿和行贿二者之间的行为，属于牵线搭桥的人，其社会危害性比直接行贿人轻，所以，法律对介绍贿赂犯罪的处罚规定比行贿犯罪的处罚规定轻。这一规定有利于固定贿赂犯罪的证据链和查处贿赂犯罪，也给介绍贿赂人一个从宽处罚和改过自新的机会。

第三百九十三条*　单位为谋取不正当利益而行贿，或者违反国家规定，给予国家工作人员以回扣、手续费，情节严重的，对单位判处罚金，并对其直接负责的主管人员和其他直接责任人员，处五年以下有期徒刑或者拘役，并处罚金。因行贿取得的违法所得归个人所有的，依照本法第三百八十九条、第三百九十条的规定定罪处罚。

【释义】　本条是关于单位行贿罪及其处罚的规定。

本条规定是1988年全国人大常委会《关于惩治贪污罪贿赂罪的补充规定》中规定的内容，1997年修订刑法略作修改后将其纳入刑法。《刑法修正案（九）》对本条的修改是增加了“并处罚金”的规定。此次修改刑法对个人行贿犯罪、单位行贿犯罪以及介绍贿赂犯罪都增加并处罚金的规定，加大了对行贿犯罪的惩处力度，使犯罪分子在受到人身处罚的同时，在经济上也得不到好处，对于遏制贿赂犯罪的发生和惩处贿赂犯罪具有重要意义，既符合中央反腐败的精神，也符合我国的实际情况，同时也是民众意愿在法律中的充分体现。

本条有两层意思：

第一层意思是关于犯单位行贿罪的如何处罚。根据本条的规定，这一犯罪的主体是单位，具体包括公司、企业、事业单位、机关、团体。在行为上主要表现为单位为谋取不正当利益而行贿，或者违反国家规定给予国家工作人员以回扣、手续费，情节严重的行为。这里所说的“违反国家规定”给予回扣、手续费，

---

* 根据2015年8月29日第十二届全国人民代表大会常务委员会第十六次会议通过的《中华人民共和国刑法修正案（九）》修改。原条文是：“单位为谋取不正当利益而行贿，或者违反国家规定，给予国家工作人员以回扣、手续费，情节严重的，对单位判处罚金，并对其直接负责的主管人员和其他直接责任人员，处五年以下有期徒刑或者拘役。因行贿取得的违法所得归个人所有的，依照本法第三百八十九条、第三百九十条的规定定罪处罚。”

是指故意违反国家有关主管机关的禁止性规定或规章制度在帐外暗中给予回扣、手续费。“情节严重”，主要是指行贿或者给予“回扣”、“手续费”多次、多人或数额较大，或者给国家利益造成严重损失等。

考虑到单位行贿的直接责任人员是为单位利益或者受单位指使，实施了行贿行为，获得的不正当利益也未归其本人所有，因此，对其规定了相对于自然人行贿较轻的刑罚。本条规定的“情节严重”是构成本罪的必要条件，根据本条规定，单位犯行贿罪的，对单位判处罚金，并对其直接负责的主管人员和其他直接责任人员，处五年以下有期徒刑或者拘役，并处罚金。为了更准确地适用法律，2000年最高人民检察院对单位行贿犯罪的立案标准作了规定。《最高人民检察院关于行贿罪立案标准的规定》（刑法第三百九十三条单位行贿案）中规定，涉嫌下列情形之一的，应予立案：1. 单位行贿数额在二十万元以上的。2. 单位为谋取不正当利益而行贿，数额在十万元以上不满二十万元，但具有下列情形之一的：（1）为谋取非法利益而行贿的；（2）向三人以上行贿的；（3）向党政领导、司法工作人员、行政执法人员行贿的；（4）致使国家或者社会利益遭受重大损失的。因行贿取得的违法所得归个人所有的，依照本规定关于个人行贿的规定立案，追究其刑事责任。

第二层意思是如果单位行贿的直接负责的主管人员和其他直接责任人员将单位行贿而获得的违法所得归个人所有的，即以单位名义行贿，实际上将得到的不正当利益由个人中饱私囊的，实质上就是个人行贿行为，根据本条规定，应对直接负责的主管人员和其他直接责任人员依照本法第三百八十九条、第三百九十条有关行贿罪的规定定罪处罚，即对直接负责的主管人员和其他直接责任人员不是按单位犯罪处罚，而是按个人行贿罪处罚，最高法定刑可处无期徒刑。

第三百九十四条　国家工作人员在国内公务活动或者对外交往中接受礼物，依照国家规定应当交公而不交公，数额较大的，依照本法第三百八十二条、第三百八十三条的规定定罪处罚。

【释义】　本条是关于国家工作人员在公务活动或者对外交往中收受礼物应当交公而不交公，按贪污罪定罪处罚的规定。

1979年刑法中没有规定收受礼品不交公的行为，1988年全国人大常委会通过的《关于惩治贪污罪贿赂罪的补充规定》，对国家工作人员在对外交往中接受礼物应当交公而不交公的行为如何处罚作了规定。考虑到国家工作人员在国内公务活动中也存在同样的问题，1997年修订刑法时对这两种行为都作了规定。

根据本条规定，国家工作人员在国内公务活动或者对外交往中接受礼物，依照国家规定应当交公而不交公，数额较大的，依照本法关于贪污罪的规定定罪处罚。这里所说的“国内公务活动”，主要是指在国内参加的各种与本人工作有关的公务活动。“礼物”，包括各种作为赠礼的物品、礼金、礼券等。“依照国家规定应当交公而不交公”的，是指违反国家有关法律、行政法规、政策文件中关于国家工作人员在国内外公务活动中接受礼物应当交公的规定。例如，国务院 1988 年发布的《国家行政机关及其工作人员在国内公务活动中不得赠送和接受礼品的规定》，1980 年发布的《关于在对外活动中不赠礼、不受礼的决定》。构成本罪，必须达到数额较大。数额不大的，属于违反党纪政纪的行为，可由其所在单位或者上级主管部门给以行政处分。关于“数额较大”的标准，应由司法机关根据实际情况作出司法解释。对构成本条规定的犯罪的，应当按照本法第三百八十二条、第三百八十三条规定的贪污罪定罪处罚。

第三百九十五条*　国家工作人员的财产、支出明显超过合法收入，差额巨大的，可以责令该国家工作人员说明来源，不能说明来源的，差额部分以非法所得论，处五年以下有期徒刑或者拘役；差额特别巨大的，处五年以上十年以下有期徒刑。财产的差额部分予以追缴。

国家工作人员在境外的存款，应当依照国家规定申报。数额较大、隐瞒不报的，处二年以下有期徒刑或者拘役；情节较轻的，由其所在单位或者上级主管机关酌情给予行政处分。

【释义】　本条是关于巨额财产来源不明和隐瞒境外存款的犯罪及其处罚的规定。

反腐败需要预防和打击并重，标本兼治。世界各国反腐败经验表明，阳光是最好的防腐剂，建立完善有效的公职人员监督制度，打造阳光下的政府，铲除腐败滋生、蔓延的温床，对于遏制腐败犯罪的发生具有根本性作用。对公职人员的财产加强监督，是各国预防腐败的普遍做法，《联合国反腐败公约》也有明确规定。我国已经建立了党政领导干部收入申报制度，这是建立惩治和预防腐败体系重要的基础性工作。国家工作人员如实申报自己的财产，必要时对自己财产的来源能够作出合理说明，这是财产申报制度的基本要求。

---

* 第一款根据 2009 年 2 月 28 日第十一届全国人民代表大会常务委员会第七次会议通过的《中华人民共和国刑法修正案（七）》修改。原第一款条文是：“国家工作人员的财产或者支出明显超过合法收入，差额巨大的，可以责令说明来源。本人不能说明其来源是合法的，差额部分以非法所得论，处五年以下有期徒刑或者拘役，财产的差额部分予以追缴。”

在现实生活中,有些国家工作人员通过贪污、受贿等犯罪手段聚敛大量财富,其拥有的财产远远高于其正常收入,但由于其作案手段狡猾、隐蔽,难以获得其犯罪的证据,从而逃避了法律的制裁。为了有效地同腐败犯罪作斗争,在有证据表明国家工作人员拥有与其收入不相符合的数额巨大的财产,或者与其收入水平明显不相称的巨额财产支出时,有关部门可以要求其说明巨额财产或巨额支出的来源。如果国家工作人员拒不提供,或者无法提供合理证明的,对国家工作人员无法说明的差额财产部分,就依法推定其为非法所得,依据本条定罪处罚,并对财产的差额部分予以追缴。将国家公职人员巨额财产来源不明规定为犯罪,其他国家有类似规定,《联合国反腐败公约》也有明确要求。这一犯罪,在 1988 年《关于惩治贪污罪贿赂罪的补充规定》中就已作了规定,1997 年修订刑法予以纳入。在执行过程中,有关部门提出,巨额财产来源不明罪与贪污、贿赂犯罪刑罚不平衡。实践中贪污、贿赂犯罪由于其隐蔽性较强,证据难以获得,而巨额财产来源不明罪最高刑只有五年有期徒刑,从而使这些贪官逃避了法律应有的制裁。鉴于这类犯罪社会影响恶劣,建议提高巨额财产来源不明罪的刑罚。

第十一届全国人大常委会第七次会议审议通过的《刑法修正案(七)》对此进行了修改。主要有两个方面:一是将本罪的法定最高刑由五年有期徒刑提高到十年有期徒刑。这样修改,加重了对这类犯罪的惩处,同时在量刑上又与贪污贿赂犯罪有所差别。应特别强调的是,在司法实践中,对涉嫌贪污贿赂犯罪的,司法机关应当依法尽力查证犯罪事实,依照贪污贿赂犯罪的规定严惩。二是两处文字的修改,即将原来的"国家工作人员的财产或者支出明显超过合法收入",以及"本人不能说明其来源是合法的",分别修改为"国家工作人员的财产、支出明显超过合法收入"和"可以责令该国家工作人员说明来源,不能说明来源的",使刑法条文在文字表述上更加严谨。

第一款是关于巨额财产来源不明罪及其处罚的规定。

巨额财产来源不明罪,是指国家工作人员的财产、支出明显超过合法收入,差额巨大,本人不能说明其来源的行为。这里所说的"国家工作人员的财产",是指国家工作人员私人所有的房屋、车辆、存款、现金、股票、生活用品等。"支出",是指各种消费以及其他开支。"超过合法收入",是指国家工作人员的财产、支出数额,明显超过其工资、奖金、津贴以及其他依照国家规定取得的报酬的数额。

这里应说明的是,原刑法规定的"国家工作人员的财产或者支出明显超过合法收入",实践中,有的部门提出,这一规定是指财产和支出两项总和明显超过合法收入,还是指其中一项明显超过合法收入,不清楚,《刑法修正案(七)》对此予以明确,表述为"财产、支出明显超过合法收入",不仅包括财产和支出两项总和明显超过其合法收入,也包括财产或者支出其中一项明显超过合法收入的情况。“差额巨大”、“差额特别巨大”的具体数额标准，有待司法机关根据实际情况作出司法解释。本条所规定的“不能说明来源的”，是指行为人不能说明其支出明显超过合法收入，差额巨大的财产是如何获得的。这里既包括本人拒不向调查的司法机关说明，也包括“说明”的内容经调查证明是虚假的情况。

根据本款规定，构成本罪的，处五年以下有期徒刑或者拘役，差额特别巨大的，处五年以上十年以下有期徒刑，并追缴其财产的差额部分。

本款在实际执行中应当注意，在清查、核实行为人的财产来源时，司法机关应当尽量查清其财产是通过何种非法方式取得的，如果能够查清其财产是以贪污、受贿或者其他犯罪方法取得的，应当按照贪污、受贿或者其他犯罪追究刑事责任。只有在确实无法查清其巨额财产非法来源，本人又不能说明的情况下，才应按巨额财产来源不明罪进行追究。

第二款是关于隐瞒境外存款罪的规定。国家工作人员按照规定申报境外存款，也是国家工作人员财产申报制度的要求，是国家工作人员的义务。境外存款数额较大，隐瞒不报的，是一种严重的不履行义务的行为。隐瞒境外存款罪是指国家工作人员隐瞒在境外的存款，不按照国家规定申报，并且数额较大的行为。根据本款的规定，对犯隐瞒境外存款罪的，处二年以下有期徒刑或者拘役；情节较轻的，由其所在单位或者上级主管机关酌情给予行政处分。

第三百九十六条　国家机关、国有公司、企业、事业单位、人民团体，违反国家规定，以单位名义将国有资产集体私分给个人，数额较大的，对其直接负责的主管人员和其他直接责任人员，处三年以下有期徒刑或者拘役，并处或者单处罚金；数额巨大的，处三年以上七年以下有期徒刑，并处罚金。

司法机关、行政执法机关违反国家规定，将应当上缴国家的罚没财物，以单位名义集体私分给个人的，依照前款的规定处罚。

【释义】　本条是关于私分国有资产、私分罚没财物的犯罪及其处罚的规定。

根据本条第一款的规定，构成私分国有资产罪应当具备以下几个条件：1. 犯罪主体是国家机关、国有公司、企业、事业单位、人民团体。2. 本罪在客观方面，表现为违反国家规定，以单位名义将国有资产集体私分给个人。这里所说的“违反国家规定”，是指违反国家有关管理、使用、保护国有资产方面的法律、行政法规规定。“以单位名义将国有资产集体私分给个人”，是指由单位负责人决定，或者单位决策机构集体讨论决定，分给单位所有职工。如果不是分给所有职工，而是几个负责人暗中私分，则不应以本条定罪处罚，而应以贪污罪追究私分者的刑事责任。3. 集体私分国有资产必须达到数额较大，才能构成犯罪。法律对“数额较大”

没有具体规定,应当由司法机关根据实际情况作出司法解释。

第二款是关于私分罚没财物罪的规定,即司法机关、行政执法机关违反国家规定,将应当上缴国家的罚没财物,以单位名义集体私分给个人的,依照前款的规定处罚。这里所说的“司法机关”,是指人民法院、人民检察院、公安机关。“行政执法机关”,主要是指依照行政处罚法的规定,对公民和单位有行政处罚权的政府机关,如工商、税务、海关、环保、林业、交通等政府有关行政部门。“罚没财物”,包括人民法院对犯罪分子判处的罚金、没收的财产;行政执法机关对违法行为给予的罚款;司法机关、行政执法机关在执法中没收违法犯罪人用于违法犯罪活动的金钱、物品及各种违法所得。

根据本条规定,单位犯私分国有资产罪的,对单位的直接负责的主管人员和其他直接责任人员,处三年以下有期徒刑或者拘役,并处或者单处罚金;数额巨大的,处三年以上七年以下有期徒刑,并处罚金。

第九章　渎　职　罪

1997年修订刑法时，将渎职罪一章的犯罪主体规定为国家机关工作人员，对国有公司、企业、事业单位等国家工作人员在工作中不尽职守，给国家造成重大损失的渎职行为，根据其行为的不同性质和所侵害的客体，分别在有关章节中作了具体规定。根据宪法的规定，国家机关包括国家权力机关、行政机关、审判机关、检察机关和军事机关。国家机关工作人员应是在上述机关中从事公务的人员。

随着体制改革的不断深入，在司法实践中遇到一些新情况：一是法律授权规定某些非国家机关的组织，在某些领域代表国家机关行使管理、监督职权。二是在机构改革中，有的部门将原来的一些国家机关调整为事业单位，但仍然保留其行使某些行政管理的职能。三是有些国家机关将自己行使的职权依法委托给一些组织行使。四是实践中有的国家机关根据工作需要聘用了一部分国家机关以外的人员从事公务。上述这些人员虽然在形式上未列入国家机关编制，但实际是在国家机关中工作或者行使国家机关工作人员的权力。这些人员在行使国家权力时，玩忽职守、滥用职权、徇私舞弊对社会所造成的危害与国家机关工作人员是同样的，对其渎职行为构成犯罪的，也应按照国家机关工作人员渎职罪的规定予以处罚。

因此，2002年12月28日第九届全国人民代表大会常务委员会第三十一次会议通过《关于〈中华人民共和国刑法〉第九章渎职罪主体适用问题的解释》，规定："在依照法律、法规规定行使国家行政管理职权的组织中从事公务的人员，或者在受国家机关委托代表国家行使职权的组织中从事公务的人员，或者虽未列入国家机关人员编制但在国家机关中从事公务的人员，在代表国家机关行使职权时，有渎职行为，构成犯罪的，依照刑法关于渎职罪的规定追究刑事责任。"

根据该解释，下列人员在代表国家行使职权时，有渎职行为，构成犯罪的，依照刑法关于渎职罪的规定追究刑事责任：

1. 在依照法律、法规规定行使国家行政管理职权的组织中从事公务的人员。这些行使国家行政管理职权的组织并非国家机关，但法律、法规授权其行使国家行政管理职能。例如，根据证券法的规定，国务院证券监督管理机构依法对全国证券市场实行集中统一监督管理。保险法也作了修改,规定国务院保险监督管理机构负责对保险业实施监督管理。有些机构在体制改革前原本是国家机关,体制改革后调整为事业单位,但其仍然行使着国家对这一领域的管理职能。在这些组织中从事公务的人员在代表国家机关行使职权时,有渎职行为构成犯罪的,适用渎职罪的规定追究刑事责任。

2. 在受国家机关委托代表国家行使职权的组织中从事公务的人员。实践中有些组织本身不是国家机关,但其受国家机关委托,代表国家行使管理权,如有的文化管理部门委托其下属部门从事当地文化市场管理。

3. 虽未列入国家机关人员编制但在国家机关中从事公务的人员。实践中由于受到国家机关编制等的限制,有的国家机关采取招聘等方式使用国家机关以外的人从事公务,行使国家机关在某一领域的管理权,这些人虽然不占国家机关编制,但其在代表国家机关行使职权时,有同国家机关工作人员相同的职权,因此其渎职行为构成犯罪的,也应适用渎职罪的规定追究刑事责任。

应当注意的是,上述人员必须是在行使有关国家行政管理职能,只有在这种情况下,有渎职行为构成犯罪的才可适用渎职罪的规定追究刑事责任。

第三百九十七条　国家机关工作人员滥用职权或者玩忽职守,致使公共财产、国家和人民利益遭受重大损失的,处三年以下有期徒刑或者拘役;情节特别严重的,处三年以上七年以下有期徒刑。本法另有规定的,依照规定。

国家机关工作人员徇私舞弊,犯前款罪的,处五年以下有期徒刑或者拘役;情节特别严重的,处五年以上十年以下有期徒刑。本法另有规定的,依照规定。

【释义】 本条是关于国家机关工作人员滥用职权和玩忽职守的犯罪,以及因徇私舞弊,犯滥用职权罪或者玩忽职守罪如何处罚的规定。

本条是第九章"渎职罪"中关于国家机关工作人员滥用职权、玩忽职守罪的一般性规定。本章其他关于特定国家机关工作人员滥用职权、玩忽职守的专门规定,与本条是一般规定与特殊特殊规定的关系。其他条款已经作了专门规定的,应当使用该特别规定;对刑法没有作出专门规定的国家机关工作人员滥用职权、玩忽职守的犯罪,应当依照本条的规定追究。需要明确的是,1979 年刑法规定了玩忽职守罪,主体是国家工作人员。随着改革开放的不断深入和国家管理体制的变化,国有企事业单位和国家机关的职能在法律及制度上已明显区分,体现在刑法上,有必要将国有企事业单位工作人员的玩忽职守、滥用职权的犯罪行为与国家机关工作人员的玩忽职守、滥用职权犯罪行为进行区分。1997 年修订刑法时,将渎职罪的犯罪主体限制在国家机关工作人员，对国有公司、企事业单位工作人员的玩忽职守、滥用职权的犯罪行为，分别在其他有关章节中作了规定。使得法律责任及其处罚的分类更加科学合理，便于执行。

第一款是关于滥用职权罪和玩忽职守罪及其处罚的规定。

本条所称的“滥用职权罪”，是指国家机关工作人员超越职权，违法决定、处理其无权决定、处理的事项，或者违反规定处理公务，致使公共财产、国家和人民利益遭受重大损失的犯罪。“玩忽职守罪”，是指国家机关工作人员严重不负责任，不履行或者不认真履行其职责，致使公共财产、国家和人民利益遭受重大损失的犯罪。滥用职权行为和玩忽职守行为是渎职犯罪中最典型的两种行为，两种行为的构成要件，除客观方面不一样以外，其他均相同，在实践中正确认定和区分这两种犯罪具有重要意义。

滥用职权罪和玩忽职守罪具有以下共同特征：

1. 滥用职权罪和玩忽职守罪侵犯的客体均是国家机关的正常管理活动。虽然滥用职权和玩忽职守行为往往还同时侵犯了公民权利或者社会主义市场经济秩序，但两罪所侵犯的主要客体还是国家机关的正常管理活动。因为滥用职权罪和玩忽职守罪从其引起的后果看可能侵犯了公民的人身权利，引起人身伤亡，或者使公共财产、国家和人民财产遭受重大损失，但这些都属于这两种罪的社会危害性的客观表现，其本质仍然属于侵犯了国家机关的正常管理活动。

2. 两罪的犯罪主体均为国家机关工作人员。这里所称“国家机关工作人员”，是指在国家机关中从事公务的人员。“国家机关”，是指国家权力机关、行政机关、司法机关、军事机关。2002 年 12 月 28 日第九届全国人民代表大会常务委员会第三十一次会议通过了《关于〈中华人民共和国刑法〉第九章渎职罪主体适用问题的解释》，根据解释的规定，下列人员在代表国家机关行使职权时，有渎职行为构成犯罪的，也依照刑法关于渎职罪的规定追究刑事责任：(1)在依照法律、法规规定行使国家行政管理职权的组织中从事公务的人员；(2)在受国家机关委托，代表国家机关行使职权的组织中从事公务的人员；(3)虽未列入国家机关人员编制但在国家机关中从事公务的人员。

3. 滥用职权和玩忽职守的行为只有“致使公共财产、国家和人民利益遭受重大损失”的，才能构成犯罪。是否造成“重大损失”是区分罪与非罪的重要标准，未造成重大损失的，属于一般工作过失的渎职行为，可以由有关部门给予批评教育或者行政处分。“致使公共财产、国家和人民利益遭受重大损失”的具体标准，可参考 2006 年《最高人民检察院关于渎职侵权犯罪案件立案标准的规定》有关滥用职权案和玩忽职守案立案标准的规定。

两罪在客观方面有明显的不同:滥用职权罪客观方面表现为违反或者超越法律规定的权限和程序而使用手中的职权,致使公共财产、国家和人民利益遭受重大损失的行为。滥用职权的行为,必须是行为人手中有"权",并且滥用权力与危害结果有直接的因果关系,如果行为人手中并无此权力,或者虽然有权但行使权力与危害结果没有直接的因果关系,则不能构成本罪,而应当按照其他规定处理。玩忽职守罪客观方面表现为不履行、不正确履行或者放弃履行职责,致使公共财产、国家和人民利益遭受重大损失的行为。玩忽职守的行为,必须是违反国家的工作纪律和规章制度的行为,通常表现是工作马虎草率,极端不负责任;或是放弃职守,对自己应当负责的工作撒手不管,等等。

根据本款规定,国家机关工作人员犯滥用职权罪和玩忽职守罪的,处三年以下有期徒刑或者拘役;情节特别严重的,处三年以上七年以下有期徒刑。根据2012年《最高人民法院、最高人民检察院关于办理渎职刑事案件适用法律若干问题的解释(一)》的相关规定,国家机关工作人员滥用职权或者玩忽职守,具有下列情形之一的,应当认定为第三百九十七条规定的"致使公共财产、国家和人民利益遭受重大损失":(1)造成死亡一人以上,或者重伤三人以上,或者轻伤九人以上,或者重伤二人、轻伤三人以上,或者重伤一人、轻伤六人以上的;(2)造成经济损失三十万元以上的;(3)造成恶劣社会影响的;(4)其他致使公共财产、国家和人民利益遭受重大损失的情形。具有下列情形之一的,应当认定为刑法第三百九十七条规定的"情节特别严重":(1)造成伤亡达到前款第(1)项规定人数三倍以上的;(2)造成经济损失一百五十万元以上的;(3)造成前款规定的损失后果,不报、迟报、谎报或者授意、指使、强令他人不报、迟报、谎报事故情况,致使损失后果持续、扩大或者抢救工作延误的;(4)造成特别恶劣社会影响的;(5)其他特别严重的情节。

本款还规定,"本法另有规定的,依照规定",这是指除本条的一般规定外,刑法规定的其他犯罪中也有滥用职权和玩忽职守的情况,对于本法另有特别规定的,一律适用特别规定,而不按本条定罪处罚。例如,本法第四百零三条关于国家有关主管部门的国家机关工作人员,对不符合法律规定条件的公司设立、登记申请或者股票、债券发行、上市申请,予以批准或者登记的滥用职权的规定;第四百条第二款关于司法工作人员由于玩忽职守的行为,致使在押的犯罪嫌疑人、被告人或者罪犯脱逃的规定,等等。

第二款是关于国家机关工作人员徇私舞弊,犯第一款罪如何处罚的规定。国家机关工作人员担负着管理国家事务的职责,必须秉公守法,任何徇私舞弊的行为都应当予以惩处。这里的"徇私舞弊",是指为徇个人私利或者亲友私情的行为。由于这种行为是从个人利益出发，置国家利益于不顾，所以主观恶性要比第一款的规定严重，本款规定了较重的处罚，即对行为人处五年以下有期徒刑或者拘役；情节特别严重的，处五年以上十年以下有期徒刑。另外，本款同时也规定了“本法另有规定的，依照规定”，对此理解也应与第一款的理解相同。

此外，1998 年 12 月 29 日第九届全国人民代表大会常务委员会第六次会议通过的《关于惩治骗购外汇、逃汇和非法买卖外汇犯罪的决定》第六条规定，海关、外汇管理部门的工作人员严重不负责任，造成大量外汇被骗购或者逃汇，致使国家利益遭受重大损失的，依照刑法第三百九十七条的规定定罪处罚。这样规定，主要是考虑到当时骗购外汇、逃汇已经到了猖獗的程度，这些行为对国家经济的危害性极大，它破坏外汇金融秩序，造成国家外汇大量流失，对人民币汇率稳定产生不利影响。犯罪分子之所以能够得逞，除了作案手段狡猾、手段恶劣、内外勾结以外，还与海关、外汇管理部门的工作人员不认真履行职责、玩忽职守，对海关、外汇监管不力有关。

第三百九十八条　国家机关工作人员违反保守国家秘密法的规定，故意或者过失泄露国家秘密，情节严重的，处三年以下有期徒刑或者拘役；情节特别严重的，处三年以上七年以下有期徒刑。

非国家机关工作人员犯前款罪的，依照前款的规定酌情处罚。

【释义】　本条是关于泄露国家秘密的犯罪及其处罚的规定。

国家秘密关系到国家安全和利益，保守国家秘密是宪法规定的公民的义务。国家机关工作人员对其了解和知悉的国家秘密，更应该严格保密，不得泄露。对此，公务员法、法官法、检察官法、人民警察法等法律关于国家机关工作人员的义务中也都有明确规定。除国家机关工作人员外，一些非国家机关工作人员也可能因工作关系等原因，接触和知悉国家秘密，如一些有涉密业务的企业中的科研人员或因亲属、朋友关系了解到国家秘密。根据保密法的规定，这些人员与国家机关工作人员一样，也有保守国家秘密的义务。因此，本条第二款规定，非国家机关工作人员犯第一款罪的，依照第一款的规定酌情处罚。

第一款是关于国家机关工作人员泄露国家秘密犯罪的规定。本款规定的“泄露国家秘密罪”，是指国家机关工作人员违反国家保守秘密法的规定，故意或者过失泄露国家秘密，情节严重的行为。

本款所称“国家秘密”，是指关系国家安全和利益，依照法定的程序确定，在一定的时间内只限于一定范围的人员知悉的事项。根据保守国家秘密法的规定，国家秘密主要包括：(1)国家事务的重大决策中的秘密事项；(2)国防建设和武装力量活动中的秘密事项;(3)外交和外事活动中的秘密事项以及对外承担保密义务的事项;(4)国民经济和社会发展中的秘密事项;(5)科学技术中的秘密事项;(6)维护国家安全活动和追查刑事犯罪中的秘密事项;(7)其他经国家保密工作部门确定应当保守的国家秘密事项。另外,政党的秘密事项符合国家秘密性质的,也属于国家秘密。保守国家秘密法将国家秘密的密级分为"绝密"、"机密"和"秘密"三级。"绝密"是最重要的国家秘密,其泄露会使国家的安全和利益遭受特别严重的损害;"机密"是重要的国家秘密,泄露会使国家的安全和利益遭受严重的损害;"秘密"是一般的国家秘密,泄露会使国家的安全和利益遭受损害。

根据本款规定,构成本罪的行为人必须具有违反保守国家秘密法的规定泄露国家秘密,且情节严重的行为。"泄露国家秘密",是指行为人把自己掌管的或者知悉的国家秘密让不应知悉者知悉的行为。泄露的方式是多种多样的:可以是口头泄露,也可以是书面泄露;可以是用交给实物的方法泄露,也可以是用发送电子信息等方法泄露。泄露的不同方式,不影响泄露国家秘密罪的成立。根据本款规定,故意和过失行为均可以构成犯罪。故意泄露国家秘密,是指行为人违反保守国家秘密法,故意使国家秘密被不应知悉者知悉,或者故意使国家秘密超出了限定的接触范围,情节严重的行为。过失泄露国家秘密,是指行为人违反保守国家秘密法,过失泄露国家秘密,或者遗失国家秘密载体,致使国家秘密被不应知悉者知悉或者超出了限定的范围,情节严重的行为。应当注意的是,如果行为人以危害国家安全为目的,为境外的机构、组织、人员窃取、刺探、收买、非法提供国家秘密或者情报的,应当依照本法第一百一十一条的规定定罪处罚,而不应适用本条规定。根据本款规定,泄露国家秘密还必须"情节严重",才构成犯罪。

根据本款的规定,国家机关工作人员泄露国家秘密的,处三年以下有期徒刑或者拘役;情节特别严重的,处三年以上七年以下有期徒刑。

第二款是关于非国家机关工作人员泄露国家秘密罪的规定。根据本款的规定,非国家机关工作人员犯泄露国家秘密罪的,依照第一款的规定酌情处罚。此处的"酌情处罚",是指在第一款规定的量刑幅度内,根据具体情节予以适当处罚。应当注意的是,如果非国家机关工作人员以窃取、刺探、收买方法,非法获取国家秘密后又泄露的,则应当依照本法第二百八十二条第一款的规定定罪处罚。如果非法获取后向境外的机构、组织、个人泄露的,应当依照本法第一百一十一条的规定定罪处罚。

第三百九十九条[*] **司法工作人员徇私枉法、徇情枉法，对明知是无罪的人而使他受追诉、对明知是有罪的人而故意包庇不使他受追诉，或者在刑事审判活动中故意违背事实和法律作枉法裁判的，处五年以下有期徒刑或者拘役；情节严重的，处五年以上十年以下有期徒刑；情节特别严重的，处十年以上有期徒刑。**

在民事、行政审判活动中故意违背事实和法律作枉法裁判，情节严重的，处五年以下有期徒刑或者拘役；情节特别严重的，处五年以上十年以下有期徒刑。

在执行判决、裁定活动中，严重不负责任或者滥用职权，不依法采取诉讼保全措施、不履行法定执行职责，或者违法采取诉讼保全措施、强制执行措施，致使当事人或者其他人的利益遭受重大损失的，处五年以下有期徒刑或者拘役；致使当事人或者其他人的利益遭受特别重大损失的，处五年以上十年以下有期徒刑。

司法工作人员收受贿赂，有前三款行为的，同时又构成本法第三百八十五条规定之罪的，依照处罚较重的规定定罪处罚。

【释义】 本条是关于司法工作人员徇私枉法罪，民事、行政枉法裁判罪，执行判决、裁定滥用职权罪及司法工作人员收受贿赂犯罪及其处罚的规定。

实践中，司法工作人员徇私舞弊，对能够执行的案件故意拖延执行，或者违法采取诉讼保全措施、强制执行措施，给当事人或者他人的利益造成重大损失的行为，具有较大社会危害性。由于这种行为虽发生在诉讼程序中，但又不属于裁判活动的范畴，能否对此类行为追究责任，刑法未作具体规定。司法机关在适用法律时认识不明确，没有及时追究的情况时有发生。鉴于枉法执行行为与徇私枉法、枉法裁判行为在性质和犯罪表现形式上具有相似性，在刑法中对这种行为作出明确规定，更有利于打击司法执行活动中的舞弊行为，保护当事人的合法权益，维护判决的严肃性和司法权威。2002 年 12 月 28 日第九届全国人大常委会第三十一次会议通过的《刑法修正案（四）》对本条作了修改，增加

---

* 根据 2002 年 12 月 28 日第九届全国人民代表大会常务委员会第三十一次会议通过的《中华人民共和国刑法修正案（四）》修改。原条文是："司法工作人员徇私枉法、徇情枉法，对明知是无罪的人而使他受追诉、对明知是有罪的人而故意包庇不使他受追诉，或者在刑事审判活动中故意违背事实和法律作枉法裁判的，处五年以下有期徒刑或者拘役；情节严重的，处五年以上十年以下有期徒刑；情节特别严重的，处十年以上有期徒刑。

"在民事、行政审判活动中故意违背事实和法律作枉法裁判，情节严重的，处五年以下有期徒刑或者拘役；情节特别严重的，处五年以上十年以下有期徒刑。

"司法工作人员贪赃枉法，有前两款行为的，同时又构成本法第三百八十五条规定之罪的，依照处罚较重的规定定罪处罚。"

了第三款的规定。

第一款是关于徇私枉法罪及其处罚的规定。

根据本款规定，本罪主体为特殊主体，只能是司法工作人员。根据本法第九十四条规定，“司法工作人员”，是指负有侦查、检察、审判、监管职责的工作人员。主观方面为直接故意，要求必须“明知”，过失行为不能构成本罪。在办案过程中，司法工作人员由于政策观念不强，工作不深入、不细致，调查研究不够，以至于造成工作上的错误，如错捕、错判的案件，确实需要追究刑事责任的，应当依照玩忽职守罪、滥用职权罪定罪处罚。本罪客观行为表现为在刑事诉讼活动中“徇私枉法、徇情枉法”，具体而言，有三种行为方式：(1)“对明知是无罪的人而使他受追诉”，是指在刑事诉讼过程中，司法工作人员在明知他人没有犯罪的情况下，却因徇私情对不该立案的立案，不该起诉的起诉，不该审判的审判。(2)“对明知是有罪的人而故意包庇不使他受追诉”，是指在刑事诉讼中，司法工作人员明知他人犯有罪行，却由于徇私情而不予追诉。(3)“在刑事审判活动中故意违背事实和法律作枉法裁判”，是指司法工作人员利用掌握刑事审判的便利条件，故意歪曲案情真相，作出违背事实和违反法律的判决、裁定，包括在刑事案件中明知是无罪而故意判有罪，明知是有罪而故意判无罪，也包括故意轻罪重判、重罪轻判等。这种行为具体表现为搜集制造假的证据材料，篡改、销毁足以证明事实真相的证据材料，曲解或者滥用法律条文，违反诉讼程序等。

根据本款规定，司法工作人员徇私枉法的，处五年以下有期徒刑或者拘役；情节严重的，处五年以上十年以下有期徒刑；情节特别严重的，处十年以上有期徒刑。

第二款是关于民事、行政枉法裁判罪的规定。本款针对在民事、行政审判活动中存在的司法工作人员故意枉法裁判，情节严重的行为作了规定。

“民事、行政审判活动”，是指审理民事、经济、行政案件的诉讼活动。这里的民事审判是依法适用民事诉讼法审判案件的活动。“枉法裁判”，是指故意作出不符合事实或者违反法律规定的裁定、判决，如该胜诉的判败诉，该败诉的判胜诉等。本款规定，只有“情节严重”的才能构成犯罪，一般情节可通过其他行政手段处理。根据本款规定，枉法裁判情节严重的，处五年以下有期徒刑或者拘役；情节特别严重的，处五年以上十年以下有期徒刑。

应注意的是，在审理刑事附带民事诉讼案件中，如果仅就附带民事案件部分作枉法裁判构成犯罪的，应适用本条第二款的规定；如果刑事部分和民事部分都作了枉法裁判的，从一重罪处罚。

第三款是关于执行判决、裁定失职罪，执行判决、裁定滥用职权罪及其处罚的规定。

本款是《刑法修正案(四)》新增加的内容。根据本款规定,在执行判决、裁定的活动中,严重不负责任或者滥用职权的行为具体表现为不依法采取诉讼保全措施,不履行法定执行职责,违法采取诉讼保全、强制执行措施。包括对应当采取诉讼保全措施的不采取或不及时采取,对不应当采取诉讼保全措施的违法采取诉讼保全措施;对能够执行的案件不予执行或故意拖延执行,对不应当采取强制执行措施的案件违法采取强制执行措施。这里的"执行判决、裁定活动",是指人民法院的执行活动。根据本款规定,行为人的上述行为致使当事人或者其他人的利益遭受重大损失即构成犯罪,处五年以下有期徒刑或者拘役;致使当事人或者其他人的利益遭受特别重大损失的,处五年以上十年以下有期徒刑。

第四款是关于司法工作人员收受贿赂,犯前三款罪,按照重罪处罚的规定。依照本款,对司法工作人员收受贿赂,有前三款行为,同时其受贿数额又构成受贿罪的,应当根据受贿的数额和情节确定应当处刑的档次,如果按受贿罪判处的刑期高于按本罪判处的刑期,则应当按照受贿罪的规定处罚;反之,则应当按照本罪处罚。

第三百九十九条之一*　依法承担仲裁职责的人员,在仲裁活动中故意违背事实和法律作枉法裁决,情节严重的,处三年以下有期徒刑或者拘役;情节特别严重的,处三年以上七年以下有期徒刑。

【释义】　本条是关于枉法仲裁罪及其处罚的规定。

仲裁,是指纠纷的当事人按事前或者事后达成的协议,或者按照法律的规定,将有关争议提交仲裁机构,仲裁机构以第三者的身份对争议的事实和双方的权利义务作出判断和裁决,并由国家强制力保障执行的一种纠纷解决机制,是法院诉讼之外通过裁判解决纠纷的重要方式。随着社会经济的发展,越来越多的公民、法人和其他组织选择以仲裁这种相对简易和便捷的方式解决彼此间的合同纠纷或者其他权益纠纷。但在仲裁事项增多的同时,实践中也出现了一些仲裁人员收受贿赂、徇私舞弊,故意违背事实和法律枉法仲裁的行为。这种行为严重违背了法律要求,违背了仲裁人员应当遵循的公正公平原则,给当事人的合法权益造成重大损害,也给仲裁的权威性和公正性造成恶劣影响,具有严重的社会危害性。为打击枉法仲裁的行为,《刑法修正案(六)》在刑法第三百九十九条后增加了本条,作为第三百九十九条之一。

---

* 根据2006年6月29日第十届全国人民代表大会常务委员会第二十二次会议通过的《中华人民共和国刑法修正案(六)》增加。

根据本条规定，本罪主体为特殊主体，即“依法承担仲裁职责的人员”。根据仲裁法第十三条的规定，仲裁委员会应当从公道正派的人员中聘任仲裁员。仲裁员应当符合下列条件之一：(1)从事仲裁工作满八年的；(2)从事律师工作满八年的；(3)曾任审判员满八年的；(4)从事法律研究、教学工作并具有高级职称的；(5)具有法律知识、从事经济贸易等专业工作并具有高级职称或者具有同等专业水平的。具备上述条件人员经仲裁委员会聘任并登记注册，即可承担仲裁职责，其如有枉法仲裁行为的，构成本罪主体。除此之外，本罪中“依法承担仲裁职责的人员”还包括根据劳动法、公务员法、体育法、著作权法、《反兴奋剂条例》等法律、行政法规的规定，在由政府行政主管部门代表参加组成的仲裁机构中对法律、行政法规规定的特殊争议承担仲裁职责的人员。

本罪在客观方面表现为，在仲裁活动中，故意违背事实和法律作枉法裁决，情节严重的行为。该行为有以下三点特征：第一，必须发生在仲裁活动中。这也是本罪与徇私枉法罪，民事、行政枉法裁判罪的重要区别。第二，违背事实和法律作枉法裁决。这是指仲裁员背离案件的客观事实，故意歪曲法律、法规和相关司法解释的原意，作出仲裁裁决。第三，必须达到情节严重程度，包括收受贿赂枉法裁决、给仲裁当事人造成重大财产损失或者造成其他严重后果等情形的。

根据本条的规定，枉法仲裁情节严重的，处三年以下有期徒刑或者拘役；情节特别严重的，处三年以上七年以下有期徒刑。

第四百条　司法工作人员私放在押的犯罪嫌疑人、被告人或者罪犯的，处五年以下有期徒刑或者拘役；情节严重的，处五年以上十年以下有期徒刑；情节特别严重的，处十年以上有期徒刑。

司法工作人员由于严重不负责任，致使在押的犯罪嫌疑人、被告人或者罪犯脱逃，造成严重后果的，处三年以下有期徒刑或者拘役；造成特别严重后果的，处三年以上十年以下有期徒刑。

【释义】　本条是关于私放在押人员罪、失职致使在押人员脱逃罪及其处罚的规定。

刑事诉讼法对拘留、逮捕等强制措施的适用条件、程序等都有严格、明确的规定。解除强制措施必须由有关司法机关依照法律规定的程序进行，私放被采取强制措施的在押的犯罪嫌疑人、被告人，不仅造成犯罪嫌疑人、被告人逃避侦查、审判的后果，有的犯罪嫌疑人逃跑后，还可能实施串供、毁灭罪证、打击报复证人等妨害刑事诉讼活动的行为，甚至继续犯罪。被人民法院依法判处拘役、有期徒刑等剥夺人身自由刑罚的罪犯，必须按照刑法、刑事诉讼法、监狱法的规定,在监狱等刑罚执行场所服刑,接受改造。这是实现刑罚目的,惩罚和教育犯罪分子,维护社会秩序和社会正义的必然要求。司法工作人员对于被监管或押解途中的犯罪嫌疑人、被告人或者罪犯,只有依法执行和实行监管的义务,没有违法擅自处理的权力。私放在押的犯罪嫌疑人、被告人、罪犯,是一种严重的破坏法制的犯罪行为,应当予以惩处。1979 年刑法对司法工作人员私放罪犯罪作了规定,1997 年修改刑法时,根据有关部门的意见对原条文作了修改,在内容上更为全面。

第一款是关于私放在押人员罪的规定。这里的"私放在押的犯罪嫌疑人、被告人或者罪犯",是指司法工作人员利用职务上的便利,私自非法将被监管或押解的犯罪嫌疑人、被告人或者罪犯放走的行为。

根据本款规定,构成私放在押人员罪主观上必须是故意。这种犯罪的动机是各种各样的,有的是为了贪图钱财而私放,有的是为了徇私情而私放,有的是为了包庇犯罪同伙而私放。如果由于疏忽大意、严重不负责任使犯罪嫌疑人、被告人或者罪犯脱逃,造成严重后果的,则不构成本罪,而应当按照本条第二款的规定处理。构成本罪在客观方面必须是实施了私放犯罪嫌疑人、被告人或者罪犯的行为。这里的"私放",是指擅自、非法将在押人员释放使其逃出监管机关的监控范围。监控范围可以是看守所等固定场所,也可以是押解途中,监管场所以外的劳动作业场所等临时性场所。私放的行为主要表现为:司法工作人员利用职务之便,如利用看守、押解、关押在押人员等职务、职责的便利条件,私自将犯罪嫌疑人、被告人或者罪犯放走或者授意、指使他人放走;伪造、变造或者涂改有关法律文件,将犯罪嫌疑人、被告人或者罪犯放走;为犯罪嫌疑人、被告人或者罪犯提供便利条件,帮助使其脱逃等情形。

根据本款的规定,对司法工作人员私放在押的犯罪嫌疑人、被告人或者罪犯的,处五年以下有期徒刑或者拘役;情节严重的,处五年以上十年以下有期徒刑;情节特别严重的,处十年以上有期徒刑。

第二款是关于失职致使在押人员脱逃罪及其处罚的规定。

根据本款规定,构成本罪的主观方面主要是过失,即司法工作人员因为疏忽大意而没有预见,或者已经预见而轻信能够避免,以致发生了这种危害的后果。另外,构成本罪的主观方面有时也存在间接故意,即司法工作人员明知自己严重不负责任的行为会发生被监管或押解人脱逃的危害社会的结果,并且有意识地放任这种结果的发生,行为人虽然不希望结果的发生,但又不设法防止,采取听之任之、漠不关心的态度,以致发生了这种结果。本罪的客观方面必须是司法工作人员严重不负责任,致使犯罪嫌疑人、被告人或者罪犯脱逃,造成了严重后果。是否"造成严重后果"是区分罪与非罪的界限,对造成一般后果的,可以采取批评教育或者党政纪律处分的措施处理。“严重不负责任”，是指司法工作人员违反职责要求，不履行或不正确履行职责义务，情节恶劣的行为。具体表现为工作上的官僚主义，马马虎虎、敷衍了事等。“脱逃”，是指被拘留、逮捕的犯罪嫌疑人、被告人或者正在服刑的罪犯逃离羁押、监管场所的行为。

根据本款的规定，司法工作人员严重不负责任，致使在押的犯罪嫌疑人、被告人或者罪犯脱逃，造成严重后果的，处三年以下有期徒刑或者拘役；造成特别严重后果的，处三年以上十年以下有期徒刑。这里“造成特别严重后果”，是指造成多人脱逃或者多次造成犯罪嫌疑人、被告人或者罪犯脱逃以及脱逃的犯罪嫌疑人、被告人或者罪犯继续危害社会，使国家和人民利益遭受重大损失等情形。

应指出的是，本条规定的犯罪主体是司法工作人员。根据刑法第九十四条的规定，司法工作人员是指有侦查、检察、审判、监管职责的工作人员。刑法的这一规定的实质，是看行为人是否具有履行以上职责的义务。实践中由于受到编制等因素的影响，有的司法机关存在使用未被正式录用的人员，从事监管，履行监管职责的情况，对于这些人员，当其受委托履行监管职责时，实施了本条规定的行为，应构成本条规定的犯罪。

第四百零一条　司法工作人员徇私舞弊，对不符合减刑、假释、暂予监外执行条件的罪犯，予以减刑、假释或者暂予监外执行的，处三年以下有期徒刑或者拘役；情节严重的，处三年以上七年以下有期徒刑。

【释义】　本条是关于徇私舞弊减刑、假释、暂予监外执行罪及其处罚的规定。

为了防止减刑、假释、暂予监外执行措施被违法使用，刑法、刑事诉讼法等法律对减刑、假释、暂予监外执行的条件、程序等都作了严格规定。司法工作人员徇私舞弊，对不符合条件的罪犯予以减刑、假释、暂予监外执行的行为，损害法律的严肃性，可能造成罪犯逍遥法外甚至继续犯罪的严重后果，应当予以惩治。

本条规定的徇私舞弊减刑、假释、暂予监外执行罪，是指司法工作人员利用职权，为徇私情，对不符合减刑、假释或者暂予监外执行条件的罪犯，予以减刑、假释或者暂予监外执行的行为。构成本罪须具备以下条件：

1. 行为人在主观上必须是故意，即司法工作人员在徇私情，或者其他谋取私利等动机的驱动下，实施的行为。过失不能构成本罪。

2. 在客观方面，司法工作人员必须实施了对不符合减刑、假释、暂予监外执行条件的罪犯，予以减刑、假释或者暂予监外执行的行为。关于减刑、假释、暂予监外执行的条件、程序,刑法、刑事诉讼法都作了明确规定。根据刑法第七十八条的规定,“减刑”是指对被判处管制、拘役、有期徒刑、无期徒刑的犯罪分子,因其在执行期间,认真遵守监规、接受教育改造,确有悔改表现或者立功表现的,适当减轻刑罚的一种制度。根据刑法第五十条的规定,死刑缓期执行的罪犯,在死刑缓期执行期间,如果没有故意犯罪,或者确有重大立功表现,二年期满后,可以分别减为无期徒刑或二十五年有期徒刑。根据刑法第八十一条的规定,“假释”是指对被判处有期徒刑的犯罪分子,执行原判刑期二分之一以上,被判处无期徒刑的犯罪分子,实际执行十三年以上,如果其认真遵守监规、接受教育改造,确有悔改表现,没有再犯罪的危险的,予以附条件提前释放的一种制度。该条同时规定,对累犯及因杀人、爆炸、抢劫、强奸、绑架等暴力性犯罪,被判处十年以上有期徒刑、无期徒刑的犯罪分子,不得假释。根据刑事诉讼法的规定,“暂予监外执行”是指对于被判处有期徒刑或者拘役的罪犯,如果患有严重疾病需要保外就医,妇女怀孕或者正在哺乳自己婴儿,生活不能自理的,对其不在监管场所执行刑罚,而是暂时放在社会由有关部门予以监管的一种措施。关于减刑、假释的程序,根据刑法第七十九条的规定,由执行机关向中级以上人民法院提出减刑、假释建议书,由人民法院组成合议庭进行审理,对符合条件的予以减刑、假释。

3. 本罪的犯罪主体为特殊主体,即司法工作人员。实践中,一般是指刑罚执行机关和审判机关中有权决定减刑、假释、暂予监外执行的司法工作人员。在认定此罪时,应当与实践中认识有错误而采取减刑、假释或者暂予监外执行不当的行为区分开来。

根据本条的规定,对司法工作人员犯本罪的,处三年以下有期徒刑或者拘役;情节严重的,处三年以上七年以下有期徒刑。

第四百零二条 行政执法人员徇私舞弊,对依法应当移交司法机关追究刑事责任的不移交,情节严重的,处三年以下有期徒刑或者拘役;造成严重后果的,处三年以上七年以下有期徒刑。

【释义】 本条是关于徇私舞弊不移交刑事案件罪及其处罚的规定。

我国的法律责任体系与国外有所不同,违法行为一般根据情节轻重分为行政违法行为和犯罪行为。对行政违法行为,依法由行政执法部门给予行政处罚;对情节严重构成犯罪的,由司法机关追究刑事责任。关于行政违法和犯罪的界限,刑法和有关法律法规、司法解释一般都作了明确划分。1996 年通过的行政处罚法规定,应当移交司法机关追究刑事责任的不移交,构成犯罪的,比照刑法有关规定处罚。为保证行政执法机关及时向公安机关移送涉嫌犯罪的案件，国务院于2001年还公布了《行政执法机关移送涉嫌犯罪案件的规定》，规定行政执法机关在依法查处违法行为过程中，发现违法事实涉嫌构成犯罪的，必须向公安机关移送。该规定对移送的时间、有关证据的保存、移送所应附的材料等都作了规定。实践中一些行政执法部门的工作人员，徇私舞弊，对明知已经构成犯罪的案件，不依法移交司法机关追究刑事责任，而是以罚代刑，严重损害了法律的权威性和法制的统一，造成犯罪分子逍遥法外甚至继续犯罪的严重后果。对这种行为，应当依法追究刑事责任。

本条规定的徇私舞弊不移交刑事案件罪，是指行政执法人员对依法应当移交司法机关追究刑事责任的案件不移交，情节严重的行为。根据本条规定，构成本罪应具备以下条件：1. 本罪的主体为特殊主体，即行政执法人员。“行政执法人员”，是指在具有行政执法权的行政机关中从事公务的人员，如公安人员、税务机关工作人员、工商行政管理人员。对于依照法律法规授权，具有管理公共事务职能，在法定授权范围内实施行政处罚的组织的执法人员实施本条规定的行为的，也可以构成本罪。2. 构成本罪在主观上必须是故意，即行政执法人员明知自己对应当移交司法机关追究刑事责任而不移交的行为会产生危害社会的后果，但仍徇私舞弊不移交。这种犯罪有的是为徇亲友私情，有的是为了得到某种利益以行政处罚代替刑罚或者出于地方保护主义为徇单位私利，对犯罪人网开一面等。如果行政执法人员不是出于徇私的动机，而是由于没有认真了解情况，存在对事实认识上的偏差，或者由于工作上的失误，则不构成本罪。3. 在客观方面，行政执法人员实施了对依法应当移交司法机关追究刑事责任的不移交，情节严重的行为。其中，“依法应当移交司法机关追究刑事责任的不移交”，是指明知他人的行为已经构成犯罪，应当交由司法机关依法追究其刑事责任，但是行为人不移交司法机关，而故意使犯罪人逃避法律追究的行为。行政执法人员徇私舞弊的行为并非都构成犯罪，只有“情节严重”才能构成，这是区分罪与非罪的主要标准。何为情节严重，由司法机关根据司法实践作出解释。

实践中应注意，公安机关的工作人员行使行政执法权时，如果徇私舞弊，对明知是构成犯罪应当提交立案进行刑事侦查的，不移送，应以徇私枉法罪追究其刑事责任。

根据本条的规定，行政执法人员犯徇私舞弊不移交刑事案件罪的，处三年以下有期徒刑或者拘役；造成严重后果的，处三年以上七年以下有期徒刑。其中，“造成严重后果”，是指造成罪行严重的犯罪分子逃避法律追究，或者由于不移交的行为，使国家利益遭受特别重大损失等。

第四百零三条　国家有关主管部门的国家机关工作人员，徇私舞弊，滥用

职权，对不符合法律规定条件的公司设立、登记申请或者股票、债券发行、上市申请，予以批准或者登记，致使公共财产、国家和人民利益遭受重大损失的，处五年以下有期徒刑或者拘役。

上级部门强令登记机关及其工作人员实施前款行为的，对其直接负责的主管人员，依照前款的规定处罚。

【释义】 本条是关于滥用管理公司、证券职权罪及其处罚以及上级部门强令实施本条规定的行为如何定罪处罚的规定。

为了保障社会主义市场经济健康发展，保护公司股东和债权人以及广大投资人的利益，公司法、证券法对公司设立、登记；公司股票、债券发行都规定了严格的条件。在公司设立中，登记是主管机关工作人员的职责，是对申请公司登记的人提出的公司设立申请是否符合法律规定的条件进行审查，对不符合法定条件的，不得登记为有限责任公司或者股份有限公司。国务院证券监督管理部门及其工作人员，负责公司股票、债券的发行、上市申请的审批和监管工作，对申请人提出的发行股票、公司债券申请或者上市申请，必须严格按照法律规定的条件审查，对不符合条件的申请，不得批准。

第一款是关于滥用管理公司、证券职权罪及其处罚的规定。

本罪有以下特征：1. 构成本罪的主体必须是国家有关主管部门的国家机关工作人员。这里的"国家有关主管部门"，是指根据公司法和有关法律、法规规定负责对公司设立、登记或者股票、债券发行、上市申请的条件是否符合法律规定的条件予以审核、批准或者登记的国家机关，如负责公司设立登记工作的工商行政管理机关。2. 行为人必须实施了对不符合法律规定条件的公司设立、登记申请或者股票、债券发行、上市申请，予以批准或登记，致使公共财产、国家和人民利益遭受重大损失的行为。3. 行为人构成本罪主观上只能是故意，犯罪行为方式表现为徇私情，对公司设立、登记申请或者股票、债券发行、上市申请不严格依照法律进行审查或者根本不作审查而予以批准，明知申请人不符合条件，为了牟取私利予以批准。行为人的行为必须是"致使公共财产、国家和人民利益遭受重大损失"，才能构成犯罪，这是区分罪与非罪的界限，如果行为人的行为没有造成重大损失，则不能追究刑事责任，而应依照公司法的规定，对其给予行政处分。"致使公共财产、国家和人民利益遭受重大损失的"，由司法机关根据司法实践作出解释。

根据本款规定，构成本罪的，处五年以下有期徒刑或者拘役。

第二款是关于上级部门强令登记机关及其工作人员实施第一款行为的，对其直接负责的主管人员依照第一款的规定处罚的规定。

这里的"上级部门"是广义的，既包括登记机关即工商行政管理机关、证券管理部门内部具有上下级领导关系的人员,也包括上级工商行政管理机关、证券管理部门中负有领导责任的人员。同时,这里所说的直接负责的主管人员,不仅是指上级部门的负责人,同时也包括在上级部门工作的具体工作人员。这里的“强令”,是指行为人明知其命令是违反法律,而强迫登记机关及其工作人员执行其命令的行为。

根据本款规定,犯本款规定行为的,依照第一款的规定处罚,即对直接负责的主管人员,处五年以下有期徒刑或者拘役。

第四百零四条　税务机关的工作人员徇私舞弊,不征或者少征应征税款,致使国家税收遭受重大损失的,处五年以下有期徒刑或者拘役;造成特别重大损失的,处五年以上有期徒刑。

【释义】 本条是关于徇私舞弊不征、少征税款罪及其处罚的规定。

税收是国家财政的主要来源,也是国家进行宏观经济调控,实现产业政策调整和布局的重要手段。税收征收管理法和相关税收法律对税收征收管理程序、税种、税率、税收减免等都有明确严格的规定。税务机关的工作人员应当严格按照法律规定征收税款,不得滥征,也不得任意减征、免征。实践中少数税务工作人员,不依法履行法律赋予的职责,徇私舞弊,任意减免税收,对依法应当征收的税款故意不征收或者不全额征收,致使国家税收大量流失,严重危害国家税收征管秩序,应当予以惩治。

本条规定的徇私舞弊不征、少征税款罪,是指税务机关工作人员利用职权,为徇私情,不征或者少征应当征收的税款,致使国家税收流失,遭受重大损失的行为。本罪具有以下特征:1. 主体必须是税务机关的工作人员。这里的“税务机关”,是指各级税务局、税务分局和税务所。非税务机关人员不能构成本罪。2. 主观方面必须是故意。也就是说,税务机关的工作人员明知自己不征或少征应征税款,会给国家税收造成重大损失,而为了徇私情、私利,不征或少征税款。3. 客观方面实施了不征或少征应征税款,并使国家税收遭受重大损失的行为。“应征税款”,是指税务机关根据法律、行政法规规定的税种、税率,应当向纳税人征收的税款。行为人的行为具体表现为擅自决定税收的停征、减征或者免征,即为徇私情对应当征收税款的不征收,少征收;或者对纳税人欠缴税款的,本应通知银行或其他金融机构从纳税人存款中扣缴,而不通知;对应当扣押、查封、拍卖价值与欠税人应纳税款相当的物品,而不扣押、查封或拍卖等。另外,税务机关的工作人员实施的前述行为,必须是使国家税收遭受重大损失的才能构成犯罪,这是区分罪与非罪的界限,如果不征或少征应征税款,数额较小,没有使国家的税收遭受重大损失,就不能按本罪处理,而应当追究行为人的行政责任。

根据本条规定,税务机关的工作人员犯本罪的,处五年以下有期徒刑或者拘役;造成特别重大损失的,处五年以上有期徒刑。"造成特别重大损失",是指造成税收流失数额特别巨大,后果特别严重的情形。

实践中,如果行为人在征税工作中不认真负责计算有误,没有征收或者少征了应征税款,致使国家税收遭受重大损失的,可按玩忽职守罪追究其刑事责任。如果行为人与纳税人相勾结,帮助纳税人偷税,如为其出主意,然后不征或少征其应缴的税款,应按逃税罪的共犯追究其刑事责任。

第四百零五条　税务机关的工作人员违反法律、行政法规的规定,在办理发售发票、抵扣税款、出口退税工作中,徇私舞弊,致使国家利益遭受重大损失的,处五年以下有期徒刑或者拘役;致使国家利益遭受特别重大损失的,处五年以上有期徒刑。

其他国家机关工作人员违反国家规定,在提供出口货物报关单、出口收汇核销单等出口退税凭证的工作中,徇私舞弊,致使国家利益遭受重大损失的,依照前款的规定处罚。

【释义】　本条是关于徇私舞弊发售发票、抵扣税款、出口退税罪和违法提供出口退税凭证罪及其处罚的规定。

税务机关对发票的管理是一项极为重要的工作。1994 年,我国实行了税收体制改革,建立了以增值税为主体的流转税制度,对发票的管理显得尤为重要。其中,增值税的最大特点就是可以凭增值税专用发票票面注明的税额直接抵扣税款。它不仅是商品交易中的一种商事凭证和财会收支、会计核算的法定凭证,而且是增值税的扣税凭证,是记录销货方进项税额的主要依据,是购货方据以抵扣税款的证明。另外,还有几种其他发票也具有抵扣税款的功能,如农、林、牧、水产品收购发票,废旧物品收购发票,运输发票,还有征课消费税的产品出口所开具的发票也可以作为出口退税的凭证。

为配合国家税制改革,保障增值税成功推行,惩治不法分子利用增值税推行之机,利用虚开的增值税发票和其他可以抵扣税款的发票骗取国家税款的违法犯罪活动,全国人大常委会于 1995 年通过了《关于惩治虚开、伪造和非法出售增值税专用发票犯罪的决定》,其中第八条规定了税务机关工作人员违反法律、行政法规,在发售发票、抵扣税款、出口退税工作中玩忽职守的犯罪。1997 年修订刑法时,将上述内容经过修改后纳入本条,并根据实践中的情况,增加了本条第二款关于其他国家机关工作人员在提供有关出口退税凭证工作中徇私舞弊的犯罪。

第一款是关于徇私舞弊发售发票、抵扣税款、出口退税罪及其处罚的规定。

该罪主要是指税务机关工作人员违反法律、行政法规的规定，在发售发票、抵扣税款、出口退税的具体工作中，为徇私情，弄虚作假、徇私舞弊，致使国家利益遭受重大损失的行为。

根据本款规定，构成本款之罪的行为人主观上必须是故意，即税务机关工作人员明知自己在发售发票、抵扣税款以及出口退税工作中徇私舞弊的行为会产生危害后果，而故意实施。这种犯罪的动机是各种各样的，有的为徇亲友私情，有的为了得到某种利益而亵渎国家赋予的职责等。过失行为不能构成本罪。客观方面必须是实施了徇私舞弊的行为，即税务机关的工作人员违反法律、行政法规的规定，在发售发票、抵扣税款、出口退税工作中徇私舞弊，对明知是不符合条件的人仍为其发售发票、抵扣税款、办理出口退税，并致使国家利益遭受重大损失的行为。"发票"，是指在购销商品，提供或者接受服务以及从事其他经营活动中，开具、收取的收付款凭证。"发售发票"，是指税务机关根据已依法办理税务登记的单位或个人提出的领购发票申请，向其发售发票的活动。"抵扣税款"，是指税务机关对购货方在购进商品时已由供货方收取的增值税款抵扣掉，只征收购货方作为生产者、经营者在销售其产品或商品环节增值部分的税款。"出口退税"，是指税务机关依法在出口环节向出口商品的生产者或经营单位退还该商品在生产环节、流通环节已征收的增值税和消费税。税务机关工作人员在发售发票、抵扣税款、出口退税工作中的徇私舞弊主要是：对不应发售发票的，予以发售；对不应抵扣或者应少抵扣税款的，擅自抵扣或者多抵扣；利用职权为自己或帮助他人骗取出口退税款；等等。

实践中，应当把税务机关工作人员在发售发票、抵扣税款或出口退税等工作中出现的失误与主观上故意徇私舞弊的行为区别开来。应当注意的是，是否"致使国家利益遭受重大损失"是区分罪与非罪的界限，只有造成"重大损失"的，才构成犯罪。

根据本款的规定，税务机关的工作人员犯本款之罪的，处五年以下有期徒刑或者拘役；致使国家利益遭受特别重大损失的，处五年以上有期徒刑。"特别重大损失"，是指抵扣的税款、出口退税款数额特别巨大、使国家税款流失的数额特别巨大等情况。

第二款是关于其他国家机关工作人员违反国家规定，在提供出口货物报关单、出口收汇核销单等出口退税凭证的工作中，徇私舞弊，致使国家利益遭受重大损失的犯罪及其处罚的规定。

本款所称的"其他国家机关工作人员"，是指除税务机关工作人员以外，负有对进出口货物检验、出具进出口货物证明的其他国家机关工作人员，如海关工作人员，银行工作人员。按照出口退税制度的规定，企业申请出口退税除必须提供购进出口货物的增值税专用发票、出口货物销售明细账外，还必须提供盖有海关验讫章的出口货物报关单（出口退税联）和银行开具的出口货物收汇单，以备税务机关核对。“违反国家规定，在提供出口货物报关单、出口收汇核销单等出口退税凭证工作中，徇私舞弊”，是指海关、银行工作人员，为徇私情私利，违反出口退税制度，对明知没有货物出口或者以少报多、以劣报优的，仍违背事实，弄虚作假，在报关单上加盖海关验讫章或者出具出口货物银行收汇单。

根据本款规定，构成本罪必须是致使国家利益遭受重大损失的，这主要是指退税数额巨大，使国家税款遭受重大损失等情形。构成本款规定之罪的，“依照前款的规定处罚”。

第四百零六条　国家机关工作人员在签订、履行合同过程中，因严重不负责任被诈骗，致使国家利益遭受重大损失的，处三年以下有期徒刑或者拘役；致使国家利益遭受特别重大损失的，处三年以上七年以下有期徒刑。

【释义】　本条是关于国家机关工作人员签订、履行合同失职被骗罪及其处罚的规定。

1979年刑法没有规定本罪，对国家机关工作人员签订、履行合同失职被骗，造成重大损失的，是按照国家工作人员玩忽职守罪处理的。1997年修订刑法时，对国有公司、企业、事业单位工作人员在签订、履行合同过程中，因严重不负责任被诈骗，致使国家利益遭受重大损失的行为，在本法第一百六十七条作了规定，对国家机关工作人员有上述行为的，则在本条作了规定。

根据本条规定，行为人在客观方面实施了由于严重不负责任而在签订、履行合同过程中被诈骗的行为。主要表现为未向主管单位或有关单位了解对方当事人的合同主体资格，资信情况，履约能力和资源等情况，盲目同无资金或无货源的另一方签订购销合同而被诈骗；对供方销售的以次充好不符合质量要求、质次价高的货物，应检查而未检查，擅自同意发货，不坚持按合同验收，致使被诈骗；被诈骗后，对质次货劣的商品，不及时采取措施，延误索赔期或擅自决定不索赔，造成重大经济损失等。行为人实施上述行为，必须是“致使国家利益遭受重大损失的”才能构成本罪。司法实践中，应当区分由于市场行情剧变、受个人本身水平限制以及出现不可抗力等情况的原因，使国家机关工作人员在签订、履行合同过程中，致使国家利益遭受重大损失与本罪的界限，如果出现上述情况，应当具体情况具体分析，不能简单地以本罪论处。根据本条规定，构成本条规定之罪，主观上主要是过失，即行为人应当预见自己的行为可能发生被诈骗的危害结果，由于主观上马马虎虎、疏忽大意没有预见，或者已经预见而轻信能够避免，严重不负责任，致使造成重大损失。但也有部分是由间接故意构成，即行为人明知自己不负责任签订、履行合同的行为会造成被诈骗的危害后果，而放任这种结果的发生。

根据本条的规定，国家机关工作人员犯本条之罪的，处三年以下有期徒刑或者拘役；致使国家利益遭受特别重大损失的，处三年以上七年以下有期徒刑。

第四百零七条　林业主管部门的工作人员违反森林法的规定，超过批准的年采伐限额发放林木采伐许可证或者违反规定滥发林木采伐许可证，情节严重，致使森林遭受严重破坏的，处三年以下有期徒刑或者拘役。

【释义】 本条是关于违法发放林木采伐许可证罪及其处罚的规定。

森林资源对于保护和改善生态环境具有重要作用。我国森林覆盖率不足世界平均水平，为了保护森林资源，国家对林木采伐实行严格的管理制度。根据森林法的规定，国家根据用材林的消耗量低于生长量的原则，严格控制森林年采伐量，对林木的采伐采取许可证制度。这就要求林业主管部门的工作人员严格按照法律、行政法规的规定，认真审查申请采伐林木的情况，不得滥用职权，滥发采伐许可证。林业主管部门的工作人员，超过批准的年采伐量发放林木采伐许可证，或者违反规定滥发林木采伐许可证的行为，严重违反国家关于林木采伐的管理制度，造成森林遭受严重破坏的，应当追究刑事责任。

根据本条规定，构成本罪的主体是林业主管部门的工作人员。“林业主管部门”，是指县级以上地方人民政府中主管本地区林业工作的机构以及国务院的林业主管部门。“超过批准的年采伐限额发放林木采伐许可证”，是指林业主管部门的工作人员利用职权，在年度木材生产计划之外，擅自发放给林木采伐申请人采伐许可证的行为。“违反规定滥发林木采伐许可证”，是指林业主管部门的工作人员违反森林法以及有关行政法规的规定，利用掌握发放林木采伐许可证的权力，超越自己的权限发放采伐许可证，或者对采伐许可证申请的内容不符合法律规定的要求仍然予以批准并发给采伐许可证的行为。构成本罪必须具备“情节严重”和“致使森林遭受严重破坏”的要件。2000 年 11 月 17 日《最高人民法院关于审理破坏森林资源刑事案件具体应用法律若干问题的解释》规定，具有下列情形之一的，属于“情节严重，致使森林遭受严重破坏”：发放林木采伐许可证允许采伐数量累计超过批准的年采伐限额，导致林木被采伐数量在十立方米以上的；滥发林木采伐许可证，导致林木被滥伐二十立方米以上的；滥发林木采伐许可证，导致珍贵树木被滥伐的；批准采伐国家禁止采伐的林木，情节恶劣的；其他情节严重的情形。

根据本条规定，林业主管部门的工作人员犯本条规定之罪的，处三年以下有期徒刑或者拘役。

第四百零八条　负有环境保护监督管理职责的国家机关工作人员严重不负责任，导致发生重大环境污染事故，致使公私财产遭受重大损失或者造成人身伤亡的严重后果的，处三年以下有期徒刑或者拘役。

【释义】　本条是关于环境监管失职罪及其处罚的规定。

环保监管法律制度能否得到切实的贯彻执行，很大程度上取决于环保监管人员是否恪尽职守，严格执法。1989 年全国人大常委会通过的环境保护法规定，环境保护监督管理人员滥用职权、玩忽职守、徇私舞弊构成犯罪的，“依法追究刑事责任”。根据当时的刑法，这种行为可以以玩忽职守罪追究。1997 年修订刑法时，对国家机关工作人员的渎职犯罪和其他国家工作人员在渎职方面的犯罪分别作了规定，在本法分则第六章规定了破坏环境资源保护罪一节，对各种破坏环境资源的犯罪作了规定。同时，在本章对负有环境保护监管职责的国家机关工作人员监管失职的行为作了规定。

根据本条规定，构成本罪的主体是对环境保护负有监督管理职责的国家机关工作人员，主要包括在国务院环境保护行政主管部门、县级以上地方人民政府环境保护行政主管部门从事环境保护监督管理工作的人员，也包括在国家海洋行政主管部门、港务监督、渔政渔港监督、军队环境保护部门和各级公安、交通、铁道、民航管理部门中，依照有关法律的规定对环境污染防治实施监督管理的人员。另外，在县级以上人民政府的土地、矿产、林业、农业、水利行政主管部门中，依照有关法律的规定对资源的保护实施监督管理的人员，也可以构成本罪的主体。

根据本条规定，构成本罪必须是上述人员严重不负责任，不认真履行监督管理职责，以致发生重大环境污染事故，致使公私财产遭受重大损失或者造成人身伤亡的严重后果。“重大环境污染事故”，是指造成大气、水源、海洋、土地等环境质量标准严重不符合国家规定标准，造成公私财产重大损失或人身伤亡的严重事件。“污染”，是指在生产建设或者其他活动中产生的足以危害人体健康的废气、废水、废渣、粉尘、恶臭气体、放射性物质以及噪声、振动、电磁波辐射等。根据本条规定，对造成环境污染事故的，必须是“致使公私财产遭受重大损失或者造成人身伤亡的严重后果”才构成犯罪。如果没有造成严重后果，可以由有关部门予以行政处分。应当注意的是，只要具备“致使公私财产遭受重大损失”或者“造成人身伤亡”其中任何一个条件即构成本罪。

根据本条规定，构成本罪的，对行为人处三年以下有期徒刑或者拘役。

第四百零八条之一*　负有食品安全监督管理职责的国家机关工作人员，滥用职权或者玩忽职守，导致发生重大食品安全事故或者造成其他严重后果的，处五年以下有期徒刑或者拘役；造成特别严重后果的，处五年以上十年以下有期徒刑。

徇私舞弊犯前款罪的，从重处罚。

【释义】　本条是关于食品安全监管渎职罪及其处罚的规定。

1997年刑法第三百九十七条对国家机关工作人员滥用职权罪和玩忽职守罪作了一般性规定。负有食品安全监督管理职责的国家机关工作人员滥用职权或者玩忽职守构成犯罪的，可以依照该条的规定定罪处罚。考虑到食品安全关系到人民群众的身体健康和切身利益，近年来在食品领域又屡屡发生重大食品安全事故，群众反响强烈，2011年2月25日第十一届全国人大常委会第十九次会议通过的《刑法修正案（八）》在对刑法第一百四十三条生产、销售不符合卫生标准的食品罪和第一百四十四条生产、销售有毒、有害食品罪进行修改完善的同时，专门增加了本条规定，并规定了更重的刑罚。

第一款是关于食品安全监管失职犯罪及其处罚的规定。根据本条规定，构成本罪的主体是负有食品安全监督管理职责的国家机关工作人员，主要包括在国务院和各级地方人民政府及卫生行政、农业行政、质量监督、工商行政管理、食品药品监督管理等部门负有食品安全监管职责的工作人员。构成本罪，上述人员必须有滥用职权或者玩忽职守的行为。这里所规定的“滥用职权”，是指国家机关工作人员超越职权，违法决定、处理其无权决定、处理的事项，或者违反规定处理公务的行为。“玩忽职守”，是指国家机关工作人员严重不负责任，不履行或者不认真履行其职责的行为。滥用职权和玩忽职守是渎职行为中最典型的两种行为，所侵犯的都是国家机关的正常管理活动。构成本罪，还必须因为滥用职权或者玩忽职守，导致发生重大食品安全事故或者造成其他严重后果。这里所规定的“重大食品安全事故”，指食物中毒、食源性疾病、食品污染等源于食品，对人体健康有危害或者可能有危害的重大事故。食物中毒，是指食用了被有毒有害物质污染的食品或者食用了含有毒有害物质的食品后出现的急性、亚急性疾病。食源性疾病，指食品中致病因素进入人体引起的感染性、中毒性等疾病。“造成其他严重后果”，是指虽未发生重大食品安全事故，但由于食品安全监督管理方面的问题，造成其他严重后果的情形。根据本条规定，构成本罪的，对行为人处五年以下有期徒刑或者拘役；造成特别严重后果的，处五

---

* 根据2011年2月25日第十一届全国人民代表大会常务委员会第十九次会议通过的《中华人民共和国刑法修正案（八）》增加。

年以上十年以下有期徒刑。这里的“造成特别严重后果”,既包括导致特别重大的食品安全事故,也包括造成其他特别严重的后果。

第二款是关于徇私舞弊犯第一款罪如何处罚的规定。这里所规定的“徇私舞弊”,是指为徇个人私利或者亲友私情的行为。由于这种行为是从个人利益出发,置国家利益于不顾,主观恶性要比第一款规定的行为严重,因此,本款规定,徇私舞弊犯第一款罪的,在第一款规定的法定量刑幅度内从重处罚。

第四百零九条　从事传染病防治的政府卫生行政部门的工作人员严重不负责任,导致传染病传播或者流行,情节严重的,处三年以下有期徒刑或者拘役。

【释义】　本条是关于传染病防治失职罪及其处罚的规定。

传染病防治是关系人民群众生命健康的大事。为了预防、控制和消除传染病的发生、传播和流行,保障人体健康,全国人大常委会于1989年通过了传染病防治法(2004年修订、2013年修正),明确规定各级政府卫生行政主管部门对传染病防治工作实施统一监督管理,并规定从事传染病的医疗保健、卫生防疫、监督管理的人员和政府有关主管人员玩忽职守,造成传染病传播或者流行,构成犯罪的,依照刑法的有关规定追究刑事责任。按照当时的刑法规定,对这种行为是按照玩忽职守罪处理的。1997年修订刑法时,根据传染病疫情的危害性较大,涉及范围广的实际情况和惩治这类犯罪的实际需要,在本条中对政府卫生主管部门工作人员严重不负责任,导致传染病传播或者流行的行为作了规定。

根据本条规定,构成本罪的主体为从事传染病防治的政府卫生行政部门的工作人员。这是指在各级政府卫生行政部门中对传染病的防治工作负有统一监督管理职责的人员。根据传染病防治法的规定,各级政府卫生行政部门对传染病防治工作行使下列监督管理职权:(1)对下级人民政府卫生行政部门履行本法规定的传染病防治职责进行监督检查;(2)对疾病预防控制机构、医疗机构的传染病防治工作进行监督检查;(3)对采供血机构的采供血活动进行监督检查;(4)对用于传染病防治的消毒产品及其生产单位进行监督检查,并对饮用水供水单位从事生产或者供应活动以及涉及饮用水卫生安全的产品进行监督检查;(5)对传染病菌种、毒种和传染病检测样本的采集、保藏、携带、运输、使用进行监督检查;(6)对公共场所和有关单位的卫生条件和传染病预防、控制措施进行监督检查。根据本条规定,从事传染病防治的政府卫生行政部门的工作人员如果不履行或者不认真履行应尽职责,导致传染病传播或者流行,情节严重的即构成本罪。“传染病传播或者流行”,是指在一定范围内出现传染病防治法中规定的甲类、乙类或丙类传染病疫情的发生，其中，甲类、乙类、丙类传染病是指传染病防治法第三条规定的传染病种类。此外，构成本罪还必须具备“情节严重”这一要件。“情节严重”，是指本条所列人员严重不负责，不履行或不认真履行职责，情节恶劣以及对出现的疫情进行隐瞒、压制、虚报或者对出现的疫情不及时通报、公布和处理，以致造成严重后果的情形。根据2003年《最高人民法院、最高人民检察院关于办理妨害预防、控制突发传染病疫情等灾害的刑事案件具体应用法律若干问题的解释》的规定，在国家对突发传染病疫情等灾害采取预防、控制措施后，具有下列情形之一的，属于刑法第四百零九条规定的“情节严重”：(1)对发生突发传染病疫情等灾害的地区或者突发传染病病人、病原携带者、疑似突发传染病病人，未按照预防、控制突发传染病疫情等灾害工作规范的要求做好防疫、检疫、隔离、防护、救治等工作，或者采取的预防、控制措施不当，造成传染范围扩大或者疫情、灾情加重的；(2)隐瞒、缓报、谎报或者授意、指使、强令他人隐瞒、缓报、谎报疫情、灾情，造成传染范围扩大或者疫情、灾情加重的；(3)拒不执行突发传染病疫情等灾害应急处理指挥机构的决定、命令，造成传染范围扩大或者疫情、灾情加重的；(4)具有其他严重情节的。

根据本条规定，构成本罪的，对行为人处三年以下有期徒刑或者拘役。

第四百一十条*　国家机关工作人员徇私舞弊，违反土地管理法规，滥用职权，非法批准征收、征用、占用土地，或者非法低价出让国有土地使用权，情节严重的，处三年以下有期徒刑或者拘役；致使国家或者集体利益遭受特别重大损失的，处三年以上七年以下有期徒刑。

【释义】　本条是关于非法批准征收、征用、占用土地罪和非法低价出让国有土地使用权罪及其处罚的规定。

土地是人类赖以生存和发展的重要物质基础。我国人口众多，人均耕地面积少，土地资源相对缺少。近年来，随着经济发展和城乡建设的加快，我国耕地面积连年下降，人多地少的矛盾日益突出，已经成为制约国民经济发展的重要因素。因此必须十分重视土地资源特别是耕地、林地等农用地的合理利用和保护。然而，一些地方政府和部门往往从局部的经济利益出发，有法不依，乱批滥用土地，造成土地资源浪费的情况比较突出。其中有的是因为急于发展地方经

---

* 根据2009年8月27日第十一届全国人民代表大会常务委员会第十次会议通过的《全国人民代表大会常务委员会关于修改部分法律的决定》修改。原条文是：“国家机关工作人员徇私舞弊，违反土地管理法规，滥用职权，非法批准征用、占用土地，或者非法低价出让国有土地使用权，情节严重的，处三年以下有期徒刑或者拘役；致使国家或者集体利益遭受特别重大损失的，处三年以上七年以下有期徒刑。”

济，不能正确处理发展经济与保护土地资源的关系，但也有很多是出于徇私情、谋私利的原因，与开发商，甚至倒卖土地使用权的违法犯罪分子相互勾结。有的行为人在国有土地使用权出让活动中，故意低价出让国有土地，致使大量国有资产流失，严重损害国家利益。对这些行为，应当依法追究刑事责任。

根据本条规定，构成本罪，必须是国家机关工作人员为徇私情，实施了滥用职权，非法批准征收、征用、占用土地，或者非法低价出让国有土地使用权，且情节严重的行为。第九届全国人大常委会第二十三次会议于2001年8月31日通过了《关于〈中华人民共和国刑法〉第二百二十八条、第三百四十二条、第四百一十条的解释》（2009年8月27日修正），将上述刑法条文中的“违反土地管理法规”解释为：“是指违反土地管理法、森林法、草原法等法律以及有关行政法规中关于土地管理的规定。”“非法批准征收、征用、占用土地”，是指非法批准征收、征用、占用耕地、林地等农用地以及其他土地。“征收、征用土地”，是指国家为进行经济、文化、国防建设以及兴办社会公共事业的需要，而征收集体所有的土地。土地管理法中明确规定国有土地的使用权可以依法转让，应当依照国务院的有关规定进行。根据本条规定，如果非法低价出让国有土地使用权，情节严重的，即构成犯罪，其中“非法低价出让国有土地使用权”，是指将属于国有的土地使用权以低于其本身的价值非法转让给他人使用的行为。构成本罪必须是“情节严重”的行为，不构成本罪的行为，可采用行政措施处理。2000年《最高人民法院关于审理破坏土地资源案件具体应用法律若干问题的解释》规定，情节严重的是指非法批准征用、占用基本农田十亩以上的；非法批准征用、占用基本农田以外的耕地三十亩以上的；非法批准征用、占用其他土地五十亩以上的；虽未达到上述数量标准，但非法批准征用、占用土地造成直接经济损失三十万元以上的，造成耕地大量毁坏等恶劣情节的。非法低价出让国有土地使用权，情节严重，是指出让国有土地使用权面积在三十亩以上，并且出让价额低于国家规定的最低价额标准的百分之六十的；造成国有土地资产流失价额在三十万元以上的。2005年《最高人民法院关于审理破坏林地资源刑事案件具体应用法律若干问题的解释》对非法批准征用、占用林地，非法低价出让国有林地使用权犯罪定罪量刑的具体标准作了规定。2012年《最高人民法院关于审理破坏草原资源刑事案件应用法律若干问题的解释》对国家机关工作人员徇私舞弊，违反草原法等土地管理法规，非法批准征收、征用、占用草原，“情节严重”及“致使国家或者集体利益遭受特别重大损失”的具体标准作了规定。

根据本条规定，对构成本罪的行为人，处三年以下有期徒刑或者拘役；致使国家或者集体利益遭受特别重大损失的，处三年以上七年以下有期徒刑。

第四百一十一条　海关工作人员徇私舞弊，放纵走私，情节严重的，处五年以下有期徒刑或者拘役；情节特别严重的，处五年以上有期徒刑。

【释义】 本条是关于放纵走私罪及其处罚的规定。

海关工作人员依法负有对进出境货物进行监管、征收关税和其他税费、查缉走私的职责，对于维护国家主权和利益，促进对外经济贸易和科技文化交往具有重要作用。海关工作人员在海关监管工作中，徇私舞弊，放纵走私的行为，致使海关监管失控，造成国家关税损失，冲击国内市场，损害民族产业发展，危害很大。从司法实践的情况看，走私犯罪一度曾经十分猖獗，其中重要的原因之一，就是一些海关工作人员徇私舞弊，与走私犯罪分子相互勾结，放纵走私。海关法也明确规定，海关工作人员利用职权，徇私舞弊，放纵走私，情节严重的，应当依法追究刑事责任。1997年修订刑法时，规定了本罪。

根据本条规定，构成本罪的主体为海关工作人员。这里的"海关工作人员"，是指在我国海关机构中从事公务的人员。"海关机构"主要是指国务院设立的海关总署以及在对外开放的口岸和海关监管业务集中的地点，设立的依法独立行使职权的海关机构。我国目前主要在以下地点设立海关机构：(1)开放对外贸易的港口；(2)边境火车站、汽车站和主要国际联运火车站；(3)边境地区的陆路和江河上准许货物和人员进出的地点；(4)国际航空站；(5)国际邮件互换局(站)；(6)其他对外开放口岸和海关监管业务比较集中的地点；(7)国务院特许或者其他需要设立海关的地点。在海关机构中从事公务的工作人员，如果实施了徇私舞弊、放纵走私，情节严重的行为即构成本罪。"徇私舞弊，放纵走私"，是指海关工作人员为袒护亲友或徇其他私情私利，违背法律，对明知是走私行为而予以放纵，使之不受查究的行为。这既包括明知是走私货物而私自放行，也包括应当没收走私货物、物品、违法所得而不予没收，应当予以罚款的不予罚款；既包括放纵走私犯罪分子，也包括放纵不构成犯罪的走私行为人。"情节"是否"严重"是区分罪与非罪的界限。"情节严重"，是指多次实施徇私舞弊，放纵走私的行为或者由于徇私舞弊，放纵走私的行为，致使公共财产、国家和人民的利益遭受重大损失的情形。

关于放纵走私罪的认定，《最高人民法院、最高人民检察院、海关总署关于办理走私刑事案件适用法律若干问题的意见》规定：负有特定监管义务的海关工作人员徇私舞弊，利用职权，放任、纵容走私犯罪行为，情节严重的，构成放纵走私罪。放纵走私行为，一般是消极的不作为。如果海关工作人员与走私分子通谋，在放纵走私过程中以积极的行为配合走私分子逃避海关监管或者在放纵走私之后分得赃款的，应以共同走私犯罪追究刑事责任。海关工作人员收受贿赂又放纵走私的，应以受贿罪和放纵走私罪数罪并罚。

根据本条规定,海关工作人员犯本罪的,处五年以下有期徒刑或者拘役;情节特别严重的,处五年以上有期徒刑。

第四百一十二条　国家商检部门、商检机构的工作人员徇私舞弊,伪造检验结果的,处五年以下有期徒刑或者拘役;造成严重后果的,处五年以上十年以下有期徒刑。

前款所列人员严重不负责任,对应当检验的物品不检验,或者延误检验出证、错误出证,致使国家利益遭受重大损失的,处三年以下有期徒刑或者拘役。

【释义】　本条是关于商检徇私舞弊罪和商检失职罪及其处罚的规定。

加强进出口商品检验,保证进出口商品的质量,维护对外贸易双方的合法权益,促进对外经贸关系的顺利发展,是国家有关商品检验机构的工作人员应尽的职责。上述人员在商检工作中,为徇私情、谋私利,伪造检验结果的,或者严重不负责任,不检验、延误检验出证、错误出证,使得国家商检制度形同虚设,严重损害国家利益和声誉,损害当事人的合法权益。1989年全国人大常委会通过的进出口商品检验法(2002年修订、2013年修正)规定,国家商检部门、商检机构的工作人员和国家商检部门、商检机构指定的检验机构的检验人员,滥用职权、徇私舞弊,伪造检验结果的,或者玩忽职守,延误检验出证,构成犯罪的,依法追究刑事责任。按照1979年刑法的规定,上述行为可以玩忽职守罪处理。1997年修订刑法时,吸收了进出口商品检验法的内容,作了本条规定。

第一款是关于国家商检部门、商检机构的工作人员徇私舞弊,伪造检验结果的犯罪及其处罚的规定。

根据本款规定,构成本罪的主体为国家商检部门、商检机构的工作人员。这是指在国务院设立的进出口商品检验部门中,从事进出口商品检验工作的人员以及在国家商检部门设在各地的进出口商品检验机构中管理所辖地区的进出口商品检验工作的人员。根据本款规定,上述人员如果在工作中为徇亲友私情或者牟取其他私利,实施了对报检的进出口商品伪造与事实不符的检验结果的行为,即构成本罪。"伪造检验结果",是指对明知是不合格的商品故意出具检验合格证明,或者对明知是合格的商品故意出具不合格的检验证明。

根据本款的规定,对构成本款之罪的行为人,处五年以下有期徒刑或者拘役;造成严重后果的,处五年以上十年以下有期徒刑。"造成严重后果",是指因伪造检验结果,致使不合格或残损短缺的进出口商品进出口,造成国家利益遭受严重损失或致使外方向我方索赔,造成严重损失的情形。

第二款是关于第一款所列人员由于严重不负责任,对应当检验的物品不检验,或者延误检验出证、错误出证,致使国家利益遭受重大损失的犯罪及其处罚的规定。

其中“严重不负责任”，是指不履行或者不认真履行应尽职责，情节恶劣的情形。“应当检验的物品”，是指国家商检部门根据对外贸易发展的需要，制定、调整并公布，列入《商检机构实施检验的进出口商品种类表》的进出口商品和其他法律、行政法律规定须经商检机构检验的进出口商品。“延误检验出证”，是指国家商检部门、商检机构的工作人员由于严重不负责任，在对外贸易合同约定的索赔期限内没有检验完毕。“错误出证”，是指国家商检部门、商检机构的工作人员由于严重不负责任，出具了与被检验商品的客观情况不相符合的检验证明文件。

本款区别于第一款规定的犯罪，主要在于构成本款之罪的行为人主观方面主要是过失，而第一款是故意。所以本款规定，必须是“致使国家利益遭受重大损失”的才构成犯罪。由于主观恶性的不同，本款处刑也低于第一款，即构成本款之罪的，对行为人处三年以下有期徒刑或者拘役。

第四百一十三条　动植物检疫机关的检疫人员徇私舞弊，伪造检疫结果的，处五年以下有期徒刑或者拘役；造成严重后果的，处五年以上十年以下有期徒刑。

前款所列人员严重不负责任，对应当检疫的检疫物不检疫，或者延误检疫出证、错误出证，致使国家利益遭受重大损失的，处三年以下有期徒刑或者拘役。

【释义】　本条是关于动植物检疫徇私舞弊罪和动植物检疫失职罪及其处罚的规定。

对进出境的动植物实行卫生检疫制度，是为了保证进出境的动植物符合国家卫生检疫标准，防止动物传染病、寄生虫病和植物危险性病虫害传入、传出国边境，以保护农、林、牧、渔业生产的安全和人体健康。承担动植物检疫职责的人员徇私舞弊，伪造检疫结果，或者严重不负责任，对应当检疫的检疫物不检疫，或者延误检疫出证、错误出证的行为，有可能导致动植物病虫害跨境流行或传染，严重损害相关行业的生产或者人体健康，损害国家利益和国家声誉。1991 年全国人大常委会通过的进出境动植物检疫法规定，滥用职权、徇私舞弊，伪造检疫结果，或者玩忽职守，延误检疫出证，构成犯罪的，依法追究刑事责任。按照 1979 年刑法的规定，对这种行为可以玩忽职守罪处理。1997 年修订刑法时增加了本条规定。

第一款是关于动植物检疫徇私舞弊罪及其处罚的规定。

动植物检疫徇私舞弊罪，是指动植物检疫机关的检疫人员，为徇私情，伪造检疫结果的犯罪。

本款的犯罪主体为动植物检疫机关的检疫人员。这是指在国务院设立的动植物检疫机关中，从事进出境动植物检疫工作的人员以及国家动植物检疫机关在对外开放的口岸和进出境动植物检疫业务集中的地点设立的动植物检疫机关中，具体实施进出境动植物检疫工作的人员。根据本款规定，上述人员如果在工作中徇私舞弊，对报检的动植物、动植物产品和其他检疫物，实施了伪造与事实不符的检疫结果的行为，即构成本罪。“伪造检疫结果”，是指明知进出境的动植物、动植物制品和其他检疫对象不合格，仍弄虚作假出具签发检疫合格的单证或在海关报关单上加盖印章；或明知进出境的动植物、动植物制品和其他检疫对象检疫合格，仍出具、签发检疫不合格的单证。

根据本款规定，对构成本款之罪的行为人，处五年以下有期徒刑或者拘役；造成严重后果的，处五年以上十年以下有期徒刑。“造成严重后果”，是指因伪造检疫结果的行为，致使带有传染病、寄生虫病和植物危险性病、虫、害传入、传出国境，造成重大疫情或者遭受重大损失的情形。

第二款是关于动植物检疫失职罪及其处罚的规定。

本款中所称的“应当检疫的检疫物”，是指国家动植物检疫机关职权范围内应当检疫的物品，主要包括：进出境的动物、动物产品、植物种子、种苗及其他繁殖材料、装载动植物、动植物制品和其他检疫物的装载容器、包装物，以及来自动植物疫区的运输工具等。“延误检疫出证”，是指对报检的动植物、动植物产品或其他检疫物没有在规定的时间内签发检疫单证，耽误了检疫结论的出示；“错误出证”，是指出具的检疫单证与被检疫物品的客观情况不相符合，将不合格的检疫物检疫为合格，或将合格的检疫物检疫为不合格。

本款与第一款规定的犯罪的区别主要在于构成本款之罪的行为人主观上主要是过失，而第一款是故意，所以构成本款之罪还必须是致使国家利益遭受重大损失的。根据主观恶性的不同，本款规定的处刑要轻于第一款，即构成本款之罪的，处三年以下有期徒刑或者拘役。

第四百一十四条　对生产、销售伪劣商品犯罪行为负有追究责任的国家机关工作人员，徇私舞弊，不履行法律规定的追究职责，情节严重的，处五年以下有期徒刑或者拘役。

【释义】　本条是关于放纵制售伪劣商品犯罪行为罪及其处罚的规定。

生产、销售伪劣商品犯罪行为，严重危害人民群众生命财产安全，应当依法惩处。从实践中的情况看，生产、销售伪劣商品的犯罪行为，在改革开放初期曾经一度比较猖獗。为了惩治此类犯罪行为，全国人大常委会于 1993 年通过了

《关于惩治生产、销售伪劣商品犯罪的决定》，针对当时一些地方主管部门因为地方保护或其他原因，徇私舞弊、玩忽职守，故意放纵或者不认真履行查禁职责的情况，规定根据情况分别比照徇私枉法罪、玩忽职守罪追究刑事责任。1997年修订刑法时，增加了本条规定。

本条"负有追究责任的国家机关工作人员"，是指负有查禁生产、销售伪劣商品职责的国家机关工作人员，如工商行政管理人员、司法工作人员。构成本罪的主观方面必须是故意，因工作失误或粗心大意没有检查出伪劣商品，不能适用本条。根据本条规定，构成本罪必须具备实施了对有生产、销售伪劣商品犯罪行为的公司、企业、事业单位或者个人，为徇私情而故意不履行法律规定的追究职责的行为。"不履行法律规定的追究职责"，是指对法律赋予的应当对有生产、销售伪劣商品犯罪行为的公司、企业、事业单位或者个人进行追究和处罚的职责不予履行。根据本条规定，行为人只有具备"情节严重的"，才能构成犯罪。2001年《最高人民法院，最高人民检察院关于办理生产、销售伪劣商品刑事案件具体应用法律若干问题的解释》规定，"情节严重"，是指放纵生产、销售假药或有毒、有害食品犯罪行为的；放纵依法可能判处二年有期徒刑以上刑罚的生产、销售伪劣商品犯罪行为的；对三个以上有生产、销售伪劣商品犯罪行为的单位或个人不履行追究职责的；致使国家和人民利益遭受重大损失或造成恶劣影响等情形。

根据本条规定，对犯本罪的行为人，处五年以下有期徒刑或者拘役。

第四百一十五条　负责办理护照、签证以及其他出入境证件的国家机关工作人员，对明知是企图偷越国（边）境的人员，予以办理出入境证件的，或者边防、海关等国家机关工作人员，对明知是偷越国（边）境的人员，予以放行的，处三年以下有期徒刑或者拘役；情节严重的，处三年以上七年以下有期徒刑。

【释义】　本条是关于办理偷越国（边）境人员出入境证件罪和放行偷越国（边）境人员罪及其处罚的规定。

偷越国（边）境的行为不仅妨害国家国边境管理秩序，而且损害国家形象与声誉。偷越（国）边境人员的人身权利也往往得不到保障。为了惩治组织、运送他人偷越国边境犯罪，全国人大常委会于1994年通过了《关于严惩组织、运送他人偷越国（边）境犯罪的决定》，其中规定了非法放行偷越国（边）境人员和为偷越国（边）境人员办理出入境证件的犯罪。1997年修订刑法时，将上述规定修改后纳入刑法。

构成本条规定之罪的主体为负责办理护照、签证以及其他出入境证件的国家机关工作人员和边防、海关等国家机关工作人员。其中，"护照"，是指一国主管机关发给本国公民出国履行公务、旅行或者在外居留,用以证明其国籍和身份的证件,一般有外交护照、公务护照和普通护照。“签证”,是指一国国内或驻国外主管机关在本国或外国公民所持的护照或其他旅行证件上签证、盖印,表示准其出入本国国境或者过境的手续。“其他出入境证件”,是指除护照、签证以外的其他用于出境、入境和过境的证件,包括边防证、海员证、过境证等。负责办理上述证件的国家机关工作人员,主要是指在外交部或者外交部授权的地方外事部门、港务监督局或者港务监督局授权的港务监督部门以及公安部或者公安部授权的地方公安机关中从事办理护照、签证以及其他出入境证件工作的人员。“边防、海关等国家机关工作人员”,是指在边防、海关等机构中从事公务的国家机关工作人员。其中,本条所称“边防”即边防机构,是为保卫国家主权、领土完整和安全,防御侵犯和防止人员非法偷越国(边)境,在边境地区为采取防卫措施而设立的机构。“海关”,是指根据国家规定,对进出国境的货物、邮递物品、旅客行李、货币、金银、证券和运输工具等进行监督检查、征收关税及其他税费并执行查禁走私任务的国家行政管理机关。

根据本条规定,上述人员如果明知是企图偷越国(边)境的人员,而予以办理出入境证件或者予以放行,即构成犯罪。“偷越国(边)境”,是指非经一国有关主管机关批准,通过不正当手段出入或者穿越该国国(边)境的行为。“办理出入境证件”,是指有关主管机关依照出入境管理规定,经审查合格后,为申请出入境者提供可以放行的有效证件。“予以放行”,是指边防、海关等国家机关工作人员经查验申请出入境者的有关有效证件后,准许其出入、通过国(边)境的行为。根据本条规定,构成本条规定之罪的负责办理护照、签证以及其他出入境证件的国家机关工作人员以及边防、海关等国家机关工作人员主观上必须是故意,即明知是企图偷越国(边)境的人员而予以办理出入境证件或明知是采取持伪造、变造的护照、偷渡等手段偷越国(边)境的人员,而故意予以放行。如果行为人不是故意实施上述行为,只是由于疏忽大意或其他非主观原因,则不能构成本罪。

根据本条规定,对构成本条规定之罪的行为人,处三年以下有期徒刑或者拘役;情节严重的,处三年以上七年以下有期徒刑。这里“情节严重”,是指多次实施本条规定的犯罪行为,情节恶劣或者造成严重后果的情形。

第四百一十六条　对被拐卖、绑架的妇女、儿童负有解救职责的国家机关工作人员,接到被拐卖、绑架的妇女、儿童及其家属的解救要求或者接到其他人的举报,而对被拐卖、绑架的妇女、儿童不进行解救,造成严重后果的,处五年以下有期徒刑或者拘役。

负有解救职责的国家机关工作人员利用职务阻碍解救的，处二年以上七年以下有期徒刑；情节较轻的，处二年以下有期徒刑或者拘役。

【释义】 本条是关于不解救被拐卖、绑架妇女、儿童罪和阻碍解救被拐卖、绑架妇女、儿童罪及其处罚的规定。

为了惩治拐卖人口的犯罪行为，全国人大常委会于1991年通过了《关于严惩拐卖、绑架妇女、儿童的犯罪的决定》，其中规定负有解救职责的国家工作人员接到被拐卖、绑架的妇女、儿童及其家属的解救要求或者接到其他人的举报，而不解救的，依照玩忽职守罪的规定处罚；并规定负有解救职责的国家工作人员利用职务阻碍解救的，处二年以上七年以下有期徒刑；情节较轻的，处二年以下有期徒刑。1997年修订刑法时将上述内容纳入本法。

第一款是关于对被拐卖、绑架的妇女、儿童负有解救职责的国家机关工作人员接到被拐卖、绑架的妇女、儿童及其家属的解救要求或者接到其他人的举报，而对被拐卖、绑架的妇女、儿童不进行解救，造成严重后果的犯罪及其处罚的规定。

"负有解救职责的国家机关工作人员"，是指各级政府中主管打击拐卖、绑架妇女、儿童及解救被拐卖、绑架的妇女、儿童的工作人员，公安机关工作人员以及其他负有会同公安机关解救被拐卖、绑架的妇女、儿童职责的工作人员。"解救要求"、"举报"，既可以是口头的，也可以是书面的。"不进行解救"，是指对被害人及其家属或者其他人的解救要求和举报置之不理，不采取任何解救措施，或者推诿、推延解救工作。"严重后果"，主要是指负有解救职责的国家机关工作人员对被拐卖、绑架的妇女、儿童不进行解救，因而造成被害人及其家属重伤、死亡或者引起其他恶性案件发生的情形。

根据本款规定，对犯本款之罪的行为人，处五年以下有期徒刑或者拘役。

第二款是关于阻碍解救被拐卖、绑架的妇女、儿童罪的规定。阻碍解救被拐卖、绑架的妇女、儿童罪，是指负有解救职责的国家机关工作人员，利用职务阻碍解救被拐卖、绑架的妇女、儿童的犯罪。"利用职务阻碍解救"，是指负有解救职责的国家机关工作人员，利用职务给解救工作设置障碍，或者利用自己的身份、权力，阻止和干扰解救工作的进行。这种行为严重地破坏了解救工作的正常进行，极大地破坏了国家机关在人民群众心目中的形象，社会危害性很大。因此，本款规定对这种行为处二年以上七年以下有期徒刑；对情节较轻的，处二年以下有期徒刑或者拘役。根据本款规定，具有"利用职务阻碍解救"行为的，无论是否造成严重后果，都构成犯罪，都要依照上述规定追究刑事责任。

第四百一十七条　有查禁犯罪活动职责的国家机关工作人员，向犯罪分子

通风报信、提供便利，帮助犯罪分子逃避处罚的，处三年以下有期徒刑或者拘役；情节严重的，处三年以上十年以下有期徒刑。

【释义】　本条是关于帮助犯罪分子逃避处罚罪及其处罚的规定。

全国人大常委会于1991年通过的《关于严禁卖淫嫖娼的决定》第九条规定，有查禁卖淫、嫖娼活动职责的国家工作人员，为使违法犯罪分子逃避处罚，向其通风报信、提供便利的，依照刑法有关徇私舞弊罪的规定处罚。1997年修订刑法时，根据打击犯罪的需要，对帮助犯罪分子逃避处罚的犯罪作出了专条规定。

本条中"有查禁犯罪活动职责的国家机关工作人员"，是指对犯罪活动负有查禁职责的国家机关工作人员，主要是指有查禁犯罪活动职责的公安机关、国家安全机关、检察机关、审判机关中的工作人员。"通风报信"，是指向犯罪分子有意泄露或者直接告知犯罪分子有关部门查禁活动的部署、措施、时间、地点等情况的行为；"提供便利"，是指为犯罪分子提供隐藏处所、交通工具、通讯设备或其他便利条件，协助其逃避法律追究的行为。这里规定的通风报信、提供便利的行为是一种故意行为，即行为人在主观上必须具有使犯罪分子逃避处罚的目的，故意向犯罪分子通风报信、提供便利的，才能适用本条的规定。如果行为人是无意中泄露有关情况，或者是在不知情的情况下，为犯罪分子提供了便利，则不能适用本条的规定。

为杜绝在查禁犯罪活动中国家机关工作人员徇私枉法的犯罪活动，本条规定，上述国家机关工作人员为犯罪分子通风报信、提供便利的，处三年以下有期徒刑或者拘役；情节严重的，处三年以上十年以下有期徒刑。"情节严重"，主要是指由于行为人通风报信、提供便利的行为，使众多的犯罪分子没有受到应有的处罚，或者使罪行较重的犯罪分子逃避刑事追诉，以及造成其他严重后果的等情形。

第四百一十八条　国家机关工作人员在招收公务员、学生工作中徇私舞弊，情节严重的，处三年以下有期徒刑或者拘役。

【释义】　本条是关于招收公务员、学生徇私舞弊罪及其处罚的规定。

公务员法对公务员录用的条件和程序都作了明确规定，并规定任何徇私舞弊的行为，都应受到法律的惩处。教育法中规定在招收学生工作中徇私舞弊构成犯罪的，依法追究刑事责任。1997年修订刑法时，考虑到这种徇私舞弊行为具有很大的社会危害性，因此明确规定为犯罪。

本条所称的"招收公务员、学生徇私舞弊罪"，是指负有招收公务员、学生工作职责的国家机关工作人员，在上述工作中，为徇私情，进行非法录用、徇私舞弊的犯罪。构成本罪的主体为具有招收公务员、学生工作职责的国家机关工作人员，包括国家机关中负有招收公务员工作职责的主管人员以及有关负责具体招收工作的人事部门的工作人员、教育部门中主管和负责招生工作的领导人员以及其他具体工作人员等。这里的“公务员”，根据公务员法规定，是指依法履行公职、纳入国家行政编制、由国家财政负担工资福利的工作人员。根据公务员法以及国务院关于招生工作的有关规定，录用工作必须坚持公开、平等、择优录用的原则，特别是在录用公务员工作中，更应当严格审查、严格把关，按照国家规定的录用程序进行，任何徇私舞弊的行为，都应受到法律的惩处。本条所称的“徇私舞弊”，是指在上述工作中，利用职权，弄虚作假，为亲友徇私情，将不合格或不应招收的人员予以招收、录用，或者将应当予以招收、录用的不予招收、录用。根据本条规定，构成本罪的，必须具备“情节严重”这一要件。这里的“情节严重”，是指在本条所列的工作中多次徇私舞弊、屡教不改或者在群众中造成极坏影响，给所在部门的声誉带来严重损害等情形。

根据本条规定，对犯本条之罪的行为人，处三年以下有期徒刑或者拘役。

第四百一十九条　国家机关工作人员严重不负责任，造成珍贵文物损毁或者流失，后果严重的，处三年以下有期徒刑或者拘役。

【释义】　本条是关于失职造成珍贵文物损毁、流失罪及其处罚的规定。

为了加强文物保护工作，文物保护法规定，国家工作人员玩忽职守，造成珍贵文物损毁或者流失的，依法追究刑事责任。1997 年修订刑法时，对玩忽职守犯罪行为进行了分解，对玩忽职守，造成珍贵文物损失的，作了专门规定。

根据本条规定，国家机关工作人员因严重不负责任，造成珍贵文物损毁或者流失，后果严重的，即构成本罪。其中“严重不负责任”，是指对自己经手管理、运输、使用的珍贵文物，不认真管理和保管，或者对可能造成珍贵文物损毁或者流失的隐患，不采取措施，情节恶劣的行为。本条所称的珍贵文物，是指在中华人民共和国境内，具有重要历史、艺术、科学价值的文物。主要包括国家规定的一、二级文物，三级文物要确认为珍贵文物的，应经文物鉴定委员会确认。“文物”主要包括：(1)具有历史、艺术、科学价值的古文化遗址、古墓葬、古建筑、石窟寺和石刻；(2)与重大历史事件、革命运动和著名人物有关的，具有重要纪念意义、教育意义和史料价值的建筑物、遗址、纪念物；(3)历史上各时代珍贵的艺术品、工艺美术品；(4)重要的革命文献资料以及具有历史、艺术、科学价值的手稿、古旧图书资料等；(5)反映历史上各时代、各民族社会制度、社会生产、社会生活的代表性实物。另外，根据全国人大常委会于 2005 年 12 月 29 日通过的《关于〈中华人民共和国刑法〉有关文物的规定适用于具有科学价值的古脊椎动物化石、古人类化石的解释》的规定,刑法有关文物的规定,适用于具有科学价值的古脊椎动物化石、古人类化石。因此,本条规定也适用于国家机关工作人员严重不负责任,造成具有科学价值的古脊椎动物化石和古人类化石损毁或者流失,后果严重的犯罪行为。本条所称"损毁",是指在考古发掘或者管理、保护过程中,造成上述珍贵文物破坏、损坏,或者毁灭,无法恢复原貌的行为;"流失",是指造成珍贵文物的丢失、流传到国外等情形。根据本条规定,构成本罪应当具备"后果严重"这一要件,如果只是造成文物很小的破损,或者失而复得没有造成大的损坏,则不能按照本罪处理。"后果严重",主要是指造成损毁的文物价值昂贵、损毁的文物数量大,以及造成文物流失情况严重等情形。

根据本条规定,构成本条规定之罪的,处三年以下有期徒刑或者拘役。

第十章　军人违反职责罪

第四百二十条　军人违反职责，危害国家军事利益，依照法律应当受刑罚处罚的行为，是军人违反职责罪。

【释义】　本条是关于什么是军人违反职责罪的法律规定。

1979年制定刑法时，限于时间和条件，没有规定军人违反职责的犯罪。1980年，全国人大常委会根据惩治军人违反职责罪的实际需要，制定了《惩治军人违反职责罪暂行条例》（以下简称军职罪暂行条例）。1997年修订刑法时，经过研究，将军人违反职责的犯罪纳入了刑法典中，作为刑法分则的第十章。本条是对军人违反职责犯罪的定性规定，明确了构成军人违反职责犯罪的条件，对认定本章所规定的各个具体的军人违反职责的犯罪都有指导意义。

根据本条规定，构成军人违反职责罪应当具备以下条件：

1. 构成军人违反职责罪的主体主要是军人。根据本法第四百五十条的规定，军人违反职责罪适用于中国人民解放军的现役军官、文职干部、士兵及具有军籍的学员和中国人民武装警察部队的现役警官、文职干部、士兵及具有军籍的学员以及执行军事任务的预备役人员和其他人员。

2. 行为人实施了违反军人职责的行为。这里规定的“军人职责”，是指我国宪法、法律、行政法规以及各种军事法规、规章中规定的军人职责。例如，宪法明确规定，中华人民共和国武装力量的任务是巩固国防，抵抗侵略，保卫祖国，保卫人民的和平劳动，参加国家建设事业，努力为人民服务。兵役法规定，现役军人必须遵守宪法和法律，遵守军队的条令和条例，忠于职务，随时为保卫祖国而战斗。中国人民解放军的有关条例和各类专门军事法规、规章中对于军人的一般职责，各级指挥人员、主管人员、值班值勤人员及其他专门人员的具体职责等都作了明确的规定。这是所有军人都应当严格遵守和履行的。任何违反军人职责的行为，都要按照军纪处理，情节严重，构成军人违反职责罪的，要依法追究刑事责任。

3. 行为人违反军人职责的行为危害了国家军事利益。军人违反职责行为必须对国家的军事利益造成了危害，如果没有危害国家军事利益的，也不能构成军人违反职责罪。这里规定的“国家军事利益”，主要是指国家在国防建设、武装力量建设以及军事行动等方面的利益。军人违反职责的犯罪对国家军事利益的危害可以表现在许多方面，如危害部队的作战行动，破坏武器装备、军事设施，泄露军事机密等。军人违反职责犯罪对国家军事利益的危害可能是直接的，如直接危害了作战行动，导致作战失败；也有可能是间接危害了国家的军事利益，如自伤身体，使军队战斗人员减少，从而削弱战斗力，或在军事行动区残害、掠夺无辜居民，影响军民关系，破坏我军形象等。军人违反职责罪对国家军事利益的危害，既包括对国家军事利益已经造成危害后果的情况，也包括可能危害国家军事利益的情况。

4. 依照法律应当受刑罚处罚的行为。军人违反职责危害国家军事利益的行为表现多样，其危害程度也各有不同。法律对于军人违反职责危害国家军事利益构成犯罪的行为作了具体规定，也规定了不同的标准，有的只要实施了规定的行为就构成犯罪，有的要求行为造成了一定的危害后果才构成犯罪。只有依照刑法或者其他法律的规定，应当受到刑罚处罚的行为，才能构成犯罪。这也是区分军人违反职责罪与一般的违反军队纪律行为的界限。

依照本条的规定，必须同时具备上述四个条件，才能构成军人违反职责罪。

第四百二十一条　战时违抗命令，对作战造成危害的，处三年以上十年以下有期徒刑；致使战斗、战役遭受重大损失的，处十年以上有期徒刑、无期徒刑或者死刑。

【释义】　本条是关于战时违抗命令罪及其处罚的规定。

军人以服从命令为天职，令行禁止是治军的基本之道。军人不服从命令，军队的战斗力无从谈起。战时违抗命令，更会直接危害作战任务的完成，导致战斗、战役的损失。因此，有必要规定本罪。原军职罪暂行条例即有本罪的规定，1997 年修订刑法时作了修改后纳入刑法中。

构成本罪应当同时具备下列条件：

1. 行为人具有在战时违抗命令的行为。这里规定的“违抗命令”，是指故意违背上级的命令，不按照命令的具体要求，错误地执行或者拒不执行命令的行为。这里规定的“战时”，在本法第四百五十一条有具体规定，即国家宣布进入战争状态、部队受领作战任务或者遭敌突然袭击时。部队执行戒严任务或者处置突发性暴力事件时，以战时论。服从命令是军人的天职，军人只有服从命令，听从指挥，才能保证统一行动，保证战斗的胜利。尤其是在战时，违抗命令的行为，往往给作战造成危害。因而本条规定，在战时违抗命令是构成本罪的重要条件。

2. 这种行为对作战造成了实际的危害。例如，由于行为人违抗命令的行为，扰乱了作战的部署，给敌人以可乘之机，造成战斗失利，影响了作战顺利进行或作战中重大任务的完成或者给部队造成了较大损失等情况。如果行为人违抗命令的行为没有对作战造成危害，则不能构成本罪，可以根据情况按照其他规定或者违反军纪处理。

3. 行为人在主观上是故意。过失不能构成本罪，如果行为人主观上不是故意违抗，而是由于没有及时接到命令或者由于对命令发生误解而没有正确执行命令的，不能构成本罪。

本条规定，对于战时违抗命令，对作战造成危害的，处三年以上十年以下有期徒刑；致使战斗、战役遭受重大损失的，处十年以上有期徒刑、无期徒刑或者死刑。这里规定的"致使战斗、战役遭受重大损失"，是指造成我军人员严重伤亡、物质严重损失，甚至整个战斗、战役失利等严重后果的。

第四百二十二条　故意隐瞒、谎报军情或者拒传、假传军令，对作战造成危害的，处三年以上十年以下有期徒刑；致使战斗、战役遭受重大损失的，处十年以上有期徒刑、无期徒刑或者死刑。

【释义】 本条是关于隐瞒、谎报军情罪和拒传、假传军令罪及其处罚的规定。

军情准确、军令畅通是取得作战胜利的重要保证，隐瞒、谎报军情，影响作战部署和正确决策；假传、拒传军令，妨碍甚至打乱作战部署的贯彻实施。原军职罪暂行条例规定有故意谎报军情或者假传军令的犯罪。1997 年修订刑法时，考虑到瞒报军情、拒传军令的行为，与谎报军情、假传军令的行为具有同样的危害性，遂增加了这两类行为。

构成本罪应当同时具备下列条件：

1. 行为人实施了故意隐瞒军情、故意谎报军情、拒传军令或者假传军令的行为。这里规定的"军情"，是指与军事行动有关的我军、友军和敌军的情报，如敌军的位置和数量，敌军的作战动向，敌军火力点的分布情况等。"隐瞒军情"，是指行为人对军情加以掩盖，应该向上级报告而不报告的行为。"谎报军情"，是指行为人故意报告虚构的、不真实的军情。这里规定的"拒传军令"，是指负有传递军令职责的军人，拒不传达军事命令、指示的行为，如拒不传达军队调动的命令等。"假传军令"，是指故意传达篡改的军事命令或者故意传达内容虚假的编造的军事命令的行为，如假传进攻命令，编造撤换指挥人员命令。"军令"，是指与部队军事活动有关的命令，包括口头的、书面的、利用网络信息等各种方式发布的命令。故意隐瞒、谎报军情或者拒传、假传军令的行为，都可能影响作战的正确决策，对军事行动和作战极为不利，其危害性很大。

2. 这种行为对作战造成了实际危害。这里规定的“对作战造成危害”与第四百二十一条的“对作战造成危害”的含义是一致的。同时,行为人故意隐瞒、谎报军情或假传军令的行为,还可能造成决策上的失误,这也是对作战造成了危害的一种情形。

3. 行为人在主观上是故意。如果行为人没有故意隐瞒、谎报军情而是由于认识错误而错报了军情,或者不是故意拒传、假传军令而是误传了军令或是由于不可抗拒的原因无法传达军令的,不能构成本条之罪。

本条规定,故意隐瞒、谎报军情或者拒传、假传军令,对作战造成危害的,处三年以上十年以下有期徒刑;致使战斗、战役遭受重大损失的,处十年以上有期徒刑、无期徒刑或者死刑。这里规定的“致使战斗、战役遭受重大损失”的含义与第四百二十一条“致使战斗、战役遭受重大损失”的含义是一致的。

第四百二十三条　在战场上贪生怕死,自动放下武器投降敌人的,处三年以上十年以下有期徒刑;情节严重的,处十年以上有期徒刑或者无期徒刑。

投降后为敌人效劳的,处十年以上有期徒刑、无期徒刑或者死刑。

【释义】　本条是关于投降罪及其处罚的规定。

在战场上英勇战斗,不怕牺牲是军人的光荣职责,也是人民军队的光荣传统和优良作风。因畏惧战斗,贪生怕死而主动投降敌人的行为应当予以惩治。原军职罪暂行条例已有此罪规定,1997 年修改刑法时纳入刑法典中。

第一款是关于投降敌人的犯罪及其处罚的规定。构成本罪应当具备以下条件:

1. 具有在战场上自动放下武器投降敌人的行为。这里规定的“自动放下武器投降敌人”,是指在战场上因贪生怕死、畏惧战斗,能抵抗而放弃抵抗,自行放下武器投降敌人的行为。军人的职责是保卫国家和人民,在战场上为了履行自己的职责,应当英勇战斗,不怕牺牲。贪生怕死是可耻的,自动放下武器投降敌人,更是违背了军人的根本职责,其危害性极大,是国法和军纪所不容的。将这种行为规定为犯罪,对于加强战场纪律,教育军人认真履行职责,提高我军的战斗力是很有必要的。应注意的是,“投降”是向敌对一方表示屈服的行为。要将自动放下武器投降敌人与被俘区分开来。对不是由于贪生怕死放下武器投降的,不应当追究刑事责任。

2. 行为人在主观上是出于贪生怕死。如果行为人投降敌人是出于推翻人民民主专政的政权和社会主义制度的目的,则构成危害国家安全的犯罪。

本条第一款规定,对于在战场上贪生怕死,自动放下武器投降敌人的,处三年以上十年以下有期徒刑;情节严重的,处十年以上有期徒刑或者无期徒刑。

这里所说的“情节严重”，主要是指率部队投降、策动他人投降、胁迫他人投降等情况。

第二款是关于投降敌人后为敌人效劳的，如何处罚的规定。“投降后为敌人效劳”的表现形式可能有许多方式，如向敌人提供军事秘密，为敌人进行煽动，动摇我军战斗意志，甚至为敌人作战。投降后为敌人效劳，更是背叛祖国和人民的犯罪行为，其性质更为严重，因此本条对此作了单独规定，并加重了处罚。本条第二款规定，对于投降后为敌人效劳的，处十年以上有期徒刑、无期徒刑或者死刑。

第四百二十四条　战时临阵脱逃的，处三年以下有期徒刑；情节严重的，处三年以上十年以下有期徒刑；致使战斗、战役遭受重大损失的，处十年以上有期徒刑、无期徒刑或者死刑。

【释义】 本条是关于战时临阵脱逃罪及其处罚的规定。

战时临阵脱逃会直接影响作战部署，导致贻误战机或者战斗、战役受损甚至失利。原军职罪暂行条例即规定了畏惧战斗，临阵脱逃的犯罪。1997 年修订刑法时，考虑到“畏惧”属于人的主观心理活动，比较难以认定，“战时临阵脱逃”足以清楚揭示行为的危害性所在，遂删去了“畏惧战斗”的条件，直接规定“战时临阵脱逃的”为犯罪。

构成本罪需要具备以下条件：

1. 必须具有临阵脱逃的行为。这里规定的“临阵脱逃”，是指在战场上或者在临战或战斗状态下，擅自脱离岗位逃避战斗的行为。军人的职责是保卫国家和人民的安全和利益，为了履行这一职责必须要坚守自己的岗位，尤其是在战斗中更是不能擅离职守，宁可牺牲自己，也要顾全大局。临阵脱逃的行为，主要是由于行为人畏惧战斗、贪生怕死而逃避战斗。不论是逃避一时还是完全逃离，都违反了军人职责，都有可能给军事行动造成重大的危害。尤其是现代战争，讲求各兵种、各部门的协同作战，行为人逃离任何一个岗位都可能给战斗和战役造成无法估量的损失。因而对于这种行为，必须追究刑事责任，予以必要的惩罚，以严肃纪律，保证军队的战斗力。应当注意的是，如果指挥人员、值班、值勤人员在战时不是由于畏惧战斗临阵脱逃，而是由于其他原因擅自离开自己的岗位的，不构成本罪，而应按照本法第四百二十五条关于擅离、玩忽军事职守罪的规定追究刑事责任。

2. 这种脱逃行为必须发生在战时。这里所称的“战时”，在本法第四百五十一条中有明确的规定，这里不再赘述。

本条规定，对于在战时临阵脱逃的，处三年以下有期徒刑；情节严重的，处三年以上十年以下有期徒刑;致使战斗、战役遭受重大损失的,处十年以上有期徒刑、无期徒刑或者死刑。这里规定的“情节严重”,一般是指率部队临阵脱逃的,指挥人员或者负有重要职责的人员临阵脱逃的,策动他人临阵脱逃的,在关键时刻临阵脱逃的,造成较为严重的后果等情况。如果行为人临阵脱逃的行为给战斗、战役造成了重大的损失,如导致了重大的人员伤亡或者武器装备的重大损失,甚至导致整个战斗、战役的失败的,按照本条的规定处十年以上有期徒刑、无期徒刑或者死刑。

第四百二十五条　指挥人员和值班、值勤人员擅离职守或者玩忽职守,造成严重后果的,处三年以下有期徒刑或者拘役;造成特别严重后果的,处三年以上七年以下有期徒刑。

战时犯前款罪的,处五年以上有期徒刑。

【释义】　本条是关于擅离、玩忽军事职守罪及其处罚的规定。

原军职罪暂行条例即规定了本罪,但法定刑为“处七年以下有期徒刑或者拘役”;战时“处五年以上有期徒刑”。1997年修订刑法时,为了便于操作,体现罪责刑相适应,将非战时犯本罪的法定刑分为两档。对战时犯本罪的,仍为“五年以上有期徒刑”,以体现战时从重的精神。

第一款是关于指挥人员和值班、值勤人员擅离职守或者玩忽职守的犯罪的规定。构成本款规定之罪必须具备以下条件:

1. 主体必须是指挥人员和值班、值勤人员。本罪规定了特殊的主体,是考虑到这几类人员负有重要的和特殊的职责,他们擅离职守或者玩忽职守的行为,不仅违反了他们所负有的职责,而且往往造成严重的后果。“指挥人员”,是指对部队或部属负有组织、领导、管理职责的军人。专业主管人员在其业务管理范围内,也应属于指挥人员。“值班人员”,是指军队各单位、各部门为保持指挥或者职责不间断而设立的,定期轮流负责处理本单位、本部门特定事务的人员。“值勤人员”,是指正在担任警卫、巡逻、观察、纠察、押运等勤务工作的人员。

2. 行为人必须实施了擅离职守或者玩忽职守的行为。这里规定的“擅离职守”,是指指挥人员或者值班、值勤人员未经批准,擅自离开自己正在履行职责的指挥岗位或者值班、值勤岗位。“玩忽职守”,是指指挥人员或者值班、值勤人员严重不负责任,不履行自己的职责或者不认真履行自己职责的行为。

3. 行为人擅离职守或者玩忽职守的行为必须造成了严重的后果。这里规定的“严重后果”,是指由于行为人擅离职守或者玩忽职守的行为,造成了重大的人员伤亡,物质损失或者严重影响军事行动等后果,如造成武器装备、军事设施、军事物资毁损、丢失、被盗,造成部队重大任务迟缓完成或不能完成等。这是区分罪与非罪的主要界限。

根据本款的规定,对于指挥人员和值班、值勤人员擅离职守或者玩忽职守,造成严重后果的,处三年以下有期徒刑或者拘役;造成特别严重后果的,处三年以上七年以下有期徒刑。

第二款是关于战时犯第一款罪,如何处罚的规定。本法第四百五十一条对"战时"的含义有明确规定。指挥人员和值班、值勤人员在战时的擅离职守或者玩忽职守的行为,其危害性要比平时大得多,因而根据罪刑相适应原则,本款也规定了较重的刑罚。根据本款规定,指挥人员和值班、值勤人员在战时擅离职守或者玩忽职守的,处五年以上有期徒刑。

应当注意的是,指挥人员和值班、值勤人员战时擅离职守的犯罪与军人战时临阵脱逃的犯罪是不同的。前者的主体是特定的,即指挥人员和值班、值勤人员,后者的主体则是一般军人;前者的行为是擅离职守行为,后者的行为则是贪生怕死,畏惧战斗,临阵脱逃行为;前者要求造成了严重的后果,后者则不要求造成后果即可构成犯罪。

第四百二十六条*　以暴力、威胁方法,阻碍指挥人员或者值班、值勤人员执行职务的,处五年以下有期徒刑或者拘役;情节严重的,处五年以上十年以下有期徒刑;情节特别严重的,处十年以上有期徒刑或者无期徒刑。战时从重处罚。

【释义】　本条是关于阻碍执行军事职务罪及其处罚的规定。

2015年8月29日第十二届全国人民代表大会常务委员会第十六次会议通过的《刑法修正案(九)》对本条作了修改,主要是取消了阻碍执行军事职务罪的死刑。党的十八届三中全会提出,"逐步减少适用死刑罪名"。中央关于深化司法体制和社会体制改革的任务也要求,完善死刑法律规定,逐步减少适用死刑的罪名。这次取消阻碍执行军事职务罪死刑,主要是考虑到:一是本罪与刑法第三百六十八条规定的阻碍军人执行职务罪、阻碍军事行动罪相比没有本质上的区别,而刑罚设置上相差太大,不够平衡。从犯罪对象上看,本罪与阻碍军人执行职务罪没有本质区别,后者侵犯的是军人执行职务的行为;与阻碍军事

* 根据2015年8月29日第十二届全国人民代表大会常务委员会第十六次会议通过的《中华人民共和国刑法修正案(九)》修改。原条文是:"以暴力、威胁方法,阻碍指挥人员或者值班、值勤人员执行职务的,处五年以下有期徒刑或者拘役;情节严重的,处五年以上有期徒刑;致人重伤、死亡的,或者有其他特别严重情节的,处无期徒刑或者死刑。战时从重处罚。"

行动罪相比，本罪侵犯的是指挥、值班、值勤秩序，后者侵犯的是部队的军事行动，略有不同，但性质相近。从刑罚设置上看，阻碍军人执行职务罪的最高法定刑为三年有期徒刑，阻碍军事行动罪的最高法定刑为五年有期徒刑，而本罪的最高法定刑为死刑，差距明显过大。二是本罪与刑法第十章“军人违反职责罪”中规定的许多犯罪相比，达不到罪行极其严重应当适用死刑的程度。刑法第十章规定的许多犯罪都可能直接或间接导致作战失利，本罪的目的是阻碍执行军事职务，并不是积极追求作战失利，造成的后果是指挥人员或值班、值勤人员无法正常履行职责。在健全的军事指挥体系和值班制度下，因阻碍执行职务直接导致作战失利的情形难以出现，即使间接导致作战失利，其罪责也达不到必须适用死刑的程度。此外，阻碍执行军事职务罪，实践中极少适用死刑，取消死刑后，最高可以判处无期徒刑。取消了以暴力方法阻碍执行军事职务并造成人身伤亡犯罪的死刑，仍保留了故意杀人罪、故意伤害罪的死刑。实践中，如有暴力阻碍执行军事职务，情节特别恶劣，确需判处死刑的，还可以根据案件情况，依照刑法故意杀人罪、故意伤害罪规定判处。

构成本条规定的犯罪应当具备以下条件：

1. 行为人实施了阻碍指挥人员或者值班、值勤人员执行职务的行为。本条中规定的“阻碍执行职务”，是指行为人故意以暴力或者威胁的方法阻挠、妨碍指挥人员、值班、值勤人员依法执行职务的行为。“执行职务”应是指挥、值班、执勤人员正在履行的特定职责。指挥人员和值班、值勤人员一般都负有重要、专门的职责，保证他们能正常执行职务，对于国防建设、国防安全都是非常重要的。阻碍指挥人员或者值班、值勤人员执行职务，不仅侵害了他们的人身权利，更重要的是使他们无法正常执行职务，对国家的国防利益和军事利益造成危害。

2. 必须是以暴力或者威胁的方法阻碍执行职务。这里规定的“暴力”，是指对指挥人员或者值班、值勤人员实施殴打、捆绑等严重人身侵害行为。这里规定的“威胁”，是指以将要对指挥人员或者值班、值勤人员的人身、财产等切身利益造成危害的方法，影响、迫使指挥人员或者值班、值勤人员形成精神方面的强制，使其不能也不敢正常执行职务的行为。

根据本条的规定，对于以暴力、威胁方法，阻碍指挥人员或者值班、值勤人员执行职务的，处五年以下有期徒刑或者拘役；情节严重的，处五年以上十年以下有期徒刑；情节特别严重的，处十年以上有期徒刑或者无期徒刑。这里规定的“情节严重”，是指使用武器阻碍指挥人员或者值班、值勤人员执行职务，纠集多人阻碍执行职务，以及其阻碍执行职务的行为给军事利益造成重大损失等情况。这里规定的“情节特别严重”，是指阻碍执行职务造成军事利益重大损失，聚众使用武器暴力阻碍执行职务等情况。

本条规定对战时犯本罪的，从重处罚。在战时，阻碍指挥人员或者值班、值勤人员执行职务的行为其危害性比平时相对要大，对军事利益造成的危害也相对较大，必须从重处罚。

第四百二十七条　滥用职权，指使部属进行违反职责的活动，造成严重后果的，处五年以下有期徒刑或者拘役；情节特别严重的，处五年以上十年以下有期徒刑。

【释义】　本条是关于指使部属违反职责罪及其处罚的规定。

构成本条规定之罪应当具备下列条件：

1. 本罪的主体是特殊主体，一般是负有一定职责的部队的各级指挥人员。

2. 必须具有滥用职权，指使部属进行违反职责的活动的行为。这里规定的“滥用职权，指使部属进行违反职责的活动”，是指行为人不正当运用职权，超越职权，指使下级实施违反军人职责或者特定岗位职责的行为。部队的各级指挥人员，对于所属部队的作战、训练、行政管理、思想政治工作、后勤和技术保障工作等负有完全的责任。他们应当教育部属遵守国家的法律、行政法规，执行军队的条令、条例和各项规章制度，认真履行军人应尽的职责。部队的各级指挥人员具有相应的职权，其责任也是重大的，他们应当正确地履行自己的职权，任何滥用职权，指使部属进行违反职责的活动的行为，都会破坏部队的管理秩序，危害部队的团结统一和战斗力，必须给予处罚。

3. 滥用职权的行为必须造成了严重的后果。滥用职权的行为表现为不正当运用职权，指使部属进行各种违反职责的活动，其危害性和后果也是各不相同的，因而对其处罚也不一样。滥用职权的行为是否造成了严重的后果，是区分罪与非罪的重要标准。造成了严重后果的，应当依法追究刑事责任；没有造成严重后果的，应当按照军纪处理。这里规定的“严重后果”，是指造成了恶劣影响，影响部队任务完成，造成人员伤亡或者重大物质损失等情况。

根据本条的规定，滥用职权，指使部属进行违反职责的活动，造成严重后果的，处五年以下有期徒刑或者拘役；情节特别严重的，处五年以上十年以下有期徒刑。这里规定的“情节特别严重”，是指滥用职权手段特别恶劣，影响特别恶劣，造成人员重大伤亡，严重妨害重要军事任务的完成等情况。

第四百二十八条　指挥人员违抗命令，临阵畏缩，作战消极，造成严重后果的，处五年以下有期徒刑；致使战斗、战役遭受重大损失或者有其他特别严重情节的，处五年以上有期徒刑。

【释义】　本条是关于违令作战消极罪及其处罚的规定。

构成本条规定之罪应当具备下列条件：

1. 本条的主体是特殊主体，为军队的指挥人员。一般的作战人员不能构成作战消极的犯罪。

2. 行为人实施了违抗命令，临阵畏缩，作战消极的行为。这里规定的“临阵畏缩，作战消极”，是指指挥人员在作战中不尽全力，不求进取，畏惧害怕而消极避战、怠战的行为。这种行为必须是违背了上级的命令，如果指挥人员是遵照上级有关命令而没有采取积极的行动，不是作战消极。在作战中，勇敢战斗，不怕牺牲是压倒敌人，完成战斗目的的重要因素，各级指挥人员应当服从命令，英勇战斗，坚决完成任务。借口保存自己而不积极、不坚决消灭敌人，会贻误战机，影响作战的胜利。对这种行为必须给予处罚，情节严重的，要追究指挥人员的刑事责任。

3. 指挥人员消极作战的行为造成了严重后果。指挥人员消极作战的行为表现是多样的，有的表现为不积极进攻，有的表现为不坚决防御，有的表现为贻误战机等，其行为对作战的危害也不一样，对于造成了严重后果的，应当依法追究刑事责任。这里规定的“严重后果”，是指由于指挥人员消极作战的行为而造成贻误战机，没有完成作战任务的，妨害了协同作战的等情况。

应当注意的是，本罪与本法第四百二十四条规定的临阵脱逃罪是不同的：第一，两罪的主体是不同的，本罪的主体只能是指挥人员，一般作战人员不能构成，而临阵脱逃罪的主体是军人；第二，两罪的行为是不同的，本罪是消极作战的行为，而临阵脱逃罪则是临阵逃离自己岗位的行为；第三，本罪要求作战消极的行为必须是造成了严重后果才能构成犯罪，而临阵脱逃罪则是只要行为人具有临阵脱逃的行为即可构成。

根据本条的规定，对于违抗命令，临阵畏缩，作战消极，造成严重后果的指挥人员，处五年以下有期徒刑；致使战斗、战役遭受重大损失或者有其他特别严重情节的，处五年以上有期徒刑。这里规定的“致使战斗、战役遭受重大损失”，是指由于指挥人员的消极作战行为而导致我军人员重大伤亡，武器装备等的严重物质损失，甚至战斗、战役失利等情况。

第四百二十九条　在战场上明知友邻部队处境危急请求救援，能救援而不救援，致使友邻部队遭受重大损失的，对指挥人员，处五年以下有期徒刑。

【释义】　本条是关于拒不救援友邻部队罪及其处罚的规定。

构成本条规定之罪应当具备下列条件：

1. 行为人必须具有明知友邻部队处境危急请求救援，能救援而不救援的行为。这里规定的“处境危急”,是指友邻部队受到敌人的围困、追击或者阵地将被攻陷等处于危难之中迫切需要救援的紧急情形。这里规定的“能救援而不救援”,是指根据当时其所处的环境、作战能力和所担负的作战任务,有条件对处境危急的友邻部队进行救援而不予救援的行为。“友邻部队”,是指由于驻地、配置地域或者执行任务而相邻的部队,既包括有隶属关系的部队,也包括没有隶属关系的部队。我军各部队的利益是一致的,都是为了保卫国家领土和主权,在战场上都是为了消灭敌人,争取战斗的胜利,因而在战场上必须团结协作,相互配合,相互支援。在战场上明知友邻部队处境危急或者接到友邻部队的救援请求,为了保存自己或者出于某种本单位的利益,见危而不救援的,不但会给友邻部队造成重大的损失,而且会影响战斗、战役的胜利,严重危害军事利益,对这种见危不救的行为必须依法惩处。如果对于友邻部队处境危急不知情的,不能构成本罪。

2. 这种行为是发生在战场上。

3. 必须使友邻部队遭受了重大的损失。这里规定的“重大损失”,是指由于见危不救的行为,致使友邻部队遭受重大的人员伤亡、物质损失、阵地失陷、舰船被击沉、飞行器被击落、进攻严重受挫等情况。

根据本条规定,在战场上明知友邻部队处境危急请求救援,能救援而不救援,致使友邻部队遭受重大损失的,对指挥人员处五年以下有期徒刑。这里规定的“指挥人员”,是指在战场上对友邻部队见危不救的部队的指挥人员。

第四百三十条　在履行公务期间,擅离岗位,叛逃境外或者在境外叛逃,危害国家军事利益的,处五年以下有期徒刑或者拘役;情节严重的,处五年以上有期徒刑。

驾驶航空器、舰船叛逃的,或者有其他特别严重情节的,处十年以上有期徒刑、无期徒刑或者死刑。

【释义】　本条是关于军人叛逃罪及其处罚的规定

第一款是关于叛逃罪的规定。构成本罪应当具备下列条件:

1. 行为人必须具有叛逃境外或者在境外叛逃的行为。这里规定的“叛逃”,是指以反对社会主义制度、危害祖国和人民利益为目的逃往境外的行为,既包括从境内逃往境外,也包括合法出境而在境外叛逃。这里所称的“境外”,是指在中华人民共和国国境、边境以外的国家和地区,包括外国驻华使、领馆。保卫社会主义祖国是军人神圣的职责,叛逃的行为不仅违背了军人的这一职责,同时对国防安全和国家的利益也造成了危害,因而对这种行为必须依法追究刑事责任。

2. 行为人的叛逃行为必须危害了国家的军事利益。这也是区分罪与非罪，本罪与其他犯罪的重要特征。如果行为人前往境外不归或者滞留境外不归，没有危害国家的军事利益，不能构成本罪。

3. 行为人的叛逃行为是发生在履行公务期间的。这也是区分罪与非罪的一个重要界限。如果行为人不是在履行公务期间叛逃的，不能构成本罪。

根据本条规定，对于叛逃境外或者在境外叛逃的，处五年以下有期徒刑或者拘役；情节严重的，处五年以上有期徒刑。这里规定的"情节严重"，是指策动他人叛逃，指挥人员或者负有重要职责的人员叛逃，携带军事秘密叛逃或者叛逃后公开发表叛国言论，申请政治避难或进行其他危害国防安全活动等情况。

本条第二款是关于驾驶航空器、舰船叛逃的，或者有其他特别严重情节的，如何处罚的规定。航空器、舰船是军队的重要武器装备，驾驶航空器、舰船叛逃的往往给国家的军事利益造成重大的危害，对于这种行为必须予以严惩。因而本款对于这种行为规定了比一般叛逃行为更为严厉的处罚。本款规定，对于驾驶航空器、舰船叛逃的，或者有其他特别严重情节的，处十年以上有期徒刑、无期徒刑或者死刑。这里规定的"情节特别严重"，是指胁迫他人叛逃，携带重要武器装备叛逃，携带大量或者重要的军事机密叛逃，叛逃后进行严重危害国家国防利益的活动等情况。

第四百三十一条　以窃取、刺探、收买方法，非法获取军事秘密的，处五年以下有期徒刑；情节严重的，处五年以上十年以下有期徒刑；情节特别严重的，处十年以上有期徒刑。

为境外的机构、组织、人员窃取、刺探、收买、非法提供军事秘密的，处十年以上有期徒刑、无期徒刑或者死刑。

【释义】　本条是关于非法获取军事秘密罪和为境外窃取、刺探、收买、非法提供军事秘密罪及其处罚的规定。

本条规定的"军事秘密"，是指在一定时间内只限于一定范围的人员知悉，不能对外公开并直接关系到国防安全和军事利益的事项。例如，国防和战斗力量建设规划及其实施情况；军事部署，作战和其他重要军事行动的计划及其实施情况；战备演习、军事训练计划及其实施情况；军事情报及其来源，通信、电子对抗和其他特种技术的手段、能力，机要密码及有关资料；武装力量的组织编制，部队的任务、实力、素质、状态等基本情况；部队及特殊单位的番号；武器装备的研制、生产、配备情况和补充、维修能力，特种军事装备的战斗技术性能；军事学术、国防科学技术研究的重要项目、成果及其应用；军事物资的筹措、生产、供应和储备等情况。对于军事秘密的范围和等级，有关法律、法规、条例中有具体的规定。

第一款是关于非法获取军事秘密的犯罪及其处罚的规定。根据本款的规定,只要行为人具有非法获取军事秘密的行为,不论是采取秘密窃取,还是刺探、收买方式获取军事秘密的,都可构成本罪。

本款规定,对于以窃取、刺探、收买的方法非法获取军事秘密的,处五年以下有期徒刑;情节严重的,处五年以上十年以下有期徒刑;情节特别严重的,处十年以上有期徒刑。这里规定的"情节特别严重",主要是指非法获取了大量的军事秘密、非法获取了重要的军事秘密、非法获取军事秘密的手段特别恶劣等情况。

第二款是关于为境外的机构、组织、人员窃取、刺探、收买、非法提供军事秘密的犯罪及其处罚的规定。这里规定的"非法提供",是指军事秘密的持有人,将自己知悉、管理、持有的军事秘密以各种方法,通过各种渠道将军事秘密提供给境外的机构、组织、个人的行为。军事秘密一旦为境外的机构、组织、个人所掌握,对国家的国防安全和军事利益都有很大的危害,因而本款对为境外机构、组织、人员窃取、刺探、收买、非法提供军事秘密的犯罪行为规定了比非法获取军事秘密更为严厉的刑罚。应当注意的是,本法第一百一十一条已规定为境外窃取、刺探、收买、非法提供国家秘密、情报罪。考虑到犯本条规定的犯罪的主体是军人,且提供秘密的内容不是一般的国家秘密,而且是军事秘密,对国家的国防利益危害严重。从军法从严、军人从严出发,有必要另行规定处罚,因此作了本款规定。根据本款的规定,为境外机构、组织、人员窃取、刺探、收买、非法提供军事秘密的,处十年以上有期徒刑、无期徒刑或者死刑。

第四百三十二条　违反保守国家秘密法规,故意或者过失泄露军事秘密,情节严重的,处五年以下有期徒刑或者拘役;情节特别严重的,处五年以上十年以下有期徒刑。

战时犯前款罪的,处五年以上十年以下有期徒刑;情节特别严重的,处十年以上有期徒刑或者无期徒刑。

【释义】　本条是关于故意泄露军事秘密罪和过失泄露军事秘密罪及其处罚的规定。

第一款是关于故意泄露军事秘密罪和过失泄露军事秘密罪及其处罚的规定。构成本罪应当具备下列条件:

1. 行为人实施了泄露国家军事秘密的行为。泄露包括以口头或者书面等各种形式,使不应知悉的人知悉。这种行为可以表现为作为,即行为人通过口头告知或者书信提供等主动行为泄露;也可以表现为不作为,即行为人没有按照有关保守军事秘密的规定，采取必要的防范措施，以致泄露了军事秘密的行为。行为人泄露军事秘密包括故意泄露和过失泄露两种情况。

2. 行为人必须实施了违反保守国家秘密法律法规的行为。保守国家秘密，特别是国家军事秘密，关系到国防的安全、战斗的胜败和国家与人民的重大利益。除刑法和其他有关法律作了规定外，国家还颁布了一系列的保守国家军事秘密的法规，每个军人都应严格遵守这些规定，保守国家军事秘密。如果行为人的行为没有违反保守国家军事秘密法规的，当然不能构成本罪。

3. 行为人的泄密行为必须是“情节严重”的才能构成。这里规定的“情节严重”，主要是指行为人泄露大量军事秘密，泄露重要军事秘密，泄露的军事秘密对国家军事利益造成重大危害，泄密手段极为恶劣等情况。

根据本款的规定，行为人必须同时具备以上条件，才构成泄露军事秘密罪和过失泄露军事秘密罪。对于违反保守国家秘密法规，故意或者过失泄露国家军事秘密，情节严重的，处五年以下有期徒刑或者拘役；情节特别严重的，处五年以上十年以下有期徒刑。

第二款是关于战时泄露国家军事秘密的犯罪和处罚的规定。战时泄露国家军事秘密，对于国家军事利益和国防安全具有严重的危害，因而本款对于战时犯有泄露国家军事秘密罪行的，规定了较重的刑罚。应当注意的是，战时构成泄露国家军事秘密罪，也要符合前款规定的条件。根据本款的规定，对于战时犯有泄露国家军事秘密罪的，处五年以上十年以下有期徒刑；情节特别严重的，处十年以上有期徒刑或者无期徒刑。这里规定的“情节特别严重”，主要是指泄露了大量军事秘密，泄露核心军事秘密，以及造成战斗、战役遭受重大损失等严重后果的情况。

第四百三十三条*　战时造谣惑众，动摇军心的，处三年以下有期徒刑；情节严重的，处三年以上十年以下有期徒刑；情节特别严重的，处十年以上有期徒刑或者无期徒刑。

【释义】　本条是关于战时造谣惑众罪及其处罚的规定。

2015年8月29日第十二届全国人民代表大会常务委员会第十六次会议通

---

* 根据2015年8月29日第十二届全国人民代表大会常务委员会第十六次会议通过的《中华人民共和国刑法修正案（九）》修改。原条文是：“战时造谣惑众，动摇军心的，处三年以下有期徒刑；情节严重的，处三年以上十年以下有期徒刑。

“勾结敌人造谣惑众，动摇军心的，处十年以上有期徒刑或者无期徒刑；情节特别严重的，可以判处死刑。”

过的《刑法修正案(九)》对刑法本条作了修改,主要是取消了战时造谣惑众罪的死刑。主要是考虑到战时造谣惑众罪适用死刑的条件是勾结敌人造谣惑众,而战时勾结敌人造谣惑众,动摇军心的性质是投敌叛变,行为人主观上有投敌变节的故意,客观上实施了为敌效劳的叛变行为,可以刑法第一百零八条投敌叛变罪论处。此外,取消死刑后,本罪的最高刑罚为无期徒刑,与刑法第三百七十八条规定的战时造谣扰乱军心罪最高刑罚为十年有期徒刑相比,仍能够体现军法从严的精神。

构成本条规定的犯罪应当具备下列条件:

1. 行为人实施了造谣惑众、动摇军心的行为。这里规定的"造谣惑众",是指在战时,行为人捏造事实,制造谎言,并在部队中散布谣言以迷惑他人的行为。这里规定的"动摇军心",是指行为人通过造谣惑众,造成部队情绪恐慌、士气不振、军心涣散、思想不稳定的行为。散布谣言的方式,可以是在公开场合散布,也可以是在私下向多人传播,可以是口头散布,也可以通过文字、图像、计算机网络或其他途径散布。

2. 这种行为必须发生在战时。何时为"战时",本法第四百五十一条已有规定。战时造谣惑众、动摇军心的行为,在客观上起着帮助敌人,削弱我军战斗力的作用,影响部队的作战,严重危害军事利益,必须依法惩处。

3. 行为人造谣惑众的行为足以动摇军心或者已造成军心动摇。对于在部队中发牢骚、讲怪话,甚至也散布了谎言,但没有动摇军心,也不足以动摇军心的,不能构成本罪,应当加以批评制止。

根据本条规定,战时造谣惑众,动摇军心的,处三年以下有期徒刑;情节严重的,处三年以上十年以下有期徒刑;情节特别严重的,处十所以上有期徒刑或者无期徒刑。这里规定的"情节严重",主要是指谣言煽动性大,对作战或者军事行动造成危害,在紧急关头或者危急时刻造谣惑众等情况。这里规定的"情节特别严重",主要是指造谣惑众造成部队军心涣散、部队怯战、厌战或者引起其他严重后果等情况。

第四百三十四条　战时自伤身体,逃避军事义务的,处三年以下有期徒刑;情节严重的,处三年以上七年以下有期徒刑。

【释义】　本条是关于战时自伤罪及其处罚的规定。

构成本条规定之罪应当具备下列条件:

1. 行为人具有故意自伤身体的行为。这里规定的"自伤",是指行为人自己故意伤害身体或者授意他人伤害自己身体的行为。行为人对于自身的伤害必须具有直接的故意,如果行为人是在战斗中或者是在军事行动中,由于过失自伤身体的,不能构成犯罪。但如果行为人为逃避军事义务,有意加重已有的伤害,则应构成本罪。至于自伤的程度和后果,是利用枪击还是其他的方法造成自伤,造成的是重伤还是轻伤,不影响本罪的构成。

2. 行为人自伤身体是出于逃避军事义务的目的。这里规定的"军事义务"是一个广义的概念,包括军人根据职责所需要履行的各种军事义务,如巡逻任务,值班、值勤任务,作战任务等。军人自伤身体不是为了逃避军事义务,而是为了骗取某种荣誉或掩盖自己过失的,不能构成本罪。

3. 行为人自伤身体的行为必须是在战时。作为军人应当随时准备参战,履行保卫祖国的神圣职责,为了逃避军事义务在战时自伤身体的行为,是一种畏惧战斗、贪生怕死的可耻行为,不仅会影响部队的士气、削弱部队的战斗力,而且对于国家的军事利益也有危害。行为人不是在战时自伤身体的,不能构成本罪。何时为战时,本法第四百五十一条已有详细规定。

行为人的行为必须同时具备以上条件的,才能构成本罪。根据本条的规定,对于战时自伤身体,逃避军事义务的,处三年以下有期徒刑;情节严重的,处三年以上七年以下有期徒刑。这里规定的"情节严重",是指负有重要职责的人员战时自伤身体,在紧要关头或危急时刻自伤身体,战时自伤身体对军事利益造成严重危害后果等情况。

第四百三十五条 违反兵役法规,逃离部队,情节严重的,处三年以下有期徒刑或者拘役。

战时犯前款罪的,处三年以上七年以下有期徒刑。

【释义】 本条是关于逃离部队罪及其处罚的规定。

第一款是关于逃离部队罪及其处罚的规定。根据本款规定,逃离部队罪是指军人违反兵役法规,逃离部队,情节严重的行为。构成本款规定之罪应当具备下列条件:

1. 行为人具有违反兵役法规,逃离部队的行为。这里规定的"违反兵役法规",是指行为人违反兵役法等法律、法规关于公民履行服兵役义务的规定。"逃离部队",是指行为人未经过批准,为了逃避履行兵役义务而擅自离开部队的行为。我国宪法规定,保卫祖国,抵抗侵略是中华人民共和国每一个公民的神圣职责。依法服兵役是公民的光荣义务。违反兵役法规,逃离部队,情节严重的,要依法追究刑事责任。应当注意的是,行为人主观上要具有逃避服兵役的目的,客观上要具有违反兵役法规,逃离部队的行为,才能构成本罪。如果行为人是由于迷失了方向脱离了部队,受伤掉队,或者因其他无法克服的原因而没有按期归队的,都不能认为是逃离部队,更不构成犯罪。

2. 行为人逃离部队的行为必须是达到情节严重的程度。这也是区分罪与非罪的一个重要标准。这里规定的“情节严重”，主要是指多次逃离部队、屡教不改，组织他人一同逃离部队等情况。实践中，对于行为人确系家庭有困难，或其他特殊原因，确需本人处理而擅自离开部队的，应当说服教育，可以给予必要的纪律处分，而不能一律按犯罪处理。

根据本款的规定，对于违反兵役法规，逃离部队，情节严重的，处三年以下有期徒刑或者拘役。

第二款是关于战时犯有逃离部队罪的处罚规定。战时逃离部队的行为相对于平时逃离部队的危害要大，因而本款规定了较之和平时期逃离部队犯罪更重的刑罚，即对于战时犯有逃离部队罪的，处三年以上七年以下有期徒刑。应当注意的是，战时逃离部队罪与战时临阵脱逃罪是不同的，战时临阵脱逃罪是行为人在战场上、战斗中或者是在临战状态下，由于畏惧战斗等原因逃离岗位的行为，不论其是否已逃离了部队，只要是为了逃避战斗而逃离了战场和岗位，就构成临阵脱逃罪，应当按照刑法第四百二十四条的规定定罪处罚。同时，还应注意区分逃离部队罪与军人叛逃罪。这两种犯罪都有离队不归的行为，其主要区别是：前者以逃避服兵役为目的，后者则是以背叛祖国为目的，危害国家军事利益。叛逃必定是逃离部队，二者属于想象竞合关系，应以军人叛逃罪追究其刑事责任，不再数罪并罚。

第四百三十六条　违反武器装备使用规定，情节严重，因而发生责任事故，致人重伤、死亡或者造成其他严重后果的，处三年以下有期徒刑或者拘役；后果特别严重的，处三年以上七年以下有期徒刑。

【释义】　本条是关于武器装备肇事罪及其处罚的规定。

构成本条规定之罪应当具备下列条件：

1. 必须具有违反武器装备使用规定的行为并且“情节严重”。这里规定的“武器装备”，主要是指部队用于实施和保障作战行动的武器、武器系统和军事技术器材的统称，如枪、炮、战车、飞机、通信系统。备用的武器装备的重要零件、部件，应视为武器装备。武器装备是军人保卫国家，消灭敌人的工具，军人要爱护武器装备，并严格按照武器装备的使用规定和操作规定执行。违反武器装备使用规定的行为，不仅有可能损害武器装备，也有可能造成其他严重的后果。这里规定的“情节严重”，是指违反武器装备使用规定的行为本身情节严重的，如严重违反了武器装备使用程序，或者在使用中严重不负责任。例如，行为人没有使用武器装备的任务，却违反规定擅自动用装备而发生事故；经常使用武器开玩笑，不听劝阻而发生事故；故意违反武器装备使用规定。

2. 违反武器装备使用规定的行为必须造成了责任事故，导致人员重伤、死亡或者其他严重后果。这里规定的“责任事故”，是指由于行为人违反武器装备使用规定而造成的事故，行为人在主观上是有责任的。如果是由于自然原因造成的事故，或者是由于武器装备本身存在的技术方面的原因而造成的事故，行为人在使用时没有过错的，不是责任事故，也不能追究行为人的刑事责任。这里规定的“其他严重后果”，是指由于行为人违反武器装备的使用规定而造成的，除致人重伤、死亡以外的其他严重后果，如造成了主要武器装备的毁损，造成了大量武器装备的毁损或者造成了火灾、爆炸、污染，危害了军事行动等情况。如果行为人违反武器装备使用规定的行为，没有造成严重后果，只是一般的责任事故，则不能构成本罪。

必须同时具备以上条件，才能构成本罪。根据本条规定，对于违反武器装备的使用规定，情节严重，因而发生责任事故，致人重伤、死亡或者造成其他严重后果的，处三年以下有期徒刑或者拘役；后果特别严重的，处三年以上七年以下有期徒刑。这里规定的“后果特别严重”，是指造成多人重伤、死亡，造成了重大的火灾、核污染或者使公私财产遭受特别重大损失，严重危害军事行动或者军事研究等情况。

第四百三十七条　违反武器装备管理规定，擅自改变武器装备的编配用途，造成严重后果的，处三年以下有期徒刑或者拘役；造成特别严重后果的，处三年以上七年以下有期徒刑。

【释义】　本条是关于擅自改变武器装备编配用途罪及其处罚的规定。

构成本条规定之罪应当具备下列条件：

1. 行为人必须具有违反武器装备的管理规定，擅自改变武器装备编配用途的行为。这里规定的“武器装备管理规定”，是指有关法规中关于武器装备的性能、动用权限、使用范围、编配用途等规定。这里规定的“擅自改变武器装备的编配用途”，是指行为人违反武器装备的管理规定，未经批准而自行将编配的武器装备改作其他用途的行为。部队配备武器装备是为了保卫国家和人民的利益，各种武器装备都有其专门的编配用途，应当按照有关法规的规定，按照武器装备的编配用途，正确使用武器装备。擅自改变武器装备的编配用途，不仅会损坏武器装备，而且会造成武器装备管理失控，严重影响其正常使用，甚至造成其他严重后果，危害国家军事利益，如擅自将军用飞机、舰船用于商业活动的。对于造成严重后果的要依法追究刑事责任。如果行为人的行为没有违反武器装备的管理规定，或者是按照规定经过上级机关批准，将武器装备用于非军事用途的，如将飞机、舰船用于抢险救灾，不是擅自改变武器装备的编配用途，当然也不能追究刑事责任。

2. 行为人擅自改变武器装备编配用途的行为必须造成了严重后果。这里规定的“严重后果”，是指行为人擅自改变武器装备的编配用途造成了主要武器装备的毁损，或者大量武器装备的毁损的，用来进行违法犯罪活动的，造成了人员伤亡或者公私财产重大损失的，以及严重影响军事行动的等情况。这种行为是否造成了严重的后果，是区分罪与非罪的重要标准。如果行为人擅自改变武器装备编配用途的行为没有造成严重后果的，不构成本罪，应当按照军纪处理。

构成本罪，必须同时具备上述条件。根据本条规定，对于违反武器装备管理规定，擅自改变武器装备的编配用途，造成严重后果的，处三年以下有期徒刑或者拘役；造成特别严重后果的，处三年以上七年以下有期徒刑。这里规定的“特别严重后果”，是指造成大量主要武器损毁，造成多人伤亡后果等情况。

第四百三十八条　盗窃、抢夺武器装备或者军用物资的，处五年以下有期徒刑或者拘役；情节严重的，处五年以上十年以下有期徒刑；情节特别严重的，处十年以上有期徒刑、无期徒刑或者死刑。

盗窃、抢夺枪支、弹药、爆炸物的，依照本法第一百二十七条的规定处罚。

【释义】 本条是关于盗窃、抢夺武器装备、军用物资罪及其处罚的规定。

第一款是关于盗窃、抢夺武器装备、军用物资罪的处罚规定。构成本款规定之罪应当具备以下条件：

1. 行为人必须实施了秘密窃取或者抢夺武器装备或者军用物资的行为。这里规定的“武器装备”的概念与刑法第四百三十六条规定的概念基本是一致的，但由于本条第二款对盗窃、抢夺枪支、弹药、爆炸物的刑罚适用专门作了规定，因此本款的“武器装备”不包括“枪支、弹药、爆炸物”。这里规定的“军用物资”，是指武器装备以外的，供军事上使用的其他物品，如军用被服、粮秣、药品、油料、建筑材料。军人盗窃、抢夺武器装备或者军用物资的行为，违反了军人的职责，不仅是侵犯了国家的财产权，更重要的是危害了国家的军事利益，因而本条对这种行为作了单独处罚规定，而没有按照一般盗窃、抢夺罪处罚。

2. 行为人具有非法占有的目的。不论行为人非法占有武器装备或者军用物资是出于经济原因，还是为了报复他人等其他原因，都不影响本罪的构成。

根据本款规定，盗窃、抢夺武器装备或者军用物资的，处五年以下有期徒刑或者拘役；情节严重的，处五年以上十年以下有期徒刑；情节特别严重的，处十年以上有期徒刑、无期徒刑或者死刑。这里规定的“情节严重”，是指盗窃、抢夺主要武器装备，盗窃、抢夺大量武器装备或者军用物资，多次盗窃或者抢夺武器装备、军用物资等情况。这里规定的“情节特别严重”，是指盗窃、抢夺大量主要武器装备;盗窃、抢夺武器装备或者军用物资,数量特别巨大;战时盗窃、抢夺武器装备或者军用物资,严重危害军事利益等情况。

第二款是关于盗窃、抢夺枪支、弹药、爆炸物罪如何处罚的规定。枪支、弹药和军用爆炸物是实践中使用比较普遍的武器装备。在实际生活中,盗窃、抢夺枪支、弹药、爆炸物的情况时有发生,针对这种情况本法在危害公共安全罪一章中,由第一百二十七条对这种犯罪作了规定,并规定了比较重的刑罚。本款明确规定,对于军人盗窃、抢夺枪支、弹药、爆炸物的,应当适用本法第一百二十七条的规定处罚。

第四百三十九条　非法出卖、转让军队武器装备的,处三年以上十年以下有期徒刑;出卖、转让大量武器装备或者有其他特别严重情节的,处十年以上有期徒刑、无期徒刑或者死刑。

【释义】　本条是关于非法出卖、转让武器装备罪及其处罚的规定。

根据本条规定,行为人只要具有非法出卖或者转让军队武器装备行为的,就构成本罪。这里规定的"非法出卖",是指行为人未经有权机关的批准而擅自将武器装备卖给他人的行为。"非法转让",是指行为人未经有权机关的批准而擅自将武器装备赠送他人或者以武器装备换取其他物品的行为。非法出卖、转让武器装备的行为,不仅违反了武器装备管理制度,而且会危害国家的军事利益和公共安全,其社会危害性很大,必须依法追究刑事责任。

根据本条规定,对于非法出卖、转让军队武器装备的,处三年以上十年以下有期徒刑;出卖、转让大量武器装备或者有其他特别严重情节的,处十年以上有期徒刑、无期徒刑或者死刑。这里规定的"特别严重情节",是指非法出卖、转让武器装备进行犯罪活动,非法出卖、转让给境外的机构、组织、人员,非法出卖、转让武器装备造成严重后果等情况。

第四百四十条　违抗命令,遗弃武器装备的,处五年以下有期徒刑或者拘役;遗弃重要或者大量武器装备的,或者有其他严重情节的,处五年以上有期徒刑。

【释义】　本条是关于遗弃武器装备罪及其处罚的规定。

构成本条规定之罪应当具备下列条件:

1. 行为人具有遗弃武器装备的行为。这里规定的"遗弃武器装备",是指行为人故意抛弃武器装备的行为。武器装备是军人保卫国家和人民利益所必不可少的,必须加以妥善保管。随意遗弃武器装备,不仅会削弱我军的战斗力,而且可能被敌人所利用,严重危害军事利益。

2. 行为人的遗弃行为是故意实施的。如果行为人是由于疏忽大意而遗失了武器装备的，不能构成本罪。对遗失武器装备情节严重的，可以依照本法第四百四十一条关于遗失武器装备罪的规定处罚。

3. 行为人遗弃武器装备的行为是违抗命令的。战场情况复杂，在战场上有时根据作战的需要，按照上级命令遗弃一些武器装备的行为，不构成犯罪，不能按照本条的规定处罚。

构成本罪必须同时具备以上条件。根据本条的规定，对于违抗命令，遗弃武器装备的，处五年以下有期徒刑或者拘役；遗弃重要或者大量武器装备的，或者有其他严重情节的，处五年以上有期徒刑。

实践中，违抗命令，遗弃武器装备与战时违抗命令虽然都具有违抗命令的情节，但战时违抗命令罪只限于战时，且要对作战造成危害；而遗弃武器装备罪中，遗弃武器装备才是构成本罪需要追究刑事责任的依据，违抗命令只是个条件，如果行为人是根据上级的命令、决定遗弃武器装备的，不能构成犯罪。

第四百四十一条　遗失武器装备，不及时报告或者有其他严重情节的，处三年以下有期徒刑或者拘役。

【释义】 本条是关于遗失武器装备罪及其处罚的规定。

构成本条规定之罪应当具备下列条件：

1. 行为人具有遗失武器装备的行为。这里规定的“遗失”，是指在武器装备的操作使用、维护保养、运送等过程中，行为人因疏忽大意而造成武器装备丢失的行为。对武器装备不注意保管而遗失武器装备的行为，不仅会削弱我军的战斗力，而且会影响公共安全，危害我军的军事利益。

2. 行为人对武器装备的丢失，在主观上是有过失的。即行为人是因主观上疏忽大意或者轻信不会丢失而没有很好保管武器装备，以致武器装备丢失。如果行为人在主观上是故意丢弃武器装备的，不构成本罪，应按照遗弃武器装备罪的规定处理。如果行为人在武器装备的操作使用、维护保养中尽到了责任，而是因为不可抗拒或者不可克服的原因丢失了武器装备的，不是遗失武器装备，也不构成犯罪。

3. 行为人遗失武器装备必须是没有及时报告或者有其他严重情节的，才构成犯罪。这里规定的“其他严重情节”，是指遗失重要武器装备，遗失武器装备严重影响部队任务完成，造成了严重的后果，编造虚假情况欺骗组织等情况。行为人遗失武器装备是否有严重的情节，是划分罪与非罪、犯罪与违纪的一个重要标准。如果行为人遗失武器装备后及时报告，也没有其他严重情节的，可按照军纪处理。

构成本罪必须同时具备以上条件。根据本条的规定，对于遗失武器装备，不及时报告或者有其他严重情节的，处三年以下有期徒刑或者拘役。

第四百四十二条　违反规定，擅自出卖、转让军队房地产，情节严重的，对直接责任人员，处三年以下有期徒刑或者拘役；情节特别严重的，处三年以上十年以下有期徒刑。

【释义】　本条是关于擅自出卖、转让军队房地产罪及其处罚的规定。

构成本条规定之罪应当具备下列条件：

1. 行为人具有违反规定，擅自出卖、转让军队房地产的行为。这里规定的“违反规定”，是指行为人违反军队《内务条令》、《中国人民解放军房地产管理条例》等有关军队房地产管理和使用的规定。“擅自出卖、转让军队房地产”，是指行为人未经有权机关的批准，违反规定，自行将军队所有的或者由军队管理、使用的土地、房屋及其附属物等出卖、转让的行为。军队房地产是国防资产的重要组成部分，不得擅自变卖、转让。擅自出卖、转让军队房地产的行为，不仅侵害了国防资产的所有权，而且影响军队正常的管理、训练和生产、生活，危害国家军事利益。行为人不论是出于经济目的，还是其他原因擅自出卖、转让军队房地产的，都要给予处罚，情节严重的，要依法追究刑事责任。

2. 擅自出卖、转让军队房地产的行为必须是情节严重的，才构成犯罪。这里规定的“情节严重”，主要是指擅自出卖、转让军队房地产数量大，对国家军事利益造成严重危害，给军队造成严重经济损失，出卖、转让军事禁区房地产等情况。是否达到情节严重的程度，是划分罪与非罪的重要界限。刑法第二百二十八条规定了非法转让、倒卖土地使用权的犯罪，第四百一十条规定了非法低价出让国有土地使用权的犯罪，军人擅自出卖、转让军队房地产的，适用本条规定。

根据本条规定，对于违反规定，擅自出卖、转让军队房地产，情节严重的，对直接责任人员，处三年以下有期徒刑或者拘役；情节特别严重的，处三年以上十年以下有期徒刑。这里规定的“情节特别严重”，是指擅自出卖、转让军队房地产数量巨大，造成巨大经济损失，给国家军事利益造成特别严重损害等情况。

第四百四十三条　滥用职权，虐待部属，情节恶劣，致人重伤或者造成其他严重后果的，处五年以下有期徒刑或者拘役；致人死亡的，处五年以上有期徒刑。

【释义】　本条是关于虐待部属罪及其处罚的规定。

构成本条规定之罪应当具备下列条件：

1. 行为人虐待的对象是自己的部属。尊重干部、爱护士兵是我军的优良传统。虐待、打骂、体罚士兵是军阀作风,是我们坚决反对的。虐待部属违反了我军的宗旨,破坏了官兵关系和军队内部的团结,同时也侵害了部属的人身权利。对于滥用职权,虐待部属,情节恶劣,致人重伤或造成其他严重后果的,应当追究其刑事责任。根据本条的规定,行为人必须是在军队中有一定职权的领导或者担负一定职责的人员。这里规定的“部属”,是指与行为人存在一定隶属关系的下级军人。如果没有利用职权,对没有隶属关系的其他军人进行殴打等行为的,不构成本罪,致人伤亡的,可依照本法关于伤害罪、杀人罪的有关规定处罚。

2. 行为人实施了滥用职权,虐待部属,情节恶劣的行为。这里规定的“滥用职权”,是指行为人超越自己的权限或者不正确利用职权,对部属进行虐待的行为。这里规定的“虐待部属,情节恶劣”,是指行为人对部属进行身心上的严重摧残,如对部属体罚、殴打、冻饿、施以酷刑的,虐待部属人数众多的。在我国军队中,官兵在人身权利上是一致的、平等的,绝不允许任何人对部属进行虐待,这不仅会损害官兵的关系,而且会削弱部队的战斗力。即使部属有错误的行为,也要以批评教育为主,以思想政治工作为主,对于严重的错误,可以按照军纪和法律处理,不能管理教育方法简单生硬,甚至进行体罚虐待。

3. 行为人的虐待行为造成了部属重伤或者其他严重后果。这是构成本罪的必要条件。这里规定的“其他严重后果”,是指由于行为人的虐待部属的行为引发重大暴力事件,导致部属逃离部队,造成部属不堪忍受虐待而自杀,在部队、社会造成极坏影响等情况。如果行为人的虐待行为没有造成严重后果的,可按照军纪处理;造成了严重后果的,要依法追究刑事责任。

根据本条规定,对于滥用职权,虐待部属,情节恶劣,致人重伤或者造成其他严重后果的,处五年以下有期徒刑或者拘役;致人死亡的,处五年以上有期徒刑。

第四百四十四条　在战场上故意遗弃伤病军人,情节恶劣的,对直接责任人员,处五年以下有期徒刑。

【释义】 本条是关于遗弃伤病军人罪及其处罚的规定。

构成本条规定之罪应当具备下列条件:

1. 行为人具有在战场上故意遗弃伤病军人,情节恶劣的行为。这里规定的“故意遗弃”,是指行为人明知有伤病军人而不予抢救,弃置不顾的行为。遗弃行为必须是发生在战场上,遗弃的对象应是我军因伤、病需要给予救护的人员。“情节恶劣”,主要是指行为人故意遗弃伤病军人,造成伤病军人死亡、被敌人杀害等严重后果,以及遗弃多名伤病军人等。在战场上对有伤病的军人,其他军人都有抢救与保护的责任，这也是我军的光荣传统。在战场上对伤病的战友遗弃不顾，会削弱我军的战斗力，影响部队的士气，破坏部队团结。当然战场上的情况是非常复杂的，有时根据当时的条件和环境，无法对伤病军人进行抢救，对这种情况不能追究刑事责任。因而本条只规定对于情节恶劣的遗弃行为，追究刑事责任。

2. 本罪的主体是故意遗弃伤病军人的直接责任人员。这里规定的“直接责任人员”，是指对遗弃的伤病军人有条件救护而故意不予救护的人员，将自己负责救护的伤病军人遗弃的人员以及对故意遗弃伤病军人负有直接责任的指挥人员等。

根据本条规定，对于在战场上故意遗弃伤病军人，情节恶劣的，对直接责任人员，处五年以下有期徒刑。

第四百四十五条　战时在救护治疗职位上，有条件救治而拒不救治危重伤病军人的，处五年以下有期徒刑或者拘役；造成伤病军人重残、死亡或者有其他严重情节的，处五年以上十年以下有期徒刑。

【释义】　本条是关于战时拒不救治伤病军人罪及其处罚的规定。

构成本条规定之罪应当具备下列条件：

1. 行为人有条件救治危重伤病军人而拒不救治的。这里规定的“有条件救治而拒不救治”，是指行为人有医疗条件、技术条件救护、治疗危重伤病军人而以种种理由拒绝救治的。“危重伤病军人”，是指伤势、病情严重、危险的军人。如果行为人确实没有条件救治伤病军人的，不是拒不救治，不能构成犯罪。对于有一般伤病的军人拒不救治的，一般不会造成严重的后果，因而不构成犯罪，情节恶劣的，应进行教育批评，也可给予必要的处分。

2. 犯罪主体是在救护治疗职位上，负有救护治疗职责的人员。这里规定的“在救护治疗职位上”，是指正在当班的医务人员或者临时执行救护治疗任务的人员。

3. 本罪在战时才能构成。在战时，拒不救治危重伤病军人的行为，对部队的士气、战斗力都会有恶劣影响，其危害也比和平时期严重，必须依法追究刑事责任。

根据本条的规定，对于战时在救护治疗职位上，有条件救治而拒不救治危重伤病军人的，处五年以下有期徒刑或者拘役；造成伤病军人重残、死亡或者有其他严重情节的，处五年以上十年以下有期徒刑。这里规定的“重残”，是指按规定造成二等以上残疾的。“严重情节”，是指为报复而拒不救治，阻止他人救治，造成恶劣影响、引起严重事件等情况。

第四百四十六条　战时在军事行动地区，残害无辜居民或者掠夺无辜居民财物的，处五年以下有期徒刑；情节严重的，处五年以上十年以下有期徒刑；情节特别严重的，处十年以上有期徒刑、无期徒刑或者死刑。

【释义】　本条是关于战时残害居民、掠夺居民财物罪及其处罚的规定。

构成本条规定之罪应当具备下列条件：

1. 行为人必须实施了残害无辜居民或者掠夺无辜居民财物的行为。这里规定的“无辜居民”，是指在战区居住的对我军无敌对行动的居民，包括我方管辖的居民、敌方管辖的居民和属第三方管辖的居民。这里规定的“残害”，是指对无辜居民实施伤害、杀害、奸淫等侵犯人身的暴力行为。这里规定的“掠夺”，是指行为人用暴力或者以暴力相威胁，抢劫无辜居民财物的行为。军人的职责是保卫国家、消灭敌人，残害和掠夺无辜居民的行为不仅违反了军人的职责，而且败坏了我军的声誉，应当依法予以严惩。

2. 行为人必须是战时在军事行动地区实施上述行为的，才构成本罪。军事行动地区即我军作战的区域。战时在军事行动地区残害和掠夺无辜居民的行为，不仅是侵害了居民的人身权利和财产权利，更重要的是违背我军宗旨，破坏我军声誉，违反了有关国际公约的规定，危害了我军的军事利益，因而本条对这种犯罪作了单独的处罚规定，而没有依照本法伤害、抢劫等犯罪的规定处罚。如果行为人平时在非军事行动区残害无辜居民和掠夺无辜居民财产的，应按照本法有关侵犯公民人身权利和财产权利的犯罪的规定处罚。

根据本条规定，对于战时在军事行动地区，残害无辜居民或者掠夺无辜居民财物的，处五年以下有期徒刑；情节严重的，处五年以上十年以下有期徒刑；情节特别严重的，处十年以上有期徒刑、无期徒刑或者死刑。这里规定的“情节严重”，是指多次实施犯罪行为，残害，掠夺无辜居民多人，结伙实施犯罪行为，犯罪手段恶劣，造成恶劣影响等情况。“情节特别严重”，是指残害掠夺人数众多，掠夺财物数量特别巨大，手段特别残忍等情况。

由于残害不是一种具体的犯罪行为表现，而是一系列违法犯罪行为的集中表现，因此，军人在特定的时间、特定的地点，实施的本条规定的犯罪，只适用本条规定，不再适用刑法对其他有关犯罪的规定。

第四百四十七条　私放俘虏的，处五年以下有期徒刑；私放重要俘虏、私放俘虏多人或者有其他严重情节的，处五年以上有期徒刑。

【释义】　本条是关于私放俘虏罪及其处罚的规定。

根据本条规定，行为人只要具有私放俘虏的行为就可构成犯罪。本条所规定的“私放俘虏”，是指行为人违反战场纪律，未经批准而擅自将俘虏放走的行为。俘虏是在作战中被我方俘获的敌方武装人员及其他为敌方武装部队服务的人员。私放俘虏的行为，严重违反了军队的战场纪律，不利于消灭敌人和获取敌方的情况，还有可能暴露我军的情况，危害我军的作战行动和军事利益，因而这种行为只要一经实施，就要追究行为人的刑事责任。如果出于特殊的需要，根据上级的批准而释放俘虏的，不是私放俘虏，当然不构成本罪。

根据本条规定，对于私放俘虏的，处五年以下有期徒刑；私放重要俘虏、私放俘虏多人或者有其他严重情节的，处五年以上有期徒刑。这里规定的"重要俘虏"，是指敌军的中、高级军官，掌握重要情况的人员，以及为了解敌情而专门抓获的俘虏等。"其他严重情节"，是指除私放重要俘虏和私放俘虏多人以外的其他严重情况，如因私放俘虏而严重影响作战任务完成的，暴露我军军事秘密，危害我军军事利益的，以及因收受财物、贪图女色而私放俘虏的等情况。

第四百四十八条　虐待俘虏，情节恶劣的，处三年以下有期徒刑。

【释义】　本条是关于虐待俘虏罪及其处罚的规定。

构成本条规定之罪应当具备以下条件：

1. 行为人对俘虏实施了虐待行为。这里规定的"虐待俘虏"，是指违背人道主义，违反关于战俘待遇的《日内瓦公约》和我军的俘虏政策，对被我军俘获后不再反抗的敌方人员，进行肉体上的摧残，或者生活上不给予人道待遇的行为。对于被我方俘虏后，继续进行反抗，甚至行凶逃跑的敌方人员所采取的必要措施，不能认为是虐待俘虏的行为。

2. 必须是情节恶劣的虐待行为才构成本罪。这里规定的"情节恶劣"，是指虐待手段特别残酷，虐待伤病俘虏，虐待俘虏造成重伤、死亡等严重后果等情况。

根据本条规定，对于虐待俘虏，情节恶劣的，处三年以下有期徒刑。

第四百四十九条　在战时，对被判处三年以下有期徒刑没有现实危险宣告缓刑的犯罪军人，允许其戴罪立功，确有立功表现时，可以撤销原判刑罚，不以犯罪论处。

【释义】　本条是关于战时缓刑的具体规定。

本条中规定的没有现实危险的犯罪军人，是指虽然有犯罪行为，但其不会对军事行动、军事利益以及我军人员构成危害的军人。"宣告缓刑"，是指在判刑后，暂不执行，允许其留在战斗岗位或者其他岗位上继续履行军人职责。"确有立功表现时，可以撤销原判刑罚"，是指犯罪军人在缓刑期间，确有杀敌立功或者其他突出表现的，可以由原审法院作出撤销原判的决定。

战时对犯罪军人的缓刑与对一般犯罪的缓刑不同。本法规定对于被宣告缓刑的一般犯罪分子，如果在缓刑考验期内没有再犯新罪或者没有严重违反法律、行政法规或者国务院、公安部门有关缓刑的监督管理规定的，原判刑罚就不再执行。而本条规定，对于战时被宣告缓刑的犯罪军人，如果确有立功表现的，可以撤销原判刑罚，并且不以犯罪论处。也就是说，这个军人不再被认为曾经犯罪。这样规定，主要是考虑到战争这种特殊环境下最能考验人、教育人，给犯罪者在战争中以戴罪立功的机会，有利于对他们进行教育改造，而且会保存有生力量，让没有现实危险的犯罪军人，特别是有一定经验和专业技术的军人，继续留在部队战斗，加强部队的战斗力。实践证明，这一政策对于教育改造犯罪军人发挥了很好的作用，具有非常积极的意义。

第四百五十条　本章适用于中国人民解放军的现役军官、文职干部、士兵及具有军籍的学员和中国人民武装警察部队的现役警官、文职干部、士兵及具有军籍的学员以及执行军事任务的预备役人员和其他人员。

【释义】　本条是关于本章的适用范围的规定。

根据本条规定，下列人员犯有本章规定之罪的，适用本章的规定处罚：

1. 中国人民解放军现役军官、文职干部、士兵及具有军籍的学员。

2. 中国人民武装警察部队的现役警官、文职干部、士兵及具有军籍的学员。由于中国人民武装警察部队也是我国国家武装力量的组成部分，实行义务兵与志愿兵相结合的兵役制度，执行人民解放军的条令、条例。他们担负一定的军人职责，因而对于违反职责的犯罪，也适用本章的规定。

3. 执行军事任务的预备役人员和其他人员。由于执行军事任务的预备役人员和其他人员，也担负着与军人相同的保卫国家、人民利益的职责，因而本条规定，对于执行军事任务的预备役人员和其他人员违反职责的犯罪，适用本章的规定。

第四百五十一条　本章所称战时，是指国家宣布进入战争状态、部队受领作战任务或者遭敌突然袭击时。

部队执行戒严任务或者处置突发性暴力事件时，以战时论。

【释义】　本条是关于“战时”的含义的规定。

根据本条规定，战时是指下列情况：1. 国家宣布进入战争状态的。根据宪法规定，全国人民代表大会决定战争问题。在国家遭受武装侵犯或者必须履行国际间共同防止侵略的条约的情况下，全国人大常委会有权宣布进入战争状态。2. 部队受领作战任务的。3. 部队遭敌突然袭击时。

对于部队执行戒严任务或者处置突发性暴力事件时，本条规定以战时论。也就是说，部队执行戒严任务或者执行处置突发性暴力事件，是在非战争的和平时期。这里的“戒严任务”，根据戒严法的规定，是指在发生严重危及国家的统一、安全或者社会公共安全的动乱、暴乱或者严重骚乱，不采取非常措施不足以维护社会秩序、保护人民的生命、财产安全的紧急状态时，国家可以决定实施戒严。戒严任务由人民警察、人民武装警察执行；必要时，国务院可以向中央军事委员会提出，由中央军事委员会决定派出人民解放军协助执行戒严任务。“突发事件”，是指突然发生，造成或者可能造成严重社会危害，需要采取应急处置措施予以应对的事件。这里的“突发性暴力事件”，是指突然发生的，如恐怖事件、重大的打砸抢事件等，已经造成或者可能造成严重社会危害，危及人民生命和财产安全的，需要采取应急处置措施予以应对的事件。根据本条规定，对于部队执行戒严任务或者处置突发性暴力事件时，构成本章规定的军职罪的，以战时论。本章的有些条款作了战时从重处罚的规定。

附　　则

第四百五十二条　本法自1997年10月1日起施行。

列于本法附件一的全国人民代表大会常务委员会制定的条例、补充规定和决定，已纳入本法或者已不适用，自本法施行之日起，予以废止。

列于本法附件二的全国人民代表大会常务委员会制定的补充规定和决定予以保留。其中，有关行政处罚和行政措施的规定继续有效；有关刑事责任的规定已纳入本法，自本法施行之日起，适用本法规定。

【释义】 本条是关于本法生效日期和本法施行前全国人大常委会制定的条例以及关于刑法的补充规定和决定在本法施行后的效力的规定。

第一款是关于本法生效日期的规定。根据本款规定，本法自1997年10月1日起施行。对于生效以后发生的行为，应当依照本法的规定追究刑事责任。对于生效以前发生的行为，应当依照本法第十二条关于刑法溯及力的规定进行处理。

需要注意的是，1997年第八届全国人大第五次会议修订刑法后，全国人大常委会又通过了《关于惩治骗购外汇、逃汇和非法买卖外汇犯罪的决定》和九个刑法修正案。其中该决定和前七个刑法修正案均规定自公布之日起施行。2011年2月25日全国人大常委会通过的《刑法修正案（八）》规定，该修正案自2011年5月1日起施行。2015年8月29日全国人大常委会通过的《刑法修正案（九）》规定，该修正案自2015年11月1日起施行。《刑法修正案（八）》和《刑法修正案（九）》作出不同的规定，主要是考虑到该修正案涉及的内容较多，一些内容是对刑法总则规定的修改，在修正案通过以后，规定经过一定期限后开始施行，一方面有利于最高人民法院、最高人民检察院、公安部等部门修改相关司法解释，培训司法工作人员和执法人员，为修正案施行做好必要的准备；另一方面也有利于对修正案的内容进行宣传教育，使广大人民群众在修正案施行前对其内容有必要的了解。因此，《刑法修正案（八）》和《刑法修正案（九）》未规定该修正案自公布之日起施行，而是自通过之日起经过两个多月的时间后才生效。在司法实践中，对于该决定和刑法修正案所涉及的条文，必须依照刑法

第十二条关于刑法溯及力的规定和相关条文的修改生效日期来确定法律适用问题。

第二款是关于列于本法附件一中的，本法施行前全国人大常委会制定的条例以及关于刑法的补充规定和决定在本法施行后的效力的规定。1997 年修订刑法，一个重要的考虑就是要制定一部统一的、比较完备的刑法，将 1979 年刑法实施十七年来由全国人大常委会作出的有关刑法的条例、补充规定和决定研究修改编入刑法。列于本法附件一的十五个条例、补充规定和决定的内容基本上都是有关刑事责任方面的规定，这些内容中需要继续适用的都经过研究修改后纳入刑法，其中《关于处理逃跑或者重新犯罪的劳改犯和劳教人员的决定》经过研究后认为应当不再适用。因此，依照本款规定，列于本法附件一的全国人大常委会制定的条例、补充规定和决定，已纳入本法或者已不适用，自本法施行之日起，予以废止，不再有效。

第三款是关于列于本法附件二的本法施行前全国人大常委会制定的关于刑法的补充规定和决定在本法施行后的效力的规定。列于本法附件二的八个补充规定和决定，不仅规定了有关刑事责任的内容，还对一些违法行为规定了行政处罚及行政措施。其中有关刑事责任的内容，经过研究修改后纳入了刑法，本法生效后，应当依照本法的规定执行；但有关行政处罚及行政措施的规定在行政执法活动中仍然起着十分重要的作用，应当继续适用。因此，依照本款规定，列于本法附件二的全国人大常委会制定的补充规定和决定予以保留。其中，有关行政处罚和行政措施的规定继续有效，执法机关仍然要适用这些规定处理违法行为；有关刑事责任的规定已纳入本法，自本法施行之日起，不再有效，对于相关的犯罪行为，应当依照本法的有关规定追究刑事责任。

另外，本法以列附件的形式，对刑法实施后若干与刑法有关的法律文件的效力作出明确规定，在立法技术上是值得肯定的。1979 年刑法施行期间，为了适应惩治犯罪的需要，全国人大常委会通过了一系列的决定和补充规定等法律文件。这些法律文件在新刑法施行后效力如何，需要在法律中予以明确，以便广大人民群众学习和遵守，便于司法机关掌握和适用。

附件一：全国人民代表大会常务委员会制定的下列条例、补充规定和决定，已纳入本法或者已不适用，自本法施行之日起，予以废止：

1. 中华人民共和国惩治军人违反职责罪暂行条例
2. 关于严惩严重破坏经济的罪犯的决定
3. 关于严惩严重危害社会治安的犯罪分子的决定
4. 关于惩治走私罪的补充规定

5. 关于惩治贪污罪贿赂罪的补充规定
6. 关于惩治泄露国家秘密犯罪的补充规定
7. 关于惩治捕杀国家重点保护的珍贵、濒危野生动物犯罪的补充规定
8. 关于惩治侮辱中华人民共和国国旗国徽罪的决定
9. 关于惩治盗掘古文化遗址古墓葬犯罪的补充规定
10. 关于惩治劫持航空器犯罪分子的决定
11. 关于惩治假冒注册商标犯罪的补充规定
12. 关于惩治生产、销售伪劣商品犯罪的决定
13. 关于惩治侵犯著作权的犯罪的决定
14. 关于惩治违反公司法的犯罪的决定
15. 关于处理逃跑或者重新犯罪的劳改犯和劳教人员的决定

附件二:全国人民代表大会常务委员会制定的下列补充规定和决定予以保留,其中,有关行政处罚和行政措施的规定继续有效;有关刑事责任的规定已纳入本法,自本法施行之日起,适用本法规定:

1. 关于禁毒的决定 *
2. 关于惩治走私、制作、贩卖、传播淫秽物品的犯罪分子的决定
3. 关于严惩拐卖、绑架妇女、儿童的犯罪分子的决定
4. 关于严禁卖淫嫖娼的决定
5. 关于惩治偷税、抗税犯罪的补充规定**
6. 关于严惩组织、运送他人偷越国(边)境犯罪的补充规定***
7. 关于惩治破坏金融秩序犯罪的决定
8. 关于惩治虚开、伪造和非法出售增值税专用发票犯罪的决定

---

* 根据 2007 年 12 月 29 日第十届全国人民代表大会常务委员会第三十一次会议通过的《中华人民共和国禁毒法》废止。

** 根据 2009 年 6 月 27 日第十一届全国人民代表大会常务委员会第九次会议通过的《中华人民共和国关于废止部分法律的决定》废止。

*** 根据 2009 年 6 月 27 日第十一届全国人民代表大会常务委员会第九次会议通过的《中华人民共和国关于废止部分法律的决定》废止。

第二部分　附　录

全国人民代表大会常务委员会关于惩治骗购外汇、逃汇和非法买卖外汇犯罪的决定

（1998 年 12 月 29 日第九届全国人民代表大会常务委员会第六次会议通过　1998 年 12 月 29 日中华人民共和国主席令第十四号公布）

为了惩治骗购外汇、逃汇和非法买卖外汇的犯罪行为，维护国家外汇管理秩序，对刑法作如下补充修改：

一、有下列情形之一，骗购外汇，数额较大的，处五年以下有期徒刑或者拘役，并处骗购外汇数额百分之五以上百分之三十以下罚金；数额巨大或者有其他严重情节的，处五年以上十年以下有期徒刑，并处骗购外汇数额百分之五以上百分之三十以下罚金；数额特别巨大或者有其他特别严重情节的，处十年以上有期徒刑或者无期徒刑，并处骗购外汇数额百分之五以上百分之三十以下罚金或者没收财产：

（一）使用伪造、变造的海关签发的报关单、进口证明、外汇管理部门核准件等凭证和单据的；

（二）重复使用海关签发的报关单、进口证明、外汇管理部门核准件等凭证和单据的；

（三）以其他方式骗购外汇的。

伪造、变造海关签发的报关单、进口证明、外汇管理部门核准件等凭证和单据，并用于骗购外汇的，依照前款的规定从重处罚。

明知用于骗购外汇而提供人民币资金的，以共犯论处。

单位犯前三款罪的，对单位依照第一款的规定判处罚金，并对其直接负责的主管人员和其他直接责任人员，处五年以下有期徒刑或者拘役；数额巨大或者有其他严重情节的，处五年以上十年以下有期徒刑；数额特别巨大或者有其他特别严重情节的，处十年以上有期徒刑或者无期徒刑。

二、买卖伪造、变造的海关签发的报关单、进口证明、外汇管理部门核准件等凭证和单据或者国家机关的其他公文、证件、印章的，依照刑法第二百八十条的规定定罪处罚。

三、将刑法第一百九十条修改为：公司、企业或者其他单位，违反国家规定，擅自将外汇存放境外，或者将境内的外汇非法转移到境外，数额较大的，对单位判处逃汇数额百分之五以上百分之三十以下罚金，并对其直接负责的主管人员和其他直接责任人员处五年以下有期徒刑或者拘役；数额巨大或者有其他严重情节的，对单位判处逃汇数额百分之五以上百分之三十以下罚金，并对其直接负责的主管人员和其他直接责任人员处五年以上有期徒刑。

四、在国家规定的交易场所以外非法买卖外汇，扰乱市场秩序，情节严重的，依照刑法第二百二十五条的规定定罪处罚。

单位犯前款罪的，依照刑法第二百三十一条的规定处罚。

五、海关、外汇管理部门以及金融机构、从事对外贸易经营活动的公司、企业或者其他单位的工作人员与骗购外汇或者逃汇的行为人通谋，为其提供购买外汇的有关凭证或者其他便利的，或者明知是伪造、变造的凭证和单据而售汇、付汇的，以共犯论，依照本决定从重处罚。

六、海关、外汇管理部门的工作人员严重不负责任，造成大量外汇被骗购或者逃汇，致使国家利益遭受重大损失的，依照刑法第三百九十七条的规定定罪处罚。

七、金融机构、从事对外贸易经营活动的公司、企业的工作人员严重不负责任，造成大量外汇被骗购或者逃汇，致使国家利益遭受重大损失的，依照刑法第一百六十七条的规定定罪处罚。

八、犯本决定规定之罪，依法被追缴、没收的财物和罚金，一律上缴国库。

九、本决定自公布之日起施行。

中华人民共和国刑法修正案

（1999 年 12 月 25 日第九届全国人民代表大会常务委员会第十三次会议通过　1999 年 12 月 25 日中华人民共和国主席令第二十七号公布）

为了惩治破坏社会主义市场经济秩序的犯罪，保障社会主义现代化建设的顺利进行，对刑法作如下补充修改：

一、第一百六十二条后增加一条，作为第一百六十二条之一："隐匿或者故意销毁依法应当保存的会计凭证、会计帐簿、财务会计报告，情节严重的，处五年以下有期徒刑或者拘役，并处或者单处二万元以上二十万元以下罚金。

"单位犯前款罪的，对单位判处罚金，并对其直接负责的主管人员和其他直接责任人员，依照前款的规定处罚。"

二、将刑法第一百六十八条修改为："国有公司、企业的工作人员，由于严重不负责任或者滥用职权，造成国有公司、企业破产或者严重损失，致使国家利益遭受重大损失的，处三年以下有期徒刑或者拘役；致使国家利益遭受特别重大损失的，处三年以上七年以下有期徒刑。

"国有事业单位的工作人员有前款行为，致使国家利益遭受重大损失的，依照前款的规定处罚。

"国有公司、企业、事业单位的工作人员，徇私舞弊，犯前两款罪的，依照第一款的规定从重处罚。"

三、将刑法第一百七十四条修改为："未经国家有关主管部门批准，擅自设立商业银行、证券交易所、期货交易所、证券公司、期货经纪公司、保险公司或者其他金融机构的，处三年以下有期徒刑或者拘役，并处或者单处二万元以上二十万元以下罚金；情节严重的，处三年以上十年以下有期徒刑，并处五万元以上五十万元以下罚金。

"伪造、变造、转让商业银行、证券交易所、期货交易所、证券公司、期货经纪公司、保险公司或者其他金融机构的经营许可证或者批准文件的，依照前款的规定处罚。

"单位犯前两款罪的，对单位判处罚金，并对其直接负责的主管人员和其他直接责任人员，依照第一款的规定处罚。"

四、将刑法第一百八十条修改为:“证券、期货交易内幕信息的知情人员或者非法获取证券、期货交易内幕信息的人员,在涉及证券的发行,证券、期货交易或者其他对证券、期货交易价格有重大影响的信息尚未公开前,买入或者卖出该证券,或者从事与该内幕信息有关的期货交易,或者泄露该信息,情节严重的,处五年以下有期徒刑或者拘役,并处或者单处违法所得一倍以上五倍以下罚金;情节特别严重的,处五年以上十年以下有期徒刑,并处违法所得一倍以上五倍以下罚金。

“单位犯前款罪的,对单位判处罚金,并对其直接负责的主管人员和其他直接责任人员,处五年以下有期徒刑或者拘役。

“内幕信息、知情人员的范围,依照法律、行政法规的规定确定。”

五、将刑法第一百八十一条修改为:“编造并且传播影响证券、期货交易的虚假信息,扰乱证券、期货交易市场,造成严重后果的,处五年以下有期徒刑或者拘役,并处或者单处一万元以上十万元以下罚金。

“证券交易所、期货交易所、证券公司、期货经纪公司的从业人员,证券业协会、期货业协会或者证券期货监督管理部门的工作人员,故意提供虚假信息或者伪造、变造、销毁交易记录,诱骗投资者买卖证券、期货合约,造成严重后果的,处五年以下有期徒刑或者拘役,并处或者单处一万元以上十万元以下罚金;情节特别恶劣的,处五年以上十年以下有期徒刑,并处二万元以上二十万元以下罚金。

“单位犯前两款罪的,对单位判处罚金,并对其直接负责的主管人员和其他直接责任人员,处五年以下有期徒刑或者拘役。”

六、将刑法第一百八十二条修改为:“有下列情形之一,操纵证券、期货交易价格,获取不正当利益或者转嫁风险,情节严重的,处五年以下有期徒刑或者拘役,并处或者单处违法所得一倍以上五倍以下罚金:

(一)单独或者合谋,集中资金优势、持股或者持仓优势或者利用信息优势联合或者连续买卖,操纵证券、期货交易价格的;

(二)与他人串通,以事先约定的时间、价格和方式相互进行证券、期货交易,或者相互买卖并不持有的证券,影响证券、期货交易价格或者证券、期货交易量的;

(三)以自己为交易对象,进行不转移证券所有权的自买自卖,或者以自己为交易对象,自买自卖期货合约,影响证券、期货交易价格或者证券、期货交易量的;

(四)以其他方法操纵证券、期货交易价格的。

“单位犯前款罪的,对单位判处罚金,并对其直接负责的主管人员和其他直接责任人员,处五年以下有期徒刑或者拘役。”

七、将刑法第一百八十五条修改为:“商业银行、证券交易所、期货交易所、证券公司、期货经纪公司、保险公司或者其他金融机构的工作人员利用职务上的便利,挪用本单位或者客户资金的,依照本法第二百七十二条的规定定罪处罚。

“国有商业银行、证券交易所、期货交易所、证券公司、期货经纪公司、保险公司或者其他国有金融机构的工作人员和国有商业银行、证券交易所、期货交易所、证券公司、期货经纪公司、保险公司或者其他国有金融机构委派到前款规定中的非国有机构从事公务的人员有前款行为的,依照本法第三百八十四条的规定定罪处罚。”

八、刑法第二百二十五条　增加一项,作为第三项:“未经国家有关主管部门批准,非法经营证券、期货或者保险业务的;”原第三项改为第四项。

九、本修正案自公布之日起施行。

中华人民共和国刑法修正案(二)

(2001 年 8 月 31 日第九届全国人民代表大会常务委员会第二十三次会议通过　2001 年 8 月 31 日中华人民共和国主席令第五十六号公布)

为了惩治毁林开垦和乱占滥用林地的犯罪,切实保护森林资源,将刑法第三百四十二条修改为:

"违反土地管理法规,非法占用耕地、林地等农用地,改变被占用土地用途,数量较大,造成耕地、林地等农用地大量毁坏的,处五年以下有期徒刑或者拘役,并处或者单处罚金。"

本修正案自公布之日起施行。

中华人民共和国刑法修正案(三)

(2001年12月29日第九届全国人民代表大会常务委员会第二十五次会议通过　2001年12月29日中华人民共和国主席令第六十四号公布)

为了惩治恐怖活动犯罪,保障国家和人民生命、财产安全,维护社会秩序,对刑法作如下补充修改:

一、将刑法第一百一十四条修改为:“放火、决水、爆炸以及投放毒害性、放射性、传染病病原体等物质或者以其他危险方法危害公共安全,尚未造成严重后果的,处三年以上十年以下有期徒刑。”

二、将刑法第一百一十五条第一款修改为:“放火、决水、爆炸以及投放毒害性、放射性、传染病病原体等物质或者以其他危险方法致人重伤、死亡或者使公私财产遭受重大损失的,处十年以上有期徒刑、无期徒刑或者死刑。”

三、将刑法第一百二十条第一款修改为:“组织、领导恐怖活动组织的,处十年以上有期徒刑或者无期徒刑;积极参加的,处三年以上十年以下有期徒刑;其他参加的,处三年以下有期徒刑、拘役、管制或者剥夺政治权利。”

四、刑法第一百二十条后增加一条,作为第一百二十条之一:“资助恐怖活动组织或者实施恐怖活动的个人的,处五年以下有期徒刑、拘役、管制或者剥夺政治权利,并处罚金;情节严重的,处五年以上有期徒刑,并处罚金或者没收财产。

“单位犯前款罪的,对单位判处罚金,并对其直接负责的主管人员和其他直接责任人员,依照前款的规定处罚。”

五、将刑法第一百二十五条第二款修改为:“非法制造、买卖、运输、储存毒害性、放射性、传染病病原体等物质,危害公共安全的,依照前款的规定处罚。”

六、将刑法第一百二十七条修改为:“盗窃、抢夺枪支、弹药、爆炸物的,或者盗窃、抢夺毒害性、放射性、传染病病原体等物质,危害公共安全的,处三年以上十年以下有期徒刑;情节严重的,处十年以上有期徒刑、无期徒刑或者死刑。

“抢劫枪支、弹药、爆炸物的,或者抢劫毒害性、放射性、传染病病原体等物质,危害公共安全的,或者盗窃、抢夺国家机关、军警人员、民兵的枪支、弹药、爆炸物的,处十年以上有期徒刑、无期徒刑或者死刑。”

七、将刑法第一百九十一条修改为:“明知是毒品犯罪、黑社会性质的组织犯罪、恐怖活动犯罪、走私犯罪的违法所得及其产生的收益,为掩饰、隐瞒其来源和性质,有下列行为之一的,没收实施以上犯罪的违法所得及其产生的收益,处五年以下有期徒刑或者拘役,并处或者单处洗钱数额百分之五以上百分之二十以下罚金;情节严重的,处五年以上十年以下有期徒刑,并处洗钱数额百分之五以上百分之二十以下罚金:(一)提供资金帐户的;(二)协助将财产转换为现金或者金融票据的;(三)通过转帐或者其他结算方式协助资金转移的;(四)协助将资金汇往境外的;(五)以其他方法掩饰、隐瞒犯罪的违法所得及其收益的来源和性质的。

“单位犯前款罪的,对单位判处罚金,并对其直接负责的主管人员和其他直接责任人员,处五年以下有期徒刑或者拘役;情节严重的,处五年以上十年以下有期徒刑。”

八、刑法第二百九十一条后增加一条,作为第二百九十一条之一:“投放虚假的爆炸性、毒害性、放射性、传染病病原体等物质,或者编造爆炸威胁、生化威胁、放射威胁等恐怖信息,或者明知是编造的恐怖信息而故意传播,严重扰乱社会秩序的,处五年以下有期徒刑、拘役或者管制;造成严重后果的,处五年以上有期徒刑。”

九、本修正案自公布之日起施行。

中华人民共和国刑法修正案(四)

(2002年12月28日第九届全国人民代表大会常务委员会第三十一次会议通过　2002年12月28日中华人民共和国主席令第八十三号公布)

为了惩治破坏社会主义市场经济秩序、妨害社会管理秩序和国家机关工作人员的渎职犯罪行为,保障社会主义现代化建设的顺利进行,保障公民的人身安全,对刑法作如下修改和补充:

一、将刑法第一百四十五条修改为:"生产不符合保障人体健康的国家标准、行业标准的医疗器械、医用卫生材料,或者销售明知是不符合保障人体健康的国家标准、行业标准的医疗器械、医用卫生材料,足以严重危害人体健康的,处三年以下有期徒刑或者拘役,并处销售金额百分之五十以上二倍以下罚金;对人体健康造成严重危害的,处三年以上十年以下有期徒刑,并处销售金额百分之五十以上二倍以下罚金;后果特别严重的,处十年以上有期徒刑或者无期徒刑,并处销售金额百分之五十以上二倍以下罚金或者没收财产。"

二、在第一百五十二条　中增加一款作为第二款:"逃避海关监管将境外固体废物、液态废物和气态废物运输进境,情节严重的,处五年以下有期徒刑,并处或者单处罚金;情节特别严重的,处五年以上有期徒刑,并处罚金。"

原第二款作为第三款,修改为:"单位犯前两款罪的,对单位判处罚金,并对其直接负责的主管人员和其他直接责任人员,依照前两款的规定处罚。"

三、将刑法第一百五十五条修改为:"下列行为,以走私罪论处,依照本节的有关规定处罚:(一)直接向走私人非法收购国家禁止进口物品的,或者直接向走私人非法收购走私进口的其他货物、物品,数额较大的;(二)在内海、领海、界河、界湖运输、收购、贩卖国家禁止进出口物品的,或者运输、收购、贩卖国家限制进出口货物、物品,数额较大,没有合法证明的。"

四、刑法第二百四十四条后增加一条,作为第二百四十四条之一:"违反劳动管理法规,雇用未满十六周岁的未成年人从事超强度体力劳动的,或者从事高空、井下作业的,或者在爆炸性、易燃性、放射性、毒害性等危险环境下从事劳动,情节严重的,对直接责任人员,处三年以下有期徒刑或者拘役,并处罚金;情节特别严重的,处三年以上七年以下有期徒刑,并处罚金。

“有前款行为,造成事故,又构成其他犯罪的,依照数罪并罚的规定处罚。”

五、将刑法第三百三十九条第三款修改为:“以原料利用为名,进口不能用作原料的固体废物、液态废物和气态废物的,依照本法第一百五十二条第二款、第三款的规定定罪处罚。”

六、将刑法第三百四十四条修改为:“违反国家规定,非法采伐、毁坏珍贵树木或者国家重点保护的其他植物的,或者非法收购、运输、加工、出售珍贵树木或者国家重点保护的其他植物及其制品的,处三年以下有期徒刑、拘役或者管制,并处罚金;情节严重的,处三年以上七年以下有期徒刑,并处罚金。”

七、将刑法第三百四十五条修改为:“盗伐森林或者其他林木,数量较大的,处三年以下有期徒刑、拘役或者管制,并处或者单处罚金;数量巨大的,处三年以上七年以下有期徒刑,并处罚金;数量特别巨大的,处七年以上有期徒刑,并处罚金。

“违反森林法的规定,滥伐森林或者其他林木,数量较大的,处三年以下有期徒刑、拘役或者管制,并处或者单处罚金;数量巨大的,处三年以上七年以下有期徒刑,并处罚金。

“非法收购、运输明知是盗伐、滥伐的林木,情节严重的,处三年以下有期徒刑、拘役或者管制,并处或者单处罚金;情节特别严重的,处三年以上七年以下有期徒刑,并处罚金。

“盗伐、滥伐国家级自然保护区内的森林或者其他林木的,从重处罚。”

八、将刑法第三百九十九条修改为:“司法工作人员徇私枉法、徇情枉法,对明知是无罪的人而使他受追诉、对明知是有罪的人而故意包庇不使他受追诉,或者在刑事审判活动中故意违背事实和法律作枉法裁判的,处五年以下有期徒刑或者拘役;情节严重的,处五年以上十年以下有期徒刑;情节特别严重的,处十年以上有期徒刑。

“在民事、行政审判活动中故意违背事实和法律作枉法裁判,情节严重的,处五年以下有期徒刑或者拘役;情节特别严重的,处五年以上十年以下有期徒刑。

“在执行判决、裁定活动中,严重不负责任或者滥用职权,不依法采取诉讼保全措施、不履行法定执行职责,或者违法采取诉讼保全措施、强制执行措施,致使当事人或者其他人的利益遭受重大损失的,处五年以下有期徒刑或者拘役;致使当事人或者其他人的利益遭受特别重大损失的,处五年以上十年以下有期徒刑。

“司法工作人员收受贿赂,有前三款行为的,同时又构成本法第三百八十五条规定之罪的,依照处罚较重的规定定罪处罚。”

九、本修正案自公布之日起施行。

中华人民共和国刑法修正案(五)

(2005年2月28日第十届全国人民代表大会常务委员会第十四次会议通过　2005年2月28日中华人民共和国主席令第三十二号公布)

一、在刑法第一百七十七条后增加一条,作为第一百七十七条之一:“有下列情形之一,妨害信用卡管理的,处三年以下有期徒刑或者拘役,并处或者单处一万元以上十万元以下罚金;数量巨大或者有其他严重情节的,处三年以上十年以下有期徒刑,并处二万元以上二十万元以下罚金:

“(一)明知是伪造的信用卡而持有、运输的,或者明知是伪造的空白信用卡而持有、运输,数量较大的;

“(二)非法持有他人信用卡,数量较大的;

“(三)使用虚假的身份证明骗领信用卡的;

“(四)出售、购买、为他人提供伪造的信用卡或者以虚假的身份证明骗领的信用卡的。

“窃取、收买或者非法提供他人信用卡信息资料的,依照前款规定处罚。

“银行或者其他金融机构的工作人员利用职务上的便利,犯第二款罪的,从重处罚。”

二、将刑法第一百九十六条修改为:“有下列情形之一,进行信用卡诈骗活动,数额较大的,处五年以下有期徒刑或者拘役,并处二万元以上二十万元以下罚金;数额巨大或者有其他严重情节的,处五年以上十年以下有期徒刑,并处五万元以上五十万元以下罚金;数额特别巨大或者有其他特别严重情节的,处十年以上有期徒刑或者无期徒刑,并处五万元以上五十万元以下罚金或者没收财产:

“(一)使用伪造的信用卡,或者使用以虚假的身份证明骗领的信用卡的;

“(二)使用作废的信用卡的;

“(三)冒用他人信用卡的;

“(四)恶意透支的。

“前款所称恶意透支,是指持卡人以非法占有为目的,超过规定限额或者规定期限透支,并且经发卡银行催收后仍不归还的行为。

“盗窃信用卡并使用的,依照本法第二百六十四条的规定定罪处罚。”

三、在刑法第三百六十九条中增加一款作为第二款,将该条修改为:“破坏武器装备、军事设施、军事通信的,处三年以下有期徒刑、拘役或者管制;破坏重要武器装备、军事设施、军事通信的,处三年以上十年以下有期徒刑;情节特别严重的,处十年以上有期徒刑、无期徒刑或者死刑。

“过失犯前款罪,造成严重后果的,处三年以下有期徒刑或者拘役;造成特别严重后果的,处三年以上七年以下有期徒刑。

“战时犯前两款罪的,从重处罚。”

四、本修正案自公布之日起施行。

中华人民共和国刑法修正案(六)

(2006 年 6 月 29 日第十届全国人民代表大会常务委员会第二十二次会议通过　2006 年 6 月 29 日中华人民共和国主席令第五十一号公布)

一、将刑法第一百三十四条修改为:“在生产、作业中违反有关安全管理的规定,因而发生重大伤亡事故或者造成其他严重后果的,处三年以下有期徒刑或者拘役;情节特别恶劣的,处三年以上七年以下有期徒刑。

“强令他人违章冒险作业,因而发生重大伤亡事故或者造成其他严重后果的,处五年以下有期徒刑或者拘役;情节特别恶劣的,处五年以上有期徒刑。”

二、将刑法第一百三十五条修改为:“安全生产设施或者安全生产条件不符合国家规定,因而发生重大伤亡事故或者造成其他严重后果的,对直接负责的主管人员和其他直接责任人员,处三年以下有期徒刑或者拘役;情节特别恶劣的,处三年以上七年以下有期徒刑。”

三、在刑法第一百三十五条后增加一条,作为第一百三十五条之一:“举办大型群众性活动违反安全管理规定,因而发生重大伤亡事故或者造成其他严重后果的,对直接负责的主管人员和其他直接责任人员,处三年以下有期徒刑或者拘役;情节特别恶劣的,处三年以上七年以下有期徒刑。”

四、在刑法第一百三十九条后增加一条,作为第一百三十九条之一:“在安全事故发生后,负有报告职责的人员不报或者谎报事故情况,贻误事故抢救,情节严重的,处三年以下有期徒刑或者拘役;情节特别严重的,处三年以上七年以下有期徒刑。”

五、将刑法第一百六十一条修改为:“依法负有信息披露义务的公司、企业向股东和社会公众提供虚假的或者隐瞒重要事实的财务会计报告,或者对依法应当披露的其他重要信息不按照规定披露,严重损害股东或者其他人利益,或者有其他严重情节的,对其直接负责的主管人员和其他直接责任人员,处三年以下有期徒刑或者拘役,并处或者单处二万元以上二十万元以下罚金。”

六、在刑法第一百六十二条之一后增加一条,作为第一百六十二条之二:“公司、企业通过隐匿财产、承担虚构的债务或者以其他方法转移、处分财产,实施虚假破产,严重损害债权人或者其他人利益的,对其直接负责的主管人员和其他直接责任人员,处五年以下有期徒刑或者拘役,并处或者单处二万元以上二十万元以下罚金。”

七、将刑法第一百六十三条修改为:“公司、企业或者其他单位的工作人员利用职务上的便利,索取他人财物或者非法收受他人财物,为他人谋取利益,数额较大的,处五年以下有期徒刑或者拘役;数额巨大的,处五年以上有期徒刑,可以并处没收财产。

“公司、企业或者其他单位的工作人员在经济往来中,利用职务上的便利,违反国家规定,收受各种名义的回扣、手续费,归个人所有的,依照前款的规定处罚。

“国有公司、企业或者其他国有单位中从事公务的人员和国有公司、企业或者其他国有单位委派到非国有公司、企业以及其他单位从事公务的人员有前两款行为的,依照本法第三百八十五条、第三百八十六条的规定定罪处罚。”

八、将刑法第一百六十四条第一款修改为:“为谋取不正当利益,给予公司、企业或者其他单位的工作人员以财物,数额较大的,处三年以下有期徒刑或者拘役;数额巨大的,处三年以上十年以下有期徒刑,并处罚金。”

九、在刑法第一百六十九条后增加一条,作为第一百六十九条之一:“上市公司的董事、监事、高级管理人员违背对公司的忠实义务,利用职务便利,操纵上市公司从事下列行为之一,致使上市公司利益遭受重大损失的,处三年以下有期徒刑或者拘役,并处或者单处罚金;致使上市公司利益遭受特别重大损失的,处三年以上七年以下有期徒刑,并处罚金:

“(一)无偿向其他单位或者个人提供资金、商品、服务或者其他资产的;

“(二)以明显不公平的条件,提供或者接受资金、商品、服务或者其他资产的;

“(三)向明显不具有清偿能力的单位或者个人提供资金、商品、服务或者其他资产的;

“(四)为明显不具有清偿能力的单位或者个人提供担保,或者无正当理由为其他单位或者个人提供担保的;

“(五)无正当理由放弃债权、承担债务的;

“(六)采用其他方式损害上市公司利益的。

“上市公司的控股股东或者实际控制人,指使上市公司董事、监事、高级管理人员实施前款行为的,依照前款的规定处罚。

“犯前款罪的上市公司的控股股东或者实际控制人是单位的,对单位判处罚金,并对其直接负责的主管人员和其他直接责任人员,依照第一款的规定处罚。”

十、在刑法第一百七十五条后增加一条,作为第一百七十五条之一:“以欺骗手段取得银行或者其他金融机构贷款、票据承兑、信用证、保函等,给银行或者其他金融机构造成重大损失或者有其他严重情节的,处三年以下有期徒刑或者拘役,并处或者单处罚金;给银行或者其他金融机构造成特别重大损失或者有其他特别严重情节的，处三年以上七年以下有期徒刑，并处罚金。

“单位犯前款罪的，对单位判处罚金，并对其直接负责的主管人员和其他直接责任人员，依照前款的规定处罚。”

十一、将刑法第一百八十二条修改为：“有下列情形之一，操纵证券、期货市场，情节严重的，处五年以下有期徒刑或者拘役，并处或者单处罚金；情节特别严重的，处五年以上十年以下有期徒刑，并处罚金：

“（一）单独或者合谋，集中资金优势、持股或者持仓优势或者利用信息优势联合或者连续买卖，操纵证券、期货交易价格或者证券、期货交易量的；

“（二）与他人串通，以事先约定的时间、价格和方式相互进行证券、期货交易，影响证券、期货交易价格或者证券、期货交易量的；

“（三）在自己实际控制的帐户之间进行证券交易，或者以自己为交易对象，自买自卖期货合约，影响证券、期货交易价格或者证券、期货交易量的；

“（四）以其他方法操纵证券、期货市场的。

“单位犯前款罪的，对单位判处罚金，并对其直接负责的主管人员和其他直接责任人员，依照前款的规定处罚。”

十二、在刑法第一百八十五条后增加一条，作为第一百八十五条之一：“商业银行、证券交易所、期货交易所、证券公司、期货经纪公司、保险公司或者其他金融机构，违背受托义务，擅自运用客户资金或者其他委托、信托的财产，情节严重的，对单位判处罚金，并对其直接负责的主管人员和其他直接责任人员，处三年以下有期徒刑或者拘役，并处三万元以上三十万元以下罚金；情节特别严重的，处三年以上十年以下有期徒刑，并处五万元以上五十万元以下罚金。

“社会保障基金管理机构、住房公积金管理机构等公众资金管理机构，以及保险公司、保险资产管理公司、证券投资基金管理公司，违反国家规定运用资金的，对其直接负责的主管人员和其他直接责任人员，依照前款的规定处罚。”

十三、将刑法第一百八十六条第一款、第二款修改为：“银行或者其他金融机构的工作人员违反国家规定发放贷款，数额巨大或者造成重大损失的，处五年以下有期徒刑或者拘役，并处一万元以上十万元以下罚金；数额特别巨大或者造成特别重大损失的，处五年以上有期徒刑，并处二万元以上二十万元以下罚金。

“银行或者其他金融机构的工作人员违反国家规定，向关系人发放贷款的，依照前款的规定从重处罚。”

十四、将刑法第一百八十七条第一款修改为：“银行或者其他金融机构的工作人员吸收客户资金不入帐，数额巨大或者造成重大损失的，处五年以下有期徒刑或者拘役，并处二万元以上二十万元以下罚金；数额特别巨大或者造成特别重大损失的，处五年以上有期徒刑，并处五万元以上五十万元以下罚金。”

十五、将刑法第一百八十八条第一款修改为：“银行或者其他金融机构的工作人员违反规定,为他人出具信用证或者其他保函、票据、存单、资信证明,情节严重的,处五年以下有期徒刑或者拘役;情节特别严重的,处五年以上有期徒刑。"

十六、将刑法第一百九十一条第一款修改为:"明知是毒品犯罪、黑社会性质的组织犯罪、恐怖活动犯罪、走私犯罪、贪污贿赂犯罪、破坏金融管理秩序犯罪、金融诈骗犯罪的所得及其产生的收益,为掩饰、隐瞒其来源和性质,有下列行为之一的,没收实施以上犯罪的所得及其产生的收益,处五年以下有期徒刑或者拘役,并处或者单处洗钱数额百分之五以上百分之二十以下罚金;情节严重的,处五年以上十年以下有期徒刑,并处洗钱数额百分之五以上百分之二十以下罚金:

"(一)提供资金帐户的;

"(二)协助将财产转换为现金、金融票据、有价证券的;

"(三)通过转帐或者其他结算方式协助资金转移的;

"(四)协助将资金汇往境外的;

"(五)以其他方法掩饰、隐瞒犯罪所得及其收益的来源和性质的。"

十七、在刑法第二百六十二条后增加一条,作为第二百六十二条之一:"以暴力、胁迫手段组织残疾人或者不满十四周岁的未成年人乞讨的,处三年以下有期徒刑或者拘役,并处罚金;情节严重的,处三年以上七年以下有期徒刑,并处罚金。"

十八、将刑法第三百零三条修改为:"以营利为目的,聚众赌博或者以赌博为业的,处三年以下有期徒刑、拘役或者管制,并处罚金。

"开设赌场的,处三年以下有期徒刑、拘役或者管制,并处罚金;情节严重的,处三年以上十年以下有期徒刑,并处罚金。"

十九、将刑法第三百一十二条修改为:"明知是犯罪所得及其产生的收益而予以窝藏、转移、收购、代为销售或者以其他方法掩饰、隐瞒的,处三年以下有期徒刑、拘役或者管制,并处或者单处罚金;情节严重的,处三年以上七年以下有期徒刑,并处罚金。"

二十、在刑法第三百九十九条后增加一条,作为第三百九十九条之一:"依法承担仲裁职责的人员,在仲裁活动中故意违背事实和法律作枉法裁决,情节严重的,处三年以下有期徒刑或者拘役;情节特别严重的,处三年以上七年以下有期徒刑。"

二十一、本修正案自公布之日起施行。

中华人民共和国刑法修正案（七）

（2009 年 2 月 28 日第十一届全国人民代表大会常务委员会第七次会议通过　2009 年 2 月 28 日中华人民共和国主席令第十号公布）

一、将刑法第一百五十一条第三款修改为："走私珍稀植物及其制品等国家禁止进出口的其他货物、物品的，处五年以下有期徒刑或者拘役，并处或者单处罚金；情节严重的，处五年以上有期徒刑，并处罚金。"

二、将刑法第一百八十条第一款修改为："证券、期货交易内幕信息的知情人员或者非法获取证券、期货交易内幕信息的人员，在涉及证券的发行，证券、期货交易或者其他对证券、期货交易价格有重大影响的信息尚未公开前，买入或者卖出该证券，或者从事与该内幕信息有关的期货交易，或者泄露该信息，或者明示、暗示他人从事上述交易活动，情节严重的，处五年以下有期徒刑或者拘役，并处或者单处违法所得一倍以上五倍以下罚金；情节特别严重的，处五年以上十年以下有期徒刑，并处违法所得一倍以上五倍以下罚金。"

增加一款作为第四款："证券交易所、期货交易所、证券公司、期货经纪公司、基金管理公司、商业银行、保险公司等金融机构的从业人员以及有关监管部门或者行业协会的工作人员，利用因职务便利获取的内幕信息以外的其他未公开的信息，违反规定，从事与该信息相关的证券、期货交易活动，或者明示、暗示他人从事相关交易活动，情节严重的，依照第一款的规定处罚。"

三、将刑法第二百零一条修改为："纳税人采取欺骗、隐瞒手段进行虚假纳税申报或者不申报，逃避缴纳税款数额较大并且占应纳税额百分之十以上的，处三年以下有期徒刑或者拘役，并处罚金；数额巨大并且占应纳税额百分之三十以上的，处三年以上七年以下有期徒刑，并处罚金。

"扣缴义务人采取前款所列手段，不缴或者少缴已扣、已收税款，数额较大的，依照前款的规定处罚。

"对多次实施前两款行为，未经处理的，按照累计数额计算。

"有第一款行为，经税务机关依法下达追缴通知后，补缴应纳税款，缴纳滞纳金，已受行政处罚的，不予追究刑事责任；但是，五年内因逃避缴纳税款受过刑事处罚或者被税务机关给予二次以上行政处罚的除外。"

四、在刑法第二百二十四条后增加一条,作为第二百二十四条之一:“组织、领导以推销商品、提供服务等经营活动为名,要求参加者以缴纳费用或者购买商品、服务等方式获得加入资格,并按照一定顺序组成层级,直接或者间接以发展人员的数量作为计酬或者返利依据,引诱、胁迫参加者继续发展他人参加,骗取财物,扰乱经济社会秩序的传销活动的,处五年以下有期徒刑或者拘役,并处罚金;情节严重的,处五年以上有期徒刑,并处罚金。”

五、将刑法第二百二十五条第三项修改为:“未经国家有关主管部门批准非法经营证券、期货、保险业务的,或者非法从事资金支付结算业务的;”

六、将刑法第二百三十九条修改为:“以勒索财物为目的绑架他人的,或者绑架他人作为人质的,处十年以上有期徒刑或者无期徒刑,并处罚金或者没收财产;情节较轻的,处五年以上十年以下有期徒刑,并处罚金。

“犯前款罪,致使被绑架人死亡或者杀害被绑架人的,处死刑,并处没收财产。

“以勒索财物为目的偷盗婴幼儿的,依照前两款的规定处罚。”

七、在刑法第二百五十三条后增加一条,作为第二百五十三条之一:“国家机关或者金融、电信、交通、教育、医疗等单位的工作人员,违反国家规定,将本单位在履行职责或者提供服务过程中获得的公民个人信息,出售或者非法提供给他人,情节严重的,处三年以下有期徒刑或者拘役,并处或者单处罚金。

“窃取或者以其他方法非法获取上述信息,情节严重的,依照前款的规定处罚。

“单位犯前两款罪的,对单位判处罚金,并对其直接负责的主管人员和其他直接责任人员,依照各该款的规定处罚。”

八、在刑法第二百六十二条之一后增加一条,作为第二百六十二条之二:“组织未成年人进行盗窃、诈骗、抢夺、敲诈勒索等违反治安管理活动的,处三年以下有期徒刑或者拘役,并处罚金;情节严重的,处三年以上七年以下有期徒刑,并处罚金。”

九、在刑法第二百八十五条中增加两款作为第二款、第三款:“违反国家规定,侵入前款规定以外的计算机信息系统或者采用其他技术手段,获取该计算机信息系统中存储、处理或者传输的数据,或者对该计算机信息系统实施非法控制,情节严重的,处三年以下有期徒刑或者拘役,并处或者单处罚金;情节特别严重的,处三年以上七年以下有期徒刑,并处罚金。

“提供专门用于侵入、非法控制计算机信息系统的程序、工具,或者明知他人实施侵入、非法控制计算机信息系统的违法犯罪行为而为其提供程序、工具,情节严重的,依照前款的规定处罚。”

十、在刑法第三百一十二条中增加一款作为第二款:“单位犯前款罪的,对单位判处罚金,并对其直接负责的主管人员和其他直接责任人员,依照前款的规定处罚。”

十一、将刑法第三百三十七条第一款修改为:“违反有关动植物防疫、检疫的国家规定，引起重大动植物疫情的，或者有引起重大动植物疫情危险，情节严重的，处三年以下有期徒刑或者拘役，并处或者单处罚金。”

十二、将刑法第三百七十五条第二款修改为：“非法生产、买卖武装部队制式服装，情节严重的，处三年以下有期徒刑、拘役或者管制，并处或者单处罚金。”

增加一款作为第三款：“伪造、盗窃、买卖或者非法提供、使用武装部队车辆号牌等专用标志，情节严重的，处三年以下有期徒刑、拘役或者管制，并处或者单处罚金；情节特别严重的，处三年以上七年以下有期徒刑，并处罚金。”

原第三款作为第四款，修改为：“单位犯第二款、第三款罪的，对单位判处罚金，并对其直接负责的主管人员和其他直接责任人员，依照各该款的规定处罚。”

十三、在刑法第三百八十八条后增加一条作为第三百八十八条之一：“国家工作人员的近亲属或者其他与该国家工作人员关系密切的人，通过该国家工作人员职务上的行为，或者利用该国家工作人员职权或者地位形成的便利条件，通过其他国家工作人员职务上的行为，为请托人谋取不正当利益，索取请托人财物或者收受请托人财物，数额较大或者有其他较重情节的，处三年以下有期徒刑或者拘役，并处罚金；数额巨大或者有其他严重情节的，处三年以上七年以下有期徒刑，并处罚金；数额特别巨大或者有其他特别严重情节的，处七年以上有期徒刑，并处罚金或者没收财产。

“离职的国家工作人员或者其近亲属以及其他与其关系密切的人，利用该离职的国家工作人员原职权或者地位形成的便利条件实施前款行为的，依照前款的规定定罪处罚。”

十四、将刑法第三百九十五条第一款修改为：“国家工作人员的财产、支出明显超过合法收入，差额巨大的，可以责令该国家工作人员说明来源，不能说明来源的，差额部分以非法所得论，处五年以下有期徒刑或者拘役；差额特别巨大的，处五年以上十年以下有期徒刑。财产的差额部分予以追缴。”

十五、本修正案自公布之日起施行。

中华人民共和国刑法修正案(八)

(2011年2月25日第十一届全国人民代表大会常务委员会第十九次会议通过 2011年2月25日中华人民共和国主席令第四十一号公布)

一、在刑法第十七条后增加一条,作为第十七条之一:"已满七十五周岁的人故意犯罪的,可以从轻或者减轻处罚;过失犯罪的,应当从轻或者减轻处罚。"

二、在刑法第三十八条中增加一款作为第二款:"判处管制,可以根据犯罪情况,同时禁止犯罪分子在执行期间从事特定活动,进入特定区域、场所,接触特定的人。"

原第二款作为第三款,修改为:"对判处管制的犯罪分子,依法实行社区矫正。"

增加一款作为第四款:"违反第二款规定的禁止令的,由公安机关依照《中华人民共和国治安管理处罚法》的规定处罚。"

三、在刑法第四十九条中增加一款作为第二款:"审判的时候已满七十五周岁的人,不适用死刑,但以特别残忍手段致人死亡的除外。"

四、将刑法第五十条修改为:"判处死刑缓期执行的,在死刑缓期执行期间,如果没有故意犯罪,二年期满以后,减为无期徒刑;如果确有重大立功表现,二年期满以后,减为二十五年有期徒刑;如果故意犯罪,查证属实的,由最高人民法院核准,执行死刑。

"对被判处死刑缓期执行的累犯以及因故意杀人、强奸、抢劫、绑架、放火、爆炸、投放危险物质或者有组织的暴力性犯罪被判处死刑缓期执行的犯罪分子,人民法院根据犯罪情节等情况可以同时决定对其限制减刑。"

五、将刑法第六十三条第一款修改为:"犯罪分子具有本法规定的减轻处罚情节的,应当在法定刑以下判处刑罚;本法规定有数个量刑幅度的,应当在法定量刑幅度的下一个量刑幅度内判处刑罚。"

六、将刑法第六十五条第一款修改为:"被判处有期徒刑以上刑罚的犯罪分子,刑罚执行完毕或者赦免以后,在五年以内再犯应当判处有期徒刑以上刑罚之罪的,是累犯,应当从重处罚,但是过失犯罪和不满十八周岁的人犯罪的除外。"

七、将刑法第六十六条修改为:"危害国家安全犯罪、恐怖活动犯罪、黑社会性质的组织犯罪的犯罪分子,在刑罚执行完毕或者赦免以后,在任何时候再犯上述任一类罪的，都以累犯论处。”

八、在刑法第六十七条中增加一款作为第三款：“犯罪嫌疑人虽不具有前两款规定的自首情节，但是如实供述自己罪行的，可以从轻处罚；因其如实供述自己罪行，避免特别严重后果发生的，可以减轻处罚。”

九、删去刑法第六十八条第二款。

十、将刑法第六十九条修改为：“判决宣告以前一人犯数罪的，除判处死刑和无期徒刑的以外，应当在总和刑期以下、数刑中最高刑期以上，酌情决定执行的刑期，但是管制最高不能超过三年，拘役最高不能超过一年，有期徒刑总和刑期不满三十五年的，最高不能超过二十年，总和刑期在三十五年以上的，最高不能超过二十五年。

“数罪中有判处附加刑的，附加刑仍须执行，其中附加刑种类相同的，合并执行，种类不同的，分别执行。”

十一、将刑法第七十二条修改为：“对于被判处拘役、三年以下有期徒刑的犯罪分子，同时符合下列条件的，可以宣告缓刑，对其中不满十八周岁的人、怀孕的妇女和已满七十五周岁的人，应当宣告缓刑：

“（一）犯罪情节较轻；

“（二）有悔罪表现；

“（三）没有再犯罪的危险；

“（四）宣告缓刑对所居住社区没有重大不良影响。

“宣告缓刑，可以根据犯罪情况，同时禁止犯罪分子在缓刑考验期限内从事特定活动，进入特定区域、场所，接触特定的人。

“被宣告缓刑的犯罪分子，如果被判处附加刑，附加刑仍须执行。”

十二、将刑法第七十四条修改为：“对于累犯和犯罪集团的首要分子，不适用缓刑。”

十三、将刑法第七十六条修改为：“对宣告缓刑的犯罪分子，在缓刑考验期限内，依法实行社区矫正，如果没有本法第七十七条规定的情形，缓刑考验期满，原判的刑罚就不再执行，并公开予以宣告。”

十四、将刑法第七十七条第二款修改为：“被宣告缓刑的犯罪分子，在缓刑考验期限内，违反法律、行政法规或者国务院有关部门关于缓刑的监督管理规定，或者违反人民法院判决中的禁止令，情节严重的，应当撤销缓刑，执行原判刑罚。”

十五、将刑法第七十八条第二款修改为：“减刑以后实际执行的刑期不能少于下列期限：

“（一）判处管制、拘役、有期徒刑的，不能少于原判刑期的二分之一；

“（二）判处无期徒刑的，不能少于十三年；

“（三）人民法院依照本法第五十条第二款规定限制减刑的死刑缓期执行的犯

罪分子,缓期执行期满后依法减为无期徒刑的,不能少于二十五年,缓期执行期满后依法减为二十五年有期徒刑的,不能少于二十年。”

十六、将刑法第八十一条修改为:“被判处有期徒刑的犯罪分子,执行原判刑期二分之一以上,被判处无期徒刑的犯罪分子,实际执行十三年以上,如果认真遵守监规,接受教育改造,确有悔改表现,没有再犯罪的危险的,可以假释。如果有特殊情况,经最高人民法院核准,可以不受上述执行刑期的限制。

“对累犯以及因故意杀人、强奸、抢劫、绑架、放火、爆炸、投放危险物质或者有组织的暴力性犯罪被判处十年以上有期徒刑、无期徒刑的犯罪分子,不得假释。

“对犯罪分子决定假释时,应当考虑其假释后对所居住社区的影响。”

十七、将刑法第八十五条修改为:“对假释的犯罪分子,在假释考验期限内,依法实行社区矫正,如果没有本法第八十六条规定的情形,假释考验期满,就认为原判刑罚已经执行完毕,并公开予以宣告。”

十八、将刑法第八十六条第三款修改为:“被假释的犯罪分子,在假释考验期限内,有违反法律、行政法规或者国务院有关部门关于假释的监督管理规定的行为,尚未构成新的犯罪的,应当依照法定程序撤销假释,收监执行未执行完毕的刑罚。”

十九、在刑法第一百条中增加一款作为第二款:“犯罪的时候不满十八周岁被判处五年有期徒刑以下刑罚的人,免除前款规定的报告义务。”

二十、将刑法第一百零七条修改为:“境内外机构、组织或者个人资助实施本章第一百零二条、第一百零三条、第一百零四条、第一百零五条规定之罪的,对直接责任人员,处五年以下有期徒刑、拘役、管制或者剥夺政治权利;情节严重的,处五年以上有期徒刑。”

二十一、将刑法第一百零九条修改为:“国家机关工作人员在履行公务期间,擅离岗位,叛逃境外或者在境外叛逃的,处五年以下有期徒刑、拘役、管制或者剥夺政治权利;情节严重的,处五年以上十年以下有期徒刑。

“掌握国家秘密的国家工作人员叛逃境外或者在境外叛逃的,依照前款的规定从重处罚。”

二十二、在刑法第一百三十三条后增加一条,作为第一百三十三条之一:“在道路上驾驶机动车追逐竞驶,情节恶劣的,或者在道路上醉酒驾驶机动车的,处拘役,并处罚金。

“有前款行为,同时构成其他犯罪的,依照处罚较重的规定定罪处罚。”

二十三、将刑法第一百四十一条第一款修改为:“生产、销售假药的,处三年以下有期徒刑或者拘役,并处罚金;对人体健康造成严重危害或者有其他严重情节的,处三年以上十年以下有期徒刑,并处罚金;致人死亡或者有其他特别严重情节的,处十年以上有期徒刑、无期徒刑或者死刑,并处罚金或者没收财产。”

二十四、将刑法第一百四十三条修改为:“生产、销售不符合食品安全标准的食品,足以造成严重食物中毒事故或者其他严重食源性疾病的,处三年以下有期徒刑或者拘役,并处罚金;对人体健康造成严重危害或者有其他严重情节的,处三年以上七年以下有期徒刑,并处罚金;后果特别严重的,处七年以上有期徒刑或者无期徒刑,并处罚金或者没收财产。”

二十五、将刑法第一百四十四条修改为:“在生产、销售的食品中掺入有毒、有害的非食品原料的,或者销售明知掺有有毒、有害的非食品原料的食品的,处五年以下有期徒刑,并处罚金;对人体健康造成严重危害或者有其他严重情节的,处五年以上十年以下有期徒刑,并处罚金;致人死亡或者有其他特别严重情节的,依照本法第一百四十一条的规定处罚。”

二十六、将刑法第一百五十一条修改为:“走私武器、弹药、核材料或者伪造的货币的,处七年以上有期徒刑,并处罚金或者没收财产;情节特别严重的,处无期徒刑或者死刑,并处没收财产;情节较轻的,处三年以上七年以下有期徒刑,并处罚金。

“走私国家禁止出口的文物、黄金、白银和其他贵重金属或者国家禁止进出口的珍贵动物及其制品的,处五年以上十年以下有期徒刑,并处罚金;情节特别严重的,处十年以上有期徒刑或者无期徒刑,并处没收财产;情节较轻的,处五年以下有期徒刑,并处罚金。

“走私珍稀植物及其制品等国家禁止进出口的其他货物、物品的,处五年以下有期徒刑或者拘役,并处或者单处罚金;情节严重的,处五年以上有期徒刑,并处罚金。

“单位犯本条规定之罪的,对单位判处罚金,并对其直接负责的主管人员和其他直接责任人员,依照本条各款的规定处罚。”

二十七、将刑法第一百五十三条第一款修改为:“走私本法第一百五十一条、第一百五十二条、第三百四十七条规定以外的货物、物品的,根据情节轻重,分别依照下列规定处罚:

“(一)走私货物、物品偷逃应缴税额较大或者一年内曾因走私被给予二次行政处罚后又走私的,处三年以下有期徒刑或者拘役,并处偷逃应缴税额一倍以上五倍以下罚金。

“(二)走私货物、物品偷逃应缴税额巨大或者有其他严重情节的,处三年以上十年以下有期徒刑,并处偷逃应缴税额一倍以上五倍以下罚金。

“(三)走私货物、物品偷逃应缴税额特别巨大或者有其他特别严重情节的,处十年以上有期徒刑或者无期徒刑,并处偷逃应缴税额一倍以上五倍以下罚金或者没收财产。”

二十八、将刑法第一百五十七条第一款修改为:“武装掩护走私的,依照本法第一百五十一条第一款的规定从重处罚。”

二十九、将刑法第一百六十四条修改为:“为谋取不正当利益,给予公司、企业或者其他单位的工作人员以财物,数额较大的,处三年以下有期徒刑或者拘役;数额巨大的,处三年以上十年以下有期徒刑,并处罚金。

"为谋取不正当商业利益,给予外国公职人员或者国际公共组织官员以财物的,依照前款的规定处罚。

"单位犯前两款罪的,对单位判处罚金,并对其直接负责的主管人员和其他直接责任人员,依照第一款的规定处罚。

"行贿人在被追诉前主动交待行贿行为的,可以减轻处罚或者免除处罚。"

三十、将刑法第一百九十九条修改为:"犯本节第一百九十二条规定之罪,数额特别巨大并且给国家和人民利益造成特别重大损失的,处无期徒刑或者死刑,并处没收财产。"

三十一、将刑法第二百条修改为:"单位犯本节第一百九十二条、第一百九十四条、第一百九十五条规定之罪的,对单位判处罚金,并对其直接负责的主管人员和其他直接责任人员,处五年以下有期徒刑或者拘役,可以并处罚金;数额巨大或者有其他严重情节的,处五年以上十年以下有期徒刑,并处罚金;数额特别巨大或者有其他特别严重情节的,处十年以上有期徒刑或者无期徒刑,并处罚金。"

三十二、删去刑法第二百零五条第二款。

三十三、在刑法第二百零五条后增加一条,作为第二百零五条之一:"虚开本法第二百零五条规定以外的其他发票,情节严重的,处二年以下有期徒刑、拘役或者管制,并处罚金;情节特别严重的,处二年以上七年以下有期徒刑,并处罚金。

"单位犯前款罪的,对单位判处罚金,并对其直接负责的主管人员和其他直接责任人员,依照前款的规定处罚。"

三十四、删去刑法第二百零六条第二款。

三十五、在刑法第二百一十条后增加一条,作为第二百一十条之一:"明知是伪造的发票而持有,数量较大的,处二年以下有期徒刑、拘役或者管制,并处罚金;数量巨大的,处二年以上七年以下有期徒刑,并处罚金。

"单位犯前款罪的,对单位判处罚金,并对其直接负责的主管人员和其他直接责任人员,依照前款的规定处罚。"

三十六、将刑法第二百二十六条修改为:"以暴力、威胁手段,实施下列行为之一,情节严重的,处三年以下有期徒刑或者拘役,并处或者单处罚金;情节特别严重的,处三年以上七年以下有期徒刑,并处罚金:

"(一)强买强卖商品的;

"(二)强迫他人提供或者接受服务的;

"(三)强迫他人参与或者退出投标、拍卖的;

"(四)强迫他人转让或者收购公司、企业的股份、债券或者其他资产的;

"(五)强迫他人参与或者退出特定的经营活动的。"

三十七、在刑法第二百三十四条后增加一条,作为第二百三十四条之一:"组织他人出卖人体器官的,处五年以下有期徒刑,并处罚金;情节严重的,处五年以上有期徒刑,并处罚金或者没收财产。

"未经本人同意摘取其器官,或者摘取不满十八周岁的人的器官,或者强迫、欺骗他人捐献器官的,依照本法第二百三十四条、第二百三十二条的规定定罪处罚。

"违背本人生前意愿摘取其尸体器官,或者本人生前未表示同意,违反国家规定,违背其近亲属意愿摘取其尸体器官的,依照本法第三百零二条的规定定罪处罚。"

三十八、将刑法第二百四十四条修改为:"以暴力、威胁或者限制人身自由的方法强迫他人劳动的,处三年以下有期徒刑或者拘役,并处罚金;情节严重的,处三年以上十年以下有期徒刑,并处罚金。

"明知他人实施前款行为,为其招募、运送人员或者有其他协助强迫他人劳动行为的,依照前款的规定处罚。

"单位犯前两款罪的,对单位判处罚金,并对其直接负责的主管人员和其他直接责任人员,依照第一款的规定处罚。"

三十九、将刑法第二百六十四条修改为:"盗窃公私财物,数额较大的,或者多次盗窃、入户盗窃、携带凶器盗窃、扒窃的,处三年以下有期徒刑、拘役或者管制,并处或者单处罚金;数额巨大或者有其他严重情节的,处三年以上十年以下有期徒刑,并处罚金;数额特别巨大或者有其他特别严重情节的,处十年以上有期徒刑或者无期徒刑,并处罚金或者没收财产。"

四十、将刑法第二百七十四条修改为:"敲诈勒索公私财物,数额较大或者多次敲诈勒索的,处三年以下有期徒刑、拘役或者管制,并处或者单处罚金;数额巨大或者有其他严重情节的,处三年以上十年以下有期徒刑,并处罚金;数额特别巨大或者有其他特别严重情节的,处十年以上有期徒刑,并处罚金。"

四十一、在刑法第二百七十六条后增加一条,作为第二百七十六条之一:"以转移财产、逃匿等方法逃避支付劳动者的劳动报酬或者有能力支付而不支付劳动者的劳动报酬,数额较大,经政府有关部门责令支付仍不支付的,处三年以下有期徒刑或者拘役,并处或者单处罚金;造成严重后果的,处三年以上七年以下有期徒刑,并处罚金。

"单位犯前款罪的,对单位判处罚金,并对其直接负责的主管人员和其他直接责任人员,依照前款的规定处罚。

"有前两款行为,尚未造成严重后果,在提起公诉前支付劳动者的劳动报酬,并依法承担相应赔偿责任的,可以减轻或者免除处罚。"

四十二、将刑法第二百九十三条修改为:"有下列寻衅滋事行为之一,破坏社会秩序的,处五年以下有期徒刑、拘役或者管制:

“(一)随意殴打他人,情节恶劣的;

“(二)追逐、拦截、辱骂、恐吓他人,情节恶劣的;

“(三)强拿硬要或者任意损毁、占用公私财物,情节严重的;

“(四)在公共场所起哄闹事,造成公共场所秩序严重混乱的。

“纠集他人多次实施前款行为,严重破坏社会秩序的,处五年以上十年以下有期徒刑,可以并处罚金。”

四十三、将刑法第二百九十四条修改为:“组织、领导黑社会性质的组织的,处七年以上有期徒刑,并处没收财产;积极参加的,处三年以上七年以下有期徒刑,可以并处罚金或者没收财产;其他参加的,处三年以下有期徒刑、拘役、管制或者剥夺政治权利,可以并处罚金。

“境外的黑社会组织的人员到中华人民共和国境内发展组织成员的,处三年以上十年以下有期徒刑。

“国家机关工作人员包庇黑社会性质的组织,或者纵容黑社会性质的组织进行违法犯罪活动的,处五年以下有期徒刑;情节严重的,处五年以上有期徒刑。

“犯前三款罪又有其他犯罪行为的,依照数罪并罚的规定处罚。

“黑社会性质的组织应当同时具备以下特征:

“(一)形成较稳定的犯罪组织,人数较多,有明确的组织者、领导者,骨干成员基本固定;

“(二)有组织地通过违法犯罪活动或者其他手段获取经济利益,具有一定的经济实力,以支持该组织的活动;

“(三)以暴力、威胁或者其他手段,有组织地多次进行违法犯罪活动,为非作恶,欺压、残害群众;

“(四)通过实施违法犯罪活动,或者利用国家工作人员的包庇或者纵容,称霸一方,在一定区域或者行业内,形成非法控制或者重大影响,严重破坏经济、社会生活秩序。”

四十四、将刑法第二百九十五条修改为:“传授犯罪方法的,处五年以下有期徒刑、拘役或者管制;情节严重的,处五年以上十年以下有期徒刑;情节特别严重的,处十年以上有期徒刑或者无期徒刑。”

四十五、将刑法第三百二十八条第一款修改为:“盗掘具有历史、艺术、科学价值的古文化遗址、古墓葬的,处三年以上十年以下有期徒刑,并处罚金;情节较轻的,处三年以下有期徒刑、拘役或者管制,并处罚金;有下列情形之一的,处十年以上有期徒刑或者无期徒刑,并处罚金或者没收财产:

“(一)盗掘确定为全国重点文物保护单位和省级文物保护单位的古文化遗址、古墓葬的;

“(二)盗掘古文化遗址、古墓葬集团的首要分子;

“(三)多次盗掘古文化遗址、古墓葬的;

“(四)盗掘古文化遗址、古墓葬,并盗窃珍贵文物或者造成珍贵文物严重破坏的。”

四十六、将刑法第三百三十八条修改为:“违反国家规定,排放、倾倒或者处置有放射性的废物、含传染病病原体的废物、有毒物质或者其他有害物质,严重污染环境的,处三年以下有期徒刑或者拘役,并处或者单处罚金;后果特别严重的,处三年以上七年以下有期徒刑,并处罚金。”

四十七、将刑法第三百四十三条第一款修改为:“违反矿产资源法的规定,未取得采矿许可证擅自采矿,擅自进入国家规划矿区、对国民经济具有重要价值的矿区和他人矿区范围采矿,或者擅自开采国家规定实行保护性开采的特定矿种,情节严重的,处三年以下有期徒刑、拘役或者管制,并处或者单处罚金;情节特别严重的,处三年以上七年以下有期徒刑,并处罚金。”

四十八、将刑法第三百五十八条第三款修改为:“为组织卖淫的人招募、运送人员或者有其他协助组织他人卖淫行为的,处五年以下有期徒刑,并处罚金;情节严重的,处五年以上十年以下有期徒刑,并处罚金。”

四十九、在刑法第四百零八条后增加一条,作为第四百零八条之一:“负有食品安全监督管理职责的国家机关工作人员,滥用职权或者玩忽职守,导致发生重大食品安全事故或者造成其他严重后果的,处五年以下有期徒刑或者拘役;造成特别严重后果的,处五年以上十年以下有期徒刑。

“徇私舞弊犯前款罪的,从重处罚。”

五十、本修正案自 2011 年 5 月 1 日起施行。

中华人民共和国刑法修正案(九)

(2015年8月29日第十二届全国人民代表大会常务委员会第十六次会议通过　2015年8月29日中华人民共和国主席令第三十号公布)

一、在刑法第三十七条后增加一条,作为第三十七条之一:“因利用职业便利实施犯罪,或者实施违背职业要求的特定义务的犯罪被判处刑罚的,人民法院可以根据犯罪情况和预防再犯罪的需要,禁止其自刑罚执行完毕之日或者假释之日起从事相关职业,期限为三年至五年。

“被禁止从事相关职业的人违反人民法院依照前款规定作出的决定的,由公安机关依法给予处罚;情节严重的,依照本法第三百一十三条的规定定罪处罚。

“其他法律、行政法规对其从事相关职业另有禁止或者限制性规定的,从其规定。”

二、将刑法第五十条第一款修改为:“判处死刑缓期执行的,在死刑缓期执行期间,如果没有故意犯罪,二年期满以后,减为无期徒刑;如果确有重大立功表现,二年期满以后,减为二十五年有期徒刑;如果故意犯罪,情节恶劣的,报请最高人民法院核准后执行死刑;对于故意犯罪未执行死刑的,死刑缓期执行的期间重新计算,并报最高人民法院备案。”

三、将刑法第五十三条修改为:“罚金在判决指定的期限内一次或者分期缴纳。期满不缴纳的,强制缴纳。对于不能全部缴纳罚金的,人民法院在任何时候发现被执行人有可以执行的财产,应当随时追缴。

“由于遭遇不能抗拒的灾祸等原因缴纳确实有困难的,经人民法院裁定,可以延期缴纳、酌情减少或者免除。”

四、在刑法第六十九条中增加一款作为第二款:“数罪中有判处有期徒刑和拘役的,执行有期徒刑。数罪中有判处有期徒刑和管制,或者拘役和管制的,有期徒刑、拘役执行完毕后,管制仍须执行。”

原第二款作为第三款。

五、将刑法第一百二十条修改为:“组织、领导恐怖活动组织的,处十年以上有期徒刑或者无期徒刑,并处没收财产;积极参加的,处三年以上十年以下有期徒刑,并处罚金;其他参加的,处三年以下有期徒刑、拘役、管制或者剥夺政治权利,可以并处罚金。

“犯前款罪并实施杀人、爆炸、绑架等犯罪的，依照数罪并罚的规定处罚。”

六、将刑法第一百二十条之一修改为：“资助恐怖活动组织、实施恐怖活动的个人的，或者资助恐怖活动培训的，处五年以下有期徒刑、拘役、管制或者剥夺政治权利，并处罚金；情节严重的，处五年以上有期徒刑，并处罚金或者没收财产。

“为恐怖活动组织、实施恐怖活动或者恐怖活动培训招募、运送人员的，依照前款的规定处罚。

“单位犯前两款罪的，对单位判处罚金，并对其直接负责的主管人员和其他直接责任人员，依照第一款的规定处罚。”

七、在刑法第一百二十条之一后增加五条，作为第一百二十条之二、第一百二十条之三、第一百二十条之四、第一百二十条之五、第一百二十条之六：

“第一百二十条之二　有下列情形之一的，处五年以下有期徒刑、拘役、管制或者剥夺政治权利，并处罚金；情节严重的，处五年以上有期徒刑，并处罚金或者没收财产：

“（一）为实施恐怖活动准备凶器、危险物品或者其他工具的；

“（二）组织恐怖活动培训或者积极参加恐怖活动培训的；

“（三）为实施恐怖活动与境外恐怖活动组织或者人员联络的；

“（四）为实施恐怖活动进行策划或者其他准备的。

“有前款行为，同时构成其他犯罪的，依照处罚较重的规定定罪处罚。

“第一百二十条之三　以制作、散发宣扬恐怖主义、极端主义的图书、音频视频资料或者其他物品，或者通过讲授、发布信息等方式宣扬恐怖主义、极端主义的，或者煽动实施恐怖活动的，处五年以下有期徒刑、拘役、管制或者剥夺政治权利，并处罚金；情节严重的，处五年以上有期徒刑，并处罚金或者没收财产。

“第一百二十条之四　利用极端主义煽动、胁迫群众破坏国家法律确立的婚姻、司法、教育、社会管理等制度实施的，处三年以下有期徒刑、拘役或者管制，并处罚金；情节严重的，处三年以上七年以下有期徒刑，并处罚金；情节特别严重的，处七年以上有期徒刑，并处罚金或者没收财产。

“第一百二十条之五　以暴力、胁迫等方式强制他人在公共场所穿着、佩戴宣扬恐怖主义、极端主义服饰、标志的，处三年以下有期徒刑、拘役或者管制，并处罚金。

“第一百二十条之六　明知是宣扬恐怖主义、极端主义的图书、音频视频资料或者其他物品而非法持有，情节严重的，处三年以下有期徒刑、拘役或者管制，并处或者单处罚金。”

八、将刑法第一百三十三条之一修改为：“在道路上驾驶机动车，有下列情形之一的，处拘役，并处罚金：

“(一)追逐竞驶,情节恶劣的;

“(二)醉酒驾驶机动车的;

“(三)从事校车业务或者旅客运输,严重超过额定乘员载客,或者严重超过规定时速行驶的;

“(四)违反危险化学品安全管理规定运输危险化学品,危及公共安全的。

“机动车所有人、管理人对前款第三项、第四项行为负有直接责任的,依照前款的规定处罚。

“有前两款行为,同时构成其他犯罪的,依照处罚较重的规定定罪处罚。”

九、将刑法第一百五十一条第一款修改为:“走私武器、弹药、核材料或者伪造的货币的,处七年以上有期徒刑,并处罚金或者没收财产;情节特别严重的,处无期徒刑,并处没收财产;情节较轻的,处三年以上七年以下有期徒刑,并处罚金。”

十、将刑法第一百六十四条第一款修改为:“为谋取不正当利益,给予公司、企业或者其他单位的工作人员以财物,数额较大的,处三年以下有期徒刑或者拘役,并处罚金;数额巨大的,处三年以上十年以下有期徒刑,并处罚金。”

十一、将刑法第一百七十条修改为:“伪造货币的,处三年以上十年以下有期徒刑,并处罚金;有下列情形之一的,处十年以上有期徒刑或者无期徒刑,并处罚金或者没收财产:

“(一)伪造货币集团的首要分子;

“(二)伪造货币数额特别巨大的;

“(三)有其他特别严重情节的。”

十二、删去刑法第一百九十九条。

十三、将刑法第二百三十七条修改为:“以暴力、胁迫或者其他方法强制猥亵他人或者侮辱妇女的,处五年以下有期徒刑或者拘役。

“聚众或者在公共场所当众犯前款罪的,或者有其他恶劣情节的,处五年以上有期徒刑。

“猥亵儿童的,依照前两款的规定从重处罚。”

十四、将刑法第二百三十九条第二款修改为:“犯前款罪,杀害被绑架人的,或者故意伤害被绑架人,致人重伤、死亡的,处无期徒刑或者死刑,并处没收财产。”

十五、将刑法第二百四十一条第六款修改为:“收买被拐卖的妇女、儿童,对被买儿童没有虐待行为,不阻碍对其进行解救的,可以从轻处罚;按照被买妇女的意愿,不阻碍其返回原居住地的,可以从轻或者减轻处罚。”

十六、在刑法第二百四十六条中增加一款作为第三款:“通过信息网络实施第一款规定的行为,被害人向人民法院告诉,但提供证据确有困难的,人民法院可以要求公安机关提供协助。”

十七、将刑法第二百五十三条之一修改为:“违反国家有关规定,向他人出售或者提供公民个人信息，情节严重的，处三年以下有期徒刑或者拘役，并处或者单处罚金；情节特别严重的，处三年以上七年以下有期徒刑，并处罚金。

"违反国家有关规定，将在履行职责或者提供服务过程中获得的公民个人信息，出售或者提供给他人的，依照前款的规定从重处罚。

"窃取或者以其他方法非法获取公民个人信息的，依照第一款的规定处罚。

"单位犯前三款罪的，对单位判处罚金，并对其直接负责的主管人员和其他直接责任人员，依照各该款的规定处罚。"

十八、将刑法第二百六十条第三款修改为："第一款罪，告诉的才处理，但被害人没有能力告诉，或者因受到强制、威吓无法告诉的除外。"

十九、在刑法第二百六十条后增加一条，作为第二百六十条之一："对未成年人、老年人、患病的人、残疾人等负有监护、看护职责的人虐待被监护、看护的人，情节恶劣的，处三年以下有期徒刑或者拘役。

"单位犯前款罪的，对单位判处罚金，并对其直接负责的主管人员和其他直接责任人员，依照前款的规定处罚。

"有第一款行为，同时构成其他犯罪的，依照处罚较重的规定定罪处罚。"

二十、将刑法第二百六十七条第一款修改为："抢夺公私财物，数额较大的，或者多次抢夺的，处三年以下有期徒刑、拘役或者管制，并处或者单处罚金；数额巨大或者有其他严重情节的，处三年以上十年以下有期徒刑，并处罚金；数额特别巨大或者有其他特别严重情节的，处十年以上有期徒刑或者无期徒刑，并处罚金或者没收财产。"

二十一、在刑法第二百七十七条中增加一款作为第五款："暴力袭击正在依法执行职务的人民警察的，依照第一款的规定从重处罚。"

二十二、将刑法第二百八十条修改为："伪造、变造、买卖或者盗窃、抢夺、毁灭国家机关的公文、证件、印章的，处三年以下有期徒刑、拘役、管制或者剥夺政治权利，并处罚金；情节严重的，处三年以上十年以下有期徒刑，并处罚金。

"伪造公司、企业、事业单位、人民团体的印章的，处三年以下有期徒刑、拘役、管制或者剥夺政治权利，并处罚金。

"伪造、变造、买卖居民身份证、护照、社会保障卡、驾驶证等依法可以用于证明身份的证件的，处三年以下有期徒刑、拘役、管制或者剥夺政治权利，并处罚金；情节严重的，处三年以上七年以下有期徒刑，并处罚金。"

二十三、在刑法第二百八十条后增加一条作为第二百八十条之一："在依照国家规定应当提供身份证明的活动中，使用伪造、变造的或者盗用他人的居民身份证、护照、社会保障卡、驾驶证等依法可以用于证明身份的证件，情节严重的，处拘役或者管制，并处或者单处罚金。

"有前款行为，同时构成其他犯罪的，依照处罚较重的规定定罪处罚。"

二十四、将刑法第二百八十三条修改为:“非法生产、销售专用间谍器材或者窃听、窃照专用器材的,处三年以下有期徒刑、拘役或者管制,并处或者单处罚金;情节严重的,处三年以上七年以下有期徒刑,并处罚金。

“单位犯前款罪的,对单位判处罚金,并对其直接负责的主管人员和其他直接责任人员,依照前款的规定处罚。”

二十五、在刑法第二百八十四条后增加一条,作为第二百八十四条之一:“在法律规定的国家考试中,组织作弊的,处三年以下有期徒刑或者拘役,并处或者单处罚金;情节严重的,处三年以上七年以下有期徒刑,并处罚金。

“为他人实施前款犯罪提供作弊器材或者其他帮助的,依照前款的规定处罚。

“为实施考试作弊行为,向他人非法出售或者提供第一款规定的考试的试题、答案的,依照第一款的规定处罚。

“代替他人或者让他人代替自己参加第一款规定的考试的,处拘役或者管制,并处或者单处罚金。”

二十六、在刑法第二百八十五条中增加一款作为第四款:“单位犯前三款罪的,对单位判处罚金,并对其直接负责的主管人员和其他直接责任人员,依照各该款的规定处罚。”

二十七、在刑法第二百八十六条中增加一款作为第四款:“单位犯前三款罪的,对单位判处罚金,并对其直接负责的主管人员和其他直接责任人员,依照第一款的规定处罚。”

二十八、在刑法第二百八十六条后增加一条,作为第二百八十六条之一:“网络服务提供者不履行法律、行政法规规定的信息网络安全管理义务,经监管部门责令采取改正措施而拒不改正,有下列情形之一的,处三年以下有期徒刑、拘役或者管制,并处或者单处罚金:

“(一)致使违法信息大量传播的;

“(二)致使用户信息泄露,造成严重后果的;

“(三)致使刑事案件证据灭失,情节严重的;

“(四)有其他严重情节的。

“单位犯前款罪的,对单位判处罚金,并对其直接负责的主管人员和其他直接责任人员,依照前款的规定处罚。

“有前两款行为,同时构成其他犯罪的,依照处罚较重的规定定罪处罚。”

二十九、在刑法第二百八十七条后增加二条,作为第二百八十七条之一、第二百八十七条之二:

“第二百八十七条之一 利用信息网络实施下列行为之一,情节严重的,处三年以下有期徒刑或者拘役,并处或者单处罚金:

“(一)设立用于实施诈骗、传授犯罪方法、制作或者销售违禁物品、管制物品等违法犯罪活动的网站、通讯群组的；

“（二）发布有关制作或者销售毒品、枪支、淫秽物品等违禁物品、管制物品或者其他违法犯罪信息的；

“（三）为实施诈骗等违法犯罪活动发布信息的。

“单位犯前款罪的，对单位判处罚金，并对其直接负责的主管人员和其他直接责任人员，依照第一款的规定处罚。

“有前两款行为，同时构成其他犯罪的，依照处罚较重的规定定罪处罚。

“第二百八十七条之二　明知他人利用信息网络实施犯罪，为其犯罪提供互联网接入、服务器托管、网络存储、通讯传输等技术支持，或者提供广告推广、支付结算等帮助，情节严重的，处三年以下有期徒刑或者拘役，并处或者单处罚金。

“单位犯前款罪的，对单位判处罚金，并对其直接负责的主管人员和其他直接责任人员，依照第一款的规定处罚。

“有前两款行为，同时构成其他犯罪的，依照处罚较重的规定定罪处罚。”

三十、将刑法第二百八十八条第一款修改为：“违反国家规定，擅自设置、使用无线电台（站），或者擅自使用无线电频率，干扰无线电通讯秩序，情节严重的，处三年以下有期徒刑、拘役或者管制，并处或者单处罚金；情节特别严重的，处三年以上七年以下有期徒刑，并处罚金。”

三十一、将刑法第二百九十条第一款修改为：“聚众扰乱社会秩序，情节严重，致使工作、生产、营业和教学、科研、医疗无法进行，造成严重损失的，对首要分子，处三年以上七年以下有期徒刑；对其他积极参加的，处三年以下有期徒刑、拘役、管制或者剥夺政治权利。”

增加二款作为第三款、第四款：“多次扰乱国家机关工作秩序，经行政处罚后仍不改正，造成严重后果的，处三年以下有期徒刑、拘役或者管制。

“多次组织、资助他人非法聚集，扰乱社会秩序，情节严重的，依照前款的规定处罚。”

三十二、在刑法第二百九十一条之一中增加一款作为第二款：“编造虚假的险情、疫情、灾情、警情，在信息网络或者其他媒体上传播，或者明知是上述虚假信息，故意在信息网络或者其他媒体上传播，严重扰乱社会秩序的，处三年以下有期徒刑、拘役或者管制；造成严重后果的，处三年以上七年以下有期徒刑。”

三十三、将刑法第三百条修改为：“组织、利用会道门、邪教组织或者利用迷信破坏国家法律、行政法规实施的，处三年以上七年以下有期徒刑，并处罚金；情节特别严重的，处七年以上有期徒刑或者无期徒刑，并处罚金或者没收财产；情节较轻的，处三年以下有期徒刑、拘役、管制或者剥夺政治权利，并处或者单处罚金。

“组织、利用会道门、邪教组织或者利用迷信蒙骗他人，致人重伤、死亡的，依照前款的规定处罚。

“犯第一款罪又有奸淫妇女、诈骗财物等犯罪行为的,依照数罪并罚的规定处罚。”

三十四、将刑法第三百零二条修改为:“盗窃、侮辱、故意毁坏尸体、尸骨、骨灰的,处三年以下有期徒刑、拘役或者管制。”

三十五、在刑法第三百零七条后增加一条,作为第三百零七条之一:“以捏造的事实提起民事诉讼,妨害司法秩序或者严重侵害他人合法权益的,处三年以下有期徒刑、拘役或者管制,并处或者单处罚金;情节严重的,处三年以上七年以下有期徒刑,并处罚金。

“单位犯前款罪的,对单位判处罚金,并对其直接负责的主管人员和其他直接责任人员,依照前款的规定处罚。

“有第一款行为,非法占有他人财产或者逃避合法债务,又构成其他犯罪的,依照处罚较重的规定定罪从重处罚。

“司法工作人员利用职权,与他人共同实施前三款行为的,从重处罚;同时构成其他犯罪的,依照处罚较重的规定定罪从重处罚。”

三十六、在刑法第三百零八条后增加一条,作为第三百零八条之一:“司法工作人员、辩护人、诉讼代理人或者其他诉讼参与人,泄露依法不公开审理的案件中不应当公开的信息,造成信息公开传播或者其他严重后果的,处三年以下有期徒刑、拘役或者管制,并处或者单处罚金。

“有前款行为,泄露国家秘密的,依照本法第三百九十八条的规定定罪处罚。

“公开披露、报道第一款规定的案件信息,情节严重的,依照第一款的规定处罚。

“单位犯前款罪的,对单位判处罚金,并对其直接负责的主管人员和其他直接责任人员,依照第一款的规定处罚。”

三十七、将刑法第三百零九条修改为:“有下列扰乱法庭秩序情形之一的,处三年以下有期徒刑、拘役、管制或者罚金:

“(一)聚众哄闹、冲击法庭的;

“(二)殴打司法工作人员或者诉讼参与人的;

“(三)侮辱、诽谤、威胁司法工作人员或者诉讼参与人,不听法庭制止,严重扰乱法庭秩序的;

“(四)有毁坏法庭设施,抢夺、损毁诉讼文书、证据等扰乱法庭秩序行为,情节严重的。”

三十八、将刑法第三百一十一条修改为:“明知他人有间谍犯罪或者恐怖主义、极端主义犯罪行为,在司法机关向其调查有关情况、收集有关证据时,拒绝提供,情节严重的,处三年以下有期徒刑、拘役或者管制。”

三十九、将刑法第三百一十三条修改为:“对人民法院的判决、裁定有能力执行而拒不执行，情节严重的，处三年以下有期徒刑、拘役或者罚金；情节特别严重的，处三年以上七年以下有期徒刑，并处罚金。

“单位犯前款罪的，对单位判处罚金，并对其直接负责的主管人员和其他直接责任人员，依照前款的规定处罚。”

四十、将刑法第三百二十二条修改为：“违反国（边）境管理法规，偷越国（边）境，情节严重的，处一年以下有期徒刑、拘役或者管制，并处罚金；为参加恐怖活动组织、接受恐怖活动培训或者实施恐怖活动，偷越国（边）境的，处一年以上三年以下有期徒刑，并处罚金。”

四十一、将刑法第三百五十条第一款、第二款修改为：“违反国家规定，非法生产、买卖、运输醋酸酐、乙醚、三氯甲烷或者其他用于制造毒品的原料、配剂，或者携带上述物品进出境，情节较重的，处三年以下有期徒刑、拘役或者管制，并处罚金；情节严重的，处三年以上七年以下有期徒刑，并处罚金；情节特别严重的，处七年以上有期徒刑，并处罚金或者没收财产。

“明知他人制造毒品而为其生产、买卖、运输前款规定的物品的，以制造毒品罪的共犯论处。”

四十二、将刑法第三百五十八条修改为：“组织、强迫他人卖淫的，处五年以上十年以下有期徒刑，并处罚金；情节严重的，处十年以上有期徒刑或者无期徒刑，并处罚金或者没收财产。

“组织、强迫未成年人卖淫的，依照前款的规定从重处罚。

“犯前两款罪，并有杀害、伤害、强奸、绑架等犯罪行为的，依照数罪并罚的规定处罚。

“为组织卖淫的人招募、运送人员或者有其他协助组织他人卖淫行为的，处五年以下有期徒刑，并处罚金；情节严重的，处五年以上十年以下有期徒刑，并处罚金。”

四十三、删去刑法第三百六十条第二款。

四十四、将刑法第三百八十三条修改为：“对犯贪污罪的，根据情节轻重，分别依照下列规定处罚：

“（一）贪污数额较大或者有其他较重情节的，处三年以下有期徒刑或者拘役，并处罚金。

“（二）贪污数额巨大或者有其他严重情节的，处三年以上十年以下有期徒刑，并处罚金或者没收财产。

“（三）贪污数额特别巨大或者有其他特别严重情节的，处十年以上有期徒刑或者无期徒刑，并处罚金或者没收财产；数额特别巨大，并使国家和人民利益遭受特别重大损失的，处无期徒刑或者死刑，并处没收财产。

“对多次贪污未经处理的，按照累计贪污数额处罚。

“犯第一款罪,在提起公诉前如实供述自己罪行、真诚悔罪、积极退赃,避免、减少损害结果的发生,有第一项规定情形的,可以从轻、减轻或者免除处罚;有第二项、第三项规定情形的,可以从轻处罚。

“犯第一款罪,有第三项规定情形被判处死刑缓期执行的,人民法院根据犯罪情节等情况可以同时决定在其死刑缓期执行二年期满依法减为无期徒刑后,终身监禁,不得减刑、假释。”

四十五、将刑法第三百九十条修改为:“对犯行贿罪的,处五年以下有期徒刑或者拘役,并处罚金;因行贿谋取不正当利益,情节严重的,或者使国家利益遭受重大损失的,处五年以上十年以下有期徒刑,并处罚金;情节特别严重的,或者使国家利益遭受特别重大损失的,处十年以上有期徒刑或者无期徒刑,并处罚金或者没收财产。

“行贿人在被追诉前主动交待行贿行为的,可以从轻或者减轻处罚。其中,犯罪较轻的,对侦破重大案件起关键作用的,或者有重大立功表现的,可以减轻或者免除处罚。”

四十六、在刑法第三百九十条后增加一条,作为第三百九十条之一:“为谋取不正当利益,向国家工作人员的近亲属或者其他与该国家工作人员关系密切的人,或者向离职的国家工作人员或者其近亲属以及其他与其关系密切的人行贿的,处三年以下有期徒刑或者拘役,并处罚金;情节严重的,或者使国家利益遭受重大损失的,处三年以上七年以下有期徒刑,并处罚金;情节特别严重的,或者使国家利益遭受特别重大损失的,处七年以上十年以下有期徒刑,并处罚金。

“单位犯前款罪的,对单位判处罚金,并对其直接负责的主管人员和其他直接责任人员,处三年以下有期徒刑或者拘役,并处罚金。”

四十七、将刑法第三百九十一条第一款修改为:“为谋取不正当利益,给予国家机关、国有公司、企业、事业单位、人民团体以财物的,或者在经济往来中,违反国家规定,给予各种名义的回扣、手续费的,处三年以下有期徒刑或者拘役,并处罚金。”

四十八、将刑法第三百九十二条第一款修改为:“向国家工作人员介绍贿赂,情节严重的,处三年以下有期徒刑或者拘役,并处罚金。”

四十九、将刑法第三百九十三条修改为:“单位为谋取不正当利益而行贿,或者违反国家规定,给予国家工作人员以回扣、手续费,情节严重的,对单位判处罚金,并对其直接负责的主管人员和其他直接责任人员,处五年以下有期徒刑或者拘役,并处罚金。因行贿取得的违法所得归个人所有的,依照本法第三百八十九条、第三百九十条的规定定罪处罚。”

五十、将刑法第四百二十六条修改为:“以暴力、威胁方法,阻碍指挥人员或者值班、值勤人员执行职务的,处五年以下有期徒刑或者拘役;情节严重的,处五年以上十年以下有期徒刑;情节特别严重的,处十年以上有期徒刑或者无期徒刑。战时从重处罚。”

五十一、将刑法第四百三十三条修改为：“战时造谣惑众，动摇军心的，处三年以下有期徒刑；情节严重的，处三年以上十年以下有期徒刑；情节特别严重的，处十年以上有期徒刑或者无期徒刑。”

五十二、本修正案自2015年11月1日起施行。

全国人民代表大会常务委员会关于废止部分法律的决定(节选)

(2009年6月27日第十一届全国人民代表大会常务委员会第九次会议通过 2009年6月27日中华人民共和国主席令第十六号公布)

第十一届全国人民代表大会常务委员会第九次会议决定,废止下列法律和有关法律问题的决定:

……

六、全国人民代表大会常务委员会关于惩治偷税、抗税犯罪的补充规定(1992年9月4日第七届全国人民代表大会常务委员会第二十七次会议通过)

八、全国人民代表大会常务委员会关于严惩组织、运送他人偷越国(边)境犯罪的补充规定(1994年3月5日第八届全国人民代表大会常务委员会第六次会议通过)

本决定自公布之日起施行。

全国人民代表大会常务委员会关于修改部分法律的决定（节选）

（2009年8月27日第十一届全国人民代表大会常务委员会第十次会议通过　2009年8月27日中华人民共和国主席令第十八号公布）

第十一届全国人民代表大会常务委员会第十次会议决定：

……

二、对下列法律和法律解释中关于“征用”的规定作出修改

（一）将下列法律和法律解释中的“征用”修改为“征收、征用”

……

12.《中华人民共和国刑法》第三百八十一条、第四百一十条

13. 全国人民代表大会常务委员会关于《中华人民共和国刑法》第九十三条第二款的解释

14. 全国人民代表大会常务委员会关于《中华人民共和国刑法》第二百二十八条、第三百四十二条、第四百一十条的解释

……

本决定自公布之日起施行。

中华人民共和国禁毒法（节选）

（2007 年 12 月 29 日第十届全国人民代表大会常务委员会第三十一次会议通过　2007 年 12 月 29 日中华人民共和国主席令第七十九号公布）

……

第七十一条　本法自 2008 年 6 月 1 日起施行。《全国人民代表大会常务委员会关于禁毒的决定》同时废止。

全国人民代表大会常务委员会关于《中华人民共和国刑法》第九十三条第二款的解释

（2000年4月29日第九届全国人民代表大会常务委员会第十五次会议通过　根据2009年8月27日第十一届全国人民代表大会常务委员会第十次会议《关于修改部分法律的决定》修正）

全国人民代表大会常务委员会讨论了村民委员会等村基层组织人员在从事哪些工作时属于刑法第九十三条第二款规定的“其他依照法律从事公务的人员”，解释如下：

村民委员会等村基层组织人员协助人民政府从事下列行政管理工作，属于刑法第九十三条第二款规定的“其他依照法律从事公务的人员”：

（一）救灾、抢险、防汛、优抚、扶贫、移民、救济款物的管理；

（二）社会捐助公益事业款物的管理；

（三）国有土地的经营和管理；

（四）土地征收、征用补偿费用的管理；

（五）代征、代缴税款；

（六）有关计划生育、户籍、征兵工作；

（七）协助人民政府从事的其他行政管理工作。

村民委员会等村基层组织人员从事前款规定的公务，利用职务上的便利，非法占有公共财物、挪用公款、索取他人财物或者非法收受他人财物，构成犯罪的，适用刑法第三百八十二条和第三百八十三条贪污罪、第三百八十四条挪用公款罪、第三百八十五条和第三百八十六条受贿罪的规定。

现予公告。

全国人民代表大会常务委员会关于《中华人民共和国刑法》第二百二十八条、第三百四十二条、第四百一十条的解释

（2001 年 8 月 31 日第九届全国人民代表大会常务委员会第二十三次会议通过　根据 2009 年 8 月 27 日第十一届全国人民代表大会常务委员会第十次会议《关于修改部分法律的决定》修正）

全国人民代表大会常务委员会讨论了刑法第二百二十八条、第三百四十二条、第四百一十条规定的“违反土地管理法规”和第四百一十条规定的“非法批准征收、征用、占用土地”的含义问题，解释如下：

刑法第二百二十八条、第三百四十二条、第四百一十条规定的“违反土地管理法规”，是指违反土地管理法、森林法、草原法等法律以及有关行政法规中关于土地管理的规定。

刑法第四百一十条规定的“非法批准征收、征用、占用土地”，是指非法批准征收、征用、占用耕地、林地等农用地以及其他土地。

现予公告。

全国人民代表大会常务委员会关于《中华人民共和国刑法》第二百九十四条第一款的解释

（2002年4月28日第九届全国人民代表大会常务委员会第二十七次会议通过）

全国人民代表大会常务委员会讨论了刑法第二百九十四条第一款规定的“黑社会性质的组织”的含义问题，解释如下：

刑法第二百九十四条第一款规定的“黑社会性质的组织”应当同时具备以下特征：

（一）形成较稳定的犯罪组织，人数较多，有明确的组织者、领导者，骨干成员基本固定；

（二）有组织地通过违法犯罪活动或者其他手段获取经济利益，具有一定的经济实力，以支持该组织的活动；

（三）以暴力、威胁或者其他手段，有组织地多次进行违法犯罪活动，为非作恶，欺压、残害群众；

（四）通过实施违法犯罪活动，或者利用国家工作人员的包庇或者纵容，称霸一方，在一定区域或者行业内，形成非法控制或者重大影响，严重破坏经济、社会生活秩序。

现予公告。

全国人民代表大会常务委员会关于《中华人民共和国刑法》第三百八十四条第一款的解释

（2002年4月28日第九届全国人民代表大会常务委员会第二十七次会议通过）

全国人民代表大会常务委员会讨论了刑法第三百八十四条第一款规定的国家工作人员利用职务上的便利，挪用公款"归个人使用"的含义问题，解释如下：

有下列情形之一的，属于挪用公款"归个人使用"：

（一）将公款供本人、亲友或者其他自然人使用的；

（二）以个人名义将公款供其他单位使用的；

（三）个人决定以单位名义将公款供其他单位使用，谋取个人利益的。

现予公告。

全国人民代表大会常务委员会关于《中华人民共和国刑法》第三百一十三条的解释

（2002年8月29日第九届全国人民代表大会常务委员会第二十九次会议通过）

全国人民代表大会常务委员会讨论了刑法第三百一十三条规定的“对人民法院的判决、裁定有能力执行而拒不执行，情节严重”的含义问题，解释如下：

刑法第三百一十三条规定的“人民法院的判决、裁定”，是指人民法院依法作出的具有执行内容并已发生法律效力的判决、裁定。人民法院为依法执行支付令、生效的调解书、仲裁裁决、公证债权文书等所作的裁定属于该条规定的裁定。

下列情形属于刑法第三百一十三条规定的“有能力执行而拒不执行，情节严重”的情形：

（一）被执行人隐藏、转移、故意毁损财产或者无偿转让财产、以明显不合理的低价转让财产，致使判决、裁定无法执行的；

（二）担保人或者被执行人隐藏、转移、故意毁损或者转让已向人民法院提供担保的财产，致使判决、裁定无法执行的；

（三）协助执行义务人接到人民法院协助执行通知书后，拒不协助执行，致使判决、裁定无法执行的；

（四）被执行人、担保人、协助执行义务人与国家机关工作人员通谋，利用国家机关工作人员的职权妨害执行，致使判决、裁定无法执行的；

（五）其他有能力执行而拒不执行，情节严重的情形。

国家机关工作人员有上述第四项行为的，以拒不执行判决、裁定罪的共犯追究刑事责任。国家机关工作人员收受贿赂或者滥用职权，有上述第四项行为的，同时又构成刑法第三百八十五条、第三百九十七条规定之罪的，依照处罚较重的规定定罪处罚。

现予公告。

全国人民代表大会常务委员会关于《中华人民共和国刑法》第九章渎职罪主体适用问题的解释

（2002 年 12 月 28 日第九届全国人民代表大会常务委员会第三十一次会议通过）

全国人大常委会根据司法实践中遇到的情况，讨论了刑法第九章渎职罪主体的适用问题，解释如下：

在依照法律、法规规定行使国家行政管理职权的组织中从事公务的人员，或者在受国家机关委托代表国家机关行使职权的组织中从事公务的人员，或者虽未列入国家机关人员编制但在国家机关中从事公务的人员，在代表国家机关行使职权时，有渎职行为，构成犯罪的，依照刑法关于渎职罪的规定追究刑事责任。

现予公告。

全国人民代表大会常务委员会
关于《中华人民共和国刑法》
有关信用卡规定的解释

（2004年12月29日第十届全国人民代表大会常务委员会第十三次会议通过）

全国人民代表大会常务委员会根据司法实践中遇到的情况，讨论了刑法规定的“信用卡”的含义问题，解释如下：

刑法规定的“信用卡”，是指由商业银行或者其他金融机构发行的具有消费支付、信用贷款、转账结算、存取现金等全部功能或者部分功能的电子支付卡。

现予公告。

全国人民代表大会常务委员会关于《中华人民共和国刑法》有关出口退税、抵扣税款的其他发票规定的解释

（2005 年 12 月 29 日第十届全国人民代表大会常务委员会第十九次会议通过）

全国人民代表大会常务委员会根据司法实践中遇到的情况，讨论了刑法规定的“出口退税、抵扣税款的其他发票”的含义问题，解释如下：

刑法规定的“出口退税、抵扣税款的其他发票”，是指除增值税专用发票以外的，具有出口退税、抵扣税款功能的收付款凭证或者完税凭证。

现予公告。

全国人民代表大会常务委员会关于《中华人民共和国刑法》有关文物的规定适用于具有科学价值的古脊椎动物化石、古人类化石的解释

（2005年12月29日第十届全国人民代表大会常务委员会第十九次会议通过）

全国人民代表大会常务委员会根据司法实践中遇到的情况，讨论了关于走私、盗窃、损毁、倒卖或者非法转让具有科学价值的古脊椎动物化石、古人类化石的行为适用刑法有关规定的问题，解释如下：

刑法有关文物的规定，适用于具有科学价值的古脊椎动物化石、古人类化石。

现予公告。

全国人民代表大会常务委员会关于《中华人民共和国刑法》第三十条的解释

（2014年4月24日第十二届全国人民代表大会常务委员会第八次会议通过）

全国人民代表大会常务委员会根据司法实践中遇到的情况，讨论了刑法第三十条的含义及公司、企业、事业单位、机关、团体等单位实施刑法规定的危害社会的行为，法律未规定追究单位的刑事责任的，如何适用刑法有关规定的问题，解释如下：

公司、企业、事业单位、机关、团体等单位实施刑法规定的危害社会的行为，刑法分则和其他法律未规定追究单位的刑事责任的，对组织、策划、实施该危害社会行为的人依法追究刑事责任。

现予公告。

全国人民代表大会常务委员会关于《中华人民共和国刑法》第一百五十八条、第一百五十九条的解释

（2014年4月24日第十二届全国人民代表大会常务委员会第八次会议通过）

全国人民代表大会常务委员会讨论了公司法修改后刑法第一百五十八条、第一百五十九条对实行注册资本实缴登记制、认缴登记制的公司的适用范围问题，解释如下：

刑法第一百五十八条、第一百五十九条的规定，只适用于依法实行注册资本实缴登记制的公司。

现予公告。

全国人民代表大会常务委员会关于《中华人民共和国刑法》第二百六十六条的解释

（2014 年 4 月 24 日第十二届全国人民代表大会常务委员会第八次会议通过）

全国人民代表大会常务委员会根据司法实践中遇到的情况，讨论了刑法第二百六十六条的含义及骗取养老、医疗、工伤、失业、生育等社会保险金或者其他社会保障待遇的行为如何适用刑法有关规定的问题，解释如下：

以欺诈、伪造证明材料或者其他手段骗取养老、医疗、工伤、失业、生育等社会保险金或者其他社会保障待遇的，属于刑法第二百六十六条规定的诈骗公私财物的行为。

现予公告。

全国人民代表大会常务委员会关于《中华人民共和国刑法》第三百四十一条、第三百一十二条的解释

（2014 年 4 月 24 日第十二届全国人民代表大会常务委员会第八次会议通过）

全国人民代表大会常务委员会根据司法实践中遇到的情况，讨论了刑法第三百四十一条第一款规定的非法收购国家重点保护的珍贵、濒危野生动物及其制品的含义和收购刑法第三百四十一条第二款规定的非法狩猎的野生动物如何适用刑法有关规定的问题，解释如下：

知道或者应当知道是国家重点保护的珍贵、濒危野生动物及其制品，为食用或者其他目的而非法购买的，属于刑法第三百四十一条第一款规定的非法收购国家重点保护的珍贵、濒危野生动物及其制品的行为。

知道或者应当知道是刑法第三百四十一条第二款规定的非法狩猎的野生动物而购买的，属于刑法第三百一十二条第一款规定的明知是犯罪所得而收购的行为。

现予公告。